O DESPERTAR DE TUDO

DAVID GRAEBER E DAVID WENGROW

O despertar de tudo

Uma nova história da humanidade

Tradução
Denise Bottmann
Claudio Marcondes

5ª reimpressão

Copyright © 2021 by David Graeber e David Wengrow
Todos os direitos reservados, incluindo os direitos de reprodução total
ou em parte em qualquer formato.

*Grafia atualizada segundo o Acordo Ortográfico da Língua Portuguesa de 1990,
que entrou em vigor no Brasil em 2009.*

Tradução das notas, referências bibliográficas e índice remissivo de George
Schlesinger.

Título original
The Dawn of Everything: A New History of Humanity

Capa
Thomas Colligan

Preparação
Alexandre Boide

Índice remissivo
Luciano Marchiori

Revisão
Natália Mori Marques
Renata Lopes Del Nero

Dados Internacionais de Catalogação na Publicação (CIP)
(Câmara Brasileira do Livro, SP, Brasil)

Graeber, David
    O despertar de tudo : Uma nova história da humani-
dade / David Graeber e David Wengrow ; tradução Denise
Bottmann, Claudio Marcondes. — 1ª ed. — São Paulo :
Companhia das Letras, 2022.

    Título original : The Dawn of Everything : A New His-
tory of Humanity.
    ISBN 978-65-5921-172-2

    1. Civilização – Filosofia 2. História do mundo 3. His-
tória social I. Wengrow, David. II. Marcondes, Claudio. III.
Título.

22-109451	CDD-901

Índice para catálogo sistemático:
1. Civilização : Filosofia e teoria   901

Cibele Maria Dias – Bibliotecária – CRB-8/9427

Todos os direitos desta edição reservados à
EDITORA SCHWARCZ S.A.
Rua Bandeira Paulista, 702, cj. 32
04532-002 — São Paulo — SP
Telefone: (11) 3707-3500
www.companhiadasletras.com.br
www.blogdacompanhia.com.br
facebook.com/companhiadasletras
instagram.com/companhiadasletras
twitter.com/cialetras

Sumário

Lista de mapas 7

Prefácio e dedicatória 9

Agradecimentos 11

1. Adeus à infância da humanidade 15
2. Liberdade perversa 42
3. Descongelando a Era Glacial 95
4. Pessoas livres 139
5. Muitas estações atrás 185
6. Jardins de Adônis 232
7. A ecologia da liberdade 273
8. Cidades imaginárias 301
9. Oculto à vista de todos 354
10. Por que o Estado não tem origem 386
11. O círculo completo 469
12. Conclusão 522

Notas 557
Referências bibliográficas 627
Índice remissivo 681

Lista de mapas

1. A América do Norte tal como definida por etnólogos do começo do século xx (inserção: a "zona fragmentada" etnolinguística do norte da Califórnia)
(Adaptado de C. D. Wissler, "The North American Indians of the Plains", *Popular Science Monthly*, n. 82, 1913; A. L. Kroeber, *Handbook of the Indians of California. Bureau of American Ethnology Bulletin*, n. 78. Washington, DC: Instituto Smithsonian, 1925.)

2. O Crescente Fértil do Oriente Médio — cultivadores neolíticos num mundo de caçadores-coletores mesolíticos, 8500-8000 a.C.
(Adaptado de um mapa original de A. G. Sherratt, cortesia de S. Sherratt.)

3. Centros independentes de domesticação de plantas e animais
(Adaptado de um mapa original, cortesia de D. Fuller.)

4. Nebelivka: um "megassítio" pré-histórico nas matas da estepe ucraniana
(Baseado num mapa original desenhado por Y. Beadnell com base nos dados de D. Hale; cortesia de J. Chapman e B. Gaydarska.)

5. Teotihuacán: residências em torno dos monumentos principais na área central

(Adaptado de R. Millon, *The Teotihuacán Map*. Austin: University of Texas Press, 1973; cortesia do Teotihuacan Mapping Project e de M. E. Smith.)

6. Alguns sítios arqueológicos cruciais na bacia do rio Mississippi e regiões adjacentes

(Adaptado de um mapa original, cortesia de T. R. Pauketat.)

7. No alto: disposição dos diversos clãs (1-5) numa aldeia osage. Abaixo: como se dispõem os representantes dos mesmos clãs no interior de uma tenda para rituais importantes

(A partir de A.C. Fletcher e F. La Flesche, "The Omaha Tribe", 1911. *Twenty-seventh Annual Report of the Bureau of American Ethnology*, 1905-6. Washington, DC: Bureau of American Ethnology; e F. La Flesche, *War Ceremony and Peace Ceremony of the Osage Indians. Bureau of American Ethnology Bulletin*, n. 101. Washington, DC: Governos nos Estados Unidos da América, 1939.)

Prefácio e dedicatória

David Wengrow

David Rolfe Graeber morreu aos 59 anos de idade, em 2 de setembro de 2020, apenas três semanas depois de terminarmos a escrita deste livro, que nos absorvera por mais de dez anos. Começou como uma distração das nossas obrigações acadêmicas mais "sérias": uma experiência, quase um jogo, em que um antropólogo e um arqueólogo tentavam reconstituir aquele tipo de diálogo grandioso sobre a história da humanidade que costumava ser tão comum nos nossos campos, mas agora com dados científicos modernos. Não havia regras nem prazos. Escrevíamos como e quando tínhamos vontade, o que veio a se tornar cada vez mais uma atividade diária. Nos últimos anos antes de concluirmos, e conforme o projeto ganhava impulso, não era raro conversarmos duas ou três vezes por dia. Com frequência esquecíamos quem tinha aparecido com essa ou aquela ideia, com esse ou aquele novo conjunto de fatos e exemplos; ia tudo para "o arquivo", que logo ultrapassou o âmbito de um livro. O resultado não é uma colcha de retalhos, mas uma autêntica síntese. Percebíamos os nossos estilos de pensamento e de escrita convergindo pouco a pouco até se tornarem um fluxo único. Percebendo que não queríamos encerrar a jornada intelectual em que tínhamos embarcado, e que muitos dos conceitos apresentados neste livro se fortaleceriam caso fossem mais desenvolvidos e exemplificados, planejamos escrever as continuações: nada menos que três. Mas este primeiro volume precisava terminar em algum ponto, e em 6 de agosto, às 21h18, David Graeber anunciou com uma grandiloquência típica do Twitter (e citando vagamente Jim Morrison), que estava pronto: "O meu cérebro se sente atingido por uma entorpecedora surpresa". Chegamos ao fim como havíamos começado, com diálogo e uma constante troca de rascunhos, lendo, partilhando e discutindo as mesmas fontes, não raro madrugada adentro. David era muito mais do que um antropólogo. Era um intelectual público e ativista de renome internacional, que procurou viver de acordo com seus ideais de libertação e de justiça social, dando esperança aos oprimidos e inspirando inúmeros outros a seguirem esse exemplo. Este livro é dedicado à cara memória de David Graeber (1961-2020) e, como era do seu desejo, à memória dos seus pais, Ruth Rubinstein Graeber (1917-2006) e Kenneth Graeber (1914-96). Que descansem juntos e em paz.

Agradecimentos

Tristes circunstâncias obrigam a mim, David Wengrow, escrever estes agradecimentos na ausência de David Graeber. Ele deixa a esposa e companheira constante, Nika Dubrovsky. O falecimento de David foi acompanhado por um pesar imensurável, que uniu pessoas de todos os continentes, classes sociais e ideologias. Dez anos escrevendo e pensando juntos é muito tempo, e não me cabe imaginar a quem David gostaria de agradecer neste contexto específico. Seus companheiros de viagem pelos caminhos que levaram a este livro já sabem quem são e o quanto ele valorizava o apoio, a atenção e os conselhos que recebia. De uma coisa tenho certeza: este livro não teria surgido — pelo menos não numa forma sequer remotamente semelhante à que temos aqui — sem a inspiração e a energia de Melissa Flashman, nossa sábia conselheira constante em todas as questões literárias. Em Erc Chinski, da Farrar, Straus and Giroux, e em Thomas Penn, da Penguin UK, encontramos uma magnífica equipe editorial e verdadeiros parceiros intelectuais. Pelas entusiasmadas participações e intervenções em nossas reflexões ao longo de muitos anos, meus sinceros agradecimentos a Debbie Bookchin, Alpa Shah, Erhard Schüttpelz e Andrea Luka Zimmerman. Pela generosa e competente orientação em vários aspectos do livro, meus agradecimentos a Manuel Arroyo-Kalin, Elizabeth

Baquedano, Nora Bateson, Stephen Berquist, Nurit Bird-David, Maurice Bloch, David Carballo, John Chapman, Luiz Costa, Philippe Descola, Aleksandr Diachenko, Kevan Edinborough, Dorian Fuller, Bisserka Gaydarska, Colin Grier, Thomas Grisaffi, Chris Hann, Wendy James, Megan Laws, Patricia McAnany, Barbara Alice Mann, Simon Martin, Jens Notroff, José R. Oliver, Mike Parker Pearson, Timothy Pauketat, Matthew Pope, Karen Radner, Natasha Reynolds, Marshall Sahlins, James C. Scott, Stephen Shennan e Michele Wollstonecroft.

Vários dos temas aqui expostos foram inicialmente apresentados como palestras e artigos em periódicos acadêmicos; uma versão anterior do capítulo 2 saiu em francês como "La sagesse de Kandiaronk: la critique indigène, le mythe du progrès et la naissance de la Gauche" (*La Revue du MAUSS*); partes do capítulo 3 foram inicialmente apresentadas como "Farewell to the childhood of man: ritual, seasonality, and the origins of inequality" (The 2014 Henry Myers Lecture, *Journal of the Royal Anthropological Institute*), e do capítulo 8 como "Cities before the state in early Eurasia" (The 2015 Jack Goody Lecture, *Max Planck Institute for Social Anthropology*).

Agradeço às várias instituições acadêmicas e aos grupos de pesquisa que nos receberam para expormos e debatermos temas relacionados a este livro, em especial a Enzo Rossi e Philippe Descola por encontros memoráveis na Universidade de Amsterdam e no Collège de France. James Thomson (ex--editor-chefe da *Eurozine*) foi o primeiro a nos ajudar a divulgar nossas ideias a um universo mais amplo de leitores com o ensaio "How to change the course of human history (at least, the part that's already happened)", que ele não hesitou em aceitar enquanto outras publicações hesitavam; agradeço também aos vários tradutores que desde então ampliaram o público leitor desse artigo, além de Kelly Burdick, do *Lapham's Quarterly*, por nos convidar para contribuirmos num número especial sobre o tema da democracia, em que expusemos algumas das ideias que agora estão no capítulo 9.

Desde o começo, David e eu incorporamos nosso trabalho neste livro às disciplinas que lecionávamos, respectivamente no Departamento de Antropologia da London School of Economics e no Instituto de Arqueologia do University College London, e assim, em nome dos dois, gostaria de agradecer aos nossos estudantes dos últimos dez anos pelas suas várias reflexões e percepções. Martin, Judy, Abigail e Jack Wengrow estiveram ao meu lado em todos os momentos. Meu último e mais profundo agradecimento vai para Ewa

Domaradzka, por oferecer a crítica mais severa e o apoio mais abnegado que um companheiro poderia desejar; você entrou na minha vida de um modo muito semelhante a David e este livro: "A chuva se precipitando súbita do ar,/ Batendo nas paredes nuas do sol/ [...]/ A chuva, a chuva no solo seco!".

1. Adeus à infância da humanidade
*Ou por que este não é um livro sobre
as origens da desigualdade*

*Esse ânimo se faz sentir por toda parte, política, social e filosofica-
mente. Estamos vivendo aquilo que os gregos chamavam de* kairós
*— o momento certo — para uma 'metamorfose dos deuses', isto é,
dos princípios e símbolos fundamentais*

C. G. Jung, *Presente e futuro* (1958)

A maior parte da história humana está irremediavelmente perdida para
nós. A nossa espécie, *Homo sapiens*, existe pelo menos há 200 mil anos, mas
quase não temos ideia do que aconteceu durante grande parte desse tempo. No
norte da Espanha, por exemplo, há pinturas e entalhes na caverna de Altamira
que foram sendo criadas ao longo de uns 10 mil anos, entre 25 000 e 15 000 a.C.
aproximadamente. Julga-se que ocorreram muitos eventos dramáticos durante esse período. Não temos como saber o que foi a grande maioria deles.

Isso não tem muita importância para as pessoas em geral, porque as pessoas em geral raramente pensam sobre a magnitude da história humana. Não
têm muito motivo para isso. Se e quando a questão chega a surgir, costuma ser
quando a pessoa está se perguntando por que o mundo parece ser tão caótico e

por que tantas vezes os seres humanos destratam uns aos outros — as razões da guerra, da ganância, da exploração, da indiferença sistemática ao sofrimento alheio. Sempre fomos assim ou, em algum momento, algo deu muito errado?

Trata-se na prática de um debate teológico. No fundo, a pergunta é: os seres humanos são inerentemente bons ou inerentemente maus? Mas, pensando bem, um questionamento nesses termos faz pouquíssimo sentido. "Bem" e "mal" são conceitos que dizem respeito apenas aos seres humanos. Jamais passaria pela cabeça de alguém discutir se um peixe ou uma árvore são bons ou maus, porque "bom" e "mau" são conceitos humanos que criamos para nos comparar uns aos outros. Por isso, discutir se os seres humanos são bons ou maus em sua essência faz tanto sentido quanto discutir se os seres humanos são naturalmente gordos ou magros.

Mesmo assim, quando refletem sobre as lições da pré-história, as pessoas quase sempre voltam a esse tipo de pergunta. Todo mundo conhece a resposta cristã: os humanos de outrora viviam num estado de inocência, mas foram maculados pelo pecado original. Aspiramos à divindade e fomos castigados por isso; agora vivemos num estado degenerado, esperando uma futura redenção. Hoje, a típica versão mais difundida dessa história é alguma retomada do *Discurso sobre a origem e os fundamentos da desigualdade entre os homens*, que Rousseau escreveu em 1754. Antigamente, segundo essa história, éramos caçadores-coletores e vivemos por muito tempo numa condição de inocência infantil, em pequenos bandos. Esses bandos eram igualitários, justamente por serem bem pequenos. Foi só depois da "Revolução Agrícola", e ainda mais depois do surgimento das cidades, que essa feliz condição se desfez, dando origem à "civilização" e ao "Estado" — o que também significou o aparecimento da literatura, da ciência e da filosofia escritas, mas, ao mesmo tempo, de quase tudo o que há de ruim na vida humana: o patriarcado, exércitos permanentes, execuções em massa e burocratas irritantes exigindo que passemos boa parte da vida preenchendo formulários.

De fato é uma simplificação das mais grosseiras, mas realmente parece ser essa a história fundacional que aflora sempre que alguém, seja um psicólogo organizacional ou um teórico revolucionário, diz algo como "mas, claro, os seres humanos passaram a maior parte da sua história evolutiva vivendo em grupos de dez ou vinte pessoas" ou "a agricultura foi talvez o erro mais grave da humanidade". E, como veremos, muitos autores que atingem grandes públicos defendem de forma explícita esse argumento. O problema é que quem for procurar uma alternativa a essa visão bastante deprimente da história logo vai descobrir que a única alternativa disponível é, na verdade, ainda pior: se não for Rousseau, então é Thomas Hobbes.

O *Leviatã* de Hobbes, publicado em 1651, é em muitos aspectos o texto fundador da teoria política moderna. O livro afirmava que, sendo os seres humanos as criaturas egoístas que são, a vida num Estado de Natureza original nada tinha de inocente; pelo contrário, devia ser "solitária, pobre, sórdida, brutal e curta" — na prática, um estado de guerra, com todos lutando contra todos. Se houve algum progresso em relação a esse estado de coisas, argumentaria um hobbesiano, em grande medida foi exatamente por causa dos mecanismos repressivos que Rousseau condenava: governos, tribunais, burocracias, polícia. Essa visão das coisas também circula há muito tempo. Existe uma razão para que, na língua inglesa, as palavras *politics*, *polite* e *police* [política, polido, polícia] soem quase iguais: todas derivam da palavra grega *polis*, ou cidade, cujo equivalente em latim é *civitas*, de onde vem *civility*, *civic* e uma certa acepção moderna de *civilization* [civilidade, cívico, civilização].

De acordo com essa concepção, a sociedade humana se funda sobre a repressão coletiva dos nossos instintos mais elementares, o que se torna ainda mais necessário quando uma grande quantidade de seres humanos habita o mesmo espaço. Assim, o hobbesiano de hoje diria que, de fato, vivemos a maior parte da nossa história evolutiva em pequenos bandos, que podiam ser harmoniosos principalmente porque tinham um interesse em comum pela sobrevivência de sua prole ("investimento parental", como dizem os biólogos evolucionários). Mas mesmo esses bandos não se orientavam de forma nenhuma pela igualdade. Havia sempre, nessa versão, algum "macho alfa" em posição de liderança. A hierarquia e a dominação — e a atuação descarada em nome dos próprios interesses — sempre foram a base da sociedade humana. É que simplesmente aprendemos, em termos coletivos, que mais vale dar prioridade aos nossos interesses de longo prazo do que aos nossos instintos de curto prazo — ou melhor, mais vale criar leis que nos obriguem a limitar a ação de acordo com nossos piores impulsos a áreas socialmente úteis, como a economia, e refreá-los em outras partes.

Como o leitor provavelmente há de notar pelo tom de nosso texto, não gostamos muito da escolha entre essas duas alternativas. Nossas objeções podem ser classificadas em três amplas categorias. Como explicações do curso geral da história humana, essas alternativas:

1. simplesmente não são verdadeiras;
2. têm implicações políticas sinistras;
3. tornam o passado desnecessariamente opaco.

Este livro é uma tentativa de começar a contar outra história, mais interessante e menos desoladora, que também leve mais em conta o que as últimas décadas de pesquisas nos têm ensinado. Em parte, trata-se de juntar as evidências que vêm se acumulando na arqueologia, na antropologia e disciplinas afins, e que apontam para uma explicação totalmente nova do desenvolvimento das sociedades humanas nos últimos 30 mil anos, mais ou menos. Quase todas essas pesquisas contrariam a narrativa convencional, porém é bastante comum que as descobertas mais notáveis acabem ficando restritas ao trabalho de especialistas ou tenham de ser depreendidas das entrelinhas das publicações científicas.

Só para dar uma ideia de como é diferente o quadro que se configura: hoje está claro que as sociedades humanas antes do surgimento do cultivo agrícola não se limitavam a pequenos bandos igualitários. Pelo contrário, o mundo dos caçadores-coletores, antes da chegada da agricultura, era repleto de experiências sociais arrojadas, parecendo muito mais um variado desfile carnavalesco de formas políticas do que as insípidas abstrações da teoria evolucionária. A agricultura, por outro lado, não determinou o aparecimento da propriedade privada, nem marcou um avanço irreversível rumo à desigualdade. Na verdade, muitas das primeiras comunidades agrícolas eram relativamente isentas de níveis e hierarquias. E, longe de estabelecer sólidas diferenças de classe, um número surpreendente das primeiras cidades do mundo se organizava segundo linhas de claro teor igualitário, que dispensavam governantes autoritários, políticos-guerreiros ambiciosos ou mesmo administradores opressores.

De todas as partes do planeta chegam informações sobre essas questões. Por isso, pesquisadores de todo o mundo também têm examinado materiais etnográficos e históricos sob um novo ponto de vista. Agora existem elementos que permitem criar uma história mundial bem diferente — mas, até o momento, esses elementos permanecem escondidos de todos, exceto de uns poucos especialistas privilegiados (e mesmo os especialistas às vezes hesitam em se afastar de sua minúscula parcela do quebra-cabeças e trocar figurinhas com outros estudiosos fora da sua pequena área de especialidade dentro de um campo mais amplo). Nosso objetivo neste livro é começar a juntar algumas peças desse quebra-cabeças, com plena consciência de que, até agora, ninguém tem nem de longe um conjunto completo. A tarefa é gigantesca, e as questões são tão importantes que serão necessários anos de pesquisas e debates até mesmo para começar a entender as reais implicações do quadro que estamos começando a enxergar. Mas é fundamental dar início a esse processo. Uma coisa que logo vai ficar clara é que o "quadro geral" predominante da história — adotado pelos seguidores atuais tanto de Hobbes quanto de Rousseau — não tem quase nenhuma relação com os fatos. Mas, para começar a entender as novas informações que estão diante de nós, não basta reunir e analisar enormes quantidades de dados. Também é necessária uma mudança conceitual.

Para promover essa mudança, é preciso rastrear alguns dos passos iniciais que levaram à nossa noção atual de evolução social: a ideia de que seria possível dispor as sociedades humanas em estágios de desenvolvimento, cada qual com tecnologias e formas de organização próprias (caçadores-coletores, agricultores, sociedade urbano-industrial e assim por diante). Como veremos, essas noções têm raízes numa reação conservadora às críticas da civilização europeia, que começou a ganhar terreno nas primeiras décadas do século XVIII. As origens dessa crítica, porém, não se encontram nos filósofos do Iluminismo (embora eles tenham inicialmente admirado e imitado essa crítica), e sim entre os críticos e observadores indígenas da sociedade europeia, como o chefe ameríndio (huroniano) Kondiaronk, sobre quem nos deteremos muito mais no próximo capítulo.

Essa revisita ao que chamaremos de "crítica indígena" consiste em levar a sério contribuições ao pensamento social que vieram de fora do cânone europeu e, em particular, dos povos indígenas aos quais os filósofos ocidentais tendem a atribuir o papel de anjos ou de demônios da história. As duas posições impedem qualquer possibilidade concreta de troca intelectual ou mesmo de um diálogo: debater com alguém tido como diabólico é tão difícil quanto debater com alguém tido como divino, pois quase tudo o que se pense ou diga será considerado ou descabido ou extremamente profundo. As pessoas de que trataremos neste livro já estão, em sua grande maioria, mortas há muito tempo. Não é mais possível ter nenhum tipo de conversa com elas. Apesar disso, estamos decididos a escrever sobre a pré-história como um período constituído por pessoas com quem poderíamos conversar, se ainda estivessem vivas — e que não são meros critérios de comparação, espécimes, bonecos de ventríloquo ou joguetes de alguma inexorável lei da história.

Existem tendências na história, sem dúvida. Algumas são poderosas, correntes tão fortes que se torna muito difícil nadar contra elas (embora sempre pareça existir alguém que consegue). Mas as únicas "leis" são aquelas que nós mesmos fazemos. E isso nos leva à nossa segunda objeção.

POR QUE TANTO A VERSÃO HOBBESIANA QUANTO A VERSÃO ROUSSEAUÍSTA DA HISTÓRIA HUMANA TÊM IMPLICAÇÕES POLÍTICAS SINISTRAS

As implicações políticas do modelo hobbesiano não exigem muita explicação. Um pressuposto fundamental do nosso sistema econômico é o de que os seres humanos são basicamente criaturas um tanto sórdidas e egoístas, baseando as suas decisões mais em cálculos individualistas e oportunistas do que no altruísmo ou na cooperação; nesse caso, o máximo que podemos esperar são controles internos e externos mais sofisticados do que o nosso impulso supostamente inato à acumulação material e ao autoelogio. A história formulada por Rousseau, contando como a espécie humana caiu de um estado original de inocência igualitária para a desigualdade, parece mais otimista (pelo menos existia um lugar melhor antes da decadência), mas hoje em dia ela é apresentada sobretudo para nos convencer de que, embora o sistema em que vivemos possa ser injusto, o máximo a que se pode aspirar em termos realistas são ajustes modestos aqui ou ali. Nesse sentido, o próprio termo "desigualdade" é muito expressivo.

Desde a crise financeira de 2008 e as revoltas que se seguiram, a questão da desigualdade e, com isso, o longo histórico da desigualdade se tornaram grandes temas de debate. Entre intelectuais, e até certo ponto mesmo entre as classes políticas, surgiu uma espécie de consenso de que os níveis de desigualdade social saíram de controle e que a maioria dos problemas mundiais resulta, de uma forma ou de outra, de um abismo cada vez maior entre os possuidores e os despossuídos. O simples fato de apontar esse problema já é uma contestação das estruturas de poder globais; no entanto, ao mesmo tempo, a questão é formulada em termos que, para as pessoas que se beneficiam dessas estruturas, ainda podem parecer tranquilizadores, pois implicam que jamais seria possível alguma solução significativa para essa questão.

Então imaginemos outra formulação do problema, como poderia ter sido feita há cinquenta ou cem anos: em termos de concentração de capital, oligopólio ou poder de classe. Comparada a qualquer um desses três, uma palavra como "desigualdade" na prática parece concebida para incentivar meias-medidas e soluções de compromisso. É possível imaginar a derrubada do capitalismo ou o fim do poder do Estado, mas nunca fica muito claro o que significaria eliminar a desigualdade. (Que tipo de desigualdade? De riqueza? De oportunidades? Até que ponto as pessoas teriam de ser iguais para podermos dizer que "eliminamos a desigualdade"?) O termo "desigualdade" é uma formulação de problemas sociais apropriada a uma era de reformadores tecnocratas que a princípio pressupõem que sequer existe a hipótese de visar uma transformação social efetiva.

Debater a desigualdade permite burilar números, discutir os índices de Gini e os patamares de disfunção, reajustar regimes tributários ou mecanismos de assistência social, e mesmo chocar o público com as estatísticas que revelam o ponto terrível a que chegaram as coisas ("Dá para imaginar? O 1% mais rico da população mundial detém 44% da riqueza do mundo!") — mas também permite fazer tudo isso sem abordar nenhum dos fatores que efetivamente despertam as objeções das pessoas a esses ordenamentos sociais "desiguais": por exemplo, que alguns consigam transformar a sua riqueza em poder sobre os demais; ou que muitos outros percebam que as suas necessidades não têm importância e que a sua existência não apresenta nenhum valor intrínseco. Supostamente devemos aceitar que isso é apenas o efeito inevitável da desigualdade, e que a desigualdade é o resultado inevitável de viver em uma sociedade numerosa, complexa, urbana, tecnologicamente sofisticada. O que se presume é que ela sempre estará entre nós. Só o que varia é o grau.

Hoje, há uma verdadeira enxurrada de reflexões sobre a desigualdade: desde 2011, a "desigualdade global" aparece regularmente como um dos temas principais de debates no Fórum Econômico Mundial em Davos. Existem índices de desigualdade, institutos para o estudo da desigualdade, um fluxo incessante de publicações tentando remeter a atual obsessão com a distribuição à Idade da Pedra. Existem até tentativas de calcular os níveis de renda e os índices de Gini entre os caçadores de mamutes do Paleolítico (ambos se revelaram muito baixos).[1] É quase como se sentíssemos a necessidade de criar fórmulas matemáticas que justificassem a frase, já muito difundida na época de Rousseau, de que nessas sociedades "todos eram iguais porque todos eram igualmente pobres".

Em última análise, o efeito de todas essas histórias sobre um estado original de inocência e de igualdade, assim como o uso do próprio termo "desigualdade", é fazer com que o melancólico pessimismo sobre a condição humana se tornasse senso comum: o resultado natural de nos enxergarmos pela grande lente da história. Sim, viver numa sociedade realmente igualitária talvez seria possível se fôssemos pigmeus ou bosquímanos do Kalahari. Mas, se quisermos criar hoje uma sociedade com igualdade de fato, teremos de arranjar um jeito de voltarmos a viver em pequenos bandos de forrageadores sem qualquer propriedade pessoal significativa. Como os forrageadores precisam de um território bastante extenso para forragear, isso exigiria uma redução da população na casa dos 99,9%. Afora isso, o máximo que podemos esperar é ajustar o tamanho da bota que sempre estará pisoteando nossa cara, ou talvez disputar um pouco mais de margem de manobra para alguns de nós conseguirem escapar temporariamente de sua sola.

Um primeiro passo para um quadro mais exato, e alentador, da história mundial seria abandonar de uma vez por todas o Jardim do Éden e simplesmente abandonar a ideia de que todos na terra viveram durante centenas de milhares de anos da mesma forma idílica de organização social. O estranho, porém, é que muitas vezes isso é considerado um gesto reacionário. "Então vocês estão dizendo que nunca houve uma verdadeira igualdade? E que isso, portanto, é impossível?" Essas objeções nos parecem contraproducentes e francamente nada realistas.

Em primeiro lugar, é estranho imaginar que, por exemplo, durante os 10 mil anos (alguns diriam 20 mil), mais ou menos, em que as pessoas fizeram pinturas nas paredes de Altamira, ninguém tenha experimentado — e não só em Altamira, mas em qualquer outra parte do mundo — outras formas de organização social. Qual é a probabilidade disso? Em segundo lugar, a capacidade de experimentar formas diferentes de organização social não é, por si só, uma parte essencial daquilo que nos faz humanos? Ou seja, seres com capacidade de criação e até de liberdade? Em última análise, a grande questão da história humana, como veremos, não é o acesso igualitário aos recursos materiais (solo, calorias, meios de produção), por mais que essas coisas sejam obviamente importantes, mas nossa capacidade de contribuir de forma igualitária para decidir como vivemos juntos. Claro que, para exercer essa capacidade, supõe-se que, para começo de conversa, haja uma decisão significativa a ser tomada.

Se, como muitos andam sugerindo, o futuro de nossa espécie agora depende de nossa capacidade de criar algo diferente (digamos, um sistema no qual a riqueza não possa ser transformada em poder de forma indiscriminada, ou no qual não se diga a algumas pessoas que suas necessidades não importam ou que sua existência não tem nenhum valor intrínseco), então o importante, em última análise, é se conseguiremos redescobrir as liberdades que nos fazem humanos, para começo de conversa. Já em 1936, o estudioso da pré-história V. Gordon Childe escreveu um livro chamado *A evolução cultural do homem*. Afora a linguagem sexista, esse é o espírito que queremos invocar. Somos resultado de uma criação coletiva. E se abordássemos a história humana dessa maneira? E se tratássemos as pessoas, desde o começo, como criaturas imaginativas, inteligentes, lúdicas, que merecem ser vistas dessa maneira? E se, em vez de contar uma história narrando como a nossa espécie decaiu de algum idílico estado de igualdade, perguntássemos como acabamos presos em grilhões conceituais tão rígidos que não conseguimos mais sequer imaginar a possibilidade de nos reinventar?

ALGUNS RÁPIDOS EXEMPLOS PARA MOSTRAR POR QUE AS VERSÕES
TRADICIONAIS SOBRE A AMPLITUDE GERAL DA HISTÓRIA HUMANA
ESTÃO EM SUA MAIORIA EQUIVOCADAS (OU O ETERNO RETORNO
DE JEAN-JACQUES ROUSSEAU)

Quando embarcamos neste livro, nossa intenção era procurar novas respostas para os questionamentos sobre as origens da desigualdade social. Não demorou muito para percebermos que não era uma abordagem muito boa.

Esse tipo de formulação da história humana — que implica necessariamente supor que a humanidade existiu em outros tempos num estado idílico e que é possível identificar um determinado ponto em que tudo começou a desandar — tornava quase impossível levantar qualquer uma das perguntas que nos pareciam de fato interessantes. Era quase como se todo mundo estivesse caindo na mesma armadilha. Especialistas se recusavam a generalizar. Os poucos dispostos a se arriscar quase sempre reproduziam alguma variação sobre Rousseau.

Vejamos um exemplo bem aleatório de uma dessas versões generalistas, *As origens da ordem política: Dos tempos pré-humanos até a Revolução Francesa* (2011), de Francis Fukuyama. Aqui temos Fukuyama expondo o que julga possível tomar como verdade corrente sobre as primeiras sociedades humanas: "Em seus estágios iniciais, a organização política humana é similar à sociedade no nível de bandos observada em primatas superiores, como os chimpanzés", que de acordo com Fukuyama pode ser considerada "uma forma padrão de organização social". A seguir, afirma que Rousseau estava em grande medida correto ao assinalar que a origem da desigualdade política residia no desenvolvimento da agricultura, já que as sociedades coletoras-caçadoras (segundo Fukuyama) não tinham nenhum conceito de propriedade privada e, portanto, pouco incentivo para demarcar uma área de terra e dizer: "Isso é meu". Essas sociedades de bandos, sugere ele, são "altamente igualitárias".[2]

Jared Diamond, em *O mundo até ontem: O que podemos aprender com as sociedades tradicionais?* (2012), sugere que esses bandos (e ele acredita que os seres humanos ainda viviam assim "até um período tão recente quanto 11 mil anos atrás") consistiam em "apenas algumas dezenas de indivíduos", a maioria com parentesco biológico. Esses grupos pequenos levavam uma vida bastante frugal, "caçando qualquer animal selvagem e coletando qualquer espécie vegetal que se encontrassem num acre de floresta". E sua vida social, segundo Diamond, era de uma simplicidade invejável. As decisões eram tomadas com "discussão frente a frente"; havia "poucas posses pessoais" e "nenhuma liderança política formal nem alguma especialização econômica significativa".[3] Diamond conclui que, infelizmente, foi apenas nesses grupos primordiais que os seres humanos algum dia alcançaram um grau significativo de igualdade social.

Para Diamond e Fukuyama, assim como para Rousseau alguns séculos antes, o que pôs fim a essa igualdade — por toda parte e para todo o sempre — foi a invenção da agricultura, bem como os níveis populacionais mais altos que permitia. A agricultura trouxe uma transição dos "bandos" para as "tribos". A acumulação dos excedentes alimentares possibilitou o crescimento da população, levado algumas "tribos" a se tonarem sociedades hierarquizadas, conhecidas como "chefaturas". Fukuyama desenha um quadro quase explicitamente bíblico desse processo, um afastamento do Éden: "Conforme pequenos bandos de seres humanos migravam e se adaptavam a ambientes diferentes, começavam a sair do estado de natureza, desenvolvendo novas instituições sociais".[4] Guerreavam disputando recursos. Jovens e atabalhoadas, essas sociedades logo iam acabar se metendo em alguma encrenca.

Era hora de criar juízo e de estabelecer lideranças adequadas. Começaram a surgir hierarquias. Não fazia sentido resistir, já que a hierarquia — segundo Diamond e Fukuyama — é inevitável a partir do momento em que os seres humanos adotam formas amplas e complexas de organização. Mesmo quando os novos líderes começaram a se comportar mal — abocanhando o excedente agrícola para favorecer parentes e bajuladores, tornando seu status permanente e hereditário, colecionando crânios como troféus, escravizando jovens em haréns ou rasgando o coração dos rivais com lâminas de obsidiana —, não havia como voltar atrás. Não demorou muito para os chefes conseguirem convencer os demais que deveriam ser tratados por "reis" ou mesmo "imperadores". Como Diamond nos explica pacientemente:

> Grandes populações não conseguem funcionar sem líderes que tomem as decisões, executivos que ponham as decisões em prática e burocratas que administrem as decisões e as leis. Infelizmente para todos vocês, leitores, que são anarquistas e sonham em viver sem nenhum governo de Estado, essas são as razões por que o sonho de vocês não é realista: será preciso encontrar algum pequeno bando ou tribo que se disponha a aceitá-los, em que todos se conheçam e em que reis, presidentes e burocratas são desnecessários.[5]

Uma conclusão desoladora, não só para anarquistas, mas para qualquer um que algum dia se perguntou se não poderia existir uma alternativa viável ao atual status quo. No entanto, a coisa realmente notável é que, apesar do tom peremptório do autor, essas declarações na verdade não se baseiam em nenhuma espécie de evidência científica. Como logo veremos, simplesmente não existe razão para crer que grupos pequenos tenham alguma probabilidade mais destacada de serem igualitários — ou, por outro lado, que grupos grandes precisem necessariamente de reis, de presidentes ou sequer de burocratas. Afirmações desse tipo não passam de preconceitos fantasiados de fatos ou mesmo de leis da história.[6]

EM BUSCA DA FELICIDADE

Como dissemos, tudo isso é uma repetição infindável de uma história que foi contada pela primeira vez por Rousseau em 1754. Muitos estudiosos contemporâneos são capazes de afirmar com todas as letras que a concepção de Rousseau se demonstrou correta. Nesse caso, seria uma coincidência fenomenal, pois o próprio Rousseau jamais sugeriu que o inocente Estado de Natureza tivesse realmente existido. Pelo contrário, ele frisou que se tratava de um experimento intelectual: "Não se devem tomar as pesquisas que se podem empreender sobre esse assunto como verdades históricas, mas apenas como raciocínios hipotéticos e condicionais, mais adequados para elucidar a natureza das coisas do que para mostrar a sua verdadeira origem".[7]

O retrato do Estado de Natureza traçado por Rousseau, e o seu fim com a chegada da agricultura, em nenhum momento se propôs a constituir a base para uma série de estágios evolucionários, como aqueles a que filósofos escoceses como Smith, Ferguson e Millar (e depois Lewis Henry Morgan) se referiam quando falavam em "Selvageria" e "Barbárie". De forma nenhuma Rousseau entendia esses diferentes modos de existência como graus de desenvolvimento social e moral, que correspondiam a mudanças históricas nos modos de produção: forrageamento, pastoralismo, agricultura, indústria. Em vez disso, o que Rousseau apresentava era mais uma espécie de parábola, tentando explorar um paradoxo fundamental da política humana: como nosso impulso inato de liberdade reiteradamente nos leva, de alguma maneira, a uma "marcha espontânea para a desigualdade"?[8]

Ao descrever como a invenção da agricultura leva primeiramente à propriedade privada, e a propriedade leva à necessidade de um governo civil para protegê-la, Rousseau propõe a questão da seguinte maneira: "Todos correram para os seus grilhões crendo assegurar a sua liberdade; pois, embora tivessem suficiente razão para sentir as vantagens de um ordenamento político, não tinham suficiente experiência para prever seus perigos".[9] Seu imaginário Estado de Natureza era invocado principalmente como forma de ilustrar o argumento. Na verdade, não foi Rousseau quem criou o conceito: como expediente retórico, o Estado de Natureza já vinha sendo utilizado na filosofia europeia durante um século. Amplamente empregado por teóricos jusnaturalistas, na prática o conceito permitia que qualquer pensador interessado nas origens do governo (Locke, Grotius e assim por diante) assumisse o papel de Deus, cada qual apresentando sua própria versão sobre a condição original da humanidade como trampolim para a especulação.

Hobbes fez algo muito parecido ao escrever no *Leviatã* que o estado primordial da sociedade humana teria sido necessariamente o de *"Bellum omnium contra omnes"*, uma guerra de todos contra todos, que só poderia ser superado com a criação de um poder soberano absoluto. Sua afirmação não era que de fato houve uma época em que todos viviam nesse estado primordial. Alguns desconfiam que o estado de guerra de Hobbes era na verdade uma alegoria para a guerra civil em sua Inglaterra natal em meados do século XVII, que levou o autor monarquista a se exilar em Paris. Seja como for, o máximo que o próprio Hobbes se aproximou de sugerir que esse estado realmente existiu foi quando observou que as únicas pessoas que não estavam sob a autoridade suprema de algum rei eram os próprios reis, os quais sempre pareciam estar guerreando entre si.

Apesar de tudo isso, muitos autores modernos tratam o *Leviatã* da mesma forma como outros se referem ao *Discurso* de Rousseau — como se ali estivessem as bases para um estudo evolucionário da história; e, embora os dois partam de pressupostos totalmente diferentes, o resultado é bastante parecido.[10]

"Quando se trata da violência em povos antes do advento do Estado", escreve o psicólogo Steven Pinker, "Hobbes e Rousseau estão falando do que não sabem: nenhum deles conhecia nada sobre a vida antes da civilização". Pinker está certíssimo nesse ponto. Ao mesmo tempo, porém, ele também nos pede para crer que Hobbes, escrevendo em 1651 (pelo visto, na base do palpite), conseguiu de alguma maneira adivinhar corretamente e formular uma análise da violência e das suas causas na história humana que é "tão boa quanto qualquer uma feita na nossa época".[11] Seria um veredito realmente espantoso — para não dizer condenatório — sobre séculos de pesquisas empíricas, se por acaso fosse verdadeiro. Como veremos, está longe disso.[12]

Podemos tomar Pinker como a quintessência do nosso hobbesiano moderno. Em sua *magnum opus*, *Os anjos bons da nossa natureza: Por que a violência diminuiu* (2012), e em livros posteriores como *O novo Iluminismo: Em defesa da razão, da ciência e do humanismo* (2018), ele argumenta que hoje vivemos num mundo que, no geral, é muito menos violento e cruel do que qualquer coisa que os nossos ancestrais tenham algum dia vivenciado.[13]

Ora, isso pode parecer estranho a qualquer um que passe tempo suficiente assistindo aos noticiários, e ainda mais a quem conhece bem a história do século xx. Mas Pinker está convicto de que uma análise estatística objetiva, isenta de sentimentos, nos mostrará que estamos vivendo numa era de paz e segurança sem precedentes. E isso, argumenta ele, é o resultado lógico de vivermos em Estados soberanos, cada qual com o monopólio sobre o uso legítimo da violência dentro das suas fronteiras, em oposição às "sociedades anárquicas" (como as chama) de nosso remoto passado evolucionário, quando a vida para a maioria das pessoas era, de fato, tipicamente "sórdida, brutal e curta".

Como Pinker, a exemplo de Hobbes, está interessado nas origens do Estado, para ele o ponto de transição fundamental não é o surgimento da agricultura, mas o aparecimento das cidades. "Os arqueólogos", escreve Pinker, "nos dizem que os seres humanos viveram num estado de anarquia até o surgimento da civilização, há cerca de 5 mil anos, quando agricultores sedentários pela primeira vez se reuniram em cidades e Estados e criaram os primeiros governos."[14] O que se segue, usando termos bem claros, é um psicólogo moderno inventando coisas à medida que avança. Talvez esperássemos que um ardoroso defensor da ciência fosse abordar cientificamente o tema, com uma extensa avaliação das evidências — mas é essa a abordagem da pré-história humana que Pinker parece achar desinteressante, preferindo recorrer a relatos anedóticos, imagens e descobertas isoladas que causam sensação, como a de "Ötzi, o Homem de Gelo do Tirol", de 1991, que foi parar nas manchetes dos jornais.

"Qual era o problema com os antigos?", pergunta Pinker a certa altura. "Não podiam nos deixar um corpo interessante sem recorrer a malfeitorias?" Existe uma resposta óbvia: será que isso não depende, em primeiro lugar, do cadáver que se considera interessante? Sim, uns 5 mil e poucos anos atrás, alguém que estava atravessando os Alpes deixou o mundo dos vivos depois de levar uma flechada no flanco; mas não existe nenhuma razão em particular para tratar Ötzi como um representante típico da humanidade em sua condição original, a não ser, talvez, o fato de se encaixar bem no argumento de Pinker. Mas, se a única coisa que estamos fazendo é escolher a dedo o que preferimos, então poderíamos da mesma forma ter selecionado a sepultura muito anterior conhecida pelos arqueólogos como Romito 2 (a partir do nome da caverna na Calábria que lhe serviu de abrigo). Vamos considerar por um instante o que isso significaria se assim fizéssemos.

Romito 2 é a sepultura de 10 mil anos de um homem com um raro distúrbio genético (displasia acromesomélica) — um tipo severo de nanismo, que em vida o tornava uma anomalia em sua comunidade e incapaz de participar do tipo de caçada em altitudes elevadas necessário para a sobrevivência do grupo. Estudos sobre sua patologia mostram que, apesar dos níveis geralmente baixos de saúde e nutrição, aquela mesma comunidade de caçadores-coletores se empenhou em cuidar desse indivíduo ao longo da infância até o começo da idade adulta, fornecendo-lhe a mesma porção de carne de todos os outros e, por fim, oferecendo-lhe uma sepultura bem construída e protegida.[15]

E Romito 2 não é um caso isolado. Quando os arqueólogos fazem avaliações equilibradas das sepulturas de caçadores-coletores do Paleolítico, encontram altas incidências de deficiências relacionadas à saúde — mas também níveis surpreendentemente altos de cuidados dispensados até o momento da morte (e mais além, visto que alguns desses funerais eram de uma prodigalidade notável).[16] Se de fato quiséssemos chegar a uma conclusão geral sobre a forma original das sociedades humanas, com base nas frequências estatísticas dos indicadores de saúde extraídos das sepulturas antigas, teríamos de chegar à conclusão contrária à de Hobbes (e de Pinker): poderíamos dizer que, na origem, a nossa espécie é uma espécie que cuida e atende aos seus semelhantes, e não havia nada que tornasse necessário que a vida fosse sórdida, brutal ou curta.

Não estamos dizendo que de fato procedemos assim. Como veremos, há razões para crer que, durante o Paleolítico, apenas os indivíduos mais incomuns chegavam a ser sepultados. Queremos apenas mostrar como seria fácil fazer esse mesmo jogo com a chave invertida — fácil, mas, francamente, não muito esclarecedor.[17] Quando lidamos com as provas concretas, sempre vemos que as realidades da vida social humana nos seus primórdios eram muito mais complexas e bem mais interessantes do que qualquer teórico moderno do Estado de Natureza seria capaz de imaginar.

Quando se trata de escolher a dedo estudos de caso antropológicos e de apresentá-los como representativos de nossos "ancestrais contemporâneos" — ou seja, como modelos do que os seres humanos podiam ter sido em um Estado de Natureza —, os que levam adiante a tradição de Rousseau tendem a preferir forrageadores africanos, como os hadzas, os pigmeus ou os !kungs. Os que seguem Hobbes preferem os ianomâmis.

Os ianomâmis são uma população indígena que vive basicamente do plantio de taioba e mandioca na floresta amazônica, sua terra natal tradicional, na fronteira entre o sul da Venezuela e o norte do Brasil. Desde os anos 1970, adquiriram fama de ser o suprassumo dos selvagens violentos: "povo feroz", foi a denominação que lhes deu o seu etnógrafo mais famoso, Napoleon Chagnon. Isso parece bastante injusto em relação aos ianomâmis, já que, na verdade, as estatísticas mostram que eles não são especialmente violentos — comparados aos de outros grupos ameríndios, os índices de homicídio entre os ianomâmis se revelam de médios a baixos.[18] Mas, aqui também, as estatísticas concretas acabam tendo menos importância do que o recurso a relatos anedóticos e imagens sensacionalistas. Na verdade, se os ianomâmis são tão famosos e têm uma reputação tão pitoresca, é apenas por causa do próprio Chagnon: seu livro de 1968, *Yanomamö: The Fierce People* [Ianomâmis: O povo feroz], que vendeu milhões de exemplares e rendeu também uma série de filmes, como *The Ax Fight* [A luta de machados], que oferecia aos espectadores uma vívida mostra de guerra tribal. Por um certo período, tudo isso fez de Chagnon o antropólogo mais famoso do mundo, ao mesmo tempo convertendo os ianomâmis em um notório estudo de caso da violência primitiva e firmando sua importância científica no incipiente campo da sociobiologia.

Devemos ser justos com Chagnon (nem todo mundo é). Ele nunca alegou que os ianomâmis deveriam ser tratados como resquícios vivos da Idade da Pedra; na verdade, comentou várias vezes que evidentemente não eram. Ao mesmo tempo, e de modo um tanto incomum para um antropólogo, tendia a defini-los em especial pelas coisas que não possuíam (por exemplo, uma língua escrita, uma força policial, um judiciário formal), em vez de apresentar os traços positivos de sua cultura, o que tem na prática o mesmo efeito de apresentá-los como os primitivos em sua essência.[19] O argumento central de Chagnon era o de que os homens ianomâmis adultos obtêm vantagens culturais e reprodutivas matando outros homens adultos, e que essa retroalimentação entre violência e aptidão biológica — *se* fosse genericamente representativa da condição humana inicial — poderia ter tido consequências evolucionárias para a nossa espécie como um todo.[20]

Não é apenas um grande "se" — é um gigantesco "se". Outros antropólogos começaram a lançar uma enxurrada de questionamentos, nem sempre de maneira amistosa.[21] Levantou-se contra Chagnon uma série de alegações de má conduta profissional (a maioria girando em torno de critérios éticos em campo), e todo mundo tomou partido. Algumas dessas acusações se mostraram infundadas, mas a retórica dos defensores de Chagnon se tornou tão acalorada que (como afirmou outro celebrado antropólogo, Clifford Geertz) não só ele foi alçado a epítome da antropologia científica e rigorosa, mas todos os que questionavam sua figura ou seu darwinismo social foram furiosamente denunciados como "marxistas", "mentirosos", "antropólogos culturais da esquerda acadêmica", "aiatolás" e "chorões politicamente corretos". Até hoje, não existe modo mais fácil de levar os antropólogos a acusações mútuas de extremismo do que mencionar o nome de Napoleon Chagnon.[22]

O aspecto importante aqui é que os ianomâmis, como povo "sem Estado", supostamente exemplificariam o que Pinker chama de "armadilha hobbesiana", em que os indivíduos nas sociedades tribais se veem presos em ciclos repetitivos de incursões e guerras, levando uma vida arriscada e precária, sempre perto da morte violenta na ponta de uma arma afiada ou na extremidade de uma clava vingadora. É esse, segundo Pinker, o triste destino que nos é imposto pela evolução. Só escapamos a isso por nossa disposição em nos colocar sob a proteção coletiva dos Estados nacionais, dos tribunais de justiça e das forças policiais; e também em abraçar as virtudes do debate racional e do autocontrole que o autor considera herança exclusiva de um "processo civilizatório" europeu, que gerou a Era do Iluminismo — em outras palavras, se não fosse por Voltaire e pela polícia, a briga de facas sobre as descobertas de Chagnon teria sido física, e não apenas acadêmica.

Há muitos problemas nesse argumento. Começaremos pelos mais evidentes. A ideia de que nossos atuais ideais de liberdade, igualdade e democracia são de alguma maneira produtos da "tradição ocidental" causaria, na verdade, uma enorme surpresa em alguém como Voltaire. Como logo veremos, os pensadores do Iluminismo que propunham esses ideais atribuíam-nos quase sempre a estrangeiros e mesmo a "selvagens", como os ianomâmis. Isso não chega a ser surpreendente, já que é praticamente impossível encontrar um único autor na tradição ocidental, de Platão a Marco Aurélio e a Erasmo, que não deixasse muito claro que enfrentaria oposição por causa dessas ideias. A palavra "democracia" pode ter sido inventada na Europa (por assim dizer, pois a Grécia naquela época estava, em termos culturais, muito mais próxima da África do Norte e do Oriente Médio do que, digamos, da Inglaterra), mas é quase impossível encontrar um único autor europeu anterior ao século XIX argumentando que ela seria algo além de uma péssima forma de governo.[23]

Por razões óbvias, a posição de Hobbes tende a ser preferida pelos que estão na direita do espectro político, e a de Rousseau, pelos que pendem para a esquerda. Pinker pessoalmente se posiciona como um centrista racional, condenando os dois lados como extremistas. Mas então por que insistir que todas as formas importantes de progresso humano anteriores ao século XX só podem ser atribuídas a um único grupo de seres humanos, que costumavam se referir a si mesmos como "a raça branca" (e que hoje, de modo geral, chamam a si mesmos pelo sinônimo mais aceito de "civilização ocidental")? Não há nenhuma razão para isso. Seria igualmente fácil (na verdade, ainda mais) identificar coisas que podem ser interpretadas como os primeiros sinais de racionalidade, legalidade, democracia deliberativa e assim por diante em todo o mundo, e só então passar à história de como se aglutinaram no atual sistema global.[24]

A insistência, porém, de que tudo o que há de bom vem apenas da Europa permite que uma obra possa ser entendida como uma justificativa retroativa do genocídio, já que (para Pinker, ao que parece) a escravização, o estupro, o assassinato em massa e a destruição de civilizações inteiras — infligidos pelas potências europeias ao resto do mundo — constituem apenas mais um exemplo do comportamento humano desde sempre; não havia nada de incomum nisso. O que de fato importa, segundo esse argumento, é que isso possibilitou a disseminação do que Pinker considera serem as noções "puramente" europeias de liberdade, igualdade perante a lei e direitos humanos dos sobreviventes.

Por mais desagradável que tenha sido o passado, assegura-nos ele, há razões de sobra para nos sentirmos otimistas e, na verdade, até felizes com o rumo geral de nossa espécie. Sim, é verdade que ele admite que há espaço para alguns ajustes importantes em áreas como a desigualdade de renda, a redução da pobreza ou mesmo em questões de paz e segurança; mas, no cômputo geral — e em relação à quantidade de gente que hoje vive no mundo —, o que temos é um avanço espetacular em tudo o que a nossa espécie realizou até agora em sua história (a não ser se você for negro ou morar na Síria, por exemplo). A vida moderna, para Pinker, é em quase todos os aspectos superior ao que existia antes; e aqui, de fato, ele apresenta elaboradas estatísticas com a intenção de demonstrar que todos os dias todas as coisas sob todos os aspectos — saúde, segurança, educação, conforto e praticamente qualquer outro parâmetro imaginável — estão na verdade melhorando cada vez mais.

É difícil discutir com os números, mas, como qualquer estatístico é capaz de explicar, as estatísticas refletem a qualidade das premissas em que se baseiam. A "civilização ocidental" melhorou mesmo a vida de todos? Isso acaba levando à questão de como medir a felicidade humana, o que é uma coisa notoriamente difícil de fazer. Na prática, a única maneira confiável que algum dia alguém encontrou para determinar se um modo de vida é de fato mais satisfatório, pleno, feliz ou de alguma maneira preferível a algum outro modo é possibilitar que as pessoas experimentem os dois, permitir-lhes o direito de escolha e então ver o que de fato fazem. Por exemplo, se Pinker estiver correto, qualquer pessoa em sã consciência que tivesse de escolher entre (a) o caos violento e a pobreza sórdida do estágio "tribal" do desenvolvimento humano e (b) a relativa segurança e prosperidade da civilização ocidental, não hesitaria em optar correndo pela segurança.[25]

Mas existem, *sim*, dados empíricos disponíveis, e eles indicam que há algo de muito errado nas conclusões de Pinker.

Ao longo de muitos séculos, surgiram inúmeras ocasiões em que os indivíduos se viram em posição de fazer justamente essa escolha — e quase nunca foram pelo caminho que Pinker preveria. Alguns nos deixaram explicações claras e racionais das razões que os guiaram em suas escolhas. Vejamos o caso de Helena Valero, uma brasileira nascida numa família de origem espanhola, que Pinker menciona como uma "menina branca" raptada por ianomâmis em 1932, quando viajava com os pais pelo distante e isolado rio Dimití.

Durante duas décadas, Valero viveu com uma série de famílias ianomâmis, casando-se duas vezes e por fim alcançando uma posição de certa importância na comunidade. Pinker cita brevemente a narrativa posterior de Valero sobre a sua vida, em que descreve a brutalidade de uma incursão ianomâmi.[26] O que ele deixa de mencionar é que, em 1956, ela abandonou os ianomâmis para procurar a sua família e viver novamente na "civilização ocidental", onde acabou passando fome de tempos em tempos e sempre sofrendo rejeição e solidão. Depois de algum tempo, capaz de tomar uma decisão com conhecimento de causa, Helena Valero concluiu que preferia a vida entre os ianomâmis e voltou a viver com eles.[27]

A trajetória dela nada tem de incomum. A história colonial da América do Norte e da América do Sul é repleta de relatos de colonos, capturados ou adotados por sociedades indígenas, que tiveram a possibilidade de escolher onde queriam ficar e quase sempre escolhiam ficar com elas.[28] Isso ocorria mesmo com crianças raptadas. Ao voltarem para a convivência dos pais biológicos, a maioria voltava correndo para a família adotiva, em busca de proteção.[29] Por outro lado, os ameríndios incorporados à sociedade europeia por adoção ou casamento, inclusive os que — ao contrário da desafortunada Helena Valero — gozavam de considerável riqueza e instrução, quase sempre faziam o contrário: ou escapavam na primeira oportunidade ou — depois de tentar ao máximo se adaptar, e por fim não conseguindo — voltavam para a sociedade indígena para passar os dias finais de vida.

Um dos comentários mais eloquentes sobre todo esse fenômeno se encontra numa carta pessoal que Benjamin Franklin escreveu a um amigo:

> Quando uma Criança Índia foi criada entre nós, aprendeu nossa língua e se habituou a nossos Costumes, mas vai ver os parentes e fazer um Passeio Índio com eles, não há como convencê-la jamais a voltar, e que isso é natural não só como Índios, mas como homens, fica claro pelo fato de que, quando pessoas brancas de qualquer sexo são aprisionadas quando jovens pelos Índios e vivem algum tempo entre eles, embora resgatadas pelos Amigos e tratadas com toda a ternura

imaginável para persuadi-las a ficar entre os Ingleses, mesmo assim em Curto tempo elas se desagradam com nosso modo de vida e o trabalho e os esforços necessários para mantê-lo, e aproveitam a primeira oportunidade para escapar de novo para as Matas, de onde não há como recuperá-las. Lembro-me de ter ouvido um caso, em que a pessoa teve de ser trazida de volta para assumir a posse de uma boa Propriedade; mas, vendo que era preciso cuidar dela para mantê-la, entregou-a a um irmão mais novo, reservando para si apenas uma espingarda e um Casaco de lã, com o que tomou o caminho de volta para a Natureza.[30]

Muitos dos que se viram envolvidos nessas competições de civilização, caso possamos chamá-las assim, eram capazes de explicar claramente as razões das suas decisões de ficar com seus antigos captores. Alguns ressaltavam as virtudes da liberdade que encontraram nas sociedades indígenas, inclusive a liberdade sexual, mas também a liberdade diante da perspectiva de uma labuta incessante em busca de terras e riqueza.[31] Outros apontavam o esforço "do Índio" para impedir que em algum momento alguém caísse numa situação de pobreza, fome ou desamparo. Não era tanto uma questão de temerem pessoalmente a pobreza, mas sim de considerar a vida infinitamente mais agradável numa sociedade em que não havia ninguém em situação de miséria sórdida (talvez algo bastante parecido com a declaração de Oscar Wilde de se dizer um defensor do socialismo porque não gostava de ter de ver gente pobre nem de ouvir suas histórias). Para qualquer um que cresceu numa cidade cheia de moradores de rua e pessoas sem-teto — ou seja, infelizmente, a maioria de nós —, é sempre um pouco desconcertante descobrir que não há nada de inevitável nisso.

Outros ainda notaram a facilidade com que os forasteiros, acolhidos por famílias "índias", podiam ser aceitos por todos e alcançar posições importantes em suas comunidades adotivas, tornando-se membros de famílias de chefes ou tornando-se eles mesmos essas figuras de destaque.[32] Os propagandistas do modo de vida ocidental falam o tempo todo sobre a igualdade de oportunidades; porém, ao que parece, era nessas sociedades que isso realmente existia. As razões muito mais usuais, porém, diziam respeito à intensidade dos laços sociais estabelecidos nas comunidades indígenas: o cuidado mútuo, o amor e, acima de tudo, a felicidade, que descobriram ser impossível reproduzir quando estavam de volta aos povoamentos dos colonos europeus. A "Segurança" tem muitas facetas diferentes. Existe a segurança de saber que se tem uma chance estatisticamente menor de levar uma flechada. E existe a segurança de saber que, no caso de levar uma flechada, há pessoas no mundo que cuidarão com extremo cuidado dos ferimentos.

POR QUE A NARRATIVA CONVENCIONAL DA HISTÓRIA HUMANA É NÃO SÓ ERRADA, MAS DESNECESSARIAMENTE INSÍPIDA

Existe a sensação de que a vida indígena era, para colocar a coisa em termos bem simples, muito mais interessante do que a vida num povoado ou numa cidade "ocidental", sobretudo por causa das longas horas de atividades monótonas, repetitivas e vazias de significados. Se temos dificuldade em imaginar que uma vida alternativa poderia ser infinitamente envolvente e interessante, talvez seja mais um reflexo dos limites da nossa imaginação do que dessa vida em si.

Um dos aspectos mais perniciosos das narrativas usuais sobre a história mundial é o fato de enxugarem tudo, de reduzirem as pessoas a estereótipos fáceis, de simplificarem as questões (somos intrinsecamente egoístas e violentos ou inatamente bondosos e cooperativos?) em termos que por si só corroem e podem até destruir nossa visão sobre o potencial humano. Os "nobres" selvagens são, ao fim e ao cabo, tão desinteressantes quanto os selvagens: ou seja, nenhum dos dois existe de fato. A própria Helena Valero foi categórica nesse ponto. Os ianomâmis não eram demônios, garantiu ela, e tampouco anjos. Eram humanos, como todos nós.

Aqui precisamos ser claros: a teoria social sempre, e necessariamente, envolve alguma simplificação. Por exemplo, pode-se afirmar que quase todas as ações humanas têm um aspecto político, um aspecto econômico, um aspecto psicossexual e assim por diante. A teoria social é, em larga medida, um jogo de faz de conta em que fingimos, em prol do argumento, que há apenas uma coisa acontecendo: em suma, reduzimos tudo a uma caricatura para conseguirmos detectar padrões que, do contrário, seriam invisíveis. Em decorrência disso, todos os reais avanços na ciência social se fundam na coragem de dizer coisas que, em última análise, são um tanto ridículas: os trabalhos de Karl Marx, de Sigmund Freud ou de Claude Lévi-Strauss são apenas os exemplos mais destacados. O problema surge quando, muito tempo depois de feita a descoberta, as pessoas continuam simplificando.

Hobbes e Rousseau comunicaram a seus contemporâneos coisas desconcertantes, profundas e que abriam novas portas à imaginação. Hoje suas ideias são apenas lugares-comuns batidos. Não há nada nelas que justifique a simplificação recorrente das questões humanas. Se hoje os cientistas sociais continuam reduzindo as gerações passadas a caricaturas simplistas e bidimensionais, não é tanto para nos mostrar algo original, e sim porque acham que é isso o que se espera que façam para parecer "científicos". O resultado efetivo disso é o empobrecimento da história — e, por conseguinte, de nossa visão sobre nosso potencial. Encerremos esta introdução com um exemplo, antes de passar para o cerne da questão.

Desde Adam Smith, os que tentam provar que as formas contemporâneas de mercado competitivo têm as suas raízes na natureza humana apontam a existência do que chamam de "troca primitiva". Há evidências de que, dezenas de milhares de anos atrás, já havia a circulação de objetos — muitas vezes pedras preciosas, conchas ou outros adornos — por distâncias enormes. Na maioria das vezes eram os tipos de objetos que, conforme descobririam os antropólogos mais tarde, eram usados como "moedas primitivas" em todo o mundo. Então isso prova que o capitalismo, sob uma ou outra forma, sempre existiu?

Trata-se de uma lógica absolutamente circular. Se havia objetos preciosos circulando por longas distâncias, isso é prova de que havia "troca" e, nesse caso, a transação ter assumido algum tipo de formato comercial; portanto, o fato de que, 3 mil anos atrás, o âmbar do Báltico, por exemplo, tenha chegado ao Mediterrâneo, ou que conchas do Golfo do México tenham sido transportadas até Ohio, é prova de que estamos diante de alguma forma embrionária de economia de mercado. Os mercados são universais. Portanto, devia ter existido um mercado. Sendo assim, os mercados são universais. E por aí vai.

O que esses autores estão de fato dizendo é que pessoalmente não conseguem imaginar nenhuma outra razão para que os objetos preciosos circulassem. Falta de imaginação, porém, não é argumento. É quase como se esses autores sentissem medo de apresentar qualquer argumento que pareça original ou, se chegam a fazer isso, sentem-se obrigados a utilizar uma linguagem de verniz científico ("esferas de interação transregional", "redes de intercâmbio em múltiplas escalas") para não precisar imaginar o que exatamente poderiam ser essas coisas. A antropologia de fato oferece intermináveis exemplos que revelam como objetos valiosos podiam viajar longas distâncias na ausência de qualquer coisa parecida com uma economia de mercado.

O texto fundador da etnografia do século XX, *Argonautas do Pacífico Ocidental* (1922), de Bronisław Malinowski, descreve como os homens do "circuito kula" das Ilhas Massim, em Papua Nova Guiné, faziam expedições arriscadas por mares perigosos, em canoas a remo, só para trocarem entre si preciosas relíquias de família — colares e pulseiras de conchas (as mais importantes com seu nome e a história de seus donos anteriores) —, ficando com elas apenas por pouco tempo e então passando adiante, para outra expedição vinda de outra ilha. As relíquias de família formam um círculo perpétuo em torno do "circuito das ilhas", cruzando centenas de quilômetros no oceano, com pulseiras e colares seguindo em direções opostas. Para alguém de fora, parece absurdo. Para os homens das comunidades massins, era a aventura suprema, e nada podia ser mais importante do que levar dessa forma seu nome a lugares que nunca vira antes.

Isso é "comércio"? Talvez, mas seria forçar até o limite o que habitualmente entendemos por esse termo. Na verdade, há uma considerável literatura etnográfica mostrando como esse intercâmbio de longa distância funciona em sociedades sem mercado. Sim, existe o escambo: grupos diferentes podem se concentrar em certas especialidades — um é famoso pelos trabalhos com plumas, outro fornece sal, num terceiro todas as mulheres são oleiras — para adquirir coisas que eles mesmos não podem produzir; às vezes, um grupo se especializa na própria atividade de transportar coisas e pessoas de um local a outro. Mas muitas vezes vemos que essas redes regionais se desenvolvem em larga medida para criar relações de amizade ou para ter um pretexto para se visitarem de vez em quando;[33] e há inúmeras outras possibilidades que de maneira nenhuma se assemelham a um "comércio".

Listemos algumas delas, todas extraídas de materiais norte-americanos, para dar ao leitor uma ideia do que realmente podia estar acontecendo quando se fala em "esferas de interação de longa distância" no passado humano:

1. Sonhos ou buscas relacionadas a visões: entre os povos de língua iroquesa, nos séculos XVI e XVII, considerava-se de extrema importância realizar concretamente os sonhos das pessoas. Muitos observadores europeus se admiravam com a disposição dos indígenas em viajar durante dias para voltar com algum objeto, troféu, cristal ou mesmo um animal, como um cachorro, que tinham adquirido em sonhos. Quem sonhasse com um bem de um vizinho ou parente (um tacho, um ornamento, uma máscara etc.) podia pedi-lo sem o menor constrangimento; em decorrência disso, muitas vezes esses objetos iam passando de um povoado a outro. Nas Grandes Planícies, as viagens de longa distância à procura de objetos raros ou exóticos podiam fazer parte da jornada espiritual relacionada a visões.[34]

2. Curandeiros e artistas itinerantes: em 1528, quando um náufrago espanhol chamado Álvar Núñez Cabeza de Vaca foi da Flórida ao México, atravessando o atual Texas, descobriu que podia transitar facilmente pelas aldeias (mesmo por aldeias em guerra entre si) oferecendo seus serviços como mágico e curandeiro. Em grande parte da América do Norte, os curandeiros também eram artistas de variedades, e muitas vezes formavam equipes numerosas; os que sentiam que a apresentação lhes salvara a vida costumavam oferecer todos os seus bens materiais para serem divididos entre a trupe.[35] Dessa forma, objetos preciosos podiam facilmente percorrer enormes distâncias.

3. Jogos femininos de apostas: em muitas sociedades indígenas norte-americanas, as mulheres eram apostadoras inveteradas, que se encontravam assiduamente com outras das aldeias vizinhas para jogar dados ou um jogo com uma cabaça e caroços de ameixa, e costumavam apostar seus búzios ou outros objetos de adorno pessoal. Um arqueólogo versado na bibliografia etnográfica, Warren DeBoer, calcula que muitos búzios e outros objetos exóticos, descobertos em lugares no meio do caminho de uma ponta a outra do continente, chegaram lá por terem sido apostados — e perdidos — diversas vezes nesses tipos de jogos entre aldeias durante longuíssimos períodos.[36]

Poderíamos dar muitos outros exemplos, mas supomos que, a esta altura, o leitor já captou a questão mais ampla que queremos estabelecer. Quando simplesmente tentamos adivinhar quais eram as atividades dos seres humanos em outros tempos e outros lugares, quase sempre nossos palpites são muito menos interessantes, muito menos excêntricos — em suma, muito menos humanos do que aquilo que provavelmente estava acontecendo.

O QUE VEM A SEGUIR

Neste livro, vamos não apenas apresentar uma nova história da humanidade, mas também convidar o leitor a entrar em contato com uma nova ciência da história, que devolve a nossos ancestrais sua plena humanidade. Em vez de perguntar como acabamos nos tornando tão desiguais, começaremos questionando como a "desigualdade", em primeiro lugar, se tornou um problema para começo de conversa, e então construiremos pouco a pouco uma narrativa alternativa, que tenha mais proximidade com os conhecimentos atuais. Se os seres humanos não passaram 95% de seu passado evolucionário em pequenos grupos de caçadores-coletores, o que andaram fazendo esse tempo todo? Se a agricultura e as cidades não significaram um mergulho rumo à hierarquização e à dominação, o que, então, havia nelas? O que estava de fato acontecendo naqueles períodos que costumamos ver como marcos do surgimento do "Estado"? Muitas vezes, as respostas são inesperadas e indicam que o curso da história humana pode ser menos rígido e mais recheado de possibilidades lúdicas do que costumamos supor.

Assim, num certo sentido, este livro tenta lançar bases para uma nova história do mundo, mais ou menos como fez Gordon Childe nos anos 1930, quando inventou expressões como "a Revolução Neolítica" ou "a Revolução Urbana". Por isso, é necessariamente assimétrico e incompleto. Ao mesmo tempo, é também algo mais: uma busca para encontrar as perguntas certas. Se "qual é a origem da desigualdade?" não é a grande pergunta a ser feita sobre a história, qual será, então? Como as histórias dos cativos de outrora fugindo de volta para as florestas mais uma vez deixam claro, Rousseau não estava de todo errado. Algo se perdeu. Ele apenas teve uma ideia um tanto idiossincrática (e em última análise falsa) do que era esse algo. Como, portanto, vamos caracterizá-lo? E até que ponto esse algo realmente se perdeu? O que isso significa em relação às possibilidades de uma mudança social na atualidade?

Faz mais ou menos uns dez anos que nós, os dois autores deste livro, começamos uma longa conversa justamente sobre essas perguntas. É por isso que o livro tem uma estrutura um pouco incomum, que começa rastreando as raízes históricas da pergunta ("qual é a origem da desigualdade social?") até uma série de contatos entre colonizadores europeus e intelectuais ameríndios no século XVII. O impacto desses contatos sobre o que agora chamamos de Iluminismo, e inclusive sobre as nossas concepções básicas da história humana, é ao mesmo tempo mais sutil e mais profundo do que geralmente nos dispomos a admitir. A reavaliação desses contatos, como descobrimos, traz consequências surpreendentes para o nosso entendimento atual do passado humano, inclusive sobre as origens da agricultura, da propriedade, das cidades, da democracia, da escravidão e da própria civilização. No fim, decidimos escrever um livro no qual ressoasse, pelo menos até certo ponto, essa evolução em nosso próprio pensamento. Em nossas conversas, o verdadeiro avanço se deu quando resolvemos nos afastar completamente de pensadores europeus como Rousseau e, em vez disso, considerar perspectivas que derivam daqueles pensadores indígenas que, em última análise, lhes serviram de inspiração.

Então comecemos por aí.

2. Liberdade perversa
A crítica indígena e o mito do progresso

Jean-Jacques Rousseau nos deixou uma história sobre as origens da desigualdade social que até hoje continua sendo contada e recontada em infindáveis versões. É a história da inocência original da humanidade e a saída involuntária de um estado de simplicidade primordial para uma viagem de descoberta tecnológica que, em última análise, garante tanto nossa "complexidade" quanto nossa escravização. Como surgiu essa história ambivalente da civilização?

Os historiadores das ideias nunca abandonaram de fato a teoria da história do Grande Homem. Muitas vezes escrevem como se fosse possível associar todas as ideias importantes de uma determinada época a um determinado indivíduo excepcional — seja Platão, Confúcio, Adam Smith ou Karl Marx —, em vez de encarar os escritos desses autores como intervenções especialmente brilhantes em debates que já se davam em tavernas, mesas de jantar ou praças públicas (ou, inclusive, em salas de aula) e que, se não fossem eles, talvez nunca tivessem sido escritos. É mais ou menos como supor que William Shakespeare de certa forma inventou o inglês. Na verdade, boa parte de seu fraseado mais brilhante era composto de expressões comuns da época, que qualquer inglês ou inglesa da era elisabetana podia usar em conversas coloquiais, e cujos autores continuam tão obscuros como os das brincadeiras do toc-toc-quem-é — ainda que, se não fosse Shakespeare, provavelmente nem se usariam mais e teriam sido esquecidas há muito tempo.

Tudo isso também se aplica a Rousseau. Os historiadores das ideias às vezes escrevem como se Rousseau tivesse iniciado pessoalmente o debate sobre a desigualdade social com seu *Discurso sobre a origem e os fundamentos da desigualdade entre os homens*, de 1754. Na verdade, ele escreveu o texto para participar de um concurso de ensaios sobre o tema.

COMO AS CRÍTICAS AO EUROCENTRISMO PODEM SER UM TIRO PELA CULATRA E ACABAR CONVERTENDO OS PENSADORES DOS POVOS ORIGINÁRIOS EM "BONECOS DE VENTRÍLOQUO"

Em março de 1754, a sociedade intelectual conhecida como Académie des Sciences, Arts et Belles-Lettres anunciou um concurso nacional de ensaios sobre a pergunta: "Qual é a fonte da *desigualdade* entre os homens, e se é autorizada pelo direito natural". O que gostaríamos de fazer neste capítulo é perguntar: por que, para começo de conversa, um grupo de eruditos na França do *Ancien Régime*, ao promover um concurso nacional de ensaios, considerou essa a pergunta apropriada? Afinal, o questionamento, tal como está formulado, pressupõe que a desigualdade social *teve mesmo* uma origem, ou seja, toma como certa a existência de uma época em que os seres humanos eram iguais — e que então aconteceu alguma coisa que mudou essa situação.

Na verdade, para quem vivia sob uma monarquia absolutista como a de Luís XV, essa era uma ideia bem surpreendente. Afinal, não é como se existisse alguém na França daquela época com uma grande experiência de vida numa sociedade igualitária. Tratava-se de uma cultura em que quase todos os aspectos da interação humana — fosse comendo, bebendo, trabalhando ou socializando — eram marcados por ordens hierárquicas e rituais de deferência social. Os autores que enviaram seus ensaios para o concurso eram indivíduos que tinham todas as suas necessidades atendidas por criados. Viviam com o mecenato de duques e arcebispos e quase nunca entravam num local sem conhecer a ordem exata de importância de todos os presentes. Rousseau era um desses: jovem filósofo ambicioso, na época envolvido num elaborado projeto de tentar obter influência na corte. A coisa mais próxima de uma condição de igualdade social que tinha alguma chance de experimentar era quando alguém estava distribuindo fatias idênticas de bolo durante um jantar. No entanto, todo mundo na época também concordava que essa situação era, de certo modo, antinatural; nem sempre tinha sido assim.

Se quisermos entender por que era *assim*, temos de olhar não só para a França, mas também para o lugar ocupado pelo país num mundo muito maior.

O fascínio com a questão da desigualdade social era relativamente novo no século XVIII, e tinha tudo a ver com o espanto e a confusão que se seguiram à súbita integração da Europa numa economia global, da qual participara por muito tempo num papel bastante secundário.

Na Idade Média, em sua maior parte, as pessoas de outros lugares do mundo que realmente sabiam alguma coisa sobre a Europa setentrional consideravam-na um rincão atrasado, obscuro e pouco convidativo, cheio de fanáticos religiosos que, afora alguns ocasionais ataques aos vizinhos ("as Cruzadas"), pouca importância tinha para a política mundial e o comércio global.[1] Os intelectuais europeus daquela época começavam a redescobrir Aristóteles e o mundo antigo, e pouco sabiam sobre o que as pessoas de outros lugares estavam pensando e debatendo. Tudo isso mudou, claro, na segunda metade do século XV, quando os navios portugueses começaram a contornar a África e a se lançar no Oceano Índico — e sobretudo com a conquista espanhola das Américas. De uma hora para outra, alguns dos reinos europeus mais poderosos se viram no controle de amplas regiões do globo, e os intelectuais do continente se viram expostos não só às civilizações da China e da Índia, mas a uma imensidade de ideias sociais, científicas e políticas nunca antes imaginadas. O resultado dessa enxurrada de novas ideias veio a ser conhecido como "Iluminismo".

Claro que não é assim que os historiadores das ideias costumam contar essa história. Não só aprendemos a pensar a história intelectual como algo produzido em sua maior parte por indivíduos escrevendo grandes livros ou desenvolvendo pensamentos grandiosos, mas também supomos que esses "grandes pensadores" realizaram essas atividades usando quase exclusivamente uns aos outros como referência. Por isso, mesmo nos casos em que os pensadores

44

do Iluminismo expunham com clareza que estavam tomando suas ideias de fontes estrangeiras (como fez o filósofo alemão Gottfried Wilhelm Leibniz, ao exortar seus compatriotas a adotar modelos chineses de governança), há uma tendência entre os historiadores contemporâneos de insistir que eles não estavam falando a sério ou que, quando diziam que assimilavam ideias chinesas, persas ou ameríndias, na verdade não eram de forma nenhuma ideias chinesas, persas ou ameríndias, mas sim ideias que eles mesmos haviam criado e apenas atribuíam aos exóticos Outros.[2]

Trata-se de suposições de uma arrogância impressionante — como se o "pensamento ocidental" (como veio a ser conhecido mais tarde) fosse um conjunto de ideias tão monolítico e poderoso que ninguém mais seria capaz de influenciar de forma significativa. É bastante óbvio que isso tampouco é verdade. Considere-se o caso de Leibniz: durante os séculos XVIII e XIX, os governos europeus foram pouco a pouco assimilando a ideia de que todo governo deve exercer de modo adequado sua autoridade sobre uma população de língua e cultura em grande parte uniformes, sendo administrado por um corpo burocrático formado nas artes liberais cujos integrantes foram aprovados em exames e concursos. Talvez esse procedimento parecesse surpreendente, visto que nunca existira nada nem remotamente parecido em nenhum período anterior da história europeia. No entanto, era quase o mesmo sistema que existira durante séculos na China.

Vamos mesmo insistir que a defesa de modelos governamentais chineses feita por Leibniz, aliados e seguidores não teve *nada* a ver com o fato de que os europeus por fim adotaram algo tão parecido com os chineses? O que é de verdade incomum nesse caso é que Leibniz tenha sido tão honesto em apontar suas influências intelectuais. Naqueles tempos, as autoridades eclesiásticas ainda detinham grande poder na maior parte da Europa: qualquer um que argumentasse que os procedimentos não cristãos eram de alguma maneira melhores poderiam se ver acusados de ateísmo, o que potencialmente constituía um crime capital.[3]

Na questão da desigualdade, o caso é bastante semelhante. Se perguntarmos não "quais são as origens da desigualdade social?", mas "quais são as origens da *pergunta* sobre as origens da desigualdade social?" (em outras palavras, como foi que, em 1754, a Académie de Dijon considerou que esse era o questionamento apropriado a ser feito?), logo nos veremos diante de uma longa história de europeus discutindo entre si sobre a natureza de sociedades distantes: nesse caso, sobre as sociedades nas Florestas do Leste da América do Norte. Além disso, muitas dessas conversas fazem referências a discussões entre europeus e ameríndios sobre a natureza da liberdade, da igualdade ou até mesmo da racionalidade e das religiões reveladas — na verdade, a maioria dos temas que, mais tarde, ocupariam um lugar central no pensamento político do Iluminismo.

Na verdade, muitos pensadores iluministas importantes afirmaram que algumas das suas ideias sobre o tema haviam sido extraídas de fontes ameríndias — embora, como seria de se prever, os atuais historiadores das ideias insistam que isso seria impossível. O pressuposto é o de que os povos indígenas viviam num universo completamente diferente, habitavam outra realidade; qualquer coisa que os europeus dissessem a seu respeito era uma mera projeção num jogo de sombras, fantasias do "nobre selvagem" extraídas da própria tradição europeia.[4]

Esses historiadores, claro, costumam apresentar essa posição como uma crítica à arrogância ocidental ("como você é capaz de sugerir que imperialistas genocidas estavam, na verdade, dando ouvidos a integrantes das sociedades que estavam em vias de exterminar?"), mas também pode muito bem ser vista como uma forma de arrogância europeia em si mesma. É incontestável que mercadores, missionários e colonos europeus de fato entabularam longas conversas com as pessoas que encontravam no chamado Novo Mundo e não raro viviam por longo tempo entre elas — mesmo nos casos em que também eram coniventes com a sua destruição. Também sabemos que muitos que viviam na Europa e vieram a abraçar os princípios da liberdade e da igualdade (que, poucas gerações antes, mal existiam em seus países) afirmavam que os relatos desses encontros tinham exercido profunda influência sobre suas ideias. Negar toda e qualquer possibilidade de que os povos indígenas tivessem razão, na prática, significa afirmar que eles não poderiam ter qualquer impacto efetivo sobre a história. Na verdade, é uma forma de infantilizar os não ocidentais, uma prática denunciada por esses mesmíssimos autores.

Em anos recentes, cada vez mais estudiosos norte-americanos, em geral eles mesmos de ascendência indígena, vêm contestando esses pressupostos.[5] Aqui nós seguimos seus passos. Basicamente, vamos recontar a história, partindo do princípio de que todas as partes envolvidas na conversa entre colonizadores europeus e seus interlocutores indígenas eram indivíduos adultos e que, pelo menos de vez em quando, ouviam uns aos outros. Assim, mesmo histórias bastante conhecidas começam a tomar formas muito diferentes. Na verdade, o que veremos é que não só os ameríndios — diante de estrangeiros desconhecidos — desenvolveram com admirável coerência sua própria crítica das instituições europeias, mas também que essas críticas vieram a ser tratadas com muita seriedade na própria Europa.

Nunca é demais sublinhar essa questão da seriedade. Para os públicos europeus, a crítica indígena foi como um choque no sistema, revelando possibilidades de emancipação humana que, depois de vindas à tona, dificilmente poderiam ser ignoradas. Na verdade, as ideias expressas nessa crítica passaram a ser vistas como ameaça tão grande à estrutura da sociedade europeia que surgiu todo um corpo teórico destinado especificamente a refutá-las. Como veremos em breve, toda a história que resumimos no capítulo anterior — nossa metanarrativa histórica convencional sobre o progresso ambivalente da civilização humana, em que se perdem as liberdades à medida que as sociedades se tornam maiores e mais complexas — foi em ampla medida inventada a fim de neutralizar a ameaça da crítica indígena.

A primeira coisa a ressaltar é que "a origem da desigualdade social" não faria sentido para ninguém na Idade Média. Nesse tempo, considerava-se que posições e hierarquias existiam desde os tempos mais remotos. Mesmo no Jardim do Éden, como observou o filósofo Tomás de Aquino no século XIII, Adão ocupava uma posição visivelmente superior à de Eva. A "igualdade social" — e portanto seu oposto, a desigualdade — simplesmente não existia como conceito. Um estudo recente da literatura medieval, empreendido por dois estudiosos italianos, mostra que de fato não se encontra nenhuma evidência de que os termos latinos *aequalitas* e *inaequalitas*, ou seus cognatos em inglês, francês, espanhol, alemão e italiano, fossem usados para descrever relações sociais antes da época de Colombo. Assim, não se pode nem dizer que os pensadores medievais rejeitassem a noção de igualdade social: ao que parece, nunca lhes passou pela cabeça que isso pudesse existir.[6]

Na verdade, os termos "igualdade" e "desigualdade" só começaram a entrar na linguagem corrente no começo do século XVII, sob a influência da teoria do direito natural. E essa teoria, por sua vez, surgiu em grande medida durante debates sobre as implicações morais e legais das descobertas europeias no Novo Mundo.

É importante lembrar que aventureiros espanhóis como Cortés e Pizarro executaram a maior parte de suas conquistas militares sem autorização das autoridades superiores; depois disso, seguiram-se intensos debates no país, discutindo se realmente era justificável aquela agressão tão escancarada contra povos que, afinal, não representavam nenhuma ameaça aos europeus.[7] O problema central era que — à diferença dos não cristãos do Velho Mundo, que decerto tiveram a oportunidade de aprender os ensinamentos de Jesus e, portanto, os rejeitaram deliberadamente — era mais do que óbvio que os habitantes do Novo Mundo nunca tinham tido contato com as ideias cristãs. Portanto, não podiam ser classificados como infiéis.

Os conquistadores, de modo geral, contornaram essa questão lendo uma declaração em latim que conclamava todos os indígenas a se converterem antes de serem atacados. Juristas de universidades como a de Salamanca na Espanha não se deixaram impressionar por esse expediente. Da mesma forma, as tentativas de menosprezar os habitantes das Américas como tão estranhos que não se encaixavam nos parâmetros de humanidade e podiam ser tratados como animais tampouco encontraram muita aceitação. Mesmo os canibais, observaram os juristas, tinham governos, sociedades e leis e eram capazes de elaborar argumentos para defender a justeza dos seus ordenamentos sociais (canibalistas); sendo assim, eram claramente humanos, investidos por Deus com as faculdades da razão.

Então a questão jurídica e filosófica passou a ser: quais são os direitos que os seres humanos têm simplesmente por serem humanos — ou seja, quais direitos poderiam ser considerados "naturais", mesmo aos que existiam num Estado de Natureza, inscientes dos ensinamentos da filosofia escrita e da religião revelada, e sem leis codificadas? O tema foi ardorosamente debatido. Não precisamos nos deter aqui sobre as fórmulas exatas utilizadas pelos teóricos jusnaturalistas (basta dizer que reconheceram, de fato, que os americanos tinham direitos naturais, mas acabaram justificando a conquista desses povos mesmo assim, desde que o tratamento subsequente que se desse a eles não fosse *demasiado* violento ou opressor), mas o importante, nesse contexto, é que foi aberta uma porta conceitual. Autores como Thomas

Hobbes, Hugo Grotius ou John Locke puderam passar por cima das narrativas bíblicas que costumavam servir de ponto de partida para todos e, em vez disso, começaram a introduzir perguntas do tipo: como os seres humanos poderiam ter sido num Estado de Natureza, quando tudo o que tinham era sua humanidade?

Todos esses autores povoaram o Estado de Natureza com o que consideravam ser as sociedades mais simples conhecidas no hemisfério ocidental, e assim concluíram que o estado original da humanidade era de liberdade e igualdade, para o bem ou para o mal (Hobbes, por exemplo, achava que era definitivamente para o mal). Neste ponto, é importante fazermos uma pausa para examinar por que eles chegaram a esse veredito — pois não era de forma alguma uma conclusão evidente ou inevitável.

Em primeiro lugar, embora possa parecer óbvio para nós, o fato de os teóricos jusnaturalistas do século XVII terem tomado sociedades aparentemente simples como representantes exemplares dos tempos primordiais — sociedades como a dos algonquinos das Florestas do Leste da América do Norte ou dos caraíbas e dos amazônicos, em vez de civilizações urbanas como os astecas ou os incas — não pareceria nada óbvio naquela época.

Autores anteriores, diante de uma população de silvícolas, sem rei, utilizando apenas instrumentos de pedra, dificilmente iriam considerá-los primordiais, sob qualquer ponto de vista. Os estudiosos quinhentistas, como o missionário espanhol José de Acosta, com maior probabilidade concluiriam que estavam diante dos vestígios de alguma civilização antiga ou de refugiados que, em suas perambulações, haviam esquecido as artes da metalurgia e da governança civil. Tal conclusão pareceria bem mais sensata para pessoas que supunham que todo o conhecimento de fato importante fora revelado por Deus no início dos tempos e que existiram cidades antes do Dilúvio, e que consideravam a própria vida intelectual, em larga medida, como uma tentativa de recuperar a sabedoria perdida dos antigos gregos e romanos.

A história na Europa renascentista dos séculos XV e XVI não era vista como uma progressão. Era em sua maior parte uma sucessão de desastres. Com a introdução do conceito de um Estado de Natureza, não se contornava propriamente toda a questão, pelo menos não de imediato, mas permitiu que os filósofos políticos após o século XVII imaginassem as pessoas que viviam distantes das armadilhas da civilização não como selvagens degenerados, mas como uma espécie de humanidade "em estado bruto". E isso, por sua vez, lhes proporcionou todo um conjunto de novos questionamentos sobre o que significava ser humano. Que formas sociais ainda existiriam, mesmo entre povos que não tinham nenhuma forma identificável de lei ou de governo? O casamento existiria? Que formas poderia adotar? O Homem Natural tenderia a ser gregário por natureza, ou as pessoas tenderiam a se evitar mutuamente? Haveria uma religião natural?

Mas a pergunta permanece: por que os intelectuais europeus do século XVIII se concentraram sobre a ideia de liberdade ou, mais especificamente, de igualdade primordial, a ponto de parecer tão natural perguntar algo como: "qual é a origem da *desigualdade* entre os homens?". E isso parece estranho em especial se considerarmos que, antes disso, a maioria sequer julgava possível a igualdade social.

Em primeiro lugar, cabe uma ressalva. Na Idade Média, já existia um certo igualitarismo popular aflorando em grandes festas como o Carnaval, a celebração da primavera ou o Natal, quando grande parte da sociedade caía na folia, regozijando-se com a ideia de um "mundo de ponta-cabeça", quando se derrubavam ou se ridicularizavam todos os poderes e autoridades. Era comum contextualizar os festejos como um retorno a alguma primordial "era da igualdade" — a Era de Crono ou de Saturno, ou o País da Cocanha. Às vezes, esses ideais também eram invocados nas revoltas populares.

Na verdade, nunca fica muito claro até que ponto esses ideais igualitários são mero efeito colateral de ordenamentos sociais hierárquicos que vigoravam no dia a dia. A nossa noção de que todos são iguais perante a lei, por exemplo, remonta originalmente à ideia de que todos são iguais perante o rei ou imperador — pois, se um único homem está investido de poder absoluto, então é óbvio que, em comparação, todos os outros são iguais entre si. O cristianismo primitivo, da mesma forma, garantia que todos os fiéis eram (em última instância) iguais perante Deus, a quem se referiam como "o Senhor". Como isso ilustra, a figura todo-poderosa diante da qual os mortais comuns são, *de facto*, todos iguais não precisa ser um indivíduo humano, de carne e osso; um dos aspectos principais de criar um "rei Momo" ou uma "rainha da primavera" é que eles existem para serem destronados.[8]

Os europeus instruídos na literatura clássica também estavam familiarizados com as especulações presentes em fontes greco-romanas sobre ordenamentos felizes e igualitários do passado remoto; e noções de igualdade, pelo menos entre países cristãos, eram encontradas no conceito de *res publica* ou *Commonwealth*, que também possuía precedentes na Antiguidade. Tudo isso serve apenas para dizer que um estado de igualdade não era totalmente inconcebível para os intelectuais europeus antes do século XVIII. Nada disso, porém, explica *por que* eles vieram a supor, quase sem exceção, que os seres humanos teriam algum dia existido nesse estado, ignorando toda e qualquer civilização. Sim, é verdade que havia precedentes clássicos para essas ideias, mas o mesmo valia para as ideias contrárias.[9] Para encontrarmos respostas, precisamos em primeiro lugar voltar aos argumentos apresentados para estabelecer que os habitantes das Américas eram seus semelhantes: para afirmar que, por mais exóticos ou mesmo impróprios que seus costumes pudessem parecer, os ameríndios eram capazes de desenvolver argumentos lógicos em defesa própria.

O que vamos sugerir é que os intelectuais americanos — e aqui usamos o termo "americano" como na época, referindo-se aos habitantes indígenas do hemisfério ocidental, e o termo "intelectual" referindo-se a qualquer pessoa com o hábito de discutir ideias abstratas — na verdade desempenharam um papel nessa revolução conceitual. É muito estranho que essa ideia seja considerada especialmente radical, mas, na atual corrente dominante dos historiadores das ideias, constitui quase uma heresia.

O que deixa a coisa ainda mais estranha é que ninguém nega que muitos exploradores, missionários, mercadores, colonos e outros europeus que permaneceram durante algum tempo nas costas americanas passaram anos aprendendo as línguas nativas e aprimorando essa aprendizagem em conversas com falantes nativos, da mesma forma como os indígenas americanos se deram ao trabalho de aprender espanhol, inglês, holandês ou francês. E tampouco, cremos nós, alguém que algum dia tenha aprendido uma nova língua negaria a grande dose de trabalho mental que captar conceitos desconhecidos nos exige. Também sabemos que os missionários costumavam empreender longos debates filosóficos como parte de suas obrigações profissionais; muitos outros, de ambos os lados, debatiam entre si por simples curiosidade ou porque tinham razões práticas imediatas para tentar entender o ponto de vista alheio. Por fim, ninguém negaria que as narrativas de viajantes e os relatos de missionários — que muitas vezes traziam resumos ou mesmo excertos dessas conversas — eram gêneros literários de grande popularidade, acompanhados com avidez pelos europeus instruídos. Qualquer lar setecentista de classe média em Amsterdam ou Grenoble muito provavelmente teria em suas prateleiras pelo menos um exemplar das *Relations des jésuites de la Nouvelle--France* (as colônias francesas na América do Norte eram chamadas na época de Nova França), e uma ou duas narrativas de viajantes por terras distantes. Esses livros eram apreciados, em boa parte, porque continham ideias inéditas e surpreendentes.[10]

Os historiadores estão cientes de tudo isso. Mesmo assim, a maioria esmagadora ainda conclui que, ainda que os autores europeus declarem explicitamente que estão tomando de empréstimo ideias, conceitos e argumentos de pensadores indígenas, essas declarações não devem ser levadas a sério. Supõe-se pura e simplesmente que deve ser algum tipo de mal-entendido, de invencionice ou, na melhor das hipóteses, uma projeção ingênua de ideias europeias preexistentes. Os intelectuais americanos, quando aparecem em relatos europeus, são retratados como meros representantes de algum arquétipo ocidental do "nobre selvagem" ou como bonecos de ventríloquo, usados como álibis plausíveis para um autor que, do contrário, poderia ter problemas por apresentar ideias subversivas (o deísmo, por exemplo, ou o materialismo racional, ou concepções pouco convencionais sobre o casamento).[11]

Sem dúvida, se o sujeito se depara com um argumento atribuído a um "selvagem" num texto europeu que faz lembrar, ainda que em uma associação das mais remotas, algo que se encontraria em Cícero ou em Erasmo, imagina-se que ele automaticamente suporá que nenhum "selvagem" teria sido de fato capaz de dizer aquilo — ou que a conversa em questão nunca chegou a existir de verdade.[12] No mínimo, esse hábito mental é muito conveniente para os estudiosos da literatura ocidental, eles próprios versados em Cícero e Erasmo, pois, do contrário, poderiam se ver obrigados a tentar de fato aprender alguma coisa sobre as ideias dos povos indígenas sobre o mundo e, acima de tudo, sobre o que pensavam a respeito dos europeus.

Pretendemos seguir na direção contrária.

Examinaremos os primeiros relatos de viajantes e missionários da Nova França — em especial da região dos Grandes Lagos —, já que eram os relatos com que Rousseau estava mais familiarizado, para ter uma noção do que seus habitantes indígenas de verdade pensavam sobre a sociedade francesa, e como, em decorrência disso, passaram a refletir sobre as próprias sociedades de maneira diferente. Defenderemos que os ameríndios desenvolveram uma visão crítica muito forte das instituições de seus invasores: uma visão cujo foco inicial se concentrava na falta de liberdade e apenas depois, quando adquiriram maior familiaridade com os ordenamentos sociais europeus, na igualdade.

Uma das razões para a grande popularidade na Europa da literatura de missionários e viajantes era justamente o fato de apresentar aos leitores esse tipo de crítica, além de oferecer uma noção de potenciais possibilidades sociais: saber que o jeito conhecido não era o único, visto que — como mostravam esses livros — claramente existiam sociedades que faziam as coisas de uma forma muito diferente. Sugeriremos aqui que existe uma razão para tantos pensadores fundamentais do Iluminismo insistirem que seus ideais de liberdade individual e de igualdade política se inspiravam em fontes e exemplos ameríndios: porque era verdade.

O QUE OS HABITANTES DA NOVA FRANÇA PENSAVAM DE SEUS INVASORES EUROPEUS, SOBRETUDO EM MATÉRIA DE GENEROSIDADE, SOCIALIDADE, RIQUEZA MATERIAL, CRIME, CASTIGO E LIBERDADE

A "Era da Razão" foi uma era de debates. O Iluminismo tinha suas raízes na conversação, que ocorria sobretudo em cafés e salões. Muitos textos clássicos do Iluminismo adotavam a forma do diálogo; a maioria cultivava um estilo fácil, transparente, coloquial, com inspiração visível dos salões. (Eram os alemães, naquela época, que tinham a tendência de escrever no estilo abstruso pelo qual, mais tarde, os intelectuais franceses ganhariam fama.) O apelo à "razão" era, acima de tudo, um estilo argumentativo. Os ideais da Revolução Francesa — liberdade, igualdade e fraternidade — adquiriram a sua forma justamente durante uma longa série de conversas e debates desse tipo. O que faremos aqui é apenas apontar que essas conversas já existiam muito antes do que supõem os historiadores do Iluminismo.

Comecemos perguntando: o que os habitantes da Nova França pensavam sobre os europeus que começaram a chegar à sua costa no século XVI?

Naquela época, a região que passou a ser conhecida como Nova França era habitada por falantes dos idiomas iroquês, algonquino e innu-aimun. Os que viviam mais perto do litoral eram pescadores, coletores e caçadores, embora a maioria também praticasse a horticultura; os wendats (huronianos)[13] se concentravam em grandes vales fluviais, mais para o interior, plantando milho, abóbora e feijão em torno de povoados fortificados. É interessante notar que os primeiros observadores franceses atribuíam pouca importância a essas distinções econômicas, sobretudo porque a coleta e o plantio eram, em ambos os casos, trabalhos feitos na maior parte das vezes por mulheres. Os homens, conforme observaram, se dedicavam principalmente à caça e, de vez em quando, à guerra, o que significava que, em certo sentido, podiam ser considerados aristocratas naturais. Pode-se remontar a ideia do "nobre selvagem" a essas avaliações. Na origem, não se referia à nobreza de caráter, mas apenas ao fato de que os homens indígenas se ocupavam da caça e do combate, o que lá na terra deles, a França, era atividade de homens da aristocracia.

Mas, se as avaliações dos franceses sobre o caráter dos "selvagens" tendiam a ser bastante ambivalentes, a dos indígenas sobre os franceses era bem menos ambígua. O padre Pierre Biard, por exemplo, era um ex-professor de teologia designado em 1608 para evangelizar os mi'kmaqs, falantes de algonquino, na Nova Escócia, onde tinham vivido por algum tempo perto de um forte francês. Biard não tinha uma opinião muito elevada sobre os mi'kmaqs, mas comentou que o sentimento era recíproco:

> Eles se consideram melhores do que os franceses: "Pois", dizem eles, "vocês estão sempre brigando e lutando entre vocês; nós vivemos pacificamente. Vocês são invejosos e vivem caluniando uns aos outros; são ladrões e trapaceiros; são avarentos, não são generosos nem bondosos; quanto a nós, se temos um pedaço de pão, dividimos com o nosso vizinho". Ficam constantemente dizendo essas e outras coisas parecidas.[14]

O que mais parecia irritar Biard era que os mi'kmaqs afirmavam com frequência que, em virtude disso, eram "mais ricos" do que os franceses. Os franceses tinham mais posses materiais, admitiam os mi'kmaqs, mas eles tinham outros bens, e mais importantes: conforto, bem-estar e tempo livre.

Vinte anos depois, o irmão Gabriel Sagard, um frei recoleto,[15] escreveu coisas parecidas sobre a nação wendat. Sagard, no início, era extremamente crítico em relação à vida dos wendats, que considerava intrinsecamente pecaminosa (ele era obcecado pela ideia de que todas as mulheres wendats estavam decididas a seduzi-lo), mas, ao final da estadia, chegara à conclusão de que os ordenamentos sociais dos wendats eram, em muitos aspectos, superiores aos vigentes na França. Neste trecho, ele endossava a opinião dos wendats sem margem para dúvida: "Eles não têm ações judiciais e não se dão muito ao trabalho de adquirir os bens desta vida, pelos quais nós cristãos tanto nos atormentamos e, devido à nossa ganância excessiva e insaciável em adquiri-los, somos reprovados pela vida calma e disposição tranquila deles".[16] Assim como os mi'kmaqs de Biard, os wendats se sentiam especialmente chocados com a falta de generosidade entre os franceses:

> Eles retribuem a hospitalidade e dão assistência de tal modo uns aos outros que as necessidades de todos são atendidas, sem haver nenhum mendigo indigente em suas vilas e aldeias; e, quando ouviram dizer que na França havia uma grande quantidade desses mendigos necessitados, consideraram muito ruim e julgaram que isso se devia à falta de caridade da nossa parte, e nos repreenderam severamente por causa disso.[17]

Os wendats também viam com maus olhos os hábitos dos franceses no que dizia respeito à comunicação. Sagard ficou surpreso e impressionado com a eloquência e com a capacidade de argumentação racional de seus anfitriões, habilidades cultivadas em discussões públicas quase diárias dos assuntos comunais; os wendats, por outro lado, quando viam um grupo de franceses reunidos, muitas vezes comentavam que eles pareciam estar sempre atropelando e interrompendo uns aos outros durante a conversa, empregando argumentos frágeis e, no geral (ou pelo menos parecia ser essa a conotação), não se mostrando muito inteligentes. Os que tentavam roubar a cena, impedindo que os outros apresentassem seus argumentos, agiam de maneira muito semelhante à daqueles que se apossavam dos meios materiais de subsistência e se negavam a partilhá-los — é difícil evitar a impressão de que os americanos viam o modo de existência dos franceses como uma espécie de estado hobbesiano de "guerra de todos contra todos". (Talvez valha a pena notar que, em particular nesse período inicial de contato, os americanos provavelmente conheceram os europeus sobretudo por intermédio de missionários, caçadores, mercadores e soldados — ou seja, grupos compostos quase inteiramente de homens. No começo, o número de mulheres francesas nas colônias era ínfimo, e o de crianças, ainda menor. É provável que isso tenha feito com que a competitividade e a falta de apreço mútuo entre eles parecessem ainda mais extremadas.)

O relato de Sagard sobre a sua permanência entre os wendats virou um importante best-seller na França e em toda a Europa: Locke e Voltaire citavam *Le grand Voyage du pays des Hurons* como fonte principal para suas descrições das sociedades americanas. As *Relations des jésuites*, muito mais extensas e com vários autores, publicadas entre 1633 e 1673, também eram amplamente lidas e debatidas na Europa, e trazem muitas repreensões similares dos observadores wendats aos franceses. Uma das coisas mais surpreendentes nesses 71 volumes de relatos de campo dos missionários é que nem os americanos nem os seus interlocutores franceses parecem ter muito a dizer sobre a "igualdade" em si — por exemplo, as palavras *égal* ou *égalité* quase não aparecem e, nas poucas vezes em que são mencionadas, é quase sempre em relação à "igualdade entre os sexos" (coisa que os jesuítas julgavam especialmente escandalosa).

E, ao que parece, isso independia de os jesuítas em questão estarem debatendo com os wendats — que, em termos antropológicos, não pareceriam ser igualitários, já que mantinham cargos políticos formais e um estrato de prisioneiros de guerra a que os jesuítas, pelo menos, se referiam como "escravos" — ou com os mi'kmaqs ou os innus, que se organizavam naquilo que os antropólogos posteriores considerariam bandos igualitários de caçadores-coletores. O que ouvimos é uma multiplicidade de vozes americanas criticando a competitividade e o egoísmo dos franceses — e ainda mais, talvez, a sua hostilidade à liberdade.

O fato de que os ameríndios viviam em sociedades geralmente livres e os europeus não nunca chegou a ser realmente um tema de debate: os dois lados concordavam nesse sentido. O ponto de divergência era se a liberdade individual era desejável ou não.

Trata-se de uma área em que os primeiros relatos de missionários ou viajantes sobre as Américas colocam um verdadeiro problema conceitual para a maioria dos leitores atuais. Em geral, simplesmente tomamos como certo que os observadores "ocidentais", mesmo os seiscentistas, são apenas uma versão anterior de nós mesmos, ao contrário dos indígenas americanos, que representam um Outro essencialmente estranho e talvez até indecifrável. Mas na verdade, em muitos aspectos, os autores desses textos não tinham nenhuma semelhança conosco. Em termos de liberdade pessoal, a igualdade entre homens e mulheres, os costumes sexuais ou a soberania popular — ou mesmo, diga-se de passagem, de teorias da psicologia profunda[18] —, a postura dos indígenas americanos provavelmente estão muito mais próximas das atitudes do leitor do que as dos europeus do século XVII.

Essas visões divergentes sobre a liberdade individual são especialmente marcantes. Hoje em dia, é quase impossível que alguém vivendo numa democracia liberal diga ser contra a liberdade — pelo menos em termos abstratos (na prática, claro, nossas ideias em geral têm muito mais nuances). Esse é um dos legados duradouros do Iluminismo e de acontecimentos como a Revolução Francesa e a Guerra de Independência dos Estados Unidos. Tendemos a crer que a liberdade pessoal é intrinsecamente boa (mesmo que alguns também achem que uma sociedade baseada na liberdade individual total — chegando a ponto de abolir a polícia, as prisões e qualquer tipo de mecanismo de coerção — de imediato resultaria um caos violento). Os jesuítas seiscentistas *não* adotavam esse pressuposto. Sua tendência era ver a liberdade individual como coisa animalesca. Em 1642, o missionário jesuíta Le Jeune escreveu o seguinte sobre os innus:

> Eles imaginam que, por direito de nascença, devem gozar a liberdade dos burros selvagens, sem render homenagem a quem quer que seja, exceto quando querem. Censuraram-me uma centena de vezes porque tememos nossos Capitães, enquanto eles riem e zombam dos seus. Toda a autoridade do chefe deles reside na língua, pois seu poder consiste em sua eloquência e, mesmo que se mate de tanto falar e arengar, não será obedecido a menos que agrade aos Selvagens.[19]

Na ponderada opinião dos innus, porém, os franceses eram praticamente escravizados, vivendo num terror constante de seus superiores. Essa crítica aparece com frequência nos relatos jesuíticos; além disso, não provém apenas dos que viviam em bandos nômades, mas também de povos urbanos, como os wendats. Além disso, os missionários se dispunham a reconhecer que não era mera retórica da parte dos americanos. Nem mesmo os governantes wendats conseguiam obrigar alguém a fazer algo contra sua vontade. Como o padre Lallemant, cuja correspondência forneceu o modelo inicial para as *Relations des jésuites*, comentou a respeito dos wendats em 1644:

> Não creio que exista algum povo no mundo mais livre do que eles e menos capaz de permitir a sujeição de sua vontade a qualquer poder que seja — a tal ponto que os Pais aqui não têm absolutamente nenhum controle sobre os filhos e os Capitães sobre os súditos ou as Leis do país sobre qualquer um deles, exceto na medida em que cada qual queira se submeter. Não há nenhum castigo que se inflija aos culpados, e nenhum criminoso que não tenha certeza de que sua vida e propriedade não correm risco [...].[20]

O relato de Lallemant dá uma ideia do grau de provocação política que alguns materiais encontrados nas *Relations des jésuites* deviam representar para os públicos europeus da época, e do motivo por que despertavam fascínio entre tantas pessoas. Depois de comentar como era escandaloso que até mesmo assassinos saíssem totalmente impunes, o bom padre acabou reconhecendo que o sistema de justiça dos wendats, avaliado como meio de manter a paz, tinha lá sua eficiência. Na verdade, funcionava de forma admirável. Em vez de punir os culpados, os wendats insistiam que toda a linhagem ou clã do culpado pagasse uma indenização. Com isso, a responsabilidade de manter os seus sob controle recaía sobre todos. "Não é o culpado que sofre a punição", explica Lallemant, mas sim "o público que precisa reparar os delitos dos indivíduos". Se um huroniano matasse um algonquino ou outro huroniano, a aldeia inteira se reunia para chegar a um acordo sobre a quantidade de presentes que deviam dar aos parentes enlutados, "para deter a vingança a que poderiam proceder".

Os "capitães" wendats, como então Lallemant descreve a seguir,

> insistem que os súditos forneçam o que for necessário; ninguém é obrigado a fazê-lo, mas os que se dispõem trazem publicamente a contribuição que desejam

dar; é como se rivalizassem entre si sobre o montante da sua riqueza, e é assim que o desejo de glória e de se mostrar solícito frente ao bem-estar público os leva a agir em tais ocasiões.

E, o que é ainda mais notável, ele admite que "essa forma de justiça refreia todos esses povos e parece ser mais eficiente para reprimir distúrbios do que a punição pessoal dos criminosos na França", embora seja "um procedimento muito brando, que deixa os indivíduos num tal espírito de liberdade que nunca se submetem a qualquer Lei e não obedecem a nenhum outro impulso que não seja o da sua própria vontade".[21]

Aqui há várias coisas que merecem atenção. Uma delas é deixar claro que algumas pessoas eram de fato consideradas ricas. Nesse sentido, a sociedade dos wendats não era "economicamente igualitária". No entanto, havia uma diferença entre o que consideraríamos recursos econômicos — como a terra, que era de posse de famílias, trabalhada por mulheres e cujos frutos eram em grande parte distribuídos por coletivos de mulheres — e o tipo de "riqueza" aqui referida, como o *wampum* (termo aplicado a fios e cintos de contas, manufaturados com as conchas do molusco quahog, de Long Island) ou outros tesouros, que existiam em larga medida para finalidades políticas.

Os homens wendats ricos acumulavam essas preciosidades em grande parte para poder dá-las em ocasiões dramáticas como essas. Não havia, nem no caso da terra e dos produtos agrícolas, nem no caso do *wampum* e de outros objetos valiosos, nenhuma possibilidade de transformar o acesso a recursos materiais em instrumento de poder — pelo menos, não no tipo que permitisse obrigar os outros a trabalharem para si ou forçá-los a fazerem qualquer coisa que não quisessem. A acumulação e a hábil distribuição das riquezas poderiam, no máximo, fazer com que o indivíduo aspirasse a um cargo político (a se tornar "chefe" ou "capitão" — as fontes francesas costumavam usar os dois termos de forma indiferenciada); mas, como os jesuítas tanto faziam questão de enfatizar, a mera ocupação de um cargo político não conferia a ninguém o direito de dar ordens aos outros. Ou, para sermos bem precisos, o ocupante de um cargo podia dar todas as ordens que quisesse, mas ninguém tinha nenhuma obrigação específica de obedecê-las.

Para os jesuítas, claro, tudo isso era uma afronta. Na verdade, a postura deles em relação aos ideais indígenas de liberdade é o exato contrário da que hoje tende a ser adotada pela maioria do povo francês ou do canadense — ou seja, que a liberdade é, em princípio, um ideal absolutamente admirável. O padre Lallemant, porém, estava disposto a reconhecer que, na prática, esse sistema funcionava muito bem; criava "muito menos desordem do que há na França" — mas, como ele notava, os jesuítas se opunham à liberdade por princípio:

> Essa é, sem dúvida, uma disposição totalmente contrária ao espírito da Fé, que nos exige a submissão não só de nossa vontade, mas de nossa mente, de nossos juízos e de todos os sentimentos humanos a um poder desconhecido a nossos sentidos, a uma Lei que não é da terra e é inteiramente oposta às leis e sentimentos da natureza corrompida. Acrescente-se a isso que as leis da Nação, que a eles parecem muito justas, atacam de mil maneiras a pureza da vida cristã, sobretudo em relação a seus casamentos [...].[22]

As *Relations des jésuites* são repletas de tais coisas: missionários escandalizados com frequência relatavam que se reconhecia às mulheres americanas o total controle sobre o próprio corpo e, portanto, as solteiras tinham liberdade sexual e as casadas podiam se divorciar à vontade. Isso, para os jesuítas, era um ultraje. Essa conduta pecaminosa, para eles, era apenas a extensão de um princípio mais geral de liberdade, com raízes nas disposições naturais, que consideravam intrinsecamente perniciosas. A "liberdade perversa dos selvagens", garantiu um deles, era o grande impedimento para que "se submetessem ao jugo da lei de Deus".[23] Até mesmo encontrar termos para traduzir conceitos como "senhor", "mandamento" ou "obediência" para as línguas indígenas era dificílimo; explicar os conceitos teológicos relacionados, quase impossível.

COMO OS EUROPEUS APRENDERAM COM OS AMERICANOS (NATIVOS) A CONEXÃO ENTRE DEBATE RACIONAL, LIBERDADES PESSOAIS E A RECUSA DO PODER ARBITRÁRIO

Em termos políticos, portanto, franceses e americanos estavam discutindo não a igualdade, e sim a liberdade. Praticamente a única referência específica à igualdade política nos 71 volumes das *Relations des jésuites* aparece quase como um aparte, num relato de uma ocorrência em 1648, num assentamento de wendats cristianizados perto da cidade de Quebec. Após um distúrbio causado por um carregamento ilegal de bebida que chegou à comunidade, o governador persuadiu os líderes wendats a concordarem com a proibição de bebidas alcoólicas, e publicou um decreto para esse fim — respaldado, ressalta o governador, pela ameaça de punição. É o padre Lallemant que, mais uma vez, relata o caso. Para ele, foi um acontecimento que marcou época:

> Desde os inícios do mundo até a chegada dos franceses, os Selvagens nunca souberam o que era proibir tão solenemente qualquer coisa ao seu povo, sob qualquer penalidade, por mais leve que fosse. São pessoas livres, e cada qual se considera tão importante quanto os demais; e só se submetem aos seus chefes até onde lhes agrade.[24]

Aqui, a igualdade é extensão direta da liberdade; na verdade, é sua expressão. Não tem quase nada em comum com a noção (eurasiana) mais familiar de "igualdade perante a lei", que, em última análise, é igualdade perante o soberano — ou seja, mais uma vez, igualdade como subjugação generalizada. Os americanos, por outro lado, eram iguais na medida em que eram igualmente livres para obedecer ou desobedecer a ordens, conforme julgassem adequado. A governança democrática dos wendats e das Cinco Nações Haudenosaunee, que tanto impressionou leitores europeus posteriores, era uma expressão do mesmo princípio: como não se admitia uma imposição obrigatória, então a coesão social precisava evidentemente ser criada por meio do debate racional, de argumentos persuasivos e da instauração de um consenso.

Aqui voltamos ao ponto de onde partimos: o Iluminismo europeu como apoteose do princípio do debate aberto e racional. Já mencionamos o relutante respeito de Sagard pela facilidade de argumentação lógica dos wendats (tema que também permeia a maioria dos relatos jesuíticos). Nesse ponto, vale lembrar que os jesuítas eram os intelectuais do mundo católico. Versados em retórica clássica e nas técnicas do *disputatio*, haviam aprendido as línguas dos americanos sobretudo para poder argumentar com eles e persuadi-los da superioridade da fé cristã. Mas volta e meia se viam surpresos e impressionados com a qualidade dos contra-argumentos que tinham de enfrentar.

Como era possível que houvesse tal desenvoltura retórica entre pessoas sem nenhum conhecimento das obras de Varrão e Quintiliano? Ao analisar a questão, os jesuítas quase sempre notavam a forma aberta como se conduziam os assuntos públicos. Como escreveu o padre Lejeune, superior dos jesuítas no Canadá nos anos 1630:

> Praticamente nenhum deles é incapaz de conversar ou arrazoar muito bem, e em bons termos, sobre assuntos do seu conhecimento. Os conselhos, que se reúnem quase todos os dias nas Aldeias e sobre quase todos os assuntos, aperfeiçoam sua capacidade de falar.

Ou, nas palavras de Lallemant:

> Posso dizer em verdade que, no que se refere à inteligência, eles não são de maneira nenhuma inferiores aos europeus e aos que residem na França. Eu nunca teria acreditado que, sem instrução, a natureza poderia proporcionar uma eloquência extremamente ágil e vigorosa como a que admirei em muitos huronianos; ou uma visão mais clara nos assuntos públicos, ou uma administração mais circunspecta em coisas a que estão acostumados.[25]

Alguns jesuítas iam além, comentando — não sem uma pontada de frustração — que os selvagens do Novo Mundo pareciam no geral bem mais inteligentes do que as pessoas com que estavam acostumados a lidar em seu país (por exemplo: "praticamente todos eles mostram mais inteligência em seus afazeres, falas, cortesias, contatos, brincadeiras e sutilezas do que os mais sagazes cidadãos e mercadores na França").[26]

Os jesuítas, portanto, claramente viam e reconheciam uma relação intrínseca entre a recusa do poder arbitrário, o debate político aberto e inclusivo e o gosto pela discussão racional. É verdade que os líderes políticos ameríndios, que na maioria dos casos não dispunham de nenhum meio para obrigar quem quer que fosse a fazer qualquer coisa de que discordassem, eram famosos por suas capacidades retóricas. Até mesmo generais europeus experientes, ao conduzir campanhas genocidas contra povos indígenas, muitas vezes se diziam levados às lágrimas pela eloquência deles. De todo modo, a capacidade de persuasão não precisa adotar a forma da argumentação lógica; pode também apelar aos sentimentos, despertando paixões, empregando metáforas poéticas, recorrendo à sabedoria dos mitos ou dos provérbios, utilizando a ironia e o recurso indireto, o humor, o insulto ou apelos a profecias ou revelações; e o grau em que se privilegia qualquer um desses recursos está relacionado com a tradição retórica a que o orador pertence e com as predisposições presumidas de seus ouvintes.

Eram em grande medida os falantes de línguas iroquesas, como os wendats ou as Cinco Nações Haudenosaunee, mais ao sul, que pareciam atribuir esse peso ao debate racional — e até considerá-lo uma forma agradável de entretenimento. Esse fato teve, por si só, importantes repercussões históricas, pois ao que tudo indica foi precisamente esse modelo de debate — racional, cético, empírico, em tom de conversação — que, não muito tempo depois, veio a ser identificado também com o Iluminismo europeu. E, tal como os jesuítas, os pensadores iluministas e os revolucionários democráticos o consideravam intrinsecamente ligado à rejeição da autoridade arbitrária, em particular aquela que por tanto tempo foi assumida pelo clero.

Juntemos os fios de nossos argumentos até agora.

Em meados do século XVII, pensadores jurídicos e políticos na Europa começavam a explorar a ideia de um Estado de Natureza igualitário, pelo menos no sentido mínimo de um estado-padrão que podia ser comum às sociedades que, a seus olhos, não tinham governo, escrita, religião, propriedade privada ou algum outro meio significativo de se diferenciarem umas das outras. Termos como "igualdade" e "desigualdade" estavam começando a entrar em uso corrente nos círculos intelectuais — inclusive na época em que os primeiros missionários franceses passaram a evangelizar os habitantes das atuais províncias do Quebec e da Nova Escócia.[27] O público leitor europeu vinha mostrando uma curiosidade cada vez maior sobre o que teriam sido tais sociedades primordiais. No entanto, não havia nenhuma tendência a imaginar homens e mulheres vivendo num Estado de Natureza como especialmente "nobres", menos ainda como céticos racionais e defensores da liberdade individual.[28] Essa perspectiva foi fruto de um encontro dialógico.

De início, como vimos, nenhum dos lados — nem os colonizadores da Nova França, nem seus interlocutores indígenas — tinham muito a dizer sobre a "igualdade". Em vez disso, os argumentos versavam sobre os direitos humanos e o auxílio mútuo, ou até o que poderia ser mais definido como liberdade e comunismo. Precisamos deixar bem claro o que entendemos por este último termo. Desde o começo do século XIX, travam-se intensos debates sobre a possibilidade de algum dia ter existido algo que possa ser legitimamente denominado "comunismo primitivo". No centro desses debates, de forma quase unânime estavam as sociedades indígenas das Florestas do Nordeste da América do Norte — desde que Friedrich Engels utilizou os iroqueses como exemplo precípuo de comunismo primitivo em *A origem da família, da propriedade privada e do Estado* (1884). Aqui, "comunismo" se refere sempre à propriedade coletiva, em particular dos recursos produtivos. Como já observamos, muitas sociedades americanas poderiam ser consideradas um tanto ambíguas nesse sentido: as mulheres possuíam e trabalhavam as terras individualmente, ainda que armazenassem e distribuíssem os produtos de maneira coletiva; os homens eram os únicos donos de suas armas e de seus instrumentos, ainda que costumassem repartir a caça e os despojos.

Existe, porém, outra maneira de empregar a palavra "comunismo": não como regime de propriedade, mas no sentido original como "de cada um segundo suas capacidades, a cada um segundo suas necessidades". Há também um nível mínimo de comunismo "elementar", que se aplica a todas as sociedades: um sentimento de que, se a condição de necessidade em que se encontra outra pessoa for considerada grave (ela está, digamos, se afogando) e se o custo de socorrê-la for considerado modesto (ela pede, digamos, que lhe atirem uma corda), então é claro que qualquer pessoa decente a atenderia. Esse tipo de comunismo elementar até pode ser considerado o próprio fundamento da sociabilidade humana, já que o indivíduo deixaria de atender somente a seus inimigos declarados. O que varia é até que ponto, no entendimento das pessoas, esse nível mínimo de comunismo deveria ser estendido.

Em muitas sociedades — e as sociedades americanas daquela época parecem estar entre elas —, seria inconcebível negar um pedido de comida. Claramente não era esse o caso entre os franceses seiscentistas na América do Norte: seu comunismo elementar ao que tudo indica tinha alcance bastante restrito e não incluía alimento e abrigo — o que escandalizava os americanos. Mas, assim como vimos antes uma comparação entre dois conceitos muito diferentes de igualdade, aqui estamos vendo, em última análise, um choque entre conceitos muito diferentes de individualismo. Os europeus viviam brigando para obter vantagens; as sociedades das Florestas do Nordeste da América do Norte, por sua vez, garantiam umas às outras os meios para uma vida autônoma — ou, pelo menos, asseguravam que nenhum homem ou mulher fosse subjugado por qualquer outro. Caso nos seja possível falar em termos de comunismo, ele existia não em oposição, e sim em apoio à liberdade individual.

Pode-se dizer o mesmo sobre os sistemas políticos indígenas que os europeus encontraram em grande parte da região dos Grandes Lagos. Tudo colaborava para assegurar que ninguém tivesse sua vontade subjugada pela de outrem. Foi apenas com o passar do tempo, quando os americanos aprenderam mais sobre a Europa e os europeus começaram a pensar como seria transpor os ideais americanos de liberdade individual para suas próprias sociedades, que o termo "igualdade" começou a ganhar espaço como elemento do discurso entre eles.

O ESTADISTA-FILÓSOFO WENDAT KONDIARONK, E COMO SUAS NOÇÕES DA NATUREZA HUMANA E DA SOCIEDADE GANHARAM NOVA VIDA NOS SALÕES DA EUROPA ILUMINISTA (COM UMA RÁPIDA DIGRESSÃO SOBRE O CONCEITO DE "CISMOGÊNESE")

Para entender como a crítica indígena — o ataque moral e intelectual sistemático à sociedade europeia, amplamente enunciado a partir do século XVII por observadores americanos nativos — evoluiu e qual foi a magnitude de seu impacto sobre o pensamento europeu, precisamos primeiro entender um pouco o papel de dois homens: um aristocrata empobrecido francês chamado Louis-Armand de Lom d'Arce, barão de la Hontan, e um estadista wendat de excepcional inteligência chamado Kondiaronk.

Em 1683, Lahontan (como ficou conhecido), então com dezessete anos de idade, ingressou no exército francês e foi enviado para o Canadá. Nos dez anos seguintes, participou de várias companhas e expedições exploratórias, mais tarde obtendo o cargo de representante do governador-geral, o conde de Frontenac. Nesse meio-tempo, se tornou fluente nas línguas algonquina e wendat e fez boas amizades — pelo menos segundo seus relatos — com várias figuras políticas indígenas. Mais tarde Lahontan afirmou que, sendo ele uma espécie de cético em assuntos religiosos e inimigo político dos jesuítas, essas figuras não se furtavam a lhe expor suas verdadeiras opiniões sobre os ensinamentos cristãos. Uma delas era Kondiaronk.

Estrategista fundamental da Confederação Wendat, uma coalizão de quatro povos de língua iroquesa, Kondiaronk (o nome significava literalmente "o rato almiscarado" e os franceses muitas vezes se referiam a ele apenas como "O Rato") estava na época envolvido num complexo jogo geopolítico, tentando lançar os ingleses, os franceses e as Cinco Nações Haudenosaunee uns contra os outros, com o objetivo inicial de impedir um catastrófico ataque haudenosaunee aos wendats, mas com a meta de longo prazo de criar uma aliança indígena abrangente para deter o avanço dos colonizadores.[29] Todos os que o conheciam, amigos ou inimigos, admitiam que ele era um indivíduo de fato notável: guerreiro corajoso, orador brilhante e político excepcionalmente habilidoso. Foi também, até o final da vida, um firme opositor do cristianismo.[30]

Quanto a Lahontan, sua carreira terminou mal. Embora tivesse defendido a Nova Escócia com êxito contra uma frota inglesa, não cumpriu as ordens do governador e foi obrigado a fugir do território francês. Condenado à revelia por insubordinação, passou grande parte da década seguinte no exílio, vagueando pela Europa e tentando em vão negociar o retorno à sua França natal. Em 1702, Lahontan estava morando em Amsterdam, numa maré de grande azar, descrito pelos que o encontravam como vagabundo sem um tostão e espião de aluguel. Tudo isso mudou quando ele publicou uma série de livros sobre suas aventuras no Canadá.

Dois consistiam em memórias das suas aventuras americanas. O terceiro, com o título de *Suplément aux voyages du Baron de Lahontan. Où l'on trouve des dialogues curieux entre l'auteur et un sauvage de bon sens qui a voyagé* (1703), trazia um conjunto de quatro conversas entre Lahontan e Kondiaronk, em que o sábio wendat — expressando opiniões baseadas em suas observações etnográficas pessoais de Montreal, Nova York e Paris — lança um olhar extremamente crítico sobre os costumes e as ideias europeias referentes à religião, à política, à saúde e à vida sexual. Esses três livros conquistaram um amplo público, e não tardou para que Lahontan se tornasse uma pequena celebridade. Estabeleceu-se na corte de Hanôver, onde também se encontrava Leibniz, que se tornou amigo seu e lhe deu apoio até o momento em que Lahontan adoeceu e morreu, por volta de 1715.

Grande parte da crítica à obra de Lahontan simplesmente pressupõe como uma obviedade que os diálogos são inventados e que os argumentos atribuídos a "Adario" (nome atribuído a Kondiaronk na obra) são as opiniões pessoais do próprio Lahontan.[31] Em certo sentido, isso não causa surpresa. Adario, além de afirmar que visitara a França, apresenta opiniões sobre tudo, desde a política monástica até assuntos jurídicos. No debate sobre a religião, muitas vezes aparece como defensor da posição deísta de que se deve buscar a verdade espiritual na razão, não na revelação, adotando justamente o tipo de ceticismo racional que, na época, vinha ganhando popularidade nos círculos intelectuais europeus mais audaciosos. Também é verdade que o estilo dos diálogos de Lahontan parece em parte inspirado pelos escritos gregos antigos do satirista Luciano, e também que, em vista da censura eclesiástica então dominante na França, a maneira mais fácil para um livre-pensador conseguir publicar um ataque explícito ao cristianismo provavelmente seria compor um diálogo simulado para defender a fé contra os ataques de um cético estrangeiro imaginário — e então garantir a derrota no debate.

Em décadas recentes, porém, estudiosos indígenas retomaram o material à luz do que sabemos sobre o próprio Kondiaronk — e chegaram a conclusões muito diferentes.[32] O Adario da vida real se notabilizou não só pela eloquência, mas também por se envolver em debates com europeus da mesmíssima espécie dos registrados no livro de Lahontan. Como observa Barbara Alice Mann, apesar do coro quase unânime de estudiosos ocidentais insistindo no caráter imaginário dos diálogos, "há excelentes razões para aceitá-los como genuínos". Em primeiro lugar, existem os relatos em primeira mão das habilidades oratórias e da assombrosa rapidez de raciocínio de Kondiaronk. O padre Pierre de Charlevoix comentou que Kondiaronk era tão "naturalmente eloquente" que "talvez ninguém jamais o tenha superado em capacidade mental". Orador excepcional nos conselhos,

> era igualmente brilhante nas conversas em privado, e [conselheiros e negociadores] muitas vezes tinham prazer em provocá-lo para ouvir as suas réplicas, sempre vívidas, muito espirituosas e geralmente irretorquíveis. Era o único homem no Canadá páreo para o [governador] conde de Frontenac, que muitas vezes o convidava à sua mesa para dar esse prazer a seus funcionários.[33]

Nos anos 1690, em outras palavras, o governador sediado em Montreal e seus funcionários (entre os quais presumivelmente se incluía Lahontan, seu vice durante algum tempo) mantinham um salão protoiluminista, convidavam Kondiaronk para debater os assuntos que apareciam nos *Dialogues* e nos quais era Kondiaronk quem ocupava a posição de cético racional.

Além disso, existem todas as razões para crer que Kondiaronk *realmente* estivera na França — sabemos que a Confederação Wendat de fato enviou um embaixador em visita à corte de Luís xiv em 1691, e o cargo de Kondiaronk na época era o de orador e porta-voz do Conselho, o que o tornaria o representante mais óbvio a ser enviado. Embora o íntimo conhecimento dos assuntos do continente e a compreensão da psicologia europeia atribuídos a Adario pudessem parecer implausíveis, Kondiaronk passara anos envolvido em negociações políticas com europeus, vencendo-os sistematicamente ao prever sua lógica, seus interesses, seus pontos cegos e suas reações. Por fim, muitas das críticas ao cristianismo e, em termos mais gerais, ao modo de vida europeu atribuídas a Adario correspondem quase exatamente a críticas documentadas de outros falantes de línguas iroquesas por volta da mesma época.[34]

O próprio Lahontan declarou que redigira os *Dialogues* com base em anotações feitas durante várias conversas mantidas com Kondiaronk em Michilimackinac, no estreito entre o lago Huron e o lago Michigan — papéis reorganizados mais tarde com o auxílio do governador e que foram certamente suplementados com reminiscências de ambos sobre debates semelhantes mantidos à mesa de jantar do próprio Frontenac. Sem dúvida, nesse processo o texto foi ampliado e embelezado, provavelmente recebendo mais algumas pequenas alterações quando Lahontan preparou a edição final em Amsterdam. Há, porém, todas as razões para crer que eram argumentos concebidos pelo próprio Kondiaronk.

Lahontan adianta alguns desses argumentos em suas *Mémoires*, quando observa que os americanos que haviam efetivamente estado na Europa — aqui, com grande probabilidade estava pensando basicamente no próprio Kondiaronk, bem como numa série de ex-cativos que trabalharam como escravizados nas galés — voltaram desdenhando das pretensões europeias de superioridade cultural. Os americanos nativos que estiveram na França, escreveu ele:

[...] sempre nos alfinetavam com as falhas e desordens que observaram em nossas cidades, que atribuíam ao dinheiro. Não há como tentar argumentar que pode ser útil a distinção da propriedade para a sustentação da sociedade: eles zombam de qualquer coisa que se diga a esse respeito. Em suma, não brigam, nem lutam, nem se caluniam uns aos outros; desdenham das artes e ciências, e riem das diferenças de nível que se observam entre nós. Taxam-nos de escravos e nos chamam de almas infelizes, com uma vida que não vale a pena viver, alegando que nos degradamos ao nos sujeitar a um homem [o rei] que detém todo o poder e não segue nenhuma lei a não ser sua própria vontade.

Em outras palavras, encontramos aqui todas as críticas usuais à sociedade europeia que os primeiros missionários tiveram de enfrentar — o oportunismo, a falta de auxílio mútuo, a submissão cega à autoridade —, mas acrescidas de um novo elemento: a organização da propriedade privada. Lahontan continua:

Eles consideram inexplicável que um homem deva ter mais do que outro e que os ricos devam receber mais respeito do que os pobres. Em suma, dizem eles, o nome de selvagens, que lhes atribuímos, caberia melhor a nós, visto que não há coisa nenhuma em nossas ações que tenha aparência de sabedoria.

Os americanos nativos que tiveram ocasião de observar de perto a sociedade francesa vieram a perceber uma diferença crucial em comparação à sociedade deles, que de outro modo talvez não se fizesse evidente. Nas sociedades ameríndias, não havia nenhuma forma evidente de converter a riqueza em poder sobre outrem (e portanto as diferenças de riqueza pouco efeito tinham sobre a liberdade individual), ao passo que na França a situação era oposta. O poder sobre as posses podia se traduzir diretamente em poder sobre outros seres humanos.

Mas passemos a palavra ao próprio Kondiaronk. O primeiro dos *Dialogues* versa sobre assuntos religiosos, em que Lahontan permite ao interlocutor apontar sem pressa as contradições lógicas e a incoerência das doutrinas cristãs do pecado original e da redenção, com especial atenção ao conceito de inferno. Além de lançar dúvidas sobre a historicidade das escrituras, Kondiaronk enfatiza o tempo todo a divisão dos cristãos em seitas infindáveis, cada qual convencida de estar totalmente certa, e todas as outras, condenadas ao inferno. Para sentir o sabor de suas palavras:

Kondiaronk: Ora, vamos, meu irmão. Não se exalte [...]. Nada mais natural que os cristãos tenham fé nas escrituras sagradas, pois desde a infância ouvem falar tanto delas. Apesar disso, para os que nascem sem tal preconceito, como os wendats, é apenas uma questão de bom senso examinar o assunto mais detidamente.

No entanto, depois de pensar longa e seriamente durante dez anos sobre o que os jesuítas nos falaram sobre a vida e a morte do filho do Grande Espírito, qualquer wendat poderia lhes fornecer vinte razões contra essa ideia. De minha parte, sempre sustentei que, se fosse possível que Deus tivesse rebaixado seus critérios o suficiente para vir à terra, teria vindo à vista de todos, descendo em triunfo, com pompa e majestade, e muito publicamente [...]. Teria ido de nação em nação realizando grandes milagres, conferindo assim a todos as mesmas leis. Então todos nós teríamos a mesma religião, uniformemente difundida e conhecida nos quatro cantos do mundo, provando a nossos descendentes, desde então até daqui a dez mil anos, a verdade dessa religião. Em vez disso, existem quinhentas ou seiscentas religiões, cada uma diferente da outra, entre as quais, segundo vocês, somente a religião dos franceses é boa, sagrada ou verdadeira.[35]

O trecho final indica, talvez, o aspecto mais expressivo no argumento de Kondiaronk: a extraordinária presunção da convicção jesuíta de que um ser onisciente e onipotente escolheria de livre e espontânea vontade se ver preso na armadilha da carne e passar por um sofrimento terrível, tudo por causa de uma única espécie, destinada a ser imperfeita, da qual apenas alguns, de todo modo, viriam a ser salvos da danação.[36]

Segue-se um capítulo sobre o tema da lei, em que Kondiaronk adota a posição de que a lei punitiva ao estilo europeu, assim como a doutrina religiosa da danação eterna, é exigida não por alguma corrupção intrínseca da natureza humana, mas sim por uma forma de organização social que incentiva a conduta egoísta e acumulativa. Lahontan objeta: sim, a razão é a mesma para todos os seres humanos, mas a própria existência de juízes e punições mostra que nem todos são capazes de seguir seus ditames:

Lahontan: É por isso que os maus precisam ser punidos e os bons precisam ser recompensados. Do contrário, o assassinato, o roubo e a difamação se espalhariam por todas as partes e, em suma, seríamos o povo mais infeliz na face da terra.

Kondiaronk: Da minha parte, acho difícil considerar que vocês poderiam ser muito mais infelizes do que já são. Que tipo de ser humano, que espécie de criatura devem ser os europeus, para precisar ser forçados a fazer o bem e só se abstêm do mal por medo do castigo? [...]

Você observou que não temos juízes. Qual é a razão disso? Bem, nunca abrimos processos uns contra os outros. E por que nunca abrimos processos? Bem, porque decidimos não aceitar nem usar dinheiro. E por que não permitimos dinheiro em nossas comunidades? Pela seguinte razão: estamos decididos a não ter leis — porque, desde que o mundo é mundo, nossos ancestrais foram capazes de viver contentes sem elas.

Considerando que os wendats dispunham de um código legal, isso pode parecer hipocrisia da parte de Kondiaronk. Por leis, no entanto, ele está se referindo claramente a leis de natureza coercitiva ou punitiva. Ele prossegue, dissecando as falhas do sistema jurídico francês, detendo-se em especial no processo judicial, no falso testemunho, na tortura, nas acusações de bruxaria e na justiça diferenciada para ricos e pobres. Ao concluir o raciocínio, ele retoma sua observação original: todo o aparato para tentar obrigar as pessoas a se comportarem bem seria desnecessário se a França não mantivesse um dispositivo contrário, que incentiva as pessoas a se comportarem mal. Esse dispositivo era composto pelo dinheiro, pelos direitos de propriedade e pela decorrente busca do interesse material próprio:

Kondiaronk: Passei seis anos refletindo sobre o estado da sociedade europeia e ainda não consigo pensar numa única maneira de agirem que não seja inumana, e realmente penso que só pode ser mesmo esse o caso, considerando como vocês se aferram a suas distinções entre "o meu" e "o teu". Afirmo que isso que vocês chamam de dinheiro é o demônio dos demônios, o tirano dos franceses, a fonte de todos os males, a desgraça das almas e o matadouro dos vivos. Imaginar que alguém possa viver na terra do dinheiro e preservar a alma é como imaginar que alguém conseguiria preservar a vida no fundo de um lago. O dinheiro é o pai da luxúria, da lascívia, das intrigas, das trapaças, das mentiras, da traição, da insinceridade — dos piores comportamentos de todo o mundo. Pais vendem os filhos, maridos, as esposas, esposas traem os maridos, irmãos se matam, amigos são falsos, e tudo por causa do dinheiro. À luz de tudo isso, diga-me: nós wendats não estamos certos em recusar tocar ou sequer olhar a prata?

Para os europeus em 1703, isso era algo embasbacante.

Boa parte da conversa subsequente consiste nas tentativas do francês em convencer Kondiaronk quanto às vantagens de adotar a civilização europeia, e o americano contrapondo que os franceses fariam muito melhor em adotar o modo de vida wendat. Você imagina mesmo, ele questiona, que eu seria feliz em viver como um dos habitantes de Paris, em levar duas horas todas as manhãs só para vestir a camisa e me empoar, em me curvar e fazer uma vênia a qualquer sujeito desagradável que encontro na rua só porque lhe calhou nascer com uma herança? Você imagina mesmo que eu andaria com uma bolsinha cheia de moedas sem dá-las imediatamente a quem estivesse com fome; que eu andaria com uma espada, mas não a puxaria imediatamente diante do primeiro bando de valentões que vejo arrebanhando os destituídos para obrigá-los ao serviço naval forçado? Se, por outro lado, Kondiaronk prossegue, Lahontan adotasse um modo de vida americano, poderia levar algum tempo para se adaptar — mas, no fim, seria muito mais feliz. (Kondiaronk tinha razão nesse aspecto, como vimos no capítulo anterior; os colonos adotados em sociedades indígenas quase nunca queriam voltar.)

Kondiaronk chega inclusive a afirmar que a Europa estaria melhor se todo o seu sistema social fosse desmantelado:

> **Lahontan**: Tente pelo menos uma vez na vida ouvir de verdade. Você não vê, meu caro amigo, que as nações da Europa não sobreviveriam sem o ouro e a prata — ou algum símbolo precioso similar? Sem isso, nobres, sacerdotes, mercadores e todos os outros que não têm força para trabalhar o solo simplesmente morreriam de fome. Nossos reis não seriam reis; que soldados teríamos? Quem trabalharia para os reis ou para qualquer outro? [...]. Isso mergulharia a Europa no caos e criaria a mais terrível confusão imaginável.
>
> **Kondiaronk**: Você realmente pensa que vai me fazer mudar de ideia apelando às necessidades de nobres, mercadores e sacerdotes? Se vocês abandonassem as concepções do meu e do teu, sim, tais distinções entre os homens se dissolveriam; então uma igualdade niveladora se instalaria entre vocês como acontece agora entre os wendats. E, sim, nos primeiros trinta anos após a expulsão do interesse próprio, certamente vocês veriam uma certa desolação quando aqueles capacitados apenas para comer, beber, dormir e se entregar a prazeres fossem enlanguescendo e morrendo. Mas a descendência deles estaria apta para nosso

modo de viver. Apresentei várias e várias vezes as qualidades que nós wendats cremos que devem definir a humanidade — sabedoria, razão, equidade etc. — e demonstrei que a existência de interesses materiais separados acaba com todas elas. Um homem motivado pelo interesse não pode ser um homem da razão.

Aqui, finalmente a "igualdade" é invocada como um ideal consciente — mas apenas como resultado de um longo confronto entre instituições e valores americanos e europeus e como provocação calculada, fazendo o discurso civilizador europeu se voltar contra si mesmo.

Uma das razões pelas quais os críticos modernos consideram tão fácil descartar Kondiaronk como o "nobre selvagem" supremo (ou seja, como mera projeção de fantasias europeias) é que muitas asserções suas são obviamente exageradas. Não é verdade que os wendats ou outras sociedades americanas não tivessem leis, nunca brigassem e desconhecessem desigualdades em termos de riquezas. Por outro lado, como vimos, a linha argumentativa básica de Kondiaronk é bastante coerente com o que missionários e colonizadores franceses na América do Norte tinham ouvido de outros indígenas americanos. Afirmar que os *Dialogues* são uma romantização, e por isso não podem refletir de fato o que ele disse, é supor que as pessoas são incapazes de romantizar a si mesmas — embora seja isso o que qualquer debatedor habilidoso provavelmente faz em tais circunstâncias, e todas as fontes concordam que Kondiaronk era talvez o debatedor mais habilidoso que tinham visto na vida.

Nos anos 1930, o antropólogo Gregory Bateson cunhou o termo "cismogênese" para descrever a tendência das pessoas de se definirem em oposição umas às outras.[37] Imaginem duas pessoas entrando numa discussão sobre alguma pequena divergência política, mas que, depois de uma hora, acabam adotando posições tão intransigentes que se veem em lados totalmente opostos de uma determinada linha divisória ideológica — chegando a adotar posições extremas que jamais abraçariam em circunstâncias normais só para mostrar a que ponto rejeitam por completo os aspectos defendidos pelo outro. Começam como social-democratas moderados de matizes pouco diferentes; depois de umas duas ou três horas acaloradas, um se tornou um leninista ardoroso e o outro, um defensor encarniçado das ideias de Milton Friedman. Sabemos que esse tipo de coisa pode acontecer em discussões. Bateson sugeriu que esses processos também podem se institucionalizar num nível cultural. Como os meninos e as meninas na Papua Nova Guiné, indagou ele, acabam assumindo condutas tão diferente, embora nunca ninguém lhes ensine como meninos e meninas deveriam se comportar? Não é apenas imitando os mais velhos; é também porque aprendem, cada qual por seu lado, a considerar desagradável o comportamento do sexo oposto e a tentar evitar ao máximo qualquer semelhança. Coisas que começam como pequenas diferenças adquiridas vão se extrapolando até que as mulheres passam a se considerar e então, aos poucos, a ser efetivamente tudo o que os homens não são. E, claro, os homens fazem o mesmo em relação às mulheres.

Bateson estava interessado em processos psicológicos internos das sociedades, mas é plenamente razoável supor que algo similar ocorra também *entre* as sociedades. As pessoas passam a se definir em contraste com os outros. Citadinos adquirem modos mais urbanos, assim como bárbaros adotam modos mais bárbaros. Caso seja de fato possível afirmar que existe um "caráter nacional", só pode ser como resultado desses processos cismogenéticos: os ingleses tentando se diferenciar o máximo possível dos franceses, os franceses o máximo possível dos alemães, e assim por diante. No mínimo, tenderão a enfatizar de forma exagerada e categórica suas diferenças ao discutirem entre si.

Num confronto histórico de civilizações como o que estava ocorrendo ao longo da costa leste da América do Norte no século XVII, podemos esperar encontrar dois processos contraditórios. Por um lado, é de esperar que os indivíduos dos dois lados da linha divisória aprendam com esse convívio e adotem ideias, hábitos e tecnologias uns dos outros (americanos começaram a usar mosquetes europeus; colonos europeus começaram a adotar métodos americanos mais tolerantes para disciplinar as crianças). Por outro lado, é quase certo que farão também o contrário, elegendo determinados pontos de contraste e os exagerando ou idealizando — por fim, até tentando agir, em alguns aspectos, da maneira menos parecida possível com a de seus novos vizinhos.

O enfoque concentrado de Kondiaronk sobre o dinheiro é típico de situações desse tipo. Até hoje, sociedades indígenas incorporadas à economia global, da Bolívia a Taiwan, quase sempre formulam suas tradições, como observa Marshall Sahlins, por oposição ao "viver pelo dinheiro" do homem branco.[38]

* * *

Essas seriam questões bastante triviais se os livros de Lahontan não tivessem feito tanto sucesso; mas, sendo assim, viriam a ter um enorme impacto sobre as sensibilidades europeias. As opiniões de Kondiaronk foram traduzidas para o alemão, o inglês, o holandês e o italiano, e continuaram a aparecer em múltiplas edições por mais de um século. Qualquer intelectual setecentista que se desse ao respeito quase certamente as teria lido. Também inspiraram uma torrente de imitações. Em 1721, os frequentadores parisienses de teatro acorriam em bando para assistir à comédia de Delisle de la Drevetière *L'Arlequin sauvage*: a história de um wendat levado para a França por um jovem capitão de navio, apresentando uma longa sucessão de monólogos indignados em que o herói "atribui os males da sociedade [francesa] à propriedade privada, ao dinheiro e, em particular, à monstruosa desigualdade que converte os pobres em escravos dos ricos".[39] A peça foi reapresentada quase todos os anos pelas duas décadas seguintes.[40]

E, o que é ainda mais surpreendente, quase todas as principais figuras do Iluminismo francês se arriscaram a uma crítica de sua sociedade ao estilo de Lahontan, do ponto de vista de um forasteiro imaginário. Montesquieu escolheu um persa; o marquês d'Argens, um chinês; Diderot, um taitiano; Chateaubriand, um natchez; *O ingênuo* de Voltaire era meio wendat, meio francês.[41] Todos selecionaram e desenvolveram temas e argumentos extraídos diretamente de Kondiaronk, suplementando com frases de outros "críticos selvagens" em narrativas de viajantes.[42] De fato, é possível afirmar com bases sólidas que as verdadeiras origens do "olhar ocidental" — aquele modo racional, supostamente objetivo de olhar culturas estranhas e exóticas que veio a caracterizar a antropologia europeia posterior — se encontram não nos relatos de viajantes, mas sim nos relatos europeus desses nativos céticos imaginários: observando de fora para dentro, com o cenho franzido, as exóticas curiosidades da própria Europa.

A obra mais popular desse gênero, publicada em 1747, talvez tenha sido *Lettres d'une péruvienne* [Cartas de uma peruana], escrita pela importante *saloniste* Madame de Graffigny, apresentando a sociedade francesa pelos olhos de uma princesa inca raptada imaginária. O livro é tido como um marco feminista, no sentido de que pode ser o primeiro romance europeu sobre uma mulher que não termina com o casamento ou a morte da protagonista. Zilia, a heroína inca de Graffigny, critica tanto o patriarcado quanto as vaidades e os absurdos da sociedade europeia. No século XIX, o romance foi relembrado em alguns círculos como a primeira obra a apresentar a noção de socialismo de Estado ao público em geral, com Zilia se indagando o motivo pelo qual o rei francês, apesar de arrecadar grandes impostos das mais variadas espécies, não pode simplesmente redistribuir a riqueza, da mesma forma como o Sapa Inca.[43]

Em 1751, ao preparar uma segunda edição do livro, Madame de Graffigny escreveu a diversos amigos pedindo sugestões de alterações. Um dos missivistas era um rapaz de 23 anos, seminarista e futuro economista, chamado A. R. J. Turgot, e por acaso chegou a nós uma cópia de sua resposta — que era longa e extremamente crítica (ainda que construtiva). O texto de Turgot é de especial importância, pois marca um momento decisivo em seu desenvolvimento intelectual: o ponto em que ele começou a converter sua contribuição mais duradoura ao pensamento humano — a ideia do progresso econômico material — numa teoria geral da história.

OS PODERES DEMIÚRGICOS DE A. R. J. TURGOT, E COMO ELE VIROU DE PONTA-CABEÇA A CRÍTICA INDÍGENA DA CIVILIZAÇÃO EUROPEIA, LANÇANDO AS BASES PARA A MAIORIA DAS CONCEPÇÕES MODERNAS DA EVOLUÇÃO SOCIAL (OU: COMO UMA DISCUSSÃO SOBRE A "LIBERDADE" SE TORNOU UMA DISCUSSÃO SOBRE A "IGUALDADE")

O Império Inca dificilmente poderia ser definido como "igualitário" — era, de fato, um império —, mas Madame de Graffigny o representava como um despotismo benevolente, em que todos, em última análise, são iguais perante o rei. A crítica de Zilia à França, como a de todos os estrangeiros imaginários escrevendo na tradição da Kondiaronk, se concentra na falta de liberdade individual na sociedade francesa e em suas violentas desigualdades.[44] Turgot, no entanto, considerou esse pensamento incômodo e até perigoso.

Sim, reconhecia Turgot, "todos nós amamos a ideia de liberdade e igualdade" — em princípio. Mas devemos pensar num contexto mais amplo. Na realidade, especulou ele, a liberdade e a igualdade dos selvagens não são um sinal de superioridade, e sim de inferioridade, visto que só são possíveis numa sociedade em que toda família é, em larga medida, autossuficiente e, portanto, todos são igualmente pobres. Conforme as sociedades evoluem, segundo Turgot, a tecnologia avança. As diferenças naturais de talentos e capacidades entre os indivíduos (que sempre existiram) ganham maior importância e acabam formando a base para uma divisão do trabalho sempre mais complexa. Progredimos de sociedades simples, como as dos wendats, para nossa "civilização mercantil" complexa, em que a pobreza e a falta de posses de alguns — por mais lamentáveis que possam ser — mesmo assim constituem a condição necessária para a prosperidade da sociedade como um todo.

Não há como evitar essa desigualdade, concluía Turgot em sua resposta a Madame de Graffigny. A única alternativa, segundo ele, seria uma imensa intervenção estatal ao estilo inca para criar condições sociais uniformes: uma igualdade forçada, que teria como efeito apenas destruir todo e qualquer empreendimento comercial, resultando numa catástrofe econômica e social. À luz de tudo isso, Turgot sugeria a Madame de Graffigny que reescrevesse o romance de forma que Zilia, no fim do livro, percebesse essas terríveis implicações.

Não admira que Graffigny tenha ignorado o conselho.

Alguns anos depois, Turgot aprofundou essas mesmas ideias numa série de preleções sobre a história mundial. Já andara defendendo durante alguns anos que o progresso tecnológico era o principal motor do aprimoramento social como um todo. Nessas preleções, tomou esse argumento e o desenvolveu explicitamente como uma teoria dos estágios de desenvolvimento econômico: a evolução social, sustentava Turgot, sempre se inicia com caçadores, passa para um estágio pastoril, depois agrícola e só então, por fim, para o estágio contemporâneo da civilização mercantil urbana.[45] A melhor explicação para os que continuam como caçadores, pastores ou simples agricultores é entendê-los como resquícios de nossos estágios anteriores de desenvolvimento social.

Foi dessa forma, portanto, que as teorias de evolução social — hoje tão correntes que quase nunca nos detemos sobre suas origens — vieram a ser formuladas pela primeira vez na Europa: como resposta direta ao poder da crítica indígena. Em poucos anos, a divisão turgotiana de todas as sociedades em quatro estágios começou a aparecer nas preleções de seu amigo e aliado intelectual Adam Smith, em Glasgow, e a ser elaborada como uma teoria geral da história humana pelos colegas de Smith: homens como lorde Kames, Adam Ferguson e John Millar. O novo paradigma em pouco tempo veio a exercer grande influência na maneira como os pensadores europeus e o público europeu em geral passaram a encarar os povos indígenas.

Observadores que antes consideravam os modos de subsistência e divisão do trabalho nas sociedades norte-americanas como questões triviais, ou na melhor das hipóteses como assuntos de importância secundária, começavam a considerá-los como a única coisa de fato importante. Todos deviam ser distribuídos ao longo da mesma escala evolucionária, dependendo do modo básico de obtenção de alimento. As sociedades "igualitárias" foram relegadas à parte inferior dessa escala, onde podiam, no máximo, oferecer algum vislumbre do tipo de vida dos nossos ancestrais distantes, porém não mais ser imaginadas como partes iguais num diálogo, debatendo como os integrantes de sociedades ricas e poderosas deveriam se conduzir no presente.

Vamos nos deter por um momento para avaliar a questão. Entre os anos de 1703 e 1751, como vimos, a crítica indígena americana da sociedade existente na Europa teve enorme impacto sobre o pensamento europeu. O que começou como uma ampla série de manifestações de ofensa e desagrado dos americanos (quando expostos pela primeira vez aos costumes dos europeus) acabou evoluindo, por meio de milhares de conversas entabuladas em dezenas de línguas, do português ao russo, para um debate sobre a natureza da autoridade, da decência, da responsabilidade social e, sobretudo, da liberdade. Quando se tornou claro para os observadores franceses que a maioria dos americanos indígenas via a autonomia individual e a liberdade de ação como valores inalienáveis — organizando sua vida de modo a minimizar qualquer possibilidade de que um ser humano ficasse subordinado à vontade de outro, e por isso considerando que a sociedade francesa era composta na prática de escravos recalcitrantes —, eles reagiram de várias maneiras diferentes.

Alguns, como os jesuítas, condenaram de imediato o princípio da liberdade. Outros — colonos, intelectuais e integrantes do público leitor no país de origem — vieram a tomá-lo como uma proposição social instigante e atraente. (Diga-se de passagem que suas conclusões sobre o tema não guardavam nenhuma relação específica com os sentimentos que nutriam em relação às populações indígenas, cujo extermínio muitas vezes viam com bons olhos — ainda que, para sermos justos, houvesse figuras públicas dos dois lados da divisão ideológica que se opunham energicamente à agressão contra povos estrangeiros.) Na verdade, a crítica indígena das instituições europeias era considerada tão poderosa que qualquer um que objetasse aos ordenamentos sociais e intelectuais existentes tendia a empregá-la como sua arma favorita: esse jogo, como vimos, foi adotado por quase todos os grandes filósofos do Iluminismo.

Nesse processo — e vimos como isso já vinha acontecendo com Lahontan e Kondiaronk —, a discussão sobre a liberdade passou a se tornar cada vez mais uma discussão sobre a igualdade. Acima de tudo, porém, todos esses apelos à sabedoria dos "selvagens" ainda eram uma forma de desafiar a arrogância da autoridade imposta de cima para baixo: a certeza medieval de que os julgamentos da Igreja e do sistema que sustentava, por ter adotado a versão correta do cristianismo, eram necessariamente superiores aos de qualquer outra pessoa na face da terra.

O caso de Turgot revela até que ponto, na verdade, noções específicas de civilização, evolução e progresso — o que viemos a considerar como o próprio cerne do pensamento iluminista — são desenvolvimentos relativamente tardios dessa tradição crítica. E, o que é mais importante, mostra que o desenvolvimento dessas noções se deu como reação direta ao poder da crítica indígena. Na prática, era um enorme esforço para preservar o mesmo senso de superioridade europeia que os pensadores iluministas pretenderam subverter, desestabilizar e descentralizar. Sem dúvida, ao longo do século seguinte e mais além, essas noções se tornaram uma estratégia de notável sucesso para tal resgate. Mas também criaram um turbilhão de contradições: por exemplo, o curioso fato de que os impérios coloniais europeus, ao contrário de praticamente qualquer outro na história, foram obrigados a reconhecer seu caráter efêmero, alegando ser meros veículos temporários para acelerar a marcha de seus súditos rumo à civilização — pelo menos os que, ao contrário dos wendats, não tinham sido quase varridos do mapa.

Nesse ponto, o círculo se fecha e voltamos a Rousseau.

COMO JEAN-JACQUES ROUSSEAU, TENDO VENCIDO UM IMPORTANTE CONCURSO DE ENSAIOS, E DEPOIS TENDO PERDIDO OUTRO (ULTRAPASSANDO EM MUITO O NÚMERO ESTIPULADO DE PALAVRAS), ENFIM PÔDE ABARCAR A TOTALIDADE DA HISTÓRIA HUMANA

A correspondência entre Madame de Graffigny e Turgot nos dá uma ideia do debate intelectual na França no começo dos anos 1750, pelo menos nos círculos *salonistes* com que Rousseau estava familiarizado. Eram a liberdade e a igualdade valores universais ou eram incompatíveis — pelo menos em sua forma pura — com um regime baseado na propriedade privada? O progresso nas artes e ciências levava a um melhor entendimento do mundo e, portanto, também a um progresso moral? Ou a crítica indígena estava correta, e a riqueza e o poderio da França eram simplesmente um efeito colateral distorcido de ordenamentos sociais antinaturais e até patológicos? Estas eram as perguntas que faziam todos os debatedores.

Se hoje conhecemos alguma coisa sobre aqueles debates, é em larga medida por causa de sua influência sobre o ensaio de Rousseau. O *Discurso sobre a origem e os fundamentos da desigualdade entre os homens* tem sido ensinado, discutido e minuciosamente analisado em milhares de salas de aula — o que é curioso, pois se trata de um ensaio muito excêntrico, mesmo pelos padrões da época.

Na parte inicial da vida, Rousseau era conhecido sobretudo como aspirante a compositor. Começou a ganhar destaque como pensador social em 1750, quando participou de um concurso promovido pela mesma sociedade de eruditos, a Académie de Dijon, sobre: "O restabelecimento das ciências e das artes contribuiu para depurar os costumes?".[46] Rousseau conquistou o primeiro prêmio e renome nacional com um ensaio em que defendia com ardor que não, essa contribuição não existiu. Nossas intuições morais elementares, afirmava ele, são fundamentalmente justas e decentes; a civilização apenas as corrompe encorajando-nos a valorizar a forma em detrimento do conteúdo. Quase todos os exemplos nesse *Discurso sobre as ciências e as artes* são extraídos de clássicos gregos e romanos — mas, nas notas de rodapé, Rousseau faz menção a outras fontes de inspiração:

> Não me atrevo a falar dessas nações felizes que não conhecem sequer de nome os vícios que tanta dificuldade temos em reprimir, desses selvagens da América cuja

polícia simples e natural Montaigne não hesita em preferir não só às leis de Platão, mas também a tudo o que a filosofia jamais conseguirá imaginar de mais perfeito para o governo dos povos. Ele cita uma quantidade de exemplos impressionantes para quem é capaz de admirá-los. Ora pois!, diz ele, nem usam culotes![47]

A vitória de Rousseau desencadeou uma espécie de escândalo. Considerou-se controvertido, para dizer o mínimo, que uma academia dedicada à promoção das artes e ciências concedesse o prêmio máximo a um ensaio argumentando que as artes e as ciências eram contraproducentes por completo. Quanto a Rousseau, ele passou boa parte dos vários anos seguintes redigindo respostas de ampla divulgação a críticas contra o ensaio (além de usar a sua recém-adquirida fama para produzir uma ópera cômica, *Le devin du village* [O adivinho da aldeia], que fez sucesso na corte francesa). Quando a Académie de Dijon anunciou em 1754 um novo concurso sobre as origens da desigualdade social, sentiu claramente que deveria colocar o novo astro em seu devido lugar.

Rousseau mordeu a isca. Apresentou um ensaio ainda mais elaborado, com a clara intenção de chocar e consternar. Além de não levar o prêmio (que foi concedido a um ensaio bem convencional, escrito pelo abade Talbert, um representante do establishment religioso, que atribuía em larga medida nossa condição atual de desigualdade ao pecado original), os jurados declararam que nem tinham lido o ensaio de Rousseau por inteiro, pois excedia em muito o limite estipulado de palavras.

O ensaio de Rousseau é, sem dúvida, estranho. Mas não é bem aquilo que muitas vezes se alega. Na verdade, Rousseau não defende que a sociedade humana se inicia num estado de inocência idílica. O autor afirma, de maneira um tanto desconcertante, que os primeiros seres humanos eram essencialmente bons, mas, apesar disso, evitavam-se de forma sistemática, temendo a violência. Em razão disso, os seres humanos num Estado de Natureza eram criaturas solitárias, o que lhe permite argumentar que a "sociedade" em si — ou seja, qualquer forma de associação durável entre indivíduos — era necessariamente uma restrição da liberdade humana. Até mesmo a linguagem constituía uma espécie de concessão, nesse sentido. Mas a verdadeira inovação trazida por Rousseau consiste no momento fundamental da "queda" da humanidade, momento desencadeado, segundo ele, pelo surgimento das relações de propriedade.

O modelo rousseauísta de sociedade humana — que, ele enfatiza várias vezes, não deve ser de maneira nenhuma tomado ao pé da letra, constituindo apenas um experimento mental — apresenta três estágios: um Estado de Natureza exclusivamente imaginário, em que os indivíduos viviam isolados uns dos outros; um estágio de selvageria da Idade da Pedra, que se seguiu à invenção da linguagem (estágio no qual inclui a maioria dos habitantes modernos da América do Norte e outros "selvagens" observáveis na prática); e, por fim, a civilização, que se seguiu à invenção da agricultura e da metalurgia. Cada estágio marca um declínio moral. Mas, como Rousseau tem o cuidado de ressaltar, a parábola como um todo é uma maneira de entender o que levou os seres humanos a aceitarem a noção de propriedade privada, para começo de conversa:

> O primeiro que, tendo cercado um terreno, decidiu dizer "isso é meu" e encontrou gente simples o suficiente para acreditar nele, foi o verdadeiro fundador da sociedade civil. Quantos crimes, guerras, assassinatos, quantas misérias e horrores não teria poupado ao gênero humano aquele que, arrancando as estacas ou cobrindo a vala, gritasse a seus semelhantes: Não escutem esse impostor; vocês estarão perdidos se esquecerem que os frutos são de todos e que a terra não é de ninguém! Mas, ao que muito parece, as coisas então já haviam chegado ao ponto de não poder mais persistir como eram: pois essa ideia de propriedade, dependente de muitas ideias anteriores que só puderam nascer umas após as outras, não se formou de repente no espírito humano.[48]

Aqui, Rousseau faz a mesmíssima pergunta que intrigou tantos indígenas americanos. Como os europeus são capazes de converter riqueza em poder, de converter uma mera distribuição desigual de bens materiais — que existe, pelo menos em algum grau, em qualquer sociedade — na capacidade de dizer aos outros o que fazer, de empregá-los como servos, artífices ou soldados, ou de sentir simplesmente que não é problema deles se os demais ficam abandonados à morte na rua, debilitados e febris?

Embora não cite diretamente Lahontan ou as *Relations des jésuites*, Rousseau tinha visível familiaridade com eles,[49] como qualquer intelectual da época, e sua obra é estruturada pelas mesmas questões críticas: por que os europeus são tão competitivos? Por que não dividem o alimento? Por que se submetem às ordens dos outros? O longo excurso de Rousseau sobre a *pitié* [piedade] — a compaixão natural que, afirma ele, os selvagens sentem uns pelos outros e a qualidade que impede as piores depredações cometidas pela civilização em sua segunda fase — só faz sentido à luz das constantes e consternadas observações dos indígenas que se encontram naqueles livros: que os europeus simplesmente parecem não se importar uns com os outros; que não são "generosos nem bondosos".[50]

Assim, a razão do espantoso sucesso do ensaio é que, apesar do estilo sensacionalista, é uma espécie de acomodação realmente habilidosa entre duas ou talvez até três posições contraditórias sobre as preocupações sociais e morais mais prementes da Europa setecentista. Consegue incorporar elementos da crítica indígena, ecos da narrativa bíblica da queda do Paraíso e algo no mínimo muito semelhante aos estágios evolutivos de desenvolvimento material que estavam sendo propostos naquela época por Turgot e pelos pensadores iluministas escoceses. Em essência, Rousseau concorda com a percepção de Kondiaronk de que os europeus civilizados eram, de modo geral, criaturas atrozes, por todas as razões que o wendat havia apresentado; e admite que a propriedade é a raiz do problema. A única — e grande — diferença é que Rousseau, ao contrário de Kondiaronk, não consegue conceber uma sociedade baseada em qualquer outra coisa.

Na transposição da crítica indígena para termos que os filósofos franceses conseguiriam entender, foi exatamente esse potencial para alternativas que se perdeu. Para americanos como Kondiaronk, não havia contradição entre liberdade individual e comunismo — ou seja, o comunismo no sentido aqui empregado, e presumindo pelo menos uma relativa aceitação desse sentido, a de que é presumível que pessoas que não sejam inimigas entre si atendam mutuamente às suas necessidades. Na posição americana, considerava-se que a liberdade do indivíduo tinha como premissa um certo nível de "comunismo elementar", já que, no fim das contas, pessoas passando fome, ou sem roupas adequadas ou abrigo durante uma nevasca, não estão de fato livres para fazer grande coisa a não ser o que for preciso para continuarem vivas.

A concepção europeia da liberdade individual, por sua vez, estava indissociavelmente ligada a noções de propriedade privada. Em termos jurídicos, essa vinculação remonta sobretudo ao poder do páter-famílias na Roma antiga, que podia fazer o que bem quisesse com suas posses e bens móveis, inclusive filhos e escravos.[51] De acordo com essa visão, a liberdade era sempre definida — pelo menos em termos de possibilidades — como algo que se exercia à custa de outros. E mais: o direito romano antigo (assim como o direito europeu moderno) dava uma grande ênfase à autossuficiência do agregado familiar; portanto, liberdade de verdade significava autonomia no sentido radical, não só autonomia da vontade, mas de não depender sob nenhum aspecto de outros seres humanos (exceto os que estavam sob o controle direto do indivíduo). Rousseau, que sempre insistiu que queria viver sem depender da ajuda de terceiros (mesmo que tivesse todas as suas necessidades atendidas por amantes e pela criadagem), utilizou essa mesma lógica na condução de sua própria vida.[52]

Nossos ancestrais, escreveu Rousseau, quando tomaram a decisão fatídica de dividir a terra em áreas com proprietários individuais, criando estruturas jurídicas para proteger suas posses, e depois governos para impor essas leis, imaginaram que estavam criando os meios de preservar sua liberdade. Na verdade, "correram para seus grilhões". Trata-se de uma imagem poderosa, mas não se sabe como Rousseau imaginava ter sido essa liberdade perdida, sobretudo se, como insistia ele, qualquer relação humana durável, mesmo de auxílio mútuo, é em si mesma uma restrição à liberdade. Não surpreende muito que ele tenha inventado uma era apenas imaginária, em que cada indivíduo vagueava sozinho pelos bosques; o que talvez surpreenda mais é que seu mundo imaginário acabasse definindo com tanta frequência o arco de nossos próprios horizontes. Como isso aconteceu?

AS RELAÇÕES ENTRE A CRÍTICA INDÍGENA, O MITO DO PROGRESSO E O NASCIMENTO DA ESQUERDA

Como mencionamos anteriormente, os críticos conservadores na esteira da Revolução Francesa punham a culpa de quase tudo em Rousseau. Muitos o consideravam pessoalmente responsável pela guilhotina. O sonho de restaurar o antigo estado de liberdade e igualdade, segundo eles, levara aos efeitos previstos por Turgot: um totalitarismo ao estilo inca que só podia se impor por meio do terror revolucionário.

É verdade que os radicais políticos na época da Revolução Francesa e da Guerra de Independência dos Estados Unidos esposavam ideias de Rousseau.

Eis, por exemplo, um excerto de um manifesto escrito em 1776 que reproduz com grandes semelhanças a fusão rousseauísta entre evolucionismo e crítica da propriedade privada, levando diretamente às origens do Estado:

> Com a multiplicação das famílias, os meios de subsistência começaram a faltar; a vida nômade cessou e veio à existência a PROPRIEDADE; os homens escolheram habitações; a agricultura fez com que se misturassem. A linguagem se tornou universal; vivendo juntos, um homem começou a se comparar com o outro, e os mais fracos eram diferenciados dos mais fortes. Sem dúvida, isso criou a ideia de mútua defesa, de um indivíduo governando diversas famílias reunidas e, assim, defendendo sua gente e seus campos contra a invasão de um inimigo; mas por isso a LIBERDADE ruiu sobre suas bases e a IGUALDADE desapareceu.[53]

Essas palavras foram extraídas do pretenso manifesto da Ordem Secreta dos Illuminati, uma rede de quadros revolucionários organizada entre os maçons por um professor bávaro de direito chamado Adam Weishaupt. A organização de fato existiu na segunda metade do século XVIII, com o propósito de formar uma elite esclarecida internacional, ou até antinacionalista, para trabalhar pela restauração da liberdade e da igualdade.

A Ordem foi quase imediatamente denunciada pelos conservadores, o que levou ao seu banimento em 1785, passados menos de dez anos desde sua fundação, mas conspiracionistas de direita insistiam que ela continuava a existir e que os Illuminati eram as mãos ocultas que puxavam os fiozinhos por trás da Revolução Francesa (e, mais tarde, até mesmo da Revolução Russa). É tolice, mas a fantasia foi possível porque os Illuminati foram talvez os primeiros a propor que uma vanguarda revolucionária, formada na interpretação correta da doutrina, seria capaz de entender o rumo geral da história humana — e, com isso, de intervir para acelerar seu avanço.[54]

Pode parecer irônico que Rousseau, que começou a carreira adotando uma posição que hoje consideraríamos arquiconservadora — a de que o progresso aparente leva apenas à decadência moral —, acabasse virando a grande *bête noire* de tantos conservadores.[55] Mas sempre há um vitríolo especial reservado para os traidores.

85

Muitos pensadores conservadores julgam que Rousseau traçou um círculo completo, partindo de um começo promissor e criando o que hoje consideramos a esquerda política. Não estão totalmente errados a esse respeito. Rousseau foi de fato uma figura fundamental na formação do pensamento de esquerda. Se os debates intelectuais dos meados do século XVIII nos parecem hoje tão estranhos, é exatamente porque, entre outras coisas, ainda não haviam se cristalizado as divisões entre direita e esquerda tal como as entendemos. Na época da Guerra de Independência dos Estados Unidos, os termos "direita" e "esquerda" nem sequer existiam. Frutos da década seguinte, eles se referiam originalmente aos lados em que se sentavam a facção aristocrática e a facção popular na Assembleia Nacional Francesa de 1789.

Enfatizemos (apesar de considerarmos que não deveria ser necessário) que as efusões rousseauístas sobre a decência fundamental da natureza humana e os tempos perdidos da liberdade e igualdade não foram de maneira nenhuma, por si sós, responsáveis pela Revolução Francesa. Não foi ele que, de alguma maneira, fez com que os *sans culottes* se revoltassem ao lhes inculcar esses ideias (como observamos, os intelectuais parecem ter sido, durante a maior parte da história europeia, a única categoria que *não era* capaz de imaginar a possibilidade de existência de outros mundos). Mas podemos afirmar que, ao juntar a crítica indígena e a doutrina do progresso originalmente desenvolvida para se contrapor a ela, Rousseau de fato escreveu o documento fundador da esquerda como projeto intelectual.

Pela mesma razão, o pensamento de direita desconfiava desde o início não só das ideias de progresso, mas também de toda a tradição nascida da crítica indígena. Hoje supomos que sejam sobretudo os integrantes da esquerda política que falam sobre o "mito do nobre selvagem", e que qualquer relato europeu da época dos primeiros contatos que idealize povos distantes ou mesmo lhes atribua opiniões convincentes é, na verdade, uma mera projeção romântica de fantasias sobre pessoas que os autores nunca poderiam genuinamente entender. A depreciação racista do selvagem e a celebração ingênua da inocência selvagem são sempre tratadas como os dois lados da mesma moeda imperialista.[56] De início, porém, essa posição era inegavelmente de direita, como explica Ter Ellingson, o antropólogo contemporâneo que produziu a análise mais abrangente desse tema. Ellingson concluiu que nunca houve um mito do "nobre selvagem", pelo menos não no sentido de um estereótipo de sociedades simples vivendo numa era de feliz inocência primordial. Pelo contrário, as narrativas de viajantes tendem a apresentar um quadro muito mais ambivalente, descrevendo as sociedades desconhecidas como misturas complicadas e às vezes (para eles) incoerentes de vícios e virtudes. O que é preciso investigar seria, em vez disso, o "mito do mito do nobre selvagem": por que certos europeus começaram a atribuir essa posição tão ingênua a outras pessoas? A resposta não é muito agradável. Na verdade, a expressão "nobre selvagem" foi popularizada cerca de um século depois de Rousseau, como forma de insulto ou ridicularização. Era empregada por um grupelho de racistas professos, que assumiram a Sociedade Etnológica Britânica em 1859 — quando o Império Britânico alcançava o auge de seu poder — e defendiam o extermínio dos povos inferiores.

Os expoentes originais da ideia a jogaram no colo de Rousseau, mas não demorou muito para os estudiosos da história literária vasculharem os arquivos, em busca de vestígios do "nobre selvagem" por toda parte. Quase todos os textos abordados neste capítulo foram detidamente examinados; todos foram considerados fantasias românticas e perigosas. De início, porém, essa desqualificação vinha da direita política. Nesse sentido, Ellingson apresenta o exemplo de Gilbert Chinard, cujo livro *L'Amérique et le rêve exotique dans la littérature française au XVIIe et au XVIIIe siècle* [A América e o sonho exótico na literatura francesa nos séculos XVII e XVIII], de 1913, foi o principal responsável primário pelo estabelecimento da ideia do "nobre selvagem" como tropo literário ocidental nas universidades norte-americanas, talvez por ser quem menos escondia a pauta política que havia por trás dela.

Citando Lahontan como a figura central na formação dessa ideia, Chinard afirmava que Rousseau tomara de empréstimo alguns temas específicos de Lahontan, apresentados em suas *Mémoires* ou seus *Dialogues* com Kondiaronk. Em um sentido mais amplo, ele nota uma afinidade de temperamento:

> É a Jean-Jacques [Rousseau], mais do que a qualquer outro escritor, que se assemelha o autor dos *Dialogues avec un Sauvage*. Apesar de todos os defeitos, dos motivos no fundo pouco nobres, ele colocou em seu estilo uma paixão, um entusiasmo que não encontram equivalente senão no *Discours sur l'Inégalité*. Como Rousseau, é um anarquista; como ele, é desprovido de senso moral, e em um grau

muito mais considerável; como ele, indigna-se com os sofrimentos dos miseráveis e, ainda mais do que ele, conclama às armas; e como ele, acima de tudo, atribui à propriedade todos os males que sofremos. Nisso, ele nos permite estabelecer uma filiação direta entre os jesuítas missionários e Jean-Jacques.[57]

De acordo com Chinard, mesmo os jesuítas (inimigos declarados de Lahontan) estavam, em última instância, fazendo o mesmo jogo de introduzir pela porta dos fundos noções profundamente subversivas. Seus motivos para citar as observações exasperadas dos interlocutores não eram inocentes. Em seu comentário da passagem citada acima, Ellingson faz uma pergunta muito pertinente: sobre o que, afinal, Chinard está falando? Algum tipo de ação anarquista perpetrada por Lahontan, pelos jesuítas e por Rousseau? Uma teoria da conspiração para explicar a Revolução Francesa? Sim, conclui Ellingson, quase isso. Os jesuítas, segundo Chinard, promovem "ideias perigosas" ao nos transmitir a impressão das boas qualidades dos "selvagens", e "essa impressão parece ser contrária aos interesses do Estado monárquico e da religião". Na prática, a caracterização fundamental que Chinard atribui a Rousseau é a de *un continuateur des missionaires Jésuites* [um continuador dos missionários jesuítas], que considera responsáveis por originar "o espírito revolucionário [que] transformaria a nossa sociedade e, inflamado pela leitura dos seus relatos, nos leva de volta ao estado dos selvagens americanos".[58]

Para Chinard, não faz a menor diferença se os observadores europeus estavam expondo as concepções dos interlocutores indígenas de maneira precisa. Pois os indígenas americanos eram, em suas palavras, "uma raça diferente da nossa", com a qual não era possível nenhuma relação dotada de sentido: dava no mesmo, argumenta ele, registrar as opiniões políticas de um duende.[59] Só o que importa, enfatiza ele, são os motivos dos brancos envolvidos — e esses indivíduos eram claramente uns encrenqueiros e tumultuadores. Chinard acusa um observador inicial dos costumes dos inuítes da Groenlândia de inserir uma mistura de socialismo e "illuminatismo" em suas descrições — ou seja, de enxergar os costumes selvagens por uma lente que poderia muito bem ter sido tomada de empréstimo à Ordem Secreta dos Illuminati.[60]

PARA ALÉM DO "MITO DO SELVAGEM OBTUSO" (E POR QUE TODAS ESSAS COISAS TÊM TANTA IMPORTÂNCIA PARA O NOSSO PROJETO NESTE LIVRO)

Aqui não é o lugar para documentar como uma crítica de direita se metamorfoseou numa crítica de esquerda. Provavelmente isso pode ser atribuído, até certo ponto, à preguiça dos estudiosos versados na história da literatura francesa ou inglesa diante da perspectiva de precisar se dedicar seriamente a entender o que os mi'kmaqs de fato pensavam. Afirmar que o pensamento mi'kmaq não tem nenhuma importância seria racista; argumentar que não há como saber, pois as fontes eram racistas, é uma maneira de se livrar do problema.

Até certo ponto, essa relutância em se dedicar a fontes indígenas também se baseia em protestos plenamente legítimos da parte daqueles que têm sido historicamente romantizados. Muitos observam que, para os receptores da mensagem, ouvir que são de uma raça inferior e, portanto, é possível ignorar qualquer coisa que digam, e que são filhos inocentes da natureza ou encarnações de uma antiga sabedoria e, portanto, deve-se tratar qualquer coisa que digam como algo inefavelmente profundo, são coisas irritantes quase na mesma medida. As duas posturas parecem concebidas para impedir qualquer conversa significativa.

Quando começamos escrever este livro, conforme comentamos no primeiro capítulo, imaginamos que estávamos dando uma contribuição para a crescente bibliografia sobre as origens da desigualdade social — só que, dessa vez, uma baseada em evidências. Conforme nossa pesquisa avançou, entendemos que na verdade era bem estranha a pergunta "quais são as origens da desigualdade social?". Afora as implicações de uma inocência primordial, essa maneira de formular a questão sugere um certo diagnóstico apontando o que existe de errado com a sociedade, e o que pode ou não se fazer a respeito; e, como vimos, muitas vezes esse tipo de formulação não tem quase nada a ver com a situação concreta, ou seja, com o que as pessoas que vivem nessas sociedades que chamamos de "igualitárias" sentem que as diferença das demais.

Rousseau contornou a questão reduzindo seus selvagens a meros experimentos mentais. Foi praticamente o único grande nome do Iluminismo francês que *não* escreveu um diálogo ou alguma outra obra de imaginação tentando observar a sociedade europeia de um ponto de vista estrangeiro. Na verdade, ele despe seus "selvagens" de qualquer capacidade imaginativa própria; a felicidade deles deriva exclusivamente da incapacidade de imaginar as coisas de outra maneira ou de se projetarem no futuro sob qualquer aspecto que seja.[61] Portanto, são também desprovidos por completo de filosofia. Presumivelmente é por isso que, quando demarcaram pela primeira vez a propriedade e começaram a formar governos para protegê-la, nenhum deles foi capaz de antever os desastres que se seguiriam; quando os seres humanos se tornaram capazes de pensar com tanta antecedência, o pior já se consumara.

Nos anos 1960, o antropólogo francês Pierre Clastres sugeriu o contrário. E se o tipo de gente que gostamos de ver como simples e inocente não tiver dirigentes, governos, burocracias, classes dominantes e afins não por falta de imaginação, mas justamente por ter *mais* imaginação do que nós? Para nós, é difícil imaginar como seria uma sociedade verdadeiramente livre; talvez para essas pessoas não seja difícil imaginar como seria a dominação, o poder arbitrário. Talvez possam não só imaginar, mas ordenar de forma deliberada sua sociedade para evitar isso. Como veremos no próximo capítulo, a argumentação de Clastres tem lá suas limitações. Mas, com sua afirmação que os povos estudados pelos antropólogos são tão conscientes e imaginativos quanto seus próprios observadores, foi Clastres, mais do que qualquer outra pessoa antes ou depois dele, quem mais contribuiu para reverter o estrago.

Rousseau tem sido acusado de muitos crimes. É inocente da maioria deles. Se há de fato algum elemento nocivo em seu legado, não é sua promulgação da imagem do "nobre selvagem", coisa que de fato não fez, e sim do que poderíamos chamar de "mito do selvagem obtuso" — mesmo que o considerasse feliz em seu estado de obtusidade. Os imperialistas oitocentistas adotaram com entusiasmo esse estereótipo, apenas acrescentando uma série de justificações com ares de ciência — desde o evolucionismo darwiniano ao racismo "científico" — para acentuar essa ideia de simplicidade inocente e, assim, fornecer um pretexto para confinar os povos livres restantes no mundo (ou, prosseguindo a expansão imperial europeia, os povos outrora livres) num espaço conceitual em que seus juízos deixassem de parecer ameaçadores. É isso o que estamos tentando desfazer.

"Liberdade, Igualdade, Fraternidade" foi o grito de guerra da Revolução Francesa.[62] Hoje, há disciplinas inteiras — ramos da filosofia, da ciência política e dos estudos jurídicos — que têm a "igualdade" como tema central de estudos. Todos concordam que a igualdade é um valor; ninguém parece concordar quanto ao que se refere o termo. Igualdade de oportunidades? Igualdade de condições? Igualdade formal perante a lei?

Da mesma forma, sociedades como as dos mi'kmaqs, algonquinos ou wendats são sistematicamente tratadas como "sociedades igualitárias"; ou, em outros casos, como sociedades "de bando" ou sociedades "tribais", em geral tomadas na mesma acepção. Nunca fica claro de fato a que o termo pretende se referir. Estaremos falando de uma ideologia, a crença de que todos na sociedade *deveriam* ser iguais — claro que não em todos os aspectos, mas em certos aspectos tidos como importantes? Ou será uma sociedade em que as pessoas *são* efetivamente iguais? O que isso significaria de fato, na prática, em ambos os casos? Que todos os membros da sociedade têm igual acesso à terra, ou tratam uns aos outros com igual dignidade, ou são igualmente livres para expor suas opiniões em assembleias públicas; ou estamos falando de alguma medida que pode ser imposta pelo observador: rendimento monetário, poder político, consumo de calorias, tamanho da casa, quantidade e qualidade de bens pessoais?

A igualdade seria o apagamento do indivíduo ou a celebração do indivíduo? (Afinal, para um observador externo, uma sociedade em que todos fossem exatamente iguais e uma sociedade em que fossem todos tão diferentes que fosse impossível qualquer tipo de comparação iriam ambas parecer "igualitárias".) Numa sociedade em que os mais velhos, os "anciãos", são tratados como divindades e tomam todas as decisões importantes, e todo aquele que tiver, digamos, mais de cinquenta anos vem a se tornar um ancião, é possível falar em igualdade? E as relações de gênero? Muitas sociedades tratadas como "igualitárias" na verdade têm seu igualitarismo restrito aos homens adultos. Em alguns casos, as relações entre homens e mulheres nada têm de igualitárias. Em outros, existe espaço para ambiguidades.

Por exemplo, pode ser que o esperado numa determinada sociedade seja que os homens e as mulheres não só façam tipos diferentes de trabalho, mas que também tenham opiniões diferentes sobre a importância do trabalho (ou de certos tipos de trabalho) e, portanto, sintam seu status mais elevado; ou talvez que seus respectivos papéis sejam tão diferentes que não faz sentido compará-los. Muitas das sociedades com que os franceses tiveram contato na América do Norte se enquadram nessa descrição. Poderiam ser consideradas matriarcais sob determinada perspectiva, e patriarcais sob outra.[63] Em casos assim, podemos falar em igualdade de gêneros? Ou somente se e quando os homens e as mulheres também fossem iguais segundo algum critério externo mínimo: serem igualmente livres da ameaça de violência doméstica, por exemplo, ou terem o mesmo acesso aos recursos ou uma voz com o mesmo peso nos assuntos comunais?

Como não existe nenhuma resposta clara e consensual a qualquer uma dessas perguntas, o uso do termo "igualitário" tem levado a discussões infindáveis. Na verdade, o próprio significado do termo continua totalmente obscuro. Ao fim e ao cabo, a ideia é utilizada não porque tenha algum conteúdo analítico real, e sim pela mesma razão por que os teóricos jusnaturalistas do século XVII especulavam sobre a igualdade no Estado de Natureza: "igualdade" é um termo definido por omissão, referente àquela espécie de massa protoplasmática de humanidade que se imagina que restaria depois de removidas todas as armadilhas da civilização. Povos "igualitários" são aqueles sem príncipes, sem juízes, sem inspetores ou sacerdotes hereditários, geralmente sem cidades, sem escrita ou de preferência sem sequer agricultura. São sociedades de iguais apenas no sentido de que estão ausentes todos os sinais mais evidentes de desigualdade.

Segue-se daí que qualquer trabalho histórico que pretenda tratar das origens da desigualdade social é, na verdade, uma investigação das origens da civilização; isso, por sua vez, traz implicitamente uma visão da história como a de Turgot, que concebe a "civilização" como um sistema de complexidade social, garantindo maior prosperidade geral, mas, ao mesmo tempo, determinando a necessidade imperiosa de certas concessões e transigências no que tange à liberdade e à igualdade. Da nossa parte, tentaremos escrever outra espécie de história, que exigirá também outro entendimento da "civilização".

Para sermos claros, não é que consideremos desinteressante ou insignificante o fato de que príncipes, juízes, inspetores ou sacerdotes hereditários — ou a escrita, as cidades e a agricultura — apareçam apenas num determinado momento da história humana. Muito pelo contrário: a fim de entender a nossa difícil situação atual como espécie, é fundamental entender como surgiram essas coisas. No entanto, argumentamos também que, para isso, devemos rejeitar o impulso de tratar nossos ancestrais distantes como uma espécie de caldo humano primordial. As evidências compiladas pela arqueologia, antropologia e campos correlatos sugerem que — exatamente como os ameríndios e os franceses seiscentistas — as pessoas dos tempos pré-históricos tinham ideias muito específicas sobre o que era importante em suas sociedades; que variavam de maneira considerável; e que tratar essas sociedades como uniformemente "igualitárias" não nos informa quase nada a seu respeito.

Sem dúvida, costumava haver um nível de igualdade por omissão — o pressuposto de que os seres humanos são todos igualmente impotentes diante dos deuses, ou um intenso sentimento de que ninguém deveria ter sua vontade sempre subordinada à de outrem. Isso deve ter existido, e no mínimo garantiu que, durante períodos tão longos de tempo, não surgissem príncipes, juízes, inspetores ou sacerdotes hereditários. Mas as ideias conscientes de "igualdade", colocando a igualdade como valor explícito (em oposição a uma ideologia da liberdade, da dignidade ou da participação que se aplica a todos), parecem ser relativamente recentes na história humana. E, quando surgem, quase nunca se aplicam a todos.

A antiga democracia ateniense, para tomar apenas um exemplo, se baseava na igualdade política entre seus cidadãos — mesmo que correspondessem apenas a 10% ou 20% da população total —, no sentido de que cada um tinha os mesmos direitos de participar das decisões públicas. Essa noção de participação cívica igualitária nos é ensinada como um marco no desenvolvimento político, revivida e ampliada cerca de 2 mil anos depois (na verdade, os sistemas políticos chamados de "democracia" na Europa oitocentista não tinham quase nada a ver com os da Antenas antiga, mas isso não vem muito ao caso). O que vem ao caso é que os intelectuais atenienses da época, em sua maioria de origens aristocráticas, tendiam a considerar aquele ordenamento como uma coisa espalhafatosa, e muitos demonstravam uma maior preferência pelo governo de Esparta, comandado por uma porcentagem ainda menor da população total, que vivia coletivamente do trabalho de escravizados.

Os cidadãos espartanos, por sua vez, referiam a si mesmos como os *Homoioi*, o que pode ser traduzido como "os Iguais" ou "Aqueles que são todos os mesmos" — todos passavam pela mesma formação militar rigorosa, adotavam o mesmo desprezo altivo por luxos efeminados e idiossincrasias individuais, comiam em refeitórios comunais e passavam a maior parte da vida treinando para a guerra.

Portanto, este não é um livro sobre as origens da desigualdade. Sua intenção é responder muitas das mesmas perguntas, mas de outra maneira. Não há dúvida de que algo deu muito errado no mundo. Uma ínfima porcentagem da população controla o destino de quase todos os outros, e de uma maneira cada vez mais desastrosa. Para entender como se chegou a essa situação, temos de rastrear o problema e ver o que possibilitou inicialmente o surgimento de reis, sacerdotes, inspetores e juízes. Porém não dispomos mais do luxo de supor que já sabemos de antemão quais serão as respostas exatas. Usando como guias os críticos indígenas como Kondiaronk, precisamos encarar as evidências sobre o passado humano com novos olhos.

3. Descongelando a Era Glacial

*Com e sem grilhões — as possibilidades
proteiformes da política humana*

A maioria das sociedades imagina uma era mítica da criação. Era uma vez, como dizem os contos, um mundo diferente: peixes e aves falavam, animais se transformavam em humanos e pessoas viravam bichos. Naqueles tempos podiam surgir coisas inteiramente novas, de uma forma hoje não mais possível: o fogo, o cozimento, a instituição do matrimônio, a criação de animaizinhos de estimação. Nestes dias mais pobres, estamos condenados a repetir indefinidamente os gestos grandiosos daqueles tempos: acendemos nosso fogo, contraímos nossos casamentos, alimentamos nossos bichos de estimação — tudo isso sem sermos capazes de mudar o mundo da mesma maneira.

De certa forma, os relatos das "origens humanas" hoje têm para nós o mesmo papel que tinham os mitos para os antigos gregos ou polinésios, ou o Tempo dos Sonhos para os australianos nativos. Isso não significa desprezar o valor ou o rigor científico desses relatos. Trata-se apenas de observar que ambos cumprem funções um tanto semelhantes. Se pensarmos numa escala, digamos, dos últimos 3 milhões de anos, realmente houve uma época em que as linhas entre o humano e o animal (como as entendemos hoje) ainda eram indistintas, e em que alguém, afinal, de fato acendeu um fogo, cozinhou um alimento ou realizou uma cerimônia de casamento pela primeira vez. Sabemos que essas coisas aconteceram. Mas não como aconteceram. É muito difícil resistir à tentação de inventar histórias sobre como poderia ter sido: histórias que necessariamente refletem nossos medos, desejos, obsessões e preocupações. Assim, esses tempos distantes podem se tornar uma grande tela para a elaboração das nossas fantasias coletivas.

Essa tela da pré-história humana é claramente moderna. O renomado teórico da cultura W. J. T. Mitchell comentou certa vez que os dinossauros são o animal modernista por excelência, já que na época de Shakespeare ninguém sabia que tais criaturas tinham existido. Da mesma forma, até pouquíssimo tempo a maioria dos cristãos supunha que qualquer coisa digna de nota sobre os primeiros humanos se encontraria no Livro do Gênesis. Até os anos iniciais do século XIX, os "homens de letras" — incluídos aí os cientistas — ainda supunham em larga medida que o universo nem sequer existia antes do final de outubro de 4004 a.C., e que todos os seres humanos falavam a mesma língua (o hebraico) até a dispersão da humanidade, com a queda da Torre de Babel, dezesseis séculos depois.[1]

Naquela época, não existia a "pré-história". Era apenas a história, embora parte dela contivesse equívocos absurdos. O termo "pré-história" só se tornou de uso corrente depois das descobertas na caverna Brixham, em Devon, em 1858, quando se encontraram machados de pedra, que só podiam ter sido feitos por seres humanos, ao lado dos restos de ursos-da-caverna, rinocerontes-lanudos e outras espécies extintas, tudo sob uma cobertura intacta de pedra. Esses e outros achados arqueológicos posteriores levaram a uma total reavaliação das evidências existentes. De repente, "caíam as bases da história humana".[2]

O problema é que a pré-história se revelou um período extremamente longo: mais de 3 milhões de anos, durante os quais sabemos que nossos ancestrais usavam, pelo menos de vez em quando, instrumentos de pedra. As evidências materiais desse período são extremamente limitadas. Há fases abrangendo milhares de anos cujos únicos indícios disponíveis de atividade hominídea são um dente avulso e talvez meia dúzia de peças de sílex trabalhado. A tecnologia que podemos aplicar a esses períodos remotos se aperfeiçoa muito a cada década, mas há limites para o que é possível fazer com materiais tão esparsos. Isso torna difícil resistir à tentação de preencher as lacunas e alegar que sabemos mais do que realmente podemos afirmar. Quando os cientistas procedem dessa maneira, muitas vezes os resultados trazem uma suspeita semelhança com aquelas mesmas narrativas bíblicas que a ciência moderna supostamente teria deixado de lado.

Vejamos apenas um exemplo. Nos anos 1980, houve um grande alvoroço em torno de uma "Eva mitocondrial", a pretensa ancestral comum de toda a nossa espécie. Claro que ninguém dizia ter de fato descoberto os restos físicos dessa ancestral; mas o sequenciamento do DNA das mitocôndrias — os minúsculos motores das células que herdamos de nossas mães — demonstrou que devia ter existido uma tal Eva, talvez uns meros 120 mil anos atrás. E, embora ninguém imaginasse que algum dia encontraríamos a própria Eva, a descoberta de uma variedade de outros crânios fósseis resgatados no vale do Rift da África Oriental (uma "armadilha de preservação" natural para restos paleolíticos, que caíra desde longa data no esquecimento devido a localizações mais expostas) parecia indicar qual poderia ter sido a aparência de Eva e onde teria vivido. Enquanto os cientistas continuavam debatendo os prós e os contras, revistas populares logo passaram a trazer matérias sobre um correspondente moderno do Jardim do Éden, a incubadora original da humanidade, o ventre da savana que deu vida a todos nós.

Provavelmente, muitos de nós ainda temos em mente algo que se assemelha a esse quadro das origens humanas. Pesquisas mais recentes, porém, vêm demonstrando que isso não tem como estar certo. Inclusive, geneticistas e antropólogos biológicos estão chegando a um consenso que revela um quadro totalmente diferente. As populações humanas iniciais, em vez de serem únicas e uniformes, dispersando-se a partir da África Oriental em algum momento estilo Torre de Babel para se tornarem os diversos povos e nações da Terra, na verdade parecem ter sido fisicamente mais diversas do que qualquer coisa que conhecemos hoje.

Nós, os seres humanos modernos, temos uma tendência de exagerar nossas diferenças. Os resultados disso muitas vezes são catastróficos. Em meio a guerras, escravidão, imperialismo e à desabrida opressão racista do cotidiano, os vários últimos séculos têm visto tanto sofrimento humano justificado por pequenas diferenças na aparência humana que facilmente esquecemos que na verdade são minúsculas. Por qualquer critério significativo em termos biológicos, os seres humanos vivos mal se distinguem uns dos outros. Seja na Bósnia, no Japão, em Ruanda ou nas ilhas Baffin, é seguro esperar ver pessoas com o mesmo rosto pequeno e delicado, com queixo, crânio globular e basicamente a mesma distribuição de pelos no corpo. Não só temos aparências iguais, como também agimos em muitos aspectos da mesma maneira (por exemplo, em qualquer lugar, do interior da Austrália à Amazônia, revirar os olhos é uma maneira de dizer "que imbecil!"). O mesmo se aplica à cognição. Talvez pensemos que grupos humanos diferentes empregam suas capacidades cognitivas de modos muito diversos — e até certo ponto, claro, isso é verdade —, mas aqui também grande parte dessa diferença percebida se dá porque não temos nenhuma base efetiva de comparação: por exemplo, não existe língua humana que não tenha substantivos, verbos e adjetivos; e, ainda que os seres humanos possam gostar de formas bem diferentes de música e dança, não se conhece nenhuma população humana que não tenha música nem dança.

Se voltarmos algumas centenas de milênios, as coisas decididamente *não* eram assim.

De fato, vivemos durante a maior parte de nossa história evolucionária na África — mas não só nas savanas orientais, como se pensava antes: nossos ancestrais biológicos se distribuíam por todas as partes, do Marrocos ao Cabo, na África do Sul.[3] Algumas dessas populações se mantiveram isoladas umas das outras durante dezenas ou mesmo centenas de milhares de anos, separadas de seus parentes mais próximos por desertos e florestas tropicais. Assim, fortes características regionais se desenvolveram.[4] Para um observador moderno, o resultado provavelmente pareceria mais próximo a um mundo habitado por duendes, gigantes e elfos do que qualquer coisa que conhecemos de modo direto hoje ou num passado mais recente. Os elementos que compõem os seres humanos modernos — o "nós" relativamente uniforme aqui mencionado — parecem só ter se reunido em um estágio bem adiantado desse processo. Em outras palavras, se hoje pensamos que os seres humanos são diferentes entre si, isso é em larga medida ilusório; e mesmo as diferenças existentes são absolutamente triviais e estéticas, em comparação a como devia ser a África durante grande parte da pré-história.

Os seres humanos ancestrais não só eram muito diferentes uns dos outros, como também coexistiam com espécies de cérebro menor, de tipo mais simiesco, como o *Homo naledi*. Como eram essas sociedades ancestrais? A esta altura, pelo menos, deveríamos ser sinceros e admitir que, em grande parte, não fazemos a mínima ideia. Existem limites ao que se pode reconstituir a partir de restos cranianos e ocasionais peças de pedra lascada — que, na prática, é tudo o que dispomos. Em termos gerais, não temos sequer a certeza de como eram as coisas do pescoço para baixo, que dirá então a pigmentação, a alimentação ou outra coisa qualquer. O que de fato sabemos é que somos resultados desse mosaico original de populações humanas, que interagiam, se miscigenavam, se afastavam e se juntavam de formas que, ainda hoje, só podemos imaginar em termos hipotéticos.[5] Parece plausível supor que as práticas de acasalamento e criação dos filhos, a presença ou ausência de hierarquias dominantes ou de formas de linguagem e protolinguagem deviam variar no mínimo tanto quanto, e provavelmente muito mais, do que os tipos físicos.

Talvez a única coisa que possamos afirmar com certeza é que, em termos ancestrais, somos todos africanos.

Os seres humanos modernos apareceram inicialmente na África. Quando começaram a se expandir para a Eurásia, encontraram outras populações, como os neandertais e os denisovanos — menos diferentes, mas ainda assim diferentes —, e esses vários grupos se miscigenaram.[6] Somente depois que essas outras populações se extinguiram é que podemos começar realmente a falar sobre um único "nós" habitando o planeta. Tudo isso nos mostra como o mundo social e mesmo físico dos nossos ancestrais distantes nos pareceria estranho — e isso pelo menos até por volta de 40 000 a.C. Eram cercados por uma flora e uma fauna que não encontram paralelo entre o que existe hoje em dia. Tudo isso torna dificílimo traçar analogias. Não há nada nos registros históricos ou etnográficos que se assemelhe a uma situação em que diversas subespécies humanas se entrecruzem, interajam, cooperem e às vezes também se matem entre si — e, mesmo que houvesse, as evidências arqueológicas são escassas e esparsas demais para comprovar se a pré-história remota de fato era ou não era assim.[7]

A única coisa que é possível inferir de modo plausível sobre a organização social entre nossos mais antigos ancestrais é que ela devia ser excepcionalmente variada. Os primeiros seres humanos habitavam num amplo leque de ambientes naturais, desde litorais e florestas tropicais a montanhas e savanas. Eram mais, muito mais diversificados em termos físicos do que os seres humanos atuais; e é provável que as suas diferenças sociais fossem ainda maiores do que suas diferenças físicas. Em outras palavras, não existe uma forma "original" de sociedade humana. A busca por isso não passa de uma tentativa de construir mitos, quer seus resultados adquiram a forma de fantasias do "macaco assassino" surgidas nos anos 1960, cristalizadas na consciência coletiva por filmes como *2001: Uma odisseia no espaço*, de Stanley Kubrick, do "macaco aquático" ou do "macaco chapado", muito divertido, mas fantasioso (a teoria de que a consciência surgiu da ingestão acidental de cogumelos psicodélicos). Até hoje, esses mitos entretêm os espectadores do YouTube.

Sejamos claros: não há nada de errado com os mitos. Muito provavelmente, a tendência de inventar histórias sobre o passado distante como maneira de refletir sobre a natureza de nossa espécie é em si mesma, tal como a arte e a poesia, uma das características específicas dos seres humanos que começaram a se cristalizar na pré-história mais remota. E algumas dessas histórias — por exemplo, as teorias feministas que consideram que a socialidade humana se origina de práticas coletivas de criação dos filhos — podem, sem dúvida, nos revelar coisas importantes sobre os caminhos que convergiram para a humanidade moderna.[8] No entanto, essas percepções serão sempre e apenas parciais, porque não houve nenhum Jardim do Éden e nunca existiu uma Eva.

POR QUE O "PARADOXO SAPIENTE" É UMA PISTA FALSA; TÃO LOGO SOMOS HUMANOS, COMEÇAMOS A FAZER COISAS HUMANAS

Os seres humanos hoje são uma espécie bastante uniforme. Essa uniformidade, em termos evolucionários, não é muito antiga. Sua base genética se estabeleceu cerca de meio milhão de anos atrás, mas muito provavelmente é um erro pensar que poderíamos algum dia especificar um ponto determinado, mais recente, em que o *Homo sapiens* teria "surgido" — ou seja, em que todos os vários elementos da condição humana moderna tivessem convergido de forma definitiva para um estupendo momento de criação.

Considere-se a primeira evidência direta do que agora chamaremos de comportamento humano simbólico complexo, ou simplesmente "cultura". Segundo os dados de que dispomos, remonta apenas a 100 mil anos. O local preciso do continente africano onde surge é, em larga medida, determinado pelas condições de preservação e pelo maior acesso até agora concedido pelos países à investigação arqueológica. Os abrigos de pedra nas áreas costeiras da África do Sul constituem uma fonte fundamental, com sedimentos pré-históricos que fornecem traços de instrumentos com cabos e de uso significativo de conchas e ocre por volta de 80 000 a.C.[9] Também se conhecem achados relativamente antigos em outras partes da África, porém é apenas mais tarde, cerca de 45 mil anos atrás — época em que nossa espécie estava colonizando intensamente a Eurásia —, que começam a surgir indicações semelhantes em áreas muito mais extensas e em maiores quantidades.

Nos anos 1980 e 1990, havia a suposição muito difundida de que acontecera algo profundo, uma espécie de súbito florescimento criativo, cerca de 45 mil anos atrás, tratado na bibliografia como "Revolução do Paleolítico Superior" ou mesmo "Revolução Humana".[10] Mas nos últimos vinte anos tem ficado cada vez mais claro para os pesquisadores que se trata, mais provavelmente, de uma ilusão, criada por uma análise tendenciosa dos dados disponíveis.

Eis a razão. Grande parte das evidências dessa "revolução" se restringe a uma única parte do mundo: a Europa, onde está associada à substituição dos neandertais pelo *Homo sapiens* por volta de 40 000 a.C. Entre elas estão conjuntos de ferramentas mais avançadas para a caça e os ofícios manuais, a primeira evidência material inequívoca da criação de imagens em osso, marfim e argila — inclusive as famosas "figuras femininas" esculpidas,[11] densos conjuntos de figuras animais entalhadas e pintadas em cavernas, muitas vezes realizadas com espantosa precisão; modos mais elaborados de vestir e ornamentar o corpo humano; o primeiro uso comprovado de instrumentos musicais, como flautas de osso; troca regular de matérias-primas por longas distâncias, e também o que geralmente é tomado como primeira evidência de desigualdade social, na forma de sepulturas grandiosas.

Tudo isso é muito marcante, e transmite uma impressão de uma falta de sincronia entre nosso relógio biológico e nosso relógio cultural. Parece colocar a pergunta: por que há tantas dezenas de milhares de anos entre as origens biológicas da humanidade e o surgimento em larga escala de formas de comportamento tipicamente humanas; entre o momento em que nos tornamos capazes de criar cultura e quando enfim passamos a criá-la? O que estivemos fazendo nesse meio-tempo? Muitos pesquisadores têm refletido a esse respeito e até se chegou a cunhar uma expressão para isso: o "paradoxo sapiente".[12] Alguns chegam ao ponto de postular alguma mutação tardia no cérebro humano para explicar as capacidades culturais visivelmente superiores dos europeus do Paleolítico Superior, porém ideias como essas não podem mais ser levadas a sério.

Na verdade, vem ficando cada vez mais claro que o problema como um todo é uma miragem. A razão dessa riqueza das provas arqueológicas da Europa é que os governos europeus em geral são ricos, e que as instituições profissionais, as sociedades de estudos e os departamentos universitários do continente vêm desenvolvendo as pesquisas sobre a pré-história nas suas próprias vizinhanças há muito mais tempo do que em outras partes do mundo. A cada ano que se passa, acumulam-se novas evidências sobre a complexidade comportamental inicial em outros locais: não só na África, mas também na Península Arábica, no Sudeste Asiático e no subcontinente indiano.[13] No momento em que escrevemos, um sítio arqueológico de cavernas na costa do Quênia, chamado Panga ya Saidi, vem fornecendo evidências de contas de conchas e pigmentos elaborados que remontam a 60 mil anos atrás;[14] e a pesquisa nas ilhas de Bornéu e Sulawesi está abrindo um novo panorama sobre um mundo insuspeitado de arte de caverna, muitos milênios mais antigo do que as famosas imagens de Lascaux e Altamira, no outro lado da Eurásia.[15] Sem dúvida, algum dia ainda serão encontrados exemplos anteriores de arte pictorial complexa em algum lugar no continente africano.

Portanto, é possível dizer no mínimo que a Europa chegou tarde a essa festa. Mesmo após sua colonização inicial por seres humanos modernos — começando por volta de 45 000 a.C. —, o continente ainda era pouco povoado, e as novas ondas populacionais coexistiram, ainda que por um prazo bastante curto, com as populações neandertais mais estabelecidas (elas próprias envolvidas em complexas atividades culturais de vários tipos).[16] A razão para esse súbito florescimento cultural logo após sua chegada pode ter alguma relação com o clima e a demografia. Em termos bem claros: com a movimentação das camadas de gelo, as populações humanas na Europa viviam em condições mais duras e em espaços mais restritos do que nossa espécie havia conhecido até então. Estepes e vales com caça abundante eram cercados pela tundra ao norte e por densas florestas litorâneas ao sul. Precisamos imaginar nossos ancestrais se deslocando entre ambientes relativamente isolados, dispersando-se e reunindo-se, seguindo os movimentos sazonais das manadas de mamutes, bisões e cervos. Embora o número absoluto de pessoas ainda pudesse ser muito pequeno,[17] a densidade das interações humanas parece ter aumentado de forma radical, sobretudo em certas épocas do ano. E com isso vieram notáveis explosões de expressão cultural.[18]

POR QUE MESMO PESQUISADORES MUITO SOFISTICADOS AINDA ENCONTRAM ALGUMA MANEIRA DE SE AFERRAR À IDEIA DE QUE A DESIGUALDADE SOCIAL TEM UMA "ORIGEM"

Como logo veremos, as sociedades que resultaram naquilo que os arqueólogos chamam de Paleolítico Superior (*c.* 50 000-15 000 a.C.) — com seus enterros "principescos" e grandiosas edificações comunais — parecem contrariar frontalmente nossa imagem de um mundo formado por pequenos bandos igualitários de forrageadores. Há uma desconexão tão grande que alguns arqueólogos começaram a tomar o rumo oposto, descrevendo uma Europa na Era Glacial povoada por sociedades "hierárquicas" e até mesmo "estratificadas". Nisso, unem-se aos psicólogos evolucionários, segundo os quais o comportamento de dominação está embutido em nossos genes a tal ponto que, no momento em que a sociedade ultrapassa a dimensão do pequeno bando, assume necessariamente a forma de dominação de uns sobre outros.

Quase todos os que não são arqueólogos do Plistoceno — ou seja, que não são obrigados a lidar com evidências — simplesmente as ignoram e prosseguem como antes, escrevendo como se fosse possível supor que os caçadores-coletores viviam num estado de inocência primordial. Nas palavras Christopher Boehm, parecemos condenados a encenar uma interminável reencenação da guerra entre "falcões hobbesianos e pombas rousseaunianas": os que veem os seres humanos como inatamente hierárquicos ou igualitários.

A obra do próprio Boehm é reveladora a esse respeito. Antropólogo evolucionário e especialista em estudos dos primatas, ele afirma que, embora os seres humanos tenham de fato uma tendência instintiva de adotar um comportamento de dominação-submissão, sem dúvida herdado de nossos ancestrais símios, o que torna as sociedades caracteristicamente humanas é nossa capacidade de tomar a decisão consciente de *não* agir dessa forma. Analisando de forma minuciosa os relatos etnográficos sobre bandos forrageadores igualitários existentes na África, na América do Sul e no Sudeste Asiático, Boehm identifica um amplo leque de táticas empregadas coletivamente para conter os potenciais fanfarrões e valentões — o ridículo, a vergonha, o afastamento (e, no caso dos sociopatas inveterados, às vezes até mesmo o assassinato)[19] — que não encontram paralelo entre outros primatas.

Por exemplo, os gorilas não zombam uns dos outros por baterem no peito, ao passo que os seres humanos fazem isso o tempo todo. Ainda mais impressionante é que, embora a intimidação possa ser instintiva, a reação a esse tipo de comportamento não é: trata-se de uma estratégia bem pensada, e as sociedades de forrageadores que a empregam demonstram o que Boehm chama de "inteligência atuarial". Ou seja, seus integrantes entendem como sua sociedade poderia ser caso agissem de modo diferente: se, por exemplo, os caçadores experientes *não* fossem sistematicamente menosprezados ou se a carne de elefante *não* fosse distribuída entre o grupo por alguém escolhido ao acaso (em lugar da pessoa que de fato abateu o animal). Essa é, conclui ele, a essência da política: a capacidade de refletir de forma consciente sobre os diversos rumos que a sociedade poderia tomar, e de apresentar argumentos claros em favor de um rumo e não de outro. Nesse sentido, poderíamos dizer que Aristóteles tinha razão ao descrever os seres humanos como "animais políticos" — já que é bem isso o que os outros primatas nunca fazem, pelo menos ao que sabemos.

Trata-se de um argumento importante e brilhante — mas, como muitos autores, Boehm parece estranhamente relutante em considerar todas as suas implicações. Façamos isso agora.

Se a própria essência de nossa humanidade consiste em sermos atores políticos conscientes e, portanto, capazes de adotar um amplo leque de ordenamentos sociais, isso não significaria que os seres humanos devem ter de fato explorado um amplo leque de ordenamentos sociais durante a maior parte de nossa história? De forma surpreendente, porém, Boehm supõe que todos os seres humanos escolheram, até tempos muito recentes, seguir os mesmíssimos ordenamentos — fomos estritamente "igualitários por milhares de gerações, antes que começassem a aparecer as sociedades hierárquicas" —, voltando a colocar com a maior naturalidade os primeiros humanos no Jardim do Éden. Apenas com o início da agricultura, argumenta ele, voltamos à hierarquia. Até 12 mil anos atrás, garante Boehm, os seres humanos eram na prática igualitários, vivendo no que ele descreve como "sociedades de iguais, e fora da família não havia nenhum dominador".[20]

Portanto, segundo Boehm, durante uns 200 mil anos, todos os animais políticos escolheram viver apenas de uma maneira; então, claro, começaram a se prender a seus grilhões, e ressurgiram os padrões simiescos de dominação. A solução da batalha entre "falcões hobbesianos e pombas rousseaunianas" assim se revela: nossa natureza genética é hobbesiana, mas nossa história política é quase como a descrita por Rousseau. Resultado? Uma estranha insistência na ideia de que, durante muitas dezenas de milhares de anos, não aconteceu nada. A conclusão é desconcertante, sobretudo quando consideramos algumas das evidências arqueológicas concretas sobre a existência da "política paleolítica".

COMO MONUMENTOS GRANDIOSOS, SEPULTURAS PRINCIPESCAS E OUTRAS CARACTERÍSTICAS INESPERADAS DAS SOCIEDADES DA ERA GLACIAL SUBVERTERAM NOSSAS SUPOSIÇÕES SOBRE OS CAÇADORES-COLETORES, E O QUE SIGNIFICARIA DIZER QUE HAVIA "ESTRATIFICAÇÃO SOCIAL" CERCA DE 30 MIL ANOS ATRÁS

Comecemos com as ricas sepulturas de caçadores-coletores. Encontram-se exemplos em grande parte da Eurásia ocidental, da Dordonha ao Don. Entre elas incluem-se descobertas em abrigos rochosos e assentamentos ao ar livre. Algumas das primeiras estão em lugares como Sunghir, no norte da Rússia, e Dolní Věstonice, na bacia morávia, a sul de Brno, datando de 34 mil a 26 mil anos atrás. O que vemos aqui não são cemitérios, mas sepulturas isoladas de indivíduos ou de pequenos grupos, com os corpos muitas vezes em posições surpreendentes e paramentados — em alguns casos, quase saturados — com ornamentos. No caso de Sunghir, eram milhares e milhares de contas, confeccionadas em marfim de mamutes e dentes de raposa, o que exigia uma boa dose de trabalho. Originalmente, essas contas deviam decorar roupas feitas de pele e couro animal. Algumas das vestes mais luxuosas se encontram na sepultura conjunta de dois meninos, ladeados por grandes lanças feitas de presas de mamute aplainadas.[21]

Em Dolní Věstonice, uma sepultura tripla contém dois rapazes com elaborados ornamentos na cabeça, ao lado de um homem de mais idade, os três num leito de terra tingida de vermelho com ocre.[22] Igualmente antigo é um grupo de sepulturas de caverna escavadas na costa da Ligúria, perto da atual fronteira entre a Itália e a França. Corpos completos de rapazes ou adultos, inclusive uma inumação especialmente luxuosa, conhecida pelos arqueólogos como *Il Principe*, jaziam em posições curiosas, repletos de joias, inclusive contas feitas de conchas marinhas e caninos de antílopes, além de lâminas de lascas de pedras exóticas. *Il Principe* tem esse nome porque está também enterrado com objetos que, aos olhos modernos, parecem insígnias de realeza: um cetro de pedra lascada, bastões de chifre de alce e um ornato de cabeça lindamente elaborado com conchas e dentes de antílope perfurados. Seguindo mais a oeste, até a Dordonha, encontramos uma sepultura de 16 mil anos de uma jovem, a chamada "Dama de Saint-Germain-de-la-Rivière", que contém um rico conjunto de ornamentos na cintura e na pelve feitos de conchas e dentes de veado. Os dentes são extraídos de antílopes caçados no País Basco espanhol, a trezentos quilômetros de distância.[23]

Descobertas como essas alteraram por completo a visão dos especialistas sobre as sociedades humanas na pré-história. O pêndulo se afastou tanto da velha noção de bandos igualitários que agora há arqueólogos argumentando que, milhares de anos antes das origens da agricultura, as sociedades humanas já se dividiam por posição social, classe e transmissão hereditária de poder. Como veremos, isso é bastante improvável, mas as evidências citadas por esses arqueólogos são bem concretas: por exemplo, a extraordinária quantidade de trabalho necessária para confeccionar os objetos tumulares (segundo algumas estimativas, 10 mil horas de trabalho somente para as contas de Sunghir); os métodos avançadíssimos e padronizados de produção, talvez indicativos de artífices especializados; o transporte de materiais exóticos e prestigiosos desde locais muito distantes; e, o mais sugestivo de tudo, alguns casos em que essas riquezas eram enterradas com crianças, o que talvez aponte para algum tipo de status herdado.[24]

Outro resultado inesperado das pesquisas arqueológicas recentes, que levou muita gente a rever suas ideias sobre os caçadores-coletores pré-históricos, é o aparecimento de uma arquitetura monumental. Na Eurásia, os exemplos mais famosos são os templos de pedra das montanhas de Gemus, acima da planície de Harran, no sudeste da Turquia. Nos anos 1990, um grupo de arqueólogos alemães, trabalhando na fronteira norte da planície, começou a encontrar vestígios antiquíssimos num lugar conhecido localmente como Göbekli Tepe.[25]

Desde então, essa descoberta veio a ser considerada um enigma evolucionário. A principal razão de surpresa é um conjunto de vinte cercados megalíticos, que começaram a ser erguidos por volta de 9000 a.C. e depois modificados várias vezes ao longo de muitos séculos. Esses cercados foram criados numa época em que a planície ao redor era um misto de bosques e de estepes, repletos de espécies vegetais e animais selvagens, que colonizaram o Oriente Médio perto da última Era Glacial.

Os cercados de Göbekli Tepe são imensos. Compreendem grandes pilares em T, alguns com mais de cinco metros de altura e pesando até uma tonelada, extraídos do leito rochoso de calcário ou de pedreiras próximas. Os pilares, num total de pelo menos duzentos, foram erguidos dentro de cavidades e unidos por paredes de pedra bruta. Cada um deles é uma obra escultural única, entalhada com imagens de um mundo de carnívoros perigosos e répteis venenosos, além de espécimes de caça, aves aquáticas e pequenos necrófagos. As formas animais surgem da pedra em vários níveis de relevo: algumas afloram timidamente na superfície, outras se projetam audaciosamente em três dimensões. Essas criaturas em geral assustadoras seguem direções distintas, algumas rumando para o horizonte, outras abrindo caminho sob a terra. Em alguns lugares, o próprio pilar se torna uma espécie de corpo em pé, com vestes e membros de tipo humano.

A criação dessas edificações admiráveis supõe uma atividade coordenada com rigor em uma escala de fato grandiosa, ainda mais se a construção dos múltiplos cercados foi simultânea, seguindo um único projeto (ponto que se encontra em discussão).[26] Mas a pergunta maior persiste: quem os construiu? Embora naquela época já houvesse grupos humanos começando a praticar a agricultura não muito longe dali, o povo que ergueu Göbekli Tepe, até onde sabemos, não era composto de agricultores. Sim, eles colhiam e processavam cereais silvestres e outras plantas de estação, mas não há nenhuma razão que nos obrigue a vê-los como "protoagricultores" ou para sugerir que tivessem algum interesse em organizar sua subsistência em torno da domesticação e do plantio das espécies vegetais. Na verdade, sequer havia razão para isso, tendo em vista a disponibilidade de frutas, bagas, nozes e fauna selvagem comestível nas vizinhanças. (Na verdade, há bons motivos para pensar que os construtores de Göbekli Tepe apresentavam algumas diferenças espantosas em relação aos grupos vizinhos que começavam a adotar o plantio, mas esse tema terá de aguardar um capítulo posterior; por ora, estamos interessados apenas nos monumentos.)

Para alguns, a altura e a orientação das edificações em Göbekli Tepe sugerem uma função astronômica ou cronométrica, com cada cadeia de pilares alinhada por um ciclo específico de movimentos celestes. Os arqueólogos se mantêm céticos, assinalando que as estruturas antes podiam ter tido cobertura, e que sua disposição foi sujeita a muitas alterações ao longo do tempo. O que mais tem intrigado estudiosos de diversas áreas até hoje, porém, é outra coisa: a aparente comprovação de que "as sociedades de caçadores-coletores tinham desenvolvido instituições para prover obras públicas, projetos e construções monumentais de grande porte, e assim tinham uma hierarquia social complexa antes da adoção da agricultura".[27] Mais uma vez, a questão não é tão simples, já que esses dois fenômenos — hierarquia e medição do tempo — estavam intimamente interligados.

Embora Göbekli Tepe seja muitas vezes apresentado como uma anomalia, na verdade existem muitas evidências de construções monumentais de vários tipos entre caçadores-coletores em períodos anteriores, remontando à Era Glacial.

Na Europa, entre 25 mil e 12 mil anos atrás, as obras públicas já constituíam uma característica da habitação humana numa área que se estendia da Cracóvia a Kiev. Ao longo desse corte transversal, encontraram-se restos de estruturas circulares impressionantes, que se diferenciam claramente dos acampamentos habituais em termos de escala (as maiores tinham mais de doze metros de diâmetro), de permanência, de qualidades estéticas e de localizações privilegiadas na paisagem do Plistoceno. Cada uma delas se erguia sobre uma estrutura feita de presas e ossos de mamute, extraídas de muitas dezenas desses grandes animais, dispostos em sequências e padrões alternados que vão muito além da mera funcionalidade, para criar estruturas que pareceriam impressionantes aos nossos olhos e magníficas aos olhos das pessoas da época. Também existiam grandes cercados de madeira com até quarenta metros de comprimento, tendo restado apenas as cavidades dos suportes e os pisos afundados.[28] É provável que Göbekli Tepe também tenha tido seus análogos em madeira.

A monumentalidade sempre é, até certo ponto, um conceito relativo; ou seja, uma construção ou uma estrutura é "monumental" apenas em comparação a outras que o observador conhece. Evidentemente, a Era Glacial não produziu nada na escala das Pirâmides de Gizé ou do Coliseu — mas, pelos padrões da época, os tipos de estrutura que estamos descrevendo só podem ter sido considerados obras públicas, envolvendo um projeto sofisticado e a coordenação dos trabalhos numa escala impressionante. A pesquisa no sítio russo de Iudinovo sugere que as "casas de mamute", como são chamadas com frequência, não eram de forma nenhuma moradias, e sim monumentos em sentido estrito: cuidadosamente planejados e construídos para comemorar a realização de uma grande caça a mamutes (e a solidariedade do grupo mais amplo de caça), aproveitando qualquer parte não perecível que tivesse restado após processarem as carcaças, usando a carne, o couro e a pelagem, e mais tarde cobrindo-os com sedimentos para criar um marco durável na paisagem.[29] Aqui estamos falando em quantidades realmente enormes de carne: para cada estrutura (havia cinco em Iudinovo), havia mamutes suficientes para alimentar centenas de pessoas por cerca de três meses.[30] Locais ao ar livre como Iudinovo, Mezhirich e Kostenki, onde foram erguidos esses monumentos de mamute, muitas vezes se tornavam praças centrais, onde os habitantes trocavam âmbar, conchas marinhas e couros animais cobrindo enormes distâncias.

Então, o que faremos com todas essas evidências de templos de pedra, sepulturas principescas, monumentos de mamute e centros movimentados de produção artesanal e comércio, que remontam à Era Glacial? O que estão fazendo ali, num mundo paleolítico no qual se supõe — pelo menos em alguns relatos — que jamais acontecesse muita coisa, com sociedades humanas mais bem entendidas por analogias com bandos de chimpanzés ou de bonobos? Talvez não seja de admirar que alguns reagiram abandonando por completo a ideia de uma Era de Ouro igualitária e concluindo que, pelo contrário, devia ter sido uma sociedade dominada por chefes poderosos e até mesmo por dinastias — e, portanto, que o enaltecimento próprio e o poder coercitivo sempre foram as forças constantes por trás da evolução social humana. Mas isso tampouco se sustenta.

As evidências de desigualdade institucional nas sociedades da Era Glacial, sejam sepulturas grandiosas ou construções monumentais, são esparsas. As sepulturas ricamente elaboradas aparecem separadas por séculos e, muitas vezes, por centenas de quilômetros de distância. Mesmo se quisermos atribuir esse fato à pouca disponibilidade de evidências, ainda temos de perguntar antes de tudo o motivo para isso: afinal, se algum desses "príncipes" da Era Glacial tivesse se comportado como, digamos, os príncipes da Idade do Bronze (para não falar dos príncipes renascentistas italianos), encontraríamos também todos os sinais habituais de um poder centralizado: fortificações, depósitos, palácios. Em vez disso, durante dezenas de milhares de anos, vemos monumentos e sepulturas magníficos, mas poucas outras coisas que indiquem o florescimento de sociedades hierarquizadas, e muito menos algo remotamente semelhante a um "Estado". Para entender por que os primeiros registros de vida social humana apresentam esse estranho padrão em *staccato*, precisamos antes eliminar alguns persistentes pressupostos sobre as mentalidades "primitivas".

OS PERSISTENTES PRESSUPOSTOS DE QUE OS POVOS "PRIMITIVOS" ERAM, DE CERTA FORMA, INCAPAZES DE REFLEXÃO CONSCIENTE E A IMPORTÂNCIA HISTÓRICA DA EXCENTRICIDADE

No capítulo anterior, argumentamos que o elemento realmente insidioso do legado de Rousseau não é tanto a ideia do "nobre selvagem", mas sim a do "selvagem obtuso". Podemos ter superado o racismo explícito da maioria dos europeus oitocentistas, ou pelo menos pensamos que sim, mas não é raro encontrar até pensadores contemporâneos muito sofisticados que consideram mais apropriado comparar "bandos" de caçadores-coletores a chimpanzés ou babuínos do que a qualquer pessoa que possam algum dia conhecer. Vejamos a seguinte passagem do historiador Yuval Noag Harari em *Sapiens: Uma breve história da humanidade* (2014). Harari começa com uma observação perfeitamente razoável: a de que nosso conhecimento dos inícios da história humana é limitadíssimo, e os ordenamentos sociais deviam variar bastante de um lugar para outro. É verdade que ele exagera seu argumento (sugerindo que não podemos conhecer de fato nada, nem mesmo sobre a Era Glacial), mas a questão básica é bem colocada. Então temos o seguinte:

> O mundo sociopolítico dos coletores é outra área sobre a qual não sabemos praticamente nada [...] os estudiosos não concordam nem mesmo a respeito dos ele-

mentos básicos, tais como a existência da propriedade privada, famílias nucleares e relações monogâmicas. É provável que diferentes bandos tivessem estruturas diferentes. Alguns podem ter sido hierárquicos, tensos e violentos como os grupos mais ferozes de chimpanzés, enquanto outros eram descontraídos, pacíficos e lascivos como um bando de bonobos.

Assim, não só todo mundo vivia em bandos até surgir a agricultura, mas esses grupos tinham um caráter basicamente simiesco. Se isso parece injusto com o autor, vale observar que Harari poderia ter escrito sem problemas algo como "tensos e violentos como as mais ferozes gangues de motoqueiros" e "descontraídos, pacíficos e lascivos como uma comunidade hippie". Seria de se imaginar que o termo óbvio de comparação para um grupo de seres humanos deveria ser... outro grupo de seres humanos. Por que, então, Harari escolheu chimpanzés em vez de motoqueiros? É difícil evitar a impressão de que a principal diferença é que os motoqueiros *escolhem* viver como vivem. Essas escolhas envolvem uma consciência política: a capacidade de argumentar e refletir sobre a maneira adequada de viver — que é exatamente, como nos lembra Boehm, o que os macacos não fazem. Mas Harari, como tantos outros, mesmo assim decide comparar os primeiros humanos a macacos.

E assim retorna o "paradoxo sapiente". Não como algo real, mas como efeito colateral do estranho modo como interpretamos evidências: ou com a insistência na ideia de que durante incontáveis milênios tivemos cérebros modernos, mas, por alguma razão, decidimos viver como macacos; ou com o argumento de que tínhamos a capacidade de superar nossos instintos simiescos e nos organizar numa interminável variedade de maneiras, mas, por alguma razão igualmente obscura, sempre escolhemos apenas uma única forma de organização.

Talvez a verdadeira questão aqui seja o que significa ser um "ator político consciente". Os filósofos tendem a definir a consciência humana em termos de percepção ativa de si mesmo; os neurocientistas, por outro lado, nos dizem que na verdade passamos a maioria esmagadora de nosso tempo no piloto automático, empregando formas habituais de comportamento sem nenhuma espécie de reflexão consciente. Quando somos capazes de alguma percepção ativa, costuma ser por brevíssimos momentos: a "janela da consciência", quando conseguimos manter um pensamento ou resolver um problema, tende a ficar aberta, em média, por cerca de sete segundos. Mas o que os neurocientistas (e cabe dizer: a maioria dos filósofos contemporâneos) quase nunca notam é que a grande exceção a isso é quando estamos falando com outra pessoa. Durante conversas, às vezes podemos manter pensamentos e refletir sobre problemas por horas a fio. E, claro, é por causa disso que, mesmo quando estamos tentando entender alguma coisa sozinhos, tantas vezes nos imaginamos argumentando ou explicando essa coisa para outra pessoa. O pensamento humano é intrinsecamente dialógico. Os filósofos antigos levavam isso em profunda consideração: é por isso que, estivessem na China, na Índia ou na Grécia, tendiam a escrever seus livros em forma de diálogo. Os seres humanos só estão conscientes de fato de si mesmos quando argumentam uns com os outros, tentando modificar mutuamente suas noções ou procurando resolver um problema em comum. Fora isso, imaginava-se que a verdadeira consciência individual era algo que alguns poucos sábios talvez conseguissem alcançar por meio de longos estudos, exercícios, disciplina e meditação.

Sempre se considerou que aquilo que hoje chamamos de "consciência política" vinha em primeiro lugar. Nesse sentido, a tradição filosófica ocidental tomou nos últimos séculos um rumo bastante inusitado. Mais ou menos na mesma época em que abandonou o diálogo como seu gênero típico de escrita, também começou a imaginar o indivíduo isolado, racional e consciente não como algo raro, uma realização a ser alcançada — se e quando possível — após anos de vida isolada numa caverna, numa cela monástica ou no alto de uma coluna em algum deserto, mas como o estado-padrão e normal dos seres humanos de qualquer lugar.

Ainda mais estranho foi a consciência *política* que os filósofos europeus, nos séculos XVIII e XIX, vieram a considerar como uma espécie de surpreendente realização histórica: um fenômeno que só foi realmente possível com o Iluminismo e as subsequentes Revolução Francesa e a Guerra de Independência dos Estados Unidos. Antes disso, supunha-se que as pessoas seguiam cegamente as tradições ou o que tomavam como a vontade de Deus. Os camponeses ou rebeldes populares, mesmo quando se sublevavam na tentativa de derrubar regimes opressores, não reconheciam que era isso o que estavam fazendo, achavam que estavam restaurando "costumes antigos" ou agindo por uma espécie de inspiração divina. Para os intelectuais vitorianos, a noção de um povo imaginando de forma consciente uma ordem social mais condizente com suas preferências, e então tentando criá-la, era inaplicável por completo antes da era moderna — e a maioria se via profundamente dividida se isso seria uma boa ideia naquela sua época.

Tudo isso foi uma grande surpresa para Kondiaronk, o estadista-filósofo wendat seiscentista cujo impacto sobre o pensamento político europeu abordamos no capítulo anterior. Como muitos povos norte-americanos de sua época, a nação Wendat de Kondiaronk via sua sociedade como uma confederação criada por acordos conscientes, abertos a uma contínua renegociação. Mas, no fim do século XIX e início do século XX, muitos na Europa e na América do Norte chegavam a ponto de argumentar que, em primeiro lugar, nunca poderia ter de fato existido alguém como Kondiaronk. Os "primitivos", afirmavam eles, não só eram incapazes de ter consciência política, como tampouco eram capazes de um pensamento consciente no nível individual — ou, pelo menos, de um que fosse digno de receber nome. Ou seja, assim como julgavam possível supor que um "indivíduo ocidental racional" (digamos, um trabalhador de uma ferrovia britânica ou um funcionário colonial francês) seria plenamente consciente o tempo todo (uma suposição, é claro, absurda), argumentavam que qualquer indivíduo classificado como "primitivo" ou "selvagem" operava com uma "mentalidade pré-lógica" ou vivia num mundo onírico mitológico. Na melhor das hipóteses, eram conformistas inconscientes, presos nos grilhões da tradição; na pior, eram incapazes de qualquer tipo de pensamento consciente e crítico.

Essas teorias podem ser consideradas o ponto culminante da reação contra a crítica indígena da sociedade europeia. Os argumentos atribuídos a figuras como Kondiaronk podiam ser descartados como meras projeções das fantasiais ocidentais sobre o "nobre selvagem", porque os selvagens reais, segundo se supunha, viviam num universo mental diferente. Hoje em dia, nenhum estudioso respeitável faria alegações desse tipo: todos concordam, pelo menos da boca para fora, sobre a unidade psíquica da humanidade. Mas na prática, como vimos, pouco mudou. Os estudiosos ainda escrevem como se os indivíduos que viviam em estágios iniciais de desenvolvimento econômico, em especial aqueles classificados como "igualitários", pudessem ser tratados como se fossem literalmente os mesmos, em algum tipo de pensamento coletivo grupal: se surgem diferenças humanas sob alguma forma — "bandos" diferentes sendo diferentes entre si —, é apenas do mesmo modo como podem surgir diferenças entre grupos de gorilas. A consciência política ou, com certeza, qualquer coisa que agora chamaríamos de "política visionária" teria sido impossível.

E caso se constate que certos caçadores-coletores nem sempre viveram constantemente em "bandos", mas se congregavam para criar grandiosos monumentos ao ar livre, armazenavam grandes quantidades de alimento preservado e tratavam determinados indivíduos como integrantes da realeza, os estudiosos contemporâneos vão, no máximo, colocá-los num novo estágio de desenvolvimento: ascenderam na escala, passando de caçadores-coletores "simples" para caçadores-coletores "complexos", dando mais um passo na direção da agricultura e da civilização urbana. Mas continuam presos na mesma camisa de força evolucionária aos moldes de Turgot, com seu lugar na história definido pelo modo de subsistência e pelo papel executado às cegas numa lei abstrata de desenvolvimento que nós entendemos, mas eles não; sem dúvida, raramente passa pela cabeça de alguém perguntar que espécies de mundos eles *pensavam* que estavam tentando criar.[31]

Ora, sempre existiram exceções a essa regra. Antropólogos que passam anos falando com indígenas em suas próprias línguas e observando suas discussões costumam saber que, mesmo os que vivem de caçar elefantes ou de colher brotos de lótus são tão céticos, imaginativos, conscientes e capazes de análise crítica quanto os que vivem de dirigir tratores, administrar restaurantes ou chefiar departamentos universitários. Alguns, como o estudioso Paul Radin, do começo do século xx, em seu livro *Primitive Man as Philosopher* [O homem primitivo como filósofo], de 1927, acabou por concluir que pelo menos os que ele conhecia melhor — os winnebagos e outros nativos norte-americanos — na verdade eram, em sua média, bem mais conscientes.

O próprio Radin era tido por seus contemporâneos como um excêntrico (ele sempre evitou seguir uma carreira propriamente acadêmica; segundo a lenda, uma vez em Chicago, quando lhe ofereceram uma vaga de docente universitário, ele ficou tão intimidado antes da primeira aula que foi imediatamente para uma via expressa ali perto e deu um jeito de conseguir que um carro lhe quebrasse a perna, e então passou o resto do semestre alegremente entregue às suas leituras numa cama de hospital). Talvez não por mera coincidência, o que mais o impressionava nas sociedades "primitivas" que conhecia melhor era a tolerância em relação à excentricidade. Isso, concluiu ele, era uma simples extensão lógica daquela mesma rejeição da coerção que tanto impressionara os jesuítas no Quebec. Radin observou que, se um winnebago concluísse que deuses e espíritos não existiam e se recusasse a cumprir rituais para aplacá-los, ou mesmo declarasse que a sabedoria coletiva dos anciãos estava errada e inventasse sua cosmologia pessoal (e essas duas coisas de fato aconteciam com bastante regularidade), esse cético certamente seria ridicularizado e seus parentes e amigos mais próximos podiam recear que os deuses o puniriam de alguma maneira. Mas nunca passaria pela cabeça *deles* castigá-lo, e ninguém tentaria obrigá-lo à conformidade — por exemplo, culpando-o por uma caçada infrutífera e, por isso, negando-lhe alimento enquanto não concordasse em realizar os rituais de sempre.

Há todas as razões para crer que céticos e não conformistas existem em todas as sociedades humanas; o que varia é a reação dos outros.[32] Radin estava interessado nas consequências intelectuais, no tipo de sistemas de pensamento especulativo que essas figuras excêntricas podiam criar. Outros têm observado as implicações políticas. Muitas vezes são pessoas apenas um pouquinho esquisitas que se tornam líderes; as realmente estranhas podem se tornar referências espirituais, mas sobretudo podem servir, o que muitas vezes acontece, como uma espécie de reserva de talento e discernimento em potencial, a que se pode recorrer em caso de crise ou de uma inesperada reviravolta. Thomas Beidelman, por exemplo, observa que, entre os nueres do começo do século xx — um povo pastoril do sul do Sudão, famoso por rejeitar qualquer coisa que se assemelhasse a um governo —, havia os políticos e os "touros" da aldeia ("figurões", como diríamos hoje) que aplicavam as regras à sua própria maneira, mas também os "sacerdotes mundanos" que mediavam as disputas locais e, por fim, os profetas. Os políticos muitas vezes eram pouco convencionais: por exemplo, não era incomum que o "touro" local fosse na verdade uma mulher, cujos pais haviam declarado ser homem para finalidades sociais; os sacerdotes eram sempre forasteiros, pessoas de outras regiões; mas o profeta era uma figura dada a comportamentos muito mais extremos. Podia babar, balbuciar, ficar fitando o vazio, agir como um epiléptico; podia se entregar a longas atividades inúteis, como gastar horas espalhando conchas e formando desenhos no solo da savana, passar longos períodos na solidão da natureza selvagem ou mesmo comer cinzas ou excrementos. Os profetas, observa

Beidelman, "podem falar em línguas, entrar em transe, jejuar, manter-se de ponta-cabeça, usar plumas no cabelo, trocar a noite pelo dia e se empoleirar no alto dos telhados. Alguns se sentam com cavilhas no ânus".[33] Muitos também tinham deformidades físicas. Alguns eram travestis ou dados a práticas sexuais não convencionais.

Em outras palavras, eram pessoas realmente heterodoxas. A impressão que se tem com a bibliografia sobre o tema é que qualquer assentamento nuer dos tempos pré-coloniais vinha complementado com uma zona de sombra do que poderíamos chamar de "indivíduos extremos", que na nossa sociedade decerto seriam classificados como desde "altamente excêntricos" ou "desafiadoramente bizarros" a "neurodivergentes" ou "mentalmente perturbados". Os profetas eram, em geral, tratados com um respeito que presumia também um certo divertimento. Eram doentes, mas sua doença era uma consequência direta de terem sido tocados por Deus. Em decorrência disso, quando ocorriam grandes calamidades ou acontecimentos sem precedentes — uma praga, uma invasão estrangeira —, era nessa zona de penumbra que todos procuravam um líder carismático adequado para a ocasião. Assim, uma pessoa que podia passar a vida como uma espécie de idiota da aldeia era de repente tida como detentora de extraordinárias faculdades de antevisão e persuasão, e inclusive capaz de inspirar novos movimentos sociais entre os jovens ou de coordenar os anciãos de toda a Nuerlândia a fim de deixarem de lado suas divergências e se mobilizarem em torno de um objetivo comum, e até, às vezes, de propor visões bastante diversas sobre o que a sociedade nuer poderia ser.

O QUE CLAUDE LÉVI-STRAUSS APRENDEU COM OS NHAMBIQUARAS SOBRE O PAPEL DOS CHEFES, E AS VARIAÇÕES SAZONAIS DA VIDA SOCIAL

Claude Lévi-Strauss é um dos poucos antropólogos de meados do século XX a levar a sério a ideia de que os primeiros seres humanos eram equivalentes a nós em termos intelectuais; daí seu famoso argumento em *O pensamento selvagem* de que o pensamento mitológico, em vez de representar algum tipo de névoa pré-lógica, é mais bem entendido como uma espécie de "ciência neolítica", tão sofisticada quanto a nossa, apenas construída sobre princípios diferentes.

Menos conhecidos — porém mais pertinentes para os problemas aqui tratados — são alguns de seus primeiros escritos sobre política.

Em 1944, Lévi-Strauss publicou um ensaio sobre a política entre os nhambiquaras, uma pequena população que dividia seu tempo entre a atividade agrícola e a forrageadora, vivendo numa área de cerrado notoriamente inóspita no noroeste do Mato Grosso, no Brasil. Os nhambiquaras tinham então a reputação de povo simplório, em vista de sua cultura material muito rudimentar. Por essa razão, muitos os consideravam quase como uma janela direta para o Paleolítico. Como assinalou Lévi-Strauss, isso era um equívoco. Povos como os nhambiquaras vivem à sombra do Estado moderno, comerciando com agricultores e citadinos, e às vezes atuando eles mesmos como trabalhadores rurais diaristas. Alguns até podiam ser descendentes de fugitivos das cidades ou das fazendas. No entanto, observou Lévi-Strauss, as formas como os nhambiquaras organizavam sua existência podiam fornecer vislumbres de traços mais gerais da condição humana, sobretudo em relação à política.

Para Lévi-Strauss, o que havia de especialmente instrutivo em relação aos nhambiquaras era que, por mais avessos que fossem à disputa competitiva (de todo modo, não dispunham de muitas riquezas para disputar), eles designavam chefes que de fato os comandavam. A própria simplicidade do ordenamento resultante, a seu ver, podia mostrar "algumas funções básicas" da vida política que "se mantêm ocultas em sistemas de governo mais complexos e elaborados". Não só o papel do chefe em termos sociais e psicológicos era muito similar ao de um governante ou político nacional na sociedade europeia, assinalou ele, como também atraía tipos de personalidade similares: pessoas que, "ao contrário da maioria de seus companheiros, apreciam o prestígio por si só, gostam de se sentir responsáveis e para quem o fardo dos assuntos públicos traz consigo sua própria recompensa".[34]

Os políticos modernos desempenham o papel de negocistas e oportunistas, intermediando alianças ou barganhando concessões entre diferentes eleitorados ou grupos de interesse. Na sociedade nhambiquara, isso não acontecia muito porque na verdade não havia muitas diferenças de riqueza ou de status. No entanto, os chefes realmente desempenhavam um papel análogo, servindo de intermediários entre dois sistemas sociais e éticos bem diversos, a depender da época do ano. Essa parte exige maior explicação. Nos anos 1940, os nhambiquaras viviam em duas sociedades de fato muito diferentes entre si. Na estação das chuvas, viviam em aldeias no alto dos montes, com centenas de pessoas, e praticavam a horticultura; no resto do ano, dispersavam-se em pequenos grupos de forrageadores. Os chefes ganhavam ou perdiam renome atuando como líderes heroicos durante as "aventuras nômades" da estação da seca, época em que davam ordens, resolviam crises e se conduziam de uma maneira que, em qualquer outra época, seria considerada inaceitavelmente autoritária; na estação úmida, época de tranquilidade e abundância muito maiores, valiam-se de seu renome para atrair seguidores e fazê-los se assentarem em aldeias em torno de si, onde utilizavam apenas uma gentil persuasão e lideravam pelo exemplo, guiando os seguidores na construção de casas e na manutenção de hortas. Assim, atendiam aos doentes e necessitados, intermediavam disputas e nunca impunham nada a ninguém.

Como classificar esses chefes? Não eram patriarcas, concluiu Lévi--Strauss; tampouco tiranetes (muito embora fossem autorizados a se conduzir como tais, em certos períodos bem delimitados), e não eram de forma nenhuma investidos de poderes místicos. Mais do que qualquer outra coisa, assemelhavam-se a políticos modernos operando minúsculos Estados embrionários de bem-estar social, reunindo um fundo comum de recursos e distribuindo--os aos necessitados. O que impressionava Lévi-Strauss, acima de tudo, era a maturidade política desses chefes. Tinham a habilidade de comandar pequenos grupos de forrageadores na estação da seca, de tomar decisões rápidas nas crises (atravessar um rio, liderar uma caçada) que, mais tarde, tornava-os qualificados para desempenhar o papel de mediadores e diplomatas no espaço público da aldeia. Mas, com isso, na prática recuavam e avançavam, todos os anos, entre aquilo que os antropólogos evolucionistas (na tradição de Turgot) insistem em considerar como dois estágios bem diversos de desenvolvimento social: de caçadores-coletores a agricultores, e vice-versa.

Era exatamente esta a qualidade que fazia do chefe nhambiquaras uma figura política tão peculiarmente familiar: a tranquila desenvoltura com que se movia entre dois sistemas sociais de fato diferentes, ao mesmo tempo mantendo um equilíbrio entre um sentimento de ambição pessoal e o bem comum. Esses chefes eram, em todos os sentidos, atores políticos conscientes. E eram sua flexibilidade e adaptabilidade que lhes permitiam adotar uma perspectiva distanciada em relação ao sistema adotado de acordo com o momento.

Lévi-Strauss se tornou o antropólogo mais renomado do mundo, e talvez o intelectual mais famoso da França, mas seu ensaio inicial sobre os nhambiquaras caiu quase de imediato na obscuridade. Até hoje, fora do campo dos estudos amazônicos, são pouquíssimos os que ouviram falar dele. Uma das razões foi porque, nas décadas do pós-guerra, Lévi-Strauss estava seguindo na direção contrária à dos demais estudiosos de sua área. Enquanto ele ressaltava as similaridades entre a vida de caçadores, horticultores e a das democracias industriais modernas, quase todos os outros — sobretudo os interessados em sociedades forrageadoras — adotavam novas variações de Turgot, ainda que com uma linguagem atualizada e o respaldo de uma enxurrada de dados científicos rigorosos. Abandonando as ultrapassadas distinções entre "selvageria", "barbárie" e "civilização", que começavam a soar condescendentes demais, adotaram uma nova sequência, que ia de "bandos" para "tribos", passando para "chefaturas" e chegando a "Estados". O ponto culminante dessa corrente foi o simpósio *Man the Hunter*, um marco para a área, realizado na Universidade de Chicago em 1966. Esse evento definiu os estudos dos caçadores-coletores nos termos de uma nova disciplina, para a qual os participantes propuseram o nome de "ecologia comportamental", começando por estudos rigorosamente quantificados de grupos das florestas equatoriais e savanas africanas — os sans do Kalahari, os hazas da África Oriental e os pigmeus mbutis —, que incluíam contagens calóricas, estudos de emprego do tempo e os mais variados tipos de dados que não estavam disponíveis para os pesquisadores anteriores.

Os novos estudos coincidiram com um súbito aumento do interesse popular por essas sociedades africanas: por exemplo, os famosos curtas-metragens dos Marshall (uma família de antropólogos e cineastas norte-americanos) sobre os bosquímanos do Kalahari, que se tornaram elementos constantes nos cursos de introdução à antropologia e nos canais educacionais da televisão por todo o mundo, junto com livros de alta vendagem, como *The Forest People* [O povo da floresta], de Colin Turnbull. Em pouco tempo, quase todos simplesmente passaram a supor que os forrageadores constituíam um estágio específico do desenvolvimento social, que "vivem em pequenos grupos", "movimentam-se muito", rejeitam qualquer distinção social afora a idade e o gênero, resolvem conflitos por "fissão" em vez de arbitragem ou violência.[35] Vez por outra, reconhecia-se que essas sociedades africanas eram, pelo menos em alguns casos, populações de refugiados vivendo em locais onde ninguém mais queria estar, ou que muitas sociedades forrageadoras documentadas nos registros etnográficos (que a essa altura tinham sido em grande parte varridas pelas colônias europeias de povoamento e, portanto, não estavam mais disponíveis para uma análise quantitativa) não tinham nenhuma semelhança com tais caracterizações. Mas quase nunca se dava alguma importância especial a isso. A imagem de pequenos bandos igualitários correspondia perfeitamente àquilo que os alimentados na tradição de Rousseau achavam que os caçadores-coletores *deviam* ter sido. E agora parecia respaldada por dados científicos rigorosos e quantificáveis (e também por filmes!).

Nessa nova realidade, os nhambiquaras de Lévi-Strauss simplesmente não tinham nenhuma relevância. Afinal, em termos evolucionários, nem sequer eram forrageadores, já que só saíam em bandos de caça e coleta por sete ou oito meses por ano. Assim, o aparente paradoxo de que suas aldeias maiores eram igualitárias, ao passo que seus bandos de forrageamento estavam longe disso, podia ser deixado de lado para não macular essa nova e reluzente imagem. O tipo de consciência política que parecia tão autoevidente nos chefes nhambiquaras, e ainda mais a improvisação frenética que se esperava dos profetas nueres, não cabia no enquadramento reformulado da evolução social humana.

AS EVIDÊNCIAS SOBRE OS "INDIVÍDUOS EXTREMOS" E AS VARIAÇÕES SAZONAIS DA VIDA SOCIAL NA ERA GLACIAL E MAIS ALÉM

Os nhambiquaras, os winnebagos ou os nueres do século XX não podem nos abrir janelas diretas para o passado. O que podem fazer é sugerir ângulos de investigação que, de outro modo, não pensaríamos em procurar. Depois de considerar seus sistemas sociais, parece mais do que lógico questionar se existem indícios de variações sazonais na estrutura social das primeiras sociedades humanas, ou se indivíduos altamente anômalos não só eram tratados com respeito, mas desempenhavam papéis políticos importantes no Paleolítico. Como veremos, a resposta é afirmativa em ambos os casos. Na verdade, as evidências são abundantes.

Voltemos àquelas ricas sepulturas do Paleolítico Superior, tantas vezes interpretadas como evidências do surgimento da "desigualdade", ou mesmo de algum tipo de nobreza hereditária. Por alguma estranha razão, quem argumenta tais coisas nunca parece perceber — ou, caso perceba, nunca dá muita importância ao fato — que uma quantidade notável (na verdade, a maioria) desses esqueletos traz sinais de marcantes anomalias físicas que só poderiam tê-los destacado, de modo claro e expressivo, em seus ambientes sociais.[36] Tanto em Sunghir quanto em Dolní Věstonice, por exemplo, os adolescentes apresentavam acentuadas deformidades físicas; os corpos na Caverna de Romito, na Calábria, eram excepcionalmente pequenos, apresentando pelo menos um caso de nanismo, ao passo que os corpos na Caverna Grimaldi eram altíssimos mesmo para nossos padrões e deviam parecer uns verdadeiros gigantes para seus contemporâneos.

Parece muito improvável que tudo isso seja mera coincidência. Na verdade, leva-nos a pensar se mesmo os corpos que, pelos restos mostrais, parecem típicos em termos anatômicos não teriam sido incomuns em algum outro aspecto; afinal, os registros arqueológicos não permitem identificar um albino, por exemplo, ou um profeta epiléptico que dividia o tempo entre ficar de ponta-cabeça e arranjar e rearranjar conchas de caracol. Não temos como saber muito sobre o cotidiano dos indivíduos do Paleolítico sepultados com ricos objetos fúnebres, a não ser que parecem ter sido bem cuidados e alimentados, mas ao menos podemos sugerir que eram vistos como indivíduos tão diferentes quanto possível de seus companheiros.

O que tudo isso nos revela sobre a desigualdade social no final da última Era Glacial? Bem, em primeiro lugar, indica que talvez tenhamos de protelar qualquer conversa prematura sobre o surgimento de elites hereditárias. Parece extremamente improvável que a Europa paleolítica tenha produzido uma elite estratificada que, por simples acaso, consistisse em larga medida de corcundas, gigantes e anões. Em segundo lugar, não sabemos até que ponto o tratamento dado postumamente a esses indivíduos estava relacionado com o que receberam em vida. Outro ponto importante, aqui, é que não estamos lidando com um caso em que algumas pessoas são sepultadas com ricos objetos fúnebres e outras são enterradas sem nada disso. Trata-se antes de um caso em que algumas pessoas são sepultadas com ricos objetos fúnebres e outras, na maioria, simplesmente não são enterradas.[37] A própria prática de sepultar corpos intactos e vestidos parece ter sido excepcional no Paleolítico Superior. Os cadáveres eram, na maioria, tratados das mais variadas maneiras: descarnados, quebrados, retalhados ou mesmo processados em joias e artefatos. (As pessoas do Paleolítico, de modo geral, se sentiam claramente muito mais à vontade do que nós com as partes do corpo humano.)

O cadáver em sua forma íntegra e completa — e vestido, ainda mais — era algo incomum e, presume-se, intrinsecamente estranho. Existem algumas provas circunstanciais importantes que reforçam esse aspecto. Em muitos casos, havia o esforço de imobilizar os corpos do Paleolítico Superior na morte cobrindo-os com objetos pesados: escápulas de mamute, pranchas de madeira, pedras ou amarras. Talvez soterrá-los de roupas, armas e ornamentos fosse um prolongamento desse esforço, celebrando, mas também refreando algo talvez visto como perigoso. Isso também faz sentido. Os registros etnográficos trazem inúmeros exemplos de seres anômalos — humanos e outros — tratados como excelsos e ao mesmo tempo perigosos, ou de uma maneira em vida e de outra na morte.

Aqui, muitas coisas são especulações. Existem várias outras interpretações que poderiam ser dadas às evidências — embora a ideia de que essas tumbas assinalem o surgimento de algum tipo de aristocracia hereditária pareça a menos provável de todas. Esses sepultados eram indivíduos extraordinários, "extremos". O modo como eram tratados — e aqui estamos falando não só da profusa ostentação de riquezas, mas do próprio fato inicial de haver a ornamentação, a exposição e o sepultamento de seus corpos — assinalava que eram extraordinários também na morte. Anômalos em quase todos os aspectos, esses sepultamentos dificilmente podem ser interpretados como representantes da estrutura social entre os vivos. Por outro lado, sem dúvida têm algo a ver com todos os indícios dessa mesma época relativos a música, escultura, pintura e arquitetura complexa. Como entendê-las?

É aqui que a sazonalidade ingressa no quadro.

Quase todos os sítios da Era Glacial com sepultamentos extraordinários e arquitetura monumental foram criados por sociedades que viviam mais ou menos como os nhambiquaras de Lévi-Strauss, dispersando-se em bandos forrageadores numa época do ano, reunindo-se em povoados concentrados em outra. Eles não se reuniam para plantar, verdade. Os grandes sítios do Paleolítico Superior estão ligados a migrações e à caça sazonal de manadas

— mamutes-lanudos, bisões-da-estepe ou renas —, além da pesca cíclica na época da desova e das coletas de nozes. Parece ser essa a explicação para os centros de atividade que se encontravam na Europa Oriental, em lugares como Dolní Věstonice, onde as pessoas aproveitavam a abundância de recursos silvestres para festejar, executar rituais complexos e ambiciosos projetos artísticos, e trocar minerais, conchas marinhas e peles de animais. Os equivalentes na Europa Ocidental seriam os grandes abrigos de pedra do Périgord francês e da costa da Cantábria, com seus longos registros de atividade humana, que também faziam parte de um ciclo anual de congregação e dispersão sazonal.[38]

A arqueologia também mostra que há por trás dos monumentos de Göbekli Tepe um padrão de variação sazonal. As atividades em torno dos templos de pedra correspondem a períodos de superabundância anual, entre o solstício de verão e o outono, quando grandes manadas de gazelas afluíam para a planície de Harran. Nessas épocas, as pessoas também se reuniam no local para processar grandes quantidades de nozes e cereais silvestres, convertendo-os em alimentos festivos, que presumivelmente abasteciam o trabalho de construção.[39] Existem evidências para supor que todas essas grandes estruturas tinham uma duração um tanto curta, culminando num enorme banquete, depois do qual seus muros eram logo cobertos com as sobras e outros dejetos: as hierarquias se erguiam ao céu apenas para serem derrubadas em seguida. As pesquisas em andamento provavelmente vão tornar esse quadro mais complexo, porém o padrão geral de uma congregação sazonal para executar uma obra festiva parece estar bem estabelecido.

Esses padrões de vida oscilantes perduraram por muito tempo após a invenção da agricultura. Para dar apenas um exemplo, podem ser fundamentais para entender os famosos monumentos neolíticos da planície de Salisbury na Inglaterra, e não só porque as disposições das próprias pedras erguidas parecem funcionar (entre outras coisas) como gigantescos calendários. O mais famoso é Stonehenge, que emoldura o amanhecer do solstício de verão e o crepúsculo do solstício de inverno. Sabe-se que foi o último numa longa sequência de estruturas cerimoniais, erguidas ao longo dos séculos, tanto em madeira quanto em pedra, quando as pessoas afluíam para a planície vindas de cantos remotos das Ilhas Britânicas em épocas significativas do ano. Escavações cuidadosas mostram que muitas dessas estruturas — agora plausivelmente interpretadas como monumentos aos ancestrais de uma aristocracia neolítica — foram desmanteladas poucas gerações após a construção.[40]

Um aspecto ainda mais marcante é que os indivíduos que construíram Stonehenge não eram agricultores, pelo menos não no sentido habitual do termo. Em outros tempos tinham sido; mas a prática de erguer e desmantelar grandes monumentos coincide com um período em que os povos da Britânia, tendo adotado a economia agrícola neolítica da Europa continental, aparentavam ter deixado de lado pelo menos um aspecto fundamental dessa economia: abandonaram o cultivo de cereais e voltaram, mais ou menos a partir de 3300 a.C., à coleta de avelãs como fonte principal de alimento vegetal. Por outro lado, mantiveram a criação de porcos e gado, banqueteando-se com eles sazonalmente em Durrington Walls, ali perto, um próspero vilarejo de alguns milhares de habitantes — com o seu próprio Woodhenge — durante o inverno, mas em grande parte vazio e abandonado no verão. Os construtores de Stonehenge, ao que parece, não foram forrageadores nem pastores, mas algo entre uma coisa e outra.[41]

Tudo isso é muito importante porque é difícil imaginar que o abandono da agricultura não tenha sido uma decisão consciente. Não há nenhum indício de que uma população tenha removido outra ou que os agricultores tenham sido atacados por forrageadores que os obrigassem a abandonar as lavouras através da força bruta. Os habitantes neolíticos da Inglaterra, ao que tudo indica, adotaram a medida de plantar cereais e então decidiram coletivamente que preferiam viver de outra maneira. Como teria sido tomada essa decisão? Nunca saberemos, mas o próprio Stonehenge oferece uma espécie de pista, por ser construído com pedras enormes, algumas delas (as chamadas "*bluestones*") transportadas de locais distantes, como Gales, enquanto boa parte do gado e dos porcos consumidos em Durrington Walls era laboriosamente conduzida de outros locais distantes até lá.[42]

Em outras palavras, e por mais surpreendente que possa parecer, já no terceiro milênio a.C. era possível algum tipo de coordenação entre amplas partes das Ilhas Britânicas. Se Stonehenge era um santuário exaltando os fundadores de um clã dirigente — como hoje defendem alguns arqueólogos —, parece provável que os descendentes dessa linhagem reivindicassem papéis importantes, até mesmo cósmicos, por causa de sua relação com tais acontecimentos. Por outro lado, os padrões de agregação e dispersão sazonal levam a outra pergunta: se havia reis e rainhas em Stonehenge, de que tipo teriam sido? Afinal, seriam reis cujas cortes e reinos existiam apenas durante alguns meses do ano, dispersando-se em pequenas comunidades de pastores e coletores de nozes. Se dispunham dos meios para arregimentar mão de obra, acumular recursos alimentares e prover a legiões de serventes durante o ano inteiro, que tipo de realeza escolheria de forma consciente *não* o fazer?

SOBRE A "POLÍCIA DO BISÃO" (EM QUE REDESCOBRIMOS O PAPEL DA SAZONALIDADE NA VIDA SOCIAL E POLÍTICA HUMANA)

Lembremos que, para Lévi-Strauss, havia um claro vínculo entre as variações sazonais da estrutura social e uma determinada espécie de liberdade política. O fato de se aplicar uma estrutura durante a temporada das chuvas e outra durante a estação seca permitia que os chefes nhambiquaras vissem seus próprios ordenamentos sociais como uma relação próxima: não como algo simplesmente "concedido", que fazia parte da ordem natural das coisas, mas como algo aberto, pelo menos em parte, à intervenção humana. O caso do Neolítico britânico — com suas fases alternadas de dispersão e construção de monumentos — indica até que ponto essa intervenção podia às vezes chegar.

Escrevendo durante a Segunda Guerra Mundial, Lévi-Strauss provavelmente não achava que estivesse dizendo algo tão extraordinário. Para os antropólogos da primeira metade do século XX, era senso comum que as sociedades com muita atividade de caça, coleta ou pastoreio muitas vezes se ordenavam nessa "morfologia dupla" (nos termos de Marcel Mauss, o grande predecessor de Lévi-Strauss).[43] Lévi-Strauss estava apenas ressaltando algumas de suas implicações políticas. Mas são implicações importantes. O que a existência desses padrões sazonais no Paleolítico indica é que, desde o começo — ou, pelo menos, desde o ponto até onde conseguimos rastrear essas coisas — os seres humanos estavam experimentando de forma consciente diversas possibilidades sociais. Aqui vale a pena rever essa bibliografia antropológica esquecida, com a qual Lévi-Strauss tinha grande familiaridade, para ter uma ideia da intensidade dessas diferenças sazonais.

O texto central aqui é "Ensaio sobre as variações sazonais das sociedades esquimós", de Marcel Mauss e Henri Beuchat (1904-5). Os autores começam observando que os inuítes em volta do Polo Norte "e da mesma forma muitas outras sociedades [...] têm duas estruturas sociais, uma no verão e outra no inverno, e paralelamente têm dois sistemas de direito e religião". No verão, os inuítes se dispersavam em bandos de vinte a trinta pessoas em busca de peixes de água doce, caribus e renas, sob a autoridade de um líder masculino. Durante esse período, a propriedade era demarcada possessivamente e os patriarcas exerciam poder coercitivo e às vezes até tirânico sobre a parentela — muito mais do que os chefes nhambiquaras na estação seca. Nos longos meses de inverno, porém, quando focas e polvos afluíam para as costas árticas, havia uma acentuada inversão. Os inuítes então se reuniam para construir grandes casas coletivas de madeira, costelas de baleia e pedras; dentro dessas estruturas, prevaleciam as virtudes da igualdade, do altruísmo e da vida coletiva. A riqueza era repartida, e maridos e esposas trocavam de parceiros sob a égide de Sedna, a Deusa do Mar.[44]

Mauss considerava os inuítes como um estudo de caso ideal porque, como viviam no Ártico, enfrentavam algumas das mais duras condições ambientais que os seres humanos poderiam suportar. Apesar disso, mesmo nas condições subárticas, Mauss calculou que as considerações de ordem física — disponibilidade de caça, materiais de construção e coisas do gênero — explicavam no máximo 40% do quadro geral. (Outros povos circumpolares, observou o autor, inclusive vizinhos próximos dos inuítes, enfrentando condições físicas quase idênticas, se organizavam de modo muito diferente.) Em larga medida, concluiu ele, os inuítes viviam daquela maneira porque achavam que era assim que os seres humanos deveriam viver.

Mais ou menos na mesma época em que Marcel Mauss revirava as bibliotecas francesas procurando tudo o que já fora escrito sobre os inuítes, o etnólogo alemão Franz Boas estava pesquisando os kwakiutls, caçadores-coletores indígenas da Costa Noroeste do Canadá. Lá, descobriu Boas, era o inverno — não o verão — a época em que a sociedade se cristalizava em suas formas mais hierárquicas, e de uma maneira espetacular. Brotavam palácios de madeira ao longo da costa da Colúmbia Britânica, com a nobreza hereditária recebendo os compatriotas classificados como plebeus e escravos e oferecendo os grandes banquetes conhecidos como *potlatch*. Mas essas cortes aristocráticas se desfaziam no verão, para os trabalhos da temporada de pesca, voltando a formações clânicas menores — ainda hierarquizadas, porém com estruturas bem diferentes e muito menos formais. Nesse caso, as pessoas inclusive adotavam nomes diferentes no verão e no inverno — tornando-se literalmente outras, a depender da época do ano.[45]

Depois de emigrar para os Estados Unidos, Boas se tornou professor da Universidade Columbia, em Nova York, onde acabou formando praticamente todos os que vieram a criar renome na antropologia norte-americana nos cinquenta anos seguintes. Um de seus alunos, um etnógrafo nascido em Viena chamado Robert Lowie (que também era grande amigo de Paul Radin, autor de *Primitive Man as Philosopher*), fez trabalho de campo entre os povos crow e mandan-hidatsa, que habitavam os atuais estados de Montana e Wyoming, e passou grande parte da carreira refletindo sobre as implicações políticas da variação sazonal entre as confederações tribais oitocentistas das Grandes Planícies.

As nações das Grandes Planícies foram agrícolas, mas tinham em grande medida abandonado o plantio de cereais após redomesticar cavalos fugidos dos espanhóis e adotar um modo de vida praticamente nômade. No final do verão e no começo do outono, pequenos grupos de cheyennes e lakotas se congregavam em grandes assentamentos em razão dos preparativos logísticos para a caça aos bisões. Nessa época extremamente importante do ano, eles nomeavam uma força policial que exercia plenos poderes de coerção, inclusive o de aprisionar, açoitar ou multar qualquer transgressor que pudesse prejudicar os procedimentos. Mas, como observou Lowie, esse "inequívoco autoritarismo" operava apenas em bases sazonais e temporárias. Encerrada a temporada de caça e realizados os rituais coletivos de Sun Dance que se seguiam, o autoritarismo cedia lugar a formas de organização "anárquicas", na definição de Lowie, com a sociedade se dividindo de novo em pequenos grupos em movimentação constante. Suas observações são surpreendentes:

A fim de assegurar um rendimento máximo para a caçada, uma força policial — seja coincidindo com um grupo militar, ou nomeada *ad hoc*, ou servindo por filiação clânica — emitia ordens e reprimia os desobedientes. Na maioria das tribos, não só confiscava caças obtidas clandestinamente, mas também açoitava o transgressor, destruía sua propriedade e, em caso de resistência, o matava. A mesma organização que, num caso de assassinato, usaria apenas a persuasão moral se transformava num órgão estatal implacável durante a caça ao bisão. No entanto [...] as medidas coercitivas se estendiam bastante além da caçada: os soldados também reprimiam à força os guerreiros dispostos a formar grupos de guerra que fossem considerados inoportunos pelo chefe; conduziam migrações de massa; supervisionavam as multidões nas grandes festas e podiam manter a lei e a ordem de outras maneiras.[46]

Lowie prosseguia:

Durante grande parte do ano, a tribo simplesmente não existia como tal; e as famílias ou pequenos grupos de familiares que buscavam a subsistência em conjunto não exigiam nenhuma organização disciplinar especial. Assim, os soldados eram concomitantes a agregações numericamente fortes, e por isso funcionavam de forma mais intermitente do que contínua.

Mas a soberania dos soldados, frisava ele, não era afetada pela natureza temporária. Em razão disso, Lowie afirmou que os indígenas das Grandes Planícies na verdade tinham algum conhecimento sobre o poder estatal, muito embora nunca tivessem desenvolvido efetivamente um Estado.

É fácil entender por que os neoevolucionistas dos anos 1950 e 1960 não sabiam bem o que fazer com esse legado de observações do trabalho de campo. Eles defendiam a existência de estágios separados de organização política — na sequência: bandos, tribos, chefaturas, Estados — e argumentavam que esse desenvolvimento político acompanhava, pelo menos em linhas gerais, estágios similares de desenvolvimento econômico: caçadores-coletores, horticultores, agricultores, civilização industrial. Já era desconcertante o suficiente que povos como os nhambiquaras parecessem saltar para trás e para a frente, ao longo do ano, entre as categorias econômicas. Os cheyennes, os crows, os assiniboines ou os lakotas pareciam saltar de forma sistemática de um extremo ao outro do espectro político. Formavam uma espécie de amálgama entre bando e Estado. Em outras palavras, bagunçavam tudo.

No entanto, Lowie não deixa dúvidas quanto a esse aspecto, e não foi de forma nenhuma o único antropólogo a observá-lo.[47] O mais interessante para nossa perspectiva é que ele também ressaltava que os indígenas das Grandes Planícies eram atores políticos conscientes, conhecedores das possibilidades e dos riscos do poder autoritário. Não só desmantelavam todos os meios de exercer uma autoridade coercitiva no momento em que se encerrava a temporada ritual como também tinham o cuidado de estabelecer um rodízio entre os clãs ou grupos de guerreiros que iriam assumi-la: quem detivesse a soberania num ano ficaria sujeito à autoridade de outros no ano seguinte.[48]

Os estudos nem sempre avançam. Às vezes retrocedem. Cem anos atrás, a maioria dos cientistas sociais entendia que os grupos que viviam basicamente dos recursos silvestres não se restringiam a pequenos "bandos". Como vimos, essa suposição só ganhou terreno nos anos 1960. Nesse sentido, nossa menção anterior às gangues de motoqueiros e às comunidades hippies não era apenas um gracejo. Eram as imagens que pululavam na imaginação popular naquela época e eram invocadas nos debates sobre a natureza humana. Não era por acaso que os filmes etnográficos mais populares do período pós-guerra se concentravam nos bosquímanos do Kalahari e nos pigmeus mbutis (sociedades "de bando", que se podiam imaginar vagamente semelhantes às comunidades hippies), ou nos ianomâmis ou "o povo feroz" (horticultores amazônicos que, na versão de Napoleon Chagnon — mas não, lembremos, na de Helena Valero —, trazem uma incômoda semelhança com os Hell's Angels).

Como nessa nova narrativa evolucionista os "Estados" eram definidos sobretudo pelo monopólio do "uso legítimo da força coercitiva", de acordo com essa visão os cheyennes ou os lakotas do século XIX estariam evoluindo a cada novembro e então involuindo com a chegada da primavera. Obviamente, uma tolice. Ninguém poderia sugerir uma coisa dessas a sério. Mesmo assim, vale a pena apontar a questão, porque mostra a bobagem muito maior do pressuposto inicial — o de que as sociedades devem progredir necessariamente de acordo com uma série de estágios evolucionários. Não se pode falar de uma evolução de bando para tribo, depois para chefatura e por fim para Estado, se o ponto de partida são grupos que têm por hábito transitarem fluidamente entre eles.

O dualismo sazonal também lança por terra esforços mais recentes de classificar os caçadores-coletores em tipos "simples" ou "complexos", já que os traços que foram apontados como características próprias da "complexidade" — territorialidade, níveis sociais, riqueza material ou comportamento competitivo — aparecem em determinadas estações do ano, mas são eliminados nas outras pela mesmíssima população. Cabe reconhecer que a maioria dos antropólogos profissionais hoje em dia já reconheceu que tais categorias são irremediavelmente inadequadas, mas o principal efeito dessa admissão tem sido apenas o de se desviarem do assunto ou de sugerirem que talvez não se deva mais pensar na amplitude geral da história humana. Até agora, ninguém propôs uma alternativa.

Enquanto isso, como vimos, vêm-se acumulando evidências arqueológicas segundo as quais, nos ambientes altamente sazonais do final da Era Glacial, nossos ancestrais remotos se comportavam de modo muito semelhante ao dos inuítes, dos nhambiquaras ou dos crows. Eles iam e vinham entre ordenamentos sociais alternativos, construindo monumentos e então os desativando, permitindo o surgimento de estruturas autoritárias durante certas épocas do ano e então as desmantelando — tudo isso, ao que parece, por entenderem que nenhum ordenamento social era fixo ou imutável. O mesmo indivíduo podia viver em algo que nos parece ser às vezes um bando, às vezes uma tribo, e às vezes algo que tem pelo menos algumas das características que agora identificamos com os Estados.

Com tamanha flexibilidade institucional, vem a capacidade de sair dos limites de qualquer estrutura e refletir a seu respeito; de fazer e desfazer os mundos políticos em que vivemos. No mínimo, isso explica os "príncipes" e as "princesas" do final da Era Glacial, que parecem surgir, em seu tão grandioso isolamento, como personagens de algum conto de fadas ou de uma peça de costumes. Talvez sejam quase literalmente isso mesmo. Caso tenham reinado, pode ter sido, como os clãs dirigentes de Stonehenge, apenas por uma temporada.[49]

POR QUE A VERDADEIRA PERGUNTA NÃO É "QUAIS SÃO AS ORIGENS DA DESIGUALDADE SOCIAL?", MAS SIM "COMO ACABAMOS PRESOS NELA?"

Se estivermos certos e se os seres humanos realmente passaram a maior parte dos últimos 40 mil anos alternando entre diferentes formas de organização social, montando e desmontando hierarquias, as implicações são muito profundas. Em primeiro lugar, indica que Pierre Clastres tinha toda a razão quando propôs que as pessoas em sociedades sem Estado, em vez de menos consciência política do que as pessoas de hoje, na verdade podiam ter bem mais.

Clastres foi outro produto dos anos 1960. Aluno de Lévi-Strauss, encampou a ideia do mestre de que os chefes amazônicos eram atores políticos maduros. Mas Clastres também era um anarquista (acabou sendo expulso do grupo de pesquisas de Lévi-Strauss por um pretexto insignificante, referente ao uso não autorizado de folhas de papel com timbre oficial), e levou esse argumento bem mais adiante. Não era apenas uma questão de que os chefes amazônicos fossem capazes de fazer cálculos políticos. Eles precisavam fazer isso num ambiente social visivelmente concebido para garantir que nunca exercessem um poder político efetivo. No inverno, lideravam grupos minúsculos e insignificantes. No verão, não "lideravam" coisa nenhuma. Sim, havia casas que podiam ser parecidas com as estruturas de assistência social dos Estados modernos; mas por causa disso eram, em termos de riquezas materiais, os indivíduos mais pobres na aldeia, pois o esperado era que os chefes sempre cedessem tudo o que tinham. Esperava-se também que dessem o exemplo trabalhando muito mais do que todos os outros. Mesmo quando tinham privilégios especiais, como os chefes tupis ou nhambiquaras, os únicos homens em suas aldeias que podiam ter várias esposas, o privilégio era claramente uma faca de dois gumes. As esposas eram consideradas necessárias para preparar os banquetes para a aldeia. Se alguma delas tivesse outros amantes, o que parecia ser algo corriqueiro, o chefe não podia fazer muita coisa a respeito, já que precisava se manter nas boas graças de todos a fim de manter sua posição.

Os chefes se viam nessa situação, argumentou Clastres, porque não eram os únicos a ser agentes políticos dotados de maturidade e discernimento; quase todos os outros o eram também. Em vez de restritas a algum tipo de inocência rousseauísta, incapazes de imaginar formas de organização mais complexas, essas pessoas geralmente eram mais capazes do que nós de imaginar ordenamentos sociais alternativos e assim criaram "sociedades contra o Estado". Organizaram-se conscientemente de tal modo que jamais poderiam surgir as formas de dominação e poder arbitrário que associamos a "sistemas políticos avançados".

O argumento de Clastres, como seria de imaginar, causou enorme controvérsia. Algumas críticas dirigidas a ele eram plenamente justificadas (havia, por exemplo, um enorme ponto cego no que se refere a questões de gênero). Ademais, grande parte das críticas se fundava em irredutíveis bases rousseauístas, insistindo na ideia que Clastres atribuía excessiva imaginação a povos "primitivos" ou "arcaicos" que, quase por definição, não teriam nenhuma. Como alguém podia afirmar, questionavam tais críticas, que as sociedades sem Estado estavam se organizando de modo consciente para impedir o surgimento de algo que nunca haviam conhecido de fato?

Existem várias maneiras possíveis de responder a essa objeção. Os povos amazônicos de séculos atrás, por exemplo, desconheciam por completo os grandes impérios andinos a oeste deles? As pessoas costumavam circular. É improvável que não tivessem a mínima ideia dos desenvolvimentos em áreas vizinhas do continente. Como veremos no capítulo 7, hoje existem também muitos elementos que comprovam a existência de grandes sociedades com governo na própria Amazônia, em tempos muito anteriores. Talvez fossem filhos de rebeldes que fugiram ou mesmo derrubaram esses antigos reinos. A resposta mais óbvia, porém, é a de que os povos amazônicos em questão, se tinham alguma semelhança com os nhambiquaras, então conheciam, *de fato*, as relações de mando arbitrário durante suas "aventuras" anuais como bandos forrageadores. Mas, estranhamente, Clastres nunca apontou esse aspecto. Na verdade, nunca comentou realmente a sazonalidade.

Trata-se de uma omissão curiosa. E também é importante porque, ao não tocar nessa questão, Clastres efetivamente põe fim à tradição anterior que ia de Marcel Mauss a Robert Lowie, a qual tratava as sociedades "primitivas" como flexíveis por natureza e caracterizadas em sua maior parte por múltiplas formas de organização. Ora, tanto os neoevolucionistas, que viam os povos "primitivos" como *naïfs* rousseauístas, quanto os radicais, que insistiam que tais povos eram conscientemente igualitários, partiam do princípio que eles estavam presos num único modo muito simples de existência social.

No caso de Clastres, isso é ainda mais surpreendente porque, em sua apresentação original sobre a falta de poder dos chefes indígenas, publicada em 1962, ele admite com toda a franqueza que extraiu quase toda a argumentação da obra de Lowie. Catorze anos antes, Lowie afirmara que as sociedades ameríndias, de Montreal à Terra do Fogo, eram em sua maioria anarquistas.[50] Seu argumento de que o "chefe índio típico não é um legislador, um executivo ou um juiz, mas sim um pacificador, um benfeitor dos pobres e um Polônio prolixo" (ou seja, as funções efetivas do cargo de chefia são: (1) mediar conflitos, (2)

132

prover aos necessitados e (3) entreter com belos discursos), é retomado ponto a ponto na exposição de Clastres. A conclusão de Lowie também se repete: como o cargo de chefia é concebido para que nunca possa ser convertido num meio de imposição compulsória, a única maneira pela qual a autoridade de tipo estatal poderia surgir era a partir de um ou outro tipo de visionário religioso.

Lembremos, porém, que o texto original de Lowe incluía uma seção adicional, sobre os "germes evolucionários" da autoridade de cima para baixo, que descreve detalhadamente a "polícia" e os "soldados" sazonais das sociedades das Grandes Planícies. Clastres a deixou de fora. Por quê?

A resposta provavelmente é simples: a sazonalidade podia ser uma questão confusa. Na verdade, ela tem muitas faces. As sociedades das Grandes Planícies criavam estruturas de autoridade coercitiva que perduravam durante toda a temporada de caça e os rituais subsequentes, dissolvendo-as quando se dispersavam em grupos menores. Mas as sociedades do Brasil central se dispersavam em bandos forrageadores como forma de afirmar uma autoridade que era ineficaz nos assentamentos de aldeia. Entre os inuítes, os pais comandavam no verão; mas, durante as concentrações de inverno, a autoridade patriarcal e até as normas de propriedade sexual eram contestadas, subvertidas ou anuladas por completo. Os kwakiutls eram hierarquizados nas duas épocas do ano, mas, mesmo assim, mantinham formas diferentes de hierarquia, conferindo poderes policiais aos encenadores do Cerimonial do Solstício de Inverno (os "dançarinos ursos" e os "dançarinos bufões") que só podiam ser exercidos durante a realização do ritual. Nas outras épocas, os aristocratas comandavam grandes riquezas, mas não podiam dar ordens diretas a seus seguidores. Muitas sociedades forrageadoras da África Central eram igualitárias durante o ano inteiro, mas demonstravam uma alternância mensal entre uma ordem ritual dominada por homens e outra por mulheres.[51]

Em outras palavras, não existe um padrão único. O único fenômeno constante é a própria alternância, com a decorrente consciência de diferentes possibilidades sociais. O que tudo isso confirma é que buscar "as origens da desigualdade social" é, na verdade, fazer a pergunta errada.

Se os seres humanos passaram a maior parte de nossa história alternando fluidamente entre ordenamentos sociais diferentes, montando e desmontando hierarquias o tempo todo, talvez a verdadeira pergunta seja: "como foi que travamos?". Como acabamos empacados num único modo? Como perdemos aquela consciência política antes tão típica de nossa espécie? Como viemos a tratar a eminência e a subserviência não como expedientes temporários, ou mesmo a pompa e circunstância de uma espécie de teatro sazonal grandioso, mas como elementos incontornáveis da condição humana? Se tudo começou apenas como um jogo, em que ponto esquecemos que não era mais nada além disso?

Trataremos dessas questões nos capítulos seguintes. Por ora, o principal é frisar que essa flexibilidade e esse potencial de consciência política nunca se perderam por completo. Mauss observou basicamente a mesma coisa. A sazonalidade continua conosco — mesmo que seja uma sombra pálida e minúscula do que era antes. No mundo cristão, por exemplo, ainda existe a "época de festas" do solstício de inverno, quando valores e formas de organização, até certo ponto, se invertem: os mesmos anunciantes e meios de comunicação que passam a maior parte do ano propagandeando um frenético individualismo consumista começam de repente a anunciar que o importante mesmo são as relações sociais e que é melhor dar do que receber. (E em países esclarecidos, como a França de Mauss, há também as *grandes vacances* de verão, quando todo mundo larga o trabalho durante um mês e sai da cidade.)

Aqui existe uma conexão histórica direta. Já vimos que, em sociedades como as dos inuítes ou dos kwakiutls, os períodos de congregação sazonal também eram temporadas de rituais quase totalmente dedicadas a danças, ritos e encenações. Às vezes isso incluía a criação de reis temporários ou mesmo de uma polícia ritual com poderes coercitivos reais (embora muitas vezes essas polícias rituais tivessem a aparência de palhaços).[52] Em outros casos, isso incluía a dissolução das normas de hierarquia e propriedade, como nas orgias inuítes do solstício de inverno. Essa dicotomia ainda pode ser vista em quase toda parte durante as atividades festivas. Na Idade Média europeia, para usar um exemplo conhecido, os dias dos santos se alternavam entre procissões solenes, em que se apresentavam todas as elaboradas hierarquias e níveis sociais da vida feudal (como ainda acontece, digamos, numa formatura universitária, quando voltamos temporariamente aos trajes medievais), e loucas festas carnavalescas em que todo mundo brincava de "virar o mundo de ponta-cabeça". No Carnaval, as mulheres podiam mandar nos homens, as crianças podiam

134

assumir o governo, os criados podiam exigir que os patrões trabalhassem para eles, os ancestrais podiam voltar do mundo dos mortos, os "reis Momos" eram coroados e então destronados, criavam-se monumentos enormes, como dragões feitos de palha, aos quais se ateava fogo, ou todas as hierarquias formais podiam se desintegrar numa ou noutra forma de bacanal caótica.[53]

Assim como ocorre com a sazonalidade, não há um padrão único. As ocasiões rituais podem ser muito mais rígidas e formais ou muito mais desregradas e jocosas do que a vida cotidiana. Podem, como nos funerais e velórios, se alternar. O mesmo parece se aplicar à vida festiva em quase todo o mundo, seja no Peru, em Benin ou na China. É por isso que muitas vezes os antropólogos têm tanta dificuldade para definir até mesmo o que é um ritual. Se começamos pelos solenes, trata-se de uma questão de decoro e etiqueta: o ritual da igreja anglicana, por exemplo, é na verdade apenas uma versão mais elaborada das boas maneiras à mesa. Alguns chegaram a afirmar que o que chamamos de "estrutura social" só existe de fato durante os rituais: pense aqui nas famílias que só existem como grupo físico durante os casamentos e os funerais, ocasiões em que as questões de hierarquia e prioridade são expressas por quem se senta a qual mesa, quem é o primeiro a tomar a palavra, quem pega a fatia de cima da corcova de um búfalo sacrificado ou quem recebe a primeira fatia do bolo de casamento.

Mas às vezes os festejos são momentos em que se instauram estruturas sociais totalmente diversas, como as "abadias da juventude", que parecem ter existido em toda a Europa medieval, com seus Bispos Meninos, Rainhas de Maio, Lordes do Desgoverno, Abades da Desrazão e Príncipes dos Bêbados, que durante o Natal, a celebração da primavera ou o Carnaval assumiam temporariamente muitas funções de governo e encenavam uma paródia picante das formas governamentais do dia a dia. Assim sendo, há outra escola de pensamento segundo a qual os rituais são na verdade o contrário. Os momentos rituais realmente poderosos são os de caos coletivo, de efervescência, de coisas levadas ao limite ou de brincadeiras criativas, dos quais podem surgir novas formas sociais no mundo.[54]

Há também um debate de muitos séculos e, francamente, não muito esclarecedor, que questiona se as festas populares de aparência mais subversiva são de fato tão subversivas quanto parecem ou se são igualmente conservadoras, dando ao povo comum uma chance de se soltar um pouco e dar vazão aos seus instintos mais baixos antes de retomarem os hábitos cotidianos de obediência.[55] Surpreende-nos que se deixe escapar a questão central.

O que é realmente importante nesses festejos é que mantinham viva a velha centelha de consciência política. Permitiam que as pessoas imaginassem ser possíveis outros ordenamentos, mesmo para a sociedade como um todo, visto que sempre era possível fantasiar que o Carnaval extravasasse seus limites e se tornasse a nova realidade. Na história babilônia de Semíramis, a criada epônima convence o rei assírio a deixá-la ser "Rainha por um Dia" durante uma festa anual, manda prendê-lo imediatamente, declara-se imperadora e comanda seus novos exércitos na conquista do mundo. O May Day veio a ser escolhido como data do feriado internacional dos trabalhadores em larga medida porque muitas revoltas camponesas britânicas haviam começado historicamente naquela turbulenta celebração da primavera. Aldeões que brincavam de "virar o mundo de ponta-cabeça" periodicamente concluíam que, de fato, preferiam o mundo de ponta-cabeça e tomavam providências para mantê-lo invertido.

Os camponeses medievais costumavam ter uma facilidade muito maior do que os intelectuais de sua época para imaginar uma sociedade de iguais. Agora talvez estejamos começando a entender a razão. As festas sazonais podem ser uma pálida ressonância de padrões mais antigos de variação sazonal — mas, pelo menos nos últimos milênios da história humana, ao que parece têm desempenhado um papel muito semelhante para fomentar a consciência política e como laboratórios de possibilidades sociais. Os primeiros reis podem muito bem ter sido reis de brincadeira. Mas então se tornaram reis de verdade. Agora, os reis existentes foram, na maioria (mas não na totalidade), reduzidos a reis de brincadeira — se levarmos em conta que desempenham sobretudo funções cerimoniais e não detêm mais um poder efetivo. Mas, mesmo que todas as monarquias, inclusive as cerimoniais, desaparecessem, alguns ainda iriam brincar de ser reis.

Mesmo na Idade Média europeia, em locais onde a monarquia como forma de governo não sofria contestação, os "Abades da Desrazão", os Reis natalinos e congêneres costumavam ser escolhidos por eleição ou por sorteio, as mesmíssimas formas de processo decisório coletivo que reafloraram, aparentemente do nada, no Iluminismo. (Além disso, essas figuras tendiam a exercer o poder de maneira muito similar aos chefes ameríndios: limitadas a contextos muito circunscritos, ou como chefes de aldeia engalanados com honras formais, mas que não podiam dizer a ninguém o que fazer.) Para inúmeras sociedades, o ano festivo pode ser visto como uma autêntica enciclopédia de formas políticas possíveis.

O QUE *SAPIENS* REALMENTE SIGNIFICA

Encerremos este capítulo por onde começamos. Faz tempo demais que andamos inventando mitos. Por isso, fazemos perguntas que, em sua maioria, estão erradas. Os rituais festivos são expressões de autoridade ou veículos de criatividade social? São reacionários ou progressistas? Nossos primeiros ancestrais eram simples e igualitários, ou complexos e estratificados? A natureza humana é inocente ou corrupta? Como espécie, somos intrinsecamente cooperativos ou competitivos, generosos ou egoístas, bons ou maus?

Todas essas perguntas talvez nos desviem do que realmente nos faz humanos para começo de conversa, ou seja, nossa capacidade — como seres morais e sociais — de encontrar um meio-termo entre essas alternativas. Como já observamos, é absurdo perguntar qualquer uma dessas coisas em relação a um peixe ou a um ouriço. Os animais já existem num estado "além do bem e do mal", aquele a que os seres humanos também poderiam aspirar, como sonhava Nietzsche. Talvez estejamos condenados a discutir sempre sobre tais coisas. Mas certamente é mais interessante começar a fazer também outras perguntas. No mínimo, sem dúvida é hora de deter o pêndulo oscilante que tem obcecado gerações de filósofos, historiadores e cientistas sociais, conduzindo seus olhos o tempo todo de Hobbes para Rousseau, e de Rousseau para Hobbes. Não precisamos mais escolher entre um início igualitário ou um início hierárquico para a história humana. Vamos nos despedir da "infância do Homem" e reconhecer (como insistia Lévi-Strauss) que nossos primeiros ancestrais eram não só nossos iguais em termos cognitivos, mas também nossos pares intelectuais. Era bem provável que, assim como nós, se debatessem com os paradoxos da ordem social e da criatividade, e os entendessem — pelo menos os mais dados a reflexões entre eles — tanto quanto nós, ou seja, tão pouco quanto nós. Talvez fossem mais conscientes de algumas coisas e menos de outras. Não eram selvagens ignorantes nem sábios filhos e filhas da natureza. Eram, como observou Helena Valero a propósito dos ianomâmis, apenas pessoas como nós, perspicazes e confusas na mesma medida.

Seja como for, vem se tornando cada vez mais claro que as primeiras evidências conhecidas da vida social humana se assemelham muito mais a um desfile carnavalesco de formas políticas do que às insípidas abstrações da teoria evolucionária. Se há algum enigma aqui, é o seguinte: por que, após milênios construindo e desmontando formas de hierarquia, o *Homo sapiens* — supostamente o mais sábio dos primatas — permitiu que se enraizassem sistemas de desigualdade permanentes e incorrigíveis? Foi mesmo uma consequência da adoção da agricultura? Ou do assentamento em aldeias e, mais tarde, em cidades? Devemos procurar um momento no tempo como o visualizado por Rousseau, quando alguém cercou pela primeira vez uma área de terra e declarou: "Isto é e sempre vai ser meu!", ou será mais um furo n'água?

Essas são as perguntas que abordaremos a seguir.

4. Pessoas livres

A origem das culturas e o advento da propriedade privada (não necessariamente nessa ordem)

Mudar de identidade social com a mudança das estações pode parecer uma ideia maravilhosa, mas provavelmente nenhum leitor deste livro viveu isso por experiência própria. No entanto, até pouco tempo atrás, o continente europeu ainda era repleto de práticas rituais populares em que ressoavam essas antigas oscilações rítmicas da estrutura social. Os folcloristas passaram muito tempo intrigados com todas as legiõezinhas de pessoas disfarçadas de plantas e de animais, os Ursos de Palha e os Homens Verdes, que saíam marchando com grande senso de dever a cada primavera e outono até as praças dos povoados, desde a Inglaterra rural às montanhas Ródope, no sul da Bulgária: seriam vestígios autênticos de práticas antigas ou revivescências e reinvenções recentes? Ou revivescências de vestígios? Ou vestígios de revivescências? Muitas vezes é impossível saber.

Esses rituais, em sua maioria, têm sido gradualmente relegados como superstições pagãs ou repaginados como atrações turísticas (ou ambas as coisas). De modo geral, o que nos resta como alternativa à nossa vida cotidiana são nossos "feriados nacionais": períodos frenéticos de consumo desbragado, espremidos em intervalos de folga do trabalho, em que nos entregamos a solenes declarações de que aquilo que realmente importa na vida não é o consumo.

Como vimos, nossos remotos ancestrais forrageadores eram experimentalistas muito mais ousados em termos de formas sociais, desmontando e remontando suas sociedades em diversas escalas e muitas vezes de formas radicalmente diferentes, com outros sistemas de valores, a cada determinada época do ano. Os calendários festivos das grandes civilizações agrárias da Eurásia, da África e das Américas se revelam meros ecos distantes daquele mundo e das liberdades políticas que trazia.

No entanto, nunca nos daríamos conta dessas coisas apenas pelas evidências materiais. Se tudo o que tivéssemos para nos basear fossem as "edificações de mamute" do Paleolítico nas estepes russas ou as sepulturas principescas e seus restos físicos da Era Glacial da Ligúria, os estudiosos na certa ficariam coçando a cabeça pelo resto dos tempos. Os seres humanos podem ser (e, na verdade, nosso argumento é que são) criaturas fundamentalmente imaginativas, mas não *tanto* assim. Seria extrema ingenuidade ou arrogância pensar que a simples lógica explicaria essas questões. (E, mesmo que alguém conseguisse propor qualquer coisa parecida com os profetas nueres, a polícia de palhaços dos kwakiutls ou as orgias sazonais de troca de esposa dos inuítes por mera extrapolação lógica, seria de imediato desqualificado como doido.)

É exatamente por isso que os registros etnográficos são tão importantes. Os nueres e os inuítes jamais deveriam ser vistos como "janelas para nosso passado ancestral". Eles são produtos da era moderna, assim como nós — mas nos mostram possibilidades que nunca nos ocorreriam e provam que as pessoas são de fato capazes de concretizar essas possibilidades, inclusive montando sistemas sociais e de valores em torno delas. Em suma, eles nos lembram que os seres humanos são muito mais interessantes do que (outros) seres humanos às vezes tendem a crer.

Neste capítulo, faremos duas coisas. Primeiro, vamos avançar nossa história do Paleolítico para o futuro, observando alguns dos extraordinários ordenamentos culturais que surgiram pelo mundo antes que nossos ancestrais passassem para a agricultura. Depois, começaremos com a pergunta que fizemos no capítulo anterior: como foi que acabamos aprisionados? Como algumas sociedades humanas começaram a se afastar dos ordenamentos flexíveis e mutáveis que aparentam ter caracterizado nossos mais antigos ancestrais, de tal forma que certos indivíduos ou grupos foram capazes de afirmar um poder permanente sobre os demais: homens sobre mulheres; idosos sobre jovens;

depois, castas sacerdotais, aristocracias guerreiras e governantes que realmente governavam?

POR QUE COM O CURSO GERAL DA HISTÓRIA HUMANA MAIS GENTE VIVE NUMA ESCALA CADA VEZ MENOR À MEDIDA QUE A POPULAÇÃO AUMENTA

Para que essas coisas fossem possíveis, primeiro foi necessário o estabelecimento de uma série de outros fatores. Um deles, para começo de conversa, é a própria existência daquilo que intuitivamente reconheceríamos como "sociedades" distintas. Talvez nem faça sentido descrever os caçadores de mamutes do Paleolítico Superior europeu como grupos organizados em sociedades separadas e delimitadas, da mesma forma como falamos dos países da Europa ou mesmo das Primeiras Nações do Canadá, como os mohawks, os wendats ou os innus.

É claro que não conhecemos quase nada sobre as línguas que as pessoas falavam no Paleolítico Superior, nem sobre seus mitos, rituais de iniciação ou concepções sobre a alma; mas sabemos que, dos Alpes suíços à Mongólia Exterior, muitas vezes usavam ferramentas bem semelhantes,[1] tocavam instrumentos musicais bem semelhantes, entalhavam estatuetas femininas semelhantes, usavam ornamentos semelhantes e realizavam ritos fúnebres semelhantes. E mais, há razões para crer que, a certa altura da vida, homens e mulheres muitas vezes empreendiam viagens individuais por enormes distâncias.[2] Uma questão surpreendente é que estudos atuais dos caçadores-coletores sugerem que isso corresponde exatamente ao que era de esperar.

Pesquisas entre grupos como os hadzas da África Oriental ou os martus australianos revelam que as sociedades forrageadoras, embora possam ser hoje pequenas em termos numéricos, têm uma composição admiravelmente cosmopolita. Quando os bandos de forrageadores se juntam em grupos residenciais maiores, não constituem de forma nenhuma unidades familiares com laços íntimos de parentesco; na verdade, as relações primariamente biológicas constituem em média meros 10% do total de membros. A maioria dos membros provém de um conjunto muito maior de indivíduos, alguns vindos de locais muito distantes, que às vezes nem falam a mesma língua.[3] Isso ocorre mesmo em grupos contemporâneos fechados em territórios restritos, cercados por agricultores e pecuaristas.

Em séculos anteriores, as formas de organização regional às vezes se estendiam por milhares de quilômetros. Os aborígenes australianos, por exemplo, podiam percorrer metade do continente, deslocando-se entre pessoas que falavam línguas muito diferentes e, mesmo assim, encontrar acampamentos divididos nos mesmos tipos de metades totêmicas que existiam em sua terra de origem. Isso significa que metade dos residentes lhes deviam hospitalidade, mas tinham de ser tratados como "irmãos" e "irmãs" (por isso, as relações sexuais eram estritamente proibidas), enquanto a outra metade era constituída por potenciais inimigos e parceiros ou parceiras matrimoniais. Da mesma forma, quinhentos anos atrás, um norte-americano podia ir das margens dos Grandes Lagos até os pântanos da Louisiana e ainda encontraria assentamentos — falando línguas totalmente estranhas à sua — com membros de seus próprios clãs do Urso, do Alce ou do Castor, que tinham a obrigação de hospedá-lo e alimentá-lo.[4]

Já é bastante difícil reconstituir o modo de funcionamento dessas formas de organização a longa distância de poucos séculos atrás, antes de serem destruídas pela chegada dos colonos europeus. Portanto, só podemos arriscar alguns palpites sobre o funcionamento de sistemas análogos de uns 40 mil anos atrás. Mas as impressionantes uniformidades materiais observadas pelos arqueólogos entre enormes distâncias atestam a existência desses sistemas. A "sociedade", na medida em que conseguimos captá-la naquela época, se estendia por continentes.

Muitos desses aspectos parecem contrariar as expectativas. Estamos habituados a supor que os avanços tecnológicos estão tornando o mundo cada vez menor. Em um sentido apenas físico, claro, isso é verdade: a domesticação do cavalo e o gradual aperfeiçoamento da navegação, para citar apenas dois exemplos, sem dúvida facilitaram muito o deslocamento das pessoas. Mas, ao mesmo tempo, o aumento no número de seres humanos parece ter atuado na direção contrária, gerando durante grande parte da história humana uma diminuição constante do número de pessoas que de fato viajavam — pelo menos por grandes distâncias ou para muito longe de casa. Se examinamos o que acontece com o tempo, a escala em que se dão as relações sociais não se torna cada vez maior; na verdade, torna-se cada vez menor.

A um Paleolítico Superior segue-se um período complicado de vários milênios, começando por volta de 12 000 a.C., em que pela primeira vez é possível rastrearmos os contornos de "culturas" separadas não apenas nos baseando em instrumentos de pedra. Alguns forrageadores, depois dessa época, continuaram seguindo grandes manadas de mamíferos; outros se estabeleceram no litoral e se tornaram pescadores ou coletavam bolotas nas florestas. Os pré-historiadores usam o termo "Mesolítico" para essas populações pós-glaciais. Em extensas áreas da África e da Ásia Oriental, suas inovações tecnológicas — incluindo olaria, jogos de ferramentas "microlíticas" e alguns instrumentos de moagem — assinalam novas maneiras de preparar e consumir cereais silvestres, raízes e outros vegetais, passando a cortar, fatiar, ralar, triturar, deixar de molho, escorrer, ferver, além da armazenagem, da defumação e outras maneiras de conservar carnes, peixes e vegetais.[5]

Não demorou muito para que esses procedimentos se espalhassem por toda parte, abrindo caminho para o que hoje chamaríamos de culinária: as sopas, os mingaus, os cozidos, os caldos e as bebidas fermentadas com que hoje somos familiarizados. Mas a culinária também é, em quase toda parte, um indicador de diferenças. As pessoas que todo dia de manhã acordam e tomam um ensopado de peixe tendem a se considerar de outro tipo em relação àquelas que comem no desjejum um mingau de aveia silvestre com amoras. Essas distinções sem dúvida encontravam ressonância em desenvolvimentos paralelos muito mais difíceis de reconstituir: gostos diversos para roupas, danças, drogas, penteados, rituais de namoro; formas variadas de organização familiar e estilos de retórica formal. As "áreas de cultura" desses forrageadores do Mesolítico ainda eram imensamente amplas. Na verdade, as versões neolíticas que logo se desenvolveram junto com eles — associadas às primeiras populações agrícolas — costumavam ser menores; mas, de modo geral, ainda se espalhavam por territórios bem maiores do que a maioria dos Estados nacionais modernos.

Só muito mais tarde começamos a encontrar o tipo de situação familiar aos antropólogos da Amazônia ou de Papua-Nova Guiné, onde um único vale fluvial podia conter falantes de meia dúzia de línguas distintas, com sistemas econômicos ou crenças cosmológicas muito diferentes. Às vezes, claro, essa tendência para a microdiferenciação se invertia — por exemplo com a difusão de línguas imperiais, como o inglês ou o chinês han. Mas o rumo geral da história — pelo menos até tempos bem recentes — parecia ser o contrário da globalização, um fenômeno de alianças cada vez mais locais: uma inventividade cultural extraordinária, mas grande parte visando a encontrar para as pessoas novas maneiras de se lançarem umas contra as outras. É verdade que as redes regionais maiores de hospitalidade resistiram em alguns lugares.[6] No geral, porém, o que observamos não é tanto o mundo como um todo se tornando menor, mas os mundos sociais da maioria das pessoas se tornando mais paroquiais, com suas existências e paixões mais circunscritas pelas fronteiras da cultura, da classe e da língua.

Podemos questionar por que tudo isso aconteceu. Quais são os mecanismos que levam os seres humanos a dispender tanto esforço para demonstrar que são diferentes de seus vizinhos? Trata-se de uma pergunta importante. Vamos abordá-la de maneira muito mais detalhada no próximo capítulo.

Por ora, simplesmente observamos que a proliferação de universos sociais e culturais distintos — confinados no espaço e relativamente limitados — deve ter contribuído de várias maneiras para o surgimento de formas de dominação mais duráveis e intransigentes. A composição mista de tantas sociedades forrageadoras indica com clareza que os indivíduos se deslocavam rotineiramente por um amplo leque de razões, inclusive a de pegar a primeira rota de fuga disponível caso suas liberdades pessoais fossem ameaçadas. A porosidade cultural também é necessária para os ritmos demográficos sazonais que permitiam que as sociedades alternassem de forma periódica entre diferentes ordenamentos políticos, formando grandes congregações numa época do ano, então se dispersando em numerosas unidades menores no restante do tempo.

Essa é uma das razões pela qual o majestoso teatro das sepulturas "principescas" do Paleolítico — ou mesmo de Stonehenge — parece nunca ter ido muito além da teatralidade. Em termos simples, é difícil exercer poder arbitrário em janeiro, digamos, sobre alguém com quem se estará de novo em pé de igualdade em julho. O enrijecimento e a multiplicação das fronteiras culturais só poderiam reduzir tais possibilidades.

O QUE, EXATAMENTE, SE EQUALIZA NAS SOCIEDADES "IGUALITÁRIAS"?

O surgimento de mundos culturais locais durante o Mesolítico tornou mais provável que uma sociedade relativamente fechada abandonasse a dispersão sazonal e se assentasse em algum tipo de ordenamento hierárquico, de cima para baixo, em tempo integral. Ou, em nossos termos, ficasse aprisionada. Mas claro que apenas isso não explica por que qualquer sociedade de fato se prendeu a esses ordenamentos. Voltamos a algo não muito diferente do problema das "origens da desigualdade social" — mas agora, pelo menos, podemos nos concentrar um pouco melhor sobre ele e o que realmente é.

Conforme comentamos várias vezes, "desigualdade" é um termo dos mais fugidios, a ponto de nem mesmo o sentido da expressão "sociedade igualitária" ficar inteiramente claro. De modo geral, é definida por negação: a ausência de hierarquias (a crença de que certas pessoas, ou tipos de pessoas, são superiores a outras), ou como a ausência de relações de dominação ou exploração. Isso já é bem complexo e, no momento em que tentamos definir o igualitarismo por afirmação, tudo fica ainda mais complicado.

Por um lado, "igualitarismo" (em oposição a "igualdade" e ainda mais a "uniformidade" ou "homogeneidade") parece se referir à presença de algum tipo de ideal. Não se trata apenas de um observador externo tender a ver todos os membros de, digamos, um grupo de caça semang como quase intercambiáveis, como os soldados rasos que servem de bucha de canhão para algum poderoso governante alienígena num filme de ficção científica (isso, na verdade, seria bastante ofensivo), mas sim que os próprios semangs sentem que devem ser vistos como idênticos — não em todos os aspectos, já que isso seria ridículo, mas nos aspectos que realmente importam. Isso também aponta para o pressuposto de que, em larga medida, esse ideal é colocado em prática. Assim, como uma primeira aproximação, podemos falar em termos de sociedade igualitária se: (1) em sua maioria, as pessoas que fazem parte de uma determinada sociedade sentirem que devem ser vistas como idênticas em um ou mais aspectos específicos tidos por comum acordo como especialmente importantes; e (2) for possível dizer que esse ideal foi em grande medida alcançado na prática.

Outra formulação pode ser a seguinte: se todas as sociedades são organizadas em torno de certos valores centrais (riqueza, devoção, beleza, liberdade, conhecimento, proezas bélicas), então as "sociedades igualitárias" são aquelas em que todos (ou quase todos) concordam que os valores supremos deveriam ser e, em termos gerais, de fato são distribuídos igualmente. Se o que se considera como a coisa mais importante na vida for a riqueza, então todos são ricos mais ou menos na mesma medida. Se o elemento mais valorizado for o saber, então todos têm igual acesso ao conhecimento. Se o mais importante for a relação da pessoa com os deuses, então uma sociedade é igualitária se não houver sacerdotes e os locais de culto forem acessíveis da mesma maneira a todos.

Aqui talvez já se note um problema evidente. As sociedades diferentes às vezes têm sistemas de valores radicalmente distintos, e o que pode ser o mais importante numa delas — ou, pelo menos, aquilo que todos afirmem ser o mais importante — pode ter muito pouco a ver com o que é mais valorizado em outra. Imagine uma sociedade em que todos são iguais perante os deuses, mas 50% da população é composta de meeiros sem propriedades e, portanto, sem direitos jurídicos ou políticos. Faz algum sentido dizer que essa é uma "sociedade igualitária" — mesmo que todos, inclusive os meeiros, garantam que é apenas a relação do indivíduo com os deuses que importa de fato?

Só existe uma forma de sair desse dilema: criar algum tipo de critério universal e objetivo para medir a igualdade. Desde a época de Jean-Jacques Rousseau e Adam Smith, isso significa quase invariavelmente se concentrar nos ordenamentos da propriedade. Como vimos, foi somente de meados para o fim do século XVIII que os filósofos europeus sugeriram pela primeira vez a ideia de criar um escalonamento das sociedades humanas de acordo com seus meios de subsistência e, portanto, a noção de que os caçadores-coletores deveriam ser tratados como uma variedade distinta de ser humano. Como também já vimos, essa ideia ainda continua muito presente entre nós. Mas também continua muito presente o argumento de Rousseau de que foi apenas a invenção da agricultura que introduziu a verdadeira desigualdade, pois permitiu o surgimento da propriedade da terra. Essa é uma das principais razões pelas quais as pessoas ainda continuam a escrever como se fosse possível supor, para começo de conversa, que os forrageadores viviam em bandos igualitários — porque também se supõe que, sem os ativos produtivos (terra, gado) e excedentes estocados (cereais, lã, produtos lácteos etc.) possibilitados pela agricultura, não existe nenhuma base material real para que um indivíduo comande qualquer outro.

O saber convencional também nos diz que, no momento em que se torna possível um excedente material, haverá artífices especializados, guerreiros e sacerdotes em tempo integral que o reivindicarão e viverão às custas de uma parte desse superávit (ou, no caso dos guerreiros, passarão a maior parte do tempo tentando bolar novas maneiras de roubá-lo um dos outros); é inevitável que logo apareçam mercadores, advogados e políticos. Essas novas elites, como salientou Rousseau, se juntarão para proteger seus bens, e assim o advento da propriedade privada será inexoravelmente acompanhado pelo surgimento do "Estado".

Mais adiante, examinaremos esse saber convencional mais detalhadamente. Por ora, basta dizer que, embora haja aqui uma grande verdade, é tão grande que não explica quase nada. É óbvio que somente o plantio e a estocagem de cereais possibilitaram regimes burocráticos como os do Egito dos faraós, do Império Máuria ou da China da dinastia Han. Mas afirmar que o cultivo de cereais foi responsável pelo surgimento desses Estados é mais ou menos como dizer que o desenvolvimento do cálculo na Pérsia medieval foi responsável pela invenção da bomba atômica. É verdade que, sem o cálculo, nunca teriam sido possíveis as armas nucleares. Pode-se argumentar até mesmo que a invenção do cálculo provocou uma cadeia de eventos que tornou provável que alguém, em algum lugar, viesse em algum momento a criar arsenais atômicos. Mas afirmar que a obra de Al-Tusi sobre os polinômios no século XII *causou* Hiroshima e Nagasáki é um absurdo completo. O mesmo vale para a agricultura. Entre o aparecimento dos primeiros agricultores no Oriente Médio e o surgimento do que costumamos chamar de primeiros Estados há um período de cerca de 6 mil anos, e em muitas partes do mundo a agricultura nunca levou ao surgimento de coisa alguma remotamente semelhante a esses Estados.[7]

Neste ponto, precisamos nos debruçar sobre a própria noção de excedente e as questões muito mais amplas — quase existenciais — que traz consigo. Como os filósofos entenderam muito tempo atrás, trata-se de um conceito que propõe questionamentos fundamentais sobre o significado de ser humano. Uma das coisas que nos diferenciam dos animais não humanos é que eles produzem única e exclusivamente aquilo de que precisam; os seres humanos produzem sempre mais. Somos criaturas de excessos, e é isso o que nos torna a mais criativa e ao mesmo tempo mais destrutiva entre todas as espécies. As classes dirigentes são simplesmente aquelas que organizaram a sociedade de tal maneira que podem pegar para si a parte do leão desse excedente, seja com a tributação, a escravização, as obrigações feudais ou a manipulação dos mecanismos de livre mercado.

No século XIX, Marx e muitos de seus companheiros radicais imaginaram que seria possível administrar coletivamente esse excedente, de maneira equitativa (era o que ele julgava ter sido a norma sob o "comunismo primitivo" e que seria de novo possível no futuro revolucionário), mas os pensadores contemporâneos tendem a ser mais céticos. Inclusive, a visão dominante entre os antropólogos de hoje é que a única forma de manter uma sociedade de fato igualitária é eliminando a possibilidade de acumular toda e qualquer espécie de excedente.

A maior autoridade moderna sobre o igualitarismo dos caçadores-coletores é, por consenso geral, o antropólogo britânico James Woodburn. Nas décadas do pós-guerra, Woodburn conduziu pesquisas entre os hadzas, uma sociedade forrageadora da Tanzânia. Também traçou paralelos entre eles e os bosquímanos sans e os pigmeus mbutis, além de uma série de outras pequenas sociedades forrageadoras nômades fora da África, como os pandarams do sul da Índia ou os bateks da Malásia.[8] Essas sociedades, argumenta Woodburn, são as únicas autenticamente igualitárias de que temos notícia, pois são as únicas que estendem a igualdade às relações de gênero e, até onde é possível, às relações entre velhos e jovens.

Por se concentrar sobre essas sociedades, Woodburn pôde deixar de lado a pergunta sobre o que é e o que não é equalizado, já que populações como os hadzas aparentam aplicar princípios de igualdade a tudo o que é possível: não só bens materiais, que são o tempo todo partilhados ou passados adiante, mas também o conhecimento herbal ou sagrado, o prestígio (caçadores talentosos são ridicularizados e diminuídos de forma sistemática) e assim por diante. Todo esse comportamento, garantia Woodburn, se baseia num etos consciente, o de que ninguém jamais esteja numa relação de dependência contínua de qualquer outra pessoa. Aqui há uma ressonância do que, no capítulo anterior, Christopher Boehm afirmou sobre a "inteligência atuarial" dos caçadores-coletores igualitários, mas Woodburn acrescenta um elemento: a verdadeira característica definidora dessas sociedades é precisamente a ausência de qualquer excedente material.

As sociedades de fato igualitárias, para Woodburn, são as de economias de "retorno imediato": a comida que se leva para casa é consumida no mesmo dia ou no seguinte; qualquer coisa extra é distribuída, e nunca conservada ou armazenada. Tudo isso está em agudo contraste com a maioria dos forrageadores e todos os pastores e agricultores, que podem ser caracterizados como adeptos de economias de "retorno adiado", investindo de maneira constante suas energias em projetos que só renderão frutos em algum momento futuro. Esses investimentos, afirma ele, levam inevitavelmente a laços duradouros que podem se tornar a base para o exercício de poder de alguns indivíduos sobre outros; e mais, Woodburn supõe uma certa "inteligência atuarial" — os hadzas e outros forrageadores igualitários entendem tudo isso e, por consequência, evitam deliberadamente a estocagem de recursos e o envolvimento em qualquer projeto a longo prazo.

Longe de correr às cegas para os grilhões como os selvagens de Rousseau, os "caçadores-coletores de retorno imediato" de Woodburn entendem com exatidão onde estão as amarras do cativeiro e organizam grande parte de sua vida para ficar longe delas. Isso pode parecer a base de algo otimista ou esperançoso. Na verdade, muito pelo contrário. O que isso sugere é, mais uma vez, que qualquer igualdade que digna do nome é quase impossível, a não ser para os mais simples forrageadores. Que espécie de futuro, então, poderia nos aguardar? No máximo, poderíamos tentar imaginar (com a invenção de replicadores à la *Jornada das estrelas* ou outros dispositivos de gratificação imediata) que talvez, em algum momento distante do futuro, fosse possível criar mais uma vez algo semelhante a uma sociedade de iguais. Nesse meio-tempo, porém, estamos sem dúvida nenhuma aprisionados. Em outras palavras, é de novo a retomada da narrativa do Jardim do Éden — só que, dessa vez, com o patamar edênico situado num plano ainda mais elevado.

O que há de realmente impressionante na visão de Woodburn é que os forrageadores por ele abordados parecem ter chegado a conclusões tão radicalmente distantes das de Kondiaronk e de várias gerações de críticos da Primeira Nação anteriores a ele, que sem exceção tinham dificuldade até em imaginar que as diferenças de riqueza poderiam ser convertidas de desigualdades sistemáticas de poder. Vale lembrar aqui que a crítica ameríndia, como descrevemos no capítulo 2, versava a princípio sobre algo muito diferente: o que entendiam ser o fracasso das sociedades europeias em promover o auxílio mútuo e proteger as liberdades pessoais. Apenas mais tarde, depois que os intelectuais indígenas tiveram maior contato com o funcionamento da sociedade francesa e inglesa, é que essa crítica passou a enfocar as desigualdades de propriedade. Talvez seja o caso de seguirmos seu raciocínio inicial.

Poucos antropólogos se sentem à vontade com a expressão "sociedades igualitárias", por razões que a essa altura já devem estar evidentes; mas ela persiste porque ninguém sugeriu uma alternativa convincente. A mais próxima de que temos conhecimento é a sugestão da antropóloga feminista Eleanor Leacock, segundo a qual os integrantes das chamadas sociedades igualitárias, em sua maioria, parecem menos interessados na igualdade em si do que na "autonomia", de acordo com a terminologia dela. O que importa para as innus, por exemplo, não é tanto se os homens e as mulheres aparentam ter o mesmo status, mas sim se as mulheres, individual ou coletivamente, são capazes de viver sua vida e tomar suas decisões próprias sem interferência masculina.[9]

Em outras palavras, se há um valor que essas mulheres sentem que deveria ser distribuído por igual, é precisamente o que chamaríamos de "liberdade". Assim, talvez fosse melhor chamá-las de "sociedades livres" ou mesmo, seguindo o veredito do padre jesuíta Lallemant sobre os vizinhos wendats dos innus, de "pessoas livres", sendo que "cada qual se considera tão importante quanto as demais; e só se submetem aos seus chefes até onde lhes agrade".[10] À primeira vista, a sociedade wendat, com sua elaborada estrutura constitucional de chefes, oradores e outros detentores de cargos, talvez não pareça uma escolha muito evidente para ser incluída numa lista de sociedades "igualitárias". Mas "chefes" não são de fato chefes se não têm os meios para impor suas ordens. A igualdade, em sociedades como as dos wendats, era uma consequência direta da liberdade individual. Claro que se pode dizer o mesmo em sentido contrário: liberdades não são de fato liberdades caso não se possa agir com base nelas. Hoje muita gente também acredita que vive numa sociedade livre (na verdade, muitas vezes até insiste que, pelo menos em termos políticos, é esse o traço mais importante de sua sociedade), mas as liberdades que constituem a base moral de um país como os Estados Unidos são, em larga medida, liberdades *formais*.

Os cidadãos norte-americanos têm o direito de viajar para onde quiserem — desde que, claro, tenham dinheiro para o transporte e a acomodação. São livres para não acatar ordens arbitrárias dos superiores — a menos, claro, que tenham um emprego. Nesse sentido, quase se pode dizer que os wendats tinham chefes de brincadeira[11] e liberdades de verdade, enquanto hoje a maioria de nós precisa lidar com chefes de verdade e liberdades de brincadeira. Ou, para colocar a questão de maneira mais técnica: os hadzas, os wendats ou povos "igualitários" como os nueres pareciam se preocupar não tanto com as liberdades *formais*, mas sim com as liberdades *substanciais*.[12] Estavam menos interessados no direito de viajar do que na possibilidade de realmente viajar (por isso essa questão costumava ser formulada como a obrigação de oferecer hospitalidade a pessoas vindas de fora). O auxílio mútuo — o que os observadores europeus da época muitas vezes chamavam de "comunismo" — era tido como a condição necessária para a autonomia individual.

Isso ajudaria a explicar pelo menos uma parte da patente confusão em torno do termo "igualitarismo": é possível surgirem hierarquias explícitas, mas que, apesar disso, se mantenham em grande medida teatrais ou se restrinjam a aspectos bastante limitados da vida social. Voltemos por um momento aos nueres sudaneses. Desde que o antropólogo social de Oxford E. E. Evans-Pritchard publicou sua clássica obra etnográfica sobre eles nos anos 1940, os nueres foram tidos como o paradigma das sociedades "igualitárias" na África. Não tinham nada que sequer remotamente se assemelhasse a uma instituição de governo e se notabilizaram pelo elevado valor que atribuíam à independência pessoal. Mas, chegados os anos 1960, antropólogas feministas como Kathleen Gough começaram a mostrar que também aqui não se podia falar de fato em igualdade de status: os homens nas comunidades nueres eram divididos entre "aristocratas" (com ligações ancestrais com os territórios onde vivem), "estrangeiros" e prisioneiros de guerra capturados à força em incursões a outras comunidades. E não eram distinções puramente formais. Enquanto Evans-Pritchard ignorou essas diferenças, considerando-as sem maiores consequências, Gough notou que, na realidade, a diferença de nível implicava um acesso diferenciado às mulheres. Apenas os aristocratas tinham condições de juntar um rebanho suficiente para realizar o que os nueres consideravam um casamento "adequado" — ou seja, em que podiam reivindicar paternidade sobre os filhos e assim, após a morte, serem lembrados como ancestrais.[13]

Então Evans-Pritchard estava errado? Não exatamente. Na verdade, embora o nível social e o acesso diferenciado aos rebanhos fossem pertinentes na hora de acertar os casamentos, não tinham praticamente nenhum peso em outras circunstâncias. Seria impossível, mesmo numa ocasião formal como uma dança ou um sacrifício, determinar quem estava "acima" de qualquer outro indivíduo. E, o que é mais importante, as diferenças de riqueza (rebanhos) nunca se traduziam na capacidade de dar ordens ou de exigir obediência formal. Evans-Pritchard, numa passagem muito citada, escreveu:

> Que nenhum nuer se considera inferior a seu vizinho fica evidente em cada movimento deles. Caminham pomposos como senhores da terra, o que, de fato, consideram ser. Não há senhor nem servo em sua sociedade, apenas iguais que se veem como a mais nobre criação de Deus […] mesmo a leve suspeita de uma ordem irrita um homem, e ele não a executa, ou a executa num modo vagaroso e descuidado que é mais ofensivo do que uma recusa.[14]

Evans-Pritchard aqui está se referindo aos homens. E quanto às mulheres? Gough constatou que, embora nos afazeres cotidianos as mulheres agissem basicamente com a mesma independência dos homens, o sistema matrimonial de fato eliminava em certa medida a liberdade delas. Se um homem pagava as quarenta cabeças de gado que costumavam ser exigidas para o dote, isso significava acima de tudo que ele não só tinha o direito de reivindicar a paternidade sobre os filhos de uma mulher, mas também adquiria acesso sexual exclusivo, o que, por sua vez, em geral significava o direito de interferir também em outros aspectos dos assuntos da esposa. No entanto, as mulheres nueres, na maioria, não eram "oficialmente" casadas. Na verdade, eram tamanhas as complexidades do sistema que uma grande proporção delas, para todos os efeitos, estavam casadas com fantasmas ou com outras mulheres (que podiam ser declaradas homens para finalidades genealógicas) — nesses casos, como iriam engravidar e criar os filhos era assunto exclusivo delas e não dizia respeito a ninguém. Assim, mesmo na vida sexual, tanto para as mulheres quanto para os homens, pressupunha-se a liberdade individual, a menos que houvesse alguma razão específica para tolhê-la.

A liberdade de deixar sua comunidade, com a certeza de uma boa acolhida em terras distantes; a liberdade de ir e vir entre estruturas sociais, a depender da época do ano; a liberdade de desobedecer às autoridades sem consequências — tudo indica que nossos ancestrais distantes simplesmente pressupunham possuir todas essas liberdades, mesmo que hoje sejam quase inconcebíveis para a maioria de nós. Os seres humanos podem não ter iniciado sua história num estado de inocência primordial, e sim com uma aversão consciente a receber ordens.[15] Se assim for, podemos ao menos refinar nossa pergunta inicial: o verdadeiro enigma não é quando surgiram chefes, ou mesmo reis e rainhas, mas quando deixou de ser possível destroná-los dando risada.

Ora, sem dúvida é verdade que, ao longo da história, encontramos populações cada vez maiores e mais sedentárias, forças de produção cada vez mais poderosas, excedentes materiais cada vez maiores, pessoas passando cada vez mais tempo sob o comando de outrem. Parece plausível concluir que há algum tipo de ligação entre essas tendências. Mas a natureza e os mecanismos dessa ligação são totalmente obscuros. Nas sociedades contemporâneas, consideramo-nos livres porque não temos suseranos. Assumimos o pressuposto de que aquilo que chamamos de "a economia" funciona de outro modo, com base não na liberdade, e sim na "eficiência", e é por isso que os escritórios e os chãos de fábrica costumam ser organizados em rigorosas cadeias de comando. Assim, não surpreende que tantas especulações correntes sobre as origens da desigualdade se concentrem sobre as mudanças econômicas, em especial sobre o mundo do trabalho.

Aqui também, em nossa visão, grande parte das evidências disponíveis tem sido amplamente mal interpretada.

A questão do trabalho não é equivalente à da propriedade, ainda que, se o objetivo é entender como o controle da propriedade veio a se traduzir em poder de mando, o mundo do trabalho seria o local mais óbvio para se examinar. Ao estruturar os estágios do desenvolvimento humano basicamente de acordo com as formas de aquisição de alimento, homens como Adam Smith e Turgot inevitavelmente colocavam o trabalho — antes considerado uma preocupação um tanto plebeia — no centro do palco. O motivo era bem simples. Isso lhes permitia argumentar que suas sociedades tinham uma superioridade autoevidente, alegação essa que — na época — seria muito mais difícil defender se usassem outro critério que não fosse a mão de obra produtiva.[16]

Turgot e Smith começaram a escrever com esse enfoque a partir dos anos 1750. Referiam-se ao auge do desenvolvimento como "sociedade mercantil", na qual uma complexa divisão do trabalho exigia o sacrifício de liberdades primitivas, mas garantia um aumento vertiginoso em termos de riqueza e prosperidade geral. Nas várias décadas seguintes, a invenção da máquina de fiação com multifusos, o tear Arkwright e, mais tarde, a energia a vapor e a carvão — e por fim o surgimento de um operariado industrial permanente (e cada vez mais consciente) — mudaram por completo os termos da discussão. De repente, passaram a existir forças de produção jamais imaginadas. Mas houve também um aumento brutal no número de horas de trabalho que se esperava das pessoas. Nas novas fiações, o padrão eram jornadas de doze a quinze horas diárias e seis dias de trabalho semanais; as folgas se resumiam ao mínimo possível. (John Stuart Mill protestou: "Todas as máquinas para poupar trabalho que foram inventadas até agora não diminuíram a labuta de um único ser humano".)

Em decorrência disso, ao longo do século XIX, quase todos que debatiam o rumo geral da civilização humana pressupunham que o progresso tecnológico era a grande força motriz da história e que, se o progresso era a história da libertação humana, isso só podia significar a libertação da "labuta desnecessária": em algum tempo futuro, a ciência acabaria por nos libertar pelo menos das formas de trabalho mais degradantes, penosas e desmoralizantes. Inclusive, na era vitoriana, muitos começaram a afirmar que isso já estava acontecendo. A mecanização da lavoura e os novos dispositivos de economia de mão de obra, eles argumentavam, já estavam nos levando a um mundo onde todos gozariam de uma vida de lazer e prosperidade — e onde não precisaríamos passar grande parte de nosso tempo desperto cumprindo ordens alheias.

Claro que essa afirmativa devia parecer muito bizarra para os sindicalistas radicais de Chicago que, nos anos 1880, ainda precisavam travar combates renhidos com os policiais e os seguranças das empresas a fim de conquistar uma jornada de oito horas por dia — ou seja, obter o direito de um regime de trabalho diário que o barão medieval médio teria considerado insensato esperar de seus servos.[17] No entanto, talvez como reação a essas campanhas, os intelectuais vitorianos começaram a argumentar o contrário: o "homem primitivo", postulavam eles, vivera travando uma luta constante por sua existência; a vida nas sociedades humanas iniciais era uma faina incessante. Os camponeses europeus, chineses ou egípcios se esfalfavam do nascer ao pôr do sol para mal e mal conseguir os meios de subsistência. Daí se seguia que mesmo os pavorosos regimes de trabalho da época dickensiana eram, na verdade, um avanço em relação ao passado. O que estamos discutindo, afirmavam eles, é a velocidade desse avanço. Na virada do século xx, esse raciocínio se tornara universalmente aceito como senso comum.

Foi isso o que fez do ensaio de Marshall Sahlins, *A sociedade afluente original*, de 1968, um marco tão importante, e o motivo por que agora precisamos examinar algumas de suas implicações e limitações. Provavelmente o ensaio antropológico de maior influência já escrito, foi capaz de reverter o velho ideário vitoriano — ainda dominante nos anos 1960 —, imediatamente gerando discussões e debates e inspirando a todos, de socialistas a hippies. Sem esse texto seminal, escolas inteiras de pensamento (o Primitivismo, o Decrescimento) talvez jamais tivessem surgido. Mas Sahlins também escrevia numa época em que os arqueólogos ainda sabiam relativamente pouco sobre os povos pré-agrícolas, pelo menos em comparação a hoje. Então pode ser mais produtivo expor o argumento dele antes de passarmos para os dados de que dispomos hoje, para então constatarmos se e como o ensaio se sustenta.

A SOCIEDADE AFLUENTE ORIGINAL DE MARSHALL SAHLINS E O QUE PODE ACONTECER QUANDO MESMO PESSOAS MUITO PERSPICAZES ESCREVEM SOBRE A PRÉ-HISTÓRIA NA AUSÊNCIA DE EVIDÊNCIAS CONCRETAS

Marshall Sahlins iniciou sua carreira no final dos anos 1950 como neoevolucionista. Quando publicou *A sociedade afluente original*, ainda era mais famoso por seu trabalho com Elman Service, que propunha quatro estágios de desenvolvimento político humano: de bandos para tribos, chefaturas e Estados. Todos esses termos ainda são muito usados hoje. Em 1968, Sahlins aceitou o convite de passar um ano no *laboratoire* de Claude Lévi-Strauss em Paris, onde, conforme revelou mais tarde, costumava almoçar todos os dias na cafeteria com Pierre Clastres (que escreveria *A sociedade contra o Estado*), discutindo dados etnográficos e debatendo se a sociedade estava madura ou não para a revolução.

Eram dias agitados nas universidades francesas, marcados por mobilizações de estudantes e enfrentamentos de rua que acabaram levando à revolta estudantil-operária de maio de 1968 (durante a qual Lévi-Strauss manteve uma altiva neutralidade, mas Sahlins e Clastres se tornaram participantes entusiasmados). Em meio a toda essa ebulição política, a natureza do trabalho, a necessidade de trabalho, a recusa do trabalho, a possibilidade de eliminar gradualmente o trabalho eram temas candentes de debate nos círculos políticos e intelectuais.

O ensaio de Sahlins, talvez o último grande exemplar do gênero de "pré-história especulativa" inventado por Rousseau, saiu inicialmente na revista *Les Temps modernes*, de Jean-Paul Sartre.[18] Ele afirmava que, pelo menos em termos de jornada de trabalho, a narrativa vitoriana de avanço contínuo era simplesmente retrógrada. A evolução tecnológica não libertou as pessoas das necessidades materiais. As pessoas não estão trabalhando menos. Pelo contrário, afirmava Sahlins, todos os dados indicam que o número total de horas que a maioria dedica ao trabalho tende a aumentar. Em tom ainda mais provocador, Sahlins assinalou que em épocas anteriores as pessoas não eram necessariamente mais pobres do que os consumidores modernos. Na verdade, durante grande parte de nossa história inicial, de acordo com seu argumento, pode-se dizer que os seres humanos levavam uma vida de grande fartura material.

Sim, um forrageador poderia parecer paupérrimo de acordo com nossos critérios — mas aplicar nossos critérios era claramente ridículo. A "fartura" não é uma medida absoluta. Refere-se apenas a uma situação em que se tem acesso a tudo o que se julga necessário para ter uma vida feliz e confortável. Por esses critérios, argumentava Sahlins, a maioria dos forrageadores conhecidos é rica. O próprio fato de que muitos caçadores-coletores e mesmo horticultores pareciam passar apenas de duas a quatro horas por dia fazendo algo que se poderia considerar "trabalho" prova como era fácil atender às suas necessidades.

Antes de prosseguir, cabe assinalar que o quadro geral proposto por Sahlins parece correto. Conforme citamos acima, o servo medieval oprimido trabalhava, em média, menos do que um operário ou um escriturário, com seu expediente das nove às cinco, e é quase certo que os coletores de avelãs e os pastores de rebanhos que arrastavam grandes placas de pedra para construir Stonehenge trabalhavam, em média, ainda menos do que isso. Foi apenas em tempos muito recentes que mesmo os países mais ricos começaram a mudar esse estado de coisas (é evidente que a maioria de nós não trabalha tantas horas quanto os estivadores vitorianos, embora a diminuição geral na jornada de trabalho provavelmente não seja tão grande quanto imaginamos). E, para grande parte da população mundial, em vez de melhorar, a situação está piorando ainda mais.

O que menos resiste ao teste do tempo é a imagem criada na maioria dos leitores pelo ensaio de Sahlins: a de caçadores-coletores despreocupados, que passavam a maior parte do tempo descansando à sombra, flertando, sentados em rodas para contar histórias ou tocar tambores. E isso tem tudo a ver com os exemplos etnográficos nos quais o autor se baseou, sobretudo os sans, os mbutis e os hadzas.

No capítulo anterior, citamos várias razões para a grande popularidade que os !kungs sans (bosquímanos) do entorno do Kalahari e os hadzas do planalto do Serengeti ganharam nos anos 1960, como exemplos do que teria sido a sociedade humana inicial (embora fossem exemplos bem incomuns de forrageadores). Uma dessas razões era a disponibilidade de dados: àquela altura, eram das únicas populações forrageadoras restantes que ainda conservavam algo do seu modo de vida tradicional. Foi também nessa década que os antropólogos começaram a fazer estudos de alocação do tempo, registrando sistematicamente o que os membros de diversas sociedades fazem durante um dia típico e quanto tempo passam fazendo tal ou tal coisa.[19] Nessas pesquisas com forrageadores africanos, também pareciam ressoar as famosas descobertas de fósseis de hominídeos então realizadas por Louis e Mary Leakey em outras partes do continente, como a garganta do Olduvai na Tanzânia. Como alguns desses caçadores-coletores modernos viviam em ambientes de savana, como aqueles em que, segundo o que se se pensa hoje, nossa espécie evoluiu, era tentador imaginar que aqui, entre essas populações vivas, era possível ter um vislumbre da sociedade humana em um estado semelhante ao tido como o original.

Além disso, os resultados dos primeiros estudos sobre a alocação do tempo foram uma enorme surpresa. Vale lembrar que, nas décadas pós-guerra, a maioria dos antropólogos e arqueólogos ainda dava como certa a velha narrativa oitocentista da primordial "luta pela existência" da humanidade. A nossos ouvidos, grande parte dos clichês retóricos da época, mesmo entre os mais sofisticados estudiosos, parece de uma condescendência espantosa: "Um homem que passa toda a vida seguindo animais só para matá-los e comê-los", escreveu o pré-historiador Robert Braidwood em 1957, "ou indo de uma área de colheita de frutas silvestre a outra, na verdade está vivendo apenas como um animal".[20] No entanto, esses primeiros estudos quantitativos desmentiram de alto a baixo essas afirmativas, mostrando que, mesmo em ambientes muito inóspitos como os desertos da Namíbia ou do Botswana, os forrageadores conseguiam alimentar todo o grupo sem dificuldade e ainda ficavam com três a cinco dias livres por semana para se dedicarem a atividades caracteristicamente humanas, como fofocar, bater boca, se entreter com jogos, dançar ou viajar por lazer.

Os pesquisadores dos anos 1960 também começavam a entender que, longe de ser a agricultura algum tipo de notável avanço científico, os forrageadores (que, afinal, tendiam a ter uma íntima familiaridade com todos os aspectos do ciclo de cultivo de plantas comestíveis) tinham plena consciência dos procedimentos necessários para plantar e colher cereais e legumes. Só não viam nenhuma razão para fazer isso. "Por que iríamos plantar", disse um entrevistado !kung, numa frase que desde então tem sido citada em milhares de tratados sobre as origens da agricultura, "quando há tantas nozes de mongongo no mundo?" Na verdade, concluiu Sahlins, o que alguns pré-historiadores entenderam ser desconhecimento técnico era uma decisão social consciente: esses forrageadores "rejeitaram a Revolução do Neolítico a fim de preservar o seu tempo livre".[21] Os antropólogos ainda tinham dificuldade em entender tudo isso quando Sahlins apareceu para extrair as conclusões mais amplas.

O antigo etos do lazer (o "caminho zen para a riqueza") só se rompeu, pelo menos no entendimento de Sahlins, quando as pessoas começaram — por qualquer razão que fosse — a se assentar num único local e a aceitar a dura labuta da agricultura. E isso teve um custo terrível. O que se seguiu não foi apenas um número crescente de horas de trabalho árduo, mas também, para a maioria, a pobreza, a doença, a guerra e a escravização — todas fomentadas pela infindável competição e pela busca insensata de novos prazeres, novos poderes e novas formas de riqueza. Com habilidade, *A sociedade afluente original* de Sahlins utilizou os resultados dos estudos de alocação do tempo para minar as bases da história tradicional da civilização humana. Como Woodburn, Sahlins põe de lado a versão rousseauísta da Queda — a ideia de que, por sermos tolos demais para refletir sobre as consequências prováveis das nossas ações de acumular, estocar e defender a propriedade, "corremos cegamente para nossos grilhões"[22] — e nos leva de volta para o Jardim do Éden. Se a recusa à agricultura foi uma escolha consciente, então sua adoção também o foi. Escolhemos comer do fruto da árvore do conhecimento e fomos castigados por isso. Como disse santo Agostinho, rebelamo-nos contra Deus, e o castigo divino foi fazer com que nossos desejos se rebelassem contra nossa racionalidade; o preço que pagamos pelo pecado original é o caráter infinito de nossos novos desejos.[23]

Se há uma diferença fundamental em relação à história bíblica, é a de que a Queda (segundo Sahlins) não aconteceu de uma vez só. Não caímos e então começamos lentamente a nos reerguer. Em termos de trabalho e fartura, todo novo avanço tecnológico parece nos fazer cair ainda mais.

O ensaio de Sahlins é um magnífico conto moral. Há, porém, uma falha evidente. Todo o argumento em defesa de uma "sociedade afluente original" se baseava numa premissa frágil: a de que a maioria dos seres humanos pré-históricos de fato viviam da maneira específica dos forrageadores africanos. Como o próprio Sahlins se dispôs a reconhecer, era apenas um palpite. Ao concluir o ensaio, ele indagava se "caçadores marginais como os bosquímanos do Kalahari" eram mesmo mais representativos da condição paleolítica do que os forrageadores da Califórnia (que atribuíam grande valor ao trabalho árduo) ou da Costa Noroeste do Canadá (com suas sociedades hierarquizadas e amealhamento de riquezas). Talvez não, admitiu Sahlins.[24] Essa observação, que muitas vezes passa despercebida, é fundamental. Não que Sahlins esteja sugerindo que sua expressão "sociedade afluente original" esteja incorreta. O que ele reconhece é que, assim como poderiam existir para os povos livres muitas maneiras de serem livres, da mesma forma poderia haver mais de uma maneira para que as sociedades afluentes (originais) fossem afluentes.

Nem todos os caçadores-coletores modernos dão mais valor ao tempo livre do que ao trabalho árduo, assim como nem todos mostram a mesma despreocupação dos !kungs ou dos hadzas em relação às posses pessoais. Os forrageadores no noroeste da Califórnia, por exemplo, eram célebres pela cobiça, organizando grande parte da vida em torno do amealhamento de relíquias sagradas e das conchas que serviam de moeda e adotando uma severa ética do trabalho para esse fim. Os pescadores-coletores da Costa Noroeste do Canadá, por outro lado, viviam em sociedades altamente estratificadas, em que os plebeus e os escravizados se notabilizavam por serem trabalhadores diligentes. Segundo uma de suas etnógrafas, os kwakiutls da Ilha de Vancouver não só tinham boas moradias e boa alimentação, como dispunham de uma profusão de acessórios:

> Cada casa confeccionava e possuía muitas esteiras, caixas, mantas de pele e de casca de cedro, pratos de madeira, colheres de chifre e canoas. Era como se na manufatura, bem como na produção de alimentos, não se chegasse em momento algum à sensação de que um maior dispêndio de esforço na produção de maior quantidade dos mesmos itens fosse supérfluo.[25]

Os kwakiutls não só se cercavam com uma quantidade infindável de objetos, como também dedicavam uma infindável criatividade em sua concepção e elaboração, com resultados de beleza tão intrincada e impressionante que os tornaram motivo de orgulho entre museus etnográficos mundo afora. (Lévi-Strauss comentou que os kwakiutls da virada do século pareciam uma sociedade com uma dúzia de Picassos atuando todos ao mesmo tempo.) Isso, sem dúvida, é um tipo de afluência. Mas bem diferente da dos !kungs ou dos mbutis.

Quem, então, guardava mais semelhança com o estado de coisas original da humanidade: os despreocupados hadzas ou os laboriosos forrageadores do noroeste da Califórnia? A esta altura, deve estar claro que é precisamente esse o tipo de pergunta que *não* deveríamos fazer. Não houve nenhum estado de coisas de fato "original" da humanidade. Quem insiste em afirmar o contrário está, por definição, vendendo mitos como verdades (Sahlins, pelo menos, foi bem honesto quanto a isso). Os seres humanos tiveram dezenas de milhares de anos para experimentar diversos modos de vida, muito antes que alguns passassem para a agricultura. Mais produtivo seria olharmos os contornos gerais da mudança para entender como se relaciona com a nossa pergunta: como os seres humanos acabaram perdendo em grande medida a flexibilidade e a liberdade que ao que tudo indica caracterizavam nossos ordenamentos sociais e acabaram presos em relações permanentes de dominação e subordinação?

Para isso, prosseguiremos com a história iniciada no capítulo 3, seguindo nossos ancestrais forrageadores quando saíram da Era Glacial (ou do Plistoceno) e ingressaram numa fase climática global mais quente, conhecida como Holoceno. Isso também nos levará para bem longe da Europa, até lugares como o Japão e a costa caribenha da América do Norte, onde começam a aparecer passados totalmente novos e insuspeitados que — a despeito do obstinado esforço dos estudiosos em encaixá-los em compartimentos evolucionários muito delimitados — se mostram mais distantes dos "bandos" pequenos, nômades e igualitários do que se pode imaginar.

COMO AS NOVAS DESCOBERTAS REFERENTES AOS ANTIGOS CAÇADORES-COLETORES DA AMÉRICA DO NORTE E DO JAPÃO ESTÃO VIRANDO A EVOLUÇÃO SOCIAL DE PONTA-CABEÇA

Na Louisiana, existe um local com o deprimente nome de Poverty Point, onde ainda é possível vermos os restos de enormes terraplanagens feitas por americanos nativos por volta de 1600 a.C. Com suas luxuriantes pradarias e seus bosques de árvores baixas dispostas em linhas regulares, hoje parece algo a meio caminho entre uma reserva florestal e um clube de golfe.[26] Encostas e cumes relvados se elevam das pradarias cuidadosamente tratadas, formando anéis concêntricos que somem de repente na área em que sofreram a erosão causada pelo pântano chamado Bayou Macon (sendo que *bayou* deriva, passando pelo francês da Louisiana, da palavra *bayuk*, do idioma choctaw: filetes de água pantanosa que se espraiam a partir do canal principal do rio Mississippi). Apesar do máximo empenho da natureza em acabar com essas terraplanagens e dos colonizadores europeus em negar sua evidente importância (seria a moradia de uma antiga raça de gigantes ou de uma das tribos perdidas de Israel?), elas resistem: prova de uma antiga civilização do baixo Mississippi e testemunho da escala de suas realizações.

Os arqueólogos acreditam que essas estruturas em Poverty Point formavam uma área monumental que chegou a se estender por mais de duzentos hectares, ladeada por dois enormes aterros (os chamados Motley Mound e Lower Jackson Mound), respectivamente ao norte e ao sul. Para esclarecer o que isso significa, vale notar que as primeiras cidades eurasianas — centros iniciais de vida cívica como Uruk, no sul do Iraque, ou Harappa, no Punjab — começaram como assentamentos com cerca de duzentos hectares no total.

Isso quer dizer que todo o seu perímetro caberia confortavelmente dentro da área cerimonial de Poverty Point. Assim como aquelas antigas cidades eurasianas, Poverty Point brotou de um grande rio, pois nos tempos antigos o transporte por água, sobretudo de cargas volumosas, era incomparavelmente mais fácil do que por terra. E, de forma também equivalente, Poverty Point formava o núcleo de uma esfera muito maior de interação cultural. Pessoas e recursos fluíam para Poverty Point a partir de centenas de quilômetros de distância, desde os Grandes Lagos no norte ao Golfo do México no sul.

Vistos de cima — numa visão "onividente" —, os remanescentes de Poverty Point parecem um gigantesco anfiteatro afundado, um local que congregava multidões e poder, digno de qualquer grande civilização agrária. Foi movimentado cerca de 1 milhão de metros cúbicos de terra para criar sua infraestrutura cerimonial, muito provavelmente voltada para o céu, já que alguns aterros formam figuras enormes de aves, convidando os céus a dar testemunho de sua presença. Mas o povo de Poverty Point não era agrícola. Tampouco dispunha de uma linguagem escrita. Era uma população de caçadores, pescadores e coletores, que explorava a superabundância de recursos silvestres (peixes, cervos, nozes, aves aquáticas) nos baixios do Mississippi. E não foram os primeiros caçadores-coletores nessa região a instaurar tradições de arquitetura pública. Podemos remontar essas tradições a um tempo muito anterior a Poverty Point, por volta de 3500 a.C. — que é também a mesma época, mais ou menos, em que surgiram as primeiras cidades na Eurásia.

Como muitas vezes assinalam os arqueólogos, Poverty Point é "um sítio da Idade da Pedra numa área onde não há pedras", de modo que as quantidades espantosas de objetos líticos lá encontrados — instrumentos, armas, recipientes e ornamentos — devem ter sido trazidas originalmente de outro lugar.[27] A escala das terraplanagens indica a presença de milhares de pessoas reunidas no local em determinadas épocas do ano, em números que ultrapassam qualquer população caçadora-coletora historicamente conhecida. Muito menos claro é o motivo que as atraía até lá, levando junto o cobre, o sílex, o cristal de quartzo, a esteatita e outros minerais de seus locais de origem, ou a frequência com que iam e por quanto tempo permaneciam. Simplesmente não sabemos.

O que sabemos é que as flechas e as pontas de lança de Poverty Point têm ricas tonalidades de vermelho, preto, amarelo e até azul-lazúli, e essas são apenas as cores que somos capazes de discernir. As classificações antigas eram, sem dúvida, mais refinadas. Se as pedras eram selecionadas com tanto cuidado, mal temos como imaginar o que era feito em relação a cascas de árvore, fibras, ervas medicinais e qualquer coisa viva na paisagem tratada como potencial alimento ou veneno. Outra coisa da qual podemos ter certeza é que "comércio" não é uma boa maneira de descrever fosse lá o que acontecesse por lá. Entre outras coisas, o comércio opera nas duas direções, e Poverty Point não apresenta nenhum sinal evidente de exportação ou qualquer tipo de mercado. Essa ausência é óbvia e patente para qualquer um que tenha estudado os restos das primeiras cidades eurasianas, como Uruk e Harappa, que ao que tudo indica eram polos de relações comerciais bastante dinâmicas: esses sítios estão lotados de quantidades industriais de embalagens de cerâmica, e os produtos de seus ofícios urbanos se encontram espalhados por longas distâncias.

Apesar do grande alcance cultural de Poverty Point, por lá não se encontra absolutamente nada dessa cultura comercial. Na verdade, nem está claro se saíam muitas coisas de lá, pelo menos em termos materiais, a não ser alguns enigmáticos objetos de argila conhecidos como "bolas para cozer", coisas que dificilmente podem ser consideradas como artigos de comércio. Panos e tecidos podem ter sido importantes, mas também temos de admitir a possibilidade de que os maiores ativos de Poverty Point fossem intangíveis. Hoje em dia, a maioria dos especialistas considera seus monumentos como expressões de uma geometria sagrada, ligadas a contagens cronológicas e ao movimento dos corpos celestes. Caso alguma coisa fosse armazenada em Poverty Point, podia muito bem ser o conhecimento: a propriedade intelectual de rituais, peregrinações, canções, danças e imagens.[28]

Não temos como nos inteirar dos detalhes. Mas não é mera especulação afirmar que os forrageadores antigos trocavam informações complexas por toda essa região, e de maneira altamente organizada. O exame atento dos próprios monumentos de terra nos fornece provas materiais disso. Por todo o grande vale do Mississippi e por uma considerável distância para além dele existem outros sítios menores do mesmo período. As configurações variadas de seus aterros e taludes seguem princípios geométricos de uma uniformidade impressionante, baseados em unidades-padrão de medida e proporção visivelmente utilizadas também por povos antigos numa parcela significativa das Américas. Ao que tudo indica, o sistema subjacente de cálculo era baseado nas propriedades transformacionais dos triângulos equiláteros, realizado com a ajuda de fios e cordas e então aplicado ao projeto da extensa terraplanagem.

Publicada em 2004, essa notável descoberta do arqueólogo John E. Clark, uma autoridade nas sociedades pré-colombianas da Mesoamérica,[29] foi recebida pela comunidade acadêmica com reações que iam desde a calorosa aceitação à franca descrença, embora ao que parece ninguém a tenha refutado. Muitos preferem simplesmente ignorá-la. O próprio Clark parece surpreso com os resultados de suas pesquisas. Voltaremos a algumas implicações mais abrangentes a respeito no capítulo 11, mas por ora registramos apenas uma avaliação das descobertas de Clark por dois especialistas na área, que aceitam suas comprovações "não só de uma unidade-padrão de medida, mas também de alinhamentos e intervalos de espaçamento geométricos entre complexos de aterros desde a Louisiana até o México e o Peru, que incorporam múltiplos daquela unidade-padrão". Para esses pesquisadores, a descoberta do mesmo sistema de medição em locais tão distantes pode ser "uma das mais instigantes revelações da arqueologia contemporânea" e, no mínimo, uma indicação de que "os que construíram as obras não eram simples forrageadores comuns".[30]

Deixando de lado a noção (que por ora não vem ao caso) de que algum dia tenha existido o que se pudesse descrever como "simples forrageadores comuns", é importante ressaltar que a teoria de Clark, mesmo que seja válida apenas para o baixo Mississippi e as cercanias das Florestas do Leste da América do Norte,[31] já seria extremamente notável. Pois, a menos que estejamos diante de alguma assombrosa coincidência cósmica, isso significa que alguém teve de transmitir o conhecimento de técnicas geométricas e matemáticas para fazer medições espaciais precisas e de formas correlatas de organização do trabalho por enormes distâncias. Se isso aconteceu, parece provável que também tenham partilhado outros tipos de conhecimento: cosmologia, geologia, filosofia, medicina, ética, fauna, flora, ideias sobre propriedade, estrutura social, estética.

Quanto a Poverty Point, seria o caso de conceber tal relação como uma forma de troca de conhecimento por bens materiais? Talvez. Mas o deslocamento de ideias e objetos também poderia ter sido organizado de inúmeras outras maneiras. A única coisa que sabemos com certeza é que a ausência de uma base agrícola não parece ter sido um impedimento para que os indivíduos reunidos em Poverty Point criassem algo que, para nós, se assemelharia muito a pequenas cidades que, pelo menos durante algumas épocas do ano, abrigavam uma rica e importante vida intelectual.

Hoje, Poverty Point é um Monumento e Parque Nacional e Patrimônio Mundial da Unesco. Apesar dessas designações de importância global, suas implicações para a história mundial mal começaram a ser exploradas. Comparado a Poverty Point, uma metrópole de caçadores-coletores do tamanho de uma cidade-Estado da Mesopotâmia, o complexo anatólio de Göbekli Tepe parece pouco mais do que um "morro pançudo" (que, de fato, é o que "Göbekli Tepe" significa em turco). Mas, a não ser uma pequena comunidade de especialistas acadêmicos e, claro, os moradores locais e os visitantes, pouquíssima gente ouviu falar de Poverty Point.

A pergunta óbvia a essa altura certamente há de ser: por que Poverty Point não é mais conhecido mundo afora? Por que não ocupa um lugar de mais destaque (ou simplesmente algum lugar) nas discussões sobre as origens da vida urbana, da centralização e de suas consequências para a história humana?

Uma das razões, sem dúvida, é que Poverty Point e seus predecessores (como o complexo de aterros muito mais antigo em Watson's Brake, na bacia próxima do rio Ouachita) foram situados numa fase da pré-história americana conhecida como "Arcaica". O período Arcaico cobre um imenso leque temporal, entre a inundação da ponte terrestre de Bering (que antigamente ligava a Eurásia e as Américas), por volta de 8000 a.C., e a adoção inicial e subsequente difusão do plantio de milho em algumas áreas da América do Norte, por volta de 1000 a.C. Resumindo, cobre sete milênios de história indígena. Os arqueólogos que deram nome a esse período — que, na verdade, é uma bofetada cronológica na cara — em suma estavam dizendo: "este é o período antes que acontecesse qualquer coisa especialmente importante". Portanto, quando começaram a aparecer provas incontestáveis de que estavam, sim, acontecendo coisas importantes dos mais variados tipos, e não só na bacia do Mississippi, criou-se quase que uma fonte de vergonha arqueológica.

Nas costas do Atlântico e em torno do golfo do México encontram-se estruturas enigmáticas, tão notáveis quanto Poverty Point, porém ainda menos conhecidas. Formadas por vastos acúmulos de conchas, vão desde pequenos círculos a grandes "anfiteatros" em U, como os do vale do rio St. Johns, no nordeste da Flórida. Não eram formações naturais. Eram também espaços construídos onde outrora se reuniam públicos de milhares de caçadores-coletores. Ao norte e a oeste, no outro extremo do continente, das costas sujeitas a grandes ventanias da Colúmbia Britânica avultam mais surpresas: assentamentos e fortificações de magnitude impressionante, datando de 2000 a.C., de frente para um Pacífico já familiarizado com o espetáculo da guerra e do comércio de longa distância.[32]

Quanto à história dos caçadores-coletores, a América do Norte não é a única parte do mundo onde as expectativas evolucionárias rumam para uma colisão titânica contra os registros arqueológicos. No Japão e em ilhas próximas, outra designação cultural monolítica — "Jōmon" — abarca mais de 10 mil anos de história forrageadora, mais ou menos de 14000 a.C. a 300 a.C. Os arqueólogos japoneses passam um tempo enorme subdividindo o período Jōmon de maneiras tão complicadas quanto fazem agora os estudiosos norte-americanos, nesse sentido mais pioneiros, com seu "Arcaico". Todos os outros, porém, sejam frequentadores de museus ou leitores de livros didáticos, ainda se deparam com a enorme peculiaridade do termo "Jōmon", que, cobrindo as longas eras antes da chegada da rizicultura ao Japão, dá-nos a impressão de um monótono conservadorismo, de um tempo em que realmente não aconteceu nada. Novas descobertas arqueológicas agora estão revelando até que ponto isso é falso.

A criação de um novo passado nacional japonês é um efeito colateral um tanto paradoxal da modernização. Desde a arrancada econômica do Japão, nos anos 1960, muitos milhares de sítios arqueológicos têm sido descobertos, escavados e meticulosamente registrados — seja em decorrência de projetos de construção de estradas, vias férreas, moradias ou usinas nucleares, seja como parte de imensos esforços de recuperação empreendidos na esteira de catástrofes ambientais, como o terremoto de Tōhoku em 2011. O resultado é um enorme arquivo de informações arqueológicas. O que começa a emergir desse labirinto de dados é um quadro bem diferente da sociedade antes que o cultivo de arroz irrigado chegasse da península coreana ao Japão.

No arquipélago japonês, entre 14000 a.C. e 300 a.C., surgiram e desapareceram ciclos centenários de nucleação e dispersão de assentamentos; ergueram-se monumentos de pedra e madeira, depois derrubados ou abandonados; floresceram e declinaram elaboradas tradições rituais, inclusive com sepulta-

166

mentos luxuosos; prosperaram e definharam ofícios especializados, incluindo obras admiráveis em argila, madeira e laca. Nas tradições de obtenção de alimentos silvestres, evidenciam-se fortes contrastes regionais, desde adaptações marítimas a economias baseadas em coleta de bolotas, ambas utilizando grandes instalações de armazenagem dos recursos coletados. A *Cannabis* entrou em uso, para fibras e para uso como droga recreacional. Havia povoados enormes com depósitos grandiosos e recintos de aparência ritual, como os encontrados em Sannai Maruyama.[33]

Toda uma história social esquecida do Japão pré-agrícola está reaflorando, em larga medida, na forma de uma massa de dados compartimentados e arquivos históricos estatais. No futuro, quando se remontarem as peças, quem sabe o que poderá surgir?

A Europa também dá testemunhos sobre a história vibrante e complexa dos povos não agrícolas após a Era Glacial. Peguemos como exemplo os monumentos chamados em finlandês de *Jätinkirkko*, ou "Igrejas dos Gigantes", no mar de Bótnia, entre a Suécia e a Finlândia: grandes taludes de pedra, alguns com quase setenta metros de comprimento, construídos às dezenas por forrageadores litorâneos entre 3000 a.C. e 2000 a.C. Ou o "Grande Ídolo", um mastro totêmico com quase seis metros de altura com elaborados entalhes, resgatado de uma turfeira nas margens do lago Shigirskoe, nas encostas orientais dos Urais Centrais. Datando de cerca de 8000 a.C., o Ídolo é o sobrevivente solitário de uma tradição dos forrageadores, há muito perdida, de criação artística em madeira em grande escala, que outrora produziu monumentos que dominavam os céus nórdicos. Então vêm os sepultamentos em âmbar da Carélia e do sul da Escandinávia, com seus elaborados objetos tumulares e os cadáveres dispostos em posições expressivas, ecoando alguma esquecida etiqueta cerimonial de cepa mesolítica.[34] E, como vimos, mesmo as principais fases de construção de Stonehenge, por muito tempo associadas aos primeiros agricultores, agora são datadas como sendo de uma época em que o cultivo de cereais fora quase abandonado e se retomara a coleta de avelãs nas Ilhas Britânicas, junto com o pastoreio de rebanhos.

Voltando à América do Norte, alguns pesquisadores têm começado a falar, de modo um tanto canhestro, no "Novo Arcaico", um período até então insuspeitado de "monumentos sem reis".[35] Mas a verdade é que ainda conhecemos pouquíssimo sobre os sistemas políticos por trás do fenômeno da monumentalidade forrageadora, agora comprovado em quase todo o planeta, e sequer sabemos se alguns desses projetos monumentais teriam envolvido reis ou outros tipos de chefes. O que de fato sabemos é que isso muda definitivamente a natureza das conversas sobre a evolução social nas Américas, no Japão, na Europa e, sem dúvida, em inúmeros outros lugares também. É claro que os forrageadores não saíram de cena no final da Era Glacial, aguardando atrás das cortinas que algum grupo de agricultores neolíticos reabrisse o palco da história. Por que, então, esses novos conhecimentos são tão raramente integrados a nossos relatos do passado humano? Por que quase todo mundo (ou pelo menos quem não é especialista no período Arcaico da América do Norte ou do Jōmon do Japão) continua escrevendo como se essas coisas fossem impossíveis antes do advento da agricultura?

Aqueles que não têm acesso a relatórios arqueológicos estão desculpados, claro. As poucas informações divulgadas mais amplamente costumam se limitar a breves resumos dispersos e às vezes sensacionalistas nos noticiários, muito difíceis de reunir num panorama geral. Os acadêmicos e pesquisadores profissionais, por sua vez, têm de fazer um esforço considerável para continuar tão ignorantes. Analisemos por um momento algumas das formas peculiares de acrobacia intelectual que isso exige.

COMO O MITO DE QUE OS FORRAGEADORES VIVEM NUM ESTADO DE SIMPLICIDADE INFANTIL SE MANTÉM VIVO HOJE (OU: FALÁCIAS INFORMAIS)

Primeiro perguntemos por que alguns especialistas parecem achar tão difícil se desprender da ideia do bando forrageador ocioso e despreocupado e do pressuposto de que a "civilização" propriamente dita, nos termos definidos por eles — cidades, artífices especializados, especialistas em conhecimentos esotéricos —, seria impossível sem a agricultura. Por que continuar a escrever história como se locais como Poverty Point nunca pudessem ter existido? Não pode ser só o excêntrico resultado de terminologias acadêmicas empoladas ("Arcaico", "Jōmon" etc.). A verdadeira resposta, em nossa visão, tem mais a ver com o legado da expansão colonial europeia, em particular com seu impacto nos sistemas de pensamento tanto indígenas como europeus, sobretudo no que se refere aos direitos de propriedade que encontram expressão na terra.

Lembremos que os críticos indígenas da civilização europeia — muito antes da noção de "sociedade afluente original" de Sahlins — já defendiam a ideia de que os caçadores-coletores realmente viviam melhor do que outros povos porque podiam obter com facilidade as coisas que queriam e de que precisavam. Tais ideias já podem ser encontradas no século XVI — por exemplo, entre os interlocutores mi'kmaqs que tanto irritavam o padre Biard por insistirem que eram mais ricos do que os franceses, precisamente por essa razão. Kondiaronk apresentou argumentos semelhantes, afirmando que "os Selvagens do Canadá, apesar da sua Pobreza, são mais ricos do que vocês, entre os quais se cometem todas as espécies de crimes por causa do Meu e do Teu".[36]

Como já vimos, críticos indígenas como Kondiaronk, no calor retórico do debate, costumavam exagerar em sua argumentação, chegando até a brincar com a ideia de que eram felizes e inocentes filhos da natureza, com o intuito de expor o que consideravam as perversões bizarras do modo de vida europeu. O irônico é que, com isso, muitas vezes faziam o jogo daqueles que defendiam que — por serem felizes e inocentes filhos da natureza — não tinham nenhum direito natural às suas terras.

Aqui é importante entender um pouco a base jurídica para desalojar as pessoas que tinham o infortúnio de já estar vivendo em territórios cobiçados por colonizadores europeus. Quase invariavelmente, eles se valiam do que os juristas oitocentistas vieram a chamar de "Argumento Agrícola", princípio que desempenhou um papel importantíssimo na expulsão de incontáveis milhares de povos indígenas de suas terras ancestrais na Austrália, na Nova Zelândia, na África Subsaariana e nas Américas — processos que costumavam vir acompanhados pelo estupro, pela tortura e pelo assassinato em massa de seres humanos, e muitas vezes pela destruição de civilizações inteiras.

A apropriação colonial das terras indígenas muitas vezes se iniciava com alguma alegação genérica de que os povos forrageadores viviam num Estado de Natureza — o que significava que eram considerados parte da terra, mas sem nenhum direito a sua propriedade. A base para o desalojamento, por sua vez, tinha como premissa a ideia de que os habitantes daquelas terras *não trabalhavam*. Esse argumento remonta ao *Segundo tratado sobre o governo*

(1690), de John Locke, em que o autor defendia que os direitos de propriedade decorrem necessariamente do trabalho. Ao trabalhar a terra, o indivíduo
"mistura seu trabalho" a ela; nesse sentido, a terra se torna, de certo modo,
uma extensão do indivíduo. Os nativos preguiçosos, segundo os discípulos
de Locke, não faziam isso. Não eram, segundo os lockianos, "proprietários
de terras que faziam melhorias", apenas as usavam para atender às suas necessidades básicas com o mínimo de esforço. James Tully, uma autoridade
em direitos indígenas, aponta as implicações históricas: considerava-se vaga a
terra usada para a caça e a coleta e, "se os povos aborígenes tentam submeter
os europeus a suas leis e costumes ou defender os territórios que durante milhares de anos tinham erroneamente pensado serem seus, então são eles que
violam o direito natural e podem ser punidos ou 'destruídos' como animais
selvagens".[37] Da mesma forma, o estereótipo do nativo indolente e despreocupado, levando uma vida sem ambições materiais, foi utilizado por milhares de
conquistadores, administradores de latifúndios e funcionários coloniais europeus na Ásia, na África, na América Latina e na Oceania como pretexto para
o recurso ao terror burocrático a fim de obrigar os nativos ao trabalho: com
meios que iam desde a escravização pura e simples ao pagamento de taxas
punitivas, corveias e servidão por dívida.

Como os juristas indígenas vêm apontando há anos, o "Argumento Agrícola" não faz sentido, nem mesmo em seus próprios termos. Existem muitas
maneiras, além do estilo europeu de cultivo, de promover o trato e aprimorar
a produtividade da terra. O que aos olhos de um colono parecia uma vegetação virgem e selvagem na verdade podia ser uma área ativamente trabalhada
durante milênios pelas populações indígenas, utilizando queimadas, remoção
de ervas daninhas, controle de crescimento de arbustos, fertilização, podas,
terraceamento de áreas de estuário para ampliar o hábitat de determinada
flora silvestre, formação de faixas de moluscos em zonas entremarés para fomentar a reprodução de mariscos, criação de barragens para pegar salmões,
robalos e esturjões, e assim por diante. Muitas vezes esses procedimentos de-
mandavam trabalho intensivo, e eram regulamentados por leis indígenas que
determinavam quem podia ter acesso a arvoredos, pântanos, leitos de raízes,
pradarias e áreas pesqueiras, e quem estava autorizado a explorar quais espécies em qual época do ano. Em algumas partes da Austrália, essas técnicas
indígenas de manejo da terra eram de tal natureza que, segundo um estudo

recente, deveríamos abandonar o termo "forrageamento" e, em vez disso, nos referir a essas práticas como uma espécie diferente de lavoura.[38]

Essa sociedades podiam não ter direitos reconhecidos de propriedade privada nos mesmos moldes do direito romano ou da Common Law inglesa, mas é absurdo afirmar que não tinham nenhum direito de propriedade. Eram apenas concepções diferentes de propriedade. Diga-se de passagem que isso também se aplica a povos como os hadzas ou os !kungs; e, como veremos, muitos outros povos forrageadores tinham de fato concepções de propriedade excepcionalmente complexas e sofisticadas. Por vezes, esses sistemas indígenas de propriedade formavam a base para acessos diferenciados aos recursos, resultando daí o surgimento de algo parecido com classes sociais.[39] Mas em geral isso não acontecia, porque as pessoas se asseguravam de que não acontecesse, do mesmo modo que evitavam que os chefes desenvolvessem um poder coercitivo.

Mesmo assim, cumpre reconhecer que a base econômica de pelo menos algumas sociedades forrageadoras era capaz de sustentar qualquer coisa, desde castas sacerdotais a cortes reais com exércitos permanentes. Apresentemos apenas um exemplo bastante expressivo para ilustrar esse aspecto.

Uma das primeiras sociedades norte-americanas descritas pelos exploradores europeus no século XVI foi a dos calusas, um povo não agrícola que habitava a costa ocidental da Flórida, da baía de Tampa às ilhas ao sul do continente, onde haviam estabelecido um pequeno reino, governado a partir da capital, uma cidade chamada Calos, hoje marcada por um complexo de grandes aterros de conchas, conhecido como Mound Key, que se estende por trinta hectares. Sua alimentação era composta majoritariamente por peixes, moluscos e animais marinhos de maior porte, suplementados por cervos, guaxinins e aves diversas. Os calusas também mantinham uma frota de canoas de guerra, com as quais podiam se lançar a incursões militares contra populações próximas, impondo tributos sob a forma de alimentos processados, couros, armas, âmbar, metais e cativos escravizados. Juan Ponce de León, ao entrar no porto de Charlotte, em 4 de junho de 1513, se deparou com uma flotilha bem organizada dessas canoas, conduzidas por caçadores-coletores armados até os dentes.

Alguns historiadores se negam a chamar o chefe calusa de "rei", preferindo termos como "chefe supremo", mas relatos de primeira mão não deixam dúvidas sobre seu status elevado. O homem conhecido como "Carlos", o dirigente de Calos na época do contato inicial dos europeus, tinha até a aparência de um rei europeu: usava uma coroa de ouro e tornozeleiras de contas e se sentava num trono de madeira — e, o mais importante, era o único calusa autorizado a isso. Seus poderes pareciam absolutos. "Sua vontade era lei, e a insubordinação era passível de pena de morte."[40] Também era responsável pela realização de rituais secretos para assegurar a renovação da natureza. Os súditos sempre o saudavam pondo-se de joelhos e erguendo as mãos em gesto de obediência, e ele normalmente era acompanhado por representantes da classe dirigente de nobres guerreiros e sacerdotes que também se dedicavam em larga medida aos assuntos de governo. Tinha à sua disposição os serviços de artífices especializados, incluindo metalurgistas da corte, que trabalhavam a prata, o ouro e o cobre.

Os observadores espanhóis relataram uma prática tradicional: à morte de um governante calusa ou de sua esposa principal, era preciso sacrificar um certo número de filhos e filhas dos súditos. Segundo a maioria das definições, tudo isso fazia de Carlos não só um rei, mas um rei sagrado, talvez divino.[41] Dispomos de menos informações sobre a base econômica desses ordenamentos, mas, ao que parece, a vida da corte se fazia possível não só por causa de complexos sistemas de acesso a áreas pesqueiras no litoral, que eram riquíssimas, mas também a canais e lagos artificiais escavados nas zonas costeiras pantanosas. Isso, por sua vez, possibilitava assentamentos permanentes, ou seja, não sazonais (embora a maioria dos calusas ainda se espalhasse por locais de pesca e coleta em certas épocas do ano, quando os povoados maiores diminuíam sensivelmente).[42]

Ao que tudo indica, portanto, os calusas realmente ficaram "presos" a uma única modalidade econômica e política que permitia o surgimento de formas extremas de desigualdade, mas sem jamais plantar uma única semente ou amarrar um único animal. Diante de casos como esse, os adeptos da ideia de que a agricultura era uma base necessária para desigualdades duradouras têm duas opções: ignorá-los ou alegar que representam alguma anomalia insignificante. Certamente, dirão eles, os forrageadores que fazem esse tipo de coisa — invadir os territórios vizinhos, acumular riquezas, estabelecer cortes com cerimoniais elaborados, defender seus territórios etc. — não são de fato forrageadores ou, pelo menos, não são forrageadores *de verdade*. Devem exercer o cultivo por outros meios, exercendo na prática a agricultura (apenas com culturas silvestres), ou talvez tenham sido encontrados num momento de transição, "a caminho" de se tornarem agricultores, apenas ainda não tendo chegado lá, não é mesmo?

Todos esses são excelentes exemplos do estilo argumentativo que Antony Flew chamou de "Nenhum escocês de verdade" (também conhecido pelos lógicos como "resgate *ad hoc*"). Para quem não está familiarizado com esse procedimento, funciona da seguinte maneira:

> Imagine-se Hamish McDonald, um escocês, sentando-se com seu *Glasgow Morning Herald* e vendo uma matéria noticiando que "O maníaco sexual de Brighton ataca novamente". Hamish fica chocado e declara: "Nenhum escocês faria uma coisa dessas". No dia seguinte, ele se senta novamente para ler seu *Glasgow Morning Herald*; e dessa vez encontra uma matéria sobre um homem de Aberdeen cujas ações brutais fazem o maníaco sexual de Brighton parecer quase um cavalheiro. Esse fato mostra que a opinião de Hamish estava errada, mas ele admitirá isso? Pouco provável. Dessa vez, ele diz: "Nenhum escocês *de verdade* faria uma coisa dessas".[43]

Os filósofos abominam esse estilo de argumentação, considerado como uma clássica "falácia informal", ou uma variedade de argumento circular. A pessoa enuncia uma proposição (por exemplo, "caçadores-coletores não têm aristocracias") e então protege-a contra qualquer contraexemplo possível mudando continuamente a definição. De nossa parte, preferimos uma abordagem com consistência lógica.

Os forrageadores são populações que não dependem de animais e plantas biologicamente domesticadas como fontes primárias de alimentação. Portanto, caso se evidencie que uma boa quantidade deles possuía de fato sistemas complexos de ocupação da terra, ou adoravam reis, ou praticavam a escravidão, essa alteração do quadro de suas atividades não os converte magicamente em "protoagricultores". Tampouco justifica a invenção de infindáveis subcategorias de caçadores-coletores, como "complexos", "afluentes", "de retorno adiado" — o que é apenas outra maneira de assegurar que esses povos sejam mantidos naquilo que o antropólogo haitiano Michel-Rolph Trouillot chamou de "compartimento selvagem", com suas histórias definidas e circunscritas por seu modo de subsistência, como se fossem indivíduos que, na verdade, deveriam passar o dia todo na indolência, mas por alguma razão davam um passo adiante.[44] Pelo contrário, isso indica que a asserção inicial, como a do apócrifo Hamish McDonald, estava simplesmente errada.

O ARGUMENTO ESPECIALMENTE TOLO DE QUE É INCOMUM O ASSENTAMENTO DE FORRAGEADORES EM TERRITÓRIOS QUE SE PRESTAM BEM AO FORRAGEAMENTO

No pensamento acadêmico, existe outro meio usual de tentar manter de pé o mito da "Revolução Agrícola", relegando com isso povos como os calusas à condição de anomalias ou bizarrices evolucionárias. Alega-se que eles só se comportavam daquela maneira porque viviam em ambientes "atípicos". Em geral, o que se entende por "atípico" são diversos tipos de zonas úmidas — costas e vales fluviais —, em oposição a locais mais remotos em florestas tropicais ou margens de desertos, onde se supõe que os caçadores-coletores de fato deveriam ter vivido, pois é aí que a maioria deles está hoje. Trata-se de um argumento particularmente estranho, mas muita gente séria o utiliza, e por isso faremos um rápido comentário a respeito.

No início e meados do século XX, quem ainda vivesse basicamente da caça animal e da coleta de alimentos silvestres estava, com quase toda a certeza, em terras que ninguém mais queria muito. É por isso que tantas das melhores descrições de forrageadores vêm de lugares como o deserto do Kalahari ou do Círculo Ártico. Evidentemente, não era esse o caso 10 mil anos atrás. Todo mundo forrageava; as densidades populacionais como um todo eram baixas. Os forrageadores, portanto, podiam viver praticamente em qualquer tipo de território que quisessem. Sendo as demais condições iguais, os que viviam de recursos silvestres tendiam a ficar em locais onde seus meios de subsistência fossem abundantes. Seria de se imaginar que isso é autoevidente, mas pelo jeito não é.

Aqueles que hoje qualificam povos como os calusas como "atípicos" porque dispunham de grande fartura de recursos querem nos fazer crer que, pelo contrário, os forrageadores antigos preferiam rejeitar esse tipo de localidade, evitando deliberadamente os rios e as costas (que, ademais, ofereciam artérias naturais para transporte e comunicação), porque estavam ansiosos em agradar aos pesquisadores que vieram depois, fazendo-se semelhantes ao tipo dos caçadores-coletores do século xx (para o qual hoje existem dados científicos detalhados). Querem nos fazer crer que foi só depois de acabar o sortimento de desertos, montanhas e florestas tropicais que esses forrageadores antigos começaram, com relutância, a colonizar ambientes mais ricos e confortáveis. É um argumento que poderíamos chamar de "todos os lugares ruins já estão ocupados!".

Na verdade, os calusas nada tinham de atípico. Eram apenas mais uma das muitas populações coletoras-pescadoras vivendo em torno dos estreitos da Flórida — como os tequestas, os pojoys, os jeagas, os jobes e os ais (alguns aparentemente governados por dinastias próprias) —, com as quais os calusas mantinham comércio regular, travavam guerras e arranjavam casamentos dinásticos. Eles também foram uma das primeiras sociedades americanas nativas a serem destruídas, já que, por razões óbvias, as costas e os estuários foram os primeiros locais onde os colonizadores espanhóis desembarcaram, trazendo doenças epidêmicas, padres, tributos e, mais tarde, colonos. Esse padrão se repetiu em todos os continentes, das Américas à Oceania, onde portos, enseadas, zonas pesqueiras e áreas próximas mais atraentes eram sempre e invariavelmente os primeiros locais a serem tomados pelos colonos britânicos, franceses, portugueses, espanhóis, holandeses ou russos, que também drenavam os pântanos salobros e lagunas costeiras para plantar cereais e culturas comerciais.[45]

Esse foi o destino dos calusas e de suas antigas áreas de caça e pesca. Quando a Flórida foi cedida aos britânicos, na metade do século xviii, os últimos súditos sobreviventes do reino de Calos foram embarcados por seus senhores espanhóis com destino ao Caribe.

Durante a maior parte da história da humanidade, pescadores, caçadores e coletores não tiveram de enfrentar impérios em expansão; assim, eles próprios tendiam a ser os principais colonizadores humanos dos ambientes aquáticos. É o que, cada vez mais, mostram os dados arqueológicos. Por exemplo, durante muito tempo pensou-se que as Américas tinham sido ocupadas por pessoas que se deslocavam principalmente por terra (o chamado "povo Clóvis"). Supunha-se que, cerca de 13 mil anos atrás, tinham feito a difícil travessia por Bering, a ponte de terra entre a Rússia e o Alasca, passando ao sul entre glaciares terrestres, e a difícil travessia por montanhas geladas — tudo porque, por alguma razão, nunca passou pela cabeça de nenhum deles construir um barco e seguir pela costa.

As evidências mais recentes sugerem um quadro muito diferente (ou, como disse um informante navajo diante de um mapa arqueológico da rota terrestre via Bering: "talvez outros caras tenham aparecido assim, mas nós navajos viemos de outro jeito").[46]

Na verdade, as populações eurasianas chegaram muito antes àquele que então era um autêntico "Novo Mundo", cerca de 17 mil anos atrás. Além disso, passou-lhes, sim, pela cabeça construírem barcos, seguindo uma rota costeira que contornava o Círculo do Pacífico, alternava-se entre ilhas perto da costa e trechos lineares de florestas de algas e terminava em algum ponto da costa sul do Chile. Também ocorreram travessias para o leste.[47] É possível, claro, que esses primeiros americanos, ao chegarem a esses hábitats costeiros tão ricos, tenham tratado de sair logo de lá, preferindo por alguma obscura razão passar o resto da vida escalando montanhas, desbastando caminhos entre as selvas e atravessando monótonas paisagens de pradarias sem fim. No entanto, parece mais plausível supor que a grande maioria deles permaneceu exatamente onde estava, muitas vezes formando assentamentos densos e estáveis nesses locais.

O problema é que, até tempos recentes, esse sempre foi um *argumentum ex silentio*, um argumento pelo silêncio, pois a elevação dos níveis do mar, muito tempo atrás, submergiu os registros mais antigos de habitação costeira em quase todo o globo. Os arqueólogos tendem a não aceitar a conclusão de que, apesar da ausência de vestígios físicos, essas habitações devem ter existido; mas, com o avanço na investigação dos ambientes submarinos, esse argumento vem ganhando força. Enfim, vem se tornando possível uma apresentação mais densa da dispersão inicial e dos primeiros assentamentos humanos.[48]

A QUESTÃO DA PROPRIEDADE E SUA RELAÇÃO COM O SAGRADO

Tudo isso significa que, entre os vários universos culturais distintos começando a adquirir forma em todo o mundo no Holoceno Inicial, a maioria provavelmente se concentrava em ambientes de maior fartura do que escassez

— mais como o dos calusas do que o dos !kungs. Significa isso que teriam também ordenamentos políticos semelhantes aos dos calusas? Aqui cabe uma certa cautela.

O fato de os calusas conseguirem manter um excedente econômico suficiente para sustentar o que nos parece um reino em miniatura não significa que, tão logo uma sociedade seja capaz de estocar uma boa quantidade de peixes, esse desdobramento seja inevitável. Afinal, os calusas eram um povo marítimo; sem dúvida tinham familiaridade com reinos governados por monarcas divinos, como o Grande Sol dos natchez, na vizinha Louisiana e, por que não, com os impérios da América Central. É possível que estivessem apenas imitando seus vizinhos poderosos. Ou talvez fossem apenas excêntricos. Afinal, não sabemos de fato quanto poder efetivo tinha um rei, mesmo um divino, como Carlos. Aqui vale a pena considerar os próprios natchez: um grupo agrícola, muito mais bem documentado do que os calusas, e com um espetacular monarca próprio, deliberadamente absoluto.

O Sol Natchez, como era conhecido o monarca, morava numa aldeia onde ao que tudo indica detinha poderes ilimitados. Cada movimento seu era acolhido com elaborados rituais de deferência, com vênias e mesuras; podia ordenar execuções arbitrárias, tomar para si qualquer posse ou pertence dos súditos, fazer praticamente tudo o que quisesse. Apesar disso, esse poder estava limitado a sua presença física, que por sua vez era restrita à própria aldeia régia. A maioria dos natchez não morava na aldeia régia (na verdade, tendiam a evitar o local, por razões óbvias); fora da aldeia, os representantes do rei eram levados tão pouco a sério quanto os chefes innus. Se os súditos não estivessem dispostos a obedecer às ordens desses representantes, simplesmente riam deles. Em outras palavras, embora a corte do Sol Natchez não fosse uma mera encenação vazia — os executados pelo Grande Sol sem dúvida nenhuma morriam —, tampouco era a corte de Salomão, o Magnífico, ou de Aurangzeb. Parece ter sido algo quase exatamente a meio caminho.

A realeza calusa seria semelhante? Os observadores espanhóis, claro, não pensavam assim (consideravam-na uma monarquia quase absolutista), porém, como boa parte dessa encenação mortífera se destinava a impressionar os forasteiros, isso por si só não nos diz muita coisa.[49]

O que aprendemos até agora?

O mais óbvio é que podemos cravar o último prego no caixão da ideia predominante de que os seres humanos viviam mais ou menos como os bosquímanos do Kalahari até o advento da agricultura, que mudou tudo. Mesmo que fosse possível relegar os caçadores de mamutes do Plistoceno como uma estranha anomalia, é evidente que não se pode fazer o mesmo para o período subsequente ao recuo dos glaciares, quando dezenas de novas sociedades começaram a se formar ao longo de costas, estuários e vales fluviais com recursos abundantes, reunindo-se em assentamentos grandes, muitas vezes permanentes, criando atividades produtivas totalmente novas, construindo monumentos baseados em princípios matemáticos, desenvolvendo culinárias regionais e assim por diante.

Aprendemos também que pelo menos algumas dessas sociedades desenvolveram uma infraestrutura material capaz de sustentar cortes reais e exércitos permanentes — embora ainda não tenhamos nenhuma evidência clara de que isso tenha ocorrido. A construção dos aterros em Poverty Point, por exemplo, teria exigido uma quantidade enorme de mão de obra humana e um regime rigoroso de trabalho minuciosamente planejado, mas ainda pouco sabemos como esse trabalho se organizava. Os arqueólogos japoneses, examinando um leque multimilenar de sítios Jōmon, têm descoberto os mais variados tesouros, mas ainda não dispõem de provas incontestáveis de que houvesse uma aristocracia ou uma elite dirigente que os monopolizasse.

Não temos como saber exatamente as formas de propriedade que vigoravam nessas sociedades. O que podemos sugerir, com base em numerosas evidências, é que todos os locais em questão — Poverty Point, Sannai Maruyama, a Igreja do Gigante de Kastelli na Finlândia ou mesmo os locais de descanso final dos indivíduos importantes do Paleolítico Superior — eram em certo sentido lugares sagrados. Pode não parecer grande coisa, mas é importante: isso nos revela muito mais sobre as "origens" da propriedade privada do que costuma se supor. Para concluir a discussão, tentaremos explicar os motivos.

Voltemos ao antropólogo James Woodburn e a uma parte menos comentada de seu trabalho sobre os caçadores-coletores de "retorno imediato". Mesmo entre esses grupos forrageadores, notabilizados pelo enfático igualitarismo, observa ele, havia uma notável exceção à regra de que nenhum adulto jamais devia dar ordens diretas a outro e que os indivíduos não deviam reivindicar nenhuma propriedade privada. Essa exceção se dava na esfera do ritual, do sagrado. Na religião hadza e nas de muitos grupos pigmeus, a iniciação nas formas de culto masculinas (e às vezes femininas) constitui a base para reivindicações de propriedade exclusiva, em geral de privilégios rituais, que formam um contraste absoluto com a minimização desses direitos na vida cotidiana secular. Essas várias formas de propriedade intelectual e ritual, observou Woodburn, costumam ser protegidas pelo sigilo, pela dissimulação e muitas vezes pela ameaça de violência.[50]

Aqui Woodburn cita as trombetas sagradas que os iniciados masculinos de certos grupos pigmeus guardam escondidas em locais secretos da floresta. As mulheres e crianças não só não podem saber desses tesouros sagrados, como também, se alguma delas seguisse e espiasse os homens, seria agredida ou mesmo estuprada.[51] Existem práticas notavelmente semelhantes, envolvendo trombetas sagradas, flautas sagradas ou outros símbolos visivelmente fálicos, bastante comuns em certas sociedades contemporâneas da Papua Nova Guiné e da Amazônia. É muito frequente que haja todo um complexo jogo de segredos, com os instrumentos sendo periodicamente retirados dos esconderijos e os homens fingem que se trata das vozes de espíritos ou os utilizam como parte de encenações mascaradas em que personificam espíritos para aterrorizar mulheres e crianças.[52]

Ora, esses itens sagrados são, em muitos casos, as únicas formas relevantes de propriedade exclusiva em sociedades em que a autonomia pessoal é considerada um valor supremo, e que podemos chamar simplesmente de "sociedades livres". Não são apenas as relações de mando que estão confinadas a contextos sagrados ou mesmo a ocasiões em que seres humanos personificam espíritos; o mesmo ocorre com a propriedade absoluta — ou que hoje chamaríamos de "privada". Nessas sociedades, revela-se uma profunda similaridade formal entre a noção de propriedade privada e a de sagrado. As duas são essencialmente estruturas de exclusão.

Grande parte disso está implícito — mesmo que nunca afirmado ou desenvolvido de maneira clara — na clássica definição de Émile Durkheim para "o sagrado" como aquilo que está "apartado": removido do mundo e colocado num pedestal, às vezes literalmente, às vezes em sentido figurado, por causa de sua conexão impalpável com uma força maior ou um ser superior. Durkheim afirmava que a expressão mais clara do sagrado era o termo polinésio *tabu*, significando "a não ser tocado". Mas, quando falamos da propriedade privada e absoluta, não lidamos com algo muito parecido — na verdade quase idêntico em seus efeitos lógicos e sociais subjacentes?

Como os teóricos britânicos do direito gostam de afirmar, os direitos de propriedade individual se sustentam, pelo menos em termos conceituais, "contra o mundo inteiro". Se somos os proprietários de um carro, temos o direito de impedir que qualquer pessoa do mundo entre nele ou o utilize. (Se pararmos para pensar, esse é o único direito a nosso carro que nos é de fato absoluto. Praticamente qualquer outra coisa que podemos fazer com um carro está sob estrita regulamentação: onde e como podemos dirigi-lo, estacioná-lo etc. Mas é inegável que podemos impedir que qualquer outra pessoa do mundo entre nele.) Nesse caso, o objeto está apartado, cercado por barreiras visíveis ou invisíveis — não porque esteja vinculado a algum ser sobrenatural, mas porque é sagrado para um indivíduo humano vivo específico. Em outros aspectos, a lógica é muito parecida.

Reconhecer os paralelos próximos entre a propriedade privada e as noções de sagrado significa também refletir sobre o que há de tão historicamente estranho no pensamento social europeu — ou seja, que, ao contrário das sociedades livres, tomamos essa qualidade absoluta e sagrada da propriedade privada como paradigma para *todos* os direitos e liberdades humanas. Foi a isso o que o cientista político C. B. Macpherson se referiu com a expressão "individualismo possessivo". Assim como o lar de todo homem é seu castelo, da mesma forma, nosso direito de não sermos mortos, torturados ou sujeitos a prisões arbitrárias se funda na ideia de que *possuímos* nosso corpo, assim como somos os proprietários de nossos castelos e bens, e temos o direito legal de excluir os outros de nossas terras, de nossa casa, de nosso carro e assim por diante.[53] Como vimos, os que não compartilhavam dessa concepção particular europeia do sagrado de fato podiam ser mortos, torturados ou arbitrariamente aprisionados — e da Amazônia à Oceania, muitas vezes o foram.[54]

Para a maioria das sociedades americanas nativas, esse tipo de atitude causava um estranhamento profundo. Caso se aplicasse em alguma esfera,

era apenas em relação a objetos sagrados ou ao que o antropólogo Robert Lowie chamou de "*sacra*", ao assinalar, muito tempo atrás, que diversas das formas mais importantes de propriedade indígena eram imateriais ou incorpóreas: fórmulas mágicas, relatos, saberes medicinais, o direito de realizar uma determinada dança ou de bordar um desenho específico no manto de alguém. Era muito frequente que as armas, as ferramentas e até mesmo os territórios de caça fossem usados sem restrições por todos — mas os poderes esotéricos para proteger a reprodução dos animais entre uma temporada e outra ou para garantir sorte na caçada eram de posse individual, ciosamente guardados.[55]

Muitíssimas vezes, os *sacra* contêm elementos materiais *e* imateriais — como entre os kwakiutls, para os quais a posse de um prato de madeira herdado, para usos festivos, também transmitia o direito de colher frutas silvestres numa determinada área até enchê-lo; isso, por sua vez, concedia ao possuidor o direito de ofertar o que coletou enquanto cantava uma certa canção numa certa festa, e assim por diante.[56] Tais formas de propriedade sagrada são de uma variedade e complexidade sem fim. Entre as sociedades das Grandes Planícies norte-americanas, por exemplo, os pacotes sagrados (que em geral incluíam não só objetos físicos, mas também danças, rituais e cantos de acompanhamento) eram muitas vezes os únicos objetos naquela sociedade a serem tratados como propriedade privada, que os indivíduos não só possuíam com exclusividade, como também herdavam, compravam e vendiam.[57]

Muitas vezes se dizia que os verdadeiros "donos" da terra ou de outros recursos naturais eram deuses ou espíritos; os seres humanos mortais eram meros invasores, ocupantes ilegais ou, no máximo, zeladores. As pessoas adotavam ou uma postura de predadoras em relação aos recursos disponíveis — como os caçadores, que se apropriam de algo que pertence na verdade aos deuses — ou de guardiãs (com o indivíduo sendo o "dono" ou "senhor" de uma aldeia, de uma habitação humana ou de uma área apenas se assumir a total responsabilidade por sua manutenção e proteção). Às vezes as duas coisas andam juntas, como na Amazônia, onde o paradigma para se considerar dono (ou "senhor" — é sempre a mesma palavra) envolve a captura de animais silvestres e sua adoção como animais de criação e estimação — ou seja, exatamente o ponto de inflexão em que a apropriação violenta do mundo natural se converte em uma atitude de alimentar ou "cuidar".[58]

Não é incomum que os etnógrafos que trabalham com sociedades amazônicas indígenas descubram que quase tudo em torno tem ou poderia ter um dono, de lagos e montanhas a cultivares, cipoais e animais. Como os etnógrafos também notam, essa posse sempre traz um duplo sentido de dominação e cuidado. Não ter dono é ficar exposto, desprotegido.[59] Nos sistemas que os antropólogos chamam de totêmicos, como os que citamos para a Austrália e a América do Norte, a responsabilidade de cuidar assume uma forma especialmente extrema. Cada clã humano é tido como "dono" de uma certa espécie animal — daí haver o "clã do Urso", o "clã do Alce", o "clã da Águia" etc. —, mas o que isso significa é que os membros desse determinado clã não podem caçar, matar, ferir ou consumir aquela espécie animal. Inclusive, o que se espera é que participem de rituais que promovam a existência e o florescimento da espécie.

O que torna única a concepção de propriedade do direito romano — base de quase todos os sistemas jurídicos atuais — é que a responsabilidade de cuidar e partilhar é reduzida ao mínimo, ou mesmo eliminada por completo. De acordo com a estrutura legal romana, há três direitos básicos relacionados à posse: *usus* (o direito de usar), *fructus* (o direito de fruir os produtos de uma propriedade, por exemplo, os frutos de uma árvore) e o *abusus* (o direito de prejudicar ou destruir). Caso se tenha apenas os dois primeiros, trata-se de *usufruto*, que não é considerado propriedade de fato perante a lei. O traço definidor da propriedade legal, portanto, é a opção de *não* cuidar do bem ou até de destruí-lo a seu bel-prazer.

Agora finalmente nos aproximamos de uma conclusão geral sobre o advento da propriedade privada, que pode ser ilustrado por um último exemplo, especialmente marcante: os famosos rituais de iniciação do Deserto Ocidental australiano, onde os homens adultos de cada clã atuam como guardiões ou defensores de determinados territórios. Há certos *sacra*, conhecidos como *churinga* ou *tsurinja* pelos arandas, que são relíquias dos antepassados que efetivamente criaram o território de cada clã nos tempos antigos. Em geral, são peças de madeira ou pedra polida com a inscrição de um emblema totêmico. Os mesmos objetos também podem valer como o título legal daquelas terras. Émile Durkheim os considerava como o próprio arquétipo do sagrado:

coisas apartadas do mundo comum às quais se dedicava uma pia devoção, sendo na prática a "Arca Sagrada do clã".[60]

Durante os ritos periódicos de iniciação, novos grupos de rapazes arandas aprendem a história da terra e a natureza de seus recursos. Ficam também responsáveis por seus cuidados, o que significa em especial o dever de manter os *churinga* e os locais sagrados a eles associados, que somente os iniciados conhecem de fato. Como observou T. G. H. Strehlow — antropólogo filho de um missionário luterano, que no começo do século xx passou muitos anos entre os arandas, tornando-se a principal autoridade não pertencente a esse povo sobre o tema —, o peso desse encargo é transmitido por meio do terror, da tortura e da mutilação:

> Um ou dois meses depois que o noviço foi submetido à circuncisão, segue-se o segundo rito principal de iniciação, o da subincisão [...]. O noviço agora passou por todas as operações físicas exigidas destinadas a torná-lo digno do estatuto de homem e aprendeu a obedecer às ordens dos anciãos sem questionamentos. Sua obediência cega recém-adquirida forma um acentuado contraste com a insolência desenfreada e o desregramento geral de gênio que caracterizavam seu comportamento nos dias de sua meninice. As crianças nativas geralmente são mimadas pelos pais. As mães atendem a todos os caprichos da prole, e os pais não se preocupam com qualquer medida disciplinar. A crueldade deliberada com que os ritos tradicionais de iniciação são efetuados em idade posterior é meticulosamente calculada para punir meninos insolentes e desregrados pela impudência passada e para formá-los como "cidadãos" obedientes e cumpridores, que obedecerão aos mais velhos sem resmungar, e serem herdeiros adequados das antigas tradições sagradas de seu clã.[61]

Eis mais um exemplo dolorosamente claro de como o comportamento observado em contextos rituais assume a forma contrária às relações livres e iguais que prevalecem na vida cotidiana. Apenas nesses contextos existem formas exclusivas (sagradas) de propriedade, impõem-se hierarquias estritas de cima para baixo e dão-se ordens que são ciosamente obedecidas.[62]

Voltando de novo à pré-história, como já observamos, é impossível determinar com precisão as formas de posse ou propriedade que existiam em lugares como Göbekli Tepe, Poverty Point, Sannai Maruyama ou Stonehenge, assim como tampouco podemos saber se as insígnias reais sepultadas com os "príncipes" do Paleolítico Superior eram pertences pessoais deles ou não. O que agora podemos sugerir, à luz dessas considerações mais amplas, é que esses teatros de encenação ritual coordenados de forma tão meticulosa, muitas vezes montados com precisão geométrica, eram os tipos de espaços onde provavelmente se apresentavam as pretensões de direito exclusivo à propriedade — junto com rigorosas exigências de obediência cega — entre pessoas que, afora isso, eram livres. Se a propriedade privada tem uma "origem", é tão antiga quanto a ideia de sagrado, que talvez seja tão antiga quanto a própria humanidade. A pergunta pertinente a fazer não é tanto a época em que surgiu, mas sim como veio ordenar tantos outros aspectos das questões humanas.

5. Muitas estações atrás

*Por que os forrageadores canadenses tinham
e seus vizinhos californianos não tinham
cativos escravizados; ou o problema com
os "modos de produção"*

Nosso mundo, tal como existia logo antes do surgimento da agricultura, era tudo menos um ambiente dominado por bandos nômades de caçadores-coletores. Em muitos lugares, era caracterizado pela presença de aldeias e povoados sedentários, alguns antigos já naquela época, bem como por santuários monumentais e riquezas acumuladas, em grande parte resultantes do trabalho de especialistas em rituais, de arquitetos e artífices altamente qualificados.

Ao examinar a amplitude geral da história, a maioria dos estudiosos ignora por completo esse mundo pré-agrícola, ou o relega ao papel de uma estranha anomalia: um falso início da civilização. Os caçadores paleolíticos e os pescadores mesolíticos podem ter sepultado seus mortos como aristocratas, mas se continua a buscar as "origens" da estratificação em classes em períodos muito posteriores. Poverty Point, na Louisiana, podia ter as dimensões, e pelo menos algumas funções, de uma cidade antiga, mas está ausente da grande maioria dos tratados históricos sobre o urbanismo nos Estados Unidos, e ainda mais sobre o urbanismo em geral; 10 mil anos de civilização japonesa são às vezes rebaixados a um prelúdio ao advento da agricultura e da metalurgia. Mesmo os calusas do sul da Flórida são muitas vezes tratados como uma "chefatura incipiente". O que se considera importante não é o que foram, e sim que poderiam estar à beira de se tornar outra coisa: um reino "propriamente dito", ao que se presume, cujos súditos pagavam tributo em safras.

Esse hábito peculiar de pensamento exige que tratemos populações inteiras de "caçadores-coletores complexos" como aberrantes, que por algum desvio fortuito se afastaram da rota evolucionária, ou foram parar no vértice de uma "Revolução Agrícola" que nunca ocorreu de fato. Já é ruim o bastante que essa lógica se aplique a um povo como os calusas, com um número relativamente pequeno de membros e vivendo em circunstâncias históricas complicadas. No entanto, esse padrão é aplicado o tempo todo à história de populações indígenas inteiras de boa parte da costa do Pacífico na América do Norte, num território que vai da atual região metropolitana de Los Angeles às cercanias de Vancouver.

Quando Cristóvão Colombo partiu de Palos de la Frontera, em 1492, essas terras abrigavam centenas de milhares, talvez até milhões de habitantes.[1] Eram forrageadores, mas bem diferentes dos hadzas, dos mbutis ou dos !kungs. Vivendo num ambiente de excepcional fartura, muitas vezes morando o ano inteiro em aldeias, os povos nativos da Califórnia, por exemplo, notabilizaram-se por seu dinamismo industrioso e, em muitos casos, sua quase obsessão pela acumulação de riquezas. Os arqueólogos muitas vezes caracterizam suas técnicas de manejo da terra como uma espécie de agricultura incipiente; alguns chegam a usar a Califórnia indígena como modelo para o que poderiam ter sido os habitantes pré-históricos do Crescente Fértil — os primeiros a domesticar o trigo e a cevada, 10 mil anos atrás, no Oriente Médio.

Para sermos justos com os arqueólogos, trata-se de uma comparação que faz sentido, pois a Califórnia, em termos ecológicos — com seu clima "mediterrâneo", solos de excepcional fertilidade e uma justaposição de diversos microambientes (desertos, florestas, vales, terras litorâneas e montanhas) —, guarda semelhanças notáveis com o lado ocidental do Oriente Médio (a área, digamos, da atual Gaza ou Amã ao norte até Beirute e Damasco). Por outro lado, a comparação com os inventores da agricultura faz pouco sentido da perspectiva dos indígenas californianos, que dificilmente teriam deixado de perceber a presença próxima — em particular entre os vizinhos a sudoeste — de culturas tropicais, inclusive de milho, que lá chegaram da Mesoamérica cerca de 4 mil anos atrás.[2] Enquanto quase todos os povos livres do litoral oriental da América do Norte adotaram pelo menos algumas culturas alimentares, os do litoral ocidental as rejeitaram de forma unânime. Os povos indígenas da Califórnia não eram pré-agrícolas. Na verdade, eram antiagrícolas.

A QUESTÃO DA DIFERENCIAÇÃO CULTURAL

A natureza sistemática dessa rejeição da agricultura é, por si só, um fenômeno fascinante. A maioria dos que tentam explicá-la hoje em dia recorre quase exclusivamente a fatores ambientais: viver de bolotas ou pinhas na Califórnia ou de recursos aquáticos mais ao norte era simplesmente mais eficiente, em termos ecológicos, do que plantar milho, como se fazia em outras partes da América do Norte. Sem dúvida, era esse o caso em termos gerais, mas, numa área que se estendia por muitos milhares de quilômetros e com uma ampla variedade de ecossistemas, parece improvável que não houvesse uma única região onde o cultivo do milho fosse vantajoso. E, se o único fator a ser considerado é a eficiência, seria de se imaginar que havia alguns cultígenos — feijões, abóboras, abobrinhas, melancias e uma infinidade de verduras — que alguém em algum lugar da costa poderia achar que valia a pena adotar.

A rejeição sistemática de *todas* as plantas comestíveis domesticadas é ainda mais impressionante quando constatamos que muitos californianos e povos da Costa Noroeste na verdade plantavam e cultivavam tabaco, além de outras plantas — como o trevo *Trifolium willdenovii* e a *Argentina pacifica* —, que usavam para finalidades rituais ou como iguarias consumidas apenas em festejos especiais.[3] Em outras palavras, tinham plena familiaridade com as técnicas de plantar e cuidar de cultígenos. Apesar disso, rejeitavam a ideia de plantar alimentos para o dia a dia ou de tratar as culturas como fontes principais de alimentação.

Essa rejeição, entre outras coisas, é significativa porque oferece uma pista para uma possível resposta à pergunta mais ampla que fizemos — e depois deixamos em suspenso — no começo do capítulo 4: o que leva os seres humanos a dedicar tanto esforço para tentar demonstrar que são diferentes de seus vizinhos? Lembremos que os registros arqueológicos, após o final da última Era Glacial, se caracterizam cada vez mais por "áreas de cultura": populações localizadas com estilos próprios de vestimenta, culinária e arquitetura, e sem dúvida também com histórias próprias sobre a origem do universo, regras sobre o casamento entre primos e assim por diante. Desde os tempos mesolíticos, a tendência mais ampla nos seres humanos é a de se subdividirem, aparecendo com uma infinidade de novas maneiras de se diferenciar dos vizinhos.

É curioso como é pequeno o número de antropólogos que refletem sobre os motivos de todo esse processo de subdivisão. Em geral, isso é tratado como uma coisa autoevidente, um fato inevitável da existência humana. Quando se chega a propor alguma explicação, supõe-se que é uma consequência da questão idiomática. As tribos ou nações são mencionadas como grupos "etnolinguísticos" — ou seja, o que realmente importa é o fato de terem a mesma língua. Presume-se que, em igualdade de condições, os que falam a mesma língua também compartilham os mesmos costumes, sensibilidades e tradições de vida em família. Os idiomas, por sua vez, costumam ser descritos como ramificações uns dos outros, o que teria ocorrido por uma espécie de processo natural.

De acordo com essa linha de raciocínio, um avanço fundamental foi a percepção — geralmente atribuída a Sir William Jones, oficial colonial britânico alocado em Bengala por volta do final do século XVIII — de que o grego, o latim e o sânscrito parecem derivar de uma raiz comum. Não demorou muito e os linguistas determinaram que o celta, o germânico e as línguas eslavas — bem como o persa, o armênio, o curdo e outras mais — pertenciam à mesma família "indo-europeia". Outras, como as línguas semíticas, turcas e extremo-orientais, não. O estudo das relações entre esses vários grupos linguísticos acabou levando à ciência da glotocronologia: como idiomas diversos se diferenciam a partir de uma mesma origem. Como todas as línguas estão em mudança contínua, e a mudança visível se dá em ritmo relativamente constante, tornou-se possível reconstituir como e quando as línguas turcas começaram a se separar do mongol, ou a relativa distância temporal entre o espanhol e o francês, o finlandês e o estoniano, o havaiano e o malgaxe, e assim por diante. Tudo isso levou à construção de uma série de árvores genealógicas linguísticas e, por fim, a uma tentativa — ainda que bastante controversa — de remontar quase todas as línguas eurasianas a um hipotético ancestral único, chamado "nostrático". Acreditava-se que o nostrático haveria existido em algum momento do Paleolítico Superior, ou até mesmo que tenha sido o filo original de onde nasceram todas as línguas humanas.

Pode parecer estranho imaginar uma deriva linguística a partir da qual um único idioma evoluísse para línguas tão diversas como o inglês, o chinês e o apache; mas, em vista dos períodos extraordinariamente longos aqui tratados, mesmo a acreção de minúsculas mudanças geracionais ao que parece pode vir a transformar por completo o vocabulário, a estrutura fonética e mesmo a gramática de uma língua.

Se as diferenças culturais correspondem em alguma medida ao que ocorre em relação à linguagem, então as diversas culturas humanas, em termos mais gerais, teriam de resultar de um processo semelhante de deriva gradual. As populações, conforme migravam ou de alguma outra maneira se isolavam umas das outras, estabeleciam não só suas línguas características, mas também seus costumes tradicionais. Tudo isso envolve inúmeras suposições em sua maior parte incomprovadas — por exemplo, por que as línguas estão sempre mudando, afinal? —, mas a questão principal é a seguinte: mesmo que tomemos essa explicação como um fato, ela não esclarece o que observamos em campo.

Vejamos, na página a seguir, um mapa etnolinguístico do norte da Califórnia no começo do século xx, inserido num mapa maior das "áreas de cultura" norte-americanas, conforme definidas pelos etnólogos naquela época.

O que nos é apresentado é um conjunto de povos com práticas culturais em grande parte similares, mas falantes de uma miscelânea de línguas, muitas oriundas de famílias linguísticas bem diversas — tão distantes entre si quanto, digamos, o árabe, o tâmil e o português. Todos esses grupos apresentavam grandes semelhanças: na maneira como coletavam e processavam alimentos, em seus rituais mais importantes, na organização de sua vida política e assim por diante. Mas havia também diferenças sutis ou nem tão sutis entre eles, de modo que os integrantes dos grupos se viam como povos distintos: os yuroks, os hupas, os karoks etc.

De fato era possível mapear essas identidades locais através das diferenças linguísticas. No entanto, povos vizinhos falando línguas oriundas de famílias diferentes (atabascano, na-dene, uto-asteca etc.) tinham em quase todos os demais aspectos muito mais em comum entre si do que com falantes de línguas da mesma família linguística que viviam em outras partes da América do Norte. O mesmo vale para as Primeiras Nações da Costa Nordeste do Canadá, que também falam uma variedade de línguas não aparentadas, mas que

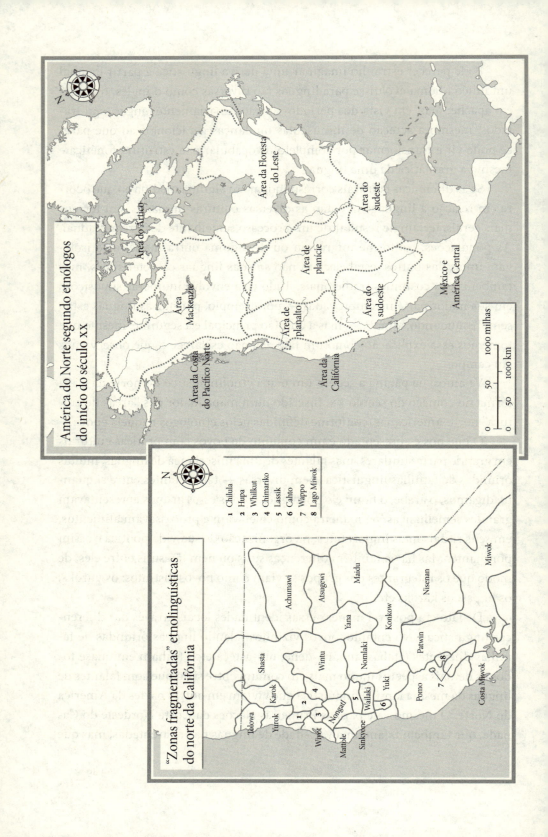

em outros aspectos se assemelham muito mais entre si do que com os falantes das mesmas línguas fora da região, inclusive na Califórnia.

A colonização europeia, claro, teve um profundo e catastrófico impacto sobre a distribuição dos povos americanos nativos, porém o que aqui estamos vendo também reflete uma continuidade mais profunda de desenvolvimento histórico-cultural, um processo que tende a ocorrer em vários momentos da história humana, quando não havia Estados nacionais modernos para ordenar as populações em grupos etnolinguísticos bem definidos. Pode-se argumentar que a própria ideia de que o mundo está dividido nessas unidades homogêneas, cada qual com sua história, é em larga medida um produto do Estado nacional moderno e do desejo de cada um deles de arrogar para si uma longa linhagem territorial. No mínimo, deveríamos pensar duas vezes antes de projetar retrospectivamente essas uniformidades a períodos remotos da história humana, para os quais sequer existe alguma evidência direta de distribuição linguística.

Neste capítulo, queremos explorar o que *efetivamente* motivou os processos de subdivisão cultural durante a maior parte da história humana. Esses processos são fundamentais para entender como liberdades humanas outrora consolidadas vieram a se perder. Para isso, vamos nos concentrar na história dos povos não agrícolas que habitavam o litoral ocidental da América do Norte. Como está implícito em sua recusa da agricultura, os processos em questão deviam ser muito mais conscientes do que os estudiosos costumam imaginar. Em alguns casos, como veremos, ao que tudo indica envolviam reflexões e argumentos sobre a própria natureza da liberdade.

AS FORMAS TREMENDAMENTE INADEQUADAS, ÀS VEZES OFENSIVAS, MAS POR VEZES SUGESTIVAS, COM QUE EM OUTROS TEMPOS SE ABORDAVA A QUESTÃO DAS "ÁREAS DE CULTURA"

Como as gerações anteriores de estudiosos descreviam esses agregados regionais de sociedades? A expressão usada com maior frequência até a metade do século XX era "áreas de cultura" (ou "círculos de cultura"), conceito que hoje foi esquecido ou caiu em descrédito.

A noção de "áreas de cultura" surgiu nas décadas finais do século XIX e no início do século XX. Desde o Renascimento, a história humana era vista basicamente como uma narrativa de grandes migrações, com as pessoas, após a Queda, vagueando pelos continentes e se afastando cada vez mais do Jardim do Éden. As árvores genealógicas mostrando a dispersão de línguas semíticas ou indo-europeias em nada contribuíram para desencorajar esse tipo de pensamento. Mas a noção de progresso humano atuava no sentido contrário: incentivava os pesquisadores a imaginar os povos "primitivos" como minúsculas comunidades isoladas, separadas umas das outras e do mundo como um todo. E, claro, foi isso que, para começo de conversa, permitiu que esses povos fossem tratados como espécimes de estágios anteriores de desenvolvimento humano — se todos estivessem em contato frequente, esse tipo de análise evolucionista não faria sentido.[4]

O conceito de "áreas de cultura", por outro lado, proveio sobretudo de museus, em especial na América do Norte. Os curadores que catalogavam os artefatos e objetos de arte precisavam decidir se organizariam os materiais de modo a ilustrar as teorias sobre os diversos estágios de adaptação humana (Selvageria Inferior, Selvageria Superior, Barbárie Inferior e assim por diante), ou de modo a traçar a história das migrações ancestrais, fossem reais ou imaginárias (no contexto americano, isso significava organizá-los por família linguística, que então se supunha, sem nenhuma razão especial, corresponder a cepas "raciais"), ou simplesmente ordená-los em conjuntos regionais.[5] Embora essa última alternativa parecesse a mais arbitrária, revelou-se a que funcionava melhor. A arte e a tecnologia de diferentes tribos das Florestas do Leste da América do Norte, por exemplo, mostravam muito mais elementos em comum do que os materiais, digamos, de todos os falantes de línguas atabascanas ou de todos os que viviam basicamente da pesca ou do plantio de milho. Esse método também se mostrou muito eficiente para materiais arqueológicos, com pré-historiadores como o australiano V. Gordon Childe observando padrões similares entre aldeias neolíticas por toda a Europa Central, formando conjuntos regionais de materiais relacionados com a vida doméstica, a arte e os rituais.

De início, o expoente mais destacado da abordagem por área de cultura foi Franz Boas. Vale lembrar que Boas era um etnólogo alemão emigrado[6] que em 1899 obteve uma cátedra de antropologia na Universidade Columbia, em Nova York. Também ficou encarregado de coleções etnográficas no Museu Americano de História Natural, onde as salas que dedicou às Florestas do

Leste e à Costa Noroeste continuam a ser, um século depois, atrações muito visitadas. O aluno e sucessor de Boas no museu, Clark Wissler, tentou sistematizar suas ideias dividindo o continente americano como um todo, do Labrador à Terra do Fogo, em quinze sistemas regionais diferentes, cada qual com seus costumes, estilos estéticos e modos característicos de obter e preparar alimentos, além de formas próprias de organização social. Não demorou muito, e outros etnólogos passaram a realizar projetos semelhantes, mapeando regiões da Europa à Oceania.

Boas era um antirracista firme e convicto. Como judeu alemão, ficava especialmente perturbado com a forma como a obsessão americana com questões de raça e eugenia estava sendo adotada em seu país natal.[7] Quando Wissler começou a abraçar certas ideias eugenistas, a dupla teve sérias desavenças. Mas o impulso original para o conceito de área de cultura era precisamente encontrar uma maneira de falar sobre a história humana que evitasse classificar as populações em níveis inferiores ou superiores por *qualquer* razão, fosse alegando que alguns eram de cepa genética superior ou que haviam alcançado um nível mais avançado de evolução moral e tecnológica. Em vez disso, Boas e seus discípulos propunham que os antropólogos reconstituíssem a difusão dos "traços culturais", como se dizia na época (cerâmicas, cabanas de purificação, organização dos jovens em associações rivais de guerreiros), e tentassem entender por que as tribos de determinada região partilhavam, nas palavras de Wissler, "a mesma mescla de traços culturais".[8]

Isso resultou num peculiar fascínio pela reconstituição do movimento ou "difusão" histórica de determinados costumes e ideias. Ao folhearmos os periódicos antropológicos da virada do século xx, vemos que a maioria dos ensaios num volume qualquer é desse tipo. Davam especial atenção aos jogos e instrumentos musicais coetâneos usados, digamos, em várias partes diferentes da África ou da Oceania — talvez porque parecessem ser os traços culturais menos afetados por restrições ou considerações de ordem prática e, assim, sua distribuição poderia lançar uma luz sobre os padrões históricos de contato e influência. Uma área de debates especialmente vívidos dizia respeito à brincadeira com figuras de barbante conhecida como cama de gato. Durante a expedição ao Estreito de Torres, em 1898, os professores Alfred Haddon e W. H. R. Rivers, então nomes de destaque na antropologia britânica, desenvolveram um método uniforme de diagramar as figuras de barbante usadas na brincadeira infantil, o que permitia comparações sistemáticas. Pouco tempo depois, teorias rivais referentes à origem e à difusão de certos padrões de figuras de barbante (a Palmeira, o Diamante Bagobo...) entre sociedades diferentes eram objeto de contestações acaloradas nas páginas do *Journal of the Royal Anthropological Society* e periódicos similares.[9]

Portanto, as perguntas óbvias eram: por que os traços culturais se agregam dessa maneira, e como, em primeiro lugar, vêm a se "mesclar" em padrões regionais? O próprio Boas estava convencido de que a geografia poderia ter definido a circulação de ideias entre determinadas regiões (com barreiras naturais formadas por montanhas e desertos), mas para ele o que se passava dentro daquelas regiões se devia, na verdade, a um acaso histórico. Outros levantavam a hipótese de um etos ou uma forma de organização predominante dentro de uma determinada região, ou sonhavam em criar um tipo de ciência natural que algum dia explicasse ou até previsse o fluxo e refluxo de estilos, hábitos e formas sociais. Quase mais ninguém lê essa literatura. Tal como as camas de gato, hoje é, no máximo, considerada uma lembrança divertida da infância de uma determinada área de estudos.

No entanto, levantaram-se questões importantes, e que até hoje ninguém conseguiu de fato responder. Por exemplo, por que os povos da Califórnia são tão semelhantes entre si e tão diferentes de povos vizinhos no Sudoeste norte-americano ou na Costa Noroeste canadense? A contribuição mais perspicaz talvez tenha vindo de Marcel Mauss, que abordou o conceito de "áreas de cultura" numa série de ensaios sobre nacionalismo e civilização, escritos entre 1910 e 1930.[10] Mauss considerava a ideia de "difusão" cultural basicamente absurda, não pelas razões atuais da maioria dos antropólogos (a de ser vazia e desinteressante),[11] mas por achar que se baseava num falso pressuposto: o de que a movimentação de pessoas, tecnologias e ideias fosse em alguma medida incomum.

O contrário, sim, era verdadeiro, afirmava Mauss. As pessoas dos tempos passados, segundo ele, parecem ter viajado muito — mais do que hoje —, e é simplesmente impossível imaginar que alguém naquela época ignorasse a existência de cestarias, de travesseiros de penas ou da roda se tais objetos eram utilizados com frequência em lugares aos quais se podia chegar em um ou dois meses de viagem; presumivelmente era possível afirmar o mesmo quanto aos cultos dos ancestrais ou aos batuques de tambores. Mauss foi além.

Estava convencido de que todo o Círculo do Pacífico havia sido um dia uma área de trocas culturais, com viajantes indo e vindo a intervalos regulares. Interessava-se também pela distribuição dos jogos pela região. Certa vez, ministrou um curso universitário chamado "Sobre o pau-de-sebo, o jogo de bola e outros jogos na periferia do Oceano Pacífico", tendo como premissa que, pelo menos no que se referia aos jogos, todas as terras banhadas pelo Pacífico — do Japão à Nova Zelândia e à Califórnia — podiam ser tratadas na prática como uma mesma área de cultura.[12] Segundo a lenda, quando Mauss visitou o Museu Americano de História Natural em Nova York e lhe mostraram a famosa canoa de guerra kwakiutl na ala de Boas dedicada à Costa Noroeste, sua primeira reação foi dizer que depois disso sabia precisamente que aparência devia ter a China antiga.

Mauss às vezes ia longe demais, mesmo assim seu estilo exagerado o levou a reformular toda a questão das "áreas de cultura" de uma maneira instigante.[13] Pois, se todos estavam a par do que faziam os povos vizinhos e se o conhecimento dos costumes, das artes e das tecnologias estrangeiras era bem disseminado ou pelo menos facilmente acessível, então o que cabe perguntar não é mais por que certos traços culturais se difundiram, e sim por que isso não ocorreu com outros. A resposta, percebeu Mauss, é que é precisamente assim que as culturas se definem em relação a suas vizinhas. As culturas eram, na verdade, estruturas de recusa. Os chineses são pessoas que usam pauzinhos para comer, mas não garfos e facas; os tailandeses são pessoas que usam colheres, mas não pauzinhos, e assim por diante. É fácil ver que isso também se aplicaria à estética — estilos de arte, música ou maneiras à mesa —, porém o mais surpreendente, descobriu Mauss, é isso que se estendia até mesmo a tecnologias com evidentes benefícios adaptativos ou utilitários. Intrigava-o, por exemplo, o fato de que os atabascanos no Alasca se negassem a adotar os caiaques inuítes, embora fossem claramente mais adequados ao ambiente do que seus barcos. Os inuítes, por sua vez, se negavam a adotar como calçado as raquetes de neve atabascanas.

O que servia para culturas específicas valia também para áreas de cultura, ou, como preferia Mauss, para "civilizações". Como quase todos os estilos, formas ou técnicas existentes sempre estiveram potencialmente disponíveis a quase todos, deviam também ter surgido por alguma combinação entre empréstimo *e* recusa. O fundamental, observou Mauss, é que esse processo tende a ser consciente. Ele gostava de citar o exemplo dos debates nas cortes chinesas sobre a adoção de estilos e costumes estrangeiros, como o admirável argumento apresentado por um rei da dinastia Zhou a seus conselheiros e grandes vassalos feudais, que se negavam a usar os trajes hunos (manchus) e montar a cavalo, em vez de usar carruagens: ele procurou mostrar pacientemente a diferença entre ritos e costumes, entre artes e moda. "As sociedades", escreveu Mauss, "vivem com empréstimos mútuos, porém se definem mais pela recusa do que pela aceitação do empréstimo."[14]

Tais reflexões tampouco se limitam ao que os historiadores consideram civilizações "elevadas" (isto é, letradas). Não foi uma simples aversão instintiva que os inuítes sentiram ao ver pela primeira vez alguém usando raquetes de neve, e então se recusaram a mudar de ideia mais tarde. Eles refletiram sobre o significado que a adoção ou não das raquetes de neve teria para a identidade própria que julgavam ter. Na verdade, concluiu Mauss, é precisamente ao se comparar aos vizinhos que um povo passa a se considerar como um grupo distinto.

Formulada nesses termos, a questão da formação das "áreas de cultura" é necessariamente política. Levanta a possibilidade de que decisões como a adoção ou a recusa da agricultura não consistiam em meros cálculos de vantagens calóricas ou expressões aleatórias de gostos culturais, mas também refletiam questões sobre valores, sobre o que os seres humanos de fato são (e consideram ser), e qual deveria ser o relacionamento adequado a manter uns com os outros. Exatamente os tipos de questões que nossa tradição intelectual pós-Iluminismo tende a expressar em termos como liberdade, responsabilidade, autoridade, igualdade, solidariedade e justiça.

A APLICAÇÃO DA PERCEPÇÃO DE MAUSS À COSTA DO PACÍFICO E POR QUE A DESCRIÇÃO DE WALTER GOLDSCHMIDT SOBRE OS INDÍGENAS CALIFORNIANOS COMO "FORRAGEADORES PROTESTANTES", EMBORA ABSURDA EM MUITOS ASPECTOS, AINDA TEM ALGO A NOS DIZER

Voltemos, então, ao Pacífico. Desde mais ou menos o começo do século xx, os antropólogos dividem os habitantes indígenas do litoral ocidental da América do Norte em duas amplas áreas de cultura: a "Califórnia" e a "Costa Noroeste". Antes do século XIX, quando os efeitos do comércio de peles e depois da Corrida do Ouro espalharam a destruição entre os grupos indígenas e muitos foram exterminados, essas populações formavam uma cadeia contínua de sociedades forrageadoras, estendendo-se por grande parte da Costa do Pacífico: naquela época, era talvez a maior distribuição contínua de povos forrageadores existente no mundo. No mínimo, constituía um modo de vida de alta eficiência; tanto os povos da Costa Noroeste como os da Califórnia mantinham maiores densidades populacionais do que, digamos, seus vizinhos cultivadores de milho, feijão e abóbora da Grande Bacia e do Sudoeste norte-americano.

Em outros aspectos, as zonas norte e sul tinham diferenças profundas, tanto em termos ecológicos quanto culturais. Os povos da Costa Noroeste canadense se valiam pesadamente da pesca, em especial, captura de peixes anádromos, como o salmão e o peixe-vela, que sobem do mar para o rio na época da reprodução; e também de uma variedade de mamíferos marinhos, plantas terrestres e animais de caça. Como vimos alguns capítulos atrás, esses grupos se dividiam durante o ano entre grandes aldeias costeiras no inverno, realizando cerimônias de grande complexidade, e unidades sociais menores na primavera e no verão, com um foco mais pragmático e concentrado na obtenção de alimentos. Especialistas em trabalhos de madeira também transformavam as coníferas locais (abetos, pinheiros, sequoias, teixos e cedros) numa deslumbrante cultura material de objetos entalhados e pintados, como máscaras, recipientes, timbres tribais, mastros totêmicos, canoas e casas ricamente decoradas que estão entre as tradições artísticas mais impressionantes do mundo.

Mais ao sul, as sociedades indígenas na Califórnia ocupavam um dos hábitats mais diversificados do mundo. Utilizavam uma variedade espantosa de recursos terrestres, que manejavam com cuidadosas técnicas de queimadas, limpas e desbastes. O clima "mediterrâneo" e a topografia densamente compactada com montanhas, desertos, pés de serra, vales fluviais e faixas litorâneas ofereciam um rico sortimento de espécies de flora e fauna, que eram trocadas em feiras intertribais. Os californianos eram, em sua maioria, hábeis pescadores e caçadores, mas muitos também seguiam o antigo costume de coletar frutos de árvores — em especial nozes e bolotas — como alimentos básicos. Suas tradições artísticas eram diferentes das encontradas na Costa Noroeste. O exterior das casas geralmente era liso e simples. Não havia quase nada que se assemelhasse às máscaras ou às esculturas monumentais da Costa Noroeste, que tanto deleitam os curadores de museus; sua atividade estética se concentrava em tecer cestos de padrões elaborados para guardar e servir os alimentos.[15]

Havia mais uma diferença importante entre esses dois extensos agrupamentos de sociedades, que por alguma razão é muito menos comentada pelos estudiosos atuais. Do rio Klamath para o norte, havia sociedades dominadas por aristocracias guerreiras, engajadas em frequentes incursões intergrupais, com uma parcela significativa da população consistindo tradicionalmente de cativos escravizados de propriedade pessoal. Ao que parece, assim fora desde sempre, até onde recuava a lembrança. Mas nada semelhante ocorria mais ao sul. Como isso se deu, exatamente? Como surgiu uma fronteira entre uma "família" estendida de sociedades forrageadoras que costumava se atacar para capturar e escravizar prisioneiros, e outra que não mantinha nem um único cativo escravizado?

Talvez alguém possa pensar que haveria um vívido debate a esse respeito entre os estudiosos, mas não há. Pelo contrário, a maioria trata as diferenças como coisas insignificantes, preferindo juntar todas as sociedades da Califórnia e da Costa Noroeste numa mesma categoria de "forrageadores afluentes" ou "caçadores-coletores complexos".[16] Caso se chegue a considerar as diferenças entre elas, em geral são entendidas como reações mecânicas a seus modos de subsistência contrastantes: argumenta-se que as economias aquáticas (baseadas na pesca) simplesmente tendiam a fomentar sociedades guerreiras, ao passo que as economias forrageadoras terrestres (baseadas na coleta de bolotas), por algum motivo, não.[17] Examinaremos em breve os méritos e as limitações desses argumentos mais recentes, porém primeiro é melhor voltar a alguns dos trabalhos etnográficos realizados por gerações anteriores.

Algumas das pesquisas mais impressionantes sobre os povos indígenas da Califórnia foram feitas pelo antropólogo Walter Goldschmidt no século XX. Um de seus textos fundamentais, com o discreto título de "Uma contribuição etnológica à sociologia do conhecimento", era sobre os yuroks e outros grupos aparentados que habitavam o noroeste da Califórnia, ao sul das cordilheiras que delimitam a divisa com Oregon.[18] Para Goldschmidt e os membros de seu círculo antropológico, os yuroks se notabilizavam pelo papel central que o dinheiro — na forma de colares de conchas brancas de dentálio e cocares feitos com escalpos de pica-pau de penas vermelho-vivo — desempenhava em todos os aspectos de sua vida social.

Vale mencionar aqui que colonos de várias partes da América do Norte se referiam a uma grande variedade de coisas como "dinheiro índio". Muitas vezes, eram contas feitas de conchas ou as próprias conchas. Mas, em quase todos os casos, a expressão é em larga medida uma projeção de categorias europeias sobre objetos que parecem ser dinheiro, mas na verdade não são. Provavelmente o mais famoso deles, o *wampum*, chegou de fato a ser usado como moeda corrente em transações entre colonos e povos indígenas do Nordeste, sendo inclusive aceito como dinheiro em vários estados americanos para transações entre colonos (em Massachusetts e em Nova York, por exemplo, o *wampum* tinha valor legal nas lojas). Entre os indígenas, porém, quase nunca era usado para comprar ou vender qualquer coisa. Em vez disso, era utilizado para pagar multas e como maneira de firmar e relembrar acordos e contratos. É o que ocorria também na Califórnia, mas, de modo um tanto incomum, por lá o dinheiro também parece ter sido usado da maneira a que estamos habituados: para compras, aluguéis e empréstimos. Na Califórnia como um todo e em sua região noroeste em particular, o papel central do dinheiro nas sociedades indígenas se combinava com uma ênfase cultural na parcimônia e na simplicidade, na desaprovação de prazeres perdulários e numa glorificação do trabalho que — segundo Goldschmidt — apresentava uma misteriosa semelhança com as atitudes puritanas descritas por Max Weber em seu famoso ensaio de 1905, *A ética protestante e o "espírito" do capitalismo*.

Essa analogia podia parecer um tanto forçada, e em vários aspectos era mesmo. Mas é importante entender a comparação feita por Goldschmidt. O ensaio de Weber, que todo mundo que algum dia fez algum curso de ciências sociais com certeza conhece, é muitas vezes objeto de interpretações equivocadas. Weber estava tentando responder a uma pergunta muito específica: por que o capitalismo surgiu na Europa Ocidental, e não em outro lugar? O capitalismo, conforme ele o definiu, era uma espécie de imperativo moral. Por quase todo o planeta, observou ele, e sem dúvida na China, na Índia e no mundo islâmico, havia comércio, mercadores ricos e pessoas que podiam ser corretamente definidas como "capitalistas". Mas, em quase qualquer lugar, todo aquele que tivesse adquirido uma grande fortuna em alguma momento daria um basta nesse ciclo de acumulação. Ou compraria um palácio para ir gozar a vida, ou sofreria enorme pressão moral de sua comunidade para usar seus rendimentos em obras religiosas ou públicas ou em festejos regados a álcool (em geral, um pouco das duas coisas).

O capitalismo, por sua vez, demandava um reinvestimento constante, convertendo a riqueza do indivíduo numa máquina de criar mais riqueza, aumentar sua produção, expandir suas operações e assim por diante. No entanto, sugeriu Weber, imagine a primeiríssima pessoa que agisse dessa maneira em sua comunidade. Isso significaria desafiar todas as expectativas sociais, ser objeto de profundo desprezo de quase todos os vizinhos — que cada vez mais passariam a ser empregados seus. Quem fosse capaz de agir de maneira tão desafiadora com vistas a um único fim, observou Weber, "teria de ser uma espécie de herói". É por isso que, na visão dele, o capitalismo precisou de uma linhagem puritana do cristianismo, como o calvinismo, para que sua existência fosse possível. Não só os puritanos acreditavam que quase qualquer coisa em que pudessem gastar seus lucros era pecaminosa, como também o fato de participar de uma congregação puritana significava que o indivíduo contava com uma comunidade moral, cujo apoio lhe permitiria enfrentar a hostilidade dos seus vizinhos condenados ao inferno.

Claro que nada disso se aplicava a uma aldeia yurok setecentista. Os indígenas californianos não contratavam uns aos outros como trabalhadores assalariados, não emprestavam dinheiro a juros nem investiam seus lucros empresariais na expansão da produção. Não havia "capitalistas" no sentido literal. O que havia, porém, era uma notável ênfase cultural sobre a propriedade privada. Como observa Goldschmidt, toda propriedade, fosse de recursos naturais, de dinheiro ou de objetos de valor, era "possuída privadamente (e em grande parte individualmente)", inclusive as áreas de pesca, caça e coleta. Esse conceito tão desenvolvido de propriedade, assinalou Goldschmidt, requer o uso de dinheiro, e assim sendo no noroeste da Califórnia "o dinheiro compra tudo — riquezas, recursos, alimentos, honrarias e esposas".[19]

Esse regime de propriedade muito incomum correspondia a um amplo etos, que Goldschmidt comparou ao "espírito" do capitalismo de Weber (embora se possa objetar que corresponda mais às lentes com que os capitalistas gostam de enxergar o mundo do que ao modo efetivo de funcionamento do capitalismo). Os yuroks eram o que chamamos de "individualistas possessivos". Consideravam um fato que todos nascemos iguais e que cabe a cada um de nós transformarmo-nos em alguém na vida, pela autodisciplina, pela abnegação e pelo trabalho árduo. E mais: esse etos parece ter sido amplamente aplicado na prática.

Como vimos, os povos indígenas da Costa Noroeste eram tão trabalhadores quanto os da Califórnia, e em ambos os casos se esperava da parte dos que haviam enriquecido que distribuíssem boa parte de sua riqueza promovendo festejos coletivos. O etos subjacente, porém, não poderia ser mais diferente. Enquanto dos yuroks ricos era exigida a modéstia, os chefes kwakiutls se gabavam e se vangloriavam a tal ponto que um antropólogo os comparou a paranoides esquizofrênicos. Se por um lado os yuroks ricos davam pouca importância à ancestralidade, as famílias da Costa Noroeste tinham muito em comum com as casas nobres e linhagens dinásticas da Europa medieval, em que uma classe de nobres disputava posição dentro da hierarquia dos privilégios hereditários, oferecendo banquetes deslumbrantes para aumentar sua reputação e garantir suas pretensões a títulos honoríficos e a relíquias de família que remontavam ao início dos tempos.[20]

Não faz muito sentido imaginar que a existência dessas diferenças culturais tão marcantes entre populações vizinhas fosse pura e simples coincidência, mas também é dificílimo encontrar qualquer estudo que sequer comece a tratar da questão do surgimento desse contraste.[21] É possível imaginar os californianos indígenas e os povos indígenas da Costa Noroeste definindo-se uns em contraste com os outros, mais ou menos como fazem hoje californianos e nova-iorquinos? Em caso afirmativo, até que ponto podemos de fato explicar esse modo de vida como resultado do desejo de ser diferente do de outros grupos? Aqui precisamos retomar nossa discussão anterior sobre a cismogênese, que apresentamos para ajudar a explicar o embate intelectual entre os colonizadores franceses seiscentistas e o povo wendat das Florestas do Leste da América do Norte.

A cismogênese, como se há de lembrar, descreve como as sociedades em contato acabam se unindo dentro de um sistema comum de diferenças, mesmo quando tentam se distinguir umas das outras.

O exemplo histórico clássico (nos dois sentidos do termo "clássico") talvez seja a relação entre as cidades-Estados gregas antigas de Atenas e Esparta, no século v a.C. Nas palavras de Marshall Sahlins:

Dinamicamente interligadas, eram então reciprocamente constituídas [...]. Atenas estava para Esparta como o mar para a terra, a cosmopolita para a xenófoba, a comercial para a autárquica, a luxuosa para a frugal, a democrática para a oligárquica, a urbana para a aldeã, a autóctone para a imigrante, a logomaníaca para a lacônica: a enumeração das dicotomias não tem fim [...]. Atenas e Esparta eram tipos antitéticos.[22]

Cada sociedade cria uma imagem especular da outra. Com isso, converte-se num alter ego incontornável, no exemplo necessário e sempre presente do que jamais se poderia desejar ser. Será essa lógica aplicável à história das sociedades forrageadoras na Califórnia e na Costa Noroeste?

A CISMOGÊNESE ENTRE OS "FORRAGEADORES PROTESTANTES" E OS "REIS PESCADORES"

Examinemos mais de perto o que poderia ser descrito como o "espírito", no sentido weberiano, dos forrageadores do norte da Califórnia. Em sua raiz, havia uma série de imperativos éticos, nas palavras de Goldschmidt: "a exigência moral de trabalhar e, por extensão, de buscar ganhos, a exigência moral de abnegação e a individualização da responsabilidade moral".[23] Ligada a isso, estava uma paixão pela autonomia individual tão absoluta quanto a de um bosquímano do Kalahari — mesmo que sob uma forma muito diferente. Os homens yuroks evitavam se colocar em dívida ou obrigação diante de qualquer um. Mesmo a gestão coletiva dos recursos era desdenhada; as áreas de forrageamento eram de propriedade individual e podiam ser arrendadas em épocas de escassez.

A propriedade era sagrada, e não apenas no sentido legal de que os invasores podiam ser abatidos. Tinha um valor também espiritual. Os homens yuroks costumavam passar longas horas refletindo sobre o dinheiro, enquanto os objetos de riqueza mais valiosos — preciosas peles e lâminas de obsidiana, expostas apenas em festas — constituíam os *sacra* supremos. Aos forasteiros, os yuroks pareciam puritanos também em sentido literal: como relata Goldschmidt, os ambiciosos homens yuroks eram "exortados a se abster de qualquer espécie de prazer — a comida, a satisfação sexual, os jogos ou o ócio". Os glutões eram considerados "vulgares". Os rapazes e as moças eram doutrinados a comer devagar e com parcimônia, para manter o corpo ágil e esbelto. Os homens yuroks ricos se reuniam todos os dias em cabanas de purificação e, como teste quase diário desses valores ascéticos, precisavam entrar rastejando por uma pequena abertura por onde nenhum corpo acima do peso conseguiria passar. Os repastos eram sempre insossos e espartanos; a decoração, simples; a dança, recatada e contida. Não havia níveis hierárquicos nem títulos hereditários. Mesmo os que de fato herdavam riquezas continuavam a ressaltar sua dedicação pessoal ao trabalho árduo, à frugalidade e às realizações; e, embora se esperasse que os ricos fossem generosos com os menos afortunados e cuidassem de suas terras e posses pessoais, as responsabilidades de compartilhar e prestar cuidados eram reduzidas em comparação às sociedades forrageadoras de quase todos os outros lugares.

As sociedades da Costa Noroeste, por outro lado, notabilizaram-se entre os observadores externos por seu prazer em ostentar excessos. Eram conhecidas pelos etnólogos europeus sobretudo pelas festas chamadas *potlatch*, que costumavam ser realizadas por aristocratas que recebiam algum novo título de nobreza (era frequente que os nobres acumulassem muitos ao longo da vida). Nessas festas, procuravam mostrar sua grandeza e seu desdém pelas posses mundanas com gestos de munificente prodigalidade, sobrepujando os rivais com galões de óleo de peixe-vela, frutas silvestres e uma profusão de peixes graúdos e gordurosos. Esses banquetes constituíam o palco de disputas dramáticas, às vezes culminando na destruição de relíquias de família, como escudos de cobre e outros tesouros, e às vezes, nos primeiros tempos do contato colonial, na virada do século XIX, terminando com o sacrifício de escravizados. Cada tesouro era único; não havia nada que se assemelhasse a dinheiro. O *potlatch* era uma ocasião para a glutonaria e outros prazeres, "banquetes gordurosos" para deixar o corpo roliço e reluzente. Os nobres costumavam se comparar a montanhas, concedendo presentes que rolavam deles como blocos de pedra e achatavam e esmagavam os rivais.

O grupo da Costa Noroeste que melhor conhecemos são os kwakwaka'wakws (kwakiutls), com os quais Boas fez seu trabalho de campo. Eles se tornaram célebres pela ornamentação exuberante de seus objetos artísticos — o gosto por máscaras dentro de máscaras — e pelos efeitos teatrais empregados nos rituais, que incluíam sangue falso, alçapões e policiais-palhaços violentos. Ao que parece, todas as sociedades próximas — inclusive os nootkas, os haidas e os tsimshians — comungavam do mesmo etos geral: era possível encontrar culturas e demonstrações materialistas igualmente impressionantes desde o Alasca até a área do atual estado de Washington. Tinham também a mesma estrutura social básica, com estratos hereditários de nobres, plebeus e cativuls escravizados. Em toda essa região, uma faixa de terra de 2400 quilômetros desde o delta do rio Copper ao cabo Mendocino, as incursões intergrupais para a captura de prisioneiros para escravizar eram endêmicas, remontando a tempos imemoriais.

Em todas essas sociedades da Costa Noroeste, somente os nobres gozavam da prerrogativa ritual de ter contato com os espíritos guardiões, que concediam o acesso aos títulos aristocráticos e ao direito de conservar os cativos capturados nas incursões. Os plebeus, entre os quais se incluíam artistas e artífices magníficos, tinham em larga medida a liberdade de escolher a casa nobre a que desejavam se aliar; os chefes disputavam sua preferência promovendo banquetes, entretenimentos e a participação vicária em suas aventuras heroicas. "Cuide bem do seu povo", foi o conselho do ancião a um jovem chefe nuu-chah-nulth (nootka). "Sem a afeição de seu povo, você não é nada."[24]

Em muitos aspectos, a conduta dos aristocratas da Costa Noroeste faz lembrar a dos chefões mafiosos, com seus rigorosos códigos de honra e suas relações de apadrinhamento, ou das "sociedades de corte", como definem os sociólogos — o tipo de ordenamento que se poderia esperar, digamos, na Sicília feudal, de onde a máfia extraiu muitos dos seus códigos culturais.[25] Mas isso não é de forma nenhuma o que aprendemos a esperar dos forrageadores. É verdade que os seguidores de qualquer um desses "reis pescadores" quase nunca somavam mais de cem ou duzentas pessoas, número não muito maior do que a população de uma aldeia californiana, e não existia qualquer espécie de organização política, econômica ou religiosa abrangente, fosse na área de cultura californiana, fosse na área de cultura da Costa Noroeste. Mas, dentro das pequenas comunidades de fato existentes, os princípios de vida social em vigor eram inteiramente diversos.

Com tudo isso, o hábito dos antropólogos de juntar notáveis yuroks e artistas kwakiutls na mesma categoria de "forrageadores afluentes" ou de "caçadores-coletores complexos" começa a parecer uma bobagem: é como dizer que um executivo texano da área petrolífera e um poeta egípcio medieval eram ambos "agricultores complexos" porque comiam muito trigo.

Mas como explicamos as diferenças entre essas duas áreas de cultura? Devemos começar pela estrutura institucional (o sistema hierárquico e a importância do *potlatch* na Costa Noroeste, o papel do dinheiro e da propriedade privada na Califórnia), e então tentar entender como surge dessa estrutura o etos dominante de cada sociedade? Ou foi o etos que veio antes — uma determinada concepção da natureza da humanidade e seu papel no cosmo — e a partir daí depois se estabeleceram as estruturas institucionais? Ou as duas coisas são meros efeitos de diferentes adaptações tecnológicas ao ambiente?

São perguntas fundamentais sobre a natureza da sociedade. Os teóricos vêm se debatendo com elas há séculos e provavelmente continuarão por muitos outros. Para formular a questão em termos mais técnicos, podemos perguntar o que, em última instância, determina a forma assumida por uma sociedade: fatores econômicos, imperativos organizacionais ou ideias e significados culturais? Seguindo nos passos de Mauss, podemos também sugerir uma quarta possibilidade. As sociedades se autodeterminam, se constroem e se reproduzem principalmente tendo como referência umas às outras?

Há muita coisa em jogo na resposta que damos a esse caso específico. A história indígena da Costa do Pacífico talvez não forneça um modelo muito bom para descrever como eram os primeiros "protoagricultores" do Crescente Fértil de 10 mil anos atrás. Mas esclarece muito outros tipos de processos culturais que — como vimos anteriormente — vêm ocorrendo pelo menos durante esse mesmo tempo, e por meio dos quais certos povos forrageadores, em determinadas épocas e lugares, vieram a aceitar desigualdades, estruturas de dominação e perda de liberdades em caráter permanente.

Vejamos agora as explicações possíveis, uma a uma.

A diferença mais marcante entre as sociedades indígenas da Califórnia e da Costa Noroeste é a ausência, na Califórnia, de níveis hierárquicos formais e da instituição do *potlatch*. A segunda, na verdade, é consequência da primeira. Na Califórnia, sem dúvida havia festas e banquetes, mas, como não existia um sistema de títulos hierárquicos, faltavam a essas ocasiões quase todos os traços característicos do *potlatch*: a divisão entre as formas de "alta" e "baixa" culinária, o uso de uma ordem hierárquica para se sentar e para os apetrechos de servir, o consumo em geral de alimentos gordurosos, a competitividade na doação de presentes, os discursos de enaltecimento próprio e outras manifestações públicas de rivalidade entre nobres disputando privilégios titulares.[26]

Em muitos aspectos, as reuniões sazonais das tribos californianas parecem a inversão exata dos princípios do *potlatch*. Consumiam-se alimentos básicos, em vez de pratos luxuosos; as danças rituais eram alegres e divertidas, em vez de disciplinadas ou ameaçadoras, muitas vezes incluindo a transgressão burlesca dos limites sociais entre homens e mulheres, crianças e anciãos (parece ser uma das raras ocasiões em que os geralmente circunspectos yuroks se permitiam um pouco de diversão). Objetos valiosos, como lâminas de obsidiana e peles de cervo, nunca eram sacrificados nem presenteados aos inimigos como desafio ou insulto, mas sim cuidadosamente desembrulhados e entregues aos cuidados de "chefes de dança" temporários, como que assinalando até que ponto os seus donos queriam evitar atrair sobre si uma atenção indevida.[27]

Os chefes locais na Califórnia certamente se beneficiavam ao promover essas ocasiões: travavam-se relações sociais e consolidava-se um renome que muitas vezes traria oportunidades de ganhar dinheiro.[28] Porém, por mais que se pudesse ver nos promotores dos banquetes um empenho para o enaltecimento próprio, eles próprios se esforçavam muito em minimizar o seu papel; e, de todo modo, atribuir-lhes um desejo secreto de ganhos pessoais parece extremamente reducionista e até ofensivo, considerando a redistribuição de recursos que se dava nos banquetes californianos e as "danças com pele de gamo", com sua comprovada importância em promover a solidariedade entre grupos de aldeias vizinhas.[29]

Assim sendo, falaremos da mesma instituição básica (um "banquete redistributivo"), operando com espíritos totalmente distintos, ou de duas instituições diferentes ou, até mesmo, de *potlatch* e anti-*potlatch*? Como saber? A questão é, sem dúvida, muito mais ampla, e diz respeito à própria natureza das "áreas de cultura" e ao que efetivamente constitui um limiar ou uma divisa entre elas. Estamos buscando a chave do problema. Ela se encontra na instituição da escravidão, que, como citamos, era endêmica na Costa Noroeste, mas ausente ao sul do rio Klamath, na Califórnia.

Os cativos escravizados na Costa Noroeste cortavam lenha e extraíam água, mas se dedicavam especialmente à captura, à limpeza e ao processamento de salmões e outros peixes anádromos. Todavia, não há consenso sobre a datação da existência da escravidão no local. Os primeiros relatos europeus sobre a região, na segunda metade do século XVIII, mencionam escravizados e manifestam uma certa surpresa, visto que a escravidão em regime pleno de propriedade privada era extremamente incomum em outras partes da América do Norte indígena. Esses relatos sugerem que talvez um quarto da população nativa da Costa Noroeste vivia em servidão — o que é mais ou menos equivalente a proporções encontradas no Império Romano, na Atenas clássica ou inclusive nas fazendas algodoeiras do Sul dos Estados Unidos. E mais: a escravidão na Costa Noroeste era hereditária — se o indivíduo fosse um escravizado, seus filhos estavam fadados a ser também.[30]

Em vista da limitação das nossas fontes, sempre é possível que esses relatos europeus estivessem descrevendo uma inovação recente daquela época. As pesquisas arqueológicas e etno-históricas atuais, porém, sugerem que a instituição da escravidão na Costa Noroeste remonta na verdade a um período bem anterior, muitos séculos antes que os navios europeus começassem a atracar no estreito de Nootka para negociar mantas e peles de lontra.

A NATUREZA DA ESCRAVIDÃO E OS "MODOS DE PRODUÇÃO" EM TERMOS MAIS GERAIS

É infernalmente difícil "encontrar escravidão" na documentação arqueológica sem o auxílio de registros escritos; mas, em relação à Costa Ocidental, podemos ao menos observar que muitos dos elementos mais tarde aglutinados na instituição da escravidão surgiram mais ou mesmo na mesma época, a partir de cerca de 1850 a.C., no chamado Período Médio do Pacífico. É quando vemos pela primeira vez a captura em grande escala de peixes anádromos, recurso de incrível abundância — viajantes posteriores contavam que os cardumes de salmão eram tão densos que nem dava para enxergar a água onde nadavam —, mas que trazia uma expressiva intensificação de mão de obra. Decerto não é por acaso que também vemos, mais ou menos na mesma época, os primeiros sinais de atividades bélicas e a construção de fortificações de defesa, além da expansão de redes comerciais.[31] Existem também ainda alguns outros indicadores.

Os cemitérios do Período Médio do Pacífico, entre 1850 a.C. e 200 d.C., revelam disparidades extremas no tratamento dispensado aos mortos, o que não se via em épocas anteriores. No "topo", as sepulturas mais privilegiadas exibem sistemas formais de ornamentação do corpo e o posicionamento um tanto macabro dos cadáveres em poses fixas sentadas, reclinadas ou outras, em presumível referência a uma estrita hierarquia de modos e posturas rituais entre os vivos. Na "base", vemos o outro extremo: a mutilação do corpo de alguns indivíduos, a reciclagem de ossos humanos para confeccionar instrumentos e recipientes, a "oferenda" de pessoas como bens tumulares (ou seja, sacrifícios humanos). A impressão geral é a de um amplo espectro de posições sociais formalizadas, desde o nível mais elevado a pessoas cuja vida e morte parecem ter sido de pouca importância.[32]

Passando agora para a Califórnia, algo que notamos logo de cara é a ausência de todas essas características em períodos igualmente anteriores. Ao sul do cabo Mendocino, temos a impressão de estar diante de outro tipo de Pacífico Médio — mais "pacífico", aliás. Mas não podemos reduzir essas diferenças a uma falta de contato entre os dois grupos. Pelo contrário, há evidências linguísticas e arqueológicas que demonstram uma extensa movimentação de bens e pessoas ao longo de grande parte da Costa Oeste. Já havia um vibrante comércio marítimo com canoas, ligando as sociedades das ilhas e da costa, transportando objetos valiosos como contas de concha, cobre, obsidiana e uma grande quantidade de mercadorias orgânicas entre os vários ecossistemas do litoral do Pacífico. Dados de vários tipos também indicam a movimentação de seres humanos cativos como traço característico das atividades bélicas e comerciais intergrupais. Já em 1500 a.C., algumas partes da faixa litorânea em torno do mar Salish dispunham de abrigos e fortificações, uma indicação de que invasões aconteciam.[33]

Até aqui, estamos falando sobre a escravidão sem definir de fato o termo. Isso é um pouco imprudente, porque a escravidão ameríndia apresentava certos traços específicos que a tornam muito diferente da escravidão doméstica romana ou grega antiga, e ainda mais da escravidão nas fazendas coloniais no

Caribe ou no Sul dos Estados Unidos. Embora qualquer espécie de escravidão fosse uma instituição bastante incomum entre os povos indígenas das Américas, alguns desses traços caracteristicamente ameríndios também existiam, pelo menos em seus contornos gerais, em grande parte do continente, inclusive nos trópicos, onde as primeiras fontes espanholas atestam formas locais de escravidão que remontam ao século xv d.C. O antropólogo brasileiro Fernando Santos-Granero cunhou um termo para as sociedades ameríndias que exibiam tais traços: "sociedades de captura".[34]

Antes de examinarmos o que ele quer dizer, vamos definir a escravidão. O que diferencia um escravizado de um servo, um fâmulo, um cativo ou um recluso é a ausência de laços sociais. Pelo menos em termos jurídicos, o escravizado não tem família, nem parentela, nem comunidade; não pode fazer promessas nem criar laços duráveis com outros seres humanos. É por isso que o termo *free* [livre] em inglês deriva, na verdade, de uma raiz que significa *friend* [amigo]. Os escravizados não podiam ter amigos porque não podiam assumir compromissos com terceiros, pois estavam integralmente sob o poder de outra pessoa e sua única obrigação era fazer o que seu senhor ordenava. Se um legionário romano fosse capturado em combate e mantido como escravizado, mas depois conseguisse escapar e voltar para casa, ele precisava passar por um elaborado processo para restaurar todas as suas relações sociais, inclusive casando de novo com a esposa, por se considerar que, ao ser escravizado, todas as relações anteriores haviam sido cortadas. O sociólogo caribenho Orlando Patterson refere-se à escravidão como um estado de "morte social".[35]

Pouco surpreende que o escravizado arquetípico seja em geral um prisioneiro de guerra, vivendo longe de casa entre pessoas que não lhe devem nada. Há outra razão prática para transformar os capturados na guerra em escravizados. O senhor de um cativo escravizado tem a responsabilidade de mantê-lo vivo e apto a trabalhar. Os seres humanos, em sua maioria, precisam de uma boa dose de cuidados e recursos, e muitas vezes podem ser considerados um prejuízo econômico líquido até atingir os doze ou, às vezes, os quinze anos de idade. Em termos econômicos, quase nunca faz sentido criar escravizados desde a infância — é por isso que, em termos globais, é tão frequente que a escravidão seja resultante da agressão militar (embora muitas vezes também de dívidas impagáveis, de decisões judiciais punitivas ou de banditismo). De um certo ponto de vista, um agressor com vistas à captura de escravizados está roubando os anos de acolhimento e cuidados que outra sociedade investiu para criar um ser humano apto para o trabalho.[36]

O que, então, as "sociedades de captura" ameríndias têm em comum, e o que as diferencia de outros tipos de sociedades que mantinham cativos escravizados? À primeira vista, não muita coisa. E menos ainda seus modos de subsistência, os mais variados que se possam imaginar. Como assinala Santos-Granero, no noroeste amazônico os povos dominantes eram horticultores e pescadores sedentários que viviam às margens dos principais rios e atacavam os bandos caçadores-coletores nômades do interior. Por outro lado, na bacia do rio Paraguai eram caçadores-coletores seminômades que invadiam ou subjugavam agricultores aldeões. No sul da Flórida, os grupos hegemônicos (nesse caso, os calusas) eram pescadores-coletores que viviam em aldeias grandes e permanentes, mas se deslocavam sazonalmente para locais de pesca e coleta, com incursões em comunidades tanto pesqueiras como agrícolas.[37]

A classificação desses grupos segundo as proporções em que cultivavam, pescavam ou caçavam pouco nos revela sobre sua história concreta. O que realmente importava, em termos do fluxo e refluxo de poder e recursos, era o uso da violência organizada para "se alimentar" de outras populações. Às vezes, os povos forrageadores — como os guaicurus dos chacos paraguaios ou os calusas nas ilhas do sul Flórida — prevaleciam militarmente sobre os vizinhos agricultores. Nesses casos, a prática de manter cativos escravizados e arrecadar tributos isentava uma parcela da sociedade dominante das tarefas braçais de subsistência e sustentava elites ociosas, além de proporcionar a formação de castas guerreiras especializadas, que, por sua vez, criavam meios para aumentar as apropriações e as tributações.

Aqui, mais uma vez, a ideia de classificar as sociedades humanas pelos "modos de subsistência" se mostra decididamente ingênua. Como, por exemplo, proporíamos classificar forrageadores que consomem grandes quantidades de cultivos *domésticos*, extraídos como tributo de populações agrícolas próximas? Os marxistas, que se referem a "modos de produção", às vezes reconhecem um "modo tributário", mas sempre vinculado ao crescimento de Estados e impérios agrários, remetendo ao Livro III de *O capital*, de Marx.[38] Aqui, o que de verdade precisa ser teorizado não é apenas o modo de produção

210

praticado por *vítimas* da predação, mas também o dos não produtores que são seus predadores. Ora, calma lá! Um modo não produtivo de produção? Parece uma contradição em termos. Mas somente se limitarmos o significado de "produção" estritamente à criação de alimentos ou bens. E talvez isso não seja muito recomendável.

As "sociedades de captura" nas Américas consideravam a captura de escravizados como um modo de subsistência em si mesmo, mas não no sentido usual de produzir calorias. Os captores quase sempre afirmavam que os escravizados eram capturados por sua força vital ou "vitalidade", que era consumida pelo grupo conquistador.[39] Ora, pode-se dizer que é literalmente verdade: se exploramos o trabalho de outro ser humano, de modo direto ou indireto, estamos nos sustentando de sua energia ou sua vitalidade; e, se ele nos fornece alimento, estamos de fato comendo sua vitalidade. Mas a questão não se limita apenas a isso.

Lembremos os conceitos amazônicos de propriedade. Apropriamo-nos de algo da natureza, matando ou arrancando do solo, mas esse ato inicial de violência se transforma numa relação de cuidados quando acolhemos e mantemos o que foi capturado. A captura de escravizados era tratada em termos parecidos, como uma caça (trabalho tradicionalmente masculino), e os cativos eram comparados às presas. Vivendo em morte social, eram tidos como uma espécie de "animais de estimação". Enquanto eram ressocializados pelos captores, tinham de ser acolhidos, alimentados e instruídos nos modos específicos daquela civilização; em suma, eram domesticados (essas tarefas costumavam ser um trabalho feminino). Caso se concluísse a socialização, o cativo deixava de ser um escravizado. No entanto, os cativos às vezes podiam continuar suspensos numa morte social, como parte de um grupo permanente de vítimas aguardando a efetiva morte física. Em geral, eram mortos em banquetes coletivos (similares ao *potlatch* da Costa Noroeste), presididos por ritualistas especializados, o que às vezes terminava com a ingestão da carne do inimigo.[40]

Tudo isso pode parecer exótico. No entanto, ecoa o modo como as pessoas exploradas de todos os tempos e todos os lugares tendem a se sentir em suas respectivas situações: os patrões, os senhorios, os superiores são vampiros sugadores de sangue, e elas são tratadas como gado ou, na melhor das hipóteses, como animais de estimação. Só que, nas Américas, algumas sociedades encenavam essas relações de modo bastante literal. Em relação aos "modos de produção" ou "modos de subsistência", o aspecto mais importante é que esse tipo de exploração muitas vezes assume a forma de relações duráveis *entre* sociedades. A escravidão quase sempre tende a isso, já que a "morte social" é imposta a pessoas cujos parentes biológicos falam a mesma língua que falamos, e o fato de terem fácil acesso ao local onde moramos sempre trará problemas.

Lembremos como alguns dos primeiros viajantes europeus nas Américas comparavam os homens "selvagens" aos nobres de sua terra de origem — pois, como aqueles nobres, eles dedicavam quase todo seu tempo à política, às caçadas, às incursões e à guerra contra grupos vizinhos. Um observador alemão, em 1548, se referia aos aldeões arawakans do Grande Chaco paraguaio como servos de forrageadores guaicurus, "da mesma forma como são os camponios alemães em relação a seus senhores". O que estava implícito era que, na verdade, pouca coisa separava um guerreiro guaicuru de um barão feudal suábio, que provavelmente falava francês em casa, costumava se banquetear com carne de caça e vivia do trabalho de camponeses falantes de alemão, muito embora nunca tivesse posto a mão num arado. Em que momento, podemos perguntar, os guaicurus, que viviam entre montes de milho, mandioca e outros produtos agrícolas entregues como tributo, além de cativos escravizados obtidos em incursões a sociedades ainda mais distantes, deixaram de ser simplesmente "caçadores-coletores" (sobretudo se também estavam coletando e caçando outros seres humanos)?

Sim, as aldeias vizinhas conquistadas enviavam alimentos agrícolas como tributo, mas as aldeias tributárias também mandavam servos, e as incursões a aldeias mais distantes tendiam a se concentrar na escravização de mulheres, que serviam como concubinas, enfermeiras e criadas — permitindo que as "princesas" guaicurus, muitas vezes com o corpo totalmente coberto de complexas tatuagens e desenhos em espiral pintados diariamente pelas servas, dedicassem seus dias ao lazer. Os primeiros comentadores espanhóis sempre comentavam que os guaicurus tratavam seus escravizados com cuidado e até com ternura, quase como tratavam os seus cães e papagaios de estimação[41] — mas o que estava de fato acontecendo? Se a escravidão é o roubo do trabalho que outras sociedades investem na criação dos filhos, e se a tarefa principal designada aos escravizados era cuidar dos filhos da casa ou servir e atender uma classe ociosa, então o principal objetivo da "sociedade de captura" parecia ser, paradoxalmente, o de aumentar sua capacidade interna de prestação de cuidados. Em última análise, o que se estava produzindo dentro da sociedade guaicuru eram certos tipos de pessoas: nobres, princesas, guerreiros, plebeus, serviçais e assim por diante.[42]

O que é preciso assinalar — visto que terá enorme importância no desenrolar da nossa história — é a profunda ambivalência ou, talvez melhor dizendo, o duplo gume dessas relações de cuidados. As sociedades ameríndias costumavam se referir a si mesmas com algum termo que se pode traduzir de forma aproximada como "seres humanos" — os nomes tribais que lhes eram atribuídos pelos europeus são, em sua maioria, termos depreciativos utilizados por seus vizinhos ("esquimó", por exemplo, significa "povo que não cozinha o seu peixe", e "iroquês" deriva de um termo algonquino que quer dizer "matadores cruéis"). Quase todas essas sociedades se orgulhavam de sua capacidade de adotar crianças ou cativos — mesmo dentre os vizinhos que consideravam mergulhados nas mais profundas trevas da ignorância — e, com cuidados e educação, de convertê-los naquilo que julgavam seres humanos propriamente ditos. Portanto, os escravizados eram uma anomalia: pessoas que não eram mortas nem adotadas, mas se perdiam em algum ponto intermediário; arrebatadas brusca e violentamente num processo que deveria convertê-las de presas a animais de estimação da família. Assim, o cativo escravizado fica preso ao papel de "cuidar dos outros", uma não pessoa cujo trabalho consiste de capacitar esses outros a se tornarem pessoas, guerreiros, princesas, "seres humanos" de um tipo muito especial e valorizado.

Como mostram esses exemplos, se quisermos entender as origens da dominação violenta nas sociedades humanas, é precisamente para cá que precisamos olhar. Simples atos de violência são passageiros; atos de violência transformados em relações de cuidados prestados tendem a perdurar. Agora que temos uma ideia mais clara do que estava realmente envolvido na escravidão ameríndia, voltemos à costa do Pacífico na América do Norte e tentemos entender algumas das condições específicas que tornaram a escravidão um regime de propriedade privada tão presente na Costa Noroeste e tão raro na Califórnia. Começaremos com um episódio da história oral, um velho relato.

"A HISTÓRIA DOS WOGIES" — UM CONTO MORAL INDÍGENA SOBRE OS PERIGOS DE TENTAR ENRIQUECER DEPRESSA ESCRAVIZANDO OS OUTROS (E UMA DIGRESSÃO SOBRE "ARMAS, GERMES E AÇO")

O conto que vamos narrar agora foi documentado pela primeira vez em 1873, pelo geógrafo A. W. Chase. Chase afirma que lhe foi contado pelo povo da nação Chetco, do Oregon. A narrativa trata das origens da palavra "wogie" (pronuncia-se "wâgeh"), um termo indígena usado em grande parte da região costeira para designar os colonos brancos. Não foi de fato assimilada pelos estudiosos — foi repetida umas duas ou três vezes nos cinquenta anos seguintes, mas nada além disso. No entanto, essa história por tanto tempo negligenciada traz algumas preciosidades em termos de informações, em particular sobre as posturas indígenas em relação à escravidão, precisamente no ponto de contato entre a Califórnia e a Costa Noroeste de que estamos tratando.

Restam hoje apenas alguns pouquíssimos chetcos. Originalmente, dominavam a costa sul do Oregon, e foram em grande parte liquidados nos massacres genocidas perpetrados por colonos invasores nos meados do século XIX. Nos anos 1870, havia um pequeno número de sobreviventes morando na Reserva Siletz, no atual condado de Lincoln. Eis o que seus ancestrais contaram a Chase quanto às suas origens e proveniência:

> Os chetkos dizem que, muitas estações atrás, seus ancestrais chegaram em canoas vindos do extremo norte e desembarcaram na foz do rio. Encontraram duas tribos ocupantes, uma de raça guerreira, parecida com eles; esta, logo venceram e exterminaram. A outra era um povo diminuto, de disposição extremamente branda, e branco. Chamavam-se "wogies", ou foram assim chamados pelos recém-chegados. Eram habilidosos na manufatura de cestos, mantos e canoas, e tinham muitos métodos de caça e pesca desconhecidos aos invasores. Recusando-se a lutar, os wogies foram escravizados e mantidos no trabalho de prover alimento, abrigo e artigos de uso para a raça mais guerreira, que se tornou muito gorda e preguiçosa. Uma noite, porém, depois de um lauto banquete, os wogies juntaram suas coisas e fugiram, e nunca mais foram vistos. Quando apareceram os primeiros homens brancos, os chetkos imaginaram que eram os wogies que tinham voltado. Logo descobriram seu engano, mas conservaram entre eles a designação para os homens brancos, que são conhecidos como wogies por todas as tribos costeiras nas vizinhanças.[43]

Pode parecer um relato simples, mas traz consigo muitas coisas. Não surpreende que os sobreviventes de um grupo forrageador na costa do Oregon apresentasse a colonização euro-americana como um ato de revanche histórica.[44] E não há nada de implausível no fato de que, numa época remota, uma sociedade indígena que mantinha cativos escravizados migrasse por via marítima para um novo território ao sul e subjugasse ou matasse os habitantes autóctones.[45]

De modo similar aos guaicurus, os agressores pareciam fazer questão de dominar povos com habilidades que lhes faltavam. O que os "protochetcos" adquiriram não foi apenas a força bruta (o "trabalho wogie") e nem mesmo a prestação de cuidados, mas a bagagem de *savoir-faire* de um povo caçador-coletor-pescador não muito diferente e, pelo menos segundo o relato, em muitos aspectos mais capaz do que eles.

Outro traço intrigante nessa história é a ambientação. Os chetcos viviam na zona intermediária entre duas grandes regiões culturais, precisamente onde se imaginaria que a instituição da escravidão fosse discutida e contestada de modo bem explícito. E, de fato, o conto traz uma clara lição de moral, como que dirigida a quem tentasse escravizar outras pessoas ou amealhar riqueza e ócio. Depois de submeterem as vítimas à servidão, vindo com isso a se tornarem "gordos e preguiçosos", foi a indolência recém-adquirida dos chetcos que os tornou incapazes de perseguir os wogies em fuga. Nessa história, os wogies saem por cima devido à índole pacífica, à laboriosidade, às habilidades artesanais e à capacidade de inovação; na verdade, empreendem um retorno mortífero — pelo menos em espírito — como colonizadores euro-americanos equipados com "armas, germes e aço".[46]

Levando isso em conta, a narrativa dos wogies aponta para algumas possibilidades intrigantes. E, o mais importante, indica que a recusa da escravidão no meio de grupos na região entre a Califórnia e a Costa Noroeste tinha sólidas dimensões éticas e políticas. E de fato, quando começamos a examinar, não é difícil encontrar outras indicações disso. Os yuroks, por exemplo, mantinham um pequeno número de escravizados, basicamente servos por dívida ou cativos ainda não resgatados pelos parentes. Mas as lendas yuroks revelam um tom de enfática desaprovação. Para citar apenas um exemplo, um protagonista heroico cria fama ao derrotar um aventureiro marítimo chamado Le'mekwelolmei, que pilhava e escravizava os viajantes de passagem. Depois de vencê-lo em combate, nosso herói recusa sua proposta de unirem forças:

> "Não, não quero ser como você, atraindo os barcos para a costa, capturando-os, tomando suas cargas e escravizando as pessoas. Enquanto você viver, nunca mais voltará a ser tirânico, mas sim como os outros homens."
>
> "Farei isso", disse Le'mekwelolmei.
>
> "Se você retomar suas práticas anteriores, vou matá-lo. Talvez eu devesse tomá-lo já como escravo, mas não farei isso. Fique em casa, cuide do que é seu e deixe as pessoas em paz." Para os escravos que estavam por perto lotando a margem do rio, ele disse: "Vão para as suas casas. Estão livres".
>
> As pessoas que tinham sido escravizadas o rodearam, chorando, agradecendo e se oferecendo para arrastar seu barco de volta para a água. "Não, eu mesmo arrasto", disse ele, e então o suspendeu com uma das mãos e o levou até o rio. Então todas as pessoas libertadas se dispersaram, algumas rio abaixo, algumas rio acima, e foram para suas casas.[47]

Os ataques marítimos ao estilo da Costa Noroeste, para dizer o mínimo, não eram objeto de enaltecimento.

Mesmo assim, talvez alguém pergunte: não poderia haver uma explicação mais direta para o predomínio da escravidão na Costa Noroeste e para sua ausência mais ao sul? É fácil expressar uma desaprovação moral a uma prática quando não há grande incentivo econômico para empregá-la. Seria esse o argumento quase inevitável de um determinista ecológico, e de fato existe uma série de publicações que o aplicam à Costa do Pacífico — e é praticamente a única produção bibliográfica que examina por que sociedades costeiras diferentes eram, afinal, tão diferentes. Isso constitui um ramo da ecologia comportamental que se chama "teoria do forrageamento ótimo". Seus proponentes levantam alguns pontos interessantes. Então, antes de prosseguir, tratemos de examiná-los.

VOCÊ PREFERIRIA PESCAR OU COLHER BOLOTAS?

A teoria do forrageamento ótimo é um estilo de modelagem preditiva com origem no estudo de espécies não humanas, como estorninhos, abelhas e peixes. Aplicada aos seres humanos, aborda o comportamento em termos de racionalidade econômica, ou seja: "os forrageadores conceberão suas estratégias de caça e coleta com a intenção de obter um retorno máximo em calorias com um dispêndio mínimo de trabalho". É o que os ecologistas comportamentais chamam de cálculo de "custo-benefício". Em primeiro lugar, estabelece-se como os forrageadores deveriam agir, caso estiverem buscando o máximo de eficiência possível. A seguir, examina-se como eles agem de fato. Se a ação não corresponder à estratégia de forrageamento ótimo, deve estar acontecendo alguma coisa.

Desse ponto de vista, o comportamento dos californianos indígenas estava longe do ótimo. Como citamos, a coleta de pinhas e bolotas lhes provia seu principal alimento. Numa região de tamanha abundância como a Califórnia, não há nenhuma razão evidente para eles procederem assim. As pinhas e bolotas vêm em unidades individuais muito pequenas, e seu processamento demanda uma enorme quantidade de trabalho. Para se tornar comestível, a maioria das variedades exige a tarefa cansativa de enxágue e trituração para remover as toxinas e liberar os nutrientes. O rendimento pode apresentar uma enorme variação entre uma estação e outra, num arriscado padrão que alterna entre um altíssimo aproveitamento e um tremendo fiasco. Ao mesmo tempo, encontra-se grande fartura de peixes desde o interior da Costa do Pacífico até, pelo menos, a confluência entre os rios Sacramento e San Joaquin. Os peixes são mais nutritivos e mais confiáveis do que as nozes. Apesar disso, o salmão e outros alimentos aquáticos geralmente vêm em segundo lugar nas dietas californianas, após as nozes, e assim parece ter sido desde muito antes da chegada dos europeus.[48]

Pelos padrões da "teoria do forrageamento ótimo", portanto, o comportamento dos californianos não faz sentido nenhum. O salmão pode ser apanhado e processado em grandes quantidades todos os anos, fornecendo óleo e gordura, além de proteína. Em termos do cálculo de custo-benefício, os povos da Costa Noroeste são incomparavelmente mais sensatos do que os californianos, e por centenas ou mesmo milhares de anos.[49] É verdade que não tinham muita escolha, já que a coleta de nozes nunca foi uma opção viável na Costa Noroeste (as principais espécies florestais de lá são coníferas). Também é fato que os povos da Costa Noroeste dispunham de uma variedade maior de peixes do que os californianos, inclusive o peixe-vela, de exploração intensiva por causa do óleo, que era tanto um alimento básico como o ingrediente principal nos "banquetes gordurosos", nos quais os nobres derramavam grandes quantidades desse óleo na lareira ardente e às vezes uns sobre os outros. Mas os californianos tinham, *sim*, essa escolha.

Assim sendo, a Califórnia é um enigma ecológico. A maioria dos habitantes indígenas parecia se orgulhar de seu afinco no trabalho, de sua visão pragmática e de sua prudência em assuntos monetários — o oposto da autoimagem de excessos e desregramentos dos chefes da Costa Noroeste, que se vangloriavam de "não se importarem com coisa nenhuma" — mas, no fim, eram os californianos que baseavam toda sua economia regional em escolhas aparentemente irracionais. Por que escolhiam intensificar o uso de bosques de carvalhos e grupos de pinheiros quando dispunham de uma abundância de ricas áreas pesqueiras?

Os deterministas ecológicos às vezes tentam solucionar o enigma invocando a segurança alimentar. Salteadores como Le'mekwelolmei podiam ser vistos como vilões, pelo menos em alguns locais, mas sempre existirão, argumentam eles. E o que há de mais atraente para ladrões e invasores do que grandes estoques de alimentos já processados e de fácil transporte? Mas peixes mortos, por razões óbvias para todos nós, não podem ficar largados a céu aberto. Precisam ser consumidos imediatamente, ou então limpos, filetados, secos e defumados para impedir infestações. Na Costa Noroeste, essas tarefas eram cumpridas pontualmente na primavera e no verão, pois eram fundamentais para a sobrevivência física do grupo e também para sua sobrevivência social nas extravagâncias competitivas dos banquetes durante o inverno.[50]

Na linguagem técnica da ecologia comportamental, o peixe fica "concentrado na fase inicial". Quase todo o trabalho de preparação precisa ser feito imediatamente. Em decorrência disso, pode ser possível argumentar que a decisão de depender tanto de peixes — o que sem dúvida seria sensato em termos nutricionais — implica também ficar com a corda no pescoço. Significava investir na criação de um excedente estocável de alimentos processados e embalados (não só a carne, mas também a gordura e o óleo), criando uma tentação irresistível para os saqueadores.[51] Bolotas e nozes, por outro lado, não apresentam tais riscos e tentações. Ficam "concentradas na fase final". Sua coleta era uma atividade simples e bastante leve;[52] e o principal era que não havia nenhuma necessidade de processamento antes da estocagem. A maior parte do trabalho mais puxado se dava pouco antes do consumo: enxaguar e triturar para fazer mingaus, bolos e biscoitos. (Trata-se do exato oposto do peixe defumado, que nem é preciso cozinhar, caso não se queira.)

Assim, não havia grande interesse em atacar um depósito de bolotas não processadas. Em decorrência disso, também não havia nenhum incentivo concreto para organizar sistemas defensivos a fim de proteger os estoques contra potenciais invasores. Aqui é possível começar a enxergar a lógica da coisa. A captura do salmões e a coleta de bolotas simplesmente apresentam aspectos práticos muito diferentes, dos quais se pode esperar no longo prazo proporcionar o surgimento de sociedades de tipos bem diversos: uma guerreira e propensa a ataques (e, depois de esgotada a comida, não é um salto muito grande passar a levar também prisioneiros), a outra essencialmente pacífica.[53] As sociedades da Costa Noroeste, portanto, eram guerreiras porque não tinham a opção de um alimento básico que não desse margem a guerras.

Trata-se uma teoria elegante, sem dúvida, muito inteligente e satisfatória à sua maneira.[54] O problema é que não parece casar com a realidade histórica. A primeira e mais evidente dificuldade é que a obtenção de peixe seco ou de qualquer outro alimento nunca foi um objetivo significativo das incursões intergrupais na Costa Noroeste. Em termos muito simples, numa canoa de guerra só é possível empilhar uma certa quantidade de peixe defumado. E o transporte de produtos volumosos por terra era ainda mais difícil: como não havia nenhum animal de carga nessa parte das Américas, eram os seres humanos que tinham de carregar tudo, e numa viagem longa um escravizado provavelmente comeria quase o mesmo tanto que conseguisse carregar. O objetivo central das incursões sempre foi o de capturar gente, nunca alimentos.[55] Mas aquela também era uma das regiões mais densamente povoadas da América do Norte. Então de onde vinha essa fome de gente? É exatamente o tipo de pergunta que a "teoria do forrageamento ótimo" e outras abordagens "de escolha racional" parecem incapazes de responder.

Na verdade, as principais causas para a escravidão não eram as condições ambientais ou demográficas, mas sim os conceitos da Costa Noroeste sobre o ordenamento adequado da sociedade, que por sua vez resultavam das manobras políticas de diferentes setores da população, os quais, como em qualquer parte do mundo, tinham pontos de vista bastante divergentes a esse respeito. A realidade pura e simples é que não havia escassez de mão de obra nas casas da

Costa Noroeste. Mas uma boa parte dessa mão de obra era composta por detentores de títulos aristocráticos que tinham a firme convicção de que deveriam se isentar de trabalhos braçais. Podiam pegar peixes-boi ou orcas, mas consideravam inconcebível serem vistos a erguer caniçadas ou a estripar peixes. Há relatos de primeira mão mostrando que muitas vezes isso se tornava um problema na primavera e no verão, quando a única limitação à pesca era a quantidade de mão de obra disponível para processar e preservar o que foi capturado. As regras de decoro impediam que os nobres se juntassem a esse trabalho, ao passo que os plebeus de baixa extração (os "perpétuos transitórios", nas palavras de um etnógrafo)[56] não hesitavam em bandear para uma casa rival, caso fossem pressionados demais ou recebessem uma carga excessiva de trabalho.

Em outras palavras, os aristocratas provavelmente achavam que os plebeus deveriam trabalhar para eles como mão de obra escravizada, mas os plebeus eram de outra opinião. Muitos se dedicavam de bom grado por longas horas à arte, mas consideravam a pesca uma coisa bem diferente. Na verdade, a relação entre os nobres detentores de títulos e seus dependentes parecia se dar sob uma constante negociação. Às vezes não ficava muito claro quem estava servindo a quem:

A posição elevada era um direito de nascença, mas o nobre não podia descansar sobre seus louros. Precisava "manter" seu nome com banquetes generosos, *potlatch* e um perdularismo generalizado. Do contrário, corria o risco não só de perder o respeito, mas, em casos extremos, também a posição ou mesmo a vida. Swadesh conta que um chefe [nootka] despótico foi assassinado por "roubar" seus plebeus ao exigir toda a apanha de peixes de seus pescadores, em vez da parcela tributária habitual. Seu sucessor se superou em generosidade ao dizer, quando pegou uma baleia: "Cortem e peguem todos um pedaço; só deixem para mim a menor barbatana dorsal".[57]

O resultado, do ponto de vista dos nobres, era uma escassez perene não de mão de obra em si, mas de mão de obra *controlável* em épocas cruciais do ano. Era a esse problema que a escravidão atendia. E tais eram as causas imediatas, de forma que "coletar gente" dos clãs vizinhos era tão essencial para a economia indígena da Costa Noroeste quanto erguer caniçadas, formar jardins de moluscos ou preparar canteiros de tubérculos.[58]

Assim, somos obrigados a concluir que a ecologia não explica a presença da escravidão na Costa Noroeste. O que a explica é a liberdade. Os aristocratas detentores de títulos, empenhados na rivalidade mútua, simplesmente não dispunham de meios para forçar os próprios súditos a sustentarem os intermináveis jogos de ostentação grandiosa. Eram obrigados a procurar em outro lugar.

E a Califórnia?

Retomando do ponto onde havíamos parado, o "conto dos wogies", um ponto de partida lógico é precisamente a zona de fronteira entre essas duas áreas de cultura. Como se vê, os yuroks e outros "forrageadores protestantes" do norte da Califórnia eram incomuns, mesmo pelos critérios californianos, e cabe a nós entender a razão.

O CULTIVO DA DIFERENÇA NA "ZONA FRAGMENTADA" DO PACÍFICO

Alfred Kroeber, pioneiro no estudo etnográfico da população indígena da Califórnia, descreveu a sua parte noroeste como uma "zona fragmentada", uma área de excepcional diversidade, servindo de ponte entre as duas grandes áreas de cultura do litoral do Pacífico. Aqui, em sua distribuição, os grupos étnicos e linguísticos — yuroks, karuks, hupas, tolowas e mais uma dúzia de sociedades ainda menores — se comprimiam como o fole de um acordeão. Algumas dessas micronações falavam línguas da família atabascana; outras, na arquitetura e no ordenamento doméstico, conservavam traços aristocráticos que indicam claramente suas origens em algum local mais acima na Costa Noroeste. Apesar disso, salvo raríssimas exceções, nenhuma praticava a escravidão em regime de propriedade privada.[59]

Para ressaltar o contraste, notemos que, em qualquer assentamento da Costa Noroeste, os escravizados hereditários podiam chegar a constituir até um quarto da população. Essas cifras são impressionantes. Conforme comentamos, elas rivalizam com a balança demográfica no Sul colonial no auge do ciclo do algodão e coincidem com as estimativas da escravidão doméstica na Atenas clássica.[60] Assim sendo, eram "sociedades escravistas" em sua forma plena, em que o trabalho compulsório alicerçava a economia doméstica e sustentava a prosperidade tanto de nobres como de plebeus. Tomando como hipótese que muitos grupos desceram da Costa Noroeste para o sul, como sugerem os dados linguísticos e outros mais, e que pelo menos uma parte desse deslocamento se deu após cerca de 1800 a.C. (quando muito provavelmente a escravidão estava institucionalizada), a pergunta passa a ser a seguinte: como e quando os forrageadores da "zona fragmentada" perderam o hábito de manter cativos escravizados?

O "quando" da pergunta é na verdade tema para pesquisas futuras. O "como" é mais acessível. Em muitas dessas sociedades, é possível ver costumes que parecem explicitamente destinados a afastar o perigo de que o estatuto de cativo se tornasse permanente. Por exemplo, havia a exigência dos yuroks de que os vencedores da batalha pagassem uma indenização por cada vida ceifada, na mesma faixa que um condenado por assassinato pagaria. Parece uma maneira eficientíssima de tornar as incursões intertribais economicamente inúteis e moralmente falidas. Em termos monetários, a vantagem militar se tornava um compromisso financeiro para o lado vitorioso. Nas palavras de Kroeber: "O *vae victis* da civilização bem que poderia ser substituído entre os yuroks, pelo menos em sentido monetário, pelo dito 'Ai dos vencedores'".[61]

O conto moral dos chetcos sobre os wogies fornece mais alguns indicadores. Sugere que as populações diretamente ligadas à "zona fragmentada" californiana tinham conhecimento dos vizinhos ao norte, considerando-os beligerantes e propensos a uma vida de luxo baseada na exploração do trabalho daqueles que subjugavam. Isso implica que reconheciam a possibilidade dessa exploração dentro de suas próprias sociedades, mas a rejeitavam, pois ter escravos corroeria importantes valores sociais (eles se tornariam "gordos e preguiçosos"). Passando ao sul, para a zona fragmentada californiana em si, encontramos evidências de que os forrageadores dessa região, em muitas áreas essenciais da vida social, estavam de fato construindo suas comunidades, ao bom estilo cismogenético, como uma espécie de imagem especular, uma inversão consciente das comunidades da Costa Noroeste. Aqui cabem alguns exemplos.

Os detalhes mais simples e aparentemente mais pragmáticos oferecem várias pistas. Citemos apenas um ou dois. Jamais se veria um membro livre de uma casa da Costa Noroeste cortando ou transportando madeira.[62] Isso degradaria seu status, tornando-o na prática equivalente a um escravo. Os chefes californianos, por sua vez, parecem ter elevado essas mesmíssimas atividades a um dever público solene, incorporando-as aos rituais centrais da cabana de purificação. Como observou Goldschmidt:

> Todos os homens, em especial os jovenzinhos, eram exortados a recolher lenha para ser usada no suadouro. Não era uma exploração do trabalho infantil, mas um ato religioso importante, carregado de significado. Trazia-se uma madeira especial do topo das montanhas; ela era usada por um importante ritual de purificação. A própria coleta era um ato religioso, pois se tratava de uma maneira para adquirir "sorte". Devia ser executada com a atitude psicológica adequada, cujos principais elementos eram uma conduta comedida e uma reflexão constante sobre a aquisição de riquezas. A tarefa, mais do que um meio para um fim, ganhava uma finalidade moral, com implicações tanto religiosas como econômicas.[63]

Da mesma forma, o suadouro ritual que se seguia — expurgando o corpo do homem californiano de fluidos supérfluos — inverte o consumo excessivo de sebo, gordura e banha de baleia que indicavam o status masculino na Costa Noroeste. Para ressaltar seu status e impressionar os ancestrais, o nobre da Costa Noroeste derramava óleo de peixe-vela no fogo nos campos de torneio do *potlatch*; o chefe californiano, por sua vez, queimava calorias no espaço fechado do suadouro em sua cabana de purificação.

Os californianos nativos pareciam ter clara consciência dos tipos de valores que estavam rejeitando. Chegavam a institucionalizá-los na figura do palhaço,[64] cujas manifestações burlescas públicas de indolência, glutonaria e megalomania — ao mesmo tempo fornecendo uma plataforma para expor a insatisfação e os problemas locais — também parecem parodiar os valores mais ambicionados de uma civilização próxima. Ocorrem outras inversões no âmbito da vida estética e espiritual. As tradições artísticas da Costa Noroeste estão todas relacionadas com a encenação e a simulação: o truque teatral de máscaras que abrem e fecham subitamente, de padrões de bordado que atraem o olhar em direções opostas. Inclusive, o termo nativo para "ritual" na maioria das línguas da Costa Noroeste se traduz como "fraude" ou "ilusão".[65] A espiritualidade californiana proporciona uma antítese quase perfeita. O que importava era o cultivo do eu *interior* por meio da disciplina, da circunspecção e do trabalho árduo. A arte californiana evita por completo o uso de máscaras.

Além disso, as canções e a poesia californianas mostram que o trabalho e o treino da disciplina eram formas de se ligar ao que é autêntico na vida. Assim, se por um lado os grupos da Costa Noroeste não eram avessos a adotar europeus em luxuosas cerimônias de nomeação, os pretendentes a californianos — como Robert Frank, adotado pelos yuroks na segunda metade do século XIX — mais provavelmente acabariam arrastando madeira montanha abaixo, chorando a cada tropeção e queda, enquanto conquistavam o seu lugar entre as "pessoas de verdade".[66]

Se concordamos que o que chamamos de "sociedade" se refere à criação mútua de seres humanos e que "valor" se refere aos aspectos mais conscientes desse processo, então é realmente difícil não ver a Costa Noroeste e a Califórnia como opostos. Os povos nas duas regiões se dedicavam a um extravagante dispêndio de trabalho, mas suas formas e funções não podiam ser mais diferentes. Na Costa Noroeste, a multiplicação exuberante de mobiliários, ornamentos de plumas, mastros, máscaras, mantos e caixas era coerente com a extravagância e a teatralidade do *potlatch*. O objetivo principal de todo esse trabalho e criatividade ritual, porém, era "afixar" nomes e títulos aos concorrentes aristocráticos — moldar tipos específicos de pessoas. O que resulta disso, entre outras coisas, é que as tradições artísticas da Costa Noroeste ainda são consideradas algumas das mais deslumbrantes já vistas no mundo, imediatamente identificáveis por seu intenso foco no tema da exterioridade — um mundo de máscaras, ilusões e fachadas.[67]

As sociedades na zona fragmentada californiana eram, à sua maneira, igualmente extravagantes. Mas, se realizavam algum *potlatch*, era o do próprio trabalho. Como escreveu um etnógrafo sobre os atsugewis, também vizinhos dos yuroks:

> O indivíduo ideal era ao mesmo tempo rico e trabalhador. Despertava à primeira bruma cinzenta do amanhecer para dar início a seu dia de trabalho, nunca interrompendo a atividade até tarde da noite. Acordar cedo e poder ficar sem dormir eram grandes virtudes. Era altamente elogioso dizer "ele não sabe o que é dormir".[68]

Os homens ricos — e vale assinalar que todas essas sociedades eram decididamente patriarcais — costumavam ser vistos como os provedores de dependentes mais pobres, de pessoas imprevidentes e de andarilhos insensatos, graças a seu trabalho e autodisciplina e ao trabalho de suas esposas.

A espiritualidade californiana, com sua ênfase "protestante" na interioridade e na introspecção, oferece um contraponto perfeito para os espelhos e as cortinas de fumaça dos cerimoniais da Costa Noroeste. Entre os yuroks, o trabalho bem realizado se tornava uma maneira de se conectar a uma realidade verdadeira, que tinha em objetos valorizados, como os dentálios e escalpos de colibris, meras manifestações exteriores. Um etnógrafo contemporâneo explica:

> Ao "acumular" a si mesmo e se tornar mais limpo, o indivíduo em treinamento se vê mais e mais "real" e, assim, o mundo mais e mais "belo": um lugar real vivenciado, mais do que um cenário para uma "história", para o conhecimento intelectual [...]. Em 1865, o capitão Spott, por exemplo, treinou por muitas semanas enquanto ajudava o curandeiro a se preparar para a cerimônia do Primeiro Salmão na foz do rio Klamath [...] "o velho [curandeiro] mandou que ele fosse buscar madeira para a cabana de purificação. Durante o caminho, ele chorava quase a cada passo porque agora estava vendo com os próprios olhos como se fazia". Prantos e lágrimas são de importância fundamental no treinamento espiritual yurok, como manifestações de anseios, sinceridade, humildade e abertura pessoais.[69]

Com tais exercícios, a pessoa descobria sua verdadeira vocação e propósito; e quando "o propósito na vida de outra pessoa é interferir com você", informaram ao etnógrafo, "ela precisa ser detida, para que você não se torne escravo, 'animal de estimação' dela".

Os yuroks, com seus modos puritanos e sua excepcional ênfase cultural sobre o trabalho e o dinheiro, podem parecer uma escolha estranha para serem celebrados como heróis antiescravidão (embora muitos abolicionistas calvinistas não fossem muito diferentes). Mas claro que não os estamos apresentando como heróis, assim como tampouco queremos representar seus vizinhos da Costa Noroeste como os vilões da história. Nós os apresentamos como uma forma de ilustrar que o processo com que as culturas se definem, umas em contraste com as outras, tem sempre uma raiz política, pois envolve argumentações conscientes sobre a maneira adequada de viver. Um ponto revelador é que as discussões parecem ter sido mais intensas precisamente nessa zona fronteiriça entre "áreas de cultura" antropológicas.

Como mencionamos, os yuroks e seus vizinhos contíguos eram um tanto incomuns, mesmo pelos critérios californianos, mas de maneiras contraditórias. Por um lado, mantinham indivíduos escravizados, ainda que poucos. Quase todos os povos da Califórnia central e do sul, os maidus, wintus, pomos etc., rejeitavam por completo a instituição da escravidão.[70] Ao que parece, havia pelo menos duas razões para isso. Primeiro, em quase todos os lugares, exceto no noroeste, o dinheiro e outras riquezas do homem ou da mulher eram ritualmente incinerados com sua morte — e, em decorrência disso, a instituição servia como um mecanismo nivelador.[71] A área yurok-karuk-hupa era um dos poucos lugares onde os dentálios podiam ser de fato transmitidos hereditariamente. Some-se a isso o fato de que por lá as brigas levavam à guerra com uma frequência muito maior do que em qualquer outro lugar, e surge uma espécie de versão encolhida e reduzida do sistema hierárquico da Costa Noroeste, nesse caso uma divisão tripartite entre famílias ricas, yuroks comuns e indigentes.[72]

Os cativos não eram escravizados: todas as fontes garantem que eram rapidamente resgatados, e todos os assassinos tinham de pagar indenização; mas tudo isso exigia dinheiro. Dessa forma, os homens importantes que muitas vezes instigavam as guerras podiam obter vultosos lucros com isso, fazendo empréstimos aos que não tinham como pagar o resgate, que assim eram reduzidos à servidão por dívida ou se retiravam para uma vida ignominiosa em algum canto isolado nas matas. Pode-se ver o intenso foco na obtenção de dinheiro, com o resultante puritanismo, e também a forte oposição moral às incursões para a captura de cativos escravizados como decorrência das tensões criadas pela vida nessa zona tampão caótica e instável entre as duas regiões. Havia líderes ou chefes formais em outros lugares da Califórnia e, embora não tivessem nenhum poder de imposição compulsória, resolviam conflitos levantando fundos indenizatórios entre a coletividade, e o foco da vida cultural se concentrava mais na organização de ritos animais de renovação do mundo do que na acumulação de propriedades.[73]

Aqui poderíamos dizer que as coisas fecharam um círculo completo. O propósito ostensivo do *potlatch* e de competições espetaculares por riquezas e títulos hereditários na Costa Noroeste era principalmente conquistar papéis de destaque nas grandiosas mascaradas do solstício de inverno que, da mesma forma, se destinavam a fazer reviver as forças da natureza. Os chefes californianos também estavam em última análise envolvidos com as mascaradas de inverno — sendo californianos, não utilizavam máscaras em sentido literal, mas, tal como nas cerimônias kwakiutls do solstício de inverno, os deuses desciam à terra e se encarnavam em dançarinos fantasiados — com o propósito de regenerar o mundo e salvá-lo da destruição iminente. A diferença, claro, era que, na ausência de uma mão de obra escravizada ou de qualquer sistema de títulos hereditários, os chefes pomos ou maidus californianos tinham de organizar esses rituais de maneira totalmente distinta.

ALGUMAS CONCLUSÕES

Os deterministas ambientais têm a infeliz propensão de tratar os seres humanos como pouco mais que autômatos, que viviam de acordo com a fantasia de cálculo racional de algum economista. Para sermos justos, eles não negam que os seres humanos são criaturas idiossincráticas e imaginativas — parecem apenas achar que, no longo prazo, esse fato faz pouquíssima diferença. Os que não seguem o caminho ótimo no uso dos recursos estão destinados à lata de lixo da história. Os antropólogos que objetam a esse tipo de determinismo costumam apelar à cultura, mas, no final das contas, é mais ou menos como insistir que é impossível encontrar uma explicação: os ingleses agem como agem porque são ingleses, os yuroks agem como agem porque são yuroks; por que são ingleses ou yuroks, não nos cabe dizer. Os seres humanos — a partir dessa perspectiva, que é à sua maneira tão extremada quanto — são, na melhor das hipóteses, uma constelação arbitrária de elementos culturais, talvez reunidos segundo um espírito, um código ou etos dominante. O fato de que tal ou tal sociedade acabe tendo tal ou tal etos é tratado como algo que vai além de qualquer explicação, quase como um lance de dados aleatório.

A exposição das coisas em termos tão incisivos não significa que as duas posições não tenham um fundo de verdade. A intersecção de ambiente e tecnologia faz diferença, muitas vezes enorme, e a distinção cultural realmente é apenas um lance de dados arbitrário: não existe "explicação" para que o chinês seja uma língua tonal e o alemão, um idioma aglutinativo; foi simplesmente assim que as coisas se configuraram. Todavia, se tratarmos a arbitrariedade da diferença linguística como o fundamento de toda a teoria social — que na prática é o que o estruturalismo fez e o pós-estruturalismo continua a fazer —, o resultado é tão mecanicamente determinista como a mais extremada forma de determinação ambiental. "A língua nos fala." Estamos condenados a encenar para sempre padrões de comportamento que não são criações nossas — na verdade não são criação de ninguém — até que alguma mudança sísmica no equivalente das placas tectônicas nos arremesse a um ordenamento novo, também inexplicável.

Em outras palavras, as duas abordagens pressupõem que, na verdade, já estamos aprisionados. É por isso que damos tanta ênfase à noção de autodeterminação. Assim como é plausível supor que os caçadores de mamutes do Plistoceno, indo e vindo entre diferentes formas sazonais de organização, devem ter desenvolvido um certo grau de consciência política — devem ter pensado sobre os respectivos méritos dos diferentes modos de conviverem uns com os outros —, da mesma forma as complexas redes de diferenças culturais que vieram a caracterizar as sociedades humanas após o final da última Era Glacial certamente deviam envolver um certo grau de reflexão política. Aqui também nossa intenção é apenas tratar aqueles que criaram essas formas de cultura como adultos inteligentes, capazes de pensar sobre os mundos sociais que estavam construindo ou rejeitando.

É claro que essa abordagem, como qualquer outra, pode ser levada a extremos ridículos. Voltando brevemente à *Ética protestante* de Weber, é comum em certos círculos afirmar que "as nações fazem escolhas", que algumas decidiram ser protestantes e outras católicas, e que essa é a principal razão para haver tanta gente rica nos Estados Unidos ou na Alemanha e tanta gente pobre no Brasil ou na Itália. Isso faz tanto sentido quanto afirmar que, já que todos são livres para tomar suas próprias decisões, o fato de alguns se tornarem consultores financeiros e outros agentes de segurança se deve exclusivamente a suas opções (inclusive, geralmente são os mesmos tipos de pessoas que empregam os dois tipos de argumentos). Talvez Marx tenha formulado melhor: fazemos nossa própria história, mas não por nossa própria escolha.

Na verdade, uma das razões por que os teóricos nunca deixarão de debater essa questão é que não temos como saber realmente até que ponto a "capacidade de ação humana" — expressão hoje usada para o que antes se costumava chamar de "livre-arbítrio" — de fato faz diferença. Os eventos históricos, por definição, acontecem apenas uma vez, e não há como saber ao certo se "podiam" ter se dado de outra maneira (poderia a Espanha nunca ter conquistado o México? Poderia a máquina a vapor ter sido inventada no Egito ptolomaico, levando a uma revolução industrial na Antiguidade?), ou mesmo qual é o sentido de fazer tais perguntas. Não podemos prever os eventos futuros, mas, tão logo acontecem, parece que faz parte da condição humana a dificuldade de enxergá-los como inevitáveis. Não há como saber. Assim, onde queremos ajustar o ponto certo entre liberdade e determinismo é em grande medida uma questão de gosto pessoal.

Como este livro trata sobretudo da liberdade, parece adequado ajustar esse ponto um pouco mais à esquerda do que o habitual e explorar a possibilidade de que os seres humanos têm mais voz coletiva sobre seu destino do que costumamos supor. Em vez de definir os habitantes indígenas da Costa Pacífica da América do Norte como agricultores "incipientes" ou como exemplos de complexidade "emergente" — o que, na verdade, é apenas uma forma atualizada de dizer que todos estavam "correndo para seus grilhões" —, aventamos a possibilidade de que talvez estivessem procedendo de olhos (mais ou menos) abertos e encontramos diversas evidências disso.

Como argumentamos, a escravidão se tornou corrente na Costa do Noroeste em grande medida porque uma aristocracia ambiciosa se viu incapaz de reduzir seus súditos livres a uma mão de obra em que pudesse confiar. A violência subsequente parece ter se espraiado até que os habitantes da área que estamos chamando de "zona fragmentada" no norte da Califórnia se viram pouco a pouco obrigados a criar instituições que os isolassem dela ou, pelo menos, de suas formas mais extremas. Seguiu-se um processo cismogenético, por meio do qual os povos passaram a se definir cada vez mais uns em contraste com os outros. Tal processo não era de forma nenhuma uma discussão sobre a escravidão; ao que parece, afetou tudo, desde a configuração da ordem doméstica, das leis, dos rituais e das artes até as concepções sobre o que seria um ser humano admirável, e se fez muito evidente nas diferentes atitudes em relação ao trabalho, à alimentação e à riqueza material.[74]

Tudo isso desempenhou um papel fundamental para moldar aquilo que os forasteiros vieram a considerar como a sensibilidade predominante de cada "área de cultura" resultante — a extravagância espalhafatosa de uma delas, a simplicidade austera da outra. Mas também culminou na rejeição esmagadora da prática da escravidão e do sistema de classes que acarretava todas as partes da Califórnia, a não ser no extremo noroeste, e mesmo lá se manteve sob muitas restrições.

O que isso nos revela sobre o surgimento de formas similares de dominação em fases anteriores da história humana? Nada definitivo, claro. É difícil saber com certeza se as sociedades mesolíticas da costa báltica ou bretã, que nos lembram vagamente as sociedades indígenas na Costa Noroeste do Canadá, estavam de fato organizadas sobre princípios similares. "Complexidade" — tal como se reflete na coordenação do trabalho ou em elaborados sistemas rituais — não significa necessariamente dominação. Mas parece provável que esses ordenamentos estavam de fato surgindo em algumas partes do mundo, em determinadas épocas e locais, e que, ao surgirem, enfrentavam oposição. Os processos regionais de diferenciação cultural, do tipo sobre o qual começamos a dispor de mais dados após o final da última Era Glacial, provavelmente eram tão políticos quanto os de épocas posteriores, inclusive os que abordamos neste capítulo.

Em segundo lugar, agora podemos ver com mais clareza que a dominação começa em casa. O fato de que tais ordenamentos se tornassem objeto de contestação política não significa que tivessem origem na política. A escravidão tem origens na guerra. Mas, em todos os lugares em que a encontramos, a escravidão também é, de início, uma instituição doméstica. A hierarquia e a propriedade podem derivar de noções sobre o sagrado, porém as formas mais brutais de exploração têm suas raízes na mais íntima das relações sociais: como formas distorcidas de criação, de amor e de cuidados. Essas origens, claro, não se encontram no governo. As sociedades da Costa Noroeste não tinham nada que pudesse ser remotamente descrito como um regime de governo; o mais próximo a isso eram os comitês de organização das mascaradas anuais. O que se encontra, em vez disso, é uma sucessão infindável de grandes casas de madeira, cada qual compondo uma diminuta corte centrada numa família detentora de títulos, os plebeus ligados a ela e seus cativos escravizados pessoais. Mesmo o sistema hierárquico se referia a divisões dentro da casa. Parece muito provável que isso se aplicasse também em sociedades não agrícolas de outros locais.

Por fim, tudo isso sugere que, em termos históricos, a hierarquia e a igualdade tendem a surgir juntas, em relação de mútua complementaridade. Os plebeus tlingits ou haidas na Costa Noroeste eram iguais na medida em que estavam todos igualmente excluídos das camadas dos detentores de títulos e, portanto, comparados aos aristocratas — com suas identidades exclusivas —, formavam uma espécie de massa indiferenciada. As sociedades californianas, como rejeitavam por completo esse ordenamento, podiam ser descritas como conscientemente igualitárias, mas num sentido bastante distinto. Por mais estranho que possa parecer, isso transparece com máxima clareza em sua adoção efusiva do dinheiro, e aqui, mais uma vez, são instrutivas as comparações com seus vizinhos ao norte. Para as sociedades da Costa Noroeste, a riqueza, que era sagrada em todas as acepções do termo, consistia sobretudo em tesouros e relíquias de família cujo valor se baseava no fato de serem únicos e exclusivos, sem paralelo no mundo. A igualdade entre detentores de títulos era simplesmente inconcebível, muito embora pudesse ser discutido quem no fim das contas era superior a quem. Na Califórnia, as formas de riqueza mais importantes eram moedas como os colares de dentálios ou os cocares de escalpos de pica-pau, cujo valor estava em serem exatamente iguais uns aos outros e, portanto, poderem ser contados — e, em geral, essas riquezas não eram transmitidas de forma hereditária, e sim destruídas quando da morte do possuidor.

No prosseguimento de nossa história, encontraremos diversas vezes essa mesma dinâmica. Poderíamos chamá-la, talvez, de "desigualdade a partir de baixo". A dominação aparece primeiro no nível mais íntimo e doméstico. As políticas conscientemente igualitárias surgem para impedir que essas relações se espalhem daqueles pequenos mundos para a esfera pública (que muitas vezes, durante esse processo, vem a ser imaginada como esfera exclusiva de homens adultos). Esses são os tipos de dinâmicas que culminaram em fenômenos como a democracia ateniense da Antiguidade. Mas suas raízes provavelmente recuam muito mais no tempo, bem antes do advento das sociedades agrícolas.

6. Jardins de Adônis
A revolução que nunca ocorreu: Como os povos neolíticos evitaram a agricultura

Voltemos, então, às origens do cultivo da terra.

PRECONCEITOS PLATÔNICOS, E COMO ELES OBSCURECEM NOSSAS
IDEIAS SOBRE A INVENÇÃO DA AGRICULTURA

Diga-me, escreve Platão:

Um agricultor sério e inteligente, com sementes que prezasse e quisesse cultivar
para obter seus frutos, iria semeá-las nos jardins de Adônis e se alegraria ao vê-las
crescerem viçosas em questão de oito dias; ou, se chegasse a semeá-las, faria isso
por diversão e festejo? Para coisas que realmente levasse a sério, ele não usaria
seus conhecimentos de agricultor, plantando-as num ambiente adequado e ficando contente se tudo o que plantara chegasse à maturidade no oitavo mês?[1]

Os jardins de Adônis, a que Platão aqui se refere, eram uma espécie de
processo acelerado de plantio para fins festivos que não produzia alimentos.
Para o filósofo, constituíam uma analogia conveniente para todas as coisas

precoces e atraentes, mas estéreis. No auge do verão, quando nada crescia, as mulheres da antiga Atenas montavam esses pequenos jardins em vasos e cestos. Cada um continha uma mistura de ervas e cereais de rápida germinação. As sementeiras improvisadas eram levadas escada acima até a cobertura plana das casas, e ali deixadas a esturricar ao sol: uma reencenação botânica da morte prematura de Adônis, o caçador morto no vigor da juventude por um javali selvagem. Então, para além do olhar público dos homens e das autoridades cívicas, iniciavam-se os ritos no alto das casas. Abertos a mulheres de todas as classes da sociedade ateniense, inclusive as prostitutas, eram ritos de lamentação, mas também de desenfreada embriaguez e, sem dúvida, de outras formas de êxtase.

Os historiadores concordam que as raízes desse culto feminino se encontram nos ritos mesopotâmicos de fertilidade de Dumuzi/ Tammuz, o deus pastor e personificação da vida vegetal, cuja morte era lamentada a cada verão. O culto de Adônis, sua encarnação grega antiga, se espalhou da Fenícia para o oeste, até a Grécia, na esteira da expansão assíria no século VII a.C. Hoje em dia, alguns estudiosos veem a coisa toda como uma subversão turbulenta dos valores patriarcais: uma antítese das sóbrias e decorosas Tesmofórias (as festas de outono da deusa grega da fertilidade, Deméter), promovidas sob a égide do Estado, celebradas pelas esposas de cidadãos atenienses e dedicadas ao cultivo agrícola mais sério do qual dependia a vida da cidade. Outros interpretam a história de Adônis de maneira oposta, como um réquiem pelo drama primordial da caça, relegada à margem pelo advento da agricultura, mas não esquecida — um eco da masculinidade perdida.[2]

Tudo muito bom, tudo muito bem, diríamos, mas o que isso tem a ver com as origens da lavoura? Qual é a relação entre os jardins de Adônis e os primeiros indícios neolíticos de agricultura, uns 8 mil anos antes de Platão? Bem, em certo sentido, eles têm tudo a ver. Pois esses debates acadêmicos condensam exatamente os tipos de problemas que cercam qualquer investigação moderna desse tema fundamental. Estaria a lavoura desde o começo relacionada com a seríssima questão de produzir mais alimentos para prover às populações em crescimento? A maioria dos estudiosos aceita como fato inconteste que devia ser essa a principal razão para a criação da lavoura. Mas talvez tenha começado como um tipo de processo mais lúdico ou mesmo subversivo — ou talvez até como um efeito colateral de outras preocupações, como a vontade de passar mais tempo em certos tipos de locais, onde as verdadeiras prioridades eram a caça e a troca. Qual dessas duas ideias de fato encarna o espírito dos primeiros agricultores: as pragmáticas Tesmofórias estatais ou os divertidos e prazerosos jardins de Adônis?

Sem dúvida, os próprios povos do Neolítico — os primeiros agricultores do mundo — passaram um bom tempo debatendo questões semelhantes. Para dar uma ideia das razões de nossa afirmação, vejamos Çatalhöyük, provavelmente o sítio neolítico mais famoso do mundo.

COMO ÇATALHÖYÜK, A CIDADE MAIS ANTIGA DO MUNDO, GANHOU UMA NOVA HISTÓRIA

Situada na planície de Konya, na Turquia central, Çatalhöyük foi colonizada por volta de 7400 a.C. e continuou a ser povoada por cerca de 1500 anos (só para dar alguns parâmetros, é mais ou menos o mesmo período que nos separa de Amalafrida, rainha dos vândalos, que alcançou o auge de sua influência por volta de 523 d.C.). Com treze hectares, era mais uma pequena cidade do que uma aldeia, com cerca de 5 mil habitantes. No entanto, não tinha nenhum centro visível, nem instalações comunais e sequer ruas: apenas uma densa aglomeração de casas, uma após a outra, todas de contornos e tamanhos parecidos, com acesso pelo telhado, por uma escada.

Se a planta geral de Çatalhöyük sugere um etos de monótona uniformidade, um labirinto de paredes de barro idênticas, a vida no interior dessas construções aponta na direção oposta. Inclusive, outra razão para a fama do sítio é a tendência nitidamente macabra de seus moradores para a decoração de interiores. Quem já deu uma olhada dentro de uma casa Çatalhöyük nunca mais esquece: uma sala central, com não mais de cinco metros de lado a lado, com crânios e chifres de gado e de outros animais se projetando do interior das paredes e às vezes do exterior dos móveis e acessórios. Muitas salas também tinham estatuetas e vívidas pinturas nas paredes, e dispunham de plataformas sob as quais residia uma parte dos mortos da casa — restos mortais de seis a sessenta indivíduos por residência — servindo de esteio aos vivos. Impossível deixar de lembrar a imagem de Maurice Sendak, de uma casa mágica em que "as paredes se tornavam todo o mundo ao redor".[3]

234

Há gerações de arqueólogos que preferem ver Çatalhöyük como um monumento às "origens da agricultura". Certamente é fácil de entender a razão disso. Trata-se de um dos primeiros grandes assentamentos que conhecemos, cujos habitantes praticavam a agricultura e obtinham a maior parte de sua alimentação de cereais, leguminosas, ovinos e caprinos domesticados. Assim, parece plausível considerá-los como os próprios engenheiros da chamada "Revolução Agrícola", como se tem dito desde a época de V. Gordon Childe — pré-historiador e autor de *A evolução cultural do homem* (1936) e *O que aconteceu na história* (1942) —, e quando começaram as escavações, nos anos 1960, a notável cultura material de Çatalhöyük foi assim interpretada. Estatuetas de barro de mulheres sentadas, inclusive um exemplar famoso ladeado por felinos, foram interpretadas como representações de uma Deusa Mãe, presidindo à fertilidade das mulheres e dos campos cultivados. Os crânios de bois (*"bucrania"*) embutidos nas paredes foram vistos como pertencentes ao gado doméstico, dedicados a uma divindade taurina responsável pela proteção e reprodução dos rebanhos. Algumas construções foram identificadas como "santuários". Considerou-se que toda essa vida ritual se referia ao plantio a sério — uma representação neolítica mais no espírito de Deméter do que no de Adônis.[4]

Escavações mais recentes, porém, sugerem que descartamos Adônis rápido demais.[5] Desde os anos 1990, os novos métodos de trabalho de campo empregados em Çatalhöyük trouxeram uma série de surpresas que nos obrigam a rever a história da cidade mais antiga do mundo e também nossa maneira de pensar sobre as origens da agricultura em geral. Constatou-se que o gado, no fim das contas, não era domesticado: aqueles crânios impressionantes eram de ferozes auroques selvagens. Os santuários não eram santuários, e sim casas onde as pessoas se dedicavam a atividades do cotidiano, como cozinhar, comer e trabalhar nos seus ofícios artesanais — eram como qualquer outro lugar, a não ser pelo fato de conterem uma maior quantidade de objetos rituais. Mesmo a Deusa Mãe foi relegada às sombras. Não tanto porque as corpulentas estatuetas femininas pararam de aparecer nas escavações, mas porque os novos achados passaram a ser encontrados não em santuários ou em tronos, mas em montes de lixo e refugos no lado de fora das casas, com as cabeças quebradas e removidas, e não pareciam mesmo terem sido tratadas como objetos de veneração religiosa.[6]

Hoje, a maioria dos arqueólogos considera um grande equívoco interpretar as imagens pré-históricas de mulheres corpulentas como "deusas da fertilidade", uma ideia que é fruto de fantasias vitorianas há muito ultrapassadas sobre o "matriarcado primitivo". No século XIX, de fato, o matriarcado era considerado o modo-padrão de organização política das sociedades neolíticas (em oposição ao patriarcado opressor da subsequente Idade do Bronze). Em decorrência disso, quase todas as imagens de mulheres de aparência fértil eram interpretadas como representações de deusas. Atualmente, os arqueólogos estão mais propensos a assinalar que muitas estatuetas poderiam muito bem ter sido os equivalentes locais de bonecas infantis, como Barbies (o tipo de Barbie que se poderia ter numa sociedade com padrões de beleza feminina muito diferentes); ou que diferentes estatuetas poderiam ter servido a finalidades totalmente diversas (o que é correto, sem dúvida); ou a deixar toda a discussão de lado afirmando que simplesmente não temos e nunca teremos a menor ideia dos motivos que levavam as pessoas a criarem tantas imagens femininas, de modo que o mais provável é que todas as interpretações oferecidas sejam projeções de nossos próprios pressupostos sobre as mulheres, o gênero ou a fertilidade, mais do que qualquer coisa que fizesse sentido para um habitante da Anatólia neolítica.

Tudo isso pode parecer um pouco detalhista demais, mas, como veremos, há muita coisa em jogo nessas distinções tão sutis e minuciosas.

A POSSIBILIDADE DE MATRIARCADOS NEOLÍTICOS, UMA ESPÉCIE DE ZONA PROIBIDA ACADÊMICA

Não foi só a ideia de "matriarcado primitivo" que se tornou hoje um espantalho: a mera sugestão de que as mulheres tenham ocupado posições de maior destaque nas primeiras comunidades agrícolas é um convite à censura acadêmica. Talvez isso não seja tão surpreendente. Assim como os rebeldes sociais, desde os anos 1960, tendiam a idealizar os bandos de caçadores-coletores, as gerações anteriores de poetas, anarquistas e boêmios tinham sido propensas a idealizar o Neolítico como uma teocracia benevolente governada por sacerdotisas da Grande Deusa, a onipotente ancestral distante de Inanna, Ishtar, Astarté e da própria Deméter — até que essas sociedades foram esmagadas pela chegada de homens patriarcais violentos, falantes de uma língua indo-europeia, vindos das estepes a cavalo ou, no caso do Oriente Médio, de nômades falantes de uma língua semítica, oriundos dos desertos. A maneira de enxergar esse confronto imaginário acabou criando uma grande divisão política no final do século XIX e começo do século XX.

Para dar uma ideia do que se trata, vejamos Matilda Joslyn Gage (1826--1898), considerada em vida como uma das mais importantes feministas norte-americanas. Gage era também anticristã, atraída pelo "matriarcado" haudenosaunee, que acreditava ser um dos poucos exemplos restantes da organização social neolítica, e vigorosa defensora dos direitos indígenas, a ponto de ser adotada como mãe do clã mohawk. (Ela passou os anos finais de vida na casa de seu devotado genro, L. Frank Baum, autor dos livros de *Oz* — uma série de catorze volumes que, como muitos já mencionaram, traz rainhas, fadas e princesas, mas nenhuma figura masculina de autoridade.) Em *Woman, Church, and State* [A mulher, a igreja e o Estado] (1893), Gage postulou a existência universal de uma forma inicial de sociedade "conhecida como Matriarcado ou governo da Mãe", em que as instituições governamentais e religiosas seguiam os moldes da relação entre a mãe e sua prole no lar.

Ou então vejamos um dos dois discípulos favoritos de Sigmund Freud: Otto Gross, um anarquista que, nos anos que antecederam a Primeira Guerra Mundial, desenvolveu uma teoria de que o superego era na verdade o patriarcado, e precisava ser destruído para liberar o inconsciente coletivo matriarcal benevolente, que considerava ser o resíduo oculto, mas ainda vivo, do Neolítico. (Isso ele tentou empreender, em grande parte, com o uso de drogas e relações sexuais poliamorosas; a obra de Gross hoje é lembrada em grande medida por sua influência sobre o outro discípulo favorito de Freud, Carl Jung, que conservou a ideia de inconsciente coletivo, mas rejeitou as conclusões políticas de Gross.) Depois da Grande Guerra, os nazistas começaram a adotar a mesma história das invasões "arianas" da perspectiva oposta, representando os invasores patriarcais imaginários como os ancestrais de sua raça superior.

Com essa politização tão intensa de leituras obviamente fantasiosas da pré-história, não admira muito que o tema do "matriarcado primitivo" tenha se tornado uma fonte de vergonha — o equivalente intelectual a uma zona proibida — para as gerações seguintes. Mas é difícil evitar a impressão de que de fato existe algo aqui. O grau de apagamento foi extraordinário, muito maior do que a mera suspeita de se tratar de uma teoria muito forçada ou ultrapassada justificaria. Entre os acadêmicos atuais, a crença no matriarcado primitivo é tratada como uma espécie de crime intelectual, quase equivalente ao "racismo científico", e seus expoentes foram eliminados da história: Gage, da história do feminismo; Gross, da história da psicologia (apesar de ter criado conceitos como introversão e extroversão e ter trabalhado com muita gente de destaque, desde Franz Kafka e os dadaístas de Berlim a Max Weber).

Isso causa estranhamento. Afinal, um século parece tempo mais do que suficiente para a poeira se assentar. Por que o assunto ainda continua tão cercado de tabus?

Muito dessa suscetibilidade provém de uma reação contra o legado de uma arqueóloga lituano-americana chamada Marija Gimbutas. Nos anos 1960 e 1970, Gimbutas era uma grande autoridade no período final da pré-história da Europa Oriental. Hoje em dia, costumam representá-la como uma figura excêntrica, a exemplo de rebeldes da psiquiatria como Otto Gross, acusada de tentar reviver a mais ridícula das velhas fantasias vitorianas sob vestes modernas. Não só isso é falso (entre os que desqualificam o seu trabalho, são pouquíssimos os que parecem ter de fato lido alguma coisa de sua obra), como também criou uma situação que torna difícil para os estudiosos sequer especularem como a hierarquia e a exploração vieram a criar raízes na esfera doméstica — a menos que se queira voltar a Rousseau e à noção simplista de que a agricultura sedentária, de alguma maneira, gerou automaticamente o poder dos maridos sobre as esposas e dos pais sobre os filhos.

Na verdade, se lermos os livros de Gimbutas — como *The Goddesses and Gods of Old Europe* [Os deuses e deusas da Velha Europa] (1982) —, rapidamente percebemos que a autora estava se dedicando a algo que, até então, só os homens tinham sido autorizados a tentar: elaborar uma narrativa grandiosa sobre as origens da civilização eurasiana. Para isso, tomou como base o mesmo conceito de "áreas de cultura" que abordamos no capítulo anterior, usando-o para afirmar que, em alguns aspectos (mas certamente não em todos), a velha história vitoriana sobre os agricultores adoradores da deusa e os invasores arianos era mesmo verdadeira.

Gimbutas estava empenhada em entender os contornos gerais de uma tradição cultural a que chamava de "Velha Europa", um mundo de aldeias neolíticas sedentárias concentradas nos Bálcãs e no Mediterrâneo Oriental (mas se estendendo também mais ao norte), onde, segundo ela, homens e mulheres eram igualmente valorizados e as diferenças de riqueza e status eram bastante circunscritas. Segundo suas estimativas, a Velha Europa se estendeu mais ou menos de 7000 a.C. a 3500 a.C. — o que, mais uma vez, é um período considerável. Ela acreditava que essas sociedades eram essencialmente pacíficas e que compartilhavam de um panteão comum sob a tutela de uma deusa suprema, cujo culto é atestado em centenas e centenas de estatuetas femininas — algumas pintadas com máscaras — encontradas em assentamentos neolíticos, desde o Oriente Médio até os Bálcãs.[7]

Segundo Gimbutas, a "Velha Europa" teve um fim catastrófico no terceiro milênio a.C., quando os Bálcãs foram invadidos por uma migração de povos criadores de gado — o chamado povo *"kurgan"* — originários da Estepe Pôntica, ao norte do mar Negro. O termo *kurgan* se refere à característica de mais fácil identificação arqueológica desses grupos: túmulos de terra amontoados sobre as sepulturas dos guerreiros (tipicamente masculinos), enterrados com armas e ornamentos de ouro, e com extravagantes sacrifícios de animais e, por vezes, também de "dependentes" humanos. Todas essas características atestavam valores opostos ao etos comunitário da Velha Europa. Os grupos recém-chegados eram aristocráticos, "androcráticos" (ou seja, patriarcais) e extremamente belicosos. Gimbutas os considerava responsáveis pela difusão ocidental das línguas indo-europeias, pela instauração de novas espécies de sociedades baseadas na subordinação radical das mulheres e pela ascensão dos guerreiros como casta dominante.

Conforme citamos, tudo isso guardava uma certa semelhança com as velhas fantasias vitorianas — mas havia diferenças fundamentais. A versão anterior se baseava numa antropologia evolucionária que considerava o matriarcado como a condição original da espécie humana porque, de início, as pessoas supostamente não entendiam a paternidade fisiológica e julgavam que as mulheres eram as únicas responsáveis pela procriação. Isso significava, claro, que as comunidades caçadoras-coletoras anteriores deviam ser tão matrilineares e matriarcais quanto os primeiros agricultores, se não mais — algo que muitos inclusive defendiam como pressupostos básicos, apesar da total ausência de qualquer tipo evidência. Gimbutas, porém, não propunha nada desse tipo: seu argumento tratava da autonomia e da prioridade ritual das mulheres no Neolítico europeu e médio-oriental. Todavia, nos anos 1990, muitas ideias suas se tornaram uma bandeira para ecofeministas, religiões New Age e uma legião de outros movimentos sociais, inspirando uma enxurrada de livros populares que iam do filosófico ao ridículo — e, nesse processo, acabaram se entrelaçando com algumas das velhas ideias vitorianas mais extravagantes.

Em vista de tudo isso, muitos arqueólogos e historiadores concluíram que Gimbutas estava turvando as águas que dividiam a pesquisa científica da literatura popular. Não demorou muito, e ela passou a ser acusada de praticamente tudo de que a academia conseguiu lançar mão: desde escolher a dedo as evidências de acordo com sua conveniência a deixar de acompanhar os avanços metodológicos, de se entregar a um sexismo às avessas ou de se comprazer em "mitificar". Chegou até a se tornar alvo do supremo insulto da psicanálise pública, quando importantes periódicos acadêmicos publicaram artigos sugerindo que suas teorias sobre o deslocamento da Velha Europa eram basicamente projeções fantasmagóricas de sua tumultuada experiência de vida, quando Gimbutas fugiu de sua terra natal, a Lituânia, ao final da Segunda Guerra Mundial e na esteira das invasões estrangeiras.[8]

Felizmente, talvez, a própria Gimbutas, falecida em 1994, não estava presente para acompanhar grande parte desses acontecimentos. Mas isso também significou que ela nunca pôde dar uma resposta. Algumas, talvez a maioria, dessas críticas continham elementos de verdade — embora sem dúvida se possam fazer críticas similares a praticamente qualquer arqueólogo que desenvolva um tema abarcando um extenso período histórico. Os argumentos de Gimbutas incluíam uma certa mitificação, o que em parte explica a humilhação geral de seu trabalho por parte da comunidade acadêmica. Mas, quando são os homens da academia que se entregam a tal mitificação — e, como vimos, isso é bem frequente —, eles não só passam ilesos, como muitas vezes ganham prestigiosos prêmios literários e séries de palestras são batizadas com seu nome. É provável que se tenha considerado que Gimbutas estava invadindo, e deliberadamente subvertendo, um gênero de narrativa grandiosa que era (e ainda é) dominado por autores homens, como nós mesmos. No entanto, o que ganhou em troca não foi um prêmio literário ou um lugar entre os respeitados ancestrais da arqueologia — foi o aviltamento póstumo quase universal ou, ainda pior, a conversão em objeto de desprezo desdenhoso.

Pelo menos até bem pouco tempo atrás.

Nos últimos anos, a análise de DNAs antigos — que não existia na época de Gimbutas — tem levado uma série de arqueólogos importantes a admitirem que pelo menos uma parte significativa da reconstituição feita por ela provavelmente estava correta. Se esses novos argumentos, apresentados com base na genética populacional, estiverem corretos pelo menos em termos gerais, então de fato houve uma expansão de povos pastores das pradarias ao norte do mar Negro por volta da época que Gimbutas supusera: o terceiro milênio a.C. Alguns estudiosos inclusive afirmam que houve migrações maciças partindo das estepes eurasianas naquela época, levando ao realocamento da população e talvez à difusão de línguas indo-europeias em extensos trechos da Europa Central, tal como concebera Gimbutas. Outros são bem mais cautelosos; mas, seja como for, após décadas de silêncio quase completo, de repente as pessoas voltam a falar sobre essas questões e, portanto, sobre a obra de Gimbutas.[9]

E quanto à outra metade do argumento de Gimbutas, de que as sociedades do Neolítico Inicial eram relativamente isentas de níveis e hierarquias? Antes mesmo de começar a responder a essa pergunta, é preciso esclarecer alguns equívocos. Gimbutas, na verdade, nunca afirmou com todas as letras a existência de matriarcados neolíticos. Na verdade, o termo parece ter significados bem variados para diferentes autores. Considerando que com "matriarcado" se descreve uma sociedade em que há a preponderância de mulheres nas posições políticas formais, pode-se de fato dizer que é extremamente raro na história humana. Existem inúmeros exemplos de mulheres com poder executivo efetivo, comandando exércitos ou criando leis, mas são pouquíssimas, se é que existem, as sociedades em que se espera normalmente que *apenas* mulheres detenham o poder executivo, comandem exércitos ou criem leis. Mesmo rainhas fortes, como Elizabeth i da Inglaterra, a Imperatriz Mãe da China ou Ranavalona i de Madagascar não nomearam principalmente outras mulheres como conselheiras, comandantes, juízas e ocupantes de altos cargos públicos.

Em todo caso, há outro termo — "ginarquia" ou "ginecocracia" — para descrever o papel político das mulheres. A palavra "matriarcado" significa algo bem diferente. Há aqui uma certa lógica: "patriarcado", afinal, se refere não ao fato de que são os homens que ocupam cargos públicos, mas acima de tudo à autoridade dos patriarcas, isto é, os homens chefes de família — uma autoridade que opera como modelo simbólico e base econômica do poder masculino em outros campos da vida social. O matriarcado poderia se referir a uma situação equivalente, em que o papel da mãe na casa também se torna o modelo, e a base econômica, para a autoridade feminina em outros aspectos da vida (o que não significa necessariamente a dominação em sentido violento ou exclusionista), e em decorrência disso as mulheres ganham uma preponderância no exercício do poder no dia a dia.

Vistos dessa maneira, os matriarcados são bem reais. O próprio Kondiaronk presumivelmente vivia em um. Em sua época, os grupos falantes de iroquês, como os wendats, viviam em cidades formadas por casas comunitárias com cinco ou seis famílias. Cada uma era dirigida por um conselho de mulheres — os homens que moravam ali não tinham um conselho paralelo próprio —, cujas integrantes controlavam todos os estoques essenciais de alimentos, roupas e instrumentos. A esfera política em que atuava o próprio Kondiaronk era talvez a única na sociedade wendat que não tinha predomínio feminino, e mesmo assim havia conselhos de mulheres com poder de veto sobre qualquer decisão dos conselhos masculinos. Com essa definição, as nações Pueblo, como os hopis e os zuñis, também se qualificariam como matriarcados, e os minangkabaus, um povo muçulmano de Sumatra, se descrevem como matriarcais exatamente por essas mesmas razões.[10]

É verdade que tais ordenamentos matriarcais são um tanto raros — pelo menos nos registros etnográficos, que cobrem aproximadamente os últimos duzentos anos. Mas, depois que se evidencia que esses ordenamentos podem existir, não temos nenhuma razão especial para excluir a possibilidade de que fossem mais comuns nos tempos neolíticos ou para supor que Gimbutas — ao procurá-los nesse período — estivesse fazendo algo intrinsecamente fantasioso ou equivocado. Como qualquer hipótese, é uma questão de avaliar e contextualizar as evidências.

Isso nos leva de volta a Çatalhöyük.

COMO REALMENTE PODE TER SIDO A VIDA NA CIDADE NEOLÍTICA MAIS FAMOSA DO MUNDO

Recentemente, uma série de descobertas entre a arte de miniaturas de Çatalhöyük aparenta mostrar que a forma feminina era um foco especial de atenção ritual, de esmerada artesania e de reflexão simbólica sobre a vida e a morte. Uma delas é uma figura de argila com a frente feminina tipicamente corpulenta, que nas costas, passando por braços de aparência emaciada, forma um esqueleto modelado de forma meticulosa. A cabeça, agora perdida, era fixada numa cavidade no topo. Outra estatueta feminina tem uma pequena cavidade no centro das costas, onde fora posta uma semente de uma planta silvestre. E os escavadores encontraram dentro de uma plataforma doméstica, como as usadas para sepultamentos, uma estatueta feminina de calcário, muito bem entalhada e especialmente reveladora. Sua detalhada representação esclarece um aspecto das figuras de argila mais comuns: os seios murchos, a barriga caída e os depósitos de gordura aparentam representar não a gravidez, como se acreditava antes, mas sim a velhice.[11]

Essas descobertas sugerem que as estatuetas femininas mais comuns, embora claramente não fossem objetos de culto, tampouco eram bonecas ou brinquedos. Deusas? É pouco provável. Mas é bem possível que fossem alguma espécie de matriarcas, cujas formas revelavam um interesse em torno de anciãs como figuras de autoridade. E não se encontrou nenhuma representação equivalente para os homens. Claro que isso não significa que devamos ignorar as inúmeras outras estatuetas neolíticas que apresentam possíveis atributos fálicos ou atributos masculino-femininos mistos, ou são tão simplificadas que nem conseguimos identificá-las direito como masculinas ou femininas, ou sequer como visivelmente humanas. Da mesma forma, as ocasionais ligações entre estatuetas e máscaras no Neolítico — atestadas tanto no Oriente Médio como na Europa Oriental[12] — podem estar relacionadas com ocasiões ou apresentações em que tais distinções categóricas eram apagadas ou mesmo invertidas de forma deliberada (algo não muito diferente, digamos, das mascaradas da Costa do Pacífico na América do Norte, em que as divindades e os que faziam sua personificação eram quase sempre homens).

Não existe nenhuma evidência de que a população feminina de Çatalhöyük tivesse um padrão de vida melhor que o da população masculina. Estudos detalhados de esqueletos e dentes humanos revelam uma paridade básica na alimentação e saúde, bem como no tratamento ritual dos cadáveres masculinos e femininos.[13] Mesmo assim, permanece a questão de que não existe nenhuma representação tão esmerada ou elaborada de formas masculinas na arte transportável de Çatalhöyük. Já a decoração das paredes é outro assunto. Quando surgem cenas coerentes nos murais remanescentes, referem-se sobretudo à caça e ao acuamento de animais como javalis, cervos, ursos e touros bravos. Os participantes são homens e meninos, aparentemente representados em diversos estágios da vida ou talvez ingressando em determinadas etapas com as provas de iniciação na caça. Algumas dessas figuras cheias de energia usam pele de leopardo; numa cena que retrata o cerco a um gamo, todos têm barba.

Uma questão que emerge claramente das pesquisas mais recentes em Çatalhöyük é a maneira como a organização doméstica permeia quase todos os aspectos da vida social. Apesar da densidade e das dimensões consideráveis da área construída, não existem indícios de uma autoridade central. Cada moradia se apresenta como que um mundo em si mesmo — um local apartado de produção, armazenagem e consumo. Cada uma também parecia ter um grau significativo de controle sobre seus rituais próprios, sobretudo no que se referia ao tratamento dado aos mortos, ainda que, obviamente, especialistas em rituais pudessem passar por lá. Embora não fique claro quais eram as regras e hábitos sociais responsáveis em manter a autonomia das casas, o que parece evidente é que tais regras eram aprendidas sobretudo dentro da própria casa, não só em suas cerimônias, mas também em sua rotina de preparo da comida, limpeza do chão, caiação das paredes e assim por diante.[14] Tudo isso faz lembrar vagamente a Costa Noroeste, onde a sociedade era um conjunto de casas grandes, com a ressalva de que os habitantes dessas casas neolíticas não apresentam nenhum sinal de divisão hierárquica.

Os moradores de Çatalhöyük pareciam atribuir grande valor à rotina. É o que vemos com muita clareza na meticulosa reprodução da planta das casas ao longo do tempo. Cada casa era tipicamente usada por cinquenta a cem anos, e depois disso era desmontada e soterrada para servir de alicerce para a moradia que a substituiria. Paredes de barro se erguiam sobre paredes de barro, no mesmo local, século após século, por períodos que chegavam a um milênio. Um dado ainda mais espantoso é que atributos mais específicos, como lareiras, fornos, recipientes de estocagem e plataformas, todos feitos de barro, costumam seguir os mesmos padrões repetitivos de construção por períodos igualmente longos. Mesmo as imagens e instalações rituais reaparecem diversas vezes, em diferentes versões, mas nos mesmos locais, muitas vezes em longos intervalos temporais.

244

Çatalhöyük, então, era uma "sociedade igualitária"? Não há sinais de nenhum ideal igualitário consciente, no sentido de, digamos, uma preocupação com a uniformidade na arte, na arquitetura ou na cultura material; mas tampouco há muitos sinais explícitos de hierarquizações. De todo modo, assim como construíam histórias, as casas também parecem ter adquirido um certo grau de prestígio cumulativo. Isso se reflete numa certa densidade de troféus de caça, plataformas de sepultamento e pedaços de obsidiana — um vidro vulcânico escuro, obtido em nascentes nas terras altas da Capadócia, uns duzentos quilômetros ao norte. A autoridade das casas com longo tempo de ocupação parece condizer com a ideia de que as pessoas de mais idade, talvez mais especificamente as mulheres, ocupavam posições importantes. Mas as casas de maior prestígio estão distribuídas entre as de menor prestígio e não se congregam em áreas de elite. Quanto às relações de gênero, podemos discernir um grau de simetria ou, pelo menos, de complementaridade. Na arte pictórica, os temas masculinos não abarcam os femininos, e vice-versa. Os dois domínios parecem, no máximo, ficar apartados em setores diferentes das moradias.

Quais eram as realidades subjacentes ao trabalho e à vida social em Çatalhöyük? O aspecto mais marcante em todas essas artes e rituais é que não trazem quase nenhuma referência à agricultura. Conforme citamos, em termos alimentares, os cereais domésticos (trigo e cevada) e os animais domesticados (carneiros e cabras) eram de importância muito maior do que os recursos silvestres. Sabemos disso por causa da grande quantidade de restos orgânicos recuperados em todas as casas. Mesmo assim, durante um milênio, a vida cultural da comunidade se manteve obstinadamente voltada para os mundos da caça e da coleta. A esta altura, é de se perguntar até que ponto o quadro que traçamos sobre a vida em Çatalhöyük está completo e quais seriam suas maiores lacunas.

COMO PODERIA TER OPERADO A SAZONALIDADE DA VIDA SOCIAL NAS PRIMEIRAS COMUNIDADES AGRÍCOLAS

As escavações arqueológicas da Çatalhöyük neolítica correspondem a apenas uns 5% da área.[15] As sondagens e os levantamentos não apresentam nenhuma razão especial para crer que outras partes da cidade fossem muito diferentes, mas isso serve para nos lembrar como nosso conhecimento é reduzido e que também precisamos pensar nos elementos ausentes dos registros arqueológicos. Por exemplo, está claro que o piso das casas era varrido com frequência e, assim, a distribuição espacial dos artefatos está longe de ser uma representação direta das atividades passadas, que só podem ser rastreadas de modo fidedigno pelos minúsculos fragmentos e resíduos entranhados no reboco.[16] Foram localizadas também esteiras de junco, que cobriam as superfícies e móveis do aposento, afetando ainda mais o quadro. Não precisamos necessariamente saber de tudo ou, talvez, nem sequer de metade do que se passava nas casas — na verdade, nem quanto tempo os moradores passavam nessas construções peculiares e bastante apertadas.

Levando isso em consideração, vale a pena dar uma olhada mais abrangente no sítio de Çatalhöyük em relação aos seus antigos arredores, que a ciência arqueológica nos permite reconstituir, pelo menos em linhas gerais. Çatalhöyük ficava situada numa área pantanosa (daí todo o barro e argila de que dispunham), periodicamente inundada pelo rio Çarsamba, que se bifurcava ao entrar na planície de 'Konya. Os pântanos deviam cercar o sítio durante grande parte do ano, entremeados por áreas de terra firme mais elevadas. Os invernos eram frios e úmidos, e os verões, de um calor opressivo. Da primavera ao outono, os rebanhos de carneiros e cabras deviam ser pastoreados entre as pastagens na planície, às vezes indo até as terras altas. Muito provavelmente, o plantio se dava no final da primavera, na baixada do Çarsamba, onde as culturas podiam amadurecer em três meses, com a colheita e o processamento no final do verão — cereais de crescimento rápido, na estação de Adônis.[17]

Ainda que todas essas tarefas pudessem ser realizadas perto da cidade, incluiriam inevitavelmente uma fase de dispersão periódica, com a reconfiguração das formas de ordenamentos do trabalho e dos assuntos sociais como um todo. E, como nos lembram os ritos de Adônis, podia existir no teto das casas outro tipo de vida social completamente distinto. Na verdade, é bem provável que aquilo que encontramos no que restou da área construída de Çatalhöyük sejam, em grande medida, os ordenamentos sociais dominantes no inverno, com seu intenso e característico cerimonialismo concentrado na caça e na veneração dos mortos. Nessa época do ano, já feita a colheita, a organização necessária para o trabalho agrícola poderia ceder lugar a um tipo diferente de realidade social, quando a vida da comunidade voltava a se recolher ao espaço doméstico, assim como os rebanhos de carneiros e cabras ficavam em seus currais.

As variações sazonais da estrutura social[18] se faziam bastante presentes em Çatalhöyük, e essas alternâncias cuidadosamente equilibradas parecem fundamentais para entender a prolongada duração da cidade. Nos contatos diários da vida familiar, em casa e entre as casas, predominava um grau impressionante de igualdade material. Mas, ao mesmo tempo, a hierarquia se desenvolvia em ritmos mais lentos, encenada em rituais que uniam os vivos aos mortos. O pastoreio e o cultivo agrícola certamente incluíam uma rigorosa divisão do trabalho, para salvaguardar a colheita anual e proteger os rebanhos — mas, nesse caso, tal divisão encontrava pouco espaço na vida cerimonial da casa, que extraía sua energia de fontes mais antigas — mais Adônis do que Deméter.

Surgiu, porém, uma certa controvérsia sobre o local em que o povo de Çatalhöyük plantava sua lavoura. De início, estudos ao microscópio de restos de cereais sugeriam uma área em terra firme. Em vista da extensão conhecida dos antigos pântanos na bacia do Konya, isso significaria que os campos aráveis se localizavam a pelo menos treze quilômetros da cidade, o que não parece muito plausível devido à inexistência de carroças puxadas por jumentos ou bois (vale lembrar que o gado bovino ainda não era domesticado naquela região, e muito menos atrelado ou emparelhado a qualquer coisa). Análises posteriores dão sustentação à hipótese de um local mais próximo, nos terrenos de aluvião da baixada do Çarsamba.[19] Essa distinção é importante por várias razões, não só ecológicas, mas também históricas e mesmo políticas, porque o quadro que traçamos de suas realidades práticas trazem implicações diretas para nosso entendimento das consequências sociais da agricultura neolítica.

Para entender claramente as razões, é preciso partir de uma perspectiva ainda mais abrangente.

DESMONTANDO O CRESCENTE FÉRTIL

Nas primeiras investigações de Çatalhöyük, nos anos 1960, a impressionante descoberta das casas decoradas com crânios bovinos levou muitos a supor, de maneira bastante plausível, que a planície do Konya era um berço inicial da domesticação animal. Hoje em dia, sabe-se que os touros (e javalis) foram domesticados pela primeira vez mil anos antes da fundação de Çatalhöyük, e num local bem diferente: nas margens superiores dos vales do Tigre e do Eufrates, que ficam muito mais a leste na Ásia, dentro da área conhecida como Crescente Fértil. Foi daquela direção geral que os fundadores de Çatalhöyük obtiveram as bases de sua economia agrícola, incluindo cereais, leguminosas, carneiros e cabras, todos domesticados. Mas não adotaram bovinos nem suínos domésticos. Por quê?

Como não havia nenhum obstáculo ambiental, é de supor a existência aqui de um elemento de recusa cultural. Como explicação, o melhor candidato é também o mais óbvio. Como a arte e os rituais de Çatalhöyük sugerem, os javalis e bois selvagens eram valorizadíssimos como presas, provavelmente desde tempos imemoriais. Em termos de prestígio, havia muito a perder, talvez sobretudo para os homens, com a perspectiva de cercar esses animais perigosos com variedades domésticas, mais mansas. Permitir que o gado bovino se mantivesse apenas em sua antiga forma selvagem — um animal grande, mas também esguio, rápido e muito imponente — significava também manter intacta uma certa espécie de sociedade humana. Assim, os bovinos continuaram selvagens e fascinantes até cerca de 6000 a.C.[20]

Então, o que *é*, ou era, exatamente o Crescente Fértil? Primeiro, é preciso mencionar que se trata de um conceito moderno, cujas origens são não só ambientais, mas também geopolíticas. A designação Crescente Fértil foi inventada no século XIX, quando as potências imperiais da Europa estavam retalhando o Oriente Médio de acordo com seus interesses estratégicos. Em parte devido à íntima ligação entre a arqueologia, a história antiga e as instituições modernas dos impérios, essa designação passou a ser amplamente adotada entre os pesquisadores para descrever uma área desde as costas orientais do Mediterrâneo (Palestina, Israel e Líbano atuais) até o pé da cordilheira de Zagros (correspondendo mais ou menos à fronteira entre o Irã e o Iraque), depois de atravessar partes da Síria, da Turquia e do Iraque. Hoje em dia, são apenas os pré-historiadores que continuam a usar essa designação para indicar a região onde se iniciou a agricultura: um cinturão de terras aráveis, com o formato aproximado de um quarto crescente, cercado por montanhas e desertos.[21]

No entanto, em termos ecológicos, não é de fato um crescente, mas sim dois — ou ainda mais, dependendo da perspectiva adotada. No final do último período glacial, por volta de 10000 a.C., essa região se desenvolveu em duas direções claramente distintas. Seguindo a topografia, podemos discernir um "crescente de terras altas" e um "crescente de terras baixas". O crescente alto segue as encostas das cordilheiras de Zagros e Taurus, seguindo ao norte da fronteira moderna entre a Síria e a Turquia. Para os forrageadores no fim da última Era Glacial, teria sido uma espécie de fronteira aberta, um cinturão expandido de bosques de pistache e pradarias ricas em animais de caça, cortado por vales fluviais.[22] O crescente baixo ao sul se caracterizava por matas de *Pistacia*, além de áreas de solo fértil intimamente ligadas aos sistemas fluviais ou às margens de lagos e nascentes artesianas, e mais adiante estendiam-se desertos e platôs estéreis.[23]

Entre 10000 a.C. e 8000 a.C., as sociedades forrageadoras nos setores das "terras altas" e das "terras baixas" do Crescente Fértil passaram por grandes transformações, mas em direções bem distintas. Dificilmente se explicam essas diferenças tomando como base os modos de subsistência ou de habitação. Na verdade, encontramos nas duas regiões um complexo mosaico de assentamentos humanos: aldeias, povoados, acampamentos sazonais e centros de atividades rituais e cerimoniais marcados por edificações públicas impressionantes. As duas regiões também mostram graus variados de evidências de cultivo vegetal e criação animal, dentro de um espectro mais amplo de atividades de caça e coleta. Mas há também diferenças culturais, algumas tão acentuadas que sugerem um processo de cismogênese, como o que descrevemos no capítulo anterior. Pode-se até argumentar que, após a última Era Glacial, a fronteira ecológica entre o Crescente Fértil "alto" e o Crescente Fértil "baixo" se tornou também uma área de delimitação cultural, com zonas de relativa uniformidade em cada lado, diferenciando-se entre si de maneira quase tão marcante quanto os "forrageadores protestantes" e os "reis pescadores" da Costa do Pacífico.

Nas terras altas, houve uma forte guinada hierarquizante entre os caçadores-forrageadores assentados, atestada de modo extremamente expressivo no centro megalítico de Göbekli Tepe e em sítios próximos, como o sítio descoberto em tempos recentes em Karahan Tepe. Nas terras baixas dos vales do Eufrates e do Jordão, por outro lado, não existem monumentos megalíticos, e as sociedades neolíticas passaram por uma mudança de rumo distinta, mas igualmente precoce, que descrevemos em termos breves. Além disso, essas duas famílias de sociedades adjacentes — digamos "de montanha" e "de baixada" — se conheciam bem. Sabemos disso porque trocavam materiais duráveis entre si a partir de longas distâncias, inclusive os mesmos materiais que encontramos circulando como objetos de valor na Costa Oeste da América do Norte: obsidiana e minerais das montanhas, conchas de molusco das praias. A obsidiana das terras altas turcas ia para o sul, e as conchas (talvez usadas como moedas) iam das costas do mar Vermelho para o norte, assegurando o contato entre os habitantes de montanha e os de baixada.[24]

As rotas desse circuito comercial pré-histórico se reduziam conforme avançavam ao sul para áreas de povoamento mais irregular, a começar pela curva síria do Eufrates, percorrendo sinuosamente a bacia de Damasco e chegando ao vale do Jordão. Essa rota formava o chamado "Corredor Levantino". E os habitantes de baixada que lá viviam eram dedicados artífices especializados e comerciantes. Cada povoado parece ter desenvolvido uma especialidade própria (moagem de pedras, entalhe de contas, processamento de conchas e assim por diante), e os ramos de atividade vinham muitas vezes associados a "edificações de culto" especiais ou a cabanas sazonais, indicando que essas atividades eram controladas por guildas ou sociedades secretas. No nono milênio a.C., já existiam assentamentos maiores ao longo das principais rotas comerciais. Os forrageadores de baixada ocupavam bolsões de terra fértil entre as zonas de escoamento do vale do Jordão, utilizando a riqueza obtida com o comércio para sustentar populações sedentárias cada vez mais numerosas. Surgiram nessas locações tão propícias sítios de escala impressionante, alguns deles, como Jericó e Basta, com quase dez hectares de extensão.[25]

Entender a importância do comércio nesse processo é perceber que o crescente da baixada era uma paisagem de íntimas combinações e contrastes (muito semelhante, nesse aspecto, à Califórnia). Os forrageadores tinham oportunidades constantes de trocar produtos complementares — incluindo alimentos, remédios, drogas e cosméticos —, já que os ciclos de crescimento local dos recursos silvestres eram escalonados devido às grandes diferenças climáticas e topográficas.[26] A própria agricultura parece ter começado exatamente dessa maneira, como um dos inúmeros "nichos de atividade" ou de especialização local. Os cereais fundadores da agricultura inicial — entre eles o trigo emmer, o trigo einkorn, a cevada e o centeio — não foram domesticados numa única área "central" (como se supunha outrora), mas em diferentes

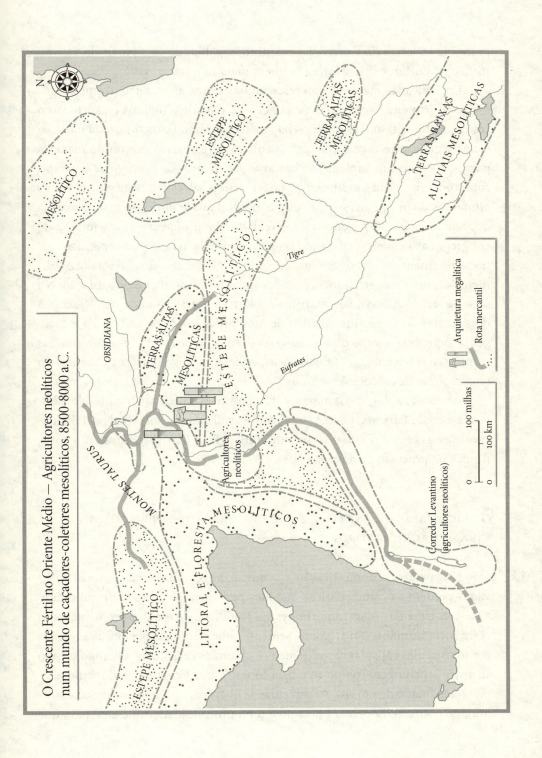

paragens ao longo do Corredor Levantino, espalhando-se a partir do vale do Jordão ao Eufrates sírio e talvez também mais ao norte.[27]

Em altitudes maiores, no crescente das terras altas, encontramos algumas das primeiras evidências de criação de rebanhos (ovinos e caprinos no Irã ocidental, e também bovinos na Anatólia oriental), incorporada entre os ciclos sazonais de caça e coleta.[28] O cultivo de cereais começou de maneira parecida, como um suplemento bastante secundário de economias baseadas sobretudo em recursos silvestres: nozes, frutas silvestres, legumes e outros alimentos de pronto acesso. O cultivo, porém, quase nunca se resume a uma questão calórica. A produção de cereais também oferecia novas formas de congregar as pessoas, realizando tarefas comunais, na maioria repetitivas, de trabalho intensivo e, sem dúvida, carregadas de significado simbólico; os alimentos resultantes eram incorporados na vida cerimonial da população. No sítio de Jerf el-Ahmar, nas margens do Eufrates sírio — onde convergem os dois setores do Crescente Fértil, o de montanha e o de baixada —, a estocagem e o processamento de cereais estavam associados não tanto às moradias comuns, e sim a cabanas subterrâneas, onde se entrava por uma abertura no teto, repletas de associações rituais.[29]

Antes de explorarmos mais alguns contrastes entre os habitantes de montanha e os de baixada, parece importante avaliar um pouco mais detalhadamente essas primeiríssimas formas de cultivo. Para isso, precisamos nos aprofundar no processo de domesticação.

O TRIGO TARDIO E AS TEORIAS POP DISCORRENDO SOBRE COMO VIRAMOS AGRICULTORES

Na lavoura, a domesticação é o que acontece quando as plantas cultivadas perdem as características que lhes permitem se reproduzir em estado silvestre. Uma das mais importantes é a facilidade de espalhar sementes sem assistência humana. No trigo, as sementes que dão na espiga estão envoltas em minúsculas cápsulas aerodinâmicas, chamadas espículas. Quando o trigo silvestre amadurece, rompe-se a ligação entre a espícula e o pedúnculo (elemento chamado de ráquis). As espículas se libertam e caem no solo. Sua extremidade pontiaguda penetra no solo a uma profundidade suficiente para que ao menos algumas sementes sobrevivam e germinem (a outra extremidade se projeta para cima, dispondo de aristas eriçadas que afastam aves, roedores e pastejadores).

Nas variedades domesticadas, esses recursos de sobrevivência são perdidos. Ocorre uma mutação genética, desligando o mecanismo de dispersão espontânea das sementes e convertendo o trigo, antes um esforçado sobrevivente, num irremediável dependente. Incapaz de se separar da planta-mãe, a ráquis se converte num ponto de apego. Em vez de se espalhar por este vasto mundo cruel, as espículas ficam rigidamente presas na parte superior do pedúnculo (a "espiga"). E por lá ficam até que alguém venha colhê-las ou até apodrecerem ou serem comidas por animais. Então, como se deram essas mudanças genéticas e comportamentais nas espécies cultivadas, quanto tempo levou, e o que precisou acontecer nas sociedades humanas para torná-las possíveis? Os historiadores às vezes gostam de inverter a questão. Foi o trigo, lembram-nos eles, que domesticou as pessoas, tanto quanto as pessoas algum dia domesticaram o trigo.

Yuval Harari se faz eloquente a esse respeito, pedindo-nos para pensar "por um momento sobre a Revolução Agrícola a partir da perspectiva do trigo". Dez mil anos atrás, assinala ele, o trigo era apenas mais uma forma de capim silvestre, sem nenhuma importância especial; em poucos milênios, porém, cobria extensas áreas do planeta. Como isso aconteceu? A resposta, segundo Harari, é que o trigo fez isso manipulando em proveito próprio o *Homo sapiens*. "Aquele primata", escreve ele, "vinha levando uma vida razoavelmente confortável como coletor e caçador até cerca de 10 mil anos atrás, até que começou a investir cada vez mais esforços no cultivo do trigo." Se o trigo não gostava de pedras, lá iam os seres humanos removê-las dos campos; se o trigo não queria dividir espaço com outras plantas, lá iam eles se esfalfar sob o sol abrasador para arrancá-las; se o trigo queria água, lá iam eles trazê-la de outro lugar, e assim por diante.[30]

Há algo de inelutável em tudo isso. Mas só se aceitarmos a premissa de que faz algum sentido observar todo o processo "a partir da perspectiva do trigo". Pensando bem, por que faríamos isso? Os seres humanos são primatas inteligentes, com um cérebro bem grande, e o trigo é, ora… uma espécie de capim. Existem, claro, espécies não humanas que, em certo sentido, domesticaram a si mesmas — como o camundongo e o pardal, e também provavelmente o cachorro, todos eles, diga-se de passagem, presentes em aldeias do Oriente Médio no Neolítico Inicial. Também é inquestionável que, no longo prazo, nossa espécie se tornou escrava de sua lavoura de cereais: o trigo, o arroz, o painço e o milho alimentam o mundo e é difícil conceber a vida moderna sem eles.

Mas, para entender os primórdios da agricultura neolítica, certamente precisamos observá-la a partir da perspectiva do Paleolítico, e não do presente e muito menos do ponto de vista de uma raça imaginária de homens-macacos burgueses. Claro que isso é mais difícil, porém a alternativa é cair no campo da invenção mítica: recontar o passado como uma história ao estilo de "era uma vez", o que faz com que nossa situação atual pareça, de alguma maneira, inevitável ou predeterminada. Essa versão de Harari é atraente, ao nosso ver, não por se basear em algum tipo de evidência, mas porque já a ouvimos mil vezes, apenas com outro elenco de personagens. Na verdade, muitos de nós a ouvimos desde a infância. Mais uma vez, estamos de volta ao Jardim do Éden. Só que agora não é uma serpente ardilosa que leva a humanidade a provar do fruto proibido do conhecimento. É o próprio fruto (no caso, os grãos de cereal).

Já sabemos aonde isso vai dar. Os seres humanos viviam antigamente "uma vida razoavelmente confortável", subsistindo com as dádivas da Natureza, mas aí cometemos nosso erro mais fatal. Atraídos pela perspectiva de uma vida ainda mais fácil — de abundância e luxo, vivendo como deuses —, tivemos de nos meter a alterar o harmonioso Estado de Natureza e assim, sem perceber, convertemo-nos em escravos.

E se deixarmos de lado essa fábula e examinarmos o que botânicos, geneticistas e arqueólogos têm descoberto nas últimas décadas? Concentremo-nos no trigo e na cevada.

Após a última Era Glacial, esses cereais foram dos primeiros a serem domesticados, junto com a lentilha, o linho, a ervilha, o grão-de-bico e o órobo ou ervilha-de-pombo. Como notamos, esse processo se deu não num único centro, mas em várias partes diferentes do Crescente Fértil. Lá crescem hoje as variedades silvestres de algumas dessas culturas, proporcionando aos pesquisadores a chance de observar diretamente o comportamento dessas plantas e até de reconstituir certos aspectos do processo técnico que, 10 mil anos atrás, levou à domesticação. Dispondo desse conhecimento, eles também podem examinar remanescentes de sementes antigas e de outras plantas, recuperados às centenas em sítios arqueológicos da mesma região. Assim os cientistas podem comparar o processo biológico de domesticação (reproduzido em condições tecnológicas semelhantes às do cultivo neolítico) e o processo efetivo que ocorreu nos tempos pré-históricos, observando as similaridades.

Depois que o cultivo se generalizou nas sociedades neolíticas, seria de esperar que encontraríamos provas de uma transição um tanto acelerada, ou pelo menos contínua das formas silvestres, para as formas domésticas dos cereais (que é exatamente o que somos levados a pensar com termos como "Revolução Agrícola"), mas, na verdade, não é isso o que nos mostram os resultados da ciência arqueológica. E, apesar da ambientação no Oriente Médio, essas descobertas não compõem nada que se pareça sequer remotamente com uma história de tipo edênico sobre o desventurado vacilo dos seres humanos ao resolverem firmar um pacto faustiano com o trigo. A distância a que estamos (ou deveríamos estar) desse tipo de história já era clara algumas décadas atrás para os pesquisadores, quando começaram a comparar os índices pré-históricos efetivos de domesticação de culturas com os índices obtidos em condições experimentais.

Essas experiências com o trigo silvestre começaram a ser realizadas nos anos 1980.[31] O que mostraram foi que a principal mutação genética que levava à domesticação podia se dar num curto prazo de vinte a trinta anos, ou no máximo duzentos anos, utilizando técnicas simples de colheita com foices de sílex ou arrancando à mão a planta pela raiz. A seguir, bastava que os seres humanos seguissem as deixas dadas pelas próprias plantas. Isso significava colhê-las quando começassem a amadurecer, de tal maneira que o grão continuasse no pedúnculo (por exemplo, cortando ou arrancando, em vez de batendo na espiga com uma pá para soltar o grão), semear novas sementes em terra virgem (livre de concorrentes silvestres), aprender com os erros e repetir no ano seguinte a fórmula que deu certo. Para forrageadores habituados a colher plantas silvestres, essas mudanças não constituiriam grandes desafios conceituais ou logísticos. E talvez existissem também outras razões para colher cereais silvestres dessa maneira, além da finalidade alimentar.

Com colheita realizada a foice, obtém-se não só o grão, mas também a palha. Hoje consideramos a palha como um subproduto do plantio de cereais, sendo o objetivo básico a produção de alimento. Mas há indicações arqueológicas de que as coisas começaram ao contrário.[32] As populações humanas no Oriente Médio começaram a se estabelecer em aldeias permanentes muito antes que os cereais se tornassem um componente central de sua alimentação.[33] Com esse assentamento, descobriram novos usos para os talos dos capins silvestres, entre eles o de material combustível para acender o fogo e a têmpera que transformava o barro e a argila, matérias friáveis, num recurso tectônico essencial, usado para construir casas, fornos, recipientes de estocagem e outras estruturas fixas. A palha também podia ser usada para fazer cestos, roupas, esteiras e cobertura para as casas. Ao intensificar a colheita de capins silvestres (com foice ou simples desenraizamento) para usar a palha, as pessoas também geravam uma das condições fundamentais para que algumas dessas gramíneas perdessem seus mecanismos naturais de dispersão das sementes.

E aqui está o ponto central: se fossem os cereais, mais do que os seres humanos, que estivessem marcando o compasso, esses dois processos teriam caminhado lado a lado, levando à domesticação de gramíneas de sementes graúdas no prazo de poucas décadas. O trigo ganharia suas criadas humanas, e os humanos ganhariam um recurso vegetal que podia ser colhido de modo eficiente, com pouca perda de sementes, e que era extremamente propício ao armazenamento, mas que também exigia um dispêndio muito maior de trabalho, com o manejo da terra e, após a colheita, com a debulha e a joeira (processo que ocorre naturalmente com os cereais silvestres). No prazo de poucas gerações humanas, estaria selado o pacto faustiano entre pessoas e lavouras. Aqui, no entanto, mais uma vez, as evidências contrariam frontalmente essas expectativas.

Na verdade, as pesquisas mais recentes mostram que o processo de domesticação de plantas no Crescente Fértil só veio a se completar muito mais tarde: cerca de 3 mil anos depois do início do cultivo de cereais silvestres.[34] (Mais uma vez, para ter uma ideia da escala temporal, vale lembrar que seria o tempo decorrido entre a suposta Guerra de Troia e os dias de hoje.) E, embora alguns historiadores modernos possam se permitir o luxo de dispensar "alguns curtos milênios" aqui ou ali, dificilmente podemos adotar essa atitude em relação aos atores pré-históricos que estamos tentando entender. A esta altura, é possível questionar o que entendemos por "cultivo" e, se não levou a claras mudanças no comportamento reprodutivo das plantas silvestres, como poderemos saber quando teve início? As respostas estão nas ervas (e nos métodos de pesquisa concebidos numa inventiva subdivisão da arqueologia conhecida como "arqueobotânica").

POR QUE A AGRICULTURA NEOLÍTICA LEVOU TANTO TEMPO PARA SE DESENVOLVER E, AO CONTRÁRIO DO QUE ROUSSEAU IMAGINAVA, NÃO INCLUÍA O CERCAMENTO DE TERRENOS FIXOS

Desde o começo dos anos 2000, os arqueobotânicos vêm estudando um fenômeno conhecido como "cultivo pré-domesticação". O cultivo em geral se refere ao trabalho realizado por seres humanos para melhorar as chances de vida de certas plantas, sejam silvestres ou domésticas. Normalmente o cultivo inclui, no mínimo, limpar e lavrar o solo. O preparo do solo ocasiona mudanças no tamanho e no formato dos grãos de cereais silvestres, embora não levem necessariamente à domesticação (os grãos apenas ficam maiores). Também atrai outros espécimes vegetais que crescem em solos revolvidos, entre eles ervas aráveis como trevos, fenachos, litospermos e mesmo membros da colorida família de ranunculáceas (gênero *Adonis*!), que florescem com rapidez e morrem na mesma velocidade.

Desde os anos 1980, os pesquisadores vêm acumulando dados estatísticos de sítios históricos no Oriente Médio, analisando-os para acompanhar as mudanças no tamanho e proporções do grão na flora de ervas aráveis. As amostras agora somam muitas dezenas de milhares, e revelam que, em certas partes da região, como o norte da Síria, o cultivo de cereais silvestres remonta pelo menos a 10000 a.C.[35] Todavia, nessas mesmas regiões, o processo biológico de domesticação das plantas cultivadas (incluindo a fundamental mudança da ráquis, que passa de quebradiça a firme) só se completou perto do ano 7000 a.C., cerca de dez vezes mais tempo do que seria necessário — isso se os seres humanos tiverem mesmo entrado às cegas em todo o processo, seguindo a trajetória ditada pelas mudanças nas plantas que cultivavam.[36] Em termos mais claros: são 3 mil anos de história humana, tempo demais para constituir uma "Revolução Agrícola" ou mesmo para ser considerado um estado de transição no caminho para a agricultura.

Para nós, com nossos preconceitos platônicos, tudo isso parece um retardamento muito longo e desnecessário, mas certamente não era o que sentiam as pessoas na época neolítica. Precisamos entender esse período de 3 mil anos como uma fase da história humana com importância própria. Trata-se de uma fase marcada pelas idas e vindas dos forrageadores, adotando e abandonando práticas de cultivo — e, como vimos, não há nada de incomum nem anômalo em flertarem e experimentarem com as possibilidades agrícolas da maneira que Platão desprezaria —, mas sem se escravizarem de forma nenhuma às necessidades de suas lavouras ou de seus rebanhos. Desde que não fosse oneroso demais, o cultivo era apenas uma das várias maneiras com que as primeiras comunidades estabelecidas lidavam com o ambiente. A separação entre populações vegetais silvestres e domésticas pode não ter sido uma grande preocupação para eles, mesmo que assim pareça para nós.[37]

Pensando bem, essa abordagem é plenamente plausível. O cultivo de cereais domésticos, como bem sabiam os forrageadores "afluentes" da Costa do Pacífico, é um trabalho extremamente árduo.[38] Uma agricultura levada a sério implicava a constante manutenção do solo e a eliminação incessante das ervas invasoras. Significava debulhar e joeirar após a colheita. Todas essas atividades atrapalhariam a caça, a coleta de alimentos silvestres, a artesania, os casamentos e inúmeras outras coisas, sem mencionar a contação de histórias, os jogos, as viagens e as organizações de mascaradas. Na verdade, para criar um equilíbrio entre as necessidades alimentares e o dispêndio de trabalho, os primeiros cultivadores podem até ter escolhido estrategicamente práticas que se contrapunham às mudanças morfológicas que marcam o início da domesticação nas plantas.[39]

Essa tentativa de equilíbrio envolvia um tipo especial de cultivo, o que nos reconduz, fechando o círculo, de volta a Çatalhöyük e sua localização em terras úmidas. Essa técnica, que se chama "cultivo de vazante", ou *décrue*, é utilizada nas margens de lagos ou rios sujeitos a cheias sazonais. O cultivo de vazante é um sistema pouco laborioso de plantio. O trabalho de preparação do solo fica entregue basicamente à natureza. A enchente sazonal se encarrega de amanhar a terra, joeirando e renovando o solo a cada ano. Ao recuar, as águas deixam atrás de si um leito fértil de terra de aluvião, onde se pode fazer uma semeadura a lanço. Era um cultivo em pequena escala, sem necessidade de desflorestamento, de eliminação de ervas invasoras ou de irrigação, talvez exigindo apenas a construção de pequenas barreiras de pedra ou de terra ("pôlderes") para orientar a distribuição de água em tal ou tal direção. Áreas com lençóis d'água próximos à superfície, como as beiradas das fontes artesianas, também podiam ser exploradas com essa técnica.[40]

Em termos de trabalho, o cultivo de vazante não só é bastante leve, como também não requer grandes tratos da área. E o fundamental: esses sistemas têm uma espécie de resistência intrínseca à medição e ao cercamento da terra. Uma determinada área pode ser fértil num ano, e no outro ano pode se alagar ou ressecar, de modo que há pouco incentivo para a ocupação de longo prazo ou para o cercamento de terrenos. Não faz muito sentido erguer divisas de pedras quando o próprio terreno está sendo revolvido por baixo. Nenhuma forma de ecologia humana é "inatamente" igualitária, mas, por mais que Rousseau e epígonos pudessem se surpreender com isso, esses primeiros sistemas de cultivo não se prestavam ao desenvolvimento da propriedade privada. Pelo contrário, o cultivo de vazante na prática era orientado para o uso coletivo da terra ou, pelo menos, para sistemas flexíveis de realocação da lavoura.[41]

O cultivo de vazante foi uma característica de especial importância nas economias do Neolítico Inicial nos setores de baixada mais áridos do Crescente Fértil, em especial no Corredor Levantino, onde muitos sítios importantes se desenvolveram às margens de fontes ou lagos (Jericó, Tell Aswad) ou de rios (Abu Hureyra, Jerf el-Ahmar). Como os locais com plantios mais densos de cereais silvestres se encontravam em áreas mais altas, com maior índice pluviométrico, os habitantes dos locais mais baixos tinham ocasião de isolar as linhagens cultivadas das linhagens silvestres, dando origem a um processo de divergência e domesticação ao coletar grãos das terras altas e semeá-los a lanço nas áreas de baixada na época de vazante. Com isso, a longuíssima escala temporal da domesticação de cereais se mostra ainda mais impressionante. Os cultivadores iniciais, ao que parece, executavam o mínimo de trabalho necessário para a subsistência a fim de permanecer nas localidades onde estavam, que ocupavam por razões alheias à agricultura: a caça, a coleta, a pesca, o comércio etc.

A MULHER COMO CIENTISTA

A rejeição de narrativas de tipo edênico para as origens da agricultura também significa a refutação, ou pelo menos o questionamento, dos pressupostos de gênero por trás dessas narrativas.[42] Além de ser uma história sobre a perda da inocência primordial, o Livro do Gênesis é também um dos alvarás mais duradouros da história para o ódio às mulheres, que só encontra rival (na tradição ocidental) nos preconceitos de autores gregos como Hesíodo ou Platão. Afinal, é Eva que se revela fraca demais para resistir às exortações da hábil serpente e a primeira a morder o fruto proibido, porque é quem deseja o conhecimento e a sabedoria. Seu castigo (e de todas as mulheres subsequentes) é dar à luz com muitas dores e viver sob o jugo do marido, cujo destino, por sua vez, é obter a subsistência com o suor da testa.

Quando escritores atuais fazem especulações sobre "o trigo domesticando os seres humanos" (em oposição a "os seres humanos domesticando o trigo"), o que de fato fazem é substituir uma pergunta sobre as realizações (humanas) científicas concretas por algo bem mais místico. Nessa concepção, não indagamos quem realmente estaria fazendo todo o trabalho intelectual e prático de lidar com plantas silvestres — explorar suas propriedades em diversos solos e regimes hídricos, experimentar técnicas de colheita, reunir observações a respeito dos efeitos de todas essas técnicas sobre o crescimento, a reprodução e a nutrição, debater as implicações sociais. Em vez disso, discorremos liricamente sobre as tentações dos frutos proibidos e devaneamos sobre as consequências imprevistas de adotar uma tecnologia (a agricultura) que Jared Diamond define — mais uma vez com ressonâncias bíblicas — como "o mais grave erro na história da raça humana".[43]

Conscientemente ou não, são as contribuições das mulheres que ficam excluídas dessas versões. Em quase todos os lugares, colher plantas silvestres e transformá-las em alimentos, remédios e estruturas complexas como cestos ou vestimentas é uma atividade feminina e pode ser assim classificada mesmo quando exercida por homens. Não é um universal antropológico, mas é o mais próximo que se pode chegar disso.[44] Hipoteticamente, claro, é possível que nem sempre as coisas tenham sido assim. É até concebível que a situação atual seja na verdade resultante de alguma grande inversão global dos papéis de gênero e das estruturas linguísticas ocorrida nos últimos milênios — mas seria de se imaginar que uma transformação tão grande deixaria outros traços, que nunca ninguém sequer sugeriu o que poderiam ser. Sim, de fato é difícil encontrar qualquer tipo de evidência arqueológica porque, afora sementes carbonizadas, restam pouquíssimos traços do que se fazia com as plantas em termos culturais nos tempos pré-históricos. Mas, onde existem, eles indicam, até onde é possível rastrear tais coisas, a existência de sólidas ligações entre as mulheres e o conhecimento baseado nas plantas.[45]

Por conhecimento baseado nas plantas, não nos referimos apenas a novas formas de trabalhar com a flora silvestre para produzir alimentos, especiarias, remédios, pigmentos ou venenos. Tratamos também do desenvolvimento de atividades e ofícios baseados em fibras e às formas de conhecimento mais abstrato sobre as propriedades do tempo, do espaço e das estruturas que tais atividades e ofícios tendem a gerar. É bem provável que a produção de tecidos, cestos, redes, esteiras e cordames tenha se desenvolvido sempre em paralelo com o cultivo de plantas comestíveis, o que também implica o desenvolvimento de conhecimentos matemáticos e geométricos que estão (literalmente) entrelaçados com a prática desses ofícios.[46] A ligação das mulheres com esses conhecimentos remonta a algumas das primeiras representações remanescentes da forma humana: as tão presentes estatuetas femininas da última Era Glacial, com os acessórios de cabeça entretecidos, as saias de fios e os cintos de corda.[47]

Existe uma curiosa tendência entre os estudiosos (homens) de passar por cima dos aspectos de gênero relacionados a esse tipo de conhecimento, ou de envolvê-lo em abstrações. Como exemplo, há os famosos comentários de Claude Lévi-Strauss sobre o "pensamento selvagem", aqueles "cientistas neolíticos" que, segundo imaginava ele, teriam criado um caminho paralelo de descobertas rumo à ciência moderna, mas que partia não de leis e teoremas generalizantes, e sim de interações concretas com o mundo natural. O método experimental anterior procede "pelo ângulo das qualidades sensíveis" e, segundo Lévi-Strauss, floresceu no período do Neolítico, dando-nos as bases para a agricultura, a criação animal, a olaria, a tecelagem, a conservação e o preparo de alimentos etc., ao passo que o método posterior de descobertas, partindo da definição de teorias e propriedades formais, só veio a render frutos em época muito recente, com o advento dos procedimentos científicos modernos.[48]

Em lugar algum de *O pensamento selvagem* — livro que na aparência se dedica a entender essa outra espécie de conhecimento, a "ciência do concreto" neolítica — Lévi-Strauss sequer menciona a possibilidade de que as pessoas responsáveis por seu "florescimento" muitas vezes tivessem sido mulheres.

* * *

Se tomamos esses tipos de considerações (em vez de algum Estado de Natureza imaginário) como nosso ponto de partida, surgem então perguntas bem diferentes sobre a invenção da agricultura neolítica. Inclusive, torna-se necessária toda uma nova linguagem para descrevê-la, pois uma parte do problema com as abordagens convencionais reside nos próprios termos "agricultura" e "domesticação". A agricultura se refere essencialmente à produção de alimentos, o que era apenas um aspecto (bastante limitado) da relação neolítica entre pessoas e plantas. A domesticação costuma implicar alguma forma de dominação ou controle sobre as forças desregradas da "natureza selvagem". As críticas feministas já têm feito muito para desnudar os pressupostos de gênero por trás desses conceitos, e nenhum dos dois parece apropriado para descrever a ecologia dos primeiros cultivadores.[49]

E se deslocarmos a ênfase da agricultura e da domesticação para, digamos, a botânica ou mesmo a horticultura? Prontamente nos vemos mais próximos das realidades da ecologia neolítica, que parece pouco determinada a domar a natureza selvagem ou a extrair o máximo possível de calorias de um punhado de gramíneas. Na verdade, se mostra mais interessada em criar canteiros — hábitats artificiais, muitas vezes temporários — em que a balança ecológica pendia para o lado das espécies preferidas. Entre elas estavam plantas que os botânicos modernos separam em classes concorrentes de "ervas daninhas", "drogas", "ervas medicinais" e "culturas alimentares", mas que os neolíticos (formados pela experiência direta, e não a partir de livros teóricos) preferiam cultivar lado a lado.

Em vez de terrenos fixos, exploravam solos de aluvião nas margens de lagos e fontes, que mudavam de lugar a cada ano. Em vez de abater árvores, amanhar a terra e transportar água, encontraram maneiras de "persuadir" a natureza a fazer por eles grande parte desse trabalho. Sua ciência não se dava por dominação e classificação, mas sim curvando-se e adulando, cuidando e dedicando atenção ou mesmo enganando as forças da natureza para aumentar a probabilidade de um resultado favorável.[50] Seu "laboratório" era o mundo real das plantas e dos animais, cujas tendências inatas exploravam por meio de uma ciosa observação e experimentação. Esse modo de cultivo neolítico, ademais, dava excelentes resultados.

Nas áreas de baixada do Crescente Fértil, como os vales do Jordão e do Eufrates, esse tipo de sistema ecológico promoveu o crescimento gradual dos assentamentos e das populações durante três milênios. Supor que tudo isso foi só uma espécie de transição de duração absurdamente extensa ou um ensaio para o advento da agricultura "séria" é perder de vista a verdadeira questão. É também ignorar algo que parece óbvio há muito tempo para muita gente: uma evidente ligação entre a ecologia neolítica e a visibilidade das mulheres na arte e nos rituais da época. Chamar essas figuras de "deusas" ou de "cientistas" é talvez menos importante do que reconhecer que seu próprio aparecimento assinala uma nova consciência do status das mulheres, que sem dúvida se baseava em seus empreendimentos concretos para unir essas novas formas de sociedade.

Parte da dificuldade de estudar a inovação científica na pré-história reside na necessidade de imaginar um mundo sem laboratórios — ou melhor, um mundo onde os laboratórios estão potencialmente em todo e qualquer lugar. Aqui Lévi-Strauss acerta muito mais:

> [...] existem dois modos distintos de pensamento científico, certamente não em função de estágios desiguais do desenvolvimento do espírito humano, mas de dois níveis estratégicos em que a natureza se permite ser alcançada pelo conhecimento científico: um ajustado aproximativamente ao da percepção e da imaginação, e o outro defasado; como se as relações necessárias, que são o objeto de toda ciência — seja ela neolítica ou moderna —, pudessem ser alcançadas por dois caminhos diferentes: um muito próximo da intuição sensível, o outro mais afastado.[51]

Lévi-Strauss, como mencionamos, designou o primeiro caminho das descobertas como uma "ciência do concreto". E é importante lembrar que grande parte das maiores descobertas científicas da humanidade — a invenção do cultivo, a olaria, a tecelagem, a metalurgia, os sistemas de navegação marítima, a arquitetura monumental, a classificação e a domesticação de fato de plantas e animais etc. — se deu precisamente sob aqueles outros tipos (neolíticos) de condições. Assim, a julgar por seus resultados, essa abordagem concreta era inegavelmente científica. Mas, nos registros arqueológicos, como retratar a "ciência do concreto"? Como pretender vê-la em ação, quando milênios se interpõem entre nós e os processos de inovação que estamos tentando entender? A resposta aqui reside precisamente em sua "concretude". A invenção numa determinada área encontra ecos e analogias por toda uma série de outras áreas, que, a não ser por isso, podem parecer não guardar nenhuma relação entre si.

Isso é claramente visível no cultivo de cereais do Neolítico Inicial. Lembremos que o cultivo de vazante exigia que as pessoas criassem assentamentos duradouros em ambientes lamacentos, como pântanos e margens lacustres. Isso significava ganhar intimidade com as propriedades do solo e do barro, observar sua fertilidade em diferentes condições, mas também fazer experiências com eles como materiais tectônicos ou mesmo como veículos de pensamento abstrato. Além de sustentar novas formas de cultivo, o solo e o barro — misturados com trigo e palha — se tornaram materiais básicos de construção, essenciais para construir as primeiras casas permanentes, usados para fazer fornos, móveis e isolantes — na verdade, quase tudo, exceto a olaria, invenção posterior nessa parte do mundo.

Mas o barro também era usado, nas mesmas épocas e nos mesmos lugares, para moldar (literalmente) relações de tipos bem diferentes entre homens e mulheres, entre pessoas e animais. As pessoas começaram empregando suas habilidades plásticas para resolver problemas mentais, fazendo pequenas peças geométricas que muitos veem como precursoras diretas de sistemas posteriores de notação matemática. Os arqueólogos encontram esses minúsculos instrumentos numéricos diretamente associados a estatuetas de animais de rebanho e mulheres de corpo inteiro — os tipos de miniaturas que levam a tanta especulação moderna sobre a espiritualidade neolítica e encontram ressonâncias posteriores em mitos sobre as propriedades demiúrgicas do barro, capaz de ganhar vida.[52] Como logo veremos, a terra e o barro vieram até a redefinir as relações entre os vivos e os mortos.

Vistas dessa forma, as "origens do cultivo" começam a parecer não tanto uma transição econômica, mas sim uma revolução dos meios de comunicação, que era também uma revolução social, abrangendo tudo, da horticultura à agricultura, da matemática à termodinâmica, da religião à remodelação dos papéis de gênero. E, embora não possamos saber com certeza quem estava fazendo o quê nesse admirável mundo novo, fica mais do que claro que o trabalho e o conhecimento das mulheres tiveram papel central em sua criação, e que todo o processo seguia num vagar tranquilo e até lúdico, sem ser forçado por qualquer catástrofe ambiental ou inflexão demográfica, nem marcado por grandes conflitos violentos. E mais: todo esse processo era executado de formas que tornavam extremamente improvável que dele resultasse uma desigualdade radical.

Tudo isso se aplica com a máxima clareza ao desenvolvimento das sociedades do Neolítico Inicial na parte de baixada do Crescente Fértil, em particular ao longo dos vales dos rios Jordão e Eufrates. Mas essas comunidades não se desenvolviam em isolamento. Durante quase todo o período que estamos abordando, o Crescente de montanha — seguindo os sopés das cordilheiras de Zagros e Taurus e a estepe adjacente — também abrigava populações assentadas, hábeis em lidar com uma variedade de recursos vegetais e animais silvestres. Muitas vezes também moravam em aldeias, adotando estratégias de cultivo e pastoreio conforme julgassem adequado, ao mesmo tempo continuando a extrair de espécies não domesticadas a maior parte de sua alimentação. Mas, em outros aspectos, apresentam diferenças muito acentuadas em relação a seus vizinhos da baixada, sendo a construção de uma arquitetura megalítica, inclusive as famosas estruturas de Göbekli Tepe, apenas a mais evidente delas. Alguns desses grupos viviam próximos das sociedades neolíticas de baixada, em especial nas margens superiores do Eufrates, mas sua arte e seus rituais sugerem uma concepção de mundo bem diferente, com uma distinção tão demarcada em relação a essas últimas quanto os forrageadores da Costa Noroeste se distinguiam de seus vizinhos californianos.

CULTIVAR OU NÃO CULTIVAR: ISSO É COISA DA SUA CABEÇA (O RETORNO A GÖBEKLI TEPE)

É precisamente na divisa entre o setor de montanha e o setor de baixada do Crescente Fértil que fica Göbekli Tepe. Na verdade, é apenas um dentre uma série de centros megalíticos que surgiram em torno do vale de Urfa, perto da atual fronteira entre a Síria e a Turquia, no nono milênio a.C.[53] A maioria ainda não foi escavada. É possível ver apenas o topo de seus grandes pilares projetando-se do solo profundo do vale. Embora ainda faltem evidências diretas, esse estilo de arquitetura em pedra provavelmente marca o ápice de uma tradição construtiva que começou em madeira. E também pode haver protótipos de madeira por trás da tradição de arte escultural de Göbekli Tepe, que evoca um mundo de imagens assustadoras, bem distante das artes visuais das terras baixas, com suas modestas estatuetas de mulheres e animais domésticos e suas cabanas de barro.

Tanto em termos de meio como de mensagem, Göbekli Tepe não poderia estar mais distante do mundo das primeiras comunidades agrícolas. Seus objetos remanescentes são feitos de pedra, material pouco usado em construção nos vales do Eufrates e do Jordão. Esses pilares são entalhados com uma imagística em que predominam animais selvagens e peçonhentos, necrófagos e predadores, quase sempre machos. Sobre um pilar de calcário um leão em alto relevo se ergue sobre as patas traseiras, rilhando as presas, estendendo as garras, com o pênis e o saco escrotal à mostra. Em outro local, um malévolo javali está à espreita, também com os órgãos genitais aparentes. As imagens repetidas com maior frequência são de rapinantes agarrando cabeças humanas. Uma escultura notável, que parece um mastro totêmico, traz pares sobrepostos de vítimas e predadores: crânios separados e aves de rapina de olhos penetrantes. Em outros locais, animais e aves carnívoras aparecem agarrando, jogando ou mexendo de alguma outra forma com os crânios humanos que capturaram; sob uma dessas figuras, num pilar monumental, aparece a imagem de um homem sem cabeça e pênis ereto (presumivelmente, apresenta o tipo de ereção post-mortem, ou "priapismo" póstumo imediato, que ocorre em vítimas de enforcamento ou decapitação, decorrente do brusco trauma na medula espinhal).[54]

O que essas imagens estão nos dizendo? A captura de cabeças como troféus entre as populações de montanha da zona de floresta e estepe faria parte desse quadro? No assentamento de Nevalı Çori — também na província de Urfa e com monumentos semelhantes aos de Göbekli Tepe —, encontraram-se sepulturas com crânios decepados, inclusive o de uma jovem com um punhal de sílex ainda alojado sob o queixo, enquanto em Jerf el-Ahmar — no Eufrates superior, onde o crescente de baixada se aproxima das terras altas — houve a desconcertante descoberta de um esqueleto retalhado (também de uma jovem), ainda jazendo numa edificação incendiada, de bruços, sem a cabeça.[55] Em Göbekli Tepe, a decapitação de seres humanos era reproduzida na estatuária: faziam-se esculturas antropomórficas, que tinham as cabeças esmagadas e arrancadas, então enterradas ao lado de pilares dentro dos santuários.[56] Por todas essas razões, os arqueólogos mantêm a devida cautela em associar essas práticas a conflitos ou predações; até o momento, são poucas as evidências de violência interpessoal, e muito menos de guerra, nessa época.[57]

Aqui também podemos avaliar os dados de Çayönü Tepesi, na planície de Ergani. Era o local de um grande assentamento pré-histórico, com muitas casas construídas sobre alicerces de pedra, além de edifícios públicos. Ficava num tributário do Tigre na colina de Diyarbakır, não muito ao norte de Göbekli Tepe, estabelecido mais ou menos na mesma época por uma comunidade de caçadores-coletores e durante algum tempo pastores.[58] Perto do centro do assentamento havia uma duradoura estrutura, que os arqueólogos chamam de "Casa das Caveiras", pela simples razão de que, como se descobriu, continha os restos de mais de 450 pessoas, incluindo cadáveres decapitados e mais de noventa crânios, todos apinhados em pequenos compartimentos. Alguns crânios estavam ligados a vértebras cervicais, indicando que tinham sido decepados de corpos com carne (mas não necessariamente vivos). A maioria das cabeças era de adolescentes ou adultos jovens, indivíduos na primavera da vida, e dez eram de crianças. Se alguns eram troféus, tomados de vítimas ou inimigos, então teriam sido escolhidos pela vitalidade. Os crânios ficavam em seu estado natural, sem nenhum vestígio de decorações.[59]

Os restos humanos na Casa das Caveiras ficavam armazenados junto com os de grandes animais de caça, e um crânio de touro selvagem era afixado numa parede externa. Em suas fases posteriores de uso, a edificação dispunha de uma mesa de pedra polida, erguida perto da entrada numa praça aberta, capaz de abrigar grandes reuniões. Os estudos dos resíduos de sangue da sua superfície e de outros objetos associados levaram os pesquisadores a identificá-la como um altar, onde se realizavam publicamente os sacrifícios e o processamento dos corpos, tanto de humanos como de animais. Estejam corretos ou não os detalhes dessa reconstituição, é sugestiva a associação entre os restos de animais abatidos e seres humanos. A Casa das Caveiras encontrou seu fim numa conflagração violenta, depois da qual o povo de Çayönü recobriu todo o conjunto com uma grossa camada de terra e cascalho.

O que estamos vendo na Casa das Caveiras talvez seja, ainda que em forma bastante diferente, um conjunto de ideias já familiares da Amazônia e outros lugares: a caça como predação, passando sutilmente de modo de subsistência a uma forma de moldar e exercer o domínio sobre outros seres humanos. Afinal, mesmo os senhores feudais europeus tinham a tendência de se identificar com leões, falcões e outros predadores (e também gostavam do simbolismo de cravar cabeças em mastros; "cortem-lhe a cabeça!" ainda é a frase mais popular identificada com a monarquia britânica).[60] Mas e a própria Göbekli Tepe? Se a exposição de cabeças como troféus era de fato um aspecto importante da função do local, certamente restaria algum vestígio mais claro, e não só alguns entalhes sugestivos em pedra.

Até agora, são raros os restos humanos em Göbekli Tepe. E isso torna ainda mais notável que — entre as poucas centenas de fragmentos de ossos humanos pré-históricos até agora recuperadas no sítio — cerca de dois terços sejam de fato segmentos de crânios ou de ossos faciais, alguns conservando sinais de descarne e mesmo de decapitação. Entre eles, encontraram-se restos de três crânios, recuperados da área dos santuários de pedra, que contêm evidências de tipos mais elaborados de modificação cultural na forma de perfurações e incisões profundas, permitindo que os crânios fossem pendurados num cordel ou cravados no alto de um mastro.[61]

Em capítulos anteriores, examinamos por que a agricultura não foi uma ruptura história humana, como tendemos a crer. Agora, finalmente estamos em condições de reunir os vários fios desse capítulo e explicar um pouco a importância disso. Recapitulemos.

O cultivo neolítico começou no Sudoeste da Ásia como uma série de especializações locais nas atividades de plantio e pastoreio, espalhadas por várias partes da região, sem nenhum epicentro. Essas estratégias, ao que tudo indica, foram adotadas para permitir o acesso a parcerias comerciais e a localizações ideais para a caça e a coleta, que prosseguiram inalteradas paralelamente ao cultivo. Como discutimos no capítulo 1, esse "comércio" podia muito bem estar mais relacionado com questões de sociabilidade, romances e aventuras do que costumamos considerar. Mesmo assim, fossem lá quais fossem as razões, durante milênios deu-se entre as aldeias um intercâmbio dessas inovações locais — desde o grão de trigo deixando de se desprender da ráquis até os rebanhos de ovinos dóceis —, gerando uma determinada uniformidade entre um conjunto de sociedades de uma ponta a outra do Oriente Médio. Surgiu um padrão de "pacote" de cultivo misto, desde a cordilheira iraniana de Zagros às costas orientais do Mediterrâneo, que então se espraiou mais além, embora, como veremos, com resultados bem diferentes.

Mas, desde seus primórdios, o cultivo representou muito mais do que uma nova economia. Veio acompanhado também pela criação de padrões de vida e de rituais que, passados milênios, ainda permanecem obstinadamente entre nós, e que desde aquela época se tornaram características constantes da existência social entre amplos setores da humanidade, abrangendo de tudo: desde as festas nas colheitas ao hábito de se sentar num banco, de comer pão com queijo, de entrar e sair por portas ou de olhar o mundo pela janela. Originalmente, como vimos, grande parte do modo de vida neolítico se desenvolveu ao lado de outro padrão cultural nas zonas de montanha e de estepe do Crescente Fértil, caracterizado de forma bem clara pela construção de grandes monumentos de pedra e por um simbolismo da virilidade e predação masculina que excluía em larga medida os interesses femininos. Em contraste com isso, a arte e os rituais dos assentamentos de baixada nos vales do Eufrates e do Jordão apresentam as mulheres como cocriadoras de uma forma distinta de sociedade — aprendida com a rotina produtiva do cultivo, do pastoreio e da vida aldeã — e celebradas com a modelagem e fixação de materiais maleáveis, como a argila ou as fibras, em formas simbólicas.[62]

Poderíamos, claro, atribuir essas oposições culturais a uma coincidência, ou talvez até mesmo a fatores ambientais. Mas, avaliando a grande proximidade entre os dois padrões culturais e constatando que os grupos responsáveis por cada padrão tinham plena ciência da existência do outro e trocavam objetos entre eles, é igualmente possível, e talvez mais plausível, entender o que aconteceu como o resultado de uma diferenciação mútua e consciente, de uma cismogênese, similar ao que rastreamos no capítulo anterior sobre as sociedades forrageadoras recentes da Costa Oeste norte-americana. Quanto mais os moradores das áreas de montanha vinham a organizar sua vida artística e cerimonial em torno do tema da violência predatória masculina, mais os moradores das áreas de baixada tendiam a organizar a sua em torno do simbolismo e do conhecimento femininos — e vice-versa. Sem fontes escritas que nos guiem, as evidências mais claras dessas oposições mútuas ao nosso alcance se dão quando as coisas ficam de ponta-cabeça (literalmente, no nosso caso), como quando um dos grupos parece querer ostentar com grande ênfase sua posição contrária a alguma conduta muito característica do outro.

Essas evidências não são difíceis de encontrar, visto que os moradores das áreas de baixada, tal como seus vizinhos de montanha, também atribuíam grande importância ritual a cabeças humanas, mas escolhendo dar-lhes um tratamento que seria mais do que estranho nas terras altas. Ilustremos rapidamente o que queremos dizer.

Os objetos talvez mais identificáveis — e com certeza os mais macabros — encontrados em aldeias do Neolítico Inicial no Corredor Levantino (Israel, Palestina, Jordânia, Líbano e o Eufrates sírio) são os "retratos de caveiras". São cabeças removidas das sepulturas de mulheres, homens e às vezes crianças num processo secundário, após a decomposição do cadáver. Depois de separá-las do corpo, limpavam-nas, modelavam-nas cuidadosamente com argila e então revestiam-nas com camadas de gesso, convertendo-as em coisas totalmente diferentes. Muitas vezes inseriam-se conchas nas cavidades oculares, e a argila e o gesso faziam as vezes da carne e da pele. Tintas vermelhas e brancas contribuíam para dar mais vida às peças. Os retratos de caveiras parecem ter sido relíquias de família, cuidadosamente conservados e restaurados ao longo das gerações. Alcançaram o auge da popularidade no oitavo milênio a.C., quando Göbekli Tepe entrou em declínio, época em que a prática se difundira até Çatalhöyük; lá, uma cabeça assim modelada foi encontrada numa posição de intimidade, presa junto ao peito de um cadáver feminino.[63]

Desde que esses objetos intrigantes vieram pela primeira vez à luz, em Jericó, no começo do século xx, os arqueólogos vêm tentando decifrar seu significado. Muitos estudiosos os consideram como manifestações de cuidado e reverência pelos antepassados. Mas são literalmente incontáveis as maneiras de mostrar pesar ou respeito pelos ancestrais, sem remover de forma sistemática os crânios de seu local de descanso e lhes conferir vida com a aplicação de camadas de argila, gesso, conchas, fibras e pigmentos. Mesmo nas áreas de baixada do Crescente Fértil, esse tratamento era reservado a uma minoria. Era mais frequente que os crânios humanos removidos das sepulturas não recebessem nenhum tratamento, enquanto outros tinham uma complexa história como objetos rituais, a exemplo de um conjunto de caveiras de Tell Qarassa, no sul da Síria, que se descobriu que haviam sido deliberadamente mutiladas em volta do rosto num ato, ao que tudo indica, de profanação póstuma.[64]

Nos vales do Jordão e do Eufrates e terras próximas, a prática de manipular crânios humanos tem uma história ainda mais longa, recuando aos caçadores-coletores natufianos, antes do início do Neolítico; mas a longevidade histórica não supõe necessariamente um contexto local exclusivo para inovações rituais posteriores, como o acréscimo de materiais decorativos para fazer os retratos de caveiras. Talvez a atividade de fazê-los dessa maneira específica se destinasse não só a restabelecer uma ligação com os mortos, mas também a negar a lógica do esfolamento, dos cortes, das perfurações e da acumulação de crânios como troféus. No mínimo, oferece uma indicação adicional de que as populações de baixada e de montanha no Crescente Fértil estavam seguindo trajetórias culturais muito diferentes — e, em alguns aspectos, mutuamente opostas — ao longo dos séculos em que houve a domesticação inicial de plantas e animais.[65]

CILADAS SEMÂNTICAS E MIRAGENS METAFÍSICAS

Nos anos 1970, um brilhante arqueólogo de Cambridge chamado David Clarke previu que, com as pesquisas modernas, quase todos os aspectos do velho edifício da evolução humana, "as explicações do desenvolvimento do homem moderno, da domesticação, da metalurgia, da urbanização e da civilização — podem aparecer em perspectiva como ciladas semânticas e miragens metafísicas".[66] Já existem indícios começando a sugerir que ele tinha razão.

Recapitulemos mais um pouco. Um dos alicerces daquele velho edifício da evolução social humana era a atribuição de um momento histórico específico às sociedades forrageadoras, que seria o prelúdio a uma "Revolução Agrícola" que supostamente mudou tudo no curso da história. A tarefa dos forrageadores nessa narrativa convencional é a de serem tudo o que os agricultores não são (e assim explicarem também, por extensão, o que é a agricultura). Se os agricultores são sedentários, os forrageadores devem ter mobilidade; se os agricultores produzem ativamente alimentos, os forrageadores devem meramente coletá-los; se os agricultores têm propriedade privada, os forrageadores devem rejeitá-la; se as sociedades agrícolas são desiguais, é em contraste com o igualitarismo "inato" dos forrageadores. Por fim, se forrageadores por acaso vierem a apresentar algum traço em comum com os agricultores, a narrativa dominante determina que esse grupo só pode ser de natureza "incipiente", "emergente" ou "desviante" — e assim, quanto ao seu destino, de duas uma: ou "evoluem" para agricultores, ou vêm a definhar e morrer.

A esta altura, deve estar cada vez mais claro para o leitor que quase nada dessa narrativa convencional condiz com as evidências disponíveis. No Crescente Fértil do Oriente Médio, considerado por muito tempo como o berço da "Revolução Agrícola", não houve nenhuma "guinada" do forrageador paleolítico para o agricultor neolítico. A transição de uma subsistência baseada em recursos silvestres para uma vida baseada na produção de alimentos levou cerca de 3 mil anos. E, embora a agricultura permitisse a *possibilidade* de concentrações de riqueza mais desiguais, na maioria dos casos isso só começou a acontecer milênios após seu surgimento. Nos séculos de entremeio, as pessoas estavam experimentando e avaliando com cautela a atividade de cultivo, um "cultivo lúdico", por assim dizer, alternando entre os modos de produção, assim como faziam em suas estruturas sociais.

Evidentemente, não faz mais sentido utilizar expressões como "a Revolução Agrícola" ao tratarmos de processos de tão desmesurada extensão e complexidade. E, como não houve nenhum estado edênico de onde os primeiros agricultores pudessem sair e dar seus primeiros passos na rota para a desigualdade, faz menos sentido ainda falar sobre a agricultura como marco de origem da hierarquia social, da desigualdade ou da propriedade privada. No Crescente Fértil, é em especial entre os grupos de montanha, os mais afastados de qualquer dependência da agricultura, que encontramos o entranhamento da estratificação e da violência, ao passo que seus vizinhos de baixada, que ligavam o cultivo alimentar a rituais sociais importantes, se mostram decididamente mais igualitários, e grande parte desse igualitarismo está relacionada com um aumento da visibilidade social e econômica das mulheres, que se reflete na arte e nos rituais dessas populações. Nesse sentido, o trabalho de Gimbutas — embora esboçado a traços largos, às vezes beirando o caricatural — não errou muito o alvo.

Tudo isso traz uma pergunta óbvia: se a adoção do cultivo na verdade colocou a humanidade, ou pelo menos uma pequena parte dela, numa rota que *se afastava* da dominação violenta, o que deu errado?

7. A ecologia da liberdade
Como a agricultura avançou pelo
mundo aos saltos, tropeços e logros

Em certo sentido, o Crescente Fértil, no Oriente Médio, se destaca pelo fato de sabermos bastante sobre o que aconteceu ali. Desde muito reconhecido como um balão de ensaio de domesticação de plantas e animais, foi mais intensivamente estudado do que quase qualquer outra região, com exceção da Europa. Esse acúmulo de material nos permite delinear algumas das mudanças sociais que acompanharam os primeiros passos da domesticação de plantas e animais e, em certa medida, até nos apoiarmos em evidências negativas. É difícil, por exemplo, sustentar algum tipo convincente de argumentação em que a guerra seja um elemento relevante das primeiras sociedades agricultoras no Oriente Médio, pois, se fosse assim, era de esperar evidências disso nos registros. Por outro lado, são abundantes os indícios de comércio e ofícios especializados, bem como da importância de estatuetas de mulheres na arte e nos rituais.

Pelos mesmos motivos, podemos fazer comparações entre a área de baixada Crescente Fértil (sobretudo o Corredor Levantino, que passava pelo vale do rio Jordão) e a região de montanha (planaltos e pés de serra no leste da Turquia), onde desenvolvimentos igualmente precoces na vida das aldeias e nas produções locais estavam associados à construção de monumentos de pedra adornados com símbolos masculinos e imagens de violência predatória.[1] Para alguns estudiosos, todos esses desenvolvimentos constituíam partes de um único processo, que em seu todo apontavam para o "surgimento da agricultura". No entanto, os primeiros agricultores eram cultivadores relutantes que parecem ter se dado conta das implicações logísticas do cultivo da terra e evitaram se comprometer demais com essa atividade. Seus vizinhos na área de montanha, também acomodados em áreas com recursos silvestres variados, demonstraram ainda menos interesse em vincular a vida a uma gama reduzida de culturas e rebanhos.

Se a situação em apenas um dos berços da agricultura incipiente era assim complexa, então por certo deixa de fazer sentido perguntar "quais são as implicações sociais da transição para a agricultura?" — como se houvesse necessariamente uma única transição, e apenas um conjunto de implicações. Sem dúvida, é um equívoco supor que o plantio de sementes ou a criação de rebanhos de ovinos implicam que alguém seja *obrigado* a aceitar arranjos sociais mais desiguais, apenas para evitar uma "tragédia dos bens comuns". Há um paradoxo aqui. A maioria das obras gerais sobre a história humana de fato pressupõe algo assim; mas quase ninguém, diante de questionamentos mais incisivos, defenderia a todo custo tal suposição, pois é uma falácia evidente. Qualquer estudioso das sociedades agrárias sabe que os povos inclinados a ampliar a agricultura de forma sustentável, sem privatizar a terra ou ceder sua administração a uma classe de supervisores, sempre encontram maneiras de fazer isso.

O direito de uso comunitário da terra, o sistema de "campos abertos", a redistribuição periódica dos lotes e o manejo conjunto dos pastos não são nada excepcionais, e foram adotados com frequência durante séculos nos mesmos locais.[2] O *mir* russo é um exemplo célebre, mas esquemas similares de redistribuição de terra existiram por toda a Europa, desde as Terras Altas da Escócia até os Bálcãs, às vezes inclusive em épocas bem recentes. O termo anglo-saxão para isso era *run-rig* ou *rundale*. Claro que as regras de redistribuição variavam de um caso para o outro — em alguns, o critério era *per stirpes*, em outros, de acordo com a quantidade de membros de uma família. Com mais frequência, a localização exata de cada terreno era definida por sorteio, com cada família tendo acesso a um lote em áreas de terra de qualidade diferente, de modo que ninguém fosse obrigado a se deslocar muito para chegar aos campos, ou tivesse de cultivar solos de qualidade sempre inferior.[3]

Evidentemente, não foi apenas na Europa que isto ocorreu. Em suas *Lectures on the Early History of Institutions* [Palestras sobre a história primitiva das instituições] (1875), Henry Sumner Maine — ocupante da primeira cátedra de jurisprudência histórica e comparativa na Universidade de Oxford — já discutia casos de redistribuição periódica de terras e de instituições do tipo *rundale* desde a Índia até a Irlanda, observando que, quase até em sua própria época, "eram frequentes os casos nos quais a terra arável era dividida em lotes em que se revezavam periodicamente, por vezes a cada ano, as famílias usuárias". E que, na Alemanha pré-industrial, onde a ocupação das terras era rateada entre "associações de marcas", cada cultivador recebia lotes divididos segundo os três principais tipos de solo. É importante notar, comenta Maine, que não se tratava de formas de propriedade, mas de "modos de ocupação", semelhantes aos direitos de acesso encontrados em muitos grupos forrageadores.[4] Muitos outros exemplos poderiam ser citados (como o sistema *masha'a*, na Palestina, ou o *subak*, em Bali).[5]

Em suma, simplesmente não há motivo para supor que a adoção da agricultura em períodos mais remotos também implicasse o início da propriedade privada da terra, da territorialidade ou de um abandono irreversível do igualitarismo dos forrageadores. Ainda que isso tenha acontecido vez por outra, não é mais possível considerá-lo como um pressuposto automático. Como vimos no capítulo anterior, o exato oposto parece se aplicar ao Crescente Fértil no Oriente Médio, ao menos nos primeiros milênios subsequentes ao aparecimento da agricultura. Se a situação em apenas um dos berços dos primórdios do cultivo foi tão discrepante de nossas expectativas evolutivas, só nos resta imaginar quantas outras histórias ainda podem ser contadas a respeito dos outros locais em que surgiu a agricultura. E de fato esses outros locais se mostram cada vez mais numerosos à luz de novas evidências, genéticas e botânicas, bem como arqueológicas. O que vem se delineando é um processo muito mais desordenado e muito menos direcionado do que se imaginava, o que nos força a levar em conta uma gama maior de possibilidades. Neste capítulo, mostraremos o quanto esse quadro vem se modificando e chamaremos a atenção para alguns padrões surpreendentes que começam a se destacar.

* * *

No passado, os geógrafos e os historiadores estavam convencidos de que as plantas e os animais haviam sido domesticados a princípio somente em algumas zonas "nucleares": as mesmas áreas onde surgiram depois sociedades de grande escala e politicamente centralizadas. No Oriente Médio havia trigo e cevada, além de ovelhas, cabras, porcos e bovinos; na China, arroz (*japonica*), soja e uma variedade distinta de porcos; a batata, a quinoa e a lhama nos Andes peruanos; e o milho, o abacate e o chili na Mesoamérica. Esses alinhamentos geográficos nítidos entre os primeiros núcleos de domesticação de plantas e o surgimento dos Estados centralizados reforçavam a especulação de que uma coisa era resultado da outra: que a produção de alimentos foi responsável pelo surgimento das cidades, da escrita e da organização política centralizada ao proporcionar o excedente calórico necessário para o sustento de grandes populações e de classes privilegiadas de administradores, guerreiros e políticos. A invenção da agricultura, segundo essa perspectiva, teria nos colocado no rumo que, mais tarde, nos levaria aos aurigas assírios, burocratas chineses, reis-sol incas ou sacerdotes astecas que se apropriavam de uma parcela significativa das safras de cereais. Mais cedo ou mais tarde, a dominação — quase sempre violenta e impiedosa — era a consequência inevitável.

A ciência arqueológica mudou tudo isso. Hoje os especialistas já identificaram de quinze a vinte núcleos independentes de domesticação, muitos dos quais seguiram caminhos de desenvolvimento bem distintos dos encontrados na China, no Peru, na Mesoamérica ou na Mesopotâmia (e mesmo esses também não foram muito similares, como veremos nos próximos capítulos). A esses núcleos iniciais de agricultura foram acrescentados agora, entre outros, o subcontinente indiano (onde foram domesticados o painço, o feijão mungu, o feijão kulthi, o arroz *indica* e o boi zebu); as pradarias da África Ocidental (outra variedade de painço); o planalto central da Nova Guiné (banana, taioba e inhame); as florestas tropicais da América do Sul (mandioca e amendoim); e as matas do leste da América do Norte, onde um conjunto distinto de sementes locais — amaranto, girassol e *Iva annua* — foi cultivado bem antes da introdução do milho originário da Mesoamérica.[6]

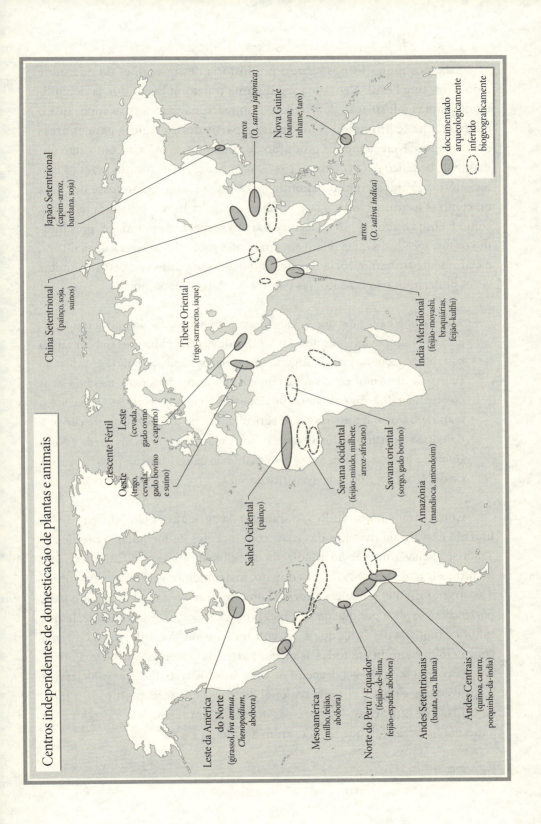

Sabemos muito menos sobre a pré-história dessas regiões do que sobre a do Crescente Fértil. Nenhuma seguiu uma trajetória linear que ia do cultivo de plantas à formação de Estados. Tampouco há razões para supor que o cultivo tenha se difundido com rapidez a partir dessas regiões para as áreas circundantes. Nem sempre a produção de alimentos se mostra como algo obviamente benéfico para coletores, pescadores e caçadores. Muitas vezes os historiadores, ao traçarem um panorama, escrevem como se isso fosse um fato, ou como se as únicas barreiras à "difusão da agricultura" fossem as naturais, como o clima e a topografia. Decorre daí uma espécie de paradoxo, pois mesmo os forrageadores que viviam em ambientes muito favoráveis à agricultura, e claramente tinham ciência das possibilidades do cultivo de cereais, muitas vezes preferiram não fazê-lo. Nas palavras de Jared Diamond:

> Assim como há regiões que se mostraram mais adequadas do que outras à origem da produção de alimentos, a facilidade de sua disseminação também variou bastante ao redor do mundo. Algumas áreas ecologicamente muito adequadas ao cultivo de alimentos jamais o fizeram em épocas pré-históricas, mesmo estando próximas de áreas produtoras de alimentos no mesmo período. Os exemplos mais claros são o fracasso tanto da agricultura como do pastoreio para chegar à Califórnia a partir o Sudoeste dos Estados Unidos, ou à Austrália desde a Nova Guiné e a Indonésia, além do fracasso da difusão da agricultura a partir a província de Natal para a do Cabo na África do Sul.[7]

Como vimos no capítulo 5, o fracasso da agricultura em "chegar" à Califórnia não é uma maneira das mais convincentes de formular o problema. Trata-se apenas uma versão atualizada da velha abordagem difusionista, que identifica traços culturais (camas de gato, instrumentos musicais, agricultura e assim por diante) e mapeia a forma como migraram ao redor do globo, e a partir disso explica por que não alcançaram certos locais. Na realidade, temos todos os motivos para crer que a agricultura "chegou" à Califórnia na mesma época em que surgiu em todas as outras partes da América do Norte. Porém, o que ocorreu foi que — a despeito de uma ética de trabalho que valorizava a laboriosidade, e de um sistema regional de trocas que teria permitido a rápida difusão de inovações — as pessoas que lá viviam rejeitaram a prática com a mesma firmeza com que se recusaram a adotar a escravidão.

278

Mesmo no Sudoeste dos Estados Unidos, a tendência geral por cinco séculos antes da chegada dos europeus foi de abandono gradual do milho e do feijão, que em outros locais eram cultivados havia milênios, e de uma retomada de um modo de vida forrageador. Durante esse período, eram os californianos que promoviam a difusão, com as populações originariamente do leste do estado transmitindo novas técnicas de forrageamento e substituindo os povos agricultores até em lugares tão distantes quanto os atuais estados de Utah e Wyoming. Quando os espanhóis chegaram ao Sudoeste, as sociedades Pueblo, antes predominantes na região, restringiam-se a bolsões isolados de agricultores, totalmente rodeados por caçadores-coletores.[8]

ALGUMAS QUESTÕES TERMINOLÓGICAS RELEVANTES NA DISCUSSÃO DO DESLOCAMENTO PELO GLOBO DE PLANTAS E ANIMAIS DOMESTICADOS

Em livros de história geral, muitas vezes encontramos frases como "cultivos e rebanhos difundiram-se rapidamente pela Eurásia", ou "o conjunto de plantas do Crescente Fértil desencadeou o cultivo de alimentos desde a Irlanda até o Indo", ou, ainda, "o milho disseminou-se rumo ao norte a passos de lesma". Esse tipo de linguagem é apropriado para descrever a expansão das economias neolíticas de milênios atrás?

No máximo, parece refletir a experiência dos últimos séculos, quando as espécies domesticadas do Velho Mundo de fato conquistaram os ambientes das Américas e da Oceania. Nesse período mais recente, os cultivos e os rebanhos foram capazes de se "alastrar" como fogo em mato seco, transformando de tal modo os hábitats existentes que em poucas gerações eles se tornaram irreconhecíveis. Contudo, isso se deve menos à natureza do cultivo de sementes e mais à expansão imperial e mercantil: as sementes se difundem com mais rapidez quando levadas por aqueles que contam com exércitos e são impelidos pela incessante necessidade de ampliar seus empreendimentos e lucros. A situação no Neolítico era completamente distinta. Sobretudo nos milênios iniciais após o fim da última Era Glacial, a maioria das pessoas ainda não se dedicava à agricultura, e as safras dos cultivadores tinham de competir com toda uma panóplia de predadores silvestres e parasitas, a maioria dos quais acabaram eliminados das áreas cultivadas.

Para começar, as plantas e os animais domesticados não podiam se "alastrar" além de seus limites ecológicos originais sem um esforço significativo por parte dos cultivadores e pastores. Além de encontrar, era preciso também modificar ambientes apropriados com a limpeza do terreno, a adubação, o terraceamento etc. Embora a escala de modificação da paisagem talvez nos pareça pequena — pouco mais do que ligeiras adaptações ecológicas —, ainda assim era bastante onerosa pelos padrões locais e crucial para a ampliação do âmbito das espécies domésticas.[9] Evidentemente, sempre havia rotas de menor resistência, acidentes topográficos e regimes climáticos mais ou menos favoráveis à economia neolítica. O eixo leste-oeste da Eurásia abordado por Jared Diamond em *Armas, germes e aço* (1997), ou as "latitudes afortunadas" mencionadas por Ian Morris em *Why the West Rules — For Now* [Por que o Ocidente domina — Por enquanto] (2010), são corredores ecológicos desse tipo.

Na Eurásia, como ressaltam esses autores, quase nunca se registram as acentuadas variações climáticas encontradas nas Américas, ou mesmo na África. As espécies terrestres podem se deslocar de uma ponta a outra do continente eurasiano sem atravessar os limites entre as zonas tropicais e as temperadas. O mesmo não ocorre nos continentes cujas extremidades se dispõem ao norte e ao sul, e que talvez sejam menos convenientes para essas transferências ecológicas. Essa característica geográfica básica é válida, sem dúvida, pelo menos para os últimos 10 mil anos de história. Explica por que os cereais originários do Crescente Fértil são hoje cultivados com êxito em locais tão distantes como a Irlanda e o Japão. Também esclarece, em certa medida, por que se passaram tantos milênios até que os cultivos americanos — como o milho ou a abóbora (domesticados nos trópicos) — fossem aceitos na região setentrional temperada do continente americano, em contraste com a adoção relativamente rápida das espécies eurasianas fora de suas áreas originais.

Em que medida essas observações nos ajudam a entender a história humana em maior escala? Até onde a geografia explica a história, em vez de simplesmente influenciá-la?

Nas décadas de 1970 e 1980, o geógrafo Alfred W. Crosby propôs várias teorias importantes sobre o modo como a ecologia moldou o curso da história. Entre outras coisas, foi o primeiro a chamar a atenção para o "intercâmbio colombiano" — a extraordinária mescla de espécies não humanas desencadeada pela chegada dos europeus à América em 1492, e seu efeito transformador na configuração global da cultura, economia e culinária. Tabaco, pimenta, batata e perus seguiram para a Eurásia; milho, borracha e galinha chegaram à África; e frutas cítricas, café, cavalos, burros e gado bovino viajaram para as Américas. Crosby argumentou que a ascendência global das economias europeias a partir do século XVI podia ser explicada por um processo que chamou de "imperialismo ecológico".[10]

As zonas temperadas da América do Norte e da Oceania, ressaltou ele, eram ideais para os cereais e os rebanhos eurasiáticos, não só por causa do clima, mas porque tinham poucos competidores nativos e nenhum parasita local, como os diversos fungos, insetos e roedores que se haviam adaptado ao consumo compartilhado do trigo cultivado. Transferidas para esse ambiente favorável, as espécies domesticadas do Velho Mundo passaram a se reproduzir de forma acelerada, em alguns casos voltando ao estado silvestre. Crescendo e pastando mais do que a flora e a fauna locais, transformaram os ecossistemas nativos a ponto de criar "novas Europas" — cópias exatas de ambientes europeus, como hoje vemos quando viajamos de carro pela ilha Norte na Nova Zelândia, ou por grande parte da região norte-americana da Nova Inglaterra. A investida ecológica contra os hábitats nativos também incluía doenças infecciosas, como a varíola e o sarampo, originárias de ambientes do Velho Mundo, onde conviviam seres humanos e rebanhos. Enquanto as plantas europeias prosperavam com a ausência de pragas, as doenças transmitidas por animais domesticados (ou por humanos acostumados a conviver com eles) assolaram as populações indígenas, com taxas de mortalidade de até 95%, mesmo nos locais em que os colonos não escravizaram nem massacraram os nativos — o que, claro, era muito comum.

Desse ponto de vista, o êxito do imperialismo europeu moderno devia mais à "revolução neolítica no Velho Mundo" — com suas raízes no Crescente Fértil — do que às realizações específicas de Colombo, Magalhães, Cook e companhia. Em certo sentido, isso é verdadeiro. Mas a história da expansão agrícola *anterior* ao século XVI está longe de ser uma via de mão única; na verdade, está repleta de começos abortados, tropeções e mudanças de rumo. Isso se aplica cada vez mais à medida que retornamos no tempo. Para entendermos por que foi assim, temos de olhar para além do Oriente Médio e examinar o que aconteceu com as mais antigas populações de cultivadores em outras regiões do mundo após o término da última Era Glacial. Antes disso, porém, convém esclarecer um ponto básico: por que, ao discutirmos essas questões, restringimo-nos apenas aos últimos 10 mil e tantos anos de história humana? Se os seres humanos estão no planeta há mais de 200 mil anos, por que a agricultura não se desenvolveu muito antes?

POR QUE A AGRICULTURA NÃO SE DESENVOLVEU MAIS CEDO

Desde que a nossa espécie existe, houve apenas dois períodos com clima quente o suficiente para sustentar uma economia agrária durante o tempo necessário para que deixasse marcas nos registros arqueológicos.[11] O primeiro foi o período interglacial Eemiano, por volta de 130 mil anos atrás. Então as temperaturas globais se estabilizaram em níveis ligeiramente superiores aos atuais, permitindo a difusão das florestas boreais ao norte até o Alasca e a Finlândia. Hipopótamos se banhavam nos rios Tâmisa e Reno. Mas o impacto sobre as populações humanas foi limitado pelo âmbito geográfico restrito em que viviam. O segundo período é o que estamos vivendo agora. Quando começou, cerca de 12 mil anos atrás, os seres humanos já haviam se espalhado por todos os continentes e se estabelecido nos mais diversos ambientes. Os geólogos chamam esse período de Holoceno, do grego *holos* (todo) e *kainos* (novo).

Muitos geocientistas consideram agora que o Holoceno já terminou. Ao menos desde os últimos dois séculos, estamos entrando numa nova era geológica, o Antropoceno, em que pela primeira vez as atividades humanas são os principais fatores de mudança do clima global. Ainda há muita discussão entre os cientistas sobre o momento exato em que teve início o Antropoceno. A maioria dos especialistas aponta para a Revolução Industrial, mas há quem situe antes sua origem, remontando-a ao final do século XVI e início do seguinte. Nesse período houve uma queda global na temperatura atmosférica — parte da chamada "Pequena Era Glacial" — que não se explica por forças naturais. Muito provavelmente, a expansão europeia nas Américas teve um papel nisso. Com talvez 90% da população indígena aniquilada em consequência da conquista e das doenças infecciosas, as florestas retomaram regiões nas quais o cultivo em terraços e a irrigação vinham sendo praticados por séculos. Na Mesoamérica, na Amazônia e nos Andes, cerca de 50 milhões de hectares de terra cultivada podem ter voltado a ser áreas naturais. A absorção de carbono pela vegetação aumentou em escala suficiente para mudar o sistema planetário e desencadear um período de resfriamento global impelido por seres humanos.[12]

Seja quando for seu início, o Antropoceno é o que fizemos com o legado da época do Holoceno, que de certo modo foi uma "página em branco" para a humanidade. E em seu princípio muita coisa era de fato nova. Com o recuo das geleiras, a flora e a fauna — antes confinadas a pequenas áreas de refúgio — se dispersaram por novos horizontes. E atrás delas seguiram as pessoas, que acabaram favorecendo algumas espécies por meio de queimadas e desmatamentos. O efeito do aquecimento global nos litorais foi mais complexo, pois trechos da plataforma continental sob as geleiras retornaram à superfície, ao passo que outros permaneceram sob o nível do mar, devido ao derretimento das geleiras.[13] Para muitos historiadores, o início do Holoceno é importante por ter criado as condições para o surgimento da agricultura. Porém, em muitas partes do mundo, como vimos, esse período também foi uma Era de Ouro para os forrageadores, e não podemos esquecer que esse paraíso foi o ambiente no qual se instalaram os primeiros cultivadores.

A expansão mais vigorosa das populações forrageadores ocorreu em áreas costeiras, recém-expostas pelo recuo das geleiras e providas de abundantes recursos silvestres. Peixes e aves marinhas, baleias e golfinhos, focas e lontras, caranguejos, camarões, ostras e moluscos de todos os tipos. Rios e lagoas de água doce, alimentados por geleiras de altitude, agora fervilhantes de lúcios e outros peixes, atraíam as aves migratórias. Em estuários, deltas e margens de lagos, temporadas anuais de pesca e coleta ocorriam com regularidade cada vez maior, conduzindo a padrões sustentados de agrupamentos humanos bem diversos dos existentes na Era Glacial, quando longas migrações sazonais de mamutes e outros animais de caça de grande porte organizavam boa parte da vida social.[14]

A savana e a floresta tomaram o lugar da estepe e da tundra em grande parte desse mundo pós-glaciação. Tal como em épocas anteriores, os forrageadores recorriam a técnicas de manejo da terra a fim de estimular o crescimento de espécies desejadas, como árvores com frutos e nozes. Por volta de 8000 a.C., seus esforços haviam contribuído para a extinção de cerca de dois terços da megafauna, pouco adaptada aos hábitats mais quentes e limitados do Holoceno.[15] As áreas florestadas em expansão proporcionavam uma superabundância de alimentos nutritivos e não perecíveis: nozes, frutas silvestres, folhas e fungos, processados com um novo conjunto de ferramentas compósitas ("microlíticas"). Quando as matas substituíram as estepes, as técnicas de caça também mudaram: da coordenação sazonal de abates em massa para estratégias mais oportunistas e versáteis, voltadas para mamíferos de menor porte e com territórios mais restritos, entre eles alces, cervos, javalis e bois selvagens.[16]

Em retrospecto, é fácil esquecer que os agricultores chegaram a esse mundo novo em condições de inferioridade cultural. Suas primeiras expansões nada tinham a ver com as *missions civilisatrices* dos impérios agrários modernos. Quase sempre, como veremos, ocupavam as lacunas territoriais abandonadas pelos forrageadores: espaços geográficos muito remotos, ou inacessíveis, ou simplesmente pouco interessantes para atrair a atenção continuada de caçadores, pescadores e coletores. Mesmo nesses locais, as economias periféricas do Holoceno nem sempre tinham êxito. Um exemplo bastante expressivo é o princípio do Neolítico na Europa Central, onde a agricultura sofreu um de seus primeiros e mais estrondosos fracassos. Para entender melhor os motivos, convém examinarmos outros casos de expansão mais bem-sucedida das primeiras populações de agricultores na África, na Oceania e nas planícies tropicais da América do Sul.

Em termos históricos, não há vínculo direto entre esses casos. Em conjunto, porém, eles mostram em que medida o destino das primeiras sociedades agrícolas muitas vezes dependia menos do "imperialismo ecológico" do que daquilo que se poderia chamar — adaptando uma frase de Murray Bookchin, o pioneiro da ecologia social — de "ecologia da liberdade".[17] Com esse termo, estamos nos referindo a algo bem específico. Se os camponeses são pessoas "implicadas existencialmente no cultivo da terra",[18] então a ecologia da liberdade (o "cultivo lúdico", em suma) é a condição oposta. A ecologia da liberdade descreve a propensão das sociedades humanas a adotar e a abandonar (livremente) a agricultura; a realizar cultivos sem se tornarem cultivadores em tempo integral; a cultivar a terra e criar animais sem sujeitar demais a própria existência aos rigores logísticos da agricultura; e a preservar uma gama de fontes de nutrição ampla o suficiente para evitar que o cultivo da terra se torne questão de vida ou morte. É exatamente esse tipo de flexibilidade ecológica que tende a ficar de fora das narrativas convencionais da história mundial, que apresentam o plantio de um único cereal como um ponto sem retorno.

Na verdade, esse aproveitamento intermitente do cultivo, ou sua permanência em um certo limiar, é algo que nossa espécie realizou com êxito na maior parte de seu passado.[19] Os arranjos ecológicos fluidos — mesclando o plantio de hortas, o cultivo de vazante às margens de lagos e nascentes, o manejo paisagístico em pequena escala (por meio de queimadas, podas, terraceamento etc.) e o encurralamento ou a criação de animais em estados semisselvagens, associados a uma série de atividades de caça, pesca e coleta — foram no passado típicos das sociedades humanas em diversas partes do mundo. Muitas vezes essas atividades foram mantidas durante milhares de anos, e não raro sustentavam populações consideráveis. Como veremos, talvez tenham sido também cruciais para a sobrevivência dos primeiros grupos humanos a domesticar plantas e animais. A biodiversidade — e não o biopoder — foi a chave inicial para o aumento da produção de alimentos no Neolítico.

UM ALERTA VINDO DO NEOLÍTICO: O DESTINO HORRÍVEL E SURPREENDENTE DOS PRIMEIROS AGRICULTORES NA EUROPA CENTRAL

Kilianstädten, Talheim, Schletz e Herxheim são todos nomes de sítios do início do Neolítico nas planícies de loess da Áustria e da Alemanha. Coletivamente, contam uma história pouco conhecida dos primórdios da agricultura.

Nesses locais, a partir de cerca de 5500 a.C., surgiram aldeias com um perfil cultural semelhante, conhecido como a tradição da "Cerâmica Linear". Foram algumas das primeiras aldeias de cultivadores da Europa Central. No entanto, ao contrário da maioria dos outros assentamentos iniciais de agricultores, todas acabaram por desaparecer em meio a turbulências, assinaladas pela abertura e pelo preenchimento de grandes sepulturas coletivas. Os conteúdos dessas sepulturas apontam para o aniquilamento, ou a tentativa de aniquilamento, de toda uma comunidade: trincheiras escavadas grosseiramente ou valas reutilizadas contendo misturas caóticas de restos mortais, incluindo adultos e crianças de ambos os sexos, descartados como montes de refugo. Os ossos exibem marcas reveladoras de tortura, mutilações e mortes violentas — rompimento de membros, escalpamentos, esquartejamentos para canibalismo. Em Kilianstädten e Asparn, não foram encontrados restos de mulheres jovens, indicando que podem ter sido levadas como cativas.[20]

A economia agrária neolítica chegara à Europa Central levada por migrantes vindos do sudeste, com consequências que se revelariam catastróficas para alguns daqueles cujos ancestrais haviam se mudado para lá.[21] Os mais antigos assentamentos desses recém-chegados às planícies da Europa Central sugerem uma sociedade relativamente livre, com poucos indicadores de hierarquização, tanto no interior das comunidades como entre elas. As unidades familiares básicas — moradias comunitárias de madeira — tinham todas aproximadamente o mesmo tamanho. Por volta de 5000 a.C., contudo, começaram a surgir disparidades entre as habitações, e também nos tipos de objetos depositados nas sepulturas. Os assentamentos passaram a ser rodeados de valas largas, nas quais foram encontradas evidências de conflitos armados sob a forma de flechas, cabeças de machados e restos mortais. Em certos casos, quando os locais foram invadidos, essas mesmas valas foram transformadas em sepulturas coletivas para os moradores que deveriam proteger.[22]

Tamanha é a qualidade e a quantidade de material acuradamente datado que os pesquisadores conseguiram elaborar modelos das tendências demográficas que acompanharam essas mudanças. E suas reconstituições revelaram algo surpreendente. A chegada da agricultura à Europa Central estava associada a um surto demográfico incipiente e bastante significativo — exatamente o que se esperaria. Porém, o que se seguiu não foi um padrão de crescimento contínuo da população. Em vez disso, houve uma queda desastrosa, uma explosão e depois uma queda demográfica, entre 5000 a.C. e 4500 a.C., quase configurando um colapso regional.[23] Ou seja, esses grupos do início do Neolítico chegaram à região, ali se estabeleceram e, em seguida, em muitas áreas (mas não em todas, cabe ressaltar) a população foi diminuindo até desaparecer, ao passo que em outros pontos houve crescimento demográfico impulsionado por casamentos com populações forrageadoras mais bem estabelecidas. Somente depois de um hiato de cerca de um milênio o cultivo intensivo de cereais voltou a deslanchar na Europa Central e Setentrional.[24]

As narrativas mais antigas da pré-história tendiam a simplesmente supor que os colonos neolíticos se impuseram sobre as populações forrageadoras nativas em termos demográficos e sociais; que tomaram o lugar delas ou as converteram a um modo de vida superior por meio de comércio e casamentos. O padrão de crescimento e queda nos primórdios da agricultura hoje documentado na Europa temperada contradiz esse quadro e levanta questões mais abrangentes sobre a viabilidade das economias neolíticas num mundo de forrageadores. Para responder a essas questões, precisamos saber um pouco mais sobre as próprias populações forrageadoras, e como desenvolveram tradições que datavam do Plistoceno após a Era Glacial e no começo do Holoceno.

Grande parte do que conhecemos a respeito das populações forrageadoras do período pós-glacial (Mesolítico) se baseia em achados arqueológicos ao longo dos litorais do Atlântico e do Báltico. Muita coisa desapareceu sob o mar. O que sabemos sobre esses caçadores-coletores do Holoceno deriva sobretudo de seus costumes funerários. Desde o norte da Rússia, passando pela Escandinávia, até a costa da Bretanha, essas práticas são esclarecidas por achados em cemitérios pré-históricos. As sepulturas eram muitas vezes ricamente decoradas. Nas regiões bálticas e ibéricas, também incluíam copiosas quantidades de âmbar. As ossadas revelam que os mortos foram enterrados em posturas surpreendentes — sentados ou inclinados, e até de ponta-cabeça — indicando códigos hierárquicos complexos e em grande parte indecifráveis. Nas margens da Eurásia Setentrional, turfeiras e sítios alagados preservavam resquícios de uma tradição de entalhe de madeira que produziu ornamentos em esquis, trenós, canoas e em monumentos semelhantes aos mastros totêmicos da Costa Noroeste do Pacífico, na América do Norte.[25] Cajados encimados por efígies de alces e renas, lembrando as figuras da arte em pedra do Plistoceno, foram encontrados em áreas imensas: um simbolismo estável da autoridade, cruzando os limites dos grupos forrageadores locais.[26]

Como era o interior profundo da Europa, essa região onde se instalaram os agricultores, a partir da perspectiva dessas populações mesolíticas lá estabelecidas? Muito provavelmente parecia um beco sem saída ecológico, sem as vantagens óbvias dos ambientes costeiros. Talvez tenha sido exatamente isso o que permitiu aos colonos da Cerâmica Linear se dispersarem livremente a oeste e ao norte das planícies de loess — eles estavam se mudando para regiões com pouca ou nenhuma ocupação anterior. Não temos como saber se isso era uma política deliberada, visando evitar o contato com os forrageadores locais. Porém, é certo que essa tendência começou a se romper à medida que os novos grupos de cultivadores se aproximaram das áreas litorâneas mais povoadas. O que isso significou na prática é muitas vezes ambíguo. Por exemplo, restos mortais de forrageadores litorâneos, achados em sítios mesolíticos na Bretanha, mostram níveis anormais de proteína de origem terrestre na dieta de mulheres jovens, contrastando com a preponderância de alimentos marinhos entre o restante da população. Ou seja, é possível que mulheres oriundas do interior (e que até então haviam se alimentado sobretudo de carne, e não de pescados) estavam sendo incorporadas aos grupos litorâneos.[27]

O que isso nos diz? Pode ser uma indicação de que as mulheres haviam sido capturadas em incursões que, plausivelmente, incluíam ataques dos forrageadores a comunidades de cultivo.[28] Não há como escapar aqui da especulação; nada sabemos se as mulheres se mudaram à força ou por ordem dos homens. Embora incursões e conflitos armados fossem claramente parte do que ocorria, seria simplista atribuir o fracasso inicial do cultivo neolítico na Europa somente a tais fatores. Explicações mais abrangentes serão consideradas oportunamente. Antes, contudo, afastemo-nos da Europa e examinemos alguns casos bem-sucedidos nos primórdios da agricultura. Primeiro na África, depois na Oceania e, por último, o caso um tanto diverso mas instrutivo da Amazônia.

DOIS LOCAIS MUITO DIVERSOS ONDE SE FIRMOU O CULTIVO NEOLÍTICO: A TRANSFORMAÇÃO DO VALE DO NILO (C. 5000-4000 A.C.) E A COLONIZAÇÃO DAS ILHAS DA OCEANIA (C. 1600-500 A.C.)

Na mesma época em que os assentamentos da cultura da Cerâmica Linear se estabeleceram na Europa Central, a economia agrícola do Neolítico fez sua primeira aparição na África. A versão africana tinha a mesma origem da europeia, ou seja, vinha do Sudoeste da Ásia. E baseava-se nos mesmos cereais (trigo emmer e trigo einkorn) e animais (ovinos, caprinos e bovinos domesticados — talvez com o acréscimo de auroques africanos). A recepção africana desse "pacote" neolítico, porém, não poderia ter sido mais diferente. É quase como se os primeiros lavradores africanos o tivessem aberto, descartado parte de seu conteúdo e o reembalado de maneiras tão extraordinariamente distintas que facilmente podem ser confundidas com inovações locais — e eram mesmo, em muitos aspectos.

A região em que isso ocorreu fora até então quase toda ignorada pelos forrageadores, mas logo se tornaria um eixo importante de mudanças demográficas e políticas: o vale do Nilo, no Egito e no Sudão. Em 3000 a.C., a integração política de seus trechos inferiores com o delta do Nilo resultaria no primeiro reino territorial do antigo Egito, voltado para o Mediterrâneo. No entanto, as raízes culturais dessa e de outras civilizações nilóticas posteriores remontavam a transformações anteriores, associadas à adoção do cultivo entre 5000 a.C. e 4000 a.C., cujo centro de gravidade estava na África. Esses primeiros lavradores africanos reinventaram o Neolítico à imagem deles. O cultivo de cereais foi relegado a um papel secundário (só recuperando seu status séculos mais tarde), e a ideia de que a identidade social de alguém era representada pelo lar familiar foi em grande parte abandonada. Em vez disso, surgiu um Neolítico bem diferente — maleável, vibrante e marcado pela improvisação.[29]

Essa nova forma de economia neolítica dependia sobretudo da criação de animais em rebanhos, associada a temporadas anuais de pesca, caça e coleta na rica planície aluvial do Nilo, e nos oásis e córregos sazonais (uádis) que hoje estão nos desertos próximos, mas que então ainda recebiam chuvas anuais. Os pastores de rebanhos entravam e saíam periodicamente desse "Saara Verde", tanto a oeste como a leste, rumo à costa do mar Vermelho, e desenvolveram complexos sistemas de ostentação corporal. Novas formas de ornamentação pessoal empregavam pigmentos e minerais, prospectados nos desertos adjacentes, e uma deslumbrante variedade de contas, pentes, braceletes e outros adornos de marfim e osso, todos profusamente escavados em cemitérios neolíticos ao longo de todo o vale do Nilo, desde o Sudão Central até o Médio Egito.[30]

O que sobrevive hoje desses impressionantes artefatos pode ser visto em museus pelo mundo todo, e nos faz lembrar que, antes de existirem os faraós, quase todos podiam ter a expectativa de serem sepultados como reis, rainhas, príncipes ou princesas.

Outra grande expansão neolítica ocorreu nas ilhas da Oceania. E originou-se na outra extremidade da Ásia, nas culturas de cultivo de arroz e painço de Taiwan e das Filipinas (suas raízes ainda mais profundas remontam à China). Por volta de 1600 a.C., ocorreu uma extraordinária dispersão de grupos de cultivadores a partir desses dois locais, e que só terminaria mais de 8 mil quilômetros a leste, na Polinésia.

Conhecido como o "horizonte Lapita" (o nome do sítio na Nova Caledônia onde sua cerâmica ornamentada foi identificada pela primeira vez), essa expansão precoce — que exigiu a criação das primeiras canoas com estabilizadores para enfrentar o mar aberto — costuma ser associada à difusão das línguas austronésias. O arroz e o painço, pouco adequados aos climas tropicais, foram descartados na etapa inicial da dispersão, substituídos, à medida que o horizonte Lapita avançava, por uma rica mescla de tubérculos e frutos encontrados pelo caminho, além de uma quantidade crescente de animais domesticados (porcos, acompanhados de cães e galinhas; e os ratos também pegaram carona nesse deslocamento). Essas espécies viajaram com os colonos do horizonte Lapita até ilhas anteriormente desabitadas — entre elas Fiji, Tonga e Samoa —, onde lançaram raízes (literalmente também, no caso da taioba e de outros tubérculos).[31]

Assim como os agricultores associados à tradição da Cerâmica Linear na Europa Central, os grupos do horizonte Lapita parecem ter evitado os núcleos de população já estabelecidos. Portanto, mantiveram distância do reduto de forrageadores na Austrália e também passaram longe de Papua Nova Guiné, onde uma forma local de cultivo já se consolidara no planalto em torno do vale do Wahgi.[32] Foi em ilhas virgens e atóis desabitados que fundaram suas aldeias, com casas empoleiradas em estacas. Com enxós de pedra, uma ferramenta indispensável em seus deslocamentos, desmatavam trechos da floresta para cultivar taioba, inhame e banana, que suplementavam com os animais domesticados e uma rica dieta de peixes, mariscos, tartarugas, aves e morcegos frugívoros.[33]

Ao contrário dos agricultores pioneiros da Europa, os colonos do horizonte Lapita diversificaram continuamente sua economia à medida que se espalhavam, e não só no que se referia ao cultivo de plantas e à criação de animais. Avançando na direção leste, os povos Lapita deixaram um rastro de objetos de cerâmica característicos, sua marca mais consistente no registro arqueológico. Ao longo do caminho, também toparam com muitos materiais novos. Os mais apreciados, como certos tipos de conchas, foram usados em ornamentos variados — braceletes, colares, pingentes — cujos resquícios continuavam perceptíveis na cultura da Melanésia e da Polinésia séculos mais tarde, quando o capitão Cook (inadvertidamente refazendo os passos do horizonte Lapita) avistou a Nova Caledônia em 1774 e escreveu que a ilha o fazia lembrar da Escócia.

Outros itens prestigiosos entre os povos Lapita eram os cocares com penas de aves (representados nas cerâmicas), requintadas esteiras de folhas de pandano, e artefatos de obsidiana. As lâminas de obsidiana, circulando no arquipélago de Bismarck (a milhares de quilômetros de seu local de origem), eram usadas na tatuagem e escarificação da pele para que recebesse pigmentos e extratos vegetais. Embora as tatuagens em si não tenham sobrevivido, a ornamentação das vasilhas lapitas nos dá uma ideia do esquema básico, transferido da pele para os objetos de cerâmica. Tradições polinésias mais recentes de tatuagem e arte corporal — "embrulhando o corpo em imagens", como se lê num famoso estudo antropológico — nos mostram como conhecemos pouco dos vibrantes mundos conceituais dessas épocas mais afastadas, e daqueles que primeiro levaram tais práticas às remotas paisagens insulares do Pacífico.[34]

O CASO DA AMAZÔNIA, E AS POSSIBILIDADES DE UM "CULTIVO LÚDICO"

À primeira vista, essas três variantes do "Neolítico" — na Europa, África e Oceania — poderiam parecer não ter quase nada em comum. No entanto, todas compartilham dois elementos importantes. O primeiro é que pressupunham um comprometimento sério com a agricultura. Das três variantes, a cultura da Cerâmica Linear foi a que mais se empenhou no cultivo de cereais e na criação de animais. A do vale do Nilo estava ligada sobretudo aos rebanhos, assim como a do horizonte Lapita, aos porcos e tubérculos. Em todos os casos, as espécies em questão foram plenamente domesticadas — ou seja, passaram a depender da intervenção humana para a sobrevivência, e não eram mais capazes de se reproduzirem sozinhas em condições naturais. Por outro lado, os povos em questão haviam orientado sua vida em função das necessidades de determinados animais e plantas; o cercamento, a proteção e a reprodução dessas espécies eram elementos perenes de sua existência, e cruciais para suas dietas. Todas as variantes acabaram se tornando agricultores "sérios".

O segundo é que todos os três casos se beneficiaram de uma difusão deliberada da agricultura por terras em sua maioria desabitadas. A extrema mobilidade da variedade neolítica no vale do Nilo estendia-se sazonalmente para o deserto-estepe adjacente, mas evitava regiões densamente povoadas, como o delta do Nilo, a *gezira* sudanesa e os principais oásis (incluindo o Fayum, em cujas margens preponderavam pescadores-coletores, que quase sempre adotavam e abandonavam práticas de cultivo conforme sua conveniência).[35] De modo similar, a cultura da Cerâmica Linear na Europa lançou raízes em nichos inexplorados pelos coletores mesolíticos, como trechos de áreas de loess e barragens fluviais não usadas. O horizonte Lapita era também um sistema relativamente fechado, interagindo com outros quando necessário, mas incorporando novos recursos a seu modo de vida. Os agricultores sérios tendiam a formar sociedades com limites rígidos — étnicos e também linguísticos, em certos casos.[36]

Contudo, nem todas as expansões iniciais da agricultura eram tão "sérias" quanto essas variantes. Nas planícies tropicais da América do Sul, as pesquisas arqueológicas revelaram uma tradição claramente mais lúdica de produção de alimentos no Holoceno. Práticas semelhantes ainda eram amplamente adotadas até pouco tempo na Amazônia, como as dos nhambiquaras, na região do Mato Grosso, no Brasil. Em meados do século xx, eles passavam a estação das chuvas em aldeias na beira dos rios, cuidando de hortas onde cultivavam uma variedade de plantas, entre as quais mandioca-doce e mandioca-brava, milho, tabaco, feijão, algodão, amendoim e abóbora. O trabalho era descontraído, e eles pouco se esforçavam para manter separadas as diferentes espécies. Com a chegada da estação seca, esses cultivos emaranhados eram completamente abandonados. A aldeia toda se dispersava, separada em pequenos grupos nômades que se dedicavam à caça e à coleta. No ano seguinte, retomavam todo o processo de cultivo, muitas vezes em outro local.

Na Amazônia, esse processo sazonal de adoção e abandono do cultivo foi documentado numa ampla gama de sociedades indígenas, e é bastante antigo.[37] O mesmo vale para o costume de manter animais de estimação. Muitas vezes se diz que na Amazônia não há nenhum animal nativo domesticado e, de uma perspectiva biológica, isso de fato está correto. Do ponto de vista cultural, porém, as coisas são mais complicadas. Muitos grupos da floresta levam consigo o que só pode ser descrito como um pequeno zoológico composto

292

de animais locais amansados: macacos, papagaios, porcos-do-mato etc. Esses bichos de estimação com frequência são órfãos de outros que foram caçados e comidos. Adotados pelos humanos, alimentados e cuidados desde filhotes, eles se tornam completamente dependentes. A subserviência aos tutores perdura até ficarem adultos. Eles não são comidos, nem há interesse em que se reproduzam. Vivem como membros individuais da comunidade, que os trata como se fossem crianças, merecedores de afeto e fontes de entretenimento.[38]

As sociedades amazônicas também turvam nossa distinção convencional entre "selvagem" e "doméstico" de outras maneiras. Entre os animais que costumam caçar para alimento estão o porco-do-mato, a cutia e outros que classificamos como "selvagens". No entanto, esses mesmos bichos são considerados localmente como domesticados, pelo menos no sentido de serem vassalos de "senhores dos animais" de caráter sobrenatural que os protegem e aos quais estão ligados. As figuras do "senhor" ou "senhora dos animais" são na verdade muito comuns nas sociedades de caçadores; por vezes, assumem a forma de um exemplar enorme ou perfeito de certo animal, como se fosse uma personificação da espécie, mas também aparecem como os donos humanos ou humanoides da espécie, a quem as almas de todos os veados ou focas ou renas precisam ser devolvidas pelos caçadores que os abatem. Na Amazônia, isso significa na prática que as pessoas evitam qualquer ingerência na reprodução dessas espécies a fim de não usurpar o papel dos espíritos.

Em outras palavras, na Amazônia não havia uma via cultural óbvia que possibilitasse aos humanos se tornarem tanto os principais cuidadores como os consumidores de outras espécies; os relacionamentos eram distantes demais (no caso da caça) ou íntimos demais (no caso dos animais de estimação). Estamos tratando aqui de povos que têm todas as habilidades ecológicas exigidas para cultivar a terra e criar rebanhos, mas que apesar disso se restringem, preservando um cuidadoso equilíbrio entre forrageador (ou melhor, silvicultor) e cultivador.[39]

A Amazônia mostra de que modo esse jogo de "cultivo intermitente da terra" pode ser bem mais do que uma questão transitória. Parece ter ocorrido ao longo de milhares de anos, uma vez que durante esse tempo há indícios de domesticação de plantas e manejo da terra, mas pouco comprometimento com a agricultura.[40] A partir de 500 a.C., esse modo neotropical de produção de alimentos expandiu-se desde sua região original, nos rios Orinoco e Negro, acompanhando sistemas fluviais através da floresta úmida e, com o tempo, consolidando-se em toda a região que vai da Bolívia às Antilhas. Seu legado mais evidente é a distribuição de grupos atuais e históricos que falam línguas da família aruaque.[41]

Os grupos falantes dessas línguas se notabilizaram em séculos recentes como grandes articuladores de culturas — como mercadores e diplomatas, forjando as mais variadas alianças, com frequência visando vantagens comerciais. Mais de 2 mil anos atrás, um processo semelhante de mescla cultural estratégica (muito distinto das estratégias de isolamento dos agricultores mais "sérios") parece ter provocado a convergência dos povos da bacia amazônica num sistema regional. As línguas aruaque e as que delas derivam são faladas em toda a várzea amazônica, desde as fozes do Orinoco e do Amazonas até suas cabeceiras no Peru. No entanto, os falantes de aruaque têm pouco em comum em termos de ancestralidade genética. Os vários dialetos estão estruturalmente mais próximos de seus vizinhos não aruaques do que uns dos outros, ou de qualquer suposta língua aruaque original.

Ao que parece, não houve uma difusão uniforme, mas um entrelaçamento direcionado de grupos ao longo das principais rotas de transporte e comércio por canoas. O resultado foi uma rede interconectada de trocas culturais que não tinha centro nem fronteiras definidas. O padrão de treliça na cerâmica amazônica, nos panos de algodão e na pintura corporal — recorrentes em estilos muito similares de um extremo a outro da floresta úmida — parece modelar esses princípios conectivos, enredando os corpos humanos numa complexa cartografia relacional.[42]

Até tempos bem recentes, a Amazônia era considerada um refúgio atemporal de tribos isoladas, tão próximas quanto possível do Estado de Natureza de Rousseau ou de Hobbes. Como vimos, essas noções romantizadas persistiram na antropologia até boa parte da década de 1980, por meio de estudos que atribuíam a grupos como os ianomâmis o papel de "ancestrais contemporâneos", de janelas para nosso passado evolucionário. Esse quadro, porém, vem sendo contestado por pesquisas recentes nos campos da arqueologia e da etno-história.

Agora sabemos que, por volta do início da era cristã, a paisagem amazônica já estava salpicada de aldeias, terraplenos, monumentos e caminhos que se estendiam desde os reinos das terras altas peruanas até o Caribe. Ao chegarem ali no século XVI, os primeiros europeus descreveram movimentados assentamentos na planície aluvial, governados por chefes preeminentes que dominavam seus vizinhos. Embora seja grande a tentação de relegar esses relatos a hipérboles de aventureiros empenhados em impressionar seus patronos no Velho Mundo, isso fica cada vez mais difícil à medida que a ciência arqueológica torna mais nítidos os contornos dessa civilização da floresta tropical. Em parte, esse novo entendimento resulta de pesquisas em áreas restritas; em parte, é consequência do desmatamento em escala industrial, que, na bacia do Alto Amazonas (voltada para o oeste e os Andes), tornou visível uma tradição de terraplanagens monumentais, executadas de acordo com planos precisos e geométricos, e interligadas por redes de caminhos.[43]

O que exatamente desencadeou esse antigo florescimento amazônico? Até poucas décadas atrás, todos esses desenvolvimentos eram explicados como consequência de mais uma "Revolução Agrícola". Supunha-se que, no primeiro milênio a.C., o cultivo intensivo de mandioca levara a um aumento da população amazônica, desencadeando assim uma onda de expansão humana por todas as várzeas tropicais. Essa hipótese está baseada em análises de mandioca domesticada que remontam até a 7000 a.C.; mais recentemente, no sul da Amazônia, constatou-se que o cultivo de milho e de abóbora começou em épocas igualmente remotas.[44] Contudo, há poucas evidências de cultivo generalizado no período crucial de convergência cultural, a partir de 500 a.C. Na verdade, a mandioca somente parece ter se tornado um cultivo fundamental *depois* do contato com os europeus. Tudo isso significa que ao menos alguns dos primeiros habitantes da Amazônia conheciam a domesticação de plantas, mas não a escolheram como base de sua economia, optando em vez disso por um tipo mais flexível de agrossilvicultura.[45]

Na floresta tropical, a agricultura moderna depende das técnicas de queimada e dos métodos de trabalho intensivo adaptados ao cultivo em grande extensão de algumas poucas espécies. A forma mais antiga, a que nos referimos, permitia uma variedade bem maior de cultivares, obtidos em hortas junto às habitações ou em clareiras próximas das aldeias. Esses antigos viveiros de plantas ficavam em áreas de solos especiais (ou, mais estritamente, "antrossolos"), conhecidos como "terra preta de índio" e "terra mulata": terras escuras e muito mais férteis do que os solos tropicais comuns. Essa fertilidade maior é resultado da absorção de material orgânico como restos de comida, excrementos e carvão, produzidos nas atividades cotidianas das aldeias (formando as "terras pretas"), ou em episódios de queimadas e cultivo restritos no passado ("terras mulatas").[46] O enriquecimento do solo na Amazônia antiga era um processo lento e constante, não uma atividade anual.

Esse tipo de "cultivo lúdico", tanto na Amazônia como em outras partes, revelou-se, em épocas recentes, vantajoso para os povos indígenas. Rotinas de subsistência complexas e imprevisíveis constituem um excelente obstáculo ao avanço do Estado colonizador: trata-se literalmente de uma ecologia da liberdade. Não é fácil cobrar impostos e monitorar um grupo que se recusa a permanecer no mesmo lugar, e que se sustenta por um longo prazo sem depender de recursos fixos, ou que cultiva seus alimentos de forma invisível, no subsolo (como no caso dos tubérculos e outras raízes comestíveis).[47] Ainda que seja esse o caso, a história mais profunda dos trópicos americanos revela que padrões igualmente livres e flexíveis de produção de alimentos sustentaram o crescimento civilizatório em escala continental, muito antes da chegada dos europeus.

Na verdade, esse tipo específico de cultivo ("produção de alimentos de baixa intensidade", em termos mais técnicos) caracterizou uma gama bastante ampla de sociedades do Holoceno, inclusive os primeiros agricultores do Crescente Fértil e da Mesoamérica.[48] No México, havia variedades domesticadas de abóbora e de milho por volta de 7000 a.C.[49] No entanto, esses cultivos só se tornaram a base da alimentação cerca de cinco milênios depois. Do mesmo modo, nas Florestas do Leste da América do Norte, havia culturas de sementes locais em 3000 a.C., mas o "cultivo sério" só começou por volta de 1000 d.C.[50] Na China encontramos um padrão similar. O cultivo do painço começou em pequena escala, por volta de 8000 a.C., nas planícies setentrionais, como suplementação sazonal da coleta e da caça feita com ajuda de cães. E assim continuou por três milênios, até a introdução de espécies cultivadas na bacia do rio Amarelo. Da mesma forma, no baixo e médio rio Yangtsé, variedades adaptadas de arroz aparecem somente quinze séculos depois do cultivo inicial de arroz selvagem em campos alagados. E talvez demorasse ainda mais, não fosse por um breve período de resfriamento global, por volta de 5000 a.C., que exauriu os arrozais inundados e prejudicou as coletas de nozes.[51]

Nessas duas regiões da China, muito tempo depois da sua domesticação, os porcos ainda ficavam atrás dos javalis e cervos em termos de importância na dieta. Também foi o que ocorreu nas terras altas de mata do Crescente Fértil, onde está situada Çayönü e sua Casa das Caveiras, e onde a relação entre seres humanos e porcos foi mais um flerte do que uma domesticação de fato.[52] Portanto, embora seja tentador colocar a Amazônia como uma alternativa do "Novo Mundo" ao Neolítico do "Velho Mundo", a verdade é que, em ambos os hemisférios, os desenvolvimentos do Holoceno começam a parecer cada vez mais similares, pelo menos no que se refere ao ritmo geral das mudanças. E, em ambos os casos, parecem cada vez mais não revolucionárias. De início, muitas das sociedades agrárias do mundo tinham um espírito "amazônico", mantendo-se no limiar da agricultura, mas sem descartar os valores culturais da caça e da coleta. Os "campos amenos" do *Discurso* de Rousseau ainda estavam muito distantes no futuro.

É possível que pesquisas futuras revelem flutuações demográficas entre as primeiras populações de agricultores (ou agrossilvicultores) na Amazônia, na Oceania, ou até mesmo entre os primeiros povos pastoris do vale do Nilo, similares àquelas registradas na Europa Central. De fato, algum tipo de declínio, ou no mínimo uma reconfiguração importante dos assentamentos, ocorreu no Crescente Fértil durante o sétimo milênio a.C.[53] De qualquer modo, não há como sermos muito categóricos sobre os contrastes entre essas diversas regiões, dada a diferença no volume de evidências para cada uma delas. Ainda assim, com base nas informações de que dispomos hoje, podemos ao menos recolocar a questão inicial: por que, em determinadas regiões da Europa, os agricultores neolíticos sofreram a princípio um colapso demográfico numa escala hoje desconhecida ou não registrada em outras partes?

As pistas estão nos menores detalhes.

O cultivo de cereais, na verdade, sofreu mudanças relevantes durante sua transferência do Sudoeste Asiático até a Europa Central através dos Bálcãs. Originalmente havia três variedades de trigo (einkorn, emmer e comum) e duas de cevada (com ou sem casca) sendo cultivadas, mas também cinco leguminosas diferentes (ervilha, lentilha, ervilhaca, grão-de-bico e chícharo). Em contraste, a maioria dos sítios da tradição da Cerâmica Linear contém apenas variedades com gluma (trigo emmer e einkorn), e um ou dois tipos de leguminosas. A economia neolítica tornara-se cada vez mais restrita e uniforme, um subconjunto reduzido do original no Oriente Médio. Além disso, as paisagens de loess na Europa Central apresentavam pouca variação topográfica e oportunidades restritas para a adição de novos recursos, e as populações de forrageadores mais adensadas limitavam a expansão agrícola na direção dos litorais.[54]

Para os primeiros cultivadores da Europa, quase tudo passou a girar em torno de um único conjunto de alimentos. O cultivo de cereais alimentava a comunidade. Os subprodutos — joio e palha — serviam de combustível, de ração para animais e de material para construção, incluindo o preparo de vasilhas e de reboco para as casas. Os rebanhos ocasionalmente forneciam a carne, os laticínios e a lã, bem como o estrume para as hortas.[55] Com suas habitações coletivas de taipa e escassa cultura material, os primeiros assentamentos de cultivadores europeus apresentam uma semelhança peculiar com as sociedades camponesas de épocas posteriores. Muito provavelmente, também estavam sujeitos a algumas das mesmas fragilidades — não só ataques periódicos vindos de fora, mas também escassez de mão de obra, esgotamento do solo, doenças e quebras de safras em toda uma série de comunidades similares, com poucos recursos de ajuda mútua.

O cultivo neolítico era um experimento que podia dar errado — e, com o tempo, foi o que aconteceu.

MAS, AFINAL, QUAL A IMPORTÂNCIA DISSO? (PARA RELEMBRAR OS PERIGOS DA ARGUMENTAÇÃO TELEOLÓGICA)

Neste capítulo acompanhamos o destino de alguns dos primeiros agricultores à medida que avançavam pelo mundo aos saltos, tropeços e logros, nem sempre com êxito. Mas o que isso nos diz sobre o curso geral da história humana? Na verdade, objetariam os mais céticos, o que importa mesmo no esquema mais amplo das coisas não são os primeiros passos titubeantes na direção da agricultura, e sim os efeitos no longo prazo. Afinal, já em 2000 a.C., a agricultura assegurava o sustento de grandes cidades, desde a China até o Mediterrâneo; e, em 500 a.C., diversas sociedades produtoras de alimentos haviam colonizado quase toda a Eurásia, com a exceção da África meridional, da região subártica e de um punhado de ilhas subtropicais.

Talvez o cético insistisse que só a agricultura poderia destravar a capacidade de aprovisionamento das terras que os forrageadores não conseguiam ou não desejavam explorar. Embora houvesse gente disposta a abdicar de sua mobilidade e se fixar num local, seria possível extrair excedentes alimentícios até mesmo de pequenos lotes de solo cultivável, sobretudo depois da introdução do arado e da irrigação. Mesmo que tenham ocorrido recuos temporários, ou até fracassos catastróficos, no longo prazo as probabilidades sempre foram favoráveis aos capazes de fazer um uso intensivo da terra a fim de manter populações cada vez maiores e mais adensadas. E o mesmo cético poderia concluir que somente graças à agricultura a população mundial poderia passar dos estimados 5 milhões no início do Holoceno para os 900 milhões em 1800 d.C., e os atuais bilhões.

Além disso, como populações tão grandes poderiam ser alimentadas sem a existência de cadeias de comando para organizar as massas e os cargos oficiais de liderança; sem dispor em tempo integral de governantes, soldados, policiais e outros que, não sendo produtores de alimentos, só poderiam ser mantidos graças aos excedentes agrícolas? Parece razoável propor essas questões, e aqueles que levantam o primeiro ponto quase sempre chegam ao segundo. Porém, ao fazerem isso, arriscam-se a abandonar a história. Não se pode simplesmente saltar do início da história para o final e pressupor que se sabe o que aconteceu no meio. Bem, é até possível para fazer isso, mas nesse caso estaríamos retornando aos mesmos contos de fadas com que estamos lidando ao longo deste livro. Por isso, recapitulemos brevemente o que já sabemos sobre a origem e a difusão da agricultura, e depois examinemos alguns dos eventos mais dramáticos por que passaram as sociedades humanas no decorrer dos últimos cinco milênios.

O cultivo da terra, como agora sabemos, muitas vezes começou como uma economia de privação — ou seja, algo só inventado quando nada mais restava a fazer, e é por isso que surgiu primeiro nas áreas em que havia maior escassez de recursos naturais. Era a exceção entre as estratégias do início do Holoceno, mas tinha um potencial de crescimento explosivo, sobretudo quando o cultivo de cereais era associado à criação de animais. Mesmo assim, era o estranho recém-chegado ao ninho. Como os primeiros cultivadores produziram mais lixo, e com frequência erguiam casas de argila cozida, também isso contribuiu para que se tornassem mais visíveis nos registros arqueológicos. Por esse motivo é que precisamos preencher imaginativamente as lacunas se quisermos saber o que se passava na mesma época em ambientes muito mais ricos, com populações que ainda dependiam em grande parte dos recursos naturais.

Os monumentos erguidos sazonalmente, como os de Göbekli Tepe ou do lago Shigirskoe, são um sinal tão claro quanto possível de que algo importante ocorria entre os caçadores-pescadores-coletores do Holoceno. No entanto, o que estava fazendo toda essa gente que não cultivava a terra, e onde vivia no restante do tempo? Terras altas florestadas, como os planaltos no leste da Turquia ou os sopés dos montes Urais, são boas candidatas a esses locais, mas, como quase todas as construções eram de madeira, pouco resta hoje de suas habitações. É bem provável que as comunidades maiores estivessem situadas às margens de lagos, rios e litorais, sobretudo em suas junções: nos deltas fluviais — como no sul da Mesopotâmia, nos trechos mais baixos do Nilo e do Indo — onde surgiram muitas das primeiras cidades do mundo, e aos quais precisamos retornar a fim de descobrir que papel a vida em centros urbanos grandes e adensados desempenhou (ou não) no desenvolvimento das sociedades humanas.

8. Cidades imaginárias

Os pioneiros urbanos da Eurásia — na Mesopotâmia, vale do Indo, Ucrânia e China — e como eles ergueram cidades sem reis

As cidades surgem primeiro na mente.

Ou assim sugeriu Elias Canetti, um romancista e filósofo social muitas vezes subestimado como um daqueles excêntricos pensadores centro-europeus de meados do século XX cuja obra ninguém sabe exatamente como lidar. Canetti especulou que os caçadores-coletores do Paleolítico de pequenas comunidades deviam inevitavelmente ter se perguntado como seria viver em comunidades maiores. A prova disso, segundo o autor, está nas paredes das cavernas, onde eles representaram com fidelidade manadas de animais que se deslocavam juntos em massas incontáveis. Como não teriam eles imaginado a possibilidade de manadas humanas em toda a sua terrível glória? E sem dúvida também consideravam os mortos, que superavam os vivos por várias ordens de magnitude. Como seria se todos os mortos se reunissem num único lugar? Essas "multidões invisíveis", propôs Canetti, foram em certo sentido as primeiras cidades humanas, mesmo que tenham existido apenas na imaginação.

Tudo isso pode parecer especulação ociosa (na verdade, uma especulação *sobre* a especulação), mas os atuais avanços no estudo da cognição humana sugerem que Canetti levanta um ponto importante, algo que quase todo mundo deixou passar. As unidades sociais de grande dimensão sempre são, em certo sentido, imaginárias. Ou, em palavras um pouco diferentes: sempre há uma distinção fundamental entre a forma como nos relacionamos com amigos, parentes, vizinhos, pessoas e lugares que conhecemos e o modo como nos relacionamos com impérios, nações e metrópoles, fenômenos que existem em sua maioria, ou pelo menos na maior parte do tempo, apenas em nossa cabeça. Boa parte da teoria social pode ser vista como uma tentativa de conciliar essas duas dimensões de nossa experiência.

Na versão convencional da história divulgada pelos manuais, a escala é crucial. Os minúsculos bandos de coletores, nos quais os seres humanos teriam passado a maior parte de sua história evolutiva, podiam ser relativamente democráticos e igualitários por serem pequenos. É comum pressupor — e isso com frequência é tido como autoevidente — que nossa sensibilidade social, e mesmo nossa capacidade para guardar e associar nomes e rostos, são em grande parte determinadas pelo fato de termos passado 95% da nossa história evolutiva em grupos de no máximo dezenas de indivíduos. Fomos projetados para trabalhar em equipes pequenas. Como consequência, as grandes aglomerações de pessoas são em geral tratadas como se fossem por definição algo antinatural, e os seres humanos como sendo psicologicamente mal equipados para lidar com a vida em seu interior. Esse é o motivo, prossegue o argumento, por que precisamos de estruturas complexas para assegurar o funcionamento dessas comunidades maiores — como urbanistas, assistentes sociais, auditores fiscais e policiais.[1]

Nesse caso, faz todo o sentido que o aparecimento das primeiras cidades, as primeiras concentrações substanciais de pessoas vivendo o tempo todo no mesmo local, também correspondesse ao surgimento dos Estados. Durante muito tempo, as evidências arqueológicas — do Egito, da Mesopotâmia, da China, da América Central e de outras partes — pareciam confirmar isso. Bastava juntar uma quantidade suficiente de pessoas num único lugar que, apontavam as evidências, quase inevitavelmente elas desenvolveriam a escrita ou algo parecido, além de administradores, armazéns e centros de distribuição, oficinas e capatazes. E, logo em seguida, começariam a se dividir em classes sociais. A "civilização" era todo um pacote. Significava miséria e sofrimento para alguns (uma vez que seriam reduzidos à condição de servos, escravos ou endividados), mas também tornava possível a existência da filosofia e da arte, e a acumulação de conhecimento científico.

As evidências recentes, porém, não mais sugerem isso. Na verdade, muito do que descobrimos nos últimos quarenta ou cinquenta anos desarranjou por completo nosso quadro convencional de conhecimento. Em algumas regiões, sabemos agora, cidades se governaram durante séculos sem nenhum sinal dos templos e palácios, que só surgiriam mais tarde; em outras, nem sequer foram erguidos. Em muitas das primeiras cidades, simplesmente não há evidências de uma classe de administradores nem de qualquer tipo de estrato governante. Em outras ainda, o poder centralizado parece emergir e depois desaparecer. Ou seja, a mera existência da vida urbana não implica necessariamente nenhuma forma particular de organização, nem nunca implicou.

Isso gera uma série de diversas consequências relevantes: antes de tudo, sugere uma avaliação bem menos pessimista do potencial humano, pois o mero fato de a maior parte da população viver hoje em cidades pode ser bem menos determinante para a forma *como* vivemos do que poderíamos supor — mas, antes mesmo de seguirmos nessa direção, precisamos saber como chegamos a essa compreensão tão redondamente equivocada.

ANTES DE TUDO, A NOTÓRIA QUESTÃO DA "ESCALA"

"Senso comum" é uma expressão curiosa. Às vezes significa exatamente o que parece: a sabedoria prática nascida da experiência da vida real, que nos permite evitar as armadilhas mais óbvias e estúpidas. É o que queremos dizer quando falamos que falta bom senso a um vilão de história em quadrinhos que instala um botão de "autodestruir" em sua arma apocalíptica, ou que deixa de bloquear os túneis de ventilação em seu bunker secreto. Por outro lado, às vezes as coisas que parecem ser senso comum na verdade não são nada disso.

Durante muito tempo, considerou-se um senso comum quase universal que as mulheres não serviam como soldados. Afinal, dizia-se, tendem a ser fisicamente menores e a ter menos força na parte superior do corpo. Mas então vários exércitos passaram a recrutar mulheres e descobriram que elas costumam ser muito mais precisas em seus tiros. Do mesmo modo, há um consenso quase universal que é relativamente fácil para os membros de um grupo pequeno tratarem uns aos outros em pé de igualdade e chegarem a decisões de forma democrática, mas que, à medida que o grupo cresce, isto vai se tornando cada vez mais difícil. Pensando bem, contudo, não há nisso tanto senso comum quanto parece, pois com certeza não se aplica aos grupos que perduram. Com o tempo, qualquer grupo de amigos íntimos, para não falar de parentes, acaba desenvolvendo um histórico complicado que dificulta o entendimento em relação a quase tudo; ao passo que, num grupo maior, provavelmente é menor a proporção de pessoas com as quais temos alguma rixa. No entanto, por vários motivos, o problema da escala agora se tornou uma questão de mero senso comum não apenas para os estudiosos, mas para todo mundo.

Como esse problema costuma ser visto como o resultado de nosso legado evolutivo, talvez seja útil retornar por um instante à fonte e ver como os psicólogos evolucionistas, como Robin Dunbar, entendem a questão. Para a maioria deles, a organização social dos caçadores-coletores — tanto antigos como modernos — opera em camadas ou níveis distintos, "aninhados" uns nos outros como bonecas russas. A unidade social mais elementar é a família baseada em vínculos individuais e com interesses compartilhados pela prole. Para sustentar a si mesmas e seus dependentes, essas unidades nucleares são obrigadas (ou assim se argumenta) a se juntarem em "bandos" compostos de cinco ou seis famílias com relações próximas. Em ocasiões rituais, ou quando a caça é particularmente abundante, esses "bandos" se aglutinam e formam "agrupamentos domiciliares" (ou "clãs") com cerca de 150 pessoas, e esse número — de acordo com Dunbar — também está próximo do limite máximo de relacionamentos estáveis e confiáveis que somos capazes, em termos cognitivos, de manter em nossa cabeça. E isso, sugere ele, não é uma coincidência. Embora seja possível formar grupos maiores, com mais de 150 indivíduos (que ficou conhecido como o "Número de Dunbar"), o autor afirma que tais grupos maiores, ou "tribos", são inevitavelmente desprovidos da solidariedade dos grupos menores, formados por bandos, e por isso tendem a propiciar o surgimento de conflitos.[2]

Para Dunbar, esses arranjos "aninhados" são um dos fatores que moldaram a cognição humana no decorrer do tempo evolutivo profundo, de tal modo que, até hoje, todo um conjunto de instituições que requerem altos níveis de comprometimento social, desde brigadas militares até congregações religiosas, ainda tendem a gravitar em torno da quantidade original de 150 relacionamentos. Trata-se de uma hipótese fascinante. Tal como formulada pelos psicólogos evolucionistas, depende da ideia de que os caçadores-coletores dos tempos atuais são capazes de proporcionar evidências desse modo supostamente ancestral de ampliar a escala dos relacionamentos sociais, desde as unidades familiares nucleares até os bandos e grupos domiciliares, com cada grupo ampliado reproduzindo o mesmo sentimento de lealdade entre os indivíduos e seus pais, apenas em escala maior, até chegarmos a coisas como os "irmãos" — ou também "irmãs" — em armas. Mas aqui as coisas se complicam.

Uma objeção óbvia aos modelos evolucionistas é a pressuposição de que nossos vínculos sociais mais fortes se baseiam no parentesco biológico próximo, mas na verdade muita gente simplesmente não gosta muito de sua família. E isso parece se confirmar também entre os caçadores-coletores atuais. Muitos consideram a perspectiva de passarem a vida toda rodeados de parentes próximos tão desagradável que empreendem longas viagens apenas para ficarem longe deles. Novos estudos sobre a demografia dos caçadores-coletores modernos — com comparações estatísticas fundamentadas numa amostragem global de casos, abrangendo dos hadzas da Tanzânia aos martus australianos[3] — mostram que os grupos domiciliares não são de forma nenhuma constituídos de parentes biológicos; e o campo emergente da genômica humana começa a apontar que o mesmo se aplica aos caçadores-coletores antigos, remontando até o Plistoceno.[4]

Ainda que os martus modernos, por exemplo, refiram-se a si mesmos como se todos descendessem de um ancestral totêmico comum, o que se constatou na prática foi que há vínculos biológicos primários em menos de 10% dos membros em qualquer grupo domiciliar. A maioria dos participantes vem de uma base muito mais ampla, cujos indivíduos não compartilham nenhum vínculo genético próximo, são oriundos de pontos dispersos em territórios imensos, e às vezes sequer falam a mesma língua. Qualquer indivíduo reconhecido como martu é um membro em potencial de qualquer bando martu, e o mesmo vale para os hadzas, ba yakas, !kungs sans e outros. Os mais aventureiros, portanto, arrumam meios de abandonar por completo seu próprio grupo estendido. Isso é ainda mais surpreendente em locais como a Austrália, onde existem sistemas de parentesco elaboradíssimos, nos quais quase todos os arranjos sociais são ordenados em função da descendência genealógica dos ancestrais totêmicos.

Aparentemente, portanto, em tais casos esse parentesco é na verdade uma espécie de metáfora da ligação social, mais ou menos como quando falamos que "todos os homens são irmãos" ao procurarmos exprimir um internacionalismo (mesmo que suportemos nosso irmão de verdade, com quem não falamos há anos). Além disso, a metáfora compartilhada muitas vezes se estendia por distâncias enormes, como vimos no caso dos clãs da Tartaruga e do Urso, presentes em toda a América do Norte, ou no dos sistemas de metades totêmicas na Austrália. Assim, para os mais desencantados com os parentes próximos, era relativamente fácil empreender longas viagens e ainda esperar ser acolhido em outros lugares.

É como se as sociedades forrageadoras modernas existissem, ao mesmo tempo, em duas escalas radicalmente distintas: uma restrita e íntima, e a outra abrangendo territórios vastos e até continentes. Por mais estranho que pareça, isso faz bastante sentido da perspectiva da ciência cognitiva. É essa capacidade de se deslocar entre escalas o que distingue de forma mais óbvia a cognição social humana da observada em outros primatas.[5] Os grandes primatas competem por afeto e dominância, mas toda vitória é temporária e sujeita a renegociação. Nada é imaginado como eterno. Na verdade, nada é imaginado. Já os humanos tendem a viver com as cerca de 150 pessoas que conhecem pessoalmente, e também, ao mesmo tempo, no interior de estruturas imaginárias compartilhadas talvez por milhões ou mesmo bilhões de indivíduos. Por vezes, como nas nações modernas, esses outros são imaginados como ligados por laços de parentesco; noutras, não são vinculados dessa maneira.[6]

Nisso, ao menos, os forrageadores modernos não se distinguem dos atuais moradores urbanos ou dos caçadores-coletores antigos. Todos nós temos a capacidade de nos sentir ligados a pessoas que talvez nunca venhamos a conhecer pessoalmente; de participar de uma macrossociedade que na maior parte do tempo existe como "realidade virtual", um mundo de relacionamentos possíveis com regras, papéis e estruturas guardados na mente e relembrados por meio do esforço cognitivo do ritual e da produção de imagens. Ainda que os forrageadores formem às vezes pequenos grupos, eles não vivem — e provavelmente nunca viveram — em *sociedades* de pequena escala.[7]

Nada disso implica que a escala — no sentido de tamanho absoluto da população — não faça diferença. Mas significa que essas coisas não são necessariamente importantes na forma do senso comum que tendemos a adotar.

Nesse ponto específico, pelo menos, Canetti não se equivocou. A sociedade de massa é uma realidade mental antes de se tornar uma realidade física. E, o que é mais importante, também continua a ter uma existência mental depois de se tornar uma realidade física.

Neste ponto, podemos retornar às cidades.

As cidades são coisas tangíveis. Certos elementos de sua infraestrutura física — muros, ruas, parques, esgotos — podem permanecer inalterados por centenas ou mesmo milhares de anos; porém, em termos humanos, elas nunca são estáveis. As pessoas estão chegando e partindo o tempo todo, seja em caráter definitivo, seja periodicamente em feriados e festas, para visitar parentes, fazer negócios, saquear, conhecer e assim por diante; ou apenas para o cumprimento de suas atividades cotidianas. No entanto, as cidades têm uma vida que transcende tudo isso. E o motivo não é a permanência da pedra, da alvenaria ou do adobe; nem o fato de que a maioria das pessoas numa cidade realmente se conhece. O motivo é que elas vão sempre pensar e agir como indivíduos que *pertencem* à cidade — como londrinos, moscovitas ou cairotas. Nas palavras do sociólogo urbano Claude Fischer:

> Em sua maioria, os moradores urbanos levam vidas pacatas e circunscritas, raramente vão ao centro, e pouco conhecem as áreas em que não vivem nem trabalham, mantendo contato (em qualquer sentido sociológico válido) apenas com uma fração ínfima da população da cidade. Claro que, em certas ocasiões — na hora do rush, em jogos de futebol etc. —, podem se juntar a milhares de estranhos, mas isso não tem necessariamente nenhum efeito direto sobre suas vidas pessoais [...] os moradores urbanos vivem em pequenos mundos sociais que se tangenciam, mas não se interpenetram.[8]

Tudo isso se aplica em igual medida às cidades antigas. Aristóteles, por exemplo, afirmou que a Babilônia era tão grande que, dois ou três dias depois de ter sido invadida por um exército estrangeiro, a notícia ainda não chegara a algumas partes da cidade. Em outros termos, da perspectiva de alguém vivendo numa cidade antiga, a cidade em si mesma não era muito diferente das paisagens anteriores, onde clãs ou metades totêmicas se estendiam por centenas de quilômetros. Era uma estrutura erguida antes de tudo na imaginação humana, e que possibilitava relações amistosas com pessoas que jamais haviam se visto.

No capítulo 4, argumentamos que, em grande parte da história, o âmbito geográfico no qual atuam os seres humanos foi na verdade se reduzindo. As "áreas culturais" paleolíticas cobriam continentes. As zonas de cultura mesolítica e neolítica ainda abrangiam áreas bem maiores do que o território da maioria dos grupos etnolinguísticos atuais (designados pelos antropólogos como "culturas"). As cidades eram parte desse processo de contração, uma vez que seus moradores podiam, e muitos o faziam, passar quase toda a vida no interior de um raio de poucos quilômetros — algo inconcebível para as pessoas de uma época anterior. Uma maneira de pensar sobre isso é imaginar um vasto sistema regional, do tipo que abrangia a maior parte da Austrália ou da América do Norte, sendo comprimido num único espaço urbano — mas sem perder seu aspecto virtual. Se foi isso, ainda que de forma aproximada, o que ocorreu quando se formaram as primeiras cidades, então não há por que pressupor que o processo tenha implicado qualquer desafio cognitivo especial. Viver em grupos ilimitados, eternos e em grande parte imaginários é, na prática, o que os seres humanos vinham fazendo o tempo todo.

Então o que havia de novo? Vamos retornar às evidências arqueológicas.

Assentamentos habitados por dezenas de milhares de pessoas surgiram pela primeira vez na história humana por volta de 6 mil anos atrás, em quase todos os continentes, a princípio em pontos isolados. Em seguida, eles se multiplicaram. Uma das dificuldades para conciliar o que sabemos hoje sobre essas cidades com uma sequência evolutiva convencional — na qual cidades, Estados, burocracias e classes sociais emergem todos juntos[9] — reside no fato de que são cidades muito diferentes. A questão aqui não é somente que algumas dessas primeiras cidades não tinham divisão de classes, monopólio de riqueza ou hierarquia administrativa. Elas exibem uma variedade tão grande de características que, desde o princípio, o que parece ter ocorrido foi uma experimentação consciente com o formato urbano.

A arqueologia contemporânea mostra, entre outras coisas, que um número surpreendentemente pequeno dessas primeiras cidades contém sinais de um regime autoritário. Também revela que sua ecologia era bem mais diversificada do que antes se pensava: as cidades não dependem necessariamente de um entorno rural, no qual servos ou camponeses realizam um trabalho exaustivo, produzindo carroças de cereais para o consumo dos moradores urbanos. Sem dúvida, essa situação tornou-se cada vez mais comum em épocas posteriores, mas nas primeiras cidades o cultivo de hortas e a criação de animais em pequena escala com frequência tinham ao menos a mesma importância; o mesmo se dava com os recursos de rios e mares e com a constante caça e coleta de alimentos sazonais silvestres em florestas ou áreas alagadas. A mescla dessas atividades em cada cidade dependia muito do lugar em que estavam situadas, mas vem se tornando cada vez mais claro que os primeiros moradores urbanos nem sempre deixaram marcas de seu impacto no ambiente, ou uns nos outros.

Como era viver nessas primeiras cidades?

A seguir descreveremos sobretudo o que ocorreu na Eurásia, antes de passarmos para a Mesoamérica no próximo capítulo. Evidentemente, a história toda poderia ser contada a partir de outras perspectivas geográficas (a da África Subsaariana, por exemplo, onde as trajetórias locais de desenvolvimento urbano no delta do médio Níger é bem anterior à difusão do islã), mas temos de restringir nossa abrangência a fim de evitar a simplificação excessiva do tema.[10] Cada região aqui considerada apresenta uma gama distinta de material de pesquisa a ser selecionado e avaliado pelo arqueólogo ou historiador. Na maioria dos casos, evidências escritas são inexistentes ou de alcance restrito. (Ainda estamos tratando aqui sobretudo dos primórdios da história humana, e de tradições culturais muito diferentes das nossas.)

É possível que nunca sejamos capazes de reconstituir em nenhuma medida as leis não escritas das primeiras cidades do mundo, ou as turbulências pelas quais parecem ter sido submetidas periodicamente. Mesmo assim, as evidências disponíveis são robustas o bastante não só para virar de ponta-cabeça a narrativa convencional, mas também para abrir nossos olhos para possibilidades que de outro modo jamais levaríamos em conta. Antes de passarmos aos casos específicos, precisamos ao menos considerar brevemente o motivo do aparecimento das cidades. Teriam aqueles locais de reunião temporários e sazonais, discutidos nos capítulos anteriores, se transformado em assentamentos ocupados durante todo o ano? Essa seria uma explicação simples e satisfatória, mas não parece ter sido o que aconteceu. A realidade é mais complexa e, como sempre, bem mais interessante.

O CENÁRIO PROPÍCIO A UM MUNDO DE CIDADES E OS MOTIVOS DE SEU SURGIMENTO

Onde quer que tenham surgido, as cidades definiram uma nova etapa da história mundial.[11] Vamos chamá-la de "mundo urbano inicial", uma caracterização assumidamente inexpressiva para o que foi em muitos aspectos uma intrigante etapa do passado humano. E talvez uma das mais difíceis de entender, pois é ao mesmo tempo muito familiar e muito bizarra. Vamos falar primeiro dos aspectos familiares.

Em quase todos os lugares, nessas primeiras cidades encontramos sinais grandiosos e explícitos de unidade cívica, uma distribuição dos espaços construídos segundo padrões harmoniosos e por vezes belos, refletindo claramente algum planejamento em escala municipal. Onde dispomos de fontes escritas (na antiga Mesopotâmia, por exemplo), encontramos grupos numerosos de cidadãos referindo-se a si mesmos não com a linguagem dos laços de parentesco ou étnicos, mas apenas como "a população" de uma determinada cidade (ou, com frequência, seus "filhos e filhas"), unidos pela devoção aos ancestrais fundadores, aos deuses ou heróis, à infraestrutura cívica e ao calendário ritual, que sempre inclui ao menos algumas ocasiões para festejos populares.[12] As festividades cívicas eram momentos em que as estruturas imaginárias às quais a população se submetia em sua vida cotidiana assumiam temporariamente uma forma material e tangível.

E, onde há evidências, também se notam diferenças. Os moradores urbanos muitas vezes eram originários de regiões longínquas. No século III d.C. ou IV d.C., a grande cidade de Teotihuacan, no vale do México, atraía moradores de regiões distantes como Yucatán e a Costa do Golfo; e os migrantes iam morar em áreas próprias, entre elas um possível distrito maia. Imigrantes oriundos das grandes planícies aluviais do Indo sepultaram seus entes queridos nos cemitérios de Harappa. Em geral, as cidades antigas se dividiam em bairros, que muitas vezes desenvolviam rivalidades persistentes, e também parece ter sido esse o caso nas primeiras cidades. Demarcadas por muralhas, portas ou valas, vizinhanças consolidadas desse tipo provavelmente não eram diferentes em nenhum aspecto fundamental de seus equivalentes modernos.[13]

O que torna essas cidades intrigantes, ao menos para nós, é sobretudo o que não se encontra nelas. Isso vale sobretudo para a tecnologia, como metalurgia avançada, agricultura intensiva, tecnologias sociais, como os registros administrativos, ou mesmo a roda. Qualquer uma dessas coisas pode, ou não, ter estado presente, a depender do ponto no mundo urbano primitivo para onde dirigimos o olhar. Aqui vale recordar que na maior parte da América, antes da invasão europeia, não havia ferramentas de metal, cavalos, burros, camelos ou bois. Todos os deslocamentos de pessoas ou cargas eram feitos a pé, de canoa ou de trenó. No entanto, a escala das capitais pré-colombianas, como Teotihuacan ou Tenochtitlan, supera em muito a das primeiras cidades na China e na Mesopotâmia, e faz com que as "cidades-Estado" da Idade do Bronze na Grécia (como Tirinto e Micenas) pareçam pouco mais do que povoados fortificados.

De fato, as maiores dessas primeiras cidades, aquelas com mais habitantes, não surgiram na Eurásia — com suas inúmeras vantagens técnicas e logísticas —, mas na Mesoamérica, que não dispunha de veículos com rodas ou barcos a vela, tração ou transporte animal, e muito menos alguma forma incipiente de metalurgia ou de burocracia letrada. Isso nos leva a uma pergunta óbvia: afinal, por que tanta gente acabou indo morar no mesmo lugar, para começo de conversa? A explicação convencional aponta como causas fundamentais fatores tecnológicos: as cidades foram um efeito retardado, mas inevitável, da "Revolução Agrícola", que impeliu o crescimento demográfico e desencadeou uma série de outros desenvolvimentos, por exemplo no transporte e na administração, que tornaram possível sustentar enormes populações num único local. Em seguida, surgiram os Estados para administrá-las. Como vimos, nenhuma parte dessa explicação parece ser corroborada pelos fatos.

Na verdade, é difícil nos restringirmos a uma única explicação. Teotihuacan, por exemplo, pode ter se tornado uma cidade tão grande, abrigando em seu auge talvez 100 mil pessoas, sobretudo depois que uma sequência de erupções vulcânicas e desastres naturais associados levaram populações inteiras de sua terra natal para se estabelecerem lá.[14] Muitas vezes os fatores ecológicos desempenharam um papel na formação de cidades, mas nesse caso em particular parecem estar apenas indiretamente relacionados com a intensificação da agricultura. Ainda assim, há sinais de um padrão. Em muitas regiões da Eurásia e em algumas das Américas, o aparecimento das cidades acompanha de perto um reembaralhamento secundário das cartas ecológicas, iniciado por volta de 5000 a.C., após a Era Glacial. Ao menos duas mudanças ambientais são reconhecíveis aqui.

A primeira tem a ver com os rios. No princípio do Holoceno, os grandes rios do mundo ainda eram quase todos descontrolados e imprevisíveis. Então, por volta de 7 mil anos atrás, os regimes das cheias começaram a mudar, permitindo que se adotassem rotinas mais regulares. Foi isso o que deu origem às planícies aluviais amplas e férteis ao longo do rio Amarelo, do Indo, do Tigre e outros que associamos às primeiras civilizações urbanas. Paralelamente, o derretimento das geleiras polares diminuiu a tal ponto que o nível dos mares em todo o mundo se estabilizou, ou ao menos se tornou menos instável do que antes. O efeito conjunto desses dois processos foi tremendo, sobretudo onde os grandes rios desembocam nos mares, depositando sua carga sazonal de sedimentos férteis com mais rapidez do que a capacidade de bloqueio das marés. Assim surgiram os grandes deltas em forma de leque que vemos hoje na foz do Mississippi, do Nilo ou do Eufrates, por exemplo.[15]

Abrangendo solos bem irrigados, anualmente renovados pela ação fluvial, áreas úmidas férteis e hábitats litorâneos apreciados por animais de caça e aves de hábitos migratórios, o ambiente dos deltas foi um dos principais pontos de atração das populações humanas. E atraiu sobretudo os cultivadores neolíticos, com suas lavouras e seus rebanhos. Não há surpresa aí, considerando que os deltas eram uma versão em grande escala do tipo de ambiente próximo a rios, nascentes e lagos no qual teve início a horticultura neolítica, mas com uma diferença importante: além do horizonte estava o mar aberto, e diante dele vastas áreas pantanosas fornecendo recursos aquáticos que atenuavam os riscos da lavoura e eram uma fonte permanente dos materiais orgânicos (junco, fibras, sedimentos) exigidos para a construção e a manufatura.[16]

Tudo isso, associado à fertilidade dos solos aluviais no interior do continente, impulsionou a difusão de formas mais especializadas de cultivo na Eurásia, entre elas o uso de arados puxados por animais (também adotados no Egito por volta de 3000 a.C.) e a criação de ovelhas para obtenção de lã. Portanto, a agricultura extensiva pode ter sido a consequência, e não a causa, da urbanização.[17] Muitas vezes, decisões a respeito de quais cereais plantar e quais animais criar tinham menos a ver com a subsistência em si e mais com as emergentes atividades manufatureiras das primeiras cidades, em especial a produção de tecidos, e também com formas populares de culinária urbana como bebidas alcoólicas, pão fermentado e laticínios. Nessas novas economias urbanas, caçadores, coletores e pescadores eram tão importantes quanto agricultores e pastores.[18] O campesinato, por outro lado, foi um desenvolvimento posterior e secundário.

As terras úmidas e as planícies aluviais não se prestam à preservação de resquícios arqueológicos. Com frequência, essas etapas mais antigas de ocupação urbana estão soterradas sob depósitos posteriores de sedimentos, ou sob os resquícios de cidades erguidas no mesmo local. Em muitas regiões do mundo, as primeiras evidências disponíveis são de uma etapa mais madura de expansão urbana: no momento em que o quadro entra em foco, já estamos diante de uma metrópole no pântano ou de uma rede de núcleos urbanos, com escala dez vezes maior do que os assentamentos prévios conhecidos. Algumas dessas cidades em terras antes úmidas só emergiram recentemente no panorama histórico — nascimentos virginais em meio aos juncos. Os achados são impressionantes, mas suas implicações ainda não estão claras.

Hoje sabemos, por exemplo, que na província chinesa de Shandong, nos trechos inferiores do rio Amarelo, assentamentos de trezentos ou mais hectares — como Liangchengzhen e Yaowangcheng — já existiam antes de 2500 a.C., ou seja, mil anos antes de as primeiras dinastias reais surgirem na planícies centrais da China. No outro lado do Pacífico, na mesma época, centros cerimoniais de grande magnitude foram construídos no vale do rio Supe, no Peru, notavelmente no sítio de Caral, onde os arqueólogos descobriram no subsolo praças e plataformas monumentais quatro milênios mais antigas do que o Império Inca.[19] Ainda resta determinar a extensão do povoamento ao redor desses enormes centros.

As novas descobertas mostram que os arqueólogos ainda têm muito o que descobrir a respeito da distribuição das primeiras cidades no mundo. Também indicam em que medida essas cidades podem ser bem anteriores aos sistemas de governo autoritário e de administração letrada que antes se consideravam necessários para sua fundação. Evidências similares estão sendo encontradas nas planícies maias, onde centros cerimoniais de escala gigantesca — e que, até agora, não apresentaram evidências de monarquia ou de estratificação — podem hoje ser datados até 1000 a.C. — mais de um milênio antes do surgimento dos reis do período clássico maia, cujas capitais tinham uma escala claramente menor.[20] Decorre daí uma questão difícil, mas fascinante. O que serviu como aglutinante nesses primeiros experimentos de urbanização, além de junco, fibra e argila? Qual era sua argamassa social? Antes de apresentarmos alguns exemplos, relativos às grandes civilizações dos vales dos rios Tigre, Indo e Amarelo, façamos uma visita às campinas no interior da Europa Oriental.

OS "MEGASSÍTIOS", E COMO OS ACHADOS ARQUEOLÓGICOS NA UCRÂNIA ESTÃO ABALANDO A SABEDORIA CONVENCIONAL SOBRE A ORIGEM DAS CIDADES

A história remota dos países na orla do mar Negro está repleta de ouro. Pelo menos, essa é a impressão equivocada que pode ter um turista ao visitar os principais museus de Sófia, Kiev ou Tbilisi. Desde a época de Heródoto, os visitantes dessa região voltavam para casa com relatos espantosos de ricos sepultamentos de reis-guerreiros nos quais era comum o sacrifício em massa dos cavalos e dos atendentes que os acompanhavam. Mais de mil anos depois, no século x d.C., o viajante Ibn Fadlan continuava a contar histórias parecidas para impressionar e deleitar os seus leitores árabes.

Como consequência, nessas terras o termo "pré-história" (ou, por vezes, "proto-história") sempre evocou o legado de tribos aristocráticas e suas ricas sepulturas entulhadas de tesouros. E essas sepulturas sem dúvida foram encontradas. Na extremidade oeste da região, na Bulgária, iniciam-se pelo cemitério impregnado de ouro em Varna, estranhamente situado no que os arqueólogos regionais chamam de Idade do Cobre, correspondendo ao quinto milênio a.C. A leste, no sul da Rússia, uma tradição de extravagantes ritos funerários teve início logo em seguida, associada a montes artificiais conhecidos como *kurgans*, que assinalam o local do descanso final de vários tipos de príncipes guerreiros.[21]

Porém, cada vez mais fica claro que esta não é toda a história. Na verdade, os majestosos túmulos de guerreiros talvez nem mesmo seja o aspecto mais interessante da pré-história da região. Havia também as cidades. Na Ucrânia e na Moldávia, os arqueólogos desconfiaram da presença delas já na década de 1970, quando começaram a detectar a existência de assentamentos humanos bem maiores e mais antigos do que tudo o que haviam encontrado até então.[22] Pesquisas adicionais revelaram que esses assentamentos, às vezes designados como "megassítios" — com os nomes modernos de Taljanky, Maidenetske, Nebelivka etc. —, datavam do início e meados do quarto milênio a.C., ou seja, já existiam antes mesmo das primeiras cidades conhecidas da Mesopotâmia. E ocupavam áreas maiores.

Todavia, mesmo hoje, nas discussões acadêmicas sobre as origens do urbanismo, esses sítios ucranianos quase nunca são mencionados. Na verdade, o próprio uso do termo "megassítio" é uma espécie de eufemismo, sinalizando para o público mais amplo que não devem ser considerados como cidades de fato, e sim como algo mais parecido com vilarejos cujas áreas, por algum motivo, acabaram se expandindo em demasia. Há arqueólogos que se referem a eles como "vilarejos que cresceram em excesso". Como explicar essa relutância para incluir os megassítios ucranianos no círculo encantado da origem das cidades? Por que qualquer pessoa com interesse passageiro sobre essa origem já ouviu falar de Uruk ou Mohenjo-Daro, mas não de Taljanky?

A resposta é sobretudo política. Em parte tem a ver com geopolítica elementar: muito do trabalho inicial de descoberta foi realizado por estudiosos dos países do Leste Europeu durante a Guerra Fria, o que não só atrasou a recepção de seus achados nos círculos acadêmicos do Ocidente, como reforçou o ceticismo diante de qualquer notícia de descobertas surpreendentes. Porém, talvez tivesse ainda a ver mais com o regime político interno dos próprios assentamentos pré-históricos. Ou melhor, de acordo com as concepções convencionais da política, com o fato de aparentemente não haver nenhum indício de vida política. Não se encontraram evidências de governo ou administração centralizados — nem mesmo de algum tipo de classe dominante. Em outras palavras, esses assentamentos enormes tinham todas as características daquilo que os evolucionistas chamam de sociedade "simples", e não "complexa".

Aqui é difícil não lembrar de um famoso conto de Ursula Le Guin, "Aqueles que abandonam Omelas", no qual a cidade imaginária de Omelas também conseguia existir sem reis, guerras, escravidão ou polícia secreta. Temos uma propensão, como observa Le Guin, a subestimar essas comunidades como sendo "simples", mas na verdade os moradores de Omelas não eram "pessoas simplórias, nem pastores amenos, bons selvagens, visionários afáveis. Eles não eram menos complexos do que nós". O problema é que "temos o péssimo hábito, estimulado por pedantes e sofisticados, de considerar a felicidade como algo estúpido".

Le Guin tem razão. Claro que não fazemos a menor ideia da felicidade relativa dos habitantes de megassítios ucranianos como Maidenetske ou Nebelivka, em comparação com a dos senhores que construíram e foram enterrados nos *kurgans*, ou dos atendentes sacrificados em seus funerais; ou dos servos por dívidas que produziam trigo e cevada para os moradores das posteriores colônias gregas na costa do mar Negro (embora dê para arriscar um palpite). Além disso, qualquer leitor do conto sabe que Omelas também tinha seus problemas. Mas a questão permanece: diante de um povo que descobriu uma maneira para que uma grande população se governe e se sustente sem templos, palácios e fortificações militares — ou seja, sem exibições de arrogância, aviltamento e crueldade —, por que supomos que é menos complexo do que os povos que não conseguiram isso?

Por que hesitamos em dignificar esses lugares com o nome de "cidade"?

Os megassítios da Ucrânia e as regiões adjacentes foram habitados desde cerca de 4100 a.C. até 3300 a.C. — ou seja, por volta de oito séculos, um período bem mais longo do que a maioria das tradições urbanas subsequentes. E por que se estabeleceram nessa região em particular? Assim como as cidades da Mesopotâmia e do vale do Indo, é provável que tenham surgido de um oportunismo ecológico em meados do Holoceno. Nesse caso, não se tratava de planícies aluviais, mas sim de processos de formação do solo nas pradarias ao norte do mar Negro. Essas terras pretas (em russo, *chernozem*) são lendárias por sua fertilidade; na época dos impérios da Antiguidade tardia, fizeram da região entre os rios Bug Meridional e Dnieper uma área de produção de cereais (foi por isso que as cidades-Estado gregas fundaram colônias na região e escravizaram ou relegaram à servidão as populações locais; a antiga Atenas era alimentada em grande parte por cereais cultivados na orla do mar Negro).

Em 4500 a.C., o *chernozem* estava amplamente distribuído entre os Cárpatos e os Urais, onde surgiu um mosaico de campos abertos e bosques capazes de sustentar agrupamentos humanos adensados.[23] O povo neolítico que ali se estabeleceu havia se deslocado para leste a partir do baixo Danúbio, passando pelos montes Cárpatos. Não sabemos o motivo, mas — ao longo dessas peregrinações por vales fluviais e passos montanhosos — eles mantiveram uma identidade social coesa. Suas aldeias, muitas vezes de pequenas dimensões, compartilhavam práticas culturais similares, como o formato de suas moradas, as estatuetas femininas e o modo de preparar e servir a comida. O nome que os arqueólogos deram a esse "modo de vida" específico é cultura Cucuteni-Tripolye, os dois sítios em que foi documentada pela primeira vez.[24]

Portanto, os megassítios da Ucrânia e da Moldávia não surgiram do nada. Eram a realização material de uma extensa comunidade que já existia bem antes de suas unidades constituintes se agruparem em assentamentos maiores. Algumas dezenas desses assentamentos já foram estudados. O maior deles até onde sabemos — o de Taljanky — estende-se por uma área de trezentos hectares, superando a extensão das fases iniciais da cidade de Uruk, no sul da Mesopotâmia. Não há por lá nenhuma evidência de administração centralizada ou de armazéns comunitários. Tampouco foram encontrados sedes governamentais, fortificações ou edificações monumentais. Não havia acrópole nem centro cívico; e nada equivalente ao distrito público elevado de Uruk conhecido como Eanna ("Casa do Céu") ou as Grandes Termas de Mohenjo-Daro.

O que se encontrou por lá foram habitações — bem mais de mil, no caso de Taljanky. Casas retangulares, com cinco metros de largura por dez metros de comprimento, paredes de taipa sustentadas por estruturas de madeira e alicerces de pedra. Com jardins adjacentes, essas casas formam padrões circulares tão nítidos que, qualquer megassítio, visto do alto, se assemelha ao tronco de uma árvore, com os anéis separados por espaços concêntricos. O anel mais interno delimita um grande vazio no centro do assentamento, onde os primeiros escavadores esperavam encontrar algo de grande impacto, como edificações imponentes ou sepulturas majestosas. Porém, em todos os casos, a área central estava vazia; quanto à sua função, as hipóteses variam: desde um espaço para assembleias populares, passando por local de cerimônias ou de cercamento sazonal de animais — ou possivelmente as três coisas.[25] Assim, a planta arqueológica-padrão de um megassítio ucraniano é a de círculos concêntricos em torno de um centro vazio.

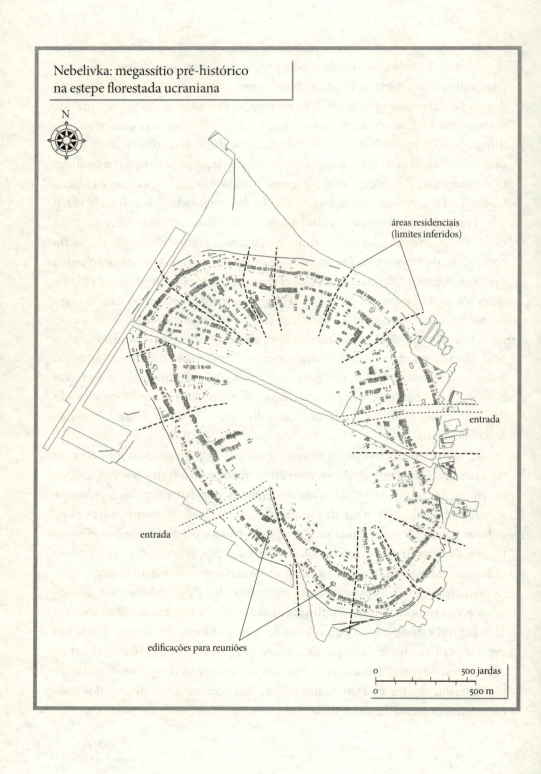

Tão inusitada quanto a sua escala é a distribuição desses assentamentos maciços, todos próximos uns dos outros, separados no máximo por uma distância de dez a quinze quilômetros.[26] A população total — estimada em vários milhares em cada megassítio, e provavelmente mais de 10 mil em alguns casos — teria portanto de depender de recursos extraídos de um entorno comum. No entanto, seu impacto ambiental parece ter sido surpreendentemente baixo.[27] Há várias explicações para isso. Alguns sugeriram que os megassítios eram ocupados apenas durante parte do ano, ou mesmo numa única estação,[28] o que faria deles versões em escala urbana do tipo de sítio de agrupamento temporário discutido no capítulo 3. No entanto, isso é difícil de conciliar com a natureza substancial de suas casas (basta considerar o esforço para derrubar árvores, construir os alicerces, erguer paredes sólidas etc.). Mais provável é que esses megassítios fossem parecidos com muitas outras cidades: nem habitados o tempo todo, nem apenas sazonalmente, mas algo entre uma coisa e outra.[29]

Também há que se considerar a possibilidade de os habitantes dos megassítios terem deliberadamente manejado o ecossistema a fim de evitar o desmatamento em grande escala. Isso condiz com os estudos arqueológicos de sua economia, que indicam um padrão de horticultura em pequena escala, muitas vezes dentro dos limites do assentamento, associado ao cercamento de rebanhos, ao cultivo de pomares e a um amplo espectro de atividades forrageadoras. De fato, a diversidade é extraordinária, assim como sua sustentabilidade. Além de trigo, cevada e leguminosas, a dieta vegetariana dos moradores incluía maçãs, peras, cerejas, ameixas, avelãs e abricós. Os moradores dos megassítios eram caçadores de cervos-vermelhos, corças e javalis, mas também cultivadores e coletores. Era o "cultivo lúdico" em grande escala: uma população urbana que subsistia do cultivo e da criação em pequena escala, associados a uma extraordinária diversidade de alimentos silvestres.[30]

Um modo de vida desse tipo não tinha nada de "simples". Além do manejo de pomares, hortas, rebanhos e bosques, os moradores desses núcleos também importavam sal a granel de jazidas no leste dos Cárpatos e no litoral do mar Negro. Toneladas de sílex eram extraídas no vale do Dniester e usadas na confecção de ferramentas. Havia também uma florescente produção doméstica de cerâmica, cujos produtos são tidos como dos mais requintados no mundo pré-histórico. E dos Bálcãs vinha um suprimento regular de cobre.[31] Não há um consenso entre os arqueólogos quanto ao tipo de arranjo social necessário para tudo isso, mas a maioria reconhece que os desafios logísticos eram intimidadores. Não há dúvida de que produziam excedentes e, portanto, era grande o potencial para que alguns indivíduos assumissem o controle dos estoques e dos suprimentos, a fim de dominar os outros ou disputar os despojos. No entanto, ao longo de oito séculos, encontramos poucos indícios de guerras ou de elites sociais. A verdadeira complexidade dos megassítios está nas estratégias que adotaram para evitar essas coisas.

Como funcionava tudo isso? À falta de registros escritos (ou de uma máquina do tempo), pouco podemos afirmar sobre parentesco e heranças, ou sobre como os moradores dessas cidades tomavam decisões coletivas.[32] Mesmo assim, existem pistas, começando no nível das habitações individuais. Todas tinham uma planta mais ou menos padronizada, mas cada qual também era singular à sua maneira. De uma morada para a outra há constantes inovações, até mesmo lúdicas, nas regras de comensalidade. Cada unidade introduzia ligeiras variações nos rituais domésticos, refletidas na composição única das vasilhas para servir e comer, pintadas com desenhos multicoloridos de intensidade por vezes fascinante e produzidos numa assombrosa variedade de formatos. É como se cada casa fosse um coletivo de artistas que inventasse seu próprio estilo estético.

Algumas dessas cerâmicas domésticas evocam corpos de mulheres; e, entre outros itens mais comumente achados, há estatuetas femininas de argila. Modelos de casas e minúsculas réplicas de móveis e utensílios para comer também sobreviveram — representações em miniatura de mundos sociais perdidos, nos quais de novo se sobressaía o papel das mulheres.[33] Tudo isso nos revela um pouco da atmosfera cultural desses lares (e é fácil entender por que Marija Gimbutas, cujas sínteses da pré-história eurasiana já discutimos, considerava a cultura Cucuteni-Tripolye parte da "Europa Antiga", com raízes culturais que remontavam às primeiras sociedades cultivadoras na Anatólia e no Oriente Médio). No entanto, de que modo essas famílias se juntaram para formar os grandes arranjos concêntricos que caracterizam a feição própria dos megassítios ucranianos?

Embora a impressão inicial desses sítios seja de rígida uniformidade, de um circuito fechado de interação social, um exame mais detido revela constantes desvios em relação à norma. Os moradores de uma casa às vezes optavam por se juntar em grupos de três a dez famílias. Valas ou poços demarcavam seus limites. Em determinados locais, os grupos familiares se aglutinam em vizinhanças que se estendem desde o centro até o perímetro urbano, formando distritos ou bairros residenciais maiores. Cada qual tinha acesso a pelo menos uma casa de reuniões, uma edificação maior do que uma habitação comum e na qual um setor mais amplo da população podia se encontrar periodicamente para atividades das quais não temos a menor ideia (reuniões políticas? Processos de justiça? Festas sazonais?).[34]

A meticulosa investigação arqueológica mostra como a aparente uniformidade dos megassítios ucranianos foi implantada de baixo para cima, por meio de processos locais de tomada de decisões.[35] Isso só pode significar que os membros de cada casa — ou, pelo menos, os representantes de vizinhanças — compartilhavam determinada concepção do assentamento como um todo. Podemos também inferir com segurança que esse enquadramento baseava-se na imagem de um círculo e em suas propriedades de transformação. Para entendermos como os cidadãos aplicavam essa imagem mental na prática, traduzindo-a numa realidade social manejável em tamanha escala, não podemos nos fundar apenas na arqueologia. Felizmente, a emergente disciplina da etnomatemática nos mostra como um sistema assim poderia ter funcionado. O caso mais esclarecedor que conhecemos é o dos assentamentos tradicionais bascos nos planaltos do departamento francês dos Pireneus-Atlânticos.

Essas sociedades bascas modernas — aninhadas no extremo sudoeste da França — também concebem suas comunidades com uma forma circular, como se estivessem circundadas por montanhas, e agem assim de maneira a ressaltar a equivalência ideal de casas e unidades familiares. Obviamente, as ordenações sociais dessas comunidades atuais não devem ser as mesmas das encontradas na antiga Ucrânia. Ainda assim, constituem uma excelente ilustração de como os arranjos circulares podem fazer parte de projetos deliberadamente igualitários, nos quais "todos têm vizinhos à esquerda e vizinhos à direita. Ninguém vem primeiro, e ninguém vem por último".[36]

Na comuna de Sainte-Engrâce, por exemplo, o padrão circular do vilarejo também é um modelo dinâmico que serve como dispositivo de contagem, a fim de assegurar o revezamento sazonal de tarefas e obrigações. A cada domingo, uma família leva dois pães para serem abençoados na igreja local, depois comem um deles e dão o outro de presente para o "primeiro vizinho" (o da casa à direita); na semana seguinte, esse vizinho fará o mesmo com a casa à sua direita, e assim por diante em sentido horário, de modo que, numa comunidade de cem lares, cerca de dois anos são necessários para completar o círculo.[37]

Como costuma ocorrer, há nessa ordenação toda uma cosmologia, uma teoria da condição humana, por assim dizer: os pães são considerados como "sêmen", algo que infunde vida; já o cuidado dos mortos e dos moribundos move-se em sentido anti-horário. Mas o sistema também constitui uma base para a cooperação econômica. Se, por algum motivo, uma das famílias não pode cumprir suas obrigações no momento designado, um meticuloso sistema de substituição é acionado, com os primeiros, segundos e até terceiros vizinhos tomando seu lugar. Esse sistema também serve de modelo para quase todas as formas de cooperação. O mesmo sistema de "primeiros vizinhos" e de substituição, com o mesmo modelo serial de reciprocidade, é usado para realizar qualquer coisa que exija mais pessoas do que uma única família pode prover — desde a semeadura e a colheita até a produção de queijo e o abate de porcos. Assim sendo, as famílias não podem simplesmente programar as suas tarefas diárias em conformidade apenas com as próprias necessidades. Também precisam levar em conta as suas obrigações para com os vizinhos, que por sua vez têm suas próprias obrigações para com as outras casas, e assim por diante. Quando levamos em conta que algumas tarefas — como a condução de rebanhos aos pastos de maior altitude, ou a extração de leite, tosquia e guarda dos animais — podem exigir o esforço conjunto de dez habitações familiares diferentes, e que é preciso conciliar o agendamento de numerosos e variados compromissos, começamos a ter uma ideia da complexidade envolvida.

Em outras palavras, essas economias "simples" quase nunca são de fato simples. Muitas vezes envolvem desafios logísticos de notável complexidade, superados por meio de intricados sistemas de ajuda mútua — tudo isso sem nenhuma necessidade de controle ou administração centralizados. Os moradores das aldeias bascas dessa região são igualitaristas explícitos, e fazem questão de afirmar que todas as família em última análise são equivalentes e têm as mesmas responsabilidades; porém, em vez de se governarem por meio de assembleias comunitárias (como aquelas famosas criadas por gerações passadas de aldeões bascos em locais como Guernica), recorrem a princípios matemáticos de rotatividade, substituição serial e alternância. O resultado final, porém, é o mesmo, e o sistema é flexível o suficiente para que alterações no número de famílias ou na capacidade de seus membros individuais sejam levadas em conta, assegurando que as relações igualitárias sejam preservadas no longo prazo, com ausência quase total de conflitos internos.

Não há razão para supor que um sistema desse tipo funcionaria apenas em pequena escala: uma aldeia com cem habitações familiares já ultrapassa o limite cognitivo de 150 pessoas proposto por Dunbar (a quantidade de relacionamentos estáveis e confiáveis que conseguimos manter em nossa cabeça, antes de — segundo Dunbar — sermos obrigados a nomear chefes e administradores para cuidar dos assuntos coletivos); e as aldeias e os vilarejos bascos costumavam ser bem maiores do que isso. Assim podemos ao menos entrever — num contexto diferente — como esses sistemas igualitários poderiam funcionar em comunidades de várias centenas ou mesmo milhares de domicílios familiares. Voltando aos megassítios ucranianos, não há como negar que muita coisa permanece obscura. Por volta de meados do quarto milênio a.C., a maioria desses sítios estava quase abandonada. Não sabemos o que ocorreu. O que eles nos revelam, entretanto, é relevante: uma comprovação de que organizações extremamente igualitárias eram viáveis numa escala urbana.[38] Levando isso em conta, podemos examinar com um novo olhar alguns casos mais conhecidos de outras partes da Eurásia. A começar pela Mesopotâmia.

A MESOPOTÂMIA E A DEMOCRACIA "NÃO-TÃO-PRIMITIVA"

"Mesopotâmia" significa "terra entre rios". Por vezes, os arqueólogos também se referem a essa região como um "polo de cidades".[39] Suas planícies aluviais compõem a árida paisagem do sul do Iraque, transformando-se em áreas pantanosas quando se aproximam da foz no golfo Pérsico.[40] A vida urbana nessa região remonta pelo menos a 3500 a.C. Nas terras mais setentrionais entre o Tigre e o Eufrates, onde os rios correm por planícies irrigadas por chuvas, a história das cidades talvez seja ainda mais antiga, para além de 4000 a.C.[41]

Ao contrário dos megassítios ucranianos, ou das cidades da Idade do Bronze no vale do Indo (às quais retornaremos em breve), a Mesopotâmia fazia parte da memória moderna antes de qualquer arqueólogo encostar uma pá num de seus aterros antiquíssimos.[42] Qualquer um que leu a Bíblia ouviu falar dos reinos da Babilônia e da Assíria; e na época vitoriana, no auge do imperialismo, estudiosos bíblicos e orientalistas começaram a escavar os sítios mencionados nas escrituras, como Nínive e Nemrod, na expectativa de descobrir cidades governadas por figuras lendárias como Nabucodonosor, Senaqueribe ou Tiglate-Pileser. E de fato as encontraram, mas nesses locais e em outros também fizeram descobertas ainda mais espetaculares, como uma estela de basalto exumada em Susa, no oeste do Irã; em Nínive, tabuletas de argila com versões da *Epopeia de Gilgamesh*, um mítico governante de Uruk; e a necrópole real de Ur, onde reis e rainhas não citados na Bíblia foram sepultados com tesouros impressionantes e os restos mortais de seus atendentes sacrificados por volta de 2500 a.C.

E as surpresas não pararam por aí. As ruínas mais antigas de cidades e reinos — incluindo a necrópole real de Ur — pertenciam a uma cultura desconhecida e que não consta das escrituras bíblicas: a dos sumérios, que falavam uma língua sem vínculos com a família linguística semita da qual derivam o hebraico e o árabe.[43] (Na verdade, assim como no caso do basco, não há consenso quanto à família linguística do sumério.) As primeiras décadas de escavações arqueológicas na região, no final do século XIX e início do XX, em geral confirmaram uma esperada associação da antiga Mesopotâmia com regimes imperiais e monárquicos. E, ao menos à primeira vista, os sumérios não pareciam ser uma exceção.[44] Na verdade, confirmavam a regra. Tão grande foi o interesse do público pelas descobertas feitas em Ur que, na década de 1920, a revista *Illustrated London News* (a "janela para o mundo" da Inglaterra) dedicou nada menos do que trinta matérias sobre a escavação das sepulturas reais comandadas por Leonard Woolley.

Tudo isso reforçou a imagem popular da Mesopotâmia como uma civilização urbana, monárquica e aristocrática — excitação que se combinou à empolgação de descobrir a "verdade" por trás das escrituras bíblicas ("Ur dos caldeus", além de ser uma cidade suméria, aparece no Antigo Testamento como o local de nascimento do patriarca Abraão). Entretanto, uma das principais realizações da arqueologia e epigrafia modernas foi reformular por completo essa imagem e mostrar que, na realidade, a Mesopotâmia nunca foi uma eterna "terra de reis". A verdadeira história é bem mais complexa.

Nas mais antigas cidades da Mesopotâmia — as do quarto e início do terceiro milênio a.C. — não foi encontrada nenhuma evidência clara de monarquia. Alguém poderia argumentar que é difícil determinar com certeza que algo *não* existe. Contudo, sabemos muito bem como seriam os indícios de monarquia nessas cidades, pois meio milênio depois (por volta de 2800 a.C.), eles começam a pipocar por todos os lados: palácios, sepulturas aristocráticas e inscrições reais, além de muralhas nas cidades defendidas por milícias organizadas. No entanto, o nascimento das cidades e dos elementos básicos da vida civil mesopotâmica — os antigos elementos básicos da sociedade urbana — ocorreu bem antes desse período chamado de "Dinástico Inicial".

Entre esses elementos urbanos originais, alguns foram equivocadamente caracterizados como inovações de um regime monárquico, como a instituição chamada pelos historiadores de "corveia" — o trabalho compulsório em projetos públicos realizado periodicamente por cidadãos livres. A corveia sempre foi tida como uma forma de tributo extraído por governantes poderosos, como impostos pagos em serviços. De uma perspectiva mesopotâmica, porém, a corveia já era um costume muito antigo. Tanto quanto a humanidade. O relato mítico do dilúvio conhecido como *Atrahasis* — o protótipo da história de Noé no Antigo Testamento — conta como os deuses haviam criado as pessoas para que lhes servissem por meio da corveia. Os deuses da Mesopotâmia tinham um inusitado espírito prático e, no princípio, tinham eles próprios trabalhado. Quando se cansaram de abrir canais de irrigação, criaram divindades secundárias para que se ocupassem disso, mas estas também acabaram se rebelando e — tendo mais sorte do que Lúcifer no Céu — conseguiram que os deuses os atendessem e criassem os seres humanos.[45]

Ninguém escapava da corveia. Até mesmo os mais poderosos governantes mesopotâmicos de épocas posteriores tinham de carregar um cesto com barro até o canteiro de obras de templos importantes. O termo sumério para corveia, *dubsig*, faz referência a esse cesto e é grafado com um pictograma que mostra uma pessoa erguendo o cesto para colocá-lo sobre a cabeça, como fazem os reis em monumentos do tipo do Relevo de Ur-Nanshe, entalhado por volta de 2500 a.C. Os cidadãos livres prestavam serviços de *dubsig* durante semanas ou mesmo meses. E, quando o faziam, até funcionários e administradores graduados se esfalfavam ao lado de artesãos, pastores ou lavradores. Mais tarde os reis passaram a ter o poder de conceder isenções, permitindo que os ricos pagassem uma taxa ou empregassem outros para fazer o trabalho no lugar deles. Ainda assim, todos contribuíam de alguma forma.[46]

Os hinos dos reis descrevem os "rostos alegres" e os "corações jubilantes" de quem cumpria a obrigação da corveia. Sem dúvida há muito de propaganda aí, mas é claro que, mesmo nas épocas de monarquia e império, esses projetos sazonais eram realizados numa atmosfera festiva, com os trabalhadores sendo recompensados com pão, cerveja, tâmaras e carne em abundância. Havia também algo do espírito de Carnaval: eram ocasiões em que a ordem moral da cidade virava de ponta-cabeça, e desapareciam as diferenças entre os cidadãos. Os "Hinos de Gudea" — nome do governante (*ensi*) da cidade-Estado de Lagash — transmitem algo da atmosfera em que ocorriam. Datados do final do terceiro milênio a.C., exaltam a restauração de um templo denominado *Eninnu*, a Casa de Ningirsu, a divindade protetora da cidade:

> *As mulheres não carregam cestos,*
> *só os grandes guerreiros ergueram-lhe*
> *a edificação; o látego não zuniu;*
> *a mãe não puniu a criança (desobediente);*
> *O general,*
> *O coronel,*
> *O capitão,*
> *(e) o recruta,*
> *eles (todos) partilharam igualmente o trabalho,*
> *e de fato a supervisão foi (como)*
> *lã macia em suas mãos.*[47]

Entre os benefícios mais duradouros para a cidadania como um todo estava o cancelamento das dívidas pelo governante.[48] As ocasiões de mobilização para a corveia eram vistas como momentos de absoluta igualdade perante os deuses — quando até mesmo os escravizados podiam se colocar no mesmo nível de seus senhores —, assim como momentos em que a cidade imaginária tornava-se tangível, já que os habitantes se despiam de suas identidades cotidianas como padeiros ou taberneiros ou moradores desse ou daquele bairro — ou, mais tarde, como generais ou escravos —, e por um breve período se juntavam e se tornavam "o povo" de Lagash, ou Kish, Eridu ou Larsa, enquanto construíam ou reformavam uma parte da cidade ou da rede de canais de irrigação que a sustentava.

Se, ao menos em parte, assim se formaram as cidades, não é possível relegar essas festividades a meros espetáculos simbólicos. Além disso, havia outras instituições que também se acredita terem surgido na época pré-dinástica e que garantiam aos cidadãos comuns um papel relevante no governo. Até o governante mais autocrático das cidades-Estado posteriores tinha de prestar contas a uma variedade de conselhos municipais e de comissões e assembleias de bairros — das quais com frequência as mulheres também participavam ao lado dos homens.[49] Os "filhos e filhas" de uma cidade tinham voz ativa e influenciavam desde a tributação até a política externa. Essas assembleias urbanas talvez não fossem tão poderosas quanto as da Grécia antiga — por outro lado, a escravidão não era tão desenvolvida na Mesopotâmia, nem as mulheres eram excluídas da política na mesma medida.[50] Na correspondência diplomática, também aparecem menções ocasionais a grupos que se insurgiam contra governantes ou políticas impopulares, muitas vezes com êxito.

O termo empregado pelos estudiosos modernos para designar esse estado de coisas é "democracia primitiva". Não é uma expressão muito boa, pois não há nenhum motivo específico para achar que essas instituições eram de alguma forma grosseiras ou pouco sofisticadas. Pode-se dizer que o uso persistente dessa denominação de caráter tão peculiar pelos pesquisadores inibiu uma discussão mais ampla, que permanece restrita ao campo especializado da assiriologia, do estudo da Mesopotâmia e de seu legado escrito em caracteres cuneiformes. Convém agora examinar o argumento e algumas de suas implicações.

A ideia de que na Mesopotâmia havia uma "democracia primitiva" foi proposta na década de 1940 pelo historiador e assiriólogo dinamarquês Thorkild Jacobsen.[51] Atualmente, os especialistas nessa disciplina ampliaram ainda mais essa ideia. Os conselhos distritais e as assembleias de anciãos — representando os interesses dos públicos urbanos — não eram típicos apenas das primeiras cidades mesopotâmicas, como pensava Jacobsen; também há evidências deles em todos os períodos posteriores da história da região, prolongando-se até à época dos impérios assírio, babilônico e persa, cuja memória foi preservada na Bíblia.

Os conselhos populares e as assembleias de cidadãos (em sumério, *ukkin*; em acádio, *puhrum*) eram elementos estáveis de governo não só nas cidades da Mesopotâmia, mas também em suas colônias (como o *karum* assírio antigo de Kanesh, na Anatólia) e nas sociedades urbanas de povos vizinhos, como os hititas, fenícios, filisteus e israelitas.[52] Na verdade, é quase impossível encontrar uma cidade em qualquer parte do Oriente Próximo antigo que não conhecesse algo equivalente a uma assembleia popular — ou mesmo, com frequência, a várias delas (por exemplo, uma para representar os interesses dos "jovens", e a outra, dos "idosos"). Isso valia inclusive para áreas como a estepe síria e o norte da Mesopotâmia, onde havia arraigadas tradições monárquicas.[53] Enfim, sabemos muito pouco a respeito do funcionamento e da composição dessas assembleias, e por vezes até mesmo do local em que se reuniam.[54] Muito provavelmente um observador originário da Grécia antiga poderia descrever algumas dessas cidades como democráticas, outras como oligárquicas, e outras ainda como uma mescla de princípios democráticos, oligárquicos e monárquicos. Mas, na maioria dos casos, os especialistas não podem afirmar nada de definitivo.

Alguns dos indícios mais claros vêm do período entre o século IX a.C. e o VII a.C. Desde a época bíblica, imperadores assírios como Senaqueribe e Assurbanipal destacaram-se por sua brutalidade, erigindo monumentos em que se jactavam do modo implacável que reprimiam os movimentos rebeldes. Por outro lado, no trato com os súditos leais eram surpreendentemente tolerantes, muitas vezes concedendo autonomia total a entidades cidadãs encarregadas de decisões coletivas.[55] Sabemos disso porque os governantes de locais afastados da corte assíria, nas grandes cidades do sul da Mesopotâmia — Babilônia, Nipur, Uruk, Ur etc. —, se correspondiam com seus superiores. Muitas dessas cartas foram recuperadas pelos arqueólogos durante a escavação dos arquivos reais na antiga capital imperial de Nínive. Nesses comunicados, os governantes das cidades mantinham a corte informada das decisões tomadas pelos conselhos cívicos. Assim ficamos sabendo da "vontade do povo" em questões que iam da política externa à eleição dos governantes; e também que, por vezes, as entidades cidadãs resolviam as questões a seu modo, recrutando soldados ou cobrando taxas para projetos cívicos, e até jogando seus superiores uns contra os outros.

As comissões de bairro (em acádio, *babtum*, a partir da palavra para "portão") eram ativas na administração local, e por vezes parecem ter reproduzido, em ambiente urbano, certos aspectos da governança aldeã ou tribal.[56]

Ao que tudo indica, os julgamentos de homicídios, os divórcios e as disputas sobre propriedades quase sempre ficavam nas mãos dos conselhos urbanos. Textos encontrados em Nipur nos proporcionam detalhes sobre a composição de uma dessas assembleias, convocada para atuar como júri num caso de homicídio. Entre seus membros havia um caçador de aves, um ceramista, dois jardineiros e um soldado a serviço de um templo. Sobre a Atenas do século v a.C., o intelectual trinitino C. L. R. James certa vez comentou que "até os cozinheiros podiam governar". Na Mesopotâmia, ou ao menos em partes dela, isso era literalmente verdadeiro: a condição de trabalhador manual não constituía empecilho para que a pessoa participasse diretamente das decisões judiciais e políticas.[57]

O governo participativo nas cidades da antiga Mesopotâmia era organizado em vários níveis, desde vizinhanças — às vezes definidas segundo linhas étnicas ou profissionais — até distritos urbanos maiores e, por fim, a cidade como um todo. Os interesses de cada cidadão podiam ser representados em todos os níveis, mas nos textos que sobreviveram há poucos detalhes sobre o funcionamento na prática desse sistema de governo urbano. Os historiadores atribuem essa falta de informações ao papel crucial das assembleias, que atuavam em vários níveis e conduziam suas deliberações (a respeito de disputas de propriedades, divórcios, heranças, acusações de roubo ou assassinato etc.) em grande parte de forma independente do governo central e sem sua permissão por escrito.[58]

Embora os arqueólogos em termos gerais concordem com os historiadores, faz sentido indagar de que modo a arqueologia poderia lançar uma luz própria sobre essas questões políticas. Uma das respostas vem do sítio de Mashkan-shapir, um centro importante sob os reis de Larsa, por volta de 2000 a.C. Assim como a maioria das cidades da Mesopotâmia, a paisagem urbana de Mashkan-shapir era dominada por um templo principal — nesse caso dedicado a Nergal, a divindade do mundo subterrâneo — que se elevava imponente sobre uma plataforma de zigurate; no entanto, um abrangente levantamento arqueológico do porto, dos portões e dos distritos residenciais da cidade revelou uma distribuição surpreendentemente uniforme da riqueza, da produção artesanal e dos instrumentos administrativos em todos os cinco principais distritos, não havendo nenhum centro de poder mercantil ou político que se destacasse dos demais.[59] No que se referia aos assuntos cotidianos, os moradores das cidades (mesmo em monarquias) em grande parte se autogovernavam, presumivelmente como sempre haviam feito antes do aparecimento dos reis.

Também era possível a situação contrária. Por vezes, um governante autoritário vindo de fora fazia a vida urbana retroceder. Foi o caso da dinastia amorita dos Lim — Yaggid-Lim, Yahudun-Lim e Zimri-Lim —, que dominou grande parte do Eufrates sírio na mesma época em que Mashkan-shapir prosperava no extremo sul. Os Lim decidiram instalar seu centro de operações na antiga cidade de Mari (atual Tell Hariri, no trecho sírio do Eufrates) e ocupar as edificações governamentais existentes em seu centro. A chegada dos Lim parece ter desencadeado um êxodo maciço da população de Mari, que se dispersou por povoados menores ou, juntando-se a pastores itinerantes, por toda a estepe síria. Antes do saque de Mari por Hamurabi da Babilônia, em 1761 a.C., a última "cidade" dos reis amoritas nada mais continha do que a residência real, o harém, os templos adjacentes e um punhado de edifícios públicos.[60]

Uma correspondência escrita nesse período comprova a antipatia entre uma monarquia arrivista desse tipo e o poder estabelecido das assembleias urbanas. Cartas enviadas a Zimri-Lim por Terru — senhor da antiga capital hurrita de Urkesh (atual Tell Mozan) — retratam sua impotência diante dos conselhos e assembleias da cidade. Em certa ocasião, Terru conta a Zimri-Lim: "Como estou sujeito à vontade de meu senhor, os moradores da vila me desprezam, e duas ou três vezes escapei por pouco da morte nas mãos deles". Assim responde o rei em Mari: "Não sabia que os moradores de sua vila o desprezam por minha causa. Você pertence a mim, mesmo que a vila de Urkesh pertença a outro". Tudo isso chegou ao fim quando Terru confessou que fora obrigado a fugir por causa da opinião pública ("a boca de Urkesh") e a buscar abrigo numa vila próxima.[61]

Portanto, longe de dependerem de governantes para gerenciar a vida urbana, a maioria dos moradores de cidades estava organizada em unidades autônomas, capazes de se governar e de reagir a superiores injuriosos, fosse expulsando-os, fosse abandonando eles mesmos a cidade. Nada disso responde necessariamente ao questionamento de "qual era a natureza do governo nas cidades mesopotâmicas *antes* do surgimento da realeza" (embora seja muito sugestivo). Em vez disso, as respostas dependem, numa medida um tanto preocupante, de descobertas feitas num único sítio: a cidade de Uruk — a atual Warka, e a Erech da Bíblia —, cuja mitologia posterior inspirou a busca original de Jacobsen por uma "democracia primitiva".[62]

COMO TEVE INÍCIO A HISTÓRIA (ESCRITA) E, PROVAVELMENTE, A EPOPEIA (ORAL): OS GRANDES CONSELHOS NAS CIDADES E OS PEQUENOS REINOS NAS MONTANHAS

Em 3300 a.C., Uruk era uma aglomeração urbana com cerca de duzentos hectares, bem maior do que as cidades vizinhas na planície aluvial do sul da Mesopotâmia. As estimativas de sua população nessa época variam entre 20 mil e 50 mil moradores. As primeiras áreas residenciais acabaram recobertas por edificações posteriores, um processo que continuou até a época de Alexandre Magno, no século IV a.C.[63] É bem possível que os caracteres cuneiformes tenham sido inventados em Uruk por volta de 3300 a.C., e podemos acompanhar suas etapas iniciais em tabuletas numéricas e outras modalidades de registros administrativos. A essa altura, os caracteres eram empregados sobretudo na contabilidade dos templos.[64] Milhares de anos depois, foi também nos templos de Uruk que a escrita cuneiforme afinal se tornou obsoleta, mas já se aperfeiçoara o suficiente para registrar, entre outras coisas, as primeiras obras literárias e os primeiros códigos de leis do mundo.

O que sabemos a respeito da cidade original de Uruk? No final do quarto milênio a.C., contava com uma acrópole, ocupada em grande parte por um distrito público elevado chamado de Eanna, a "Casa do Céu", dedicada à deusa Inanna. E em seu topo erguiam-se nove edificações monumentais, das quais restam apenas os alicerces de calcário importado, além de pedaços de escadarias e de salões com colunas e decorados com mosaicos coloridos. Originalmente, os telhados desses amplos edifícios cívicos deviam ser feitos de madeiras exóticas, trazidas em barcaças fluviais desde a "Floresta dos Cedros" da Síria, que constituem o pano de fundo da *Epopeia de Gilgamesh* mesopotâmica.

Para o historiador da vida urbana, Uruk continua a ser um caso intrigante. Como um megassítio ucraniano invertido, em sua disposição arquitetônica mais antiga exibe apenas um centro sem as áreas circundantes, pois não sabemos quase nada sobre os bairros residenciais em torno da acrópole, ignorados pelos primeiros escavadores do sítio. Em outras palavras, vislumbramos algo do setor público da cidade, mas ainda não temos um setor privado que nos ajude a defini-lo. De qualquer forma, só nos resta avançar com o que dispomos.

Quase todos esses edifícios públicos parecem ter sido grandes salões para reuniões comunitárias, nitidamente inspirados na planta dos domicílios familiares comuns, mas erguidos como moradas dos deuses.[65] Havia também um Grande Paço abrangendo uma enorme praça rebaixada, medindo cinquenta metros, inteiramente rodeada por duas fileiras de bancos e dotada de canais de água para irrigação das árvores e jardins que proporcionavam uma sombra conveniente durante as reuniões ao ar livre. Esse tipo de arranjo — uma série de magníficos templos abertos ao lado de espaços apropriados para reuniões públicas — é exatamente o que se poderia esperar caso Uruk fosse governada por uma assembleia popular; e, como enfatizou Jacobsen, a epopeia de Gilgamesh (que começa na Uruk pré-dinástica) de fato menciona tais assembleias, entre as quais uma especialmente reservada aos jovens.

Num paralelo óbvio, a ágora ateniense na época de Péricles (século V a.C.) também estava repleta de templos públicos, mas as assembleias democráticas ocorriam num espaço aberto conhecido como a Pnyx, uma colina baixa dotada de plateia para os membros do Conselho dos Quinhentos, nomeados — por sorteio e de forma rotativa — para conduzir os assuntos cotidianos da cidade (todos os outros cidadãos ficavam de pé). As assembleias na Pnyx podiam reunir de 6 mil a 12 mil pessoas, em grupos formados por homens adultos livres escolhidos entre provavelmente um quinto da população total da cidade. O Grande Paço de Uruk é bem maior e, embora não tenhamos ideia de qual era a população da cidade em, digamos, 3500 a.C., é difícil imaginar que chegasse perto da população da Atenas clássica. Isso sugere um grau mais amplo de participação, o que faria sentido se as mulheres não fossem excluídas por completo, e se a Uruk inicial, tal como Atenas mais tarde, considerasse cerca de 30% de seus habitantes como estrangeiros residentes, sem direto ao voto, e até 40% como escravizados.

Muito disso permanece sendo mera especulação, mas está claro que, em épocas posteriores, ocorreram mudanças. Por volta de 3200 a.C., os edifícios públicos originais do santuário em Eanna foram demolidos e cobertos com entulho, e a paisagem sagrada foi reformulada ao redor de uma série de pátios fechados e de zigurates. Em 2900 a.C., há indícios de que os reis de cidades-

-Estado rivais se enfrentaram em batalhas pelo controle de Uruk e, em função disso, uma muralha com nove metros de espessura (cuja construção foi mais tarde atribuída a Gilgamesh) foi erguida no perímetro urbano. Alguns séculos depois, os governantes da cidade mudaram-se para a vizinhança dos deuses e deusas, construindo seus palácios na entrada da Casa do Céu e entalhando os próprios nomes em seus muros sagrados.[66]

De novo, ainda que as evidências de governos democráticos sejam sempre um tanto ambíguas (alguém seria capaz de adivinhar o que se passava na Atenas do século V a.C. com base apenas em indícios arqueológicos?), os sinais de um governo monárquico, quando aparecem, são inconfundíveis.

O que de fato notabilizou Uruk foi a escrita. Trata-se da primeira cidade sobre a qual temos registros escritos abundantes, e alguns desses documentos remontam ao período anterior à monarquia. Infelizmente, embora possam ser lidos, são extraordinárias as dificuldades para interpretá-los.

Na maioria, são tabuletas com caracteres cuneiformes recuperadas de depósitos de lixo escavados nas fundações da acrópole, e só nos proporcionam um vislumbre da vida urbana. Quase todas são documentações burocráticas, registrando transações de bens e serviços. Há também "textos escolares" compostos de listas de sinais, copiados por escribas que se familiarizavam com o léxico administrativo-padrão da época. O valor histórico dessas listas é duvidoso, pois é plausível que os escribas tivessem de escrever todo tipo de sinais cuneiformes — obtidos pela pressão de um estilete de junco na argila úmida — pouco utilizados na prática. Esse aprendizado talvez fizesse parte do que se considerava uma formação adequada na época.[67]

Ainda assim, a mera existência de uma escola de escribas que gerenciavam relações complexas entre pessoas, animais e coisas nos revela que as imensas "moradas dos deuses" não eram usadas apenas para rituais coletivos. Havia bens e atividades a serem administrados, e um corpo de cidadãos que aperfeiçoou técnicas pedagógicas que logo se tornaram essenciais a essa forma particular de vida urbana e que permanecem conosco até hoje. Para se ter uma ideia de como se tornaram difundidas algumas dessas inovações, basta lembrar que qualquer leitor deste livro muito provavelmente aprendeu a ler numa sala de aula, sentado em carteiras, diante de um professor que segue um currículo padronizado. Essa forma um tanto rígida de aprendizado foi uma inovação da Suméria, e agora pode ser encontrada em quase todos os cantos do mundo.[68]

Então, o que podemos dizer a respeito dessas moradas dos deuses? Antes de tudo, é evidente que, em muitos aspectos, pareciam-se mais com fábricas do que com igrejas. De acordo com as evidências, até a mais antiga delas podia mobilizar uma quantidade significativa de mão de obra, e contava com oficinas e depósitos de matérias-primas. Alguns detalhes do modo como se organizavam esses templos sumérios ainda estão entre nós, como a quantificação do esforço humano em cargas de trabalho e unidades de tempo padronizadas. Em todas as suas contagens — até mesmo de dias, meses e anos —, os sumérios empregavam um sistema de numeração sexagesimal (baseado em 60), do qual em última análise deriva (através de muitas e variadas vias de transmissão) o nosso próprio sistema.[69] E em seus registros contábeis encontramos as sementes iniciais da indústria, das finanças e da burocracia modernas.

Nem sempre dá para determinar quem eram exatamente esses trabalhadores dos templos, ou mesmo que tipo de gente estava sendo organizada dessa forma, alimentada e tendo sua produção contabilizada — estavam vinculados ao templo em caráter permanente, ou eram cidadãos comuns prestando serviços anuais de corveia? —, mas a presença de crianças sugere que ao menos parte deles talvez morasse no local. Nesse caso, muito provavelmente isso ocorria porque não tinham outro lugar para ir. Se pudermos nos basear nos templos sumérios posteriores, essa força de trabalho abrangia uma enorme variedade de indigentes urbanos: viúvas, órfãos e outros tantos indivíduos fragilizados por dívidas, crimes, conflitos, pobreza, doenças ou incapacidades físicas e mentais, que encontravam no templo um local de refúgio e apoio.[70]

Por ora, contudo, ressaltemos apenas a notável diversidade de atividades realizadas nas oficinas desses templos, tal como documentado em tabuletas com caracteres cuneiformes — entre elas a primeira produção em grande escala de laticínios e de lã, bem como a de pão fermentado, cerveja e vinho, embalados de forma padronizada em locais designados. Cerca de oitenta variedades de peixe — de água doce e salgada — constam dos relatórios administrativos, juntamente com os respectivos produtos alimentícios e óleos, preservados e guardados em armazéns. Daí podemos deduzir que uma importante função econômica desse setor dos templos era a de coordenação da mão de obra em momentos cruciais do ano, além de manter o controle de qualidade de itens processados que se distinguiam daqueles confeccionados nas residências comuns.[71]

Esse tipo específico de trabalho, ao contrário da manutenção de diques de irrigação e da construção de estradas e barragens, costumava ser realizado sob um controle administrativo centralizado. Em outros termos, nas etapas iniciais da vida urbana na Mesopotâmia, aquilo que comumente imaginaríamos como de alçada do Estado (como obras públicas e relações internacionais) era gerenciado quase sempre por assembleias locais ou municipais, enquanto os procedimentos burocráticos de cima para baixo restringiam-se ao que hoje chamaríamos de esfera econômica ou de mercadorias.[72]

Claro que os habitantes de Uruk não tinham um conceito explícito de "economia" — na verdade, isso só surgiu em tempos bem recentes. Para os sumérios, o propósito final de todas essas fábricas e oficinas era assegurar aos deuses e deusas da cidade uma morada ilustre onde pudessem receber oferendas de alimentos, vestes finas e cuidados, o que também implicava prover o culto dessas divindades e organizar suas festividades. Essa última atividade provavelmente está ilustrada no chamado Vaso de Uruk, um dos poucos exemplos remanescentes da arte narrativa dessa época inicial, cuja decoração entalhada mostra vários homens nus idênticos, desfilando atrás de uma figura masculina maior e adentrando o precinto do templo da deusa Inanna, com oferendas trazidas de campos cultivados, pomares e rebanhos.[73]

Não se sabe com certeza quem está sendo representado pela figura dominante — o "homem de Uruk", como por vezes é chamado na literatura. De acordo com a história muito posterior contada na *Epopeia de Gilgamesh*, que se passa em Uruk, um dos líderes da assembleia de jovens conseguiu se alçar à posição de *lugal*, ou rei — porém, se ocorreu algo assim, não há vestígio disso nos registros escritos do quarto milênio a.C., pois foram descobertas listas com os altos funcionários de Uruk, datadas do mesmo período, e *lugal* não consta delas. (O termo somente aparece bem mais tarde, por volta de 2600 a.C., numa época em que já havia palácios e outros sinais claros de realeza.) Não há razão para supor que a monarquia — cerimonial ou de outro tipo — desempenhasse papel relevante nas primeiras cidades do sul da Mesopotâmia. Na verdade, é bem o contrário.[74]

No entanto, também é óbvio que essas primeiras inscrições nos proporcionam um vislumbre muito limitado da vida urbana. Sabemos algo sobre a produção em escala de roupas de lã e de outros artigos nos templos; também podemos inferir que — de um modo ou de outro — esses artigos eram trocados por madeira, metal e pedras preciosas que não se encontravam nos vales fluviais, mas eram abundantes nos planaltos circunvizinhos. Pouco conhecemos a respeito da organização de tal intercâmbio nesse período inicial, mas as evidências arqueológicas revelam que Uruk vinha estabelecendo colônias, microversões de si mesma, em pontos estratégicos das rotas mercantis. Essas colônias parecem ter sido ao mesmo tempo entrepostos comerciais e centros religiosos, e vestígios delas foram encontrados ao norte nos montes Tauro e, ao leste, na cordilheira de Zagros, no atual Irã.[75]

Essa "expansão de Uruk", conforme referida na literatura arqueológica, é intrigante. Embora não existam indícios materiais de conquista violenta, armamentos ou fortificações, parece ter havido um esforço para transformar — na verdade, colonizar — as vidas dos povos adjacentes, e disseminar os novos costumes da existência urbana, o que os emissários de Uruk parecem ter feito com zelo quase missionário. Novos templos foram erguidos e, com eles, novos tipos de vestuário, laticínios, vinhos e artigos de lã passaram a se difundir entre as populações locais. Ainda que os produtos em si não fossem uma novidade completa, o que os templos introduziram foi o princípio da padronização: das fábricas-templos saíam produtos em embalagens uniformizadas, cuja pureza e qualidade eram garantidas pela morada dos deuses.[76]

Em certo sentido, todo esse processo era colonialista, e não foi aceito sem oposição. Na verdade, não podemos entender de fato o surgimento daquilo que passamos a chamar de "Estado" — e, em especial, aristocracias e monarquias — fora do contexto mais amplo dessa reação.

Nesse sentido, talvez o sítio mais esclarecedor seja o de Arslantepe, a "Colina do Leão", na planície Malatya do leste da Turquia. Na época em que Uruk tornava-se uma cidade grande, Arslantepe se estabelecia como um centro regional de relativa importância onde o trecho superior do Eufrates toma a direção dos montes Antitauro, fontes abundantes de metal e madeira. É possível que o sítio tenha surgido como uma espécie de feira mercantil sazonal; a quase mil metros de altitude, provavelmente ficava coberto de neve nos meses de inverno. Mesmo em seu auge, nunca ocupou uma área maior do que cinco hectares, e estima-se que poucas centenas de pessoas tenham ali vivido. Nesses cinco hectares, contudo, os arqueólogos trouxeram à luz indícios de uma extraordinária sequência de desenvolvimentos políticos.[77]

A história de Arslantepe começa, por volta de 3300 a.C., com a construção de um templo, semelhante aos de Uruk e de suas colônias, com áreas para armazenamento de alimentos e arquivos de sinetes administrativos meticulosamente ordenados, tal como em outros templos da planície aluvial da Mesopotâmia. Algumas gerações depois, contudo, o templo foi desmantelado e, em seu lugar, construiu-se uma edificação privada de grande porte em torno de uma majestosa câmara de audiências, e de alas residenciais e áreas de armazenamento, uma das quais um arsenal. Um conjunto de espadas e pontas de lança — feitas de cobre rico em arsênico e habilmente trabalhadas, diferentes de tudo o que foi achado nos edifícios públicos das planícies na época — sinaliza não apenas o controle, mas a celebração dos meios para usar a violência: uma nova estética do combate pessoal e da matança. Os arqueólogos consideraram essa edificação "o palácio mais antigo" de que se tem conhecimento no mundo.

A partir de 3100 a.C., por toda a região montanhosa do leste da atual Turquia, e depois em outros locais na orla da civilização urbana, começam a surgir indícios da ascensão de uma aristocracia de guerreiros, armada com lanças e espadas de metal, que viviam no que parecem ser fortes ou pequenos palácios em áreas montanhosas. Não se veem mais vestígios de burocracia. Em vez disso, encontramos não só habitações aristocráticas — que lembram o salão de hidromel do Beowulf, ou mesmo a Costa Noroeste do Pacífico no século XIX —, mas, pela primeira vez, também sepulturas de homens que, em vida, eram claramente tidos como indivíduos heroicos, e que seguiram para a vida após a morte acompanhados de prodigiosa quantidade de armas de metal, tesouros, tecidos requintados e vasilhas de bebidas.[78]

Tudo nessas sepulturas e em seus criadores, que viviam nas franjas da vida urbana, revela um espírito extravagante. Nelas eram depositadas copiosas quantidades de alimentos, bebidas e joias finas. E há sinais de que esses funerais podiam virar espetáculos de acirrada rivalidade, com troféus inestimáveis, relíquias e prêmios magníficos e incomparáveis sendo ofertados aos deuses ou mesmo intencionalmente destruídos; ao passo que outros eram seguidos de sepultamentos secundários de indivíduos ao que tudo indica sacrificados como oferendas.[79] Ao contrário dos "príncipes" e "princesas" isolados da Era Glacial, há cemitérios inteiros repletos dessas sepulturas — por exemplo, em Basur Höyük, a caminho do lago Van, enquanto em Arslantepe topamos exatamente com o tipo de infraestrutura física (fortificações, armazéns) que se esperaria numa sociedade dominada por uma aristocracia guerreira.

Ali temos o próprio início de um etos aristocrático que teria longa vida e ramificações muito extensas na história da Eurásia (algo que mencionamos antes, ao aludirmos ao relato de Heródoto sobre os citas, e às observações posteriores de Ibn Fadlan a respeito das tribos germânicas "bárbaras" do Volga). Estamos diante da primeira aparição daquilo que Hector Munro Chadwick chamou admiravelmente de "sociedades heroicas"; além disso, essas sociedades parecem ter surgido todas bem no lugar previsto pelas análises: às margens de cidades organizadas de maneira burocrática.

Escrevendo na década de 1920, Chadwick — professor de anglo-saxão em Cambridge, na mesma época em que Tolkien ocupava o mesmo posto em Oxford — estava a princípio interessado em saber por que as grandes tradições de poesia épica (as sagas nórdicas, as obras de Homero, o *Ramayana*) parecem surgir em povos em contato com as civilizações urbanas da época — e, muitas vezes, empregados por elas —, mas que acabam por rejeitar seus valores. Por muito tempo, a noção de "sociedades heroicas" caiu em descrédito: havia uma suposição generalizada de que essas sociedades nunca existiram de fato, e que tinham sido, como aquela que é representada na *Ilíada* homérica, reconstituídas mais tarde com base na literatura épica.

Todavia, como comprovaram recentemente os arqueólogos, há de fato um padrão de sepultamentos heroicos, o que indica por sua vez uma ênfase cultural emergente em festas e bebedeiras em torno da beleza e do renome de guerreiros masculinos.[80] E isso se repete vezes sem conta nas franjas da vida urbana, muitas vezes assumindo formas muito similares no decorrer de toda a Idade do Bronze eurasiática. Quando buscamos as características comuns dessas "sociedades heroicas", encontramos uma lista razoavelmente consistente nas tradições de poesia épica comparadas por Chadwick (em cada região, as primeiras versões escritas, embora muito posteriores à época dos sepultamentos heroicos, mesmo assim esclarecem costumes anteriores). Trata-se de uma lista de características que se aplica, em quase todos os seus aspectos, às sociedades dos *potlatch* da Costa Noroeste do Pacífico ou até dos maoris da Nova Zelândia.

Todas essas culturas eram aristocráticas, sem autoridade centralizada ou princípio de soberania (ou, quando muito, um princípio formal, sobretudo simbólico). Em vez de um centro único, são numerosas as figuras heroicas competindo a duras penas por atendentes e cativos escravizados. A "política", em tais sociedades, compunha-se de uma história de dívidas pessoais de lealdade ou vingança entre indivíduos heroicos. Além disso, todos dedicam-se a competições de caráter lúdico como a principal atividade da vida ritual e, na verdade, política.[81] Com frequência, quantidades imensas de despojos ou tesouros eram dissipadas, sacrificadas ou distribuídas nessas encenações dramáticas. Além disso, todos os grupos rejeitavam explicitamente aspectos que caracterizavam as civilizações urbanas vizinhas, sobretudo a escrita, que tendiam a substituir por poetas ou sacerdotes dependentes da memorização ou de complexas técnicas de composição oral. E, ao menos no âmbito de suas próprias sociedades, também rejeitavam o comércio. Por isso, costumavam evitar a moeda padronizada, tanto em forma física como creditícia, privilegiando em vez disso tesouros materiais de caráter único.

Não temos como rastrear todas essas tendências até os períodos para os quais não contamos com fontes escritas, claro. Mas não resta dúvida de que, na medida em que a arqueologia nos permite identificar a origem dessas "sociedades heroicas", encontra-se precisamente nas margens espaciais e culturais da primeira grande expansão urbana ocorrida no mundo (na verdade, algumas das mais antigas sepulturas aristocráticas nos planaltos turcos foram escavadas nas ruínas abandonadas de colônias de Uruk).[82] As aristocracias, e talvez a própria monarquia, surgiram a princípio em oposição às cidades igualitárias das planícies mesopotâmicas, diante das quais tinham os mesmos sentimentos ambíguos, mas em última análise hostis e homicidas, que o godo Alarico demonstraria posteriormente em relação a Roma e a tudo o que a cidade representava, ou que Gengis Khan teria por Samarcanda, ou Timur por Deli.

A CIVILIZAÇÃO DO INDO FOI UM EXEMPLO DE CASTA ANTECEDENTE À REALEZA?

Avançando mil anos, desde a expansão de Uruk até cerca de 2600 a.C., vemos o surgimento às margens do rio Indo, na atual província paquistanesa de Sindh, de uma cidade onde antes não havia nada: Mohenjo-Daro, que existiu durante setecentos anos.[83] Essa cidade é considerada a maior expressão de uma nova forma de sociedade que então floresceu no vale do Indo, e que os arqueólogos viriam a chamar simplesmente de civilização "do Indo" ou "de Harapa", a primeira cultura urbana no Sul da Ásia. Aqui encontramos mais evidências de que as cidades da Idade do Bronze — os primeiros assentamentos em grande escala e planejados no mundo — podiam surgir sem que houvesse classe dominante e elites administrativas. No entanto, essas cidades no vale do Indo também apresentam características enigmáticas, sobre as quais os arqueólogos vêm discutindo há mais de um século.[84] Primeiro, cabe introduzir de forma mais detalhada tanto o problema como o seu local principal, o sítio de Mohenjo-Daro.

À primeira vista, Mohenjo-Daro faz jus à reputação de ser a cidade mais bem preservada da Idade do Bronze. Há algo de assombroso no conjunto: uma modernidade arrojada que não passou despercebida pelos primeiros pesquisadores do sítio, que não hesitaram em designar certas áreas como "ruas principais", "quartel de polícia" e assim por diante (ainda que muitas dessas interpretações iniciais acabassem se mostrando equivocadas). A maior parte da cidade consiste nas casas de alvenaria da Cidade Baixa, com as ruas dispostas em quadrícula, as longas avenidas e os sofisticados sistemas de drenagem, de suprimento de água e de esgoto (canos de esgoto de terracota, vasos sanitários e banheiros privados e públicos por toda a parte). Acima desses arranjos surpreendentemente confortáveis assomava a Cidadela, um centro cívico mais elevado, também conhecido (por razões explicadas mais adiante) como a Colina da Grande Terma. Embora ambas as partes da cidade tivessem sido construídas sobre enormes montes artificiais de terra, de modo a dominarem as planícies circundantes, a Cidadela ainda era rodeada por uma muralha de tijolos com dimensões padronizadas, proporcionando-lhe maior proteção contra as cheias do rio Indo.[85]

No âmbito maior da civilização do Indo, Mohenjo-Daro tinha uma única rival: o sítio de Harapa (daí a expressão alternativa "civilização harapeana" ou "de Harapa"). De magnitude similar, Harapa fica cerca de seiscentos quilômetros rio acima, às margens de um afluente do Indo, o rio Ravi. Há muitos outros sítios da mesma época e cultura, variando de grandes vilas a meros punhados de casas, que se distribuem pela maior parte do território atual do Paquistão e, acompanhando a planície aluvial do Indo, chegam até o norte da Índia. Por exemplo, numa ilha em meio aos mantos de sal do Grande Rann de Kutch encontram-se os extraordinários vestígios de Dholavira, uma aldeia dotada de quinze reservatórios de alvenaria para a captação da água de chuva e do caudal dos córregos locais. A civilização do Indo mantinha entrepostos coloniais em áreas tão distantes quanto o rio Oxo, no norte do Afeganistão, onde o sítio de Shortugai é uma réplica em miniatura de sua cultura matriz urbana, perfeitamente situada para o aproveitamento das ricas jazidas minerais dos planaltos da Ásia Central (lápis-lazúli e estanho, entre outros metais e pedras preciosas). Essas matérias-primas eram valorizadas pelos artesãos das planícies e seus parceiros comerciais em regiões remotas como o Irã, a Arábia e a Mesopotâmia. Em Lothal, no golfo de Cambaia, em Guzerate, veem-se os vestígios de uma vila portuária bem localizada junto ao mar da Arábia, presumivelmente construída por engenheiros do Indo para facilitar o intercâmbio marítimo.[86]

A civilização do Indo tinha seu próprio sistema de escrita, que apareceu e desapareceu junto com suas cidades e até hoje não foi decifrado. Restaram sobretudo legendas breves, estampadas ou incisas em jarros, utensílios de cobre e os resquícios de uma solitária placa de sinalização em Dholavira. Há também inscrições curtas em minúsculos amuletos de prata, comentando pequenas cenas ou figuras de animais, entalhadas com precisão incomum. Em sua maioria, são representações realistas de búfalos-asiáticos, elefantes, rinocerontes, tigres e outras espécies locais, mas também aparecem animais fantásticos, quase sempre unicórnios. Há muitas dúvidas a respeito da função desses amuletos: serviam para a identificação pessoal, permitindo a circulação pelos bairros fechados e complexos murados, ou talvez permitissem o acesso a ocasiões cerimoniais? Ou eram usados com fins administrativos, para estampar sinais identificadores em artigos negociados por desconhecidos (como se fossem marcas de produtos)? Ou talvez fossem tudo isso ao mesmo tempo?[87]

Além de nossa incapacidade para decifrar a escrita do Indo, também restam muitos aspectos intrigantes em Harapa e Mohenjo-Daro. Ambos os sítios foram escavados no início do século XX, quando a arqueologia era uma atividade de grande escala e abrangência, às vezes com milhares de trabalhadores escavando ao mesmo tempo. Esse trabalho acelerado resultou na revelação de impressionantes perspectivas espaciais de ruas, zonas residenciais e complexos cerimoniais. Todavia, isso se fez quase sempre em detrimento do registro do desenvolvimento do sítio no decorrer do tempo, um processo cuja compreensão demanda métodos mais cuidadosos. Por exemplo, os primeiros escavadores documentaram apenas os alicerces de tijolos cozidos nos edifícios. Já as superestruturas eram de tijolos de argila mais frágeis, que não sobreviveram ou que inadvertidamente acabaram sendo destruídos durante a escavação pesada; já os andares superiores das grandes edificações públicas eram originalmente de madeira, que apodreceu ou foi reutilizada na Antiguidade. O que parece ser uma única etapa de construção urbana é, na realidade, composto de elementos de vários períodos da história de uma cidade habitada por mais de meio milênio.[88]

Tudo isso nos deixa muitas incertezas, entre elas o tamanho ou a população da cidade (segundo estimativas recentes, até 40 mil moradores, mas na verdade isso não passa de um palpite).[89] Nem sequer sabemos onde ficavam os limites da cidade. Para alguns estudiosos, apenas as áreas hoje visíveis do plano da Cidade Baixa e da Cidadela fazem parte propriamente da zona urbana, o que daria uma área total de cem hectares. Para outros, há indícios dispersos de que a cidade ocupava uma área bem mais extensa, talvez três vezes maior — teríamos de chamá-las de "cidades ainda mais baixas" — há muito soterradas pelas camadas aluviais na planície: um exemplo comovente dessa conspiração da natureza e da cultura que tantas vezes nos faz esquecer que também existiram moradores de barracos.

Entretanto, é exatamente isso que nos aponta as direções mais promissoras. A despeito de todos os problemas, Mohenjo-Daro e seus sítios associados no Punjab nos proporcionam vislumbres da natureza da vida cívica nas primeiras cidades do Sul da Ásia e da questão mais ampla colocada no início deste capítulo: existe uma relação causal entre a escala e a desigualdade nas sociedades humanas?

Consideremos, de início, o que a arqueologia nos diz a respeito da distribuição de riqueza em Mohenjo-Daro. Ao contrário do que se poderia esperar, não há concentração de riqueza na Cidadela. É bem o contrário, na verdade. Os metais, as pedras preciosas e as conchas trabalhadas, por exemplo, eram amplamente encontradas nas residências da Cidade Baixa: os arqueólogos recuperaram esses artigos em esconderijos sob os pisos das casas, e havia uma abundância deles em todas as áreas do sítio.[90] O mesmo vale para as estatuetas de terracota de pessoas usando braceletes, diademas e outros adornos pessoais. Mas apenas na Cidade Baixa, não na Cidadela.

As inscrições, assim como pesos e medidas uniformizados, também estavam distribuídas por toda a Cidade Baixa, assim como os indícios de ofícios artesanais e indústrias como o trabalho em metal, cerâmica e fabricação de contas. Tudo isso prosperava na Cidade Baixa, mas estava ausente na Cidadela, onde ficavam os principais edifícios cívicos.[91] Os objetos feitos para a exibição pessoal, ao que tudo indica, não tinham lugar nas áreas mais altas da cidade. Em vez disso, o que define a Cidadela são edifícios como as Grandes Termas — uma grande piscina abaixo do nível do chão com cerca de doze metros de comprimento e dois metros de profundidade, paredes com tijolos meticulosamente assentados, vedadas com gesso e betume e acessível em ambos os lados por escadas com degraus de madeira. Embora todas as construções seguissem os melhores padrões arquitetônicos, não havia monumentos dedicados a governantes específicos ou, na verdade, qualquer outro sinal de exaltação individual.

Devido à ausência de esculturas da realeza, ou de qualquer outra forma de representação monumental, a civilização do Indo já foi chamada de "civilização sem rosto".[92] Em Mohenjo-Daro, tudo sugere que o foco da vida cívica não era um palácio ou cenotáfio, mas um local público para a purificação corporal. Pisos e plataformas de tijolos para o banho também estavam presentes na maioria das casas da Cidade Baixa. Os cidadãos deviam estar familiarizados com noções muito específicas de higiene, com as abluções diárias provavelmente fazendo parte da rotina doméstica. As Grandes Termas eram, em certo sentido, uma versão ampliada dessas instalações residenciais. Em outro nível, contudo, a vida na Cidadela parece se contrapor à da Cidade Baixa.

Enquanto as Grandes Termas estiveram em uso — o que aconteceu por alguns séculos — não se encontraram indícios de atividades fabris nas proximidades. As ruelas cada vez mais estreitas na acrópole impediam na prática a passagem de carroças puxadas por bois e outros tipos de tráfego comercial. Ali foram as próprias Grandes Termas — e o ato de se banhar — que se tornaram o foco da vida e dos esforços sociais. Casernas e depósitos nas proximidades abrigavam um corpo de trabalhadores (não há como saber se prestavam serviço temporário ou permanente) e os suprimentos para sua manutenção. A Cidadela era um tipo especial de "cidade dentro da cidade", em que se invertiam os princípios comuns de organização doméstica.[93]

Tudo isso lembra muito a desigualdade do sistema de castas, com a sua divisão hierárquica de funções sociais, organizadas numa escala ascendente de pureza.[94] Porém, a referência mais antiga às castas no Sul da Ásia aparece apenas mil anos depois, no *Rig Veda* — uma antologia de hinos sacrificiais provavelmente composta por volta de 1200 a.C. O sistema, tal como descrito em epopeias posteriores em sânscrito, consistia de quatro categorias hereditárias, as *varnas*: sacerdotes (brâmanes), guerreiros ou nobres (xátrias), lavradores e mercadores (vaixás) e trabalhadores (sudras); e em seguida vinham aqueles tão inferiores, os párias, que eram excluídos por completo das *varnas*. Na categoria mais elevada estão aqueles que renunciam ao mundo, que pela abstenção dos sinais de status pessoal são alçados a um plano espiritual mais alto. As rivalidades comerciais, industriais e de status podem todas vicejar, mas as disputas pela riqueza, poder ou prosperidade são sempre vistas como inferiores — no grande esquema das coisas — à pureza da casta sacerdotal.

O sistema de *varnas* é tão "desigual" quanto qualquer outro sistema social, mas a posição de cada um em suas categorias tem menos a ver com a quantidade de bens materiais acumulados ou conquistados do que com a relação entre a pessoa e certas substâncias (conspurcadoras) — sujeira e dejetos físicos, mas também matéria corporal associada a nascimento, morte e menstruação — e com aqueles que manuseiam tais substâncias. Tudo isso cria sérios problemas para um estudioso atual que tente aplicar o índice de Gini ou outra medida baseada em propriedade para avaliar a "desigualdade" da sociedade em questão. Por outro lado, e a despeito das enormes lacunas entre nossas fontes, isso talvez nos permita entender algumas das características à primeira vista enigmáticas de Mohenjo-Daro, como o fato de as edificações residenciais mais semelhantes a palácios não estarem localizadas na Cidadela, mas nas ruas apinhadas da Cidade Baixa — ou seja, mais próximas da lama, dos canos de esgoto e dos campos de arroz, exatamente no lugar adequado para as disputas por status social.[95]

Claro que não podemos simplesmente projetar o mundo social evocado na literatura em sânscrito sobre a civilização muito anterior do vale do Indo. Se as primeiras cidades do Sul da Ásia estavam mesmo ordenadas de acordo com um sistema similar ao de castas, então teríamos que reconhecer de imediato uma importante diferença em relação às categorias sociais descritas mil anos depois nos textos em sânscrito, nos quais a segunda categoria mais prestigiosa (logo abaixo dos brâmanes) é reservada à casta dos guerreiros, conhecida como *xátrias*. No vale do Indo durante a Idade do Bronze não há nenhuma evidência de algo parecido com uma classe de xátrias, de guerreiros-nobres, nem do tipo de comportamento enaltecedor associado a esses grupos em epopeias posteriores como o *Mahabharata* ou o *Ramayana*. Mesmo nas maiores cidades, como Harapa ou Mohenjo-Daro, não há indícios de sacrifícios ou festas espetaculares, tampouco narrativas pictóricas de proezas militares ou celebrações de façanhas memoráveis, nem sinais de torneios em que os indivíduos se enfrentam por títulos ou tesouros, tampouco sepultamentos aristocráticos. E, se naquela época essas coisas estivessem ocorrendo nas cidades do vale do Indo, nós teríamos como saber disso.

A civilização do Indo não era uma espécie de arcádia comercial ou espiritual, tampouco uma sociedade completamente pacífica.[96] Mas também não contém nenhum indício de figuras autoritárias carismáticas: líderes militares, legisladores e afins. Feita de calcário amarelado e achada em Mohenjo-Daro, uma pequena estatueta de uma figura com manto, conhecida na literatura como o "rei-sacerdote", muitas vezes é assim considerada. Na realidade, porém, não temos nenhum motivo para achar que a figura seja de fato um rei-sacerdote ou algum tipo de autoridade. Trata-se apenas de uma imagem em calcário de um elegante homem barbado da Idade do Bronze. O fato de gerações passadas de estudiosos terem insistido em chamá-la de "rei-sacerdote" revela mais sobre seus próprios pressupostos, sobre o que imaginavam estar acontecendo nas primeiras cidades asiáticas.

Com o tempo, os especialistas quase chegaram a um consenso de que, na civilização urbana do vale do Indo, não há evidências de reis-sacerdotes, de uma nobreza guerreira ou de algo que pudéssemos reconhecer como um "Estado". Podemos então falar também aqui de "cidades igualitárias"? Se assim for, em que sentido? Se a Cidadela de Mohenjo-Daro estava dominada por uma ordem ascética, literalmente "mais alta" do que os outros, e a Cidade Baixa, ocupada por mercadores abastados, portanto havia uma clara hierarquia entre esses grupos. Porém, isso não significa necessariamente uma hierarquização no interior dos grupos, ou que os ascéticos e os mercadores tivessem mais influência do que o restante da população nas decisões cotidianas relativas ao governo da cidade.

Ora, a esta altura talvez alguém faça uma objeção: "Bem, sim, tecnicamente talvez seja o caso, mas qual é a chance de não haver nenhuma hierarquia, ou de que os puros e os ricos não tivessem mais influência no governo da cidade?". De fato, para quase todos nós, parece difícil até mesmo imaginar como funcionaria em grande escala um igualitarismo consciente. Mas isso demonstra apenas a forma automática com que aceitamos a narrativa evolutiva, na qual o governo autoritário é de alguma forma o resultado natural sempre que se junta um grupo numeroso de pessoas (e, por implicação, que algo chamado "democracia" só emerge bem mais tarde, como uma ruptura conceitual — e provavelmente uma única vez, na Grécia antiga).

Os estudiosos tendem a exigir evidências claras e irrefutáveis de qualquer tipo de instituição democrática no passado remoto. Por outro lado, é patente que nunca exigem provas igualmente conclusivas de estruturas de autoridade de cima para baixo, que costumam ser tratadas como uma modalidade normal da história: o tipo de estrutura social que se espera ver quando não há indício de outra coisa.[97] Poderíamos especular sobre a origem desse hábito de pensamento, mas isso não nos ajudaria a decidir se a governança das primeiras cidades do Indo poderia ter seguido linhas igualitárias em paralelo com a existência de ordens sociais ascéticas. É mais útil, em nossa opinião, nivelarmos o campo das interpretações indagando se existem casos similares em épocas posteriores, e mais bem documentadas, da história do Sul da Ásia.

De fato, não é difícil encontrar esses casos. Um exemplo é o meio social no qual surgiram os mosteiros budistas, ou *sangha*. Na verdade, o termo *sangha* era empregado originalmente para designar as assembleias populares que governavam muitas cidades do Sul da Ásia na época em que Buda viveu — por volta do século v a.C. —, e os primeiros textos budistas garantem que o próprio Buda inspirou-se nessas repúblicas e, em particular, na importância que atribuíam à convocação frequente de assembleias plenárias. As primeiras *sanghas* budistas eram zelosas em sua exigência de que todos os monges se reunissem a fim de alcançarem decisões unânimes em assuntos de interesse geral, recorrendo ao voto majoritário apenas diante da impossibilidade de consenso.[98] Tudo isso continua valendo até mesmo nas *sanghas* atuais. Ao longo do tempo, os mosteiros budistas adotaram formas muito diferentes de se governarem — e, na prática, muitos se tornaram extremamente hierarquizados. Porém, o importante aqui é que mesmo 2 mil anos atrás não se considerava nada incomum que os membros de ordens ascéticas tomassem decisões de maneira muito parecida, por exemplo, com a dos atuais militantes antiautoritários na Europa ou na América Latina (buscando primeiro o consenso, e só

346

depois o voto majoritário); que essas formas de governança baseavam-se num ideal igualitarista; e que havia cidades inteiras governadas da mesma forma.[99]

Poderíamos ir além e perguntar: existem outros exemplos conhecidos de sociedades com hierarquias formais de castas, nas quais, a despeito disso, a governança prática seja regida por critérios igualitários? Talvez pareça paradoxal, mas a resposta, outra vez, é afirmativa: há muitas evidências de arranjos desse tipo, alguns dos quais perduram até hoje. Provavelmente o mais bem documentado é o sistema *seka* na ilha de Bali, cuja população adotou o hinduísmo na Idade Média. Os balineses não só estão divididos em castas: a sociedade é concebida como uma hierarquia completa, na qual todos os grupos e todos os indivíduos conhecem (ou pelo menos deveriam conhecer) sua exata posição em relação a todos os outros. Em princípio, portanto, não há igualdade, e a maioria dos balineses argumentaria que, no grande esquema cósmico, sempre foi assim.

Por outro lado, as questões práticas — como o gerenciamento de comunidades, templos e lavouras — ordenam-se conforme o sistema *seka*, segundo o qual se espera que todos participem igualmente e que tomem decisões consensuais. Por exemplo, se uma associação de vizinhos se reúne para discutir reparos nos telhados dos edifícios públicos, ou a comida a ser servida num concurso de dança, aqueles que se consideram especialmente superiores e poderosos, ofendidos com a perspectiva de se sentarem num círculo com vizinhos inferiores, podem decidir não participar, mas nesse caso têm de pagar uma multa pelo não comparecimento — e essa arrecadação é usada para financiar os reparos ou a festa.[100] Hoje, não temos como saber se havia um sistema desse tipo no vale do Indo há mais de 4 mil anos. Esse exemplo apenas serve para ressaltar que não existe necessariamente uma correspondência entre concepções abrangentes de hierarquia social e o funcionamento prático da governança local.

Aliás, o mesmo se aplica para reinos e impérios. Uma teoria muito difundida sustentava que os impérios tendiam a surgir primeiro em vales fluviais, pois ali a agricultura requeria a manutenção de complexos sistemas de irrigação, que por sua vez dependiam de alguma forma de coordenação e controle administrativo. De novo, Bali proporciona um contraponto perfeito. Na maior parte de sua história, seu território esteve dividido numa série de reinos, que guerreavam uns com os outros incessantemente pelos mais diversos motivos. Também era famosa por ser uma pequena ilha vulcânica com uma das maiores densidades demográficas do mundo, graças a um sistema complexo de irrigação de culturas alagadas de arroz, administrado por uma série de "templos de água", através dos quais se organizava a distribuição da água por meio de um sistema ainda mais complexo de decisões consensuais, em conformidade com princípios igualitários, tomadas pelos próprios lavradores.[101]

UM APARENTE CASO DE "REVOLUÇÃO URBANA" NA PRÉ-HISTÓRIA DA CHINA

Até aqui neste capítulo, vimos o que aconteceu quando surgiram as cidades em três regiões diferentes da Eurásia. Em todos os casos, notamos a ausência de monarcas ou qualquer indício de uma elite guerreira, e a consequente probabilidade de, em vez disso, todos terem desenvolvido instituições públicas de autogoverno. No âmbito desses parâmetros amplos, cada tradição regional revelou características próprias. Os contrastes entre a expansão de Uruk e os megassítios da Ucrânia ilustram com clareza essas diferenças. Ambas parecem ter desenvolvido um etos de igualitarismo explícito — mas que, em cada caso, assumiu formas nitidamente distintas.

É possível exprimir essas diferenças num nível estritamente formal. Um etos consciente de igualitarismo, em qualquer momento da história, poderia assumir uma dentre duas formas diametralmente opostas. Podemos dizer que todos os indivíduos são, ou devem ser, equivalentes (ao menos naquilo que consideramos importante); ou, por outro lado, podemos dizer que todos são tão diferentes uns dos outros que não existe critério de comparação (por exemplo, como somos todos únicos, não há como considerar ninguém melhor do que os outros). Na prática, o igualitarismo costuma envolver um pouco de ambas as formas.

Entretanto, caberia argumentar que a Mesopotâmia — com seus produtos domésticos padronizados, sua alocação de pagamentos uniformes a empregados dos templos e suas assembleias públicas — parece ter em grande parte adotado a primeira versão. Os megassítios ucranianos — nos quais cada agrupamento familiar desenvolveu um estilo artístico e, presumivelmente, rituais domésticos próprios — adotaram a segunda versão.[102] Já a civilização do vale do Indo, se nossa interpretação estiver correta em traços gerais, representa uma terceira possibilidade, na qual uma igualdade rigorosa em certas áreas (até os tijolos eram todos exatamente do mesmo tamanho) era complementada pela hierarquização explícita em outras.

Vale ressaltar que não estamos argumentando que as primeiras cidades a surgirem em qualquer região do mundo eram sempre fundadas em princípios igualitários (na verdade, logo mais daremos um contraponto perfeito). O que estamos afirmando é que as evidências arqueológicas revelam ter sido esse um padrão surpreendentemente comum, o que vai em sentido contrário às suposições evolucionistas relativas aos efeitos da escala nas sociedades humanas. Em cada um dos casos examinados até agora — megassítios ucranianos, Uruk mesopotâmica, vale do Indo —, houve um aumento acentuado na escala do assentamento humano organizado, mas sem a consequente concentração de riqueza ou de poder nas mãos de elites governantes. Em suma, a pesquisa arqueológica transferiu o ônus da prova aos teóricos que postulam conexões causais entre a origem das cidades e o surgimento de Estados estratificados, postulações que agora se mostram cada vez mais frágeis.

Até agora apresentamos uma série de imagens de cidades que, na maioria dos casos, foram ocupadas durante séculos. É improvável que não tenham passado por sua cota de turbulências, transformações e crises constitucionais. Em alguns casos, não resta dúvida quanto a isso. Em Mohenjo-Daro, por exemplo, sabemos que, cerca de duzentos anos antes de seu fim, as Grandes Termas haviam caído em desuso. Instalações fabris e moradias comuns avançaram além dos limites da Cidade Baixa até a Cidadela, e chegaram inclusive à área das Grandes Termas. No interior da Cidade Baixa, passamos a ver construções de dimensões palacianas e dotadas de oficinas de artesãos.[103] Essa "outra" Mohenjo-Daro existiu durante gerações, e parece representar um projeto deliberado de transformar a hierarquia da cidade (na época já secular) em alguma outra coisa — em que exatamente, os arqueólogos ainda não descobriram.

Como as cidades ucranianas, as do vale do Indo terminaram abandonadas por completo, substituídas por sociedades de escala bem menor e dominadas por aristocratas heroicos. Nas cidades da Mesopotâmia, acabaram sendo erguidos palácios. Em termos gerais, é compreensível que se pense que a história avançou de maneira constante na direção autoritária. No longo prazo, de fato foi assim; na altura em que começamos a ter relatos escritos, os senhores, os reis e os pretensos imperadores do mundo haviam surgido em quase todas as partes (embora as instituições cívicas e as cidades independentes nunca tenham desaparecido por completo).[104] Ainda assim, a precipitação para chegar a tal conclusão não seria recomendável. Às vezes, ocorreram imensas reviravoltas, como no caso chinês.

Na China, a arqueologia abriu um enorme hiato entre o nascimento das cidades e a primeira dinastia real identificada, a dos Shang. Desde que, no início do século xx, foram achados ossos com inscrições oraculares em Anyang, na província de Henan, a história política da China começava com os governantes Shang, que assumiram o poder por volta de 1200 a.C.[105] Até tempos bem recentes, considerava-se a civilização Shang como uma fusão de elementos urbanos anteriores ("Erligang" e "Erlitou") e de elementos aristocráticos ou "nomádicos" — estes últimos na forma de técnicas de fundição do bronze, novos tipos de armamentos e carros de guerra puxados por cavalos desenvolvidos a princípio nas estepes interiores da Ásia, local de origem de sociedades poderosas e extremamente móveis que provocariam muita turbulência na história posterior da China.[106]

Antes da dinastia Shang, supostamente nada de muito interessante teria ocorrido — apenas algumas décadas atrás, a literatura especializada sobre os primórdios da China apresentava apenas uma longa série de culturas "neolíticas" que se perdiam no passado remoto, definidas por tendências tecnológicas na agricultura e mudanças estilísticas em tradições regionais de cerâmica e no desenho de objetos ritualísticos de jade. Presumia-se que tais culturas fossem basicamente iguais ao que se imaginava serem os agricultores neolíticos em outras regiões do mundo: viviam em aldeias, adotando formas embrionárias de desigualdade social e preparando as condições para o salto repentino que levaria ao surgimento das cidades e, em seguida, aos primeiros Estados e impérios dinásticos. No entanto, agora sabemos que não foi nada disso o que aconteceu.

Atualmente, em relação à China, os arqueólogos falam em termos de um "Neolítico Tardio", ou período "Longshan", caracterizado pelo que se pode descrever, sem sombra de dúvida, como cidades. Já em 2600 a.C., encontramos uma difusão de assentamentos rodeados por muralhas de terra compactada em todo o vale do rio Amarelo, desde o litoral de Shandong até as montanhas no sul de Shanxi. Em termos de tamanho, variam desde núcleos com mais de trezentos hectares até minúsculos principados, pouco mais do que aldeias fortificadas.[107] As principais concentrações demográficas ficavam mais longe, nos trechos inferiores do rio Amarelo a leste; e também a oeste de Henan, no vale do rio Fen, na província de Shanxi; e na cultura Liangzhu do sul de Jiangsu e do norte de Zhejiang.[108]

Muitas das maiores cidades neolíticas tinham cemitérios, com sepulturas individuais contendo dezenas e até centenas de peças de jade rituais entalhadas. Talvez sejam insígnias de funções, ou uma espécie de moeda virtual: em ritos ancestrais, o empilhamento e a combinação dessas peças, com frequência numerosas, permitiam que diferenças de posição social fossem medidas segundo uma escala de valor comum, abrangendo os vivos e os mortos. A conciliação desses achados com os anais escritos da história chinesa revelou-se uma tarefa difícil, pois estamos falando de um período longo e aparentemente tumultuado que se supunha que nem tivesse existido.[109]

O problema não é só cronológico, mas também espacial. Hoje sabemos que, surpreendentemente, alguns dos saltos "neolíticos" mais sugestivos na direção da vida urbana ocorreram no extremo norte, na fronteira com a Mongólia. Da perspectiva dos impérios chineses posteriores (e dos historiadores que os descreveram), essas regiões já eram em parte "nômades-bárbaras" e acabariam do outro lado da Grande Muralha. Ninguém esperava que os arqueólogos descobrissem por lá uma cidade de 4 mil anos atrás, estendendo-se por quatrocentos hectares, com uma grande muralha de pedra circundando palácios e uma pirâmide em degraus, que governava uma zona rural subserviente quase um milênio antes da dinastia Shang.

As escavações em Shimao, no rio Tuwei, revelaram tudo isso, e mais evidências abundantes de ofícios sofisticados — como entalhe de ossos e fundição de bronze — e de guerras com mortandade e sepultamentos de prisioneiros por volta de 2000 a.C.[110] Aqui pressentimos um cenário político bem mais movimentado do que constava nos anais da tradição cortesã posterior. Em parte, tinha aspectos pavorosos, como a decapitação dos inimigos capturados e o ocultamento de milhares de antigos machados e cetros rituais de jade nas frestas entre os grandes blocos de pedra da muralha da cidade, onde permaneceram até serem descobertos pelos arqueólogos, mais de quatro milênios depois. Provavelmente, o objetivo de tudo isso era destruir, desmoralizar e deslegitimar linhagens rivais.

No sítio de Taosi — contemporâneo de Shimao, porém situado mais ao sul na bacia de Jinnan — a história é bem diferente. Entre 2300 a.C. e 1800 a.C., Taosi passou por três fases de expansão. Primeiro, uma vila fortificada de sessenta hectares surgiu das ruínas de uma aldeia e, depois, tornou-se uma cidade de trezentos hectares. Nesses períodos inicial e intermediário, há indícios de estratificação social quase tão notáveis quanto a de Shimao, ou inclusive quanto ao que poderíamos esperar de uma capital imperial chinesa de épocas posteriores. Havia muralhas maciças ao redor da cidade, sistemas viários e enormes áreas protegidas para armazenamento, assim como uma rígida separação entre os bairros das pessoas comuns e os da elite, com oficinas diversas e um monumento-calendário agrupados em torno do que provavelmente era uma espécie de palácio.

Os sepultamentos na vila inicial de Taosi exibiam uma clara distinção entre as classes sociais. Os túmulos da população comum eram modestos; os da elite estavam repletos de centenas de vasilhas laqueadas, machados de jade cerimoniais e resquícios de extravagantes banquetes com carne de porco. Então, de repente, por volta de 2000 a.C. tudo parece mudar. Nas palavras de um escavador:

> A muralha da cidade foi demolida e [...] as divisões funcionais originais eliminadas, resultando numa falta de regulamentação espacial. As zonas residenciais da população comum passaram a ocupar quase todo o sítio, chegando mesmo a ultrapassar o limite da grande muralha urbana do período intermediário. A zona urbana ampliou-se ainda mais, ocupando uma área de trezentos hectares. Além disso, a área ritual no sul foi abandonada. A antiga área do palácio agora passou a abrigar uma precária fundação de terra compactada com cerca de 2 mil metros quadrados, rodeada por poços de dejetos usados por gente de status relativamente baixo. Oficinas com utensílios de pedra tomaram o lugar das residências da elite de nível mais baixo. A cidade claramente perdera a condição de capital, e vigorava um estado de anarquia.[111]

Além do mais, há pistas de que foi um processo consciente de transformação, muito provavelmente acompanhado de grande violência. As sepulturas populares multiplicaram-se no cemitério da elite e, na zona do palácio, um sepultamento em massa, com sinais de tortura e grotescas violações dos cadáveres, parece ser evidência do que o escavador definiu como um "ato de represália política".[112]

Ora, ainda que seja considerado deselegante questionar o juízo de primeira mão de um escavador, não resistimos a fazer alguns comentários. Primeiro, o ostensivo "estado de anarquia" (descrito em outro trecho como "de colapso e caos")[113] durou um tempo considerável, entre dois e três séculos. Segundo, no período tardio a área total de Taosi na verdade aumentou de 280 para 300 hectares. Isso não parece um colapso, mas uma época de prosperidade generalizada, na sequência da abolição de um rígido sistema de classes. Parece sugerir que, após a destruição do palácio, as pessoas não mergulharam numa "guerra de todos contra todos" nos moldes hobbesianos, e sim que apenas continuaram tocando suas vidas — presumivelmente sob o que consideravam um sistema mais equitativo de autogoverno local.

É plausível que, às margens do rio Fen, estivéssemos diante de evidências da primeira revolução social documentada no mundo, ou pelo menos da primeira ocorrida num cenário urbano. Sem dúvida outras interpretações são possíveis. No mínimo, porém, o caso de Taosi nos convida a considerar as primeiras cidades do mundo como locais de deliberada experimentação social, na qual se chocavam as mais diversas concepções de como deveria ser a vida urbana — às vezes de forma pacífica, em outras com irrupções de extrema violência. O aumento da quantidade de pessoas habitando um mesmo local pode ampliar enormemente a gama de possibilidades sociais, mas de forma nenhuma predetermina as possibilidades que vão acabar se concretizando.

Como veremos no próximo capítulo, a história do México central sugere que os tipos de revolução de que estamos falando — revoluções urbanas de caráter político — talvez sejam bem mais comuns na história humana do que tendemos a imaginar. De novo, é bem possível que nunca sejamos capazes de reconstruir as constituições não escritas das primeiras cidades a surgir em diversas regiões do mundo, ou das reformas por que passaram em seus séculos iniciais, porém não podemos mais duvidar de sua existência.

9. Oculto à vista de todos

*A origem indígena da moradia pública
e da democracia nas Américas*

Por volta de 1150 d.C., o povo Mexica migrou rumo ao sul, saindo de Aztlán (em local hoje desconhecido) a fim de se estabelecer no centro do vale do México, que hoje leva o nome deles.[1] Ali os mexicas acabaram por construir um império, a Tríplice Aliança Asteca,[2] e estabeleceram sua capital em Tenochtitlan, uma cidade insular do lago Texcoco — um elo numa cadeia de grandes lagos e cidades-ilhas, e parte de uma paisagem urbana cercada de montanhas. Sem uma tradição urbana própria, os mexicas definiram a planta de Tenochtitlan com base em outra cidade que haviam descoberto, em ruínas e praticamente abandonada, em um vale a cerca de um dia de viagem. Essa outra cidade era conhecida por eles como Teotihuacan, o "Lugar dos Deuses".

Fazia tempo desde que alguém vivera em Teotihuacan. No século XII d.C., quando lá chegaram os mexicas, aparentemente ninguém sequer se lembrava do nome original da localidade. Mesmo assim, os recém-chegados a consideraram — com suas duas colossais pirâmides destacando-se no Cerro Gordo — ao mesmo tempo estranha e atraente, e grande demais para ser ignorada. Além de usá-la como modelo de sua própria capital, também criaram mitos em torno de Teotihuacan, envolvendo o que dela restava numa densa floresta de nomes e símbolos. Como consequência, ainda hoje vemos Teotihuacan sobretudo através dos olhos dos astecas (culhua-mexicas).[3]

As referências escritas a Teotihuacan da época em que ainda era habitada limitam-se a poucas inscrições achadas mais a leste, nas terras baixas maias, que a identificavam como "a terra das tifas", correspondente ao termo "Tollan" na língua náhuatl, que remete a uma cidade primordial e perfeita à beira da água.[4] Fora isso, temos apenas transcrições de crônicas, compostas no século XVI, em espanhol e náhuatl, que descrevem Teotihuacan como um local repleto de lagoas entre montanhas e vazios primevos, dos quais surgiram os planetas no começo dos tempos. Depois dos planetas vieram os deuses, seguidos por uma misteriosa raça de homens-peixes, cujo mundo fora destruído para dar lugar ao nosso.

Em termos históricos, essas fontes têm pouca serventia, sobretudo porque não temos como verificar se esses mitos circulavam na própria cidade quando ainda habitada ou se simplesmente foram criados pelos astecas. Ainda assim, o legado dessas histórias perdura. Foram os astecas, por exemplo, que deram os nomes de "Pirâmide do Sol", "Pirâmide da Lua" e "Calçada dos Mortos", que arqueólogos e turistas usam até hoje para descrever os monumentos mais notáveis da cidade e a via de ligação entre ambos.[5]

Apesar de familiarizados com os cálculos astronômicos, os construtores de Tenochtitlan não sabiam ou não consideraram importante saber até quando exatamente Teotihuacan fora habitada. Aqui, pelo menos, a arqueologia pôde preencher algumas lacunas. Hoje sabemos que a cidade de Teotihuacan teve seu auge oito séculos antes da chegada dos mexicas, e mais de mil anos antes da chegada dos espanhóis. Sua fundação data do ano 100 d.C., e seu declínio, por volta de 600 d.C. Também sabemos que, ao longo desses séculos, Teotihuacan tornou-se uma cidade tão majestosa e requintada que poderia facilmente ser equiparada a Roma no ápice de seu poder imperial.

Não sabemos de fato se Teotihuacan era, como Roma, o centro de um grande império, mas, segundo estimativas conservadoras, a cidade teria abrigado cerca de 100 mil habitantes (talvez cinco vezes mais do que a população estimada de Mohenjo-Daro, Uruk ou qualquer uma das primeiras cidades eurasianas discutidas no capítulo anterior).[6] Em seu auge, havia provavelmente ao menos meio milhão de pessoas distribuídas pelo vale do México e regiões adjacentes, e muitas haviam apenas visitado a cidade, ou talvez somente conhecessem alguém que a visitara — mas mesmo assim consideravam Teotihuacan o lugar mais importante do mundo.

Tudo isso é amplamente aceito por quase todos os estudiosos e historiadores do México antigo. Mais controversa é a questão de saber que tipo de cidade era Teotihuacan, e como era governada. Quando se coloca essa pergunta a um especialista no estudo da história ou da arqueologia mesoamericana (como fizemos várias vezes), a reação mais comum é um dar de ombros e a admissão resignada de que simplesmente há algo de "intrigante" no local — não só por suas dimensões excepcionais, mas por sua obstinada recusa de se conformar a nossas expectativas quanto ao modo como uma cidade primitiva mesoamericana *deveria* funcionar.

A esta altura, o leitor provavelmente já está se dando conta do que vem a seguir. De fato, todas as evidências sugerem que Teotihuacan, no auge de seu poderio, encontrou uma maneira de se governar sem soberanos — assim como haviam feito cidades muito anteriores na Ucrânia pré-histórica, na Mesopotâmia da época de Uruk e no Paquistão da Idade do Bronze. No entanto, conseguiu isso graças a um fundamento tecnológico muito distinto, e numa escala ainda maior.

Antes, porém, vamos explorar o contexto mais geral.

Como vimos, assim que surgem nos registros históricos, os reis tendem a deixar vestígios inconfundíveis. Sabemos que vamos encontrar palácios, sepulturas ostentosas e monumentos celebrando suas conquistas. Tudo isso também vale para a Mesoamérica.

Na região mais ampla, o paradigma é estabelecido por uma série de entidades dinásticas, situadas não no vale do México, mas na península de Yucatán e planaltos adjacentes. Atualmente, os historiadores conhecem essas entidades como os maias clássicos (*c.* 150-900 d.C. — o termo "clássico" também se aplica à antiga linguagem escrita deles e ao período cronológico em questão). Cidades como Tikal, Calakmul ou Palenque eram dominadas por templos reais, quadras para jogos de bola (cenários de disputas competitivas e, às vezes, letais), imagens de guerras e de prisioneiros humilhados (muitas vezes executados publicamente após jogos de bola), complexos rituais associados ao calendário para celebrar os ancestrais dos soberanos, e registros escritos dos feitos e detalhes biográficos dos reis vivos. Para a imaginação moderna, tudo isso constitui o "pacote normal" da realeza mesoamericana associado às cidades antigas em toda a região, desde Monte Alban (em Oaxaca, *c.* 500-800 d.C.) até Tula (no México central, *c.* 850-1150 d.C.) e, plausivelmente, chegando até o extremo norte em Cahokia (próxima à atual cidade de East St. Louis, *c.* 800-1200 d.C.).

Em Teotihuacan, porém, não há vestígio de nada disso. Ao contrário das cidades maias, de maneira geral são poucas as inscrições escritas.[7] (Por esse motivo, não sabemos que língua falava a maioria dos habitantes da cidade, ainda que fosse, sem dúvida, suficientemente cosmopolita para incluir minorias tanto maias como zapotecas familiarizadas com o uso da escrita.)[8] Por outro lado, há uma abundância de arte pictórica. Os cidadãos de Teotihuacan eram prolíficos artesãos especializados e criadores de imagens, deixando para a posteridade desde monumentais esculturas em pedra até minúsculas figuras de terracota que cabem na palma da mão, além de murais vívidos e fervilhantes de atividades humanas (imagine algo como a atmosfera carnavalesca de uma cena de rua pintada por Bruegel). Ainda assim, em meio a milhares de imagens não encontramos nenhuma representação de um soberano golpeando, prendendo ou dominando de algum modo um subordinado — ao contrário do que se vê na arte contemporânea dos maias e dos zapotecas, nas quais esse tema é constante. Atualmente, ao se debruçarem sobre as imagens produzidas em Teotihuacan, os estudiosos buscam em vão por algo que possa ser entendido como uma figura da realeza. Em muitos casos, os artistas parecem ter frustrado de forma deliberada esses esforços, por exemplo ao fazerem todas as figuras numa cena com exatamente o mesmo tamanho.

Outro elemento crucial de realeza nos antigos reinos mesoamericanos, a quadra cerimonial de jogo de bola, também se notabiliza por sua ausência em Teotihuacan.[9] Tampouco é possível encontrar algum equivalente das grandes sepulturas de Sihyaj Chan K'awiil, em Tikal, ou de K'inich Janaab Pakal, em Palenque. E não foi por falta de interesse. Os arqueólogos vasculharam minuciosamente os antigos túneis ao redor das pirâmides do Sol e da Lua, e sob o Templo da Serpente Emplumada, e constataram que as passagens não conduziam a túmulos da realeza, nem mesmo a câmaras saqueadas, mas sim a labirintos subterrâneos e santuários incrustados de minérios: evocações de outros mundos, sem dúvida, mas não sepulturas de governantes sagrados.[10]

Houve quem especulasse que a rejeição consciente das convenções externas fosse ainda mais profunda. Por exemplo, os artistas de Teotihuacan pareciam conhecer princípios formais e compositivos vigentes entre seus vizinhos mesoamericanos, e deliberadamente invertê-los. Se por um lado a arte maia e zapoteca inspira-se numa tradição de entalhes em relevo derivada da época anterior dos reis olmecas de Veracruz, privilegiando as curvas e as formas fluidas, as esculturas de Teotihuacan mostram seres humanos e humanoides como compósitos chapados, firmemente encaixados em blocos angulares. Décadas atrás, esses contrastes levaram Esther Pasztory — uma historiadora da arte húngaro-americana que dedicou grande parte da carreira ao estudo da arte e das imagens de Teotihuacan — a uma conclusão radical. O que temos nas terras altas de Teotihuacan e nas terras baixas dos maias, argumentou ela, é um caso de deliberada inversão cultural — ou daquilo que chamamos de cismogênese — mas dessa vez na escala de civilizações urbanas.[11]

Na visão de Pasztory, Teotihuacan criou uma nova tradição artística para exprimir o quanto sua sociedade se distinguia daquelas de seus contemporâneos em outras regiões da Mesoamérica. Com isso, rejeitou tanto o tema visual específico do governante e do prisioneiro, como a glorificação dos indivíduos aristocráticos em geral. Isso era notavelmente distinto da tradição cultural anterior dos olmecas e também das sociedades maias da época. Se as artes visuais de Teotihuacan celebravam algo, garante Pasztory, era a comunidade como um todo e seus valores coletivos, o que, durante alguns séculos, conseguiu impedir o surgimento de "cultos de personalidade dinásticos".[12]

Ainda de acordo com a historiadora, Teotihuacan não só exibia um espírito "antidinástico" como também era um experimento utópico de vida urbana. Aqueles que a fundaram viam a si mesmos como criadores de um tipo novo e diferente de cidade, uma Tollan para o povo, sem reis ou senhores. Seguindo os passos de Pasztory, outros estudiosos, depois de eliminarem quase todas as outras possibilidades, chegaram a conclusões similares. Em seus anos iniciais, segundo eles, Teotihuacan avançara um pouco no rumo de um governo autoritário, mas então, por volta de 300 d.C., ocorreu uma guinada súbita: possivelmente houve alguma espécie de revolução, seguida de uma distribuição mais equitativa dos recursos urbanos e do estabelecimento de uma espécie de "governança coletiva".[13]

358

Entre aqueles que conhecem melhor o sítio, há um consenso de que Teotihuacan era de fato uma cidade organizada em função de uma espécie de igualitarismo consciente. E, como vimos, em termos de história mundial, tudo isso não é assim tão estranho ou anômalo quanto tendem a supor os estudiosos, ou quase todo mundo. Isso se mostra verdadeiro também quando tentamos entender Teotihuacan em seu contexto mesoamericano. A cidade não surgiu do nada. Embora possa haver um "pacote" reconhecível de realeza mesoamericana, também parece ter havido uma tradição muito diferente, digamos "republicana".

O que nos propomos a fazer neste capítulo, portanto, é trazer à superfície esse ramo negligenciado da história social da Mesoamérica, caracterizado por repúblicas urbanas, projetos de bem-estar social em grande escala e formas indígenas de democracia que podem ser rastreadas até a época da conquista espanhola, e mesmo depois.

UM EXEMPLO DE REIS-FORASTEIROS NAS TERRAS BAIXAS MAIAS E SEUS VÍNCULOS COM TEOTIHUACAN

Comecemos deixando para trás a própria cidade e os vales e planaltos centrais do México e tomando o rumo dos reinos dos maias clássicos, cujas ruínas se encontram nas florestas tropicais a leste: na península mexicana de Yucatán e no território atual de países como Guatemala, Belize, Honduras e El Salvador. No século v d.C., algo notável ocorreu na arte e na escrita dessas cidades-Estado maias, entre as quais a maior e mais importante é Tikal.

Cenas primorosamente entalhadas em monumentos maias dessa época mostram figuras sentadas em tronos, e vestindo o que se reconhece de imediato como sendo trajes de estilo de Teotihuacan e armas estrangeiras (arremessadores de lanças chamados *atlatls*, escudos emplumados etc.), bem diferentes dos trajes e ornamentos dos governantes locais. Na região oeste de Honduras, perto da fronteira com a Guatemala, os arqueólogos inclusive exumaram o que, a julgar pelos artigos encontrados, parecem ser as sepulturas desses reis-forasteiros no primeiro nível de um templo no sítio de Copán, que depois passaria por sete outras fases de construção, com inscrições glíficas que se referem a alguns desses indivíduos como sendo de fato originários da Terra das Tifas.[14]

Há duas coisas (pelo menos) muito difíceis de explicar nisso tudo. Primeiro, por que há imagens do que parecem ser soberanos de Teotihuacan entronizados em Tikal, e não existem imagens similares desses soberanos na própria Teotihuacan? Segundo, como Teotihuacan poderia ter realizado uma expedição militar bem-sucedida contra um reino situado a mil quilômetros de distância? Para a maioria dos especialistas, isso teria sido inviável em termos logísticos, e provavelmente eles têm razão (embora talvez não devêssemos fechar a questão; afinal, em termos logísticos, quem teria previsto que um pequeno destacamento de espanhóis derrubaria um império mesoamericano com milhões de habitantes?). A primeira dúvida merece um exame mais detido. Os indivíduos retratados como reis entronizados eram de fato originários do México central?

É bem possível que estejamos diante apenas de senhores locais com um gosto pelo exótico. Através da arte e das inscrições, sabemos que os nobres maias às vezes apreciavam se vestir com os trajes militares de Teotihuacan, às vezes tinham visões de espíritos de Teotihuacan após sangrias rituais, e em geral apreciavam se intitular "Senhores e Senhoras do Oeste". A cidade era remota o bastante para os maias a verem como um foco de fantasias exóticas, uma espécie de Xangri-Lá. Mas temos motivos para desconfiar de que se tratava de algo mais do que isso. Sobretudo porque as pessoas costumavam visitar a cidade. A obsidiana de Teotihuacan adornava os deuses maias, e as divindades da cidade exibiam penas de quetzal vindas das terras baixas dos maias. Mercenários e mercadores circulavam entre Teotihuacan e os reinos maias, assim como peregrinos e emissários diplomáticos; imigrantes de Teotihuacan construíram templos em cidades maias, e até existia um bairro maia, repleto de murais, na própria Teotihuacan.[15]

Como resolver o enigma dessa representação maia de soberanos de Teotihuacan? Antes de tudo, se a história nos ensina algo a respeito de rotas mercantis de longa distância, é que costumam estar cheias de personagens inescrupulosos de vários tipos: bandidos, fugitivos, vigaristas, contrabandistas, visionários religiosos, espiões etc. — ou figuras que podem ser qualquer combinação disso em certo momento. Isso não era menos verdadeiro na Mesoamérica do que em outras partes. Os astecas, por exemplo, empregavam mercadores-guerreiros armados, os *pochteca*, que também coletavam informações sobre as cidades onde faziam negócios.

A história também está repleta de viajantes aventureiros que acabaram sendo incorporados em sociedades estrangeiras e milagrosamente transformados em reis ou personificações de poder sagrado: "reis-forasteiros" como o capitão Cook, que ao desembarcar no Havaí em 1779 foi equiparado a um antigo deus polinésio da fertilidade chamado Lono; ou outros que, como Hernán Cortés, empenharam-se para convencer a população local de que deveriam ser tratados assim.[16] Por todo o mundo, uma porcentagem surpreendentemente alta de histórias dinásticas começa dessa maneira, com um homem (quase sempre é um homem) que aparece misteriosamente vindo de algum lugar remoto. É fácil imaginar como um aventureiro de uma cidade famosa poderia tirar proveito de tal predisposição. Teria sido isso o que ocorreu nas terras baixas maias no século v d.C.?

Graças às inscrições em Tikal, conhecemos os nomes de alguns desses reis-forasteiros e de seus associados — ou, pelo menos, os nomes que adotaram enquanto estavam no papel de nobres maias. Um deles, Sihyaj K'ahk' ("Filho do Fogo"), embora aparentemente nunca tenha exercido o poder, ajudou a instalar uma série de "príncipes" teotihuacanos em tronos maias, entre eles o de Tikal. Também sabemos que esses príncipes se casavam com mulheres da nobreza local, e que seus filhos se tornavam governantes maias e também celebravam seus vínculos ancestrais com Teotihuacan, a "Tollan do Oeste".

Além disso, pelo exame de sepulturas em Copán, também sabemos que, antes de serem alçados à condição de reis, pelo menos alguns desses indivíduos aventureiros tiveram vidas agitadíssimas, lutando e viajando e voltando a lutar, e que talvez não tenham vindo de Copán ou de Teotihuacan, mas de outro lugar completamente diferente.[17] Levando em conta todas essas evidências, parece plausível que esses progenitores das dinastias maias fossem membros de grupos afeitos a longas viagens — mercadores, mercenários, missionários ou talvez espiões — que, talvez de forma repentina, viram-se elevados à realeza.[18]

Há uma notável analogia para esse processo numa época mais próxima da nossa. Muitos séculos depois, quando o foco da cultura maia — e a maioria de suas grandes cidades — havia se deslocado para Yucatán, mais ao norte, houve uma onda similar de influência vinda do México central, mais perceptível de forma mais nítida na cidade de Chichén Itzá, cujo Templo dos Guerreiros parece ter sido inspirado na capital tolteca de Tula (uma Tollan posterior). De novo, não sabemos o que de fato ocorreu, mas crônicas posteriores, escritas clandestinamente sob o domínio espanhol, descreveram o Itzá quase nos mesmos termos: como um bando de guerreiros desarraigados, "forasteiros gagos" vindos do oeste, que assumiram o controle de uma série de cidades em Yucatán e acabaram numa prolongada rivalidade com outra dinastia de exilados toltecas — ou, pelo menos, exilados que se diziam toltecas — conhecidos como os xius.[19] Essas crônicas trazem muitos relatos das perambulações dos exilados, períodos de glória, acusações de opressão, e sombrias profecias de futuras turbulências. Ou seja, parece que estamos lidando com um sentimento entre os maias de que os reis *deveriam* vir de algum lugar distante, e também com a disposição de ao menos alguns forasteiros inescrupulosos em tirar proveito dessa situação.

Tudo isso não passa de especulação. Ainda assim, é evidente que as imagens e registros de locais como Tikal nos dizem mais sobre as concepções maias do poder real do que sobre a própria Teotihuacan, onde até hoje não se encontrou nenhuma evidência conclusiva da instituição da realeza. Os príncipes "mexicanos" das terras baixas maias, adornados com insígnias reais e acomodados em tronos, realizavam exatamente o tipo de gesto político grandioso que não tinha lugar em sua suposta terra natal. Se não era uma monarquia, então o que era Teotihuacan? Ao nosso ver, não há uma resposta única para essa pergunta — e ao longo de um período de cinco séculos não existe nenhuma razão para existir uma só explicação.

Vejamos agora parte central da planta arquitetônica-padrão de Teotihuacan, reconstituída após o mais abrangente levantamento de uma paisagem urbana já realizado pelos arqueólogos.[20] Depois de se empenharem para registrar em detalhes um ambiente construído nessa escala — uma área de treze quilômetros quadrados —, os arqueólogos naturalmente querem ter uma visão geral de tudo, num único golpe de vista. A arqueologia moderna muitas vezes nos apresenta algo como as plantas de Mohenjo-Daro e de outras "cidades primitivas", nas quais séculos e mesmo milênios de história urbana aparecem num único mapa. É algo impressionante em termos visuais, mas na verdade um tanto chapado e artificial. No caso de Teotihuacan, esse mapa produz um efeito ao mesmo tempo harmonioso e enganoso.

No centro, ancorando toda a miragem, estão os grandes monumentos — as duas Pirâmides e a Cidadela com o Templo da Serpente Emplumada. Estendendo-se num raio de quilômetros estão as residências menores, mas bem cuidadas, que abrigavam a população: cerca de 2 mil aposentos multifamiliares, primorosamente construídos em alvenaria e distribuídos numa bem ordenada grade ortogonal, alinhada ao centro cerimonial da cidade. É uma imagem funcional quase perfeita de prosperidade e hierarquia cívicas. Como se estivéssemos diante da imagem da *Utopia*, de More, ou da *Cidade do Sol*, de Campanella. Mas há um problema. As residências e as pirâmides não têm a ver estritamente umas com as outras, ou pelo menos não todas. Foram construídas em etapas cronológicas distintas. Tampouco o templo é o que parece ser.

Na verdade, em termos históricos, tudo não passa de uma espécie de rebuscada ilusão. Para entendermos o que se passa precisamos fazer uma tentativa de reconstituir, ainda que de modo precário, uma sequência cronológica básica do desenvolvimento da cidade.

COMO A POPULAÇÃO DE TEOTIHUACAN REJEITOU A CONSTRUÇÃO DE MONUMENTOS E OS SACRIFÍCIOS HUMANOS E EMBARCOU NUM EXTRAORDINÁRIO PROJETO DE MORADIAS SOCIAIS

O crescimento de Teotihuacan até alcançar dimensões urbanas teve início por volta do ano zero. A essa altura, povos inteiros estavam se deslocando através da bacia do México e do vale de Puebla, fugindo dos efeitos da atividade sísmica em suas fronteiras meridionais, como as repetidas erupções do vulcão Popocatépetl. Entre os anos 50 d.C. e 150 d.C., o fluxo de imigrantes para Teotihuacan provocou o despovoamento das áreas ao redor. Aldeias e vilas foram abandonadas, e também cidades inteiras, como Cuicuilco, com suas antigas tradições de construção de pirâmides. Soterradas por metros de cinzas vulcânicas encontram-se as ruínas de outros assentamentos. No sítio de Tetimpa, em Puebla, a apenas treze quilômetros do Popocatépetl, os arqueólogos desenterraram casas que prefiguram — em escala menor — a arquitetura cívica de Teotihuacan.[21]

Teotihuacan: residências em torno dos monumentos principais na área central

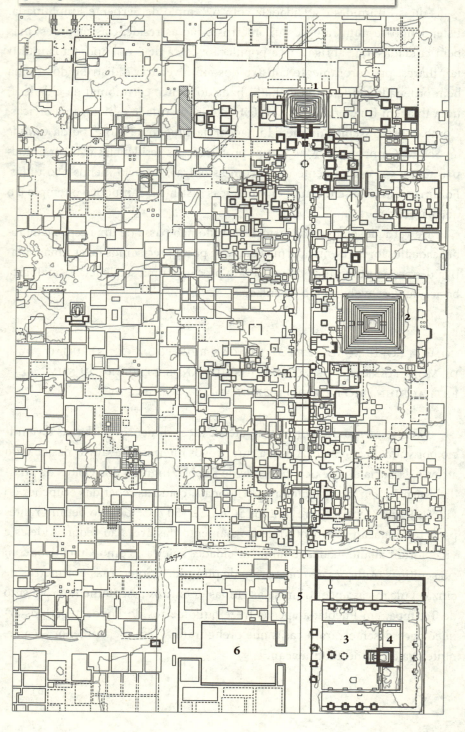

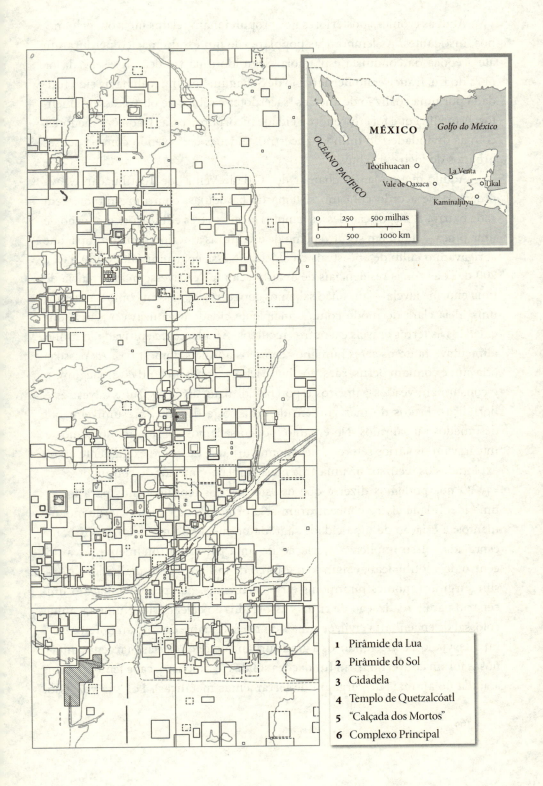

Aqui as crônicas posteriores nos proporcionam relatos úteis ou, pelo menos, instigantes. As lembranças populares de um êxodo maciço perduraram até a época da conquista espanhola. Segundo uma tradição, preservada na obra do frei franciscano Bernardino de Sahagún, Teotihuacan havia sido fundada por uma coalizão de anciãos, sacerdotes e sábios de outros assentamentos. À medida que foi crescendo, a cidade incorporou essas tradições menores, com as divindades do milho e ancestrais aldeões convivendo com os deuses urbanos do fogo e da chuva.

Aquilo que podemos chamar de "Cidade Velha" de Teotihuacan estava ordenada de acordo com um sistema de paróquias, com um santuário em cada bairro. A disposição desses templos locais — três edificações em torno de uma praça — também segue o plano de estruturas anteriores em Tetimpa, que abrigavam o culto de ancestrais da aldeia.[22] Nessa época inicial, de 100 d.C. a 200 d.C., as zonas residenciais de Teotihuacan talvez tivessem a aparência de uma enorme favela — mas não sabemos com certeza,[23] assim como não temos uma ideia clara do modo como a incipiente cidade organizava o acesso dos cidadãos às terras aráveis e a outros recursos. Amplamente cultivado, o milho alimentava tanto os seres humanos como os animais domésticos. As pessoas criavam e comiam perus, cães, coelhos e lebres. Também cultivavam legumes, e consumiam veados-galheiros e porcos-do-mato, além de frutos silvestres e hortaliças. Frutos do mar vinham de uma costa distante, presumivelmente defumados ou salgados. No entanto, pouco sabemos sobre o modo como se integravam os vários setores da economia urbana, ou como exatamente eram explorados os recursos de uma área mais ampla no interior do continente.[24]

O que podemos dizer é que os esforços dos teotihuacanos para forjar uma identidade cívica concentraram-se a princípio na construção de monumentos: a criação de uma cidade sagrada no meio de uma paisagem urbana espraiada.[25] Isso implicava a criação de uma paisagem totalmente nova no centro de Teotihuacan, exigindo o esforço de milhares de trabalhadores. Assim surgiram montes piramidais e rios artificiais, que proporcionavam um cenário para a realização de rituais associados ao calendário. Numa façanha colossal de engenharia civil, os canais do rio San Juan e do rio San Lorenzo foram desviados, conectando-os à grade urbana octogonal, e as margens pantanosas foram convertidas em fundações sólidas (e tudo isso, cabe lembrar, sem a ajuda de animais de carga ou de ferramentas metálicas). Por sua vez, isso serviu de base para um impressionante programa arquitetônico, que incluiu a construção das Pirâmides do Sol e da Lua e o Templo da Serpente Emplumada. Este último dava para uma praça rebaixada que captava as cheias do rio San Juan e formava um lago sazonal, cuja água marulhava junto aos entalhes pintados de serpentes emplumadas e de conchas na fachada do templo, fazendo-os reluzir quando vinham as chuvas no final da primavera.[26]

Todo esse esforço para a construção de monumentos requeria sacrifícios, não só em esforço físico e recursos, mas também em vidas humanas. Cada etapa relevante da construção está associada a indícios arqueológicos de matanças rituais. Quando se acrescentam os restos mortais achados nas duas pirâmides e no templo, o número de vítimas chega às centenas. Seus corpos foram colocados em poços ou valas dispostos simetricamente para demarcar a planta baixa do edifício que ali seria erguido. Nos cantos da Pirâmide do Sol, foram encontradas oferendas de bebês; sob a Pirâmide da Lua, cativos estrangeiros, alguns decapitados ou mutilados; e, nas fundações do Templo da Serpente Emplumada, os restos mortais de guerreiros, com os braços atados às costas na hora derradeira, enterrados com armas e troféus. Entre os corpos, havia facas e lanças de obsidiana, adornos de conchas e dioritos, e colares de dentes e maxilares humanos (alguns, conforme se descobriu, ardilosamente falsificados com conchas).[27]

A essa altura, por volta do ano 200 d.C., seria possível considerar selado o destino de Teotihuacan, que se juntaria às fileiras das civilizações mesoamericanas "clássicas", com suas robustas tradições de aristocracia guerreira e cidades-Estado dominadas por uma nobreza hereditária. O que se poderia esperar em seguida, nos registros arqueológicos, seria uma concentração de poder em torno dos monumentos focais da cidade: o surgimento de palácios luxuosos, habitados por governantes que eram fontes de riqueza e privilégio, com áreas adjacentes para a elite formada por suas parentelas; e o desenvolvimento de uma arte monumental para glorificar as conquistas militares, os lucrativos tributos que geravam e os serviços prestados aos deuses. No entanto, as evidências contam uma história bem diversa, pois os cidadãos de Teotihuacan escolheram outro caminho.

Na realidade, a trajetória do desenvolvimento político de Teotihuacan parece ter sofrido um desvio radical. Em vez de erguerem palácios e residências para a elite, os cidadãos iniciaram um extraordinário projeto de renovação urbana, proporcionando apartamentos de alta qualidade para quase toda a população, independentemente de riqueza ou status.[28] Sem fontes escritas, não sabemos por que fizeram isso. Os arqueólogos ainda não são capazes de determinar a sequência precisa de eventos com alguma certeza. Porém, ninguém duvida que algo aconteceu ali, e o que tentaremos fazer agora é esboçar o que pode ter sido.

A grande virada na trajetória de Teotihuacan parece ter começado por volta de 300 d.C. Nessa época, ou logo depois, o Templo da Serpente Emplumada foi profanado, e os depósitos de oferendas, saqueados. Não só atearam fogo ao templo como despedaçaram ou reduziram a tocos as cabeças de gárgulas que lhe adornavam a fachada. Uma enorme plataforma escalonada foi construída a oeste, tornando invisível desde a avenida principal o que restou do templo. Quem visita as ruínas bastante restauradas de Teotihuacan e quer ver o que sobrou das divindades com olhos saltados e cabeças de serpentes emplumadas tem de subir ao topo dessa plataforma, chamada pelos arqueólogos de *adosada*.[29]

A essa altura, a construção de outras pirâmides foi interrompida para sempre, e não se veem mais evidências de matanças rituais nas Pirâmides do Sol e da Lua, que continuaram a ser usadas como monumentos cívicos até cerca de 550 d.C. — embora com outras finalidades menos letais, das quais nada sabemos.[30] Em vez disso, o que se vê depois de 300 d.C. é um fluxo extraordinário de recursos dedicados à construção de excelentes residências de alvenaria, não só para os ricos e os privilegiados, mas para a grande maioria da população. Esses aposentos impressionantes, dispostos em lotes regulares de um extremo a outro da cidade, provavelmente não eram uma inovação dessa época. Sua construção numa estrutura urbana talvez tenha começado cerca de um século antes, em áreas abertas com a demolição das casas mais velhas e precárias.[31]

De início, os arqueólogos acharam que os aposentos de alvenaria eram palácios, e é bem possível que tenham começado assim, por volta de 200 d.C., quando a cidade parecia encaminhar-se para a centralização política. Contudo, depois de 300 d.C., o ano da profanação do Templo da Serpente Emplumada, sua construção prosseguiu em ritmo acelerado, até que a maioria dos 100 mil e tantos moradores estivesse de fato vivendo em condições "palaciais", ou pelo menos confortáveis.[32] Como eram esses aposentos e como as pessoas viviam neles?

Pelo que sugerem as evidências, devemos imaginar pequenos grupos de famílias nucleares, vivendo confortavelmente em edificações térreas, dotadas de instalações hidráulicas, e com acabamento requintado nos pisos e paredes. Ao que tudo indica, cada família ocupava um conjunto de aposentos no interior de um bloco maior, com corredores externos cobertos, pelos quais entrava a luz nos quartos sem janelas. É plausível supor que os blocos de aposentos abrigassem em média uma centena de pessoas, que se encontrariam rotineiramente num pátio central, que também serviria para os rituais domésticos, talvez de forma coletiva. Em quase todos esses espaços comuns havia altares no estilo padronizado de obras civis (conhecido como *tablud-tablero*), e as paredes muitas vezes exibiam murais de cores vivas. Alguns pátios tinham santuários em forma de pirâmide, indicando que essa forma arquitetônica passara a desempenhar papéis novos e menos exclusivos na cidade.[33]

Para René Millon, o arqueólogo responsável por traçar a primeira planta detalhada de Teotihuacan, o bloco de aposentos fora na verdade concebido como uma forma de habitação pública, "projetada para a vida urbana numa cidade que abrigava cada vez mais moradores e talvez estivesse à beira de uma situação caótica".[34] No princípio, todos os blocos tinham a mesma planta baixa e as mesmas dimensões, ocupando lotes de cerca de 3600 metros quadrados, embora alguns se afastassem desse esquema-padrão. Como se evitava a rígida uniformidade na disposição dos aposentos e dos pátios, na verdade cada bloco era único. Mesmo os aposentos mais modestos preservam resquícios de um modo de vida confortável, com acesso a artigos importados e a uma dieta básica de tortilhas, ovos, carne de peru e de coelho, e à bebida de aparência leitosa conhecida como *pulque* (uma bebida alcoólica fermentada a partir do agave).[35]

Em outras palavras, poucos ali passavam necessidades. Mais do que isso, muitos cidadãos desfrutavam de um padrão de vida raramente alcançado num setor tão amplo da sociedade em qualquer período da história das cidades, incluindo o nosso. Teotihuacan conseguiu alterar sua trajetória, afastando-se da monarquia e da aristocracia para se tornar uma "Tollan popular".

Mas como se deu essa transformação extraordinária? Com exceção dos estragos no Templo da Serpente Emplumada, há poucos sinais de violência.

A terra e os recursos parecem ter sido distribuídos entre os grupos familiares, que se tornaram vizinhos. Nessa cidade multiétnica, cada grupo de moradores num bloco de aposentos, formado por algo entre sessenta e cem pessoas, podia desfrutar de dois tipos de vida comunitária. Uma delas baseava-se no parentesco, com os laços familiares estendendo-se além do bloco de aposentos e às vezes até da cidade — vínculos que podiam ter implicações problemáticas, como veremos adiante. A outra estava associada mais estritamente à co-habitação em aposentos e vizinhanças, muitas vezes reforçada por ofícios artesanais compartilhados, como a confecção de vestuário ou o trabalho com obsidiana.

As duas modalidades de comunidade urbana coexistiam e preservavam uma escala humana, algo bem diferente da nossa concepção moderna do "conjunto habitacional", no qual as famílias nucleares são confinadas aos milhares em monolitos de muitos andares. Portanto, estamos de volta à questão que propusemos no princípio: o que mantinha a coesão dessa "Nova Teotihuacan", se não era uma elite hereditária ou algum outro tipo de classe dominante?

Na ausência de documentos escritos, talvez jamais seja possível reconstituir os detalhes, mas agora podemos provavelmente descartar qualquer sistema de controle de cima para baixo, em que quadros privilegiados de administradores da realeza ou sacerdotes traçavam os planos e ordenavam sua execução. É bem mais provável que a autoridade estivesse distribuída entre as assembleias locais, que responderiam a um conselho de governo. Se resta algum vestígio dessas associações comunitárias, está nos santuários distritais conhecidos como "complexos de três templos". Havia no mínimo uma vintena desses santuários distribuídos por toda a cidade, atendendo a um total de 2 mil aposentos, um para cada cem blocos residenciais.[36]

Isso poderia indicar a delegação do governo a conselhos de vizinhança, de abrangência similar à dos distritos nas cidades mesopotâmicas, ou às casas de reunião nos megassítios ucranianos discutidos no capítulo 8, ou mesmo aos *barrios* das vilas mesoamericanas posteriores. Talvez seja difícil imaginar uma cidade tão grande sendo governada dessa forma durante séculos, sem lideranças fortes ou burocracia pesada, mas, como veremos, os relatos de primeira mão sobre cidades posteriores, da época da conquista espanhola, tornam essa ideia bem mais plausível.

370

A outra face, mais fervilhante, da identidade cívica de Teotihuacan se mostra em seus murais. A despeito de esforços para vê-los como uma iconografia religiosa sombria, essas animadas cenas — pintadas nas paredes internas dos blocos de aposentos por volta de 350 d.C. — com frequência parecem bem psicodélicas.[37] Efígies fluidas emergem de aglomerações de corpos humanos, animais e vegetais, enquadrados por figuras com vestes rebuscadas, às vezes empunhando sementes e cogumelos alucinógenos; e, em cenas de multidão, topamos com figuras ingerindo flores, com arco-íris emergindo de suas cabeças.[38] Quase sempre tais cenas contêm figuras humanas do mesmo tamanho, com nenhum indivíduo avultando sobre os demais.[39]

Evidentemente, esses murais representam os teotihuacanos como eles preferiam se imaginar; a realidade social é sempre mais complexa. Escavações arqueológicas numa área da cidade conhecida como Teopancazco, ao sul do centro da cidade, mostra como essa realidade pode ser complexa. Vestígios de vida doméstica em Teopancazco, datados de cerca de 350 d.C., revelam a existência confortável de seus moradores, cujas túnicas de algodão adornadas com conchas sugerem que eles eram originalmente da Costa do Golfo e continuavam a fazer negócios com essa região. E de lá também trouxeram certos costumes, entre os quais rituais inusitadamente violentos que até agora não foram documentados em outras partes da cidade, que envolviam a captura e decapitação de inimigos estrangeiros, cujas cabeças eram guardadas e enterradas em vasos de oferendas achados dentro de habitações particulares.[40]

Ora, aqui estamos diante de algo que, obviamente, seria muito difícil conciliar com a ideia de vida comunitária em grande escala; e é exatamente isso o que queremos ressaltar. Sob a superfície da sociedade civil em Teotihuacan, deve ter havido todo tipo de tensões sociais entre grupos de formação étnica e linguística muito diferentes, e que estavam sempre chegando e saindo da cidade, consolidando relacionamentos com parceiros de comércio estrangeiros, desenvolvendo alter egos em locais remotos e, por vezes, trazendo de volta consigo essas formas de identidade. (Podemos aqui nos permitir imaginar o que aconteceria se um aventureiro teotihuacano que conseguisse ser coroado rei de Tikal voltasse para a sua cidade natal.) Por volta de 550 d.C., a estrutura social da cidade já começava a se desarticular. Não temos evidências conclusivas de uma invasão estrangeira; a desintegração parece ter ocorrido mais por motivos internos. De forma quase tão súbita quanto a que ocasionou o surgimento da cidade, cinco séculos antes, a população voltou a se dispersar, abandonando sua Tollan.[41]

A ascensão e o declínio de Teotihuacan deu início a um padrão mais ou menos cíclico de concentração e dispersão demográfica no México central, que se estendeu de 300 d.C. a 1200 d.C., até o colapso de Tula e a queda do Estado tolteca.[42] No decorrer desse período mais longo, qual foi o legado de Teotihuacan e de seu majestoso experimento urbanístico? Devemos considerar todo o episódio como um desvio passageiro, uma exceção (ainda que importante) no caminho que levou da hierarquia olmeca à aristocracia tolteca e, por fim, ao imperialismo asteca? Ou teriam os aspectos igualitários de Teotihuacan deixado um legado próprio? Poucos levaram a sério essa possibilidade, mas há boas razões para explorá-la, sobretudo quando consideramos que os primeiros relatos espanhóis sobre os planaltos mexicanos proporcionam um material extremamente sugestivo — como descrições de cidades indígenas que, aos olhos europeus, só podiam ser entendidas como repúblicas, ou mesmo como democracias.

O CASO DE TLAXCALA, UMA REPÚBLICA INDÍGENA QUE RESISTIU AO IMPÉRIO ASTECA E DEPOIS SE ALIOU AOS INVASORES ESPANHÓIS, NUMA DECISÃO FATÍDICA QUE RESULTOU DE DELIBERAÇÕES DEMOCRÁTICAS NUM PARLAMENTO URBANO (E NÃO DOS EFEITOS DESLUMBRANTES DA TECNOLOGIA EUROPEIA NAS "MENTES INDÍGENAS")

Tendo isso em mente, vejamos agora um caso bem diferente de contato cultural, mas para isso precisamos avançar no tempo até os primórdios da expansão europeia nas Américas. Trata-se da cidade-Estado indígena de Tlaxcala, próxima ao atual estado mexicano de Puebla, que desempenhou papel crucial na conquista espanhola do Império Asteca, ou Tríplice Aliança. Eis como Charles C. Mann, em seu aclamado *1491: New Revelations of the Americas before Columbus* [1491: Novas revelações sobre as Américas antes de Colombo] (2005), descreve o que aconteceu em 1519 quando Hernán Cortés chegou ao México:

> Avançando para o interior desde a costa, de início os espanhóis travaram repetidos combates com Tlaxcala, uma confederação de quatro reinos pequenos

que conseguira se manter independente a despeito das repetidas incursões da Aliança. Graças a suas armas de fogo, cavalos e lâminas metálicas, os estrangeiros venceram todas as batalhas, mesmo diante da enorme vantagem numérica dos guerreiros de Tlaxcala. Mas as forças de Cortés diminuíam a cada confronto. Ele estava prestes a perder tudo quando os quatro reis de Tlaxcala empreenderam uma repentina mudança de rota. Concluindo, a partir dos resultados das batalhas, que poderiam acabar com os espanhóis, ainda que com grandes perdas, os líderes indígenas ofereceram o que lhes pareceu um acordo em que todos sairiam ganhando: eles deixariam de atacar Cortés, poupariam sua vida e a dos espanhóis remanescentes, e também a de muito indígenas, se ele, em troca, juntasse forças com Tlaxcala para um ataque unificado contra a odiada Tríplice Aliança.[43]

Ora, há um problema elementar neste relato: não havia reis em Tlaxcala. Portanto, em nenhum sentido, é possível defini-la como uma confederação de reinos. Mas o que levou Mann a tal conclusão? Um premiado expoente do jornalismo científico, mas não um especialista na história da Mesoamérica no século XVI, Mann ficou à mercê de fontes secundárias, e é aí que começa grande parte do problema.

Sem dúvida, Mann deve ter suposto (como faria qualquer pessoa sensata) que, se Tlaxcala era algo distinto de um reino — digamos, uma república ou uma democracia, ou mesmo alguma forma de oligarquia —, então a literatura secundária estaria repleta de animados debates sobre as implicações desse fato, não só para nosso entendimento da conquista espanhola como um momento decisivo na história do mundo moderno, mas também para compreender o desenvolvimento das sociedades indígenas na Mesoamérica, ou inclusive para a teoria política em geral. Estranhamente, ele estava equivocado nessa sua suposição.[44] Como nos encontramos numa posição similar, decidimos mergulhar um pouco mais fundo. E o que descobrimos foi um tanto surpreendente, mesmo para nós. Comecemos com a comparação do relato de Mann com outro, do próprio Cortés, endereçado a seu rei, Carlos V, o imperador do Sacro Império Romano.

Em suas *Cartas e relações*, escritas entre 1519 e 1526, Cortés relata sua entrada no vale de Puebla, entre montanhas, na extremidade meridional do altiplano mexicano. Na época, o vale abrigava numerosas cidades nativas, das quais a maior era Cholula, com várias pirâmides, além da cidade de Tlaxcala.

De fato, foi nessa cidade que Cortés conseguiu aliados locais, dispostos a lutar ao seu lado, avançando primeiro contra Cholula e depois derrotando os exércitos de Moctezuma II e destruindo a capital asteca de Tenochtitlan, no vizinho vale do México. Cortés estimou a população de Tlaxcala e de sua zona rural em 150 mil habitantes. "Há um mercado nessa cidade", informou ele a Carlos v, "no qual mais de 30 mil pessoas se ocupam de compras e vendas", e a província "abrange muitos vales férteis de grande extensão, todos amanhados e semeados, sem nenhuma parte inculta e medindo cerca de noventa léguas de circunferência." E também que "a ordenação de governo até aqui observada entre o povo assemelha-se muito às repúblicas de Veneza, Gênova e Pisa, pois não há um senhor supremo".[45]

Cortés era um fidalgo menor de uma região da Espanha onde até mesmo os conselhos municipais ainda eram uma novidade; seria possível argumentar que tinha pouco conhecimento efetivo das repúblicas e, por isso, dificilmente era o juiz mais confiável nessas questões. Talvez. Mas em 1519 já acumulara bastante experiência na identificação de soberanos mesoamericanos a fim de recrutá-los ou neutralizá-los, pois em grande parte era o que vinha fazendo desde que desembarcara no continente. Em Tlaxcala, não reconheceu nenhum rei. Em vez disso, após o confronto inicial com os guerreiros tlaxcaltecas, viu-se em negociações com os representantes de um conselho popular urbano, cujas decisões eram todas ratificadas de forma coletiva. É aqui que as coisas começam a ficar bem estranhas no que se refere ao modo como a história desses eventos chegou até nós.

Vale a pena enfatizar mais uma vez que estamos lidando aqui com o que, na maioria das estimativas, constitui um dos episódios decisivos da história do mundo moderno: os acontecimentos que conduziram diretamente à conquista espanhola do Império Asteca, que serviram de modelo para as conquistas subsequentes dos europeus por todo o continente americano. Estamos supondo que ninguém — nem mesmo o mais ardoroso defensor da força do progresso tecnológico, ou de "armas, germes e aço" — chegaria ao ponto de alegar que menos de mil espanhóis poderiam ter conquistado Tenochtitlan (uma cidade extremamente organizada, com uma área de treze quilômetros quadrados e uma população de 250 mil pessoas) sem a ajuda dos aliados indígenas, entre os quais cerca de 20 mil guerreiros de Tlaxcala. Assim, para entendermos o que de fato ocorreu, é essencial saber por que os tlaxcaltecas decidiram se juntar a Cortés, e como — com uma população de dezenas de milhares e sem governantes — eles chegaram a essa decisão.

Quanto ao motivo, as fontes são claras. Os tlaxcaltecas queriam vingança. Da perspectiva deles, uma aliança com Cortés poderia pôr um fim vantajoso a seus confrontos com a Tríplice Aliança asteca, e às chamadas "Guerras Floridas" entre o vale de Puebla e o do México.[46] Como sempre, a maioria de nossas fontes reflete a perspectiva das elites astecas, que preferiam retratar a longa resistência de Tlaxcala a sua opressão imperial como algo entre um jogo e uma tolerância de sua parte (eram eles que permitiam aos tlaxcaltecos continuarem independentes, garantiram os astecas mais tarde aos conquistadores espanhóis, pois, afinal, seus guerreiros precisavam de adversários para treinar, e seus sacerdotes necessitavam de vítimas humanas para sacrificar aos deuses e assim por diante). Mas isso não passava de bravata. Na realidade, Tlaxcala e as unidades de guerrilha otomí vinham resistindo com êxito aos astecas durante gerações. E a resistência não era apenas militar. Os tlaxcaltecas cultivavam um etos cívico que impedia o surgimento de líderes ambiciosos, e portanto de chefes que poderiam se vender ao inimigo — um contraponto aos princípios de governo astecas.

E aqui chegamos à questão crucial.

Em termos políticos, a capital asteca de Tenochtitlan e a cidade-Estado de Tlaxcala encarnavam ideais opostos (assim como, digamos, Esparta e Atenas na Grécia antiga). Entretanto, conhecemos pouco dessa história, devido aos termos do relato da conquista a que estamos acostumados. A começar por Alfred Crosby e Jared Diamond,[47] os autores dessa linha reiteradamente enfatizavam que os conquistadores tinham algo parecido como um destino manifesto. Não o tipo de destino preordenado pelos deuses que eles próprios imaginavam para si, mas a força irreprimível de um exército invisível de micróbios do Velho Mundo neolítico, marchando ao lado dos espanhóis e desencadeando ondas de varíola para dizimar as populações indígenas, além de um legado da Idade do Bronze sob a forma de armas de ferro e de fogo, e cavalos para assustar e atemorizar os impotentes nativos.

Gostamos de dizer a nós mesmos que os europeus levaram para a América não só esses agentes de destruição, mas também a democracia industrial moderna, cujos ingredientes nem de longe ali se encontravam, nem mesmo em forma embrionária. Tudo isso supostamente fazia parte de um único pacote cultural: metalurgia avançada, veículos de tração animal, sistemas de escrita alfabética e certa inclinação ao livre-pensamento que se considera necessária para o avanço tecnológico. Já os "nativos" viveriam numa espécie de universo alternativo e quase místico. Não poderiam, por definição, discutir sobre constituições políticas ou empenhar-se em processos deliberativos e tomar decisões que mudariam o curso da história mundial; e, se os observadores europeus relatam que fizeram isso, então devem estar enganados ou apenas projetando sobre os "índios" suas próprias ideias sobre a governança democrática, mesmo quando mal eram postas em prática até mesmo na Europa.

Como vimos, essa leitura da história seria muito estranha para os filósofos iluministas, que eram mais propensos a considerar que seus ideais de liberdade e igualdade deviam muito aos povos do Novo Mundo e não estavam certos de que fossem compatíveis com o progresso industrial. Estamos lidando, de novo, com poderosos mitos modernos, que não apenas moldam o que as pessoas dizem: em medida ainda maior, asseguram que certas coisas passem despercebidas. Algumas das fontes primárias sobre Tlaxcala sequer foram traduzidas, e os novos dados que surgiram nos últimos anos ainda permanecem restritos a círculos especializados. Vejamos se é possível agora remediar essa situação.

Como, exatamente, os tlaxcaltecas chegaram à decisão de se aliarem a Cortés no campo de batalha, assegurando a vitória dos espanhóis contra o Império Asteca? Sem dúvida tratava-se de uma questão complexa e profundamente divisiva (como foi também em outras cidades no vale de Puebla: em Cholula, por exemplo, o mesmo dilema provocou uma ruptura entre os líderes de seis *calpolli* — zonas urbanas —, e três deles tomaram os outros como reféns, o que os levou a buscarem refúgio em Tlaxcala).[48] Na própria Tlaxcala, contudo, o processo decisório assumiu uma forma muito diversa.

Alguns dos indícios encontram-se na famosa *Historia verdadeira da conquista da Nova Espanha* (1568), de Bernal Díaz, que contém longos trechos sobre a interação dos espanhóis com os guerreiros e emissários de Tlaxcala. Outra fonte muito usada é um códice ilustrado conhecido como *Historia de Tlaxcala* (1585), do historiador mestiço Diego Muñoz Camargo. E também há relatos importantes do frei franciscano Toribio de Benavente. Porém, a fonte mais detalhada — e em nossa opinião a mais decisiva — é um livro raramente citado e, na verdade, quase nunca lido, ao menos por historiadores (embora especialistas no humanismo renascentista por vezes tratem de seu estilo literário). Estamos falando da inconclusa *Crónica de la Nueva España*, composta entre 1558 e 1563 por Francisco Cervantes de Salazar, um dos primeiros reitores da Universidade do México.[49]

Cervantes de Salazar nasceu por volta de 1515 na cidade espanhola de Toledo e estudou na prestigiosa Universidade de Salamanca, onde ninguém o superava em termos de reputação acadêmica. Depois de passar um tempo em Flandres, tornou-se secretário do arcebispo de Sevilha, o que lhe abriu as portas da corte de Carlos v, onde ouviu Hernán Cortés narrar suas experiências no Novo Mundo. O jovem e talentoso estudioso passou a ser um seguidor de Cortés e, poucos anos após a morte deste, em 1547, Cervantes de Salazar embarcou para o México. Ao chegar, lecionou latim no local onde vivia o filho e herdeiro de Cortés, mas logo se destacou na recém-fundada universidade, ao mesmo tempo que se ordenava sacerdote. Pelo resto da vida, tentaria conciliar os deveres eclesiásticos e acadêmicos, com êxito apenas relativo.

Em 1558, a municipalidade do México, composta sobretudo pelos conquistadores originais ou seus descendentes, estava suficientemente impressionada com a capacidade acadêmica de Cervantes de Salazar para satisfazer seu maior desejo: um estipêndio anual de duzentos pesos de ouro para que se dedicasse à composição de uma história geral da Nova Espanha, tratando sobretudo dos temas da descoberta e da conquista. Além desse apoio substancial, dois anos depois Cervantes de Salazar (que já começara a escrever a história) recebeu outra subvenção, dessa vez especificamente destinada a financiar pesquisas de campo. Nessa época, deve ter visitado Tlaxcala a fim de colher valiosas evidências históricas diretamente com os caciques que haviam testemunhado a conquista e com seus descendentes diretos.[50]

A municipalidade parece ter mantido sob rédeas curtas seu cronista oficial, exigindo que a cada três meses desse conta do andamento da obra. O último desses textos foi enviado em 1563, mas nessa época, a despeito de seus esforços, ele se envolveu numa amarga disputa eclesiástica que o indispôs ao inquisidor-mor, o poderoso Pedro Moya de Contreras. Nesses anos difíceis, Cervantes de Salazar viu Martín Cortés e muitos de seus colaboradores mais próximos serem presos, torturados ou exilados como rebeldes contrários à Coroa espanhola. Cervantes de Salazar conseguiu escapar a esse destino, mas teve sua reputação abalada, e até hoje é muitas vezes tido como uma fonte acadêmica menor em comparação, por exemplo, com Bernardino de Sahagún. No fim, porém, as obras dos dois estudiosos teriam destino similar: seguiram para as mãos dos conselhos imperiais e da Inquisição na Espanha a fim de passarem pela censura obrigatória de questões relativas a "práticas idólatras" (mas não, aparentemente, de questões de política indígena), sem que ao final seus originais ou cópias deles entrassem em circulação.[51]

Como consequência, durante séculos, a *Crónica* de Cervantes de Salazar permaneceu na prática oculta à vista de todos.[52] Graças sobretudo aos esforços extraordinários de Zelia Maria Magdalena Nuttall (1857-1933) — arqueóloga pioneira, antropóloga e descobridora de códices perdidos — devemos não só a redescoberta da inacabada *Crónica de la Nueva España* de Cervantes de Salazar, identificada na Biblioteca Nacional de Madri em 1911, mas também quase todas as informações que temos a respeito da vida de seu autor e das circunstâncias da composição da obra, que Nuttall extraiu dos arquivos do conselho municipal na Cidade do México, dando-se conta, assombrada, de que historiadores menos cuidadosos que lá passaram não haviam encontrado nada de interessante. Somente em 1914 a *Crónica* foi publicada. E até hoje ainda não há uma introdução crítica ou um comentário para guiar os leitores através de sua prosa do século XVI, ou para ressaltar sua importância como registro das questões políticas numa cidade indígena da Mesoamérica.[53]

Os críticos enfatizaram que Cervantes de Salazar escreveu décadas após os acontecimentos descritos, baseando sua crônica em relatos anteriores — mas isso também pode ser dito de outras fontes importantes para o estudo da conquista espanhola. Também notaram que ele não era um etnógrafo dos mais competentes, ao contrário de Sahagún, por exemplo, tendo mais familiaridade com as obras de Horácio e Tito Lívio do que com as tradições indígenas do México. Tudo isso pode ser verdade, assim como ninguém nega que a tradição literária então predominante recorria sem hesitar a exemplos gregos e sobretudo romanos. Mas a *Crónica* não é de forma nenhuma uma espécie de projeção da formação clássica de seu autor. Contém detalhadas descrições de figuras e instituições indígenas da época da invasão espanhola que não se assemelham em nada a quaisquer fontes clássicas e, em muitos casos, são corroboradas por relatos de primeira mão. O que não se encontra nesses outros relatos são os detalhes proporcionados por Cervantes de Salazar.

De especial interesse para nós são os longos trechos da *Crónica* que tratam diretamente do conselho governante de Tlaxcala e de suas deliberações quanto à conveniência de uma aliança com os espanhóis. Encontram-se aí extensos relatos dos discursos e dos presentes diplomáticos trocados pelos representantes dos espanhóis e seus congêneres tlaxcaltecos, cujos dons oratórios despertaram muita admiração nessas tratativas. De acordo com Cervantes de Salazar, entre os que falaram por Tlaxcala havia estadistas anciãos de destaque — como Xicotencatl, o Velho, pai do comandante militar de mesmo nome que até hoje é uma celebridade no estado de Tlaxcala[54] —, mas também mercadores experientes, autoridades religiosas e os principais juristas locais. Salazar não descreve nesses trechos extraordinários o funcionamento de uma corte real, mas sim de um tarimbado parlamento urbano, que tomava decisões por consenso depois de argumentações ponderadas e deliberações prolongadas — que se estendiam, quando preciso, até mesmo por semanas.

As passagens mais relevantes estão no Livro 3 da *Crónica*. Cortés ainda está acampado fora da cidade com aliados seus recentes, os totonacas. Emissários vão e voltam entre os espanhóis e o conselho municipal (*Ayuntamiento*) de Tlaxcala, onde começam as deliberações. Depois de muitas saudações de boas-vindas e beija-mãos, um líder chamado Maxixcatzin — renomado por sua "grande prudência e conversa afável" — dá início às discussões com um apelo eloquente para que os tlaxcaltecas sigam sua orientação (na verdade, que sigam o que fora ordenado pelos deuses e ancestrais) e se aliem a Cortés na luta contra seus inimigos em comum, os astecas opressores. Sua argumentação é bem recebida no conselho, mas Xicotencatl, o Velho, na época com cerca de cem anos e quase cego, intervém.

Segue-se um capítulo reproduzindo "o valoroso discurso pronunciado por Xicotencatl em contraposição a Maxixcatzin". Nada, ressalta ele diante do conselho, é mais difícil de resistir do que um "inimigo interno", no qual provavelmente os recém-chegados vão se transformar caso sejam acolhidos na cidade. Por que motivo, pergunta Xicotencatl:

> Maxixcatzin considera divinas essas pessoas, que mais parecem monstros vorazes vomitados pelo mar inclemente para nos arruinar, locupletando-se de ouro, prata, pedras preciosas e pérolas, dormindo sem tirar a roupa, e, em geral, agindo como o fazem aqueles que um dia serão senhores cruéis [...]. Não há galinhas,

coelhos ou milharais em toda a terra que satisfaçam seus apetites insaciáveis, ou os apetites de seus "cervos" [os cavalos espanhóis] esfaimados. Por que motivo nós — que vivemos sem servidão, e nunca reconhecemos um rei — vamos derramar nosso sangue, apenas para sermos escravizados?[55]

Os membros do conselho, relata Salazar, foram afetados pelas palavras de Xicotencatl: "começou um murmúrio entre eles, que falavam uns com os outros, e as vozes se ergueram, cada qual expondo o que sentia". O conselho estava dividido. O que aconteceu em seguida seria reconhecido por qualquer um que já participou de um processo para chegar a uma decisão consensual: quando o desacordo é maior, em vez de propor uma votação, alguém sugere uma síntese criativa. Temilotecutl — um dos quatro magistrados supremos da cidade — apresentou então um plano engenhoso. A fim de satisfazer ambos os lados do debate, Cortés seria convidado a entrar na cidade, mas, assim que cruzasse o limite do território tlaxcalteco, o principal general da cidade, Xicotencatl, o Jovem, surpreenderia os espanhóis numa emboscada, ajudado por um contingente de guerreiros otomís. Se a emboscada fosse bem-sucedida, eles seriam heróis; se fracassasse, poderiam colocar a culpa nos rudes e impulsivos otomís, pedir desculpas e se aliar com os invasores.

Não é preciso repassar aqui os eventos que levaram à aliança entre Tlaxcala e Cortés;[56] já dissemos o suficiente para que o leitor tenha uma ideia de nossas fontes sobre a democracia de Tlaxcala, e a destreza de seus políticos em debates argumentativos. Relatos assim não foram bem aproveitados pelos historiadores modernos. Poucos chegariam ao ponto de argumentar que o relatado por Salazar nunca ocorreu de fato, ou que era apenas a reprodução de uma cena na antiga ágora grega ou no senado romano, colocada na boca dos "índios". Porém, nas raras ocasiões em que a *Crónica* é considerada pelos estudiosos atuais, eles ressaltam mais sua contribuição para o gênero literário dos primórdios do humanismo católico do que seu papel como fonte de informações históricas sobre formas de governo indígenas — assim como os comentadores dos escritos de Lahontan nunca se preocupam com o que Kondiaronk poderia de fato ter argumentado, mas insistem na possibilidade de que algumas dessas passagens teriam sido inspiradas por satiristas gregos como Luciano.[57]

Há um esnobismo sutil em atuação aqui. Não se trata tanto de alguém negar que os relatos de tomadas de decisão deliberativas reflitam a realidade histórica, mas sim de que ninguém considera esse fato particularmente interessante. O que desperta o interesse dos historiadores sempre é a relação desses relatos com as tradições textuais europeias, ou com as expectativas dos europeus. Algo bem similar ocorre com o tratamento de textos posteriores sobre Tlaxcala: existem registros escritos detalhados das sessões de seu conselho municipal nas décadas subsequentes à conquista espanhola, as *Atas de Tlaxcala*, que comprovam tanto a habilidade retórica dos políticos indígenas como a facilidade que demonstravam nos processos de tomada de decisão por consenso e debates argumentativos.[58]

Era de se imaginar que tudo isso fosse de interesse dos historiadores. No entanto, o que de fato lhes parece digno de discussão é até que ponto as práticas democráticas mencionadas nos textos poderiam ser uma forma de adaptação quase milagrosa, por parte dos astutos "índios", às expectativas políticas de seus senhores europeus — em suma, algum tipo de rebuscada encenação.[59] Não está claro o motivo para esses historiadores acharem que um grupo de frades, aristocratas menores e soldados espanhóis do século XVI pudesse saber alguma coisa a respeito de procedimentos democráticos (ou de ficarem impressionados com isso) — afinal, a opinião então corrente dos letrados europeus era quase toda antidemocrática. Se alguém aprendeu algo novo desse contato, com certeza foram os espanhóis.

No atual ambiente intelectual, a sugestão de que os tlaxcaltecas não passavam de cínicos ou de vítimas é considerada um pouco perigosa, pois abre o flanco para acusações de romantismo ingênuo.[60] De fato, hoje quase toda tentativa de sugerir que os europeus aprenderam algo relevante em termos morais ou sociais com os povos nativos americanos provavelmente desperta desde leves zombarias, passando por acusações de apreço pelo tema do "bom selvagem", até, por vezes, condenações quase histéricas.[61]

No entanto, é possível argumentar que as deliberações mencionadas em fontes espanholas são exatamente o que parecem ser: um vislumbre do funcionamento do governo coletivo indígena. E, se tais deliberações apresentam uma semelhança superficial com os debates registrados em Tucídides ou Xenofonte, isso ocorre porque, bem, na realidade não existem tantas formas assim de conduzir um debate político. Pelo menos uma das fontes espanholas nos proporciona uma confirmação explícita nesse sentido. Aqui recorremos ao frei Toribio de Benavente, chamado pelos locais de Motolinía (o "atormentado") por causa de sua aparência andrajosa, um apelido que ele parece ter carregado de bom grado. É a Motolinía e a suas fontes tlaxcaltecas — entre as quais está Antonio Xicotencatl, provavelmente neto de Xicotencatl, o Velho — que devemos a *História de los Indios de la Nueva España* (1541).[62]

Motolinía confirma a observação inicial de Cortés de que Tlaxcala era de fato uma república indígena, que não era governada por um rei nem por dignitários que se revezavam (como em Cholula), mas por um conselho eleito (*teuctli*) que prestava contas à totalidade dos cidadãos. Não sabemos ao certo quantas pessoas faziam parte do conselho supremo de Tlaxcala: segundo as fontes espanholas, algo entre cinquenta e duzentos membros. Talvez o número variasse conforme a questão a ser discutida. Infelizmente, Motolinía tampouco detalha como esses indivíduos eram escolhidos, ou quem era elegível (em outras cidades no vale de Puebla, mesmo aquelas com uma realeza, os encarregados se revezavam entre os representantes das *calpolli*). Por outro lado, o relato de Motolinía é esclarecedor quanto aos modos de formação política em Tlaxcala.

Em vez de serem obrigados a demonstrar carisma pessoal ou capacidade de superar os rivais, exigia-se dos que aspiravam a um papel no conselho de Tlaxcala um espírito de autodepreciação — e até mesmo de auto-humilhação. O que se esperava, enfim, é que se colocassem a serviço dos moradores da cidade. Para garantir que a submissão não era fingida, cada novo candidato tinha de passar por provações — a começar pela exposição compulsória a injúrias públicas, consideradas a recompensa adequada à ambição, e depois, com o ego já esfrangalhado, passar por um longo período de isolamento, durante o qual o aspirante a político tinha de se submeter a outras provas, como ficar sem comer e sem dormir, sofrer sangrias e passar por um regime estrito de instrução moral. A iniciação era concluída com uma apresentação do servidor público recém-formado, em meio a banquetes e celebrações.[63]

Evidentemente, o exercício de funções públicas nessa democracia indígena exigia traços de personalidade muito diferentes daqueles que consideramos normais na política eleitoral moderna. Sobre isso, vale lembrar que os gregos antigos estavam bem cientes de que, nas eleições, havia uma tendência ao surgimento de líderes carismáticos com pretensões tirânicas — por isso é que consideravam as eleições como um modo aristocrático de nomeação política, inconciliável com os princípios democráticos, e também por que, duran-

382

te grande parte da história europeia, considerava-se o sorteio como a forma verdadeiramente democrática de preenchimento dos cargos públicos.

Embora Cortés tenha elogiado Tlaxcala como uma Arcádia agrária e mercantil, explica Motolinía, quando os habitantes da cidade expressavam seus próprios valores políticos, referiam-se a eles como originários do deserto. Assim como outros povos de língua náhuatl, entre os quais estavam os astecas, os tlaxcaltecas afirmavam com orgulho ser descendentes dos chichimecas, tidos como os caçadores-coletores originais, que viviam asceticamente em desertos e florestas, morando em barracas primitivas, ignorando a vida aldeã ou citadina, rejeitando o milho e os alimentos cozidos, desprovidos de vestimentas ou de religião organizada, e sobrevivendo apenas com o que lhes oferecia a natureza.[64] As provações suportadas pelos aspirantes a conselheiros de Tlaxcala eram lembretes da necessidade de cultivar as virtudes chichimecas (que mais tarde seriam contrapostas às virtudes toltecas dos guerreiros urbanos; o ponto de equilíbrio exato entre ambas foi motivo de muita discussão entre os tlaxcaltecas).

Se tudo isso soa um pouco familiar, impõe-se a pergunta do motivo para tanto. Os frades espanhóis sem dúvida ouviram, nesses temas do Velho Mundo sobre as virtudes republicanas, ecos daquele mesmo veio atávico que vai dos profetas bíblicos até Ibn Khaldun, para não mencionar sua própria ética de renúncia ao mundo. As correspondências são tão exatas que até nos perguntamos se, nesse caso de autoetnografia, os tlaxcaltecas não se apresentaram aos espanhóis em termos que seriam de imediato reconhecidos e compreendidos. Certamente sabemos que os cidadãos de Tlaxcala encenaram extraordinários espetáculos teatrais em benefício de seus conquistadores, entre os quais, em 1539, um cortejo tendo como tema a *Conquista de Jerusalém* pelos cruzados, cujo clímax era um batismo coletivo de (verdadeiros) pagãos vestidos como mouros.[65]

Os observadores espanhóis podem até mesmo ter aprendido com fontes tlaxcaltecas ou astecas o que significa ter sido um "bom selvagem". Tampouco podemos descartar a possibilidade de as ideias autóctones mexicanas sobre o assunto terem se mesclado às correntes mais amplas do pensamento político europeu que somente ganhariam força na época de Rousseau, cujo Estado de Natureza reflete com alarmante fidelidade o relato sobre os chichimecas no livro de Motolinía, mencionando inclusive as "choças primitivas" nas quais supostamente teriam vivido. Talvez algumas das sementes de nossa própria história evolutiva, na qual tudo começa com caçadores-coletores simples e igualitários, tenham sido lançadas ali, na imaginação de ameríndios que viviam em cidades.

Mas estamos divagando.

Em meio a esse posicionamento mútuo, o que podemos concluir a respeito da constituição política de Tlaxcala na época da conquista espanhola? Era de fato uma democracia urbana? E, em caso afirmativo, quantas outras democracias similares poderiam ter existido na América pré-colombiana? Ou estamos diante de uma miragem, de uma evocação estratégica da "comunidade ideal" em benefício de uma audiência receptiva de frades milenaristas? Estavam presentes e atuantes ao mesmo tempo os elementos históricos e miméticos?

Se levarmos em conta apenas as fontes escritas, sempre vai haver espaço para dúvidas; no entanto, os arqueólogos confirmam que no século XIV d.C. a cidade de Tlaxcala estava de fato organizada de forma bem diferente de Tenochtitlan. Não restaram sinais de um palácio ou templo central, e tampouco de uma grande quadra de jogo de bola (um cenário importante, cabe lembrar, para o ritual da realeza em outras cidades mesoamericanas). Em vez disso, os levantamentos arqueológicos revelam uma paisagem urbana quase toda composta de residências de boa qualidade para os cidadãos, construídas de forma padronizada em torno de mais de vinte praças locais, situadas sobre imponentes terraços elevados. As maiores assembleias municipais ocorriam num complexo cívico chamado de Tizatlan, que ficava fora da cidade, com grandes portais que davam acesso aos espaços para reuniões públicas.[66]

As pesquisas arqueológicas modernas, portanto, confirmam a existência de uma república indígena em Tlaxcala muito antes de Cortés desembarcar em solo mexicano, e fontes escritas posteriores também nos deixam com poucas dúvidas a respeito de suas credenciais democráticas. Os contrastes com outras cidades mesoamericanas da mesma época são notáveis — embora seja o caso de lembrar que Atenas, no século V a.C., também era uma exceção, rodeada por pequenos reinos e oligarquias. Tampouco esses contrastes devem ser exagerados. O que vimos neste capítulo é que as tradições políticas de Tlaxcala não são uma anomalia, mas fazem parte da mesma corrente ampla de desenvolvimento urbano que pode se estender, em linhas gerais, até os experimentos de bem-estar social realizados um milênio antes em Teotihuacan.

A despeito das reivindicações astecas a um relacionamento especial com a cidade abandonada, Tlaxcala era tão parte de seu legado quanto Tenochtitlan — e, nos aspectos mais significativos, ainda mais.

Afinal, foram os governantes astecas de Tenochtitlan que acabaram rompendo com a tradição ao criarem um império predatório que, de certo modo, era mais próximo dos modelos políticos europeus predominantes na época — aquilo que depois veio a ser chamado de "Estado". No próximo capítulo, vamos dar meia-volta e reconsiderar esse termo. O que precisamente é um Estado? Trata-se de fato de uma etapa inteiramente nova da história humana? Esse termo ainda tem alguma utilidade hoje?

10. Por que o Estado não tem origem

Os modestos primórdios da soberania,
da burocracia e da política

A questão da "origem do Estado" é quase tão antiga, e desperta tanta polêmica, quanto a busca da "origem da desigualdade social" — e, em muitos aspectos, está igualmente condenada ao fracasso. Hoje existe um consenso de que quase todo mundo vive sob a autoridade de um Estado; da mesma forma, há um sentimento generalizado de que entidades políticas do passado como o Egito faraônico, a China dos Shang, o Império Inca e o reino do Benim podem ser considerados Estados — ou, no mínimo, "Estados incipientes". Porém, uma vez que não há entendimento entre os teóricos sociais sobre o que é de fato um Estado, resta o problema de chegar a uma definição que abarque todos esses casos, mas que não seja tão ampla a ponto de perder todo o sentido. Surpreendentemente, trata-se de uma tarefa que se revelou dificílima.

O termo "Estado" somente se tornou corrente no final do século XVI, quando foi cunhado pelo jurista francês Jean Bodin, que também é autor, entre muitas outras obras, de um influente tratado sobre bruxaria, lobisomens e a história das feiticeiras. (Ele também é lembrado hoje por seu acentuado ódio pelas mulheres.) Porém, talvez o primeiro a tentar uma definição sistemática tenha sido o filósofo alemão Rudolf von Ihering, que no fim do século XIX propôs que o termo "Estado" fosse aplicado a qualquer instituição que reivindicasse o monopólio do uso legítimo da força coercitiva no âmbito de um determinado território (tal definição acabou mais tarde associada ao sociólogo Max Weber). Por essa definição, um governo é um "Estado" caso reivindique para si determinada área territorial e afirme que, no interior de seus limites, é a única instituição cujos agentes podem matar, espancar, mutilar e encarcerar pessoas; ou, como enfatizou Von Ihering, a única instituição que pode decidir quem mais pode fazer tudo isso em seu nome.

Essa definição serviu razoavelmente bem para os Estados modernos. No entanto, logo ficou evidente que, na maior parte da história, os governantes não faziam reivindicações tão grandiosas — ou, caso fizessem, sua afirmação do monopólio da força coercitiva tinha quase o mesmo status das alegações de que controlavam as marés ou as condições climáticas. Se quisermos usar a definição de Von Ihering e Weber, seria preciso concluir que, por exemplo, a Babilônia de Hamurabi, a Atenas de Sócrates ou a Inglaterra sob Guilherme, o Conquistador, não eram Estados — ou então adotar uma definição mais flexível e matizada. Foi isso o que fizeram os marxistas, para quem os Estados teriam surgido a fim de assegurar o poder de uma classe dominante emergente. Segundo essa linha de argumentação, assim que passasse a viver do trabalho alheio, um grupo de pessoas teria necessariamente de criar uma estrutura de governo, em tese para garantir o direito de propriedade, mas na realidade para preservar suas vantagens (uma linha de pensamento que não se afastava muito da tradição iniciada por Rousseau). Essa definição permitia a inclusão da Babilônia, de Atenas e da Inglaterra medieval, mas por outro lado introduzia novos problemas conceituais, como o de definir o conceito de exploração. Além disso, era pouco palatável para os liberais, pois excluía a possibilidade de o Estado algum dia se tornar uma instituição benevolente.

Durante grande parte do século XX, os cientistas sociais preferiram definir o Estado em termos estritamente funcionais. À medida que a sociedade se tornava mais complexa, argumentavam eles, surgiu a necessidade de criar estruturas de comando de cima para baixo a fim de coordenar todas as atividades. Na prática, essa mesma lógica continua a ser adotada pela maioria dos teóricos contemporâneos da evolução social. As evidências de "complexidade social" são logo tratadas como indícios da existência de algum tipo de estrutura governamental. Se podemos falar, por exemplo, de uma hierarquia dos assentamentos com quatro níveis (ou seja, cidade, vila, aldeia, arraial), e se ao menos alguns também abrigavam trabalhadores especializados em tempo integral (ceramistas, ferreiros, monges e monjas, soldados ou músicos profissionais), então qualquer entidade que os administrasse devia ser *ipso facto* um Estado. E, mesmo se esta entidade não reivindicasse o monopólio da força nem sustentasse uma elite dependente da exploração de trabalhadores desafortunados, isso inevitavelmente ocorreria mais cedo ou mais tarde. Essa definição tem suas vantagens, sobretudo quando se especula sobre sociedades muito antigas, cujas características e organização somente são vislumbradas a partir de resquícios fragmentários; no entanto, está baseada numa lógica circular. Basicamente, apenas afirma que, uma vez que os Estados são complexos, qualquer ordenação social complexa deve ser um Estado.

Na realidade, quase todas as formulações teóricas "clássicas" do século passado partiram deste pressuposto: o de que toda sociedade grande e complexa necessariamente requer um Estado. A questão crucial é: por quê? Por motivos práticos e palpáveis? Ou porque qualquer sociedade desse tipo necessariamente produz um material excedente, e se existe um excedente — como, por exemplo, todo aquele peixe defumado na Costa Noroeste do Pacífico — então haveria também, necessariamente, pessoas se apropriando de uma parcela desproporcional?

Como vimos no capítulo 8, tais suposições não se aplicam muito bem às primeiras cidades. A Uruk inicial, por exemplo, não parece ter sido um "Estado" em nenhuma acepção válida da palavra; além disso, quando um governo de cima para baixo surge na região da antiga Mesopotâmia, não é nas metrópoles "complexas" das terras baixas, mas entre as pequenas e "heroicas" sociedades nos sopés das montanhas ao redor, sociedades que tinham ojeriza ao próprio princípio de administração e, por isso, também não poderiam ser caracterizadas como "Estados". Um bom paralelo etnográfico para esses grupos seriam as sociedades da Costa Noroeste, pois lá também a liderança política estava nas mãos de uma aristocracia de guerreiros fanfarrões e vaidosos, empenhados em extravagantes disputas por títulos, tesouros, pelo apoio da população comum e pela propriedade de cativos escravizados. Cabe relembrar aqui que os haidas, os tlingits e outros não só careciam de algo que pudesse ser chamado de estrutura estatal, como sequer contavam com instituições formais de governo.[1]

É possível, portanto, argumentar que os "Estados" surgiram originalmente quando se mesclaram duas formas de governança: a burocrática e a

388

heroica. Embora seja uma posição defensável, seria o caso de perguntar se isso tem de fato alguma relevância. Se existe a possibilidade de haver monarcas, aristocracias, escravidão e formas extremas de domínio patriarcal mesmo sem um Estado (como evidentemente era o caso), e manter sistemas de irrigação complexos ou desenvolver a ciência e a filosofia abstrata sem um Estado (como também parece plausível), então o que aprendemos com a história ao afirmarmos que uma entidade política pode ser chamada de "Estado", ao passo que outra não pode? Não existem questões mais interessantes e importantes com que nos preocupar?

Neste capítulo exploraremos a possibilidade de que existam, sim, questões mais interessantes e importantes. Como seria a história se o problema fosse encarado a partir de uma nova perspectiva — em vez de supormos que deve haver uma profunda semelhança entre os governos, por exemplo, do Egito antigo e da Grã-Bretanha moderna, e que nossa tarefa, portanto, seria descobrir exatamente em que consiste essa semelhança. Não resta dúvida de que, na maioria das áreas em que apareceram as cidades, também acabaram por surgir reinos e impérios poderosos. O que tinham em comum? Havia de fato algo em comum entre as duas coisas? O que seu aparecimento nos revela sobre a história da liberdade e da igualdade humanas, ou de sua ausência? De que forma assinalam um rompimento fundamental com o que havia anteriormente?

UMA TEORIA SOBRE AS TRÊS FORMAS ELEMENTARES DE DOMINAÇÃO, E SUAS IMPLICAÇÕES PARA A HISTÓRIA HUMANA

A melhor maneira de seguirmos adiante é por meio de um retorno aos princípios básicos. Já falamos sobre formas de liberdade fundamentais, até mesmo primárias: a liberdade de ir e vir; a liberdade de desobedecer a ordens; a liberdade de reordenar as relações sociais. Podemos então falar sobre as formas elementares de dominação?

Vale lembrar que Rousseau, em seu famoso experimento mental, intuiu que tudo remontava à propriedade privada e, em especial, à propriedade da terra: no terrível momento em que, pela primeira vez, um homem ergueu uma cerca e disse "Esta terra é minha, e de ninguém mais", todas as formas subsequentes de dominação — e, portanto, todas as catástrofes subsequentes — tornaram-se inevitáveis. Como se viu, essa obsessão com os direitos de propriedade como fundamento da sociedade e como base do poder social é um fenômeno especificamente ocidental — na verdade, se o "Ocidente" tem algum significado, deve estar associado a uma tradição jurídica e intelectual que concebe a sociedade nesses termos. Portanto, para iniciar um experimento mental um pouco diferente, talvez seja conveniente partirmos daqui. O que de fato queremos dizer ao afirmar que o poder de uma aristocracia feudal, de uma elite fundiária ou de senhorios distantes é "baseado na terra"?

Muitas vezes recorremos a essas expressões como uma forma de contornar abstrações insubstanciais ou pretensões nobres e enfrentar a realidade material pura e simples. Por exemplo, os dois principais partidos políticos na Inglaterra do século XIX, os liberais e os conservadores, gostavam de se apresentar como proponentes de ideias: uma concepção liberal de livre-mercado contraposta a uma certa noção de tradição. Um materialista histórico poderia objetar que, na realidade, os liberais representavam os interesses das classes mercantis, e os conservadores, os proprietários fundiários. E estaria certo; não há como negar isso. O que se pode questionar, contudo, é a premissa de que a propriedade "fundiária" (ou outra forma dela) seja apenas material. Sem dúvida, a terra, as pedras, o relvado, as cercas vivas, as construções e os celeiros são todas coisas inequivocamente materiais; no entanto, quando alguém fala de "propriedade fundiária", na verdade está se referindo à reivindicação por parte de um indivíduo ao acesso e ao controle exclusivos de toda a terra, do relvado, das cercas vivas etc. nos limites de um determinado terreno. Na prática, isso significa o direito de impedir que o terreno seja ocupado por qualquer outro indivíduo. Nesse sentido, a terra pertence a alguém se não houver ninguém disposto a contestar essa reivindicação, ou se o proprietário tiver a capacidade de reunir pessoas armadas para ameaçar ou atacar quem o contestar, ou simplesmente quem ocupar a terra e se recusar a sair. Mesmo se você atirar pessoalmente nos invasores, ainda assim é preciso que outros concordem que você tem o direito de fazer isso. Em outras palavras, a "propriedade fundiária" não é o terreno, as pedras ou o relvado, mas um entendimento jurídico, sustentado por uma mescla sutil de moralidade e ameaça de violência. Na verdade, a propriedade da terra ilustra perfeitamente a lógica do que Rudolf von Ihering chamou de monopólio da violência em determinado território pelo Estado — com uma diferença de escala, pois cada propriedade fundiária é bem menor do que um Estado nacional.

Talvez tudo isso pareça um tanto abstrato, mas não passa de uma descrição do que ocorre na prática, como bem sabe qualquer um que já tentou se instalar num terreno alheio, ocupar um prédio ou até derrubar um governo. No fim, todos sabem que a questão se resume a alguém dar ou não a ordem para que os transgressores sejam retirados a força e, se isso ocorrer, é igualmente decisiva a existência de indivíduos dispostos a cumprir essas ordens. As revoluções quase nunca resultam de um conflito aberto. Em geral, quando os revolucionários vencem, isso ocorre porque a maioria dos encarregados da repressão se recusa a atirar ou simplesmente vira as costas e vai embora.

Então isso significa que a propriedade, assim como o poder político, em última análise deriva (como colocou com delicadeza o presidente Mao) "do cano de uma arma" — ou, pelo menos, da capacidade de assegurar a lealdade daqueles treinados para usar as armas?

Não. Ou não exatamente.

Para ilustrar o motivo, e prosseguir com nosso experimento mental, precisamos examinar outro tipo de propriedade. Pense num colar de diamantes. Ao caminhar pelas ruas de Paris com um colar de diamantes que vale milhões de dólares, Kim Kardashian não só ostenta sua riqueza, mas também exibe seu poder sobre a violência, pois todo mundo supõe que ela não poderia fazer isso sem a presença, visível ou encoberta, de guarda-costas armados e treinados para lidar com eventuais ladrões. Direitos de propriedade de todos os tipos são, em última análise, assegurados pelo que juristas como Von Ihering chamaram eufemisticamente de "força". Porém, imaginemos por um instante o que aconteceria se todo mundo neste planeta de repente se tornasse fisicamente invulnerável, por exemplo tomando uma poção que impedisse as pessoas de ferirem umas às outras. Nesse caso, poderia Kim Kardashian preservar seus direitos exclusivos sobre as joias?

Talvez não, se as exibisse com muita frequência, pois nesse caso alguém poderia presumivelmente se apoderar delas. No entanto, com certeza preservaria esses direitos se as guardasse na maior parte do tempo num cofre, cuja combinação só ela conhecesse e só as usasse diante de públicos confiáveis, em eventos sem anúncio prévio. Portanto, há uma segunda maneira de garantir que alguém tenha acesso a direitos dos quais outras pessoas estão excluídas: o controle sobre a informação. Somente Kim e seus confidentes mais próximos sabem onde ficam guardados os diamantes, ou em que ocasiões públicas ela vai usá-los. Obviamente, isso se aplica a todas as formas de propriedade que são em última análise garantidas pela "ameaça de força" — propriedade fundiária, mercadorias em lojas e assim por diante. Se os seres humanos fossem incapazes de ferir uns aos outros, ninguém poderia declarar que algo é absolutamente sagrado para eles, nem poderia defender isso contra "todo mundo". Poderiam excluir somente aqueles que concordassem em ser excluídos.

Agora, prosseguindo com o experimento, imaginemos que todas as pessoas tomaram outra poção que as impede de guardar segredos, mas ainda continuam sob o efeito daquela outra poção — ou seja, seguem incapazes de ferir umas às outras. O acesso à informação, assim como à força, fica desse modo equalizado. Poderia Kim manter seu colar? Possivelmente. Mas apenas se conseguir convencer todo mundo de que, sendo Kim Kardashian, é um ser humano único e extraordinário e por isso merece ter o que ninguém mais tem.

Nosso argumento é que esses três princípios — vamos chamá-los de controle da violência, controle da informação e carisma individual — também constituem os três fundamentos possíveis do poder social.[2] A ameaça de violência tende a ser o mais confiável, e por isso tornou-se a base de sistemas jurídicos uniformes por toda parte; o carisma tende a ser o mais efêmero. Em geral, todos os três coexistem em certa medida. Mesmo nas sociedades em que a violência interpessoal é rara, encontram-se hierarquias fundadas no conhecimento. Não faz muita diferença o objeto desse conhecimento: pode ser algum tipo de know-how técnico (por exemplo, a fundição de cobre ou o emprego de ervas medicinais); ou talvez algo que nos pareça uma mistificação (os nomes dos 27 níveis do Inferno e dos 39 do Céu, e das criaturas que ali viviam).

Atualmente é bastante comum — por exemplo, em regiões da África e de Papua Nova Guiné — a existência de cerimônias de iniciação tão complexas que requerem um gerenciamento burocrático, por meio do qual os iniciados são pouco a pouco apresentados a níveis cada vez mais altos de conhecimento esotérico em sociedades que, em tudo o mais, não dependem de nenhum tipo de hierarquização formal. E, claro, mesmo onde não há hierarquias de conhecimento, sempre se manifestam diferenças individuais. Algumas pessoas são consideradas como mais simpáticas, engraçadas, inteligentes ou bonitas do que outras. Isso sempre vai marcar uma diferença, mesmo no interior de grupos que criam mecanismos complexos para evitar isso (como, por exemplo, a zombaria ritual dos caçadores bem-sucedidos entre forrageadores "igualitários" como os hadzas).

Como observamos antes, a um etos igualitário restam apenas duas direções a seguir: ou negar por completo as características individuais e insistir que as pessoas sejam (ou, ao menos, que deveriam ser) tratadas como se fossem exatamente iguais, ou então celebrar as singularidades de forma a indicar que todo mundo se distingue tanto que é inconcebível qualquer tipo de hierarquização. (Afinal, como se faz para comparar o melhor pescador com o ancião mais venerado, ou com a pessoa que conta as piadas mais engraçadas etc.?) Nesses casos, pode ocorrer que determinados "indivíduos excepcionais" — se é que se pode chamá-los assim — assumam de fato papel de destaque e mesmo de liderança. Aqui poderíamos citar os profetas nueres, certos xamãs da Amazônia, os astrólogos-magos (*mpomasy*) malgaxes ou, também, até as sepulturas "opulentas" do Paleolítico Superior, que com frequência revelam indivíduos com atributos físicos (e provavelmente outros) inusitados. Como mostram tais exemplos, porém, esses indivíduos são tão anômalos que seria difícil converter sua autoridade em algum tipo de poder duradouro.

O que nos interessa nesses três princípios é que cada um deles tornou-se a base de instituições que hoje nos parecem fundamentais no Estado moderno. No caso do controle da violência, isso é óbvio. Os Estados modernos são "soberanos" — ou seja, detêm o poder que antes estava nas mãos dos reis, o que na prática se traduz no monopólio do uso legítimo da força coercitiva no âmbito de seu território, como explicitou Von Ihering. Em teoria, um verdadeiro soberano exercia um poder que estava acima e fora da lei. Os reis da Antiguidade quase nunca foram capazes de exercer esse poder de forma sistemática (com frequência, como vimos, o poder supostamente absoluto deles na verdade significava apenas que eram as únicas pessoas que sempre podiam exercer a violência arbitrária num raio de cem metros ao seu redor). Nos Estados modernos, o mesmo tipo de poder é multiplicado por mil, pois está associado ao segundo princípio: a burocracia. Conforme assinalado por Max Weber, o grande sociólogo da burocracia, as organizações administrativas sempre estão baseadas não só no controle da informação, mas também em diversos tipos de "segredos oficiais". Por isso, o agente do serviço secreto tornou-se o símbolo mítico do Estado moderno. James Bond, com sua licença para matar, combina carisma, sigilo e o poder de empregar impunemente a violência sob a alçada de uma grande estrutura burocrática.

A combinação de soberania e de sofisticadas técnicas administrativas para o armazenamento e a tabulação de informações introduz todo o tipo de ameaças à liberdade individual — e torna viável os Estados policiais e os regimes totalitários —, mas esse perigo, sempre nos garantem, é compensado por um terceiro princípio: a democracia. Os Estados modernos são democráticos, ou pelo menos costuma se considerar que deveriam ser. No entanto, a democracia, nos Estados modernos, é concebida de uma maneira bem diferente daquela, digamos, do funcionamento da assembleia numa cidade da Antiguidade, que deliberava coletivamente sobre os problemas compartilhados por todos. Em vez disso, a democracia que conhecemos é na prática um jogo com vencedores e perdedores, disputado por indivíduos sobre-humanos, enquanto o restante de nós ficamos em grande parte reduzidos à condição de meros espectadores.

Se quisermos um precedente antigo para *esse* aspecto da democracia moderna, não o deveríamos buscar nas assembleias de Atenas, Siracusa ou Corinto, mas, em vez disso — e paradoxalmente —, nas disputas aristocráticas de "eras heroicas", como as descritas na *Ilíada*, com seus incessantes *agons*: competições, duelos, jogos, doações e sacrifícios. Como observamos no capítulo 9, os filósofos políticos das cidades gregas posteriores nunca viram as eleições como uma via democrática para a escolha de candidatos a cargos públicos. Para eles, o método democrático era o sorteio, ou a loteria, assim como hoje se faz para a seleção de jurados num tribunal. O pressuposto era que as eleições pertenciam ao modo aristocrático (o termo "aristocracia" significa "governo dos melhores"), permitindo apenas que as pessoas comuns — de modo similar aos dependentes de uma aristocracia antiquada e heroica — decidissem quem, dentre os bem-nascidos, podia ser tido como o melhor de todos; e, nesse contexto, "bem-nascido" significava simplesmente aqueles que tinham recursos para se dedicarem em tempo integral às atividades políticas.[3]

Assim como o acesso à violência, à informação e ao carisma define as possibilidades de dominação social, o Estado moderno é definido como uma combinação de soberania, burocracia e um campo político competitivo.[4] Nada mais apropriado, portanto, que a história seja examinada a partir dessa perspectiva; porém, assim que tentamos fazer isso, percebemos que não há nenhum motivo para que esses três princípios andem juntos, ou que reforcem uns aos outros da maneira que passamos a esperar dos atuais governos. Para começar, as três formas elementares de dominação têm origens históricas completamente distintas. Já comprovamos isso na antiga Mesopotâmia, onde de início as sociedades burocrático-comerciais dos vales fluviais coexistiam em tensão com as sociedades heroicas das montanhas e seus incontáveis pequenos senhores, disputando a lealdade de seus dependentes por meio de competições espetaculares de um ou outro tipo; por outro lado, os habitantes das montanhas rejeitavam o próprio princípio da administração.

Tampouco existe qualquer indício conclusivo de que as antigas cidades da Mesopotâmia, mesmo quando governadas por dinastias da realeza, tenham alcançado soberania territorial efetiva, e portanto ainda estamos longe de algo similar a uma versão embrionária do Estado moderno.[5] Em outras palavras, simplesmente não eram Estados segundo a definição de Von Ihering; e, mesmo que tenham sido, faz pouco sentido definir um Estado apenas em termos da soberania. Recorde-se aqui o exemplo dos natchez, da Louisiana, cujo Grande Sol exercia um poder absoluto nos limites de sua Grande Aldeia (na verdade bem pequena), onde podia ordenar execuções sumárias e se apropriar dos bens que quisesse, mas cujos súditos em grande parte o ignoravam quando não estava por perto. A realeza divina dos shilluks, um povo nilótico da África Oriental, funcionava de modo similar: embora houvesse poucos limites para o que o rei podia fazer quando estava presente, não havia nada remotamente parecido com uma estrutura administrativa que conferisse maior estabilidade ou alcance a seu poder soberano: nenhum sistema de taxação, nenhum sistema de aplicação das ordens régias e sequer um sistema de informações para saber se haviam ou não sido cumpridas.

Na realidade, os Estados modernos são um amálgama de elementos que acabaram por se juntar em determinada altura da história — e, pode-se argumentar, agora estão em via de se desarticularem de novo (basta considerar, por exemplo, que hoje dispomos de burocracias de alcance planetário, como a OMC ou o FMI, sem nenhum princípio correspondente de soberania global). Quando historiadores, filósofos ou cientistas políticos discutem sobre a origem do Estado na China ou no Peru antigos, o que estão fazendo é projetar no passado essa inusitada constelação de elementos: na maioria das vezes, tentando encontrar um momento em que algo parecido com o poder soberano juntou-se a algo parecido com um sistema administrativo (em geral, o campo político competitivo é considerado em certa medida opcional). O que interessa a eles é como e por que esses elementos se combinaram.

Por exemplo, de acordo com um relato convencional da evolução política proposto por gerações anteriores de estudiosos, os Estados surgiram da necessidade de gerenciar sistemas de irrigação complexos — ou talvez apenas grandes concentrações de pessoas e de informações. Isso deu origem ao poder aplicado de cima para baixo, que por sua vez veio a ser moderado, com o tempo, pelas instituições democráticas. O que implicaria uma sequência de desenvolvimento do seguinte tipo:

Administração ⟶ Soberania ⟶ Política Carismática (eventualmente)

Como mostrado no capítulo 8, as evidências mais recentes da antiga Eurásia agora apontam para outro padrão, em que sistemas administrativos inspiram uma reação cultural (em outro exemplo de cismogênese), sob a forma de principados beligerantes nas terras altas ("bárbaros", na perspectiva dos moradores das cidades),[6] que acaba levando alguns desses príncipes a se estabelecerem nas cidades e sistematizarem seu poder:

Administração ⟶ Política carismática (por cismogênese) ⟶ Soberania

Ainda que isso tenha ocorrido em alguns casos — por exemplo, na Mesopotâmia —, parece improvável que seja a única maneira como tais desenvolvimentos poderiam culminar em algo (ao menos para nós) semelhante a um Estado. Em outros locais e épocas — com frequência em momentos de crise —, o processo pode ocorrer com a elevação a posições proeminentes de indivíduos carismáticos capazes de inspirar seus seguidores a uma ruptura radical com o passado. Posteriormente, tais figuras assumem uma autoridade cósmica, absoluta, que afinal se traduz num sistema de funções e cargos burocráticos.[7] Com isso, a sequência ficaria assim:

Visão carismática ⟶ Soberania ⟶ Administração

O que se questiona aqui não é uma formulação específica, mas a teleologia subjacente. Todas essas explicações parecem pressupor uma única conclusão para o processo: que esses diversos tipos de dominação estavam destinados a se combinarem, cedo ou tarde, em algo parecido com a forma particular adquirida pelos Estados nacionais modernos nos Estados Unidos e na França no final do século XVIII, uma forma gradualmente imposta ao resto do mundo depois das duas guerras mundiais.

E se isso não fosse verdadeiro?

Vejamos agora o que acontece quando tratamos da história de alguns dos primeiros reinos e impérios do mundo sem recorrermos a esses pressupostos. Além das origens do Estado, também vamos descartar outras noções igualmente vagas e teleológicas, como o "nascimento da civilização" ou o "surgimento da complexidade social", a fim de procedermos a um exame mais detido do que ocorreu de fato. Como emergiram as formas de dominação em grande escala, e com o que se pareciam, na verdade? O que têm a ver, se é que têm, com os arranjos que perduram até os dias atuais?

Comecemos por aqueles poucos casos na América pré-colombiana que até os mais preocupados com as definições terminológicas concordam que eram "Estados" de algum tipo.

OS ASTECAS, OS INCAS E OS MAIAS (E TAMBÉM OS ESPANHÓIS)

Há um consenso de que existiam apenas dois "Estados" claramente definidos nas Américas no momento da conquista espanhola: os astecas e os incas. Claro que não é assim que os espanhóis se referiam a eles. Em suas cartas e comunicados, Hernán Cortés escreveu sobre cidades, reinos e, vez por outra, repúblicas. Hesitou em chamar o governante asteca, Moctezuma, de "imperador" — talvez para não despertar a ira de seu próprio senhor, o "mui católico imperador Carlos V". Porém, jamais lhe teria ocorrido se perguntar se algum desses reinos ou cidades podia ser considerado um "Estado", pois o conceito mal existia na época. A despeito disso, como se trata de uma questão que ocupou os estudiosos modernos, cabe aqui um exame de cada uma dessas entidades políticas.

Comecemos com um relato anedótico, registrado numa fonte espanhola logo depois da conquista, sobre o tratamento que se dava às crianças na capital asteca de Tenochtitlan, recém-tomada pelas tropas espanholas: "Assim que nasciam, os meninos recebiam um escudo com quatro flechas. A parteira orava para que fossem guerreiros valorosos. Eram apresentados quatro vezes ao sol e lhes falavam das incertezas da vida e da necessidade de ir à guerra. As meninas, por outro lado, recebiam rocas e teares como símbolos de sua futura dedicação às tarefas domésticas".[8] Não temos como saber em que medida essa prática era difundida, mas ela indica algo fundamental na sociedade asteca. Ainda que ocupassem posições de relevo em Tenochtitlan, como mercadoras, médicas e sacerdotisas, as mulheres estavam excluídas da ascendente classe de aristocratas cujo poder baseava-se na guerra, na predação e nos tributos. Não há como determinar com certeza desde quando as mulheres vinham sofrendo essa erosão de seu poder político (certos tipos de evidências, como a obrigação pelos altos cortesãos de adotar o papel cultual de Cihuacóatl, a "Mulher Serpente", sugerem tratar-se de algo recente). O que sabemos, contudo, é que a masculinidade, muitas vezes expressa por meio da violência sexual, tornou-se parte da dinâmica da expansão imperial.[9] De fato, o estupro e a escravização das mulheres conquistadas estavam entre as principais queixas relatadas a Cortés e seus homens pelos súditos dos astecas em Veracruz,[10] que em 1519 se mostraram dispostos a arriscar a sorte ao lado de um bando de aventureiros espanhóis desconhecidos.

Ao que tudo indica, a nobreza masculina entre os astecas ou mexicas concebia a vida como um incessante combate, ou mesmo um processo de conquista — uma tendência cultural que atribuíam a suas origens como uma comunidade itinerante de guerreiros e colonizadores. Sua sociedade parece ter sido uma "sociedade de captura", não de todo diversa de outras sociedades ameríndias mais recentes já mencionadas, porém numa escala infinitamente maior. Os inimigos capturados em combate eram presos, alimentados para que guardassem sua vitalidade — às vezes em circunstâncias opulentas — e no fim sacrificados por especialistas em rituais, com o intuito de saldar uma dívida primordial para com os deuses, e presumivelmente por outras razões também. No Templo Maior, em Tenochtitlan, tudo isso resultou numa verdadeira fábrica de derramamento devoto de sangue, que alguns espanhóis consideraram prova conclusiva de que a classe dominante asteca estava mancomunada com Satanás.[11]

Era assim que os astecas procuravam impressionar os seus vizinhos, e ainda hoje é assim que ficaram marcados na imaginação humana: não é fácil apagar do espírito a imagem de milhares de prisioneiros aguardando em fila o momento em que seus corações seriam arrancados por indivíduos mascarados personificando divindades. Em outros aspectos, contudo, os astecas do século XVI transmitiam aos espanhóis a impressão de um quadro bem familiar do governo humano; certamente mais familiar do que tudo o que encontraram no Caribe ou nos mangues e nas savanas de Yucatán. Monarquia, estamentos administrativos, hierarquia militar e religião organizada (ainda que "satânica") eram todos muito desenvolvidos. O planejamento urbano no vale do México, como notaram os espanhóis, parecia superior ao encontrado nas cidades castelhanas. Leis suntuárias, não menos rebuscadas do que na Espanha, mantinham uma boa distância entre governantes e governados, prescrevendo desde o vestuário até as práticas sexuais adequadas. A cobrança de impostos e taxas era supervisionada pelos *calpixque*, funcionários nomeados e escolhidos entre as pessoas comuns e impossibilitados de converter seu conhecimento administrativo em poder político (reservado aos nobres e aos guerreiros). Nos territórios conquistados, a nobreza local era preservada, e a obediência, assegurada por um sistema de clientelismo que os vinculava a padrinhos na corte asteca. Nisso também os espanhóis viram similaridade com sua prática de *aeque principali*, que conferia autonomia aos territórios recém-adquiridos enquanto seus prepostos locais continuassem a pagar os tributos anuais à Coroa.[12]

Assim como os Habsburgo espanhóis, que se tornaram seus senhores, a aristocracia guerreira asteca criara, a partir de origens relativamente modestas, um dos maiores impérios do mundo. No entanto, sua Tríplice Aliança não se comparava ao que os conquistadores encontraram nos Andes peruanos.

Na Espanha, assim como em grande parte da Eurásia, as montanhas ofereciam um abrigo contra o poder coercitivo dos reis e imperadores — rebeldes, bandidos e heréticos se refugiavam nas terras altas. No Peru incaico, porém, tudo parecia funcionar ao contrário. As montanhas constituíam a espinha dorsal do poder imperial. Esse mundo político de ponta-cabeça (para os olhos europeus), concebido no topo da cordilheira dos Andes, era o super-reino de Tawantinsuyu, que significava "regiões estreitamente unidas".[13]

Mais precisamente, Tawantinsuyu refere-se às quatro *suyus*, as grandes unidades administrativas dos domínios do Sapa Inca. Desde sua capital em

Cusco, de onde se dizia que até mesmo a grama era de ouro, os incas da realeza extraíam regularmente a *mit'a* — um tributo rotativo sob a forma de trabalho, ou corveia — de milhões de súditos distribuídos pelo litoral oeste da América do Sul desde Quito até Santiago.[14] Exercendo soberania sobre oitenta províncias contíguas e incontáveis grupos étnicos, no fim do século xv os incas haviam criado algo parecido com a "monarquia universal" (*monarchia universalis*) com que os Habsburgo, governantes de numerosos territórios dispersos, podiam apenas sonhar. Apesar disso, se Tawantinsuyu fosse considerado um Estado, ainda seria em boa parte um Estado em formação.

Assim como a imagem popular dos astecas ficou associada à carnificina em grande escala, as imagens populares dos incas tendem a retratá-los como administradores magistrais: os pensadores iluministas, como Madame de Graffigny e seus leitores, tiveram sua primeira noção de como seria um Estado do bem-estar, ou mesmo de um socialismo estatal, ao lerem os relatos sobre esse império andino. Na realidade, a eficiência administrativa dos incas era claramente inconsistente. O império, afinal, se estendia por cerca de 4 mil quilômetros. Nas aldeias mais distantes de Cusco, Chan Chan e outros centros de poder, a presença da estrutura imperial era, quando muito, esporádica, e muitas aldeias mantinham em grande parte sua autonomia. Cronistas e autoridades como Juan Polo de Ondegardo y Zárate ficaram intrigados ao descobrir que, embora as aldeias andinas típicas tivessem de fato uma complexa estrutura administrativa, parecia inteiramente autóctone, baseada em associações coletivas conhecidas como *ayllu*. A fim de atender às exigências imperiais em termos de tributos e trabalho, as comunidades locais tiveram apenas de fazer pequenos ajustes nesses coletivos.[15]

Há um contraste nítido entre o centro imperial dos incas e o dos astecas. Moctezuma, a despeito de sua magnificência (em seu palácio havia de tudo, desde um aviário até aposentos para trupes de comediantes anões), era oficialmente apenas o *tlatloani*, ou "o primeiro a falar" num conselho de aristocratas, e seu império, uma Tríplice Aliança de três cidades. Apesar de todo o espetáculo sanguinário, o império asteca era na verdade uma confederação de famílias nobres. E o próprio espetáculo parece ter se originado em parte do mesmo espírito de rivalidade aristocrática que levava os nobres astecas a participar de jogos de bola ou até de debates filosóficos públicos. Para os incas, por outro lado, o soberano era a própria encarnação do Sol. Toda a autoridade irradiava de um único ponto — a pessoa do próprio Sapa Inca ("o Inca Principal") — e depois ia fluindo através das fileiras da realeza. A corte inca era uma incubadora, uma estufa para cultivar a soberania. Abrigados entre as suas paredes estavam não só a casa do rei vigente e de sua irmã, que era a *Coya* (rainha), mas também os responsáveis administrativos, os sumo-sacerdotes e a guarda imperial, quase todos parentes consanguíneos do soberano.

Por ser uma divindade, o Sapa Inca nunca morria de fato. Os corpos dos antigos reis eram preservados, enfaixados e mumificados, como os dos faraós no Egito antigo; e, também como os faraós, eles continuavam a reinar do além-túmulo, recebendo oferendas regulares de alimentos e de roupas vindos de suas antigas propriedades rurais — porém, à diferença dos corpos mumificados dos faraós, que ao menos permaneciam confinados em suas tumbas, seus equivalentes peruanos eram levados para participar de eventos públicos e patrocinavam festas.[16] (Um dos motivos por que todo governante novo via-se obrigado a expandir o império era o fato de que herdavam apenas o exército do predecessor. A corte, as terras e o séquito continuavam nas mãos do inca morto.) Essa extraordinária concentração de poder em torno do próprio corpo do soberano tinha um aspecto desvantajoso: era dificílimo para o Sapa Inca delegar a sua autoridade.

Os funcionários mais importantes eram "incas honorários" que, embora indiretamente vinculados ao soberano, tinham permissão para usar os mesmos ornamentos de orelha e eram, de forma geral, vistos como extensões da figura da realeza. Embora estátuas do soberano ou outros substitutos também pudessem ser usados — havia um rebuscado protocolo ritualístico em torno desses duplos —, a presença física do Sapa Inca era indispensável para empreender qualquer coisa importante. Assim, a corte estava em constante deslocamento, com a pessoa da realeza sendo rotineiramente transportada através dos "quatro quadrantes" numa liteira forrada de prata e penas. Isso, além da necessidade de deslocar tropas e suprimentos, exigia um enorme investimento num sistema de caminhos, transformando um dos terrenos mais irregulares e inóspitos do mundo numa rede contínua de estradas bem cuidadas e trilhas escalonadas, pontuada por santuários (*huacas*) e locais de repouso abastecidos e cuidados por pessoal mantido pelo tesouro real.[17] Foi durante uma dessas turnês anuais, longe das muralhas de Cusco, que o último Sapa Inca, Atahualpa, foi sequestrado e depois morto pelos homens de Pizarro.

Assim como no caso dos astecas, a consolidação do Império Inca parece ter envolvido muita violência de caráter sexual e, por consequência, também mudanças nos papéis de gênero, fazendo com que um sistema costumeiro de matrimônio acabasse se tornando um modelo para a dominação de classe. Tradicionalmente, nas regiões andinas onde as pessoas se dividiam por hierarquias sociais, o casamento era uma oportunidade para as mulheres se tornarem parte de famílias mais bem situadas. Quando isso ocorria, dizia-se que a linhagem da noiva havia sido "conquistada" pela linhagem do noivo. Essa figura de linguagem ritual parece ter se transformado em algo mais literal e sistemático. Em cada território recém-conquistado, os incas imediatamente erguiam um templo e obrigavam uma cota de jovens virgens a se tornarem "Noivas do Sol": mulheres isoladas de suas famílias e mantidas como virgens para sempre ou dedicadas ao Sapa Inca, para que ele as explorasse e desfrutasse como bem entendesse. Assim sendo, os súditos do rei também podiam ser chamados coletivamente de "mulheres conquistadas",[18] e os nobres locais empenhavam-se ao máximo para conseguir que as filhas desempenhassem papéis de destaque na corte.

E quanto ao famoso sistema administrativo dos incas? Não há dúvidas quanto a sua existência. Os registros eram feitos sobretudo por meio de cordões com nós conhecidos como *khipu* (ou *quipu*), assim descritos por Pedro Cieza de León em sua *Crónica del Perú*, de 1553:

> Em cada capital de província havia contadores chamados de "guardiões/ordenadores de nós" [*khipukamayuqs*], e por meio desses nós registravam e contavam o que fora pago em tributos pelos [súditos] do distrito, desde prata, ouro, roupa e animais de rebanho até lã e outras coisas, incluindo miudezas, e com esses mesmos nós eles podiam produzir um registro do que havia sido pago no decorrer de um ano, ou dez ou vinte anos, e mantinham tão bem as contas que não deixavam passar nem um par de sandálias.[19]

Os cronistas espanhóis, porém, proporcionaram poucos detalhes sobre o sistema e, após o uso do *khipu* ter sido oficialmente proibido, em 1583, os especialistas locais tiveram poucos incentivos para registrar desse modo seus conhecimentos. Não sabemos ao certo como funcionava o sistema, mas novas fontes de informações continuam a surgir em comunidades andinas remotas, onde se descobriu que *khipus* de estilo inca e formas correlatas de conhecimento continuaram em uso até épocas bem mais recentes.[20] Há controvérsias entre os estudiosos quanto a considerar o *khipu* como uma forma de escrita. Nossas poucas fontes descrevem sobretudo o sistema numérico, ressaltando a disposição hierarquizada dos nós com diferentes cores em unidades decimais, de 1 a 10 mil; no entanto, ao que parece os feixes de cordões mais elaborados codificavam registros topográficos e genealógicos, e provavelmente também narrativas e canções.[21]

Em muitos aspectos, essas duas grandes entidades políticas — a asteca e a inca — eram alvos ideais para os conquistadores. Ambas se ordenavam em torno de capitais facilmente reconhecíveis, governadas por reis facilmente identificáveis que podiam ser capturados ou mortos, e ambas estavam rodeadas de povos desde muito acostumados a acatar ordens ou, se inclinados a contestar o poder central, propensos a juntar suas forças a eventuais conquistadores. Num império baseado sobretudo na força militar, não é tão difícil para uma força superior do mesmo tipo assumir o controle de seu território, pois quando se toma a capital — como fez Cortés ao avançar sobre Tenochtitlan em 1521, ou Pizarro, ao capturar Atahualpa, em Cajamarca, em 1532 — todo o restante desmorona de imediato. Ainda que houvesse uma resistência obstinada (a tomada de Tenochtitlan exigiu um ano de exaustivos combates de casa em casa), uma vez debelada, os conquistadores podiam se apropriar de muitos mecanismos de dominação já existentes e usá-los para transmitir ordens a súditos acostumados a obedecer.

Onde não existiam reinos tão poderosos — fosse porque nunca se formaram, como em grande parte da América do Norte e da Amazônia, fosse porque a população deliberadamente rejeitara um governo centralizado — as perspectivas eram sem dúvida mais incertas.

Um bom exemplo dessa descentralização é o território habitado pelos falantes das diversas línguas maias: a península de Yucatán e, mais ao sul, as terras altas da Guatemala e de Chiapas.[22] À época da incursão inicial dos espanhóis, a região estava dividida no que parecia aos invasores ser uma interminável sucessão de minúsculos principados, aldeias e assentamentos sazonais. Sua conquista foi um empreendimento prolongado e laborioso, e assim que concluída (ou, pelo menos, assim que os espanhóis a consideraram concluída),[23] as novas autoridades tiveram de enfrentar uma sequência aparentemente interminável de revoltas populares.

Já em 1546, uma coalizão de rebeldes maias levantou-se contra os colonizadores espanhóis e, a despeito da repressão brutal, a rebelião jamais chegou a ser de fato debelada. Movimentos proféticos desencadearam uma segunda onda importante de insurreições no século XVIII; e em 1848, um levante de massa quase expulsou completamente de Yucatán os descendentes dos colonos, cessando apenas quando a temporada de plantio interrompeu o cerco montado à capital regional. A "Guerra das Castas", como veio a ser chamada, continuou por gerações. Ainda existiam rebeldes controlando áreas de Quintana Roo na época da Revolução Mexicana, na década de 1910; e é possível argumentar que a mesma rebelião prossegue, sob outra forma, com o movimento zapatista que hoje controla grandes áreas no estado de Chiapas. Como também demonstram os zapatistas, foi nesses territórios, onde nenhum Estado ou império existiu durante séculos, que as mulheres mais se destacaram nas lutas anticoloniais, como organizadoras da resistência armada e defensoras das tradições indígenas.

Ora, esse traço antiautoritário talvez cause surpresa naqueles que conhecem os maias como parte do triunvirato das civilizações do Novo Mundo — astecas, maias e incas — mencionadas nos livros de história da arte. Muito da arte do chamado período maia clássico, por volta de 150 d.C. a 900 d.C., é de uma beleza extremamente requintada. Quase toda essa produção vem de cidades situadas onde hoje estão as florestas tropicais de Petén. Numa avaliação inicial, os maias desse período parecem ter se organizado em reinos muito semelhantes, embora menores, aos dos Andes ou do México central. Porém, até tempos bem recentes, nossa visão estava dominada pelos monumentos esculpidos e as inscrições glíficas encomendados pelas próprias elites dominantes.[24] O enfoque nos feitos dos grandes governantes (portadores do título *ajaw*), e sobretudo em suas conquistas, era previsível, num período em que coalizões de cidades-Estado independentes disputavam a hegemonia nas terras baixas sob a liderança de duas dinastias rivais — a de Tikal e a dos "reis-serpentes" de Calakmul.[25]

Esses monumentos nos revelam muito sobre os rituais que esses governantes realizavam para comungar com os ancestrais divinizados,[26] mas pouco nos dizem sobre a vida cotidiana dos súditos, e menos ainda sobre o que achavam das reivindicações de seus governantes ao poder cósmico. Se ocorreram movimentos proféticos ou insurreições periódicas no período clássico dos maias, como os da época colonial, hoje dispomos de poucos meios para saber mais a respeito, ainda que as pesquisas arqueológicas possam alterar esse quadro. É possível afirmar, contudo, que nos séculos tardios do período clássico as mulheres tornam-se mais visíveis nas esculturas e nas inscrições, aparecendo não só como consortes, princesas e rainhas-mães, mas também como governantes poderosas e médiuns espirituais por mérito próprio. Também sabemos que, a certa altura do século IX, o sistema político dos maias clássicos desarticulou-se, e quase todas as cidades maiores foram abandonadas.

Há um debate entre os arqueólogos sobre o que teria acontecido. Alguns supõem que a resistência da população — uma mescla de deserções, movimentos de massa ou rebeliões abertas — deve ter sido relevante, mesmo que, compreensivelmente, a maioria dos proponentes dessa hipótese relute em traçar uma linha nítida entre causa e consequência.[27] É significativo que uma das raras sociedades urbanas que se manteve, e até cresceu, estivesse localizada nas terras baixas setentrionais ao redor da cidade de Chichén Itzá. Aqui, a realeza parece ter sofrido uma mudança drástica em suas características, tornando-se uma instituição mais limitada ao cerimonial ou mesmo teatral — tão resguardada pelo ritual que não mais permitia qualquer intervenção política relevante —, ao passo que o governo cotidiano provavelmente passou em grande parte para as mãos de coletivos de guerreiros e sacerdotes proeminentes.[28] Na verdade, algumas das edificações que antes se supunha terem sido palácios reais nesse período "pós-clássico" estão sendo reinterpretadas como locais de reunião (*popolna*) de representantes locais.[29]

Quando os espanhóis chegaram à região, seis séculos depois do colapso das cidades em Petén, as sociedades maias eram completamente descentralizadas, divididas numa enorme variedade de municipalidades e principados, muitos sem soberanos.[30] Os livros de *Chilam Balam*, anais proféticos compilados no final do século XVI, tratam incessantemente dos desastres e tribulações que acometeram os governantes opressores. Em outras palavras, são muitos os motivos para crer que o espírito de rebeldia que marcou essa região específica remonta no mínimo à época de Carlos Magno (século VIII), e que, no decorrer dos séculos, os governantes maias despóticos acabaram com frequência derrubados.

Sem dúvida, a tradição artística do período clássico maia é magnífica, uma das mais requintadas do mundo. Em comparação, os produtos artísticos do "pós-clássico" — o período que vai de cerca de 900 d.C. a 1520 d.C. — muitas vezes parecem desajeitados e menos merecedores de apreço. Por outro lado, quantos de nós iriam preferir viver sob o poder arbitrário de um chefe guerreiro de pensamento mesquinho que, a despeito de todo o seu apoio às belas-artes, considerava que uma de suas realizações mais importantes era arrancar o coração de seres humanos vivos? Evidentemente, a história nem sempre é pensada nesses termos, e vale a pena indagar o motivo. Em parte, isso se deve simplesmente à designação "pós-clássico", que sugere algo tardio e menos relevante. Talvez essa pareça uma questão trivial — mas não é, porque esses hábitos de pensamento também explicam por que os períodos de relativa liberdade e igualdade tendem a ser marginalizados nos exames mais amplos da história.

Isso é importante, e merece uma discussão mais detida, antes de retomarmos nossas três formas de dominação.

UMA DIGRESSÃO SOBRE "A FORMA DO TEMPO",[31] E, ESPECIFICAMENTE, SOBRE COMO AS METÁFORAS DE CRESCIMENTO E DECLÍNIO INTRODUZEM UM VIÉS POLÍTICO DESPERCEBIDO EM NOSSA CONCEPÇÃO DE HISTÓRIA

Na historiografia e na arqueologia são muito frequentes termos como "pós", "proto", "intermediário" ou mesmo "terminal". Em certa medida, são um produto da teoria culturalista do início do século xx. Alfred Kroeber, um renomado antropólogo em sua época, empenhou-se durante décadas num projeto de pesquisa cujo objetivo era constatar se existiam leis identificáveis subjacentes aos ritmos e padrões de crescimento e declínio culturais — ou seja, se é possível estabelecer relações sistemáticas entre tendências artísticas, ciclos econômicos de altas e baixas, períodos de inovação e de conservadorismo intelectuais, e a expansão e o colapso dos impérios. Tratava-se de uma questão interessante, mas, depois de muitos anos, ele chegou à conclusão de que não, não existiam tais leis. Em seu livro *Configurations of Cultural Growth* [Configurações de crescimento cultural] (1944), Kroeber examinou a relação entre arte, filosofia, ciência e demografia no decorrer da história e não encontrou nenhum indício de padrão consistente; tampouco um padrão desse tipo foi identificado nos raros estudos mais recentes que continuaram a explorar a mesma trilha.[32]

Apesar disso, quando hoje escrevemos sobre o passado, quase sempre organizamos nosso pensamento como se esses padrões de fato existissem. As civilizações costumam ser representadas como similares a flores — brotando, florescendo e por fim morrendo — ou como um imponente edifício, laboriosamente erguido, mas sujeito a um "colapso" inesperado. Este último termo tende a ser usado de forma indiscriminada para situações como o colapso dos maias clássicos, que de fato implicou o abandono repentino de centenas de povoados e o desaparecimento de milhões de pessoas. Mas também é usado no caso do "colapso" do Império Antigo no Egito, onde a única coisa que parece de fato ter declinado repentinamente foi o poder das elites governantes oriundas da cidade setentrional de Mênfis.

Mesmo no caso maia, a descrição de todo o período entre os anos 900 e 1520 como "pós-clássico" sugere que sua maior importância está no grau em que pode ser visto como o declínio de uma Era de Ouro. De maneira similar, expressões como "Creta protopalaciana", "Egito pré-dinástico" ou "Peru em formação" deixam entrever um sentimento de impaciência, como se os minoicos, os egípcios ou os povos andinos tivessem passado séculos sem fazer nada além de criar as condições para o surgimento de uma dessas Eras de Ouro — e também, implicitamente, de governos estáveis.[33] Já vimos como isso se desenrolou em Uruk, onde pelo menos sete séculos de auto-governo (também chamados de "pré-dinásticos" por estudiosos anteriores) acabaram por ser relegados a mero prelúdio à "verdadeira" história da Mesopotâmia — em seguida apresentada como um relato sobre conquistadores, soberanos, legisladores e reis.

Alguns períodos são rebaixados a prefácios, e outros, a posfácios. Há também os que se tornam "intermediários", como se vê em vários casos no passado dos Andes e da Mesoamérica. Todavia, provavelmente o caso mais conhecido — e mais inusitado — é, de novo, o do Egito. Os frequentadores de museus sem dúvida estão familiarizados com a divisão da história egípcia antiga em impérios Novo, Médio e Antigo. Cada qual é separado por um período "intermediário", com frequência caracterizado como uma época de "caos e declínio cultural". Na realidade, foram apenas períodos em que não havia um soberano único no país. A autoridade foi retomada por facções locais ou, como veremos a seguir, teve sua natureza alterada por completo. Somados, esses períodos estendem-se por cerca de um terço da história antiga do Egito — até o surgimento de uma sequência de reis adventícios ou vassalos (no chamado "período Tardio") — e testemunharam desenvolvimentos políticos próprios e muito significativos.

Para dar apenas um exemplo, em Tebas, entre 754 a.C. e 525 a.C. — abrangendo o terceiro período Intermediário e o período Tardio —, uma série de cinco princesas solteiras e sem filhos (de linhagem líbia e núbia) foram alçadas à posição de "esposa do deus Amon", então um título e uma função de suma importância não só religiosa, mas também econômica e política. Em representações oficiais, eram designadas por "nomes régios" inseridos em cartuchos, exatamente como os dos faraós, e aparecem conduzindo festas da realeza e fazendo oferendas aos deuses.[34] Elas eram donas de algumas das propriedades mais ricas do Egito, que ocupavam áreas imensas e empregavam muitos sacerdotes e escribas. É bem incomum, em termos históricos, toparmos com uma situação assim, na qual mulheres não só detêm poder nessa escala, como seu poder está ligado a um cargo reservado explicitamente para as solteiras. No entanto, essa inovação política é pouco discutida, em parte por ter sido relegada a um período "intermediário" ou "tardio", o que já sinaliza sua natureza transitória (ou mesmo decadente).[35]

Alguém pode supor que a divisão em impérios Antigo, Médio e Novo é ela própria antiquíssima, talvez remontando a fontes gregas de milênios atrás, como a *Aegyptiaca* [História do Egito], do século III a.C., composta pelo cronista egípcio Mâneto, ou mesmo aos próprios registros hieroglíficos. Nada disso. Na verdade, essa divisão tripartida só começou a ser proposta pelos egiptólogos modernos no final do século XIX, e os termos adotados (inicialmente "*Reich*" ou "Império") eram explicitamente baseados nos Estados nacionais europeus. Coube aos estudiosos alemães, sobretudo os prussianos, um papel crucial nisso. Sua propensão a ver o passado antigo do Egito como uma série de alternações cíclicas entre unidade e desintegração refletia claramente as questões políticas da Alemanha bismarckiana, onde um governo autoritário tentava formar um Estado nacional unificado a partir de uma profusão de microestados. Após a Primeira Guerra Mundial, quando começou a desmoronar o velho regime monárquico da própria Europa, egiptólogos renomados como Adolf Erman atribuíram um lugar próprio aos períodos "intermediários", estabelecendo comparações entre o fim do Antigo Império egípcio e a Revolução Russa de sua própria época.[36]

Vistos em retrospectiva, é evidente o quanto esses esquemas cronológicos refletem as preocupações políticas de seus autores. Ou até mesmo, talvez, uma tendência — quando se voltavam ao passado — a se imaginarem como membros da elite dominante, ou, ainda, como tendo funções análogas às que desempenhavam em suas próprias sociedades: os equivalentes egípcios ou maias dos curadores de museus, professores universitários e funcionários de médio escalão. Porém, resta uma questão: por que esses esquemas cronológicos acabaram se tornando canônicos?

Consideremos o Império Médio (2055 a.C.-1650 a.C.), representado nos manuais de história como uma época na qual o Egito superou o suposto caos do Primeiro Período Intermediário e adentrou uma fase renovada de governo forte e estável, que por sua vez desencadeou um renascimento artístico e literário.[37] Mesmo deixando de lado a questão de saber se foi mesmo tão caótico o "período intermediário" (voltaremos a isso logo mais), o Império Médio poderia ser igualmente representado como uma época de violentas disputas pela sucessão ao trono, taxação excessiva, repressão oficial das minorias étnicas e aumento da força de trabalho para suprir as expedições de mineração e as obras de construção da realeza — sem mencionar a brutal espoliação dos vizinhos ao sul do Egito, visando à obtenção de cativos escravizados e de ouro. Por mais que os futuros egiptólogos fossem apreciá-las, a elegância da literatura do Império Médio em obras como *A história de Sinuhe* e a proliferação dos cultos a Osíris ofereciam pouco alívio aos milhares de recrutas, aos trabalhadores forçados e às minorias perseguidas da época, cujos avós ainda haviam desfrutado de vidas pacíficas na "idade das trevas" precedente.

O que se aplica ao tempo, aliás, vale também para o espaço. Durante os últimos 5 mil anos da história — ou seja, aproximadamente o período tratado neste capítulo —, nossa concepção convencional da história mundial é a de um tabuleiro de cidades, impérios e reinos, rodeados por territórios muito mais extensos e cujos habitantes, se e quando notados pelo olhar dos historiadores, são variadamente descritos como "confederações tribais", "anfictionias" ou (no caso dos antropólogos) "sociedades segmentárias" — ou seja, gente que evitava de forma consistente os sistemas fixos e abrangentes de autoridade. Sabemos um pouco sobre o funcionamento dessas sociedades em partes da África, da América do Norte, da Ásia Central, do Sudeste Asiático e de outras regiões onde associações políticas mais flexíveis existiram em épocas recentes, mas, para nossa frustração, não sabemos quase nada sobre seu funcionamento em períodos em que constituíam de longe as formas mais comuns de governo no planeta.

Talvez uma história de fato radical tivesse de contar a história humana desde a perspectiva dessas épocas e desses lugares intermediários. Nesse sentido, este capítulo não é genuinamente radical: em grande medida, estamos recontando a velha história de sempre. No entanto, ao menos tentamos entrever o que ocorre quando descartamos esse hábito do pensamento teleológico que nos leva a vasculhar o mundo antigo em busca de versões embrionárias dos Estados-nação modernos. Em vez disso, aventamos a possibilidade de que — ao nos voltarmos para épocas e locais em geral que assinalam "o nascimento do Estado" — talvez na verdade estejamos vendo como se cristalizam os mais diversos tipos de poder, cada qual com sua mescla peculiar de violência, informação e carisma: nossas três formas elementares de dominação.

Uma maneira de comprovar a validade de uma nova abordagem é constatar se nos ajuda a explicar casos que anteriormente pareciam anômalos: ou seja, as entidades políticas que inequivocamente mobilizaram e organizaram uma quantidade enorme de gente, mas que não parecem se encaixar em nenhuma das definições usuais de "Estado". Não resta dúvida de que há muitas delas. Comecemos pelos olmecas, em geral tidos como a primeira grande civilização mesoamericana.

A POLÍTICA COMO ESPORTE: O CASO OLMECA

Descrever exatamente os olmecas é uma tarefa difícil para os arqueólogos. No princípio do século XX, os estudiosos referiam-se a eles como um "horizonte" artístico ou cultural, sobretudo por se tratar de um estilo cujo significado era obscuro, ainda que facilmente reconhecível por tipos comuns de cerâmicas, estatuetas e esculturas antropomórficas — datadas do período entre 1500 a.C. e 1000 a.C., e encontradas em diversos pontos de uma área imensa que abrangia desde o istmo de Tehuantepec até Guatemala, Honduras e grande parte do sul do México. Fossem o que fossem os olmecas, pareciam representar a "cultura matriz", como veio a ser chamada, de todas as civilizações mesoamericanas posteriores, tendo inventado os sistemas de calendário, a escrita com glifos e até mesmo os jogos de bola, todos característicos da região.[38]

Ao mesmo tempo, não havia motivo para supor que os olmecas fossem um único grupo étnico ou mesmo político. Houve muita especulação sobre missionários itinerantes, impérios mercantis, estilos em voga nas elites e inúmeros outros temas. Mais tarde, os arqueólogos vieram a concluir que existiu de fato um território central olmeca nos pantanais de Veracruz, onde surgiram as cidades de San Lorenzo e La Venta, no litoral do golfo do México. Ainda sabemos pouco sobre a estrutura interna dessas cidades olmecas. A maioria parece ter se organizado ao redor de áreas cerimoniais — de formato incerto, mas com grandes aterros piramidais —, circundados por extensos subúrbios. Esses epicentros monumentais estão em relativo isolamento, numa paisagem fragmentada e desestruturada de pequenos assentamentos de cultivadores de milho e acampamentos sazonais de grupos forrageadores.[39]

O que podemos dizer, então, sobre a estrutura da sociedade olmeca? Primeiro, que não era nem um pouco igualitária, pois suas elites eram claramente demarcadas. As pirâmides e outros monumentos sugerem que, ao menos em certas épocas do ano, as elites podiam contar com recursos extraordinários de corpo técnico e de mão de obra. Em todos os outros aspectos, contudo, parecem ter sido precários os vínculos entre o centro e o interior. Não há indícios, por exemplo, de que o colapso da primeira grande cidade olmeca em San Lorenzo tenha tido impacto relevante na economia da região como um todo.[40]

Qualquer avaliação mais aprofundada da estrutura política olmeca tem de levar em conta o que muitos consideram sua realização característica: uma série de cabeças esculpidas de dimensões colossais. Pesando toneladas, esses objetos extraordinários não atrelados a nenhuma estrutura fixa foram esculpidos em basalto e têm uma qualidade equiparável à das mais requintadas obras de cantaria do Egito antigo. A confecção de cada uma exigiu uma quantidade incalculável de horas de trabalho. As esculturas parecem representar líderes olmecas, mas, curiosamente, estes são retratados com capacetes de couro típicos de jogadores de bola. Todos os exemplares conhecidos são a tal ponto semelhantes que parecem refletir um tipo ideal de beleza masculina;

por outro lado, cada cabeça também é suficientemente diferente para que seja o retrato único de uma determinada figura.[41]

Sem dúvida, havia também quadras para os jogos de bola — embora tenham se mostrado surpreendentemente elusivas nos registros arqueológicos — e, ainda que não saibamos como era exatamente o jogo com bola, se tivesse alguma semelhança com os jogos de bola posteriores dos maias e astecas, as partidas deviam ocorrer em quadras estreitas e compridas, com duas equipes formadas entre as famílias de posição elevada, que competiam por fama e honra, arremessando com os quadris e as nádegas uma bola pesada de borracha. Parece razoável e lógico concluir que havia uma relação bastante direta entre os jogos competitivos e o surgimento de uma aristocracia olmeca.[42] Na ausência de evidências escritas, não há muito mais que se possa dizer a respeito, porém um exame mais detido dos jogos de bola posteriores na Mesoamérica ao menos nos dá uma ideia de como funcionavam na prática.

Quadras de pedra para jogos de bola eram corriqueiras nas cidades maias do período clássico, além das residências da realeza e dos templos piramidais. Algumas dessas quadras eram estritamente cerimoniais; outras eram de fato usadas para a prática do esporte. Os principais deuses maias eram também jogadores de bola. Na epopeia *Popol Vuh*, dos maias quichés, uma partida desse jogo constitui o cenário em que se confrontam heróis mortais e divindades subterrâneas, provocando o nascimento dos gêmeos-heróis Hunahpu e Xbalanque, que depois acabam por vencer os deuses em seu próprio jogo letal e ascendem ao céu para ocuparem seus lugares entre as estrelas.

O fato de a mais conhecida epopeia maia, e a que chegou até nós em melhores condições, girar em torno de um jogo de bola indica como o esporte era central às concepções maias de carisma e autoridade. O mesmo vale, de forma bem mais visceral, para uma escadaria com inscrições erguida em Yaxchilán com o propósito de assinalar a ascensão ao trono (em 752 d.C.) daquele que provavelmente é seu rei mais famoso, conhecido como o Grande Jaguar Pássaro. No bloco central da escadaria, ele é retratado como um jogador de bola. Ladeado por dois atendentes nanicos, o rei se prepara para arremessar uma enorme bola de borracha contendo os restos mortais de um cativo — despedaçado, enfeixado e atado — que rola pelos degraus de uma escadaria. A captura de inimigos graduados para serem depois trocados por um resgate — ou, caso não fosse pago, para serem sacrificados nos jogos de bola — era um dos principais objetivos das guerras maias. Essa vítima desafortunada talvez seja um certo Cabeça com Joias, nobre de uma cidade rival cuja humilhação era tão importante para o Jaguar Pássaro que ele também concedeu-lhe um lugar central num lintel entalhado de um templo próximo.[43]

Em algumas regiões das Américas, o esporte competitivo servia de substituto para a guerra. Na verdade, entre os maias do período clássico, um era a extensão do outro. Batalhas e jogos faziam parte de um ciclo anual de mortíferas competições da realeza. Ambos estão registrados nos monumentos maias como eventos cruciais na vida dos governantes. É provável que essas competições de elite também fossem espetáculos de massa, voltados para um tipo específico de público urbano — aquele que aprecia lutas de gladiadores e, portanto, acaba por ver a política em termos de oposição. Séculos depois, os conquistadores espanhóis descreveriam as versões astecas do jogo de bola em Tenochtitlan, com os jogadores se enfrentando em meio a pilhas de crânios humanos. E relatariam como plebeus incautos, arrebatados pelo fervor competitivo das partidas, por vezes perdiam tudo em apostas, até mesmo a própria liberdade.[44] As apostas eram tão relevantes que, se um jogador conseguisse lançar uma bola através dos aros de pedra que adornavam as laterais da quadra (um lance quase impossível, dadas as dimensões do aro; em geral o jogo era decidido por outros critérios), a partida era imediatamente encerrada, e o autor da jogada milagrosa ficava com todos os bens apostados, e também com qualquer outro objeto dos espectadores que lhe despertasse o interesse.[45]

Não é difícil, portanto, entender por que os olmecas, com sua intensa mescla de competição política e espetáculo organizado, são atualmente considerados os progenitores culturais dos reinos e impérios mesoamericanos posteriores. No entanto, não há muitas evidências de que eles próprios tenham criado alguma infraestrutura para o domínio de uma população extensa. Até onde sabemos, seus governantes não dispunham de uma estrutura militar e administrativa estável, que lhes permitisse estender seu poder por áreas maiores do interior do continente. Em vez disso, presidiram a uma extraordinária difusão cultural a partir de centros cerimoniais, que talvez tenham sido densamente ocupados apenas em certas ocasiões (como os jogos de bola ritualísticos), programadas em conformidade com o calendário agrícola, permanecendo vazios noutras épocas do ano.

Em outras palavras, se eram "Estados" em qualquer acepção do termo, então provavelmente poderiam ser mais bem definidos como versões sazonais do que Clifford Geetz certa vez chamou de "Estados teatrais", nos quais o poder organizado era exercido apenas periodicamente, em espetáculos majestosos mas transitórios. Tudo o que poderíamos considerar como características estatais, desde a diplomacia até o armazenamento de recursos, existia com o propósito de facilitar os rituais, e não o contrário.[46]

CHAVÍN DE HUÁNTAR — UM IMPÉRIO FEITO DE IMAGENS?

Na América do Sul encontramos, em certa medida, uma situação análoga. Antes dos incas, toda uma série de sociedades foram antes chamadas pelos estudiosos de "Estados" ou "impérios". E todas estão situadas na mesma região que mais tarde seria dominada pelos incas: os Andes peruanos e as bacias hidrográficas costeiras adjacentes. Nenhuma usava a escrita, pelo menos numa forma hoje decifrável. Por outro lado, a partir de 600 d.C., muitas adotaram os cordões com nós para manter registros, e provavelmente também outras formas de notação.

Centros monumentais de algum tipo já existiam na região do rio Supe no terceiro milênio a.C.[47] Mais tarde, entre 1000 a.C. e 200 a.C., um único centro — em Chauvín de Huántar, no planalto setentrional do Peru — exerceu influência sobre uma área muito maior.[48] Esse "horizonte de Chavín" deu lugar a três culturas distintas. Nos planaltos centrais, surgiu um grupo militarizado, os waris. Em paralelo, nas margens do lago Titicaca, uma metrópole chamada Tiwanaku — com 420 hectares, quase o dobro da área de Uruk ou de Mohenjo--Daro — tomou forma, alimentada por um engenhoso sistema de lavouras elevadas que permitiu o cultivo nas altitudes gélidas do altiplano boliviano.[49] No litoral norte do Peru, uma terceira cultura, a dos mochicas, exibe notáveis indícios funerários de liderança feminina: túmulos luxuosos de sacerdotisas-guerreiras e de rainhas, recobertas de ouro e ladeadas por vítimas sacrificiais.[50]

Os primeiros europeus a estudar essas civilizações, no final do século XIX e início do XX, partiam do pressuposto de que qualquer cidade, ou grupo de cidades, dotada de arte e arquitetura monumentais, exercendo "influência" sobre a região circundante, devia ser a capital de um Estado ou império (eles também pressupunham — equivocadamente, como se comprovou depois — que todos os governantes eram homens). Assim como no caso dos olmecas, uma proporção inusitadamente grande dessa influência parece ter se dado sob a forma de imagens — disseminadas, no caso andino, em pequenas vasilhas de cerâmica, ornamentos pessoais e tecidos —, mais do que pela difusão de instituições administrativas, militares ou comerciais e de suas respectivas tecnologias.

Consideremos a própria Chavín de Huántar, situada no alto do vale do rio Mosna, nos Andes peruanos. No início, os arqueólogos acharam que se tratava do centro de um império pré-incaico do primeiro milênio a.C.: um Estado que dominava uma extensa região, abrangendo todos os planaltos e bacias hidrográficas litorâneos desde a floresta amazônica, a leste, até a costa do Pacífico a oeste. Um poderio como esse parecia compatível com a escala e a sofisticação da arquitetura de pedra talhada que havia em Chavín, sua incomparável abundância de escultura monumental, e o aparecimento dos motivos de Chavín na cerâmica, na joalheria e dos tecidos na região como um todo. Porém, seria Chavín de fato uma espécie de "Roma andina"?

Na realidade, desde então foram encontrados poucos indícios que apontam nessa direção. Para compreendermos o que poderia ter ocorrido em Chavín, precisamos examinar em detalhe essas imagens, e o que nos contam a respeito da importância em termos mais amplos da visão e do conhecimento nas concepções de poder em Chavín.

Não há na arte de Chavín representações figurativas ou, menos ainda, narrativas pictóricas — pelo menos não de forma reconhecível. Tampouco parece ser um sistema de escrita pictográfica. E este é um motivo pelo qual podemos ter razoável certeza de que não se trata mesmo de um império, que tende a privilegiar estilos artísticos figurativos ao mesmo tempo muito volumosos e muito simplificados, de modo que sejam facilmente entendidos por aqueles a quem se pretende impressionar. Se um imperador persa aquemênida mandasse entalhar seu semblante numa encosta montanhosa, ele o fazia de tal modo que qualquer um, mesmo um emissário de terras ainda desconhecidas (ou um estudioso de alguma remota era futura), fosse capaz de reconhecer que se tratava da imagem de um rei muito poderoso.

As imagens de Chavín, por outro lado, são apenas para os iniciados. Águias de penacho enroscam-se em si mesmas, desaparecendo em meio a ornamentos labirínticos; rostos humanos exibem presas semelhantes a serpentes, ou se contorcem em caretas felinas. Sem dúvida, muitas outras figuras escapam por completo a nossa atenção. Somente depois de algum estudo as formas, mesmo as mais simples, vão se revelando ao olho destreinado. Com a devida atenção, acabamos por vislumbrar imagens recorrentes de animais da floresta tropical — onças, serpentes, jacarés —, mas, assim que se delineiam, logo somem de nosso campo de visão, serpenteando para dentro e para fora dos corpos uns dos outros ou fundindo-se em padrões complexos.[51]

Embora algumas dessas imagens tenham sido descritas pelos estudiosos como "monstros", nada têm em comum com as figuras compósitas simples nos antigos vasos gregos ou em esculturas mesopotâmicas — centauros, grifos e assemelhados — ou mesmo com seus equivalentes mochicas. Estamos num tipo de universo visual completamente distinto, onde predominam as metamorfoses, onde nenhum corpo jamais se estabiliza ou se completa, e um laborioso treino mental é necessário para entrever uma estrutura no que à primeira vista assemelha-se a um caos visual. Podemos afirmar isso porque as artes de Chavín parecem ser uma primeira (e monumental) manifestação de uma tradição ameríndia bem mais abrangente, na qual as imagens não servem para ilustrar ou representar, mas como recursos visuais para extraordinárias façanhas de memorização.

Até tempos bem recentes, um grande número de sociedades indígenas continuava a empregar sistemas muito similares para transmitir o conhecimento esotérico de fórmulas rituais, genealogias ou registros de jornadas xamânicas ao mundo dos espíritos ctônicos e daqueles incorporados em animais.[52] Na Eurásia, técnicas semelhantes foram aperfeiçoadas nas antigas "artes da memória", por meio das quais relatos, discursos, listas ou coisas assemelhadas podiam ser guardados num "palácio da memória", que consistia em um corredor ou aposento imaginário no qual uma série de imagens impactantes eram dispostas, cada qual associada a um episódio, incidente ou nome a ser relembrado. Mal podemos imaginar como seria se alguém desenhasse ou entalhasse um conjunto similar de pistas visuais e, mais tarde, um arqueólogo ou historiador da arte topasse com essa imagem, sem ter a menor ideia de seu contexto, para não falar da própria história a que estavam associadas.

No caso de Chavín, temos motivos para supor que as imagens eram registros de jornadas xamânicas — não só devido à natureza peculiar das imagens, mas também pela abundância de indícios circunstanciais relacionados com estados alterados de consciência. Em Chavín foram encontradas colherinhas para inalar pós, pequenos almofarizes ornados e cachimbos feitos de ossos; e, nas imagens entalhadas veem-se figuras masculinas com presas e toucas de serpentes erguendo uma haste do cacto San Pedro, a base da *Huachuma*, uma infusão à base de mescalina ainda hoje preparada na região e indutora de visões psicoativas. Outras figuras entalhadas, todas aparentemente masculinas, estão rodeadas de folhas de angico (*Anadenanthera* sp.), que contém um poderoso alucinógeno. Liberado quando as folhas são moídas e aspiradas, provoca um jorro de muco nasal, algo fielmente reproduzido nas cabeças esculpidas nos muros dos principais templos em Chavín.[53]

Na realidade, nada na paisagem monumental de Chavín parece ter algo a ver com um governo secular. Não há fortificações militares nem distritos administrativos óbvios. Quase tudo, por outro lado, parece ter a ver com cerimônias rituais e com a revelação ou ocultação de conhecimento esotérico.[54] Curiosamente, foi bem isso o que os informantes indígenas contaram aos soldados e cronistas espanhóis que chegaram ao local no século XVII. Até onde iam as lembranças mais remotas, segundo eles, Chavín fora um local de peregrinação, mas também de perigo sobrenatural, para o qual convergiam de todos os cantos os chefes das famílias mais importantes em busca de visões e oráculos: a "fala das pedras". Apesar do ceticismo inicial, pouco a pouco os arqueólogos se convenceram de que esses informantes estavam certos.[55]

Além dos indícios de rituais e de estados mentais alterados, há também a inusitada arquitetura do local. Os templos em Chavín abrigam labirintos de pedra e escadarias suspensas que não parecem concebidos para atos coletivos de veneração, mas sim para a realização de provações, iniciações e buscas de visões individuais. Implicam jornadas tortuosas por corredores estreitos, que só permitem a passagem de uma pessoa e dão acesso a um minúsculo santuário contendo um monólito, entalhado com densos emaranhados de imagens. O mais famoso desses monumentos, uma estela conhecida como "El Lanzón" ("a lança"), é uma haste de granito com cerca de quatro metros de altura, e em torno do qual foi erguido o Templo Antigo de Chavín. Uma réplica dessa estela — considerada por vezes como a representação de uma divindade que é também o *axis mundi*, o eixo central, que conecta as extremidades opostas do universo xamânico — tem lugar de destaque no Museo de la Nación do Peru, mas a original, de 3 mil anos de idade, continua residindo no centro de um labirinto sombrio, iluminado por frestas estreitas, onde nenhum espectador pode jamais compreender a totalidade de sua forma e de seu sentido.[56]

Se Chavín — uma precursora remota dos incas — era um "império", então era um que se baseava em imagens associadas a conhecimentos esotéricos. O olmeca, por outro lado, era um "império" calcado no espetáculo, na competição e nos atributos pessoais dos líderes políticos. Claro que o uso que estamos fazendo do termo "império" é o mais impreciso possível. Nenhum dos dois era remotamente semelhante a, digamos, os impérios Romano e Han, ou mesmo aos impérios Inca e Asteca. Tampouco preenchem qualquer dos critérios relevantes para ser um "Estado" — pelo menos, não os da maioria das definições sociológicas costumeiras (monopólio da violência, níveis hierarquizados na administração etc.). Em vez disso, a saída habitual é descrever esses regimes como "chefaturas complexas", mas isso também parece irremediavelmente inadequado — uma forma resumida de dizer "embora se pareça, não é um Estado". Ou seja, não nos diz nada.

Faz mais sentido, ao nosso ver, examinar esses casos confusos através da lente dos três princípios elementares da dominação — controle da violência (ou soberania), controle do conhecimento, e política carismática — delineados no início deste capítulo. Com isso, podemos ver como cada caso ressalta ao máximo uma forma específica de dominação, ampliando-a numa escala incomum.

Antes de tudo, no caso de Chavín, o poder sobre uma população numerosa e dispersa estava claramente relacionado com a manutenção do controle sobre certos tipos de conhecimento: algo talvez não muito diferente dos "segredos de Estado" encontrados em regimes burocráticos posteriores, embora com um conteúdo bem diverso, claro, e sem contar tanto com a força militar para serem preservados. Na tradição olmeca, o poder dependia de certas maneiras formalizadas de competir pelo reconhecimento pessoal, numa atmosfera de jogo e de risco: um exemplo claro de um amplo campo político competitivo, mas sem soberania territorial ou estrutura administrativa. Sem dúvida, havia um certo grau de carisma e de rivalidade pessoais em Chavín; e, sem dúvida, também entre os olmecas havia quem se tornasse influente por dominar conhecimentos obscuros; porém, em nenhum desses casos temos motivo para crer que alguém reivindicasse um princípio forte de soberania.

Vamos nos referir a esses regimes como de "primeira ordem", pois parecem se organizar em função de uma das três modalidades elementares de dominação (controle do conhecimento, em Chavín; política carismática, entre os olmecas), com relativa negligência das outras duas modalidades. A questão óbvia é saber se existem exemplos da terceira variante — ou seja, se há casos de sociedades que desenvolvem um princípio de soberania (e concedem a um indivíduo ou a um pequeno grupo o monopólio do uso da violência com impunidade), e o levam a extremos, mas sem dispor de uma estrutura de controle do conhecimento nem de qualquer tipo de campo político competitivo. Na verdade, há vários exemplos disso. Seria bem mais difícil constatar a existência desse tipo apenas com base em evidências arqueológicas, mas, para ilustrar essa terceira variante, felizmente podemos recorrer a sociedades ameríndias mais recentes, sobre as quais há documentação por escrito.

Como sempre, é preciso cautela ao lidarmos com essas fontes, pois foram escritas por observadores europeus que não só tinham seus vieses como tendiam a descrever sociedades já afetadas pela destruição caótica desencadeada pelos próprios europeus. Mesmo assim, relatos franceses sobre os natchez do sul da Louisiana no século XVIII descrevem exatamente o tipo de arranjo que nos interessa aqui. Há um consenso de que os natchez (que chamam a si mesmos de *Théoloël*, ou "Povo do Sol") constituem o único caso inequívoco de realeza divina ao norte do rio Grande. Seu governante desfrutava de um poder absoluto, que teria satisfeito a um Sapa Inca ou a um faraó egípcio. No entanto, contavam com uma burocracia mínima, e nada parecido com um campo político competitivo. Até onde sabemos, nunca ocorreu a ninguém considerar um arranjo desse tipo como um "Estado".

A SOBERANIA SEM O "ESTADO"

Voltemos a examinar a obra de um jesuíta francês, o padre Maturin Le Petit, que escreveu um relato sobre os natchez no princípio do século XVIII. Le Petit constatou que os natchez não se pareciam em nada com os povos que os jesuítas haviam conhecido numa região onde hoje é o Canadá. Ficou particularmente impressionado com as práticas religiosas, que se concentravam ao redor de um povoado que todas as fontes franceses se referem como a Aldeia Grande, em cujo centro havia duas grandes elevações de terra separadas por uma praça. Numa dessas elevações havia um templo; na outra, uma espécie de palácio, a residência de um governante conhecido como o Grande Sol, ampla o bastante para abrigar até 4 mil pessoas, mais ou menos toda a população natchez na época.

O templo, no qual ardia um fogo eterno, era dedicado ao fundador da dinastia real. O atual governante, junto com seu irmão (chamado "Serpente Tatuada") e sua irmã mais velha ("Mulher Branca"), eram tratados com algo muito parecido com veneração. Todos os que deles se aproximavam deviam fazer mesuras e entoar lamentos, e depois se afastar andando de costas. Ninguém, nem mesmo suas esposas, tinha permissão para partilhar uma refeição com o rei; e somente os mais privilegiados podiam observar enquanto ele comia. Na prática, isso significava que os membros da família real passavam quase toda sua existência confinados na Aldeia Grande, da qual raramente se afastavam.[57] O próprio rei se exibia quase que apenas durante os rituais principais ou em épocas de guerra.

Le Petit e outros observadores franceses — na época súditos do rei Luís xiv, outro soberano que se considerava um "Rei Sol" — ficaram fascinados com esse paralelo e, por isso, descreveram em minúcias o que viram na Aldeia Grande. O Grande Sol dos natchez talvez não fosse tão esplendoroso quanto Luís xiv, mas isso era compensado em termos de poder pessoal. Os franceses ficaram especialmente impressionados com a arbitrariedade das execuções e dos confiscos de propriedade dos súditos natchez, e também com o modo como, no funeral do rei, os atendentes da corte — muitas vezes, aparentemente, de bom grado — se ofereciam para serem estrangulados e, com isso, acompanharem na morte o Grande Sol e seus parentes mais próximos. Em tais ocasiões, eram sacrificados sobretudo aqueles diretamente responsáveis por cuidar do rei e de suas necessidades físicas — inclusive suas esposas, invariavelmente plebeias (a sucessão entre os natchez era matrilinear, e os filhos da Mulher Branca ascendiam ao trono). De acordo com os relatos franceses, muitos entregavam-se à morte de maneira voluntária e até mesmo jubilosa. Uma das esposas comentou que sonhava em partilhar uma refeição com o marido no além-vida.

Uma consequência paradoxal desses arranjos sociais era que, na maior parte do ano, a Aldeia Grande ficava quase despovoada. Como observou outro religioso, o padre Pierre de Charlevoix, "a Aldeia grande dos natchez está agora reduzida a poucas Cabanas. O Motivo disso, me contaram, é que os Selvagens, sobre quem o Grande Chefe tem o Direito de tomar tudo o que possuem, mantêm-se o mais longe possível dele e, portanto, muitas Aldeias dessa Nação se formaram a certa Distância desta".[58]

Afastados da Aldeia Grande, ao que tudo indica os natchez comuns levavam vidas muito diversas, com frequência demonstrando completo descaso em relação às vontades de seus governantes ostensivos. Conduziam de forma independente seus próprios empreendimentos comerciais e militares, e por vezes opunham-se explicitamente às ordens transmitidas por emissários ou parentes do Grande Sol. Isso é confirmado pelos levantamentos arqueológicos na região dos natchez, os quais mostram que, no século XVIII, o "reino" era na verdade composto de distritos semiautônomos, incluindo muitos assentamentos maiores e mais ricos em bens do que a própria Aldeia Grande.[59]

Como exatamente devemos interpretar essa situação? Talvez pareça paradoxal, mas ao longo da história arranjos desse tipo não são tão incomuns. O Grande Sol era um soberano na acepção clássica do termo — ou seja, personificava um princípio colocado acima da lei. Por isso não estava sujeito a nenhuma lei. Esse é um tipo de argumento cosmológico que encontramos, numa ou noutra forma, quase em toda parte, desde Bolonha até Mbanza-Kongo. Assim como não se concebe que os deuses (ou Deus) sejam limitados pela moralidade — uma vez que só um princípio existente para além do bem e do mal poderia ter criado o bem e o mal —, os "reis divinos" não podem ser julgados por critérios humanos; e a própria conduta violenta e arbitrária deles em relação aos mais próximos é em si mesma uma prova de sua condição transcendente. Porém, ao mesmo tempo, espera-se deles que sejam criadores e garantidores de sistemas de justiça. O mesmo ocorria entre os natchez. O Grande Sol era tido como descendente de um filho do Sol que trouxera à terra um código universal de leis, das quais as prescrições mais proeminentes eram contra o furto e o assassinato. Entretanto, o próprio Grande Sol transgredia essas leis com frequência, como se tivesse de provar que se identificava com um princípio anterior à proibição e que, portanto, era capaz de criá-la.

O problema com esse tipo de poder (ao menos, do ponto de vista do soberano) é que ele tende a ser estritamente pessoal, tornando quase impossível delegar. A soberania estende-se até onde o próprio rei pode caminhar, chegar, ver ou ser carregado. Dentro desses limites, sua soberania é absoluta. Fora deles, logo se atenua. Assim, sem um sistema administrativo (e o rei natchez contava apenas com um punhado de atendentes), as cobranças relativas a trabalho, tributos ou obediência podiam, caso fossem consideradas incômodas, ser simplesmente ignoradas. Até os monarcas "absolutistas" do Renascimento, como Henrique VIII ou Luís XIV, enfrentavam muitos problemas para delegar sua autoridade — por exemplo, para convencer os súditos a tratarem os representantes reais como merecedores de uma deferência e uma obediência equivalentes às devidas ao próprio rei. Mesmo quando estabeleciam um sistema administrativo (o que evidentemente fizeram), havia o problema adicional de como fazer com que os administradores cumprissem adequadamente as ordens — e, também, de como serem informados quando isso não ocorresse. Numa época tão avançada como a década de 1780, como ressaltou Max Weber, Frederico, o Grande, da Prússia, constatou que os reiterados esforços para libertar os servos em seus domínios acabavam frustrados porque os burocratas simplesmente ignoravam os decretos, ou, quando questionados pelos emissários reais, insistiam que seus termos deveriam ser interpretados como o oposto do que obviamente se pretendia.[60]

Nesse sentido, os observadores franceses não estavam de todo equivocados: a corte dos natchez de fato podia ser considerada uma versão hiperconcentrada da corte de Versalhes. De um lado, o poder do Grande Sol no âmbito de sua presença física era bem mais absoluto (Luís XIV não podia estalar os dedos e mandar que alguém fosse executado no ato diante dele); por outro lado, sua capacidade de estender esse poder era bem mais restrita (afinal, o soberano francês dispunha de uma estrutura administrativa, ainda que bastante limitada em comparação com a dos Estados-nação modernos). Entre os natchez, a soberania na prática era contida. Havia até mesmo uma sugestão de que esse poder, sobretudo em seu aspecto benevolente, era de certo modo dependente dessa contenção. De acordo com um relato, o principal papel ritual do rei era obter bênçãos para o povo — saúde, fertilidade, prosperidade — junto ao legislador original, um ser que, quando vivo, mostrou-se tão aterrorizante e destrutivo que acabou aceitando ser transformado em estátua de pedra e levado para um templo onde ninguém podia vê-lo.[61] De modo similar, o rei era sagrado, e podia ser um veículo para aquelas bênçãos, exatamente na medida em que pudesse ser contido.

O caso dos natchez ilustra, com excepcional clareza, um princípio mais geral segundo o qual a contenção dos reis é uma das chaves de seu poder ritual. A soberania sempre representa a si mesma como um rompimento simbólico com a ordem moral; por isso os reis tantas vezes cometem atrocidades para se estabelecerem, assassinando os irmãos, casando com as irmãs, profanando as ossadas dos antepassados ou, em alguns casos documentados, literalmente saindo à porta do palácio e abatendo a tiros sem nenhum constrangimento alguns de seus súditos.[62] Todavia, esses mesmos atos confirmam o rei como legislador e supremo juiz em potencial, de forma similar aos "Deuses do Alto", muitas vezes representados lançando raios aleatórios e julgando os atos morais dos seres humanos.

As pessoas têm a lamentável propensão a ver a execução bem-sucedida da violência arbitrária como sendo de algum modo divina, ou pelo menos a identificá-la com um tipo de poder transcendental. Podemos não nos prostrar diante de qualquer bandido ou valentão que consegue agir impunemente (ao menos, se não estivermos diante dele no mesmo aposento), mas na medida em que tal figura consegue se firmar como alguém de fato acima da lei — em outras palavras, como alguém sagrado ou segregado —, outro princípio, ao que tudo indica universal, faz-se notar: a fim de se manter separado da sujeira e da lama da existência humana comum, essa mesma figura acaba cercada de restrições. Indivíduos violentos insistem em sinais de respeito, mas, quando adaptados ao nível cosmológico — "não tocar a terra", "não contemplar o Sol" — tendem a restringir a sua liberdade de agir, com ou sem violência.[63]

Durante a maior parte da história, essa foi a dinâmica interna da soberania. Os governantes tentavam estabelecer a natureza arbitrária de seu poder; os súditos, quando não estavam simplesmente evitando os reis, procuravam cercar os personagens divinos desses governantes de um interminável labirinto de restrições rituais, tão minuciosas que os governantes acabavam, na prática, aprisionados em seus palácios — ou até, como em alguns dos casos de "realeza divina", tornados famosos por James Frazer em *O ramo de ouro*, submetidos eles próprios a mortes rituais.

* * *

Até aqui, portanto, vimos como cada um dos três princípios que nos serviram de ponto de partida — violência, conhecimento e carisma — acabou, em regimes de primeira ordem, tornando-se o fundamento de estruturas políticas que, em alguns aspectos, assemelham-se ao que consideramos como "Estado", ainda que em outros aspectos sejam claramente distintas. Nenhuma delas poderia ser descrita como uma sociedade "igualitária" — todas eram organizadas ao redor de uma elite bem demarcada —, mas ao mesmo tempo não está claro em que medida sua existência restringiu as liberdades fundamentais discutidas em capítulos anteriores. Há poucos motivos para crer, por exemplo, que esses regimes tenham prejudicado muito a liberdade de ir e vir: os natchez ao que tudo indica encontravam pouca oposição se decidissem, e em geral era o que faziam, simplesmente ficar longe do Grande Sol. Tampouco há muita clareza no que se refere a ordens dadas ou recebidas, exceto no âmbito imediato (e nitidamente restrito) do soberano.

Outro exemplo instrutivo de soberania sem Estado está na história recente do Sudão do Sul, entre os shilluks, um povo nilótico que vive ao lado dos nueres. Para recapitular, no início do século xx os nueres eram uma sociedade pastoril, do tipo com frequência chamado na literatura antropológica de "igualitária" (embora não seja, na verdade, exatamente assim), devido à acentuada ojeriza a qualquer situação, mesmo que apenas esboçada, em que ordens são dadas e recebidas. Os shilluks falam uma língua nilótica ocidental bem similar à dos nueres, a ponto de muitos acharem que, no passado, constituíam um único povo. Enquanto os nueres ocupavam as terras mais adequadas ao pastoreio do gado, os shilluks acabaram vivendo num trecho fértil às margens do rio Nilo Branco, o que lhes permitiu cultivar uma variedade local de sorgo conhecida como "durra" e sustentar populações adensadas. Entretanto, os shilluks, ao contrário dos nueres, tinham um rei. Conhecido como *reth*, esse monarca também poderia ser tido como uma personificação da soberania em estado bruto, tal como o Grande Sol entre os natchez.

Tanto o Grande Sol como o *reth* podiam agir com total impunidade, mas apenas em relação àqueles que estavam em sua presença imediata. Ambos normalmente residiam numa capital isolada, onde conduziam rituais regulares para assegurar a fertilidade e o bem-estar. Segundo um missionário italiano, escrevendo no princípio do século xx:

> Normalmente, o Reth vive isolado, com algumas de suas mulheres, na pequena mas renomada aldeia montanhosa de Pacooda, conhecida como Fashoda [...]. Sua pessoa é sagrada e só com dificuldade as pessoas comuns dele se aproximam, e a classe mais alta, apenas por meio de uma etiqueta complexa. Suas aparições públicas, como durante uma viagem, são de tal modo raras e atemorizantes que a maioria das pessoas costuma se esconder ou ficar longe de seu caminho; e isso vale sobretudo para as mulheres jovens.[64]

As últimas, presumivelmente, pelo temor de serem raptadas e incorporadas ao harém real. Contudo, isso também tinha suas vantagens, uma vez que, na prática, o colegiado das esposas do rei cuidava da administração, mantendo conexões entre Fashoda e suas aldeias natais; e esse colegiado era poderoso o suficiente, quando as esposas chegavam a um consenso, até mesmo para ordenar a execução do soberano. Por outro lado, o *reth* também contava com os seus capangas: com frequência órfãos, criminosos, fugitivos e outros indivíduos desarraigados que dele se aproximavam. Se o rei intermediasse uma disputa local e um dos lados se recusasse a aceitar sua decisão, ele podia juntar-se ao outro lado, invadir a aldeia recalcitrante e apropriar-se do gado e de objetos valiosos que seus homens conseguissem pilhar. Por isso, o tesouro real era quase todo constituído de riquezas roubadas, obtidas em ataques contra forasteiros ou contra os próprios súditos do rei.

Tudo isso talvez pareça um modelo bem precário de uma sociedade livre, mas na prática, nos assuntos cotidianos, os shilluks parecem ter preservado a mesma independência feroz dos nueres, e se mostrado igualmente avessos a receber ordens. Mesmo os membros da "classe alta" (basicamente, os descendentes de reis anteriores) podiam esperar apenas alguns gestos de deferência, mas não de obediência. Uma antiga lenda shilluk resume bem a situação:

> Houve certa vez um rei cruel, que matou muitos dos seus súditos, e até mesmo mulheres. Os súditos viviam amedrontados. Um dia, para demonstrar que seus súditos estavam tão atemorizados que fariam qualquer coisa que pedisse, ele convocou os chefes shilluks e ordenou que o emparedassem no interior de uma casa

juntamente com uma jovem. Mais tarde, quando gritou que já podiam deixá-lo sair, eles não fizeram nada. E o rei acabou morrendo.[65]

Se essas tradições orais servem de indicação, os Shilluk parecem ter feito uma escolha deliberada no sentido de que a aparição esporádica de um soberano arbitrário e por vezes violento era preferível do que outro método de governo mais brando, porém mais sistemático. Toda vez que um *reth* tentou criar um sistema administrativo, mesmo que apenas para cobrar tributos de povos derrotados, suas medidas foram contestadas por ondas avassaladoras de protesto popular que provocaram o abandono do projeto ou mesmo a queda do soberano.[66]

Ao contrário do *reth* dos shilluks, as elites olmecas e de Chavín eram capazes de mobilizar enormes contingentes de mão de obra, mas ainda não sabemos se o faziam por meio de cadeias de comando. Como vimos na antiga Mesopotâmia, a corveia, ou prestação de serviços periódica e não remunerada, também podia ser uma ocasião festiva, de espírito público e até mesmo equalizadora. (E, como veremos no caso do antigo Egito, os regimes mais autoritários com frequência ainda asseguravam a preservação de um resquício desse mesmo espírito.)

Por último, enfim, há que se considerar o impacto desses regimes de primeira ordem em nossa terceira liberdade fundamental: a liberdade de modificar e renegociar as relações sociais, periódica ou permanentemente. Isso, claro, é o mais difícil de avaliar. Com certeza, a maioria dessas novas formas de poder tem um aspecto nitidamente sazonal. Em certas épocas do ano, como no caso dos construtores de Stonehenge, toda a estrutura social de autoridade se desarticulava e deixava de existir na prática. Mais difícil, porém, é entender como surgiram tais arranjos surpreendentemente inovadores, assim como a infraestrutura física que os sustentava.

Quem concebeu o projeto do templo labiríntico em Chavín de Huantar, ou do complexo real em La Venta? Caso tenham sido concebidos coletivamente — como é bastante plausível[67] —, esses projetos grandiosos podem ser vistos por si mesmos como extraordinários exercícios de liberdade humana. Nenhum desses regimes de primeira ordem pode ser considerado um exemplo de formação do Estado — e hoje cada vez menos estudiosos sugerem isso. Portanto, caberia agora examinarmos um dos poucos casos que, na visão de quase todos, *pode* ser considerado um Estado, e que, de muitas maneiras, serviu como paradigma para todos os Estados posteriores: o antigo Egito.

COMO O TRABALHO DE CUIDADO, O ASSASSINATO RITUAL E AS "BOLHAS MINÚSCULAS" SE JUNTAM TODOS NAS ORIGENS DO ANTIGO EGITO

Se não pudéssemos contar com relatos escritos, mas apenas com resquícios arqueológicos, seria possível tomar conhecimento da existência de uma figura como o Grande Sol na sociedade natchez? Provavelmente não. Saberíamos que havia aterros de tamanho razoável na Aldeia Grande, erguidos em várias etapas, e sem dúvida os buracos de estacas indicariam que ali haviam sido erguidas grandes estruturas de madeira. No interior dessas estruturas, lareiras, fossas de lixo e utensílios dispersos teriam sem dúvida indicado algumas das atividades que lá aconteciam.[68] Talvez a única evidência convincente de realeza, contudo, viria sob a forma de sepulturas com ossadas ricamente ornamentadas e rodeadas pelos restos mortais de cortesãos sacrificados — mas isso, claro, apenas se os arqueólogos conseguissem achar essas sepulturas.[69]

Para alguns leitores, a ideia de um monarca morto e despachado para a vida eterna em meio aos cadáveres de seus atendentes na corte talvez evoque imagens dos primeiros faraós. De fato, alguns dos mais antigos reis conhecidos do Egito, os da Primeira Dinastia, por volta de 3000 a.C. (e que ainda não eram chamados de "faraós"), foram sepultados dessa maneira.[70] Mas isso não ocorreu apenas no Egito. Sepultamentos de reis circundados por dezenas, centenas ou mesmo milhares de vítimas mortas especialmente para a ocasião são encontrados em quase todas as partes do mundo onde mais tarde seriam instauradas monarquias, desde a época das primeiras dinastias da cidade--Estado de Ur, na Mesopotâmia, passando pela cultura Kerma, na Núbia, até a China do período Shang. Há também relatos literários confiáveis referentes à Coreia, ao Tibete, ao Japão e à estepe russa. Algo similar pode ter ocorrido nas culturas Moche e Wari, na América do Sul, e também na cidade de Cahokia, na cultura mississippiana.[71]

Convém examinarmos mais detalhadamente esses assassinatos em massa, pois a maioria dos arqueólogos atuais os considera um dos indicadores mais confiáveis de que estava em andamento um processo de "formação estatal". As mortes seguem um padrão surpreendentemente regular. Quase sempre assinalam as primeiras gerações da fundação de um novo império ou reino, com frequência imitadas por rivais de outras famílias de elite; em seguida, a prática é aos poucos abandonada (embora algumas vezes sobreviva em versões muito atenuadas, como no *sati*, o suicídio da viúva entre famílias sobretudo da casta guerreira, *xátria*, em grande parte do Sul da Ásia). Em seus primórdios, a matança ritual tende a ser espetacularizada: quase como se a morte de um governante implicasse um breve momento em que a soberania escapa de seus grilhões rituais, desencadeando uma espécie de megaexplosão política que aniquila tudo pelo caminho, incluindo parte dos indivíduos mais exaltados e poderosos do reino.

Com frequência, nesse momento, membros próximos da família real, altos oficiais militares e funcionários graduados são incluídos no rol das vítimas. Evidentemente, no exame de uma sepultura sem a ajuda de registros escritos, muitas vezes é difícil dizer quando se trata de corpos de esposas dos reis, de vizires ou de músicos da corte e quando se trata de prisioneiros de guerra, escravos ou gente comum escolhida aleatoriamente (como sabemos que às vezes se fazia em Buganda ou no Benim) — ou até unidades militares inteiras (como às vezes foi o caso na China). Na verdade, é possível que os indivíduos tidos como reis e rainhas nos famosos Túmulos Reais de Ur não fossem nada disso, mas apenas vítimas desafortunadas, sucedâneos ou talvez sumos sacerdotes e sacerdotisas envergando trajes da realeza.[72]

Ainda que alguns casos fossem apenas uma modalidade especialmente sanguinária de encenações, outros não eram, e assim resta a questão: por que os primeiros reinos faziam esse tipo de coisa? E por que paravam quando seu poder se consolidava?

Em sua capital Anyang, na planície central chinesa, os governantes da dinastia Shang tendiam a passar para o pós-vida acompanhados de poucos atendentes importantes, que se submetiam de forma voluntária — ainda que nem sempre com alegria — à morte e eram enterrados com as honras apropriadas. Estes constituíam apenas uma pequena proporção dos corpos na sepultura. Os reis também tinham a prerrogativa de circundar as próprias tumbas com os corpos de vítimas sacrificiais.[73] Muitas vezes são prováveis prisioneiros de guerra, capturados nas fileiras de linhagens rivais e — ao contrário dos atendentes — submetidos a mutilações sistemáticas, em geral com rearranjos zombeteiros das cabeças das vítimas. Ao que parece, para os Shang, essa era uma forma de negar a suas vítimas a possibilidade de se tornarem ancestrais dinásticos, impossibilitando os membros vivos da mesma linhagem de tomar parte nos cuidados e na alimentação de seus parentes mortos, em geral uma das obrigações fundamentais da vida familiar. Lançados à deriva, e socialmente estigmatizados, os sobreviventes tinham mais probabilidade de caírem sob o domínio da corte dos Shang. O governante tornava-se um ancestral mais importante, impedindo que outros se tornassem ancestrais de qualquer tipo.[74]

Convém lembrar disso quando nos voltamos ao Egito, pois à primeira vista o que observamos nas dinastias mais antigas parece ser exatamente o oposto. Os primeiros reis egípcios, e ao menos uma rainha, até foram sepultados ao lado de vítimas sacrificiais, mas que parecem ter sido selecionadas quase exclusivamente nos próprios círculos da realeza. A evidência disso vem de uma série de câmeras mortuárias, de 5 mil anos atrás, saqueadas na Antiguidade, mas ainda visíveis junto ao sítio da antiga cidade de Abidos, no deserto do sul do Egito. Essas são as tumbas da Primeira Dinastia do Egito.[75] Ao redor de cada sepulcro real há longas fileiras com centenas de sepulturas subsidiárias que formam uma espécie de perímetro. Esses "sepultamentos de atendentes", mortos na flor da idade, eram feitos em compartimentos próprios, menores e de alvenaria, cada qual assinalado por uma lápide na qual se entalhavam os títulos oficiais do indivíduo.[76] Não há indícios de nenhum prisioneiro ou inimigo morto entre os sepultados. Ao que tudo indica, portanto, quando morria um rei, seu sucessor presidia à morte do séquito do falecido, ou ao menos de parte significativa dele.

Então o que explica essa matança ritual no nascedouro do Estado egípcio? Qual era o propósito das sepulturas subsidiárias? Serviam para proteger o rei morto dos vivos, ou para proteger os vivos do rei morto? Por que, entre os sacrificados, contavam-se tantos que haviam dedicado a vida a cuidar do rei: provavelmente esposas, guardas, funcionários, cozinheiros, camareiros, artistas, anões e outros servidores da corte, dispostos ao redor do túmulo régio de acordo com suas funções e cargos? Há um tremendo paradoxo aí. De um lado, temos um ritual que parece ser a expressão rematada de amor e devoção, quando aqueles encarregados de conferir ao rei uma aparência régia no cotidiano — alimentando-o, vestindo-o, cortando-lhe o cabelo, cuidando dele quando enfermo e fazendo-lhe companhia quando estava solitário — submetiam-se de forma voluntária à morte, a fim de assegurar que ele continuasse a ser rei na vida futura. Por outro lado, esses sepultamentos eram a demonstração cabal de que, para um governante, até mesmo os súditos mais íntimos não passavam de posses pessoais, descartáveis como cobertas, tabuleiros de jogos ou jarros com espelta. Muitos já especularam sobre o significado disso. Provavelmente, há 5 mil anos, aqueles que enterravam os corpos também faziam esses mesmos questionamentos.

Os registros escritos da época não nos esclarecem os motivos oficiais, mas o que se destaca nas evidências disponíveis — pouco mais do que uma lista de nomes e títulos — é a composição muito variada dessas necrópoles reais. Parecem abrigar parentes consanguíneos dos primeiros reis e rainhas, sobretudo membros femininos da realeza, e um bom número de outros indivíduos que se tornaram membros da casa real devido a habilidades incomuns ou características pessoais notáveis, e que assim passaram a ser vistos como parte da família real ampliada. A violência e o derramamento de sangue que acompanhavam esses rituais funerários devem ter contribuído para apagar essas diferenças, englobando a todos numa única categoria, convertendo servidores em parentes e parentes em servidores. Em épocas posteriores, os parentes mais próximos do rei representavam a si mesmos exatamente dessa maneira, depositando no túmulo real réplicas modestas suas empenhadas em trabalhos braçais, como a moagem de cereais ou o preparo de alimentos.[77]

Quando a soberania começa a se expandir e se tornar o princípio geral ordenador da sociedade, isso ocorre pela transformação da violência em parentesco. Tanto na China como no Egito, a etapa inicial e espetacularizada de mortes em massa ao que tudo indica serviu para estabelecer os fundamentos do que Max Weber chamou de "sistema patrimonialista", no qual todos os súditos são considerados membros da casa real, pelo menos na medida em que todos estão empenhados em cuidar do rei. Admitir indivíduos outrora estranhos na casa real ou negar a eles ancestrais próprios constitui, em última análise, os dois lados da mesma moeda.[78] Ou, em outras palavras, um ritual concebido para criar parentesco se torna um método para criar soberania.

Essas formas extremas de matança ritual em sepultamentos da realeza cessaram de repente no decorrer da Segunda Dinastia do Egito. No entanto, a organização patrimonialista continuou a se expandir — não tanto no sentido de ampliar as fronteiras externas do Egito, desde cedo definidas por meio de violência contra os vizinhos na Núbia e outras partes,[79] e sim mais no sentido de reformular as vidas dos súditos internos. No decorrer de poucas gerações, o vale e o delta do Nilo foram repartidos em propriedades reais, cada qual dedicada a suprir os cultos mortuários de diferentes reis anteriores; e, não muito depois, houve a fundação de "vilas de trabalhadores" completas e voltadas para a construção das pirâmides no planalto de Gizé, dependentes da cobrança de corveia em todos os cantos do reino.[80]

A essa altura, com a construção das grandes pirâmides em Gizé, não há como negar que estamos diante de um tipo de Estado; mas as pirâmides, obviamente, também eram túmulos. No caso do Egito, ao que tudo indica, a "formação estatal" teve início com algum tipo de princípio de soberania individual como a dos natchez ou dos shilluks, irrompendo de sua prisão ritual exatamente por meio do falecimento do soberano, de tal modo que a morte do rei acabou por fundamentar a reorganização de grande parte da existência humana ao longo do Nilo. Para entendermos como isso se deu, precisamos analisar como era o Egito muito antes da época dos túmulos da Primeira Dinastia em Abidos.

Antes de examinarmos o que se passou nos séculos imediatamente anteriores à Primeira Dinastia do Egito — nos chamados períodos pré-dinástico e protodinástico, desde cerca de 4000 a.C. até 3100 a.C. —, vale a pena retornarmos a uma etapa ainda anterior da pré-história na mesma região.

Na África, incluindo o vale do Nilo (egípcio e sudanês), o Neolítico assumiu uma forma distinta do que no Oriente Médio. No quinto milênio antes da era cristã, houve uma ênfase maior na criação de rebanhos, em detrimento do cultivo de cereais, além da grande variedade de alimentos silvestres e cultivados que caracterizou o período. Talvez a melhor comparação moderna que podemos fazer — ainda que muito imprecisa — seja com os povos nilóticos, como os nueres, dinkas, shilluks ou anuaks, que lavram a terra mas se consideram pastores, deslocando-se a cada estação entre acampamentos improvisados. Arriscando uma generalização muito ampla, enquanto o foco da cultura neolítica no Oriente Médio (o Crescente Fértil) — no sentido de artes decorativas, cuidado e atenção — estava nas casas, no Neolítico africano o foco estava nos corpos e, desde os primórdios, vemos sepultamentos com belos objetos de embelezamento pessoal e conjuntos rebuscados de ornamentos corporais.[81]

Não é por coincidência que, muitos séculos depois, quando se formou a Primeira Dinastia Egípcia, entre os primeiros objetos com inscrições reais encontrados estão o "pente de marfim do rei Djet" e a famosa "paleta do rei Narmer" (as paletas eram usadas, por homens e mulheres, para moer e misturar cosméticos). Na prática, são versões espetacularizadas dos tipos de objeto que, milênios antes, ainda no Neolítico, os moradores das margens do Nilo usavam para se embelezar e, não por coincidência, também ofereciam como dádivas aos ancestrais mortos. No Neolítico e na época pré-dinástica, esses objetos estavam ao alcance de mulheres, homens e crianças. Na verdade, na sociedade nilótica, desde épocas muito remotas, o próprio corpo humano tornou-se uma espécie de monumento. Experimentos com técnicas de mumificação datam de muito antes da Primeira Dinastia; já no Neolítico os egípcios misturavam ervas aromáticas e óleos conservantes a fim de produzir corpos que poderiam durar para sempre e cujos locais de sepultamento eram os pontos fixos de referência numa paisagem social em constante mutação.[82]

De que modo, então, passamos dessas condições extremamente fluidas ao surgimento espetacular da Primeira Dinastia, quase 2 mil anos depois? Domínios territoriais não começam do nada.[83] Até não muito tempo atrás, dispúnhamos de pouco mais do que indícios fragmentários do que deve ter ocorrido durante os períodos tecnicamente chamados de pré-dinástico e protodinástico — ou seja, por volta do quarto milênio a.C., até o aparecimento do rei Narmer, por volta de 3100 a.C. Em casos assim, é tentador retomar as analogias com situações mais recentes. Como vimos, os povos nilóticos modernos, em especial os shilluks, mostram de que modo sociedades relativamente itinerantes que valorizam a liberdade individual podem, a despeito disso , preferir um déspota arbitrário — do qual poderão se livrar mais tarde — do que outras formas de governo mais sistemáticas ou difusas. Isso vale sobretudo se, como tantos povos cujos ancestrais organizaram suas vidas em função de rebanhos, eles tendem a adotar formas patriarcais de organização.[84]

Seria possível imaginar o vale do Nilo, na pré-história, dominado por *reths* à maneira dos shilluks, cada qual com seu próprio assentamento que era, em essência, uma família patriarcal ampliada; discutindo e brigando uns com os outros, mas, fora isso, pouco afetando as vidas daqueles que nominalmente governavam.

Ainda assim, não há substituto para as evidências arqueológicas concretas, que nos últimos anos se acumularam bem depressa. Descobertas recentes revelam que, numa época não posterior a 3500 a.C. — portanto, cerca de cinco séculos antes da Primeira Dinastia —, de fato existiam sepulturas de pequenos monarcas em vários locais por todo o vale do Nilo, e também mais ao sul, na Núbia. Não conhecemos seus nomes, uma vez que a escrita ainda mal se desenvolvera. Quase todos esses reinos parecem ter sido muito pequenos. Os maiores ficavam ao redor de Nacada e Abidos, junto à grande curva do Nilo no Alto Egito; em Hieracômpolis, mais ao sul; e no sítio de Custul, na Baixa Núbia — contudo, mesmo esses não parecem ter controlado territórios muito extensos.[85]

O que precedeu a Primeira Dinastia, portanto, não foi tanto uma ausência de poder soberano, mas sua superfluidade: uma profusão de reinos ínfimos e de microcortes, sempre com um núcleo de parentes consanguíneos e um agrupamento de capangas, esposas, criados e dependentes variados. Algumas dessas cortes parecem ter sido relativamente magníficas, deixando nos registros sepulcros de bom tamanho e corpos dos cortesãos sacrificados. A mais espetacular, em Hieracômpolis, inclui não só um anão (desde cedo, ao que parece, eles se tornaram um elemento indispensável da sociedade cortesã), mas também um grande número de meninas adolescentes, e o que parece ser o resquício de um zoológico particular, com animais exóticos, entre os quais dois babuínos e um elefante-africano.[86] São abundantes os indícios de que esses reis faziam reivindicações grandiosas, absolutas, cosmológicas, mas há poucos sinais de manterem um controle administrativo ou militar sobre os respectivos territórios.

Como se dá a passagem disso para a enorme burocracia agrária das épocas dinásticas posteriores no Egito? Parte da resposta está num processo paralelo de transformação, em meados do quarto milênio a.C., que a arqueologia também nos ajuda a esclarecer, e podemos imaginar como uma espécie de longa argumentação ou debate sobre as responsabilidades dos vivos para com os mortos. Os reis mortos, assim como os vivos, precisam mesmo de nosso desvelo? De cuidados diferentes daqueles concedidos aos antepassados comuns? Sentem fome? Em caso afirmativo, do que exatamente se alimentam? Seja qual for o motivo, a resposta que se impôs em todo o vale do Nilo por volta de 3500 a.C. foi a de que os antepassados de fato sentem fome, e de que se nutriam de algo que, na época, somente pode ter sido considerado um alimento exótico e talvez suntuoso: pão e cerveja de trigo, ambos fermentados, e cujas vasilhas começam agora a aparecer com frequência em sepulturas bem cuidadas. Não é coincidência que o cultivo do trigo — embora conhecido havia muito no vale e no delta do Nilo — somente se aperfeiçoou e se intensificou na mesma época, em função, ao menos em parte, das novas demandas dos mortos.[87]

Os dois processos — o agronômico e o cerimonial — se reforçaram mutuamente, com efeitos sociais épicos. Na verdade, levaram à criação do que se poderia considerar como o primeiro campesinato do mundo. Como em tantas regiões do planeta favorecidas pelas populações neolíticas, as cheias periódicas do Nilo de início dificultavam a divisão permanente das terras; ao que tudo indica, não foram as circunstâncias ecológicas, mas a demanda social de suprimento de pão e cerveja em ocasiões cerimoniais que permitiu a consolidação dessas divisões. Não se tratava apenas de acesso a áreas suficientes de terras cultiváveis, mas também de manter arados e bois, introduzidos nesse final do quarto milênio a.C. As famílias desprovidas de recursos para isso eram forçadas a obter a cerveja e o pão de outra forma, o que deu origem a redes de obrigações e dívidas. A partir de então começaram a surgir importantes distinções e dependências de classe,[88] à medida que um setor considerável da população do Egito foi despojado dos meios para cuidar dos ancestrais com independência.

Se isso parece um tanto fantasioso, basta lembrar o que aconteceu na extensão da soberania inca no Peru. Aqui também há um contraste entre o regime tradicional, diversificado e flexível de alimentos cotidianos — no caso uma culinária baseada em batatas congeladas e secas (*chuño*) — e a introdução de um tipo de alimento bem diferente, a cerveja de milho (*chicha*), considerada adequada para os deuses e que, com o tempo, acabou se tornando, por assim dizer, o alimento do império.[89] À época da conquista espanhola, o milho era uma necessidade ritual tanto para os ricos como para os pobres. Nutria os deuses e as múmias reais, e sustentava a marcha dos exércitos. Os que eram pobres demais para cultivá-lo — ou que viviam em altitudes muito elevadas no altiplano — tinham de achar outros meios de obtê-lo, com frequência acumulando dívidas junto aos domínios da realeza.[90]

No caso do Peru, os cronistas espanhóis nos ajudam a entender como uma substância inebriante aos poucos tornou-se o nutriente vital de um império; quanto ao Egito de 5 mil anos atrás, só nos resta adivinhar os detalhes. O tanto que sabemos é um notável tributo à disciplina da antropologia — e só pouco a pouco vamos encaixando as peças do quebra-cabeça. Por exemplo, por volta de 3500 a.C. começamos a encontrar resquícios de instalações usadas na produção de pão e cerveja — a princípio na proximidade de cemitérios e, no decorrer de alguns séculos, junto a palácios e tumbas grandiosas.[91] Uma imagem posterior, achada no sepulcro de um funcionário chamado Ty, mostra como essas instalações podem ter funcionado, com o pão e a cerveja sendo produzidos segundo os mesmos procedimentos. A ampliação gradual da autoridade real, bem como da abrangência da administração, começou por volta da Primeira Dinastia ou pouco antes, com a criação de domínios ostensivamente dedicados a assegurar o suprimento, não tanto dos reis vivos, mas dos reis mortos e, com o tempo, também dos funcionários reais. Na época das Grandes Pirâmides (*c.* 2500 a.C.), o pão e a cerveja estavam sendo produzidos em escala industrial para abastecer os exércitos de trabalhadores durante o serviço sazonal nos projetos de construção reais, período em que também passavam a ser "parentes" ou pelo menos cuidadores do soberano, e como tais eram ao menos temporariamente bem alimentados e bem cuidados.

A vila dos trabalhadores em Gizé produziu milhares de formas de cerâmica, usadas na feitura dos imensos pães comunais conhecidos como *bedjia*, compartilhados por grupos grandes, com copiosas quantidades de carne fornecida pelos currais reais de criação de animais e acompanhados de cerveja condimentada.[92] Esta última era crucial para a solidariedade das equipes sazonais de trabalho no Antigo Império. Os fatos emergem com franca simplicidade nos grafites entalhados na face interna dos blocos de pedra usados na construção das pirâmides. "Amigos de [rei] Menkaure" diz um deles; outro, "Bêbados de Menkaure". Essas unidades de trabalho sazonal (ou *phyles*, como são chamadas pelos egiptólogos) parecem ter sido constituídas somente de indivíduos que haviam passado por rituais etários específicos, e tinham como modelo a organização de tripulações de barcos.[93] Não fica claro se essas fraternidades rituais alguma vez navegaram de fato, mas são notáveis os paralelos entre as habilidades de equipe apropriadas à construção naval e aquelas usadas no manejo de blocos de arenito e granito, que pesavam toneladas, durante a construção de pirâmides-templos e outros monumentos reais similares.[94]

Talvez existam aí paralelos interessantes com o que ocorreu na Revolução Industrial, quando técnicas de disciplinamento, transformando grupos de pessoas em máquinas cronometradas, foram a princípio introduzidas em navios e só depois aplicadas ao chão de fábrica. Teriam sido as antigas tripulações de barcos egípcios o modelo daquelas que são consideradas as primeiras técnicas de linha de produção do mundo, resultando em monumentos imensos, bem mais impressionantes do que tudo o que existira antes, por meio da divisão de tarefas numa incontável variedade de componentes simples e mecânicos, como cortar, arrastar, içar, polir? Assim foi, na realidade, como foram erguidas as pirâmides: por meio da transformação dos súditos em grandes máquinas sociais, mais tarde celebradas pela convivialidade em massa.[95]

Acabamos de descrever, em traços rápidos, o que amplamente se considera como o primeiro exemplo conhecido de "formação estatal". Seria fácil generalizar a partir daí. Talvez, na verdade, o Estado seja bem isso: uma mescla de violência excepcional e criação de uma máquina social complexa, tudo ostensivamente dedicado a atos de cuidado e devoção.

Há um paradoxo óbvio aqui. De certo modo, o trabalho de dispensar cuidados é o oposto do trabalho mecânico, pois requer o reconhecimento e a compreensão das características, necessidades e peculiaridades únicas daqueles que são objeto do desvelo — crianças, adultos, animais ou plantas — a fim de proporcionar-lhes as condições para que prosperem.[96] A tarefa de prover cuidados se distingue por sua particularidade. Se essas instituições a que hoje chamamos de "Estado" têm algo em comum, sem dúvida é a tendência para desviar o impulso de cuidar para alguma abstração: hoje costuma ser a "nação", seja qual for sua definição. Talvez por isso seja mais fácil para nós ver o Egito antigo como protótipo do Estado moderno, pois a devoção também era desviada para uma grandiosa abstração, no caso o soberano e os mortos da elite. Foi esse processo que tornou possível imaginar o arranjo todo como sendo, ao mesmo tempo, uma família e uma máquina, na qual todos (com a exceção óbvia do rei) eram em última análise intercambiáveis. Desde o trabalho sazonal de construção de tumbas até os cuidados cotidianos do corpo do rei (como se viu, as primeiras inscrições reais foram achadas em pentes e paletas para cosméticos), a maior parte da atividade humana voltava-se para o alto, fosse para o cuidado dos governantes (vivos e mortos), fosse para ajudá--los em sua tarefa de alimentar e cuidar dos deuses.[97] Toda essa atividade era vista como a causa de um fluxo descendente de bênçãos e proteções divinas, que de tempos em tempos assumiam uma forma material nas grandes festas das vilas dos trabalhadores.

Os problemas surgem quando tentamos aplicar esse paradigma a outras regiões. Sem dúvida, como notamos, há paralelos interessantes entre o Egito e o Peru (ainda mais extraordinários quando se leva em conta a gritante diferença em suas topografias — o Nilo plano e facilmente navegável, e os Andes, com os seus "arquipélagos verticais"). Esses paralelos se manifestam em detalhes surpreendentes, como a mumificação dos governantes mortos e o fato de continuarem a manter seus domínios rurais, e na forma como os reis vivos são tratados como divindades que precisam fazer inspeções periódicas de seus domínios. Ambas as sociedades partilhavam certa antipatia pela vida urbana. Suas capitais eram, na verdade, centros cerimoniais, palcos para a exibição da realeza, com relativamente poucos moradores permanentes, e ambas as elites governantes preferiam imaginar que seus súditos viviam num reino de propriedades bucólicas e reservas de caça.[98] Mas tudo isso apenas assinala o quanto eram diferentes os outros casos de "Estados incipientes" que constam da literatura.

AS DIFERENÇAS ENTRE OS "ESTADOS" QUE COSTUMAM SER CONSIDERADOS "INCIPIENTES", DA CHINA À MESOAMÉRICA

Os impérios egípcio e incaico demonstram o que ocorre quando o princípio de soberania se une a uma burocracia e se estende uniformemente por todo um território. Assim sendo, ambos são com frequência evocados como exemplos primordiais de formação do Estado, apesar de estarem tão distantes tanto no tempo como no espaço. Porém, quase nenhum dos "Estados incipientes" canônicos parece ter seguido por esse caminho.

A Mesopotâmia, em seu período Dinástico Inicial, era constituída de dezenas de cidades-Estado de dimensões variadas, cada qual governada por um rei-guerreiro carismático — cujas características individuais e pessoais eram, acreditava-se, reconhecidas pelos deuses, e visíveis no porte e na conspícua virilidade de seu corpo —, todos disputando constantemente a supremacia. Só vez por outra um desses governantes acumulava uma força capaz de criar algo que poderia ser descrito como os primórdios de um reino ou império unificado. Não está claro se algum desses primeiros governantes mesopotâmicos de fato reinvindicou a "soberania" — ao menos no sentido absoluto de se colocar fora da ordem moral e, por isso, agir com impunidade, ou de criar formas sociais inteiramente novas por vontade própria. As cidades que nominalmente governavam existiam havia séculos: núcleos mercantis com arraigadas tradições de autogoverno, cada qual com seus próprios deuses que presidiam aos sistemas locais de administração dos templos. Os reis, nesse caso, quase nunca alegavam ser divinos, eram apenas prepostos dos deuses e, às vezes, seus heroicos defensores destes na terra: em suma, delegados do poder soberano, que residia propriamente no céu.[99] O resultado era uma tensão dinâmica entre dois princípios que, como vimos, surgiram em oposição um ao outro: a ordem administrativa dos vales fluviais e a política heroica e individualista das terras altas circundantes. A soberania, em última análise, era um atributo restrito aos deuses.[100]

As terras baixas maias eram outra história. Um governante (*ajaw*) no período maia clássico era um caçador e uma personificação de primeira ordem dos deuses, um guerreiro cujo corpo, ao entrar no campo de batalha ou nos rituais de dança, passava a hospedar o espírito de um herói ancestral, de uma divindade ou de monstros oníricos. Os *ajaws* assemelhavam-se, na prática, a pequenas divindades belicosas. Se algo era projetado no cosmos, no caso dos maias clássicos, era precisamente o princípio da burocracia. A maioria dos especialistas no tema concordaria que, no período clássico, os governantes, embora desprovidos de um sistema administrativo sofisticado, imaginavam o próprio cosmos como uma espécie de hierarquia administrativa, dominada por leis previsíveis[101] — um intricado conjunto de engrenagens celestiais ou subterrâneas, com base nas quais era possível estabelecer as datas exatas do nascimento e da morte das principais divindades, ocorridas milhares de anos antes (a divindade Muwaan Mat, por exemplo, nascera no dia 7 de dezembro de 3121 a.C., sete anos antes da criação do universo atual), mesmo que jamais lhes ocorresse registrar a quantidade ou a riqueza, para não falar das datas de nascimento, de seus próprios súditos.[102]

Existe, portanto, uma característica comum nesses "Estados incipientes"? Claro que podemos nos permitir generalizações básicas. Todos exibiam uma violência espetacularizada no topo do sistema; e todos, em última análise, dependiam, e em certa medida imitavam, a organização patriarcal dos lares. Em todos os casos, a estrutura de governo apoiava-se em algum tipo de divisão da sociedade em classes. Porém, como vimos em capítulos anteriores, esses elementos podiam muito bem existir sem ou antes do surgimento de um governo central — e, quando do estabelecimento de um, assumiam formas muito distintas. Nas cidades da Mesopotâmia, por exemplo, a classe social com frequência se baseava na posse de terras e na riqueza mercantil. Os templos também funcionavam como bancos e fábricas. Embora os deuses só deixassem os limites do templo em ocasiões festivas, os sacerdotes moviam-se em círculos mais amplos, fornecendo empréstimos com juros aos mercadores, controlando exércitos de tecedoras e fiandeiras e guardando zelosamente os campos e os rebanhos. Havia poderosas sociedades de mercadores. Conhecemos muito menos desses aspectos nas terras baixas maias, porém o pouco que sabemos indica que o poder não se fundava tanto no controle da terra ou no comércio, mas na capacidade de controlar diretamente fluxos de pessoas e sua lealdade, por meio de casamentos e dos vínculos personalíssimos vigentes na camada senhorial. Daí o foco, na política do período clássico maia, na captura em confrontos de rivais de alta hierarquia, vistos como uma forma de "capital humano" (algo que mal aparece nas fontes da Mesopotâmia).[103]

No caso da China, a situação complica-se ainda mais. No final do período Shang, de 1200 a.C. a 1000 a.C., a sociedade chinesa de fato compartilhava certas características com os outros "Estados iniciais" canônicos, mas, considerada como um todo integrado, é *sui generis*. Assim como a capital dos incas, Cusco, a capital da dinastia Shang, Anyang, foi concebida como um "pivô dos quatro quadrantes" — uma âncora cosmológica de todo o reino, erigida como um majestoso cenário para o ritual da realeza. E, da mesma forma como Cusco e a capital egípcia de Mênfis (e mais tarde Tebas), a cidade pairava entre os mundos dos vivos e dos mortos, abrigando de um lado as necrópoles da realeza e seus templos mortuários, e, de outro, a administração dos vivos. Suas áreas industriais produziram quantidades enormes de vasos de bronze e objetos de jade, as ferramentas necessárias para a comunicação com os ancestrais.[104] Todavia, em aspectos fundamentais, há pouca similaridade entre, de um lado, a China do período Shang e, de outro, seja o Império Antigo no Egito, seja o Peru dos incas. No mínimo, os governantes da dinastia Shang não reivindicavam a soberania sobre uma área extensa. Não podiam viajar em segurança, e muito menos expedir ordens, fora de uma estreita faixa de territórios agrupados nos trechos médio e baixo do rio Amarelo, não muito distantes da corte real.[105] Mesmo aí fica a impressão de que, na prática, não exerciam a soberania no sentido em que era entendida pelos governantes egípcios, incas ou até maias. A evidência mais clara disso é a extraordinária importância das práticas divinatórias nos primórdios do Estado chinês, num contraste notável com quase todos os outros exemplos já mencionados.[106]

Na prática, qualquer decisão do rei — referente a guerras, alianças, fundação de cidades ou mesmo a questões aparentemente triviais, como a ampliação das reservas de caça reais — somente era implementada depois de aprovada pelas autoridades supremas, que eram os deuses e os espíritos ancestrais — e nunca havia a garantia disso. Os adivinhos do período Shang apelavam aos deuses por meio de holocaustos: quando evocavam os deuses ou os ancestrais numa refeição ritual, os reis ou seus adivinhos colocavam no fogo carapaças de tartaruga ou escápulas de boi, e depois "liam" as rachaduras que surgiam como se fossem uma espécie de escrita oracular. O procedimento era completamente burocrático. Obtida uma resposta, o adivinho ou um escriba nomeado confirmava a leitura entalhando uma inscrição no osso ou na carapaça, e o oráculo resultante era guardado para consulta posterior.[107] Esses textos oraculares são, até onde sabemos, as primeiras inscrições escritas que surgiram na China e, embora seja provável que a escrita fosse usada no dia a dia em suportes perecíveis que não sobreviveram, ainda não temos indícios das outras formas de atividade administrativa ou arquivística que se tornariam típicas de dinastias chinesas posteriores, e tampouco de uma estrutura burocrática mais elaborada.[108]

Como os maias, os governantes do período Shang travavam guerras para adquirir vítimas humanas vivas. Cortes rivais tinham seus próprios ancestrais, sacrifícios e adivinhos, e ainda que reconhecessem a supremacia dos

Shang — sobretudo em contextos rituais —, não havia contradição entre isso e o enfrentamento nos campos de batalha sempre que houvesse motivo para tanto. Essas rivalidades ajudam a explicar o esplendor dos funerais da dinastia Shang e a mutilação dos corpos dos prisioneiros; em certo sentido, seus governantes ainda se empenhavam nos jogos agonísticos típicos de uma "sociedade heroica", numa competição para brilhar mais e humilhar os rivais. Trata-se de uma situação inerentemente instável, e por fim uma dinastia rival, a Zhou Ocidental, conseguiu derrotar definitivamente os Shang e reivindicou para si o Mandato do Céu.[109]

A esta altura, deve estar claro que, em todos esses casos, não estamos falando na verdade do "nascimento do Estado" no sentido do surgimento, em forma embrionária, de uma instituição nova e sem precedentes que cresceria e evoluiria até as formas modernas de governo. Em vez disso, estamos tratando de amplos sistemas regionais — e ocorre que, nos casos do Egito e dos Andes, todo um sistema regional acabou unificado (ao menos por um tempo) sob um único governo. Na realidade, tratava-se de um arranjo pouco usual. Mais comuns eram as configurações semelhantes às da China do período Shang, onde a unificação permanecia em grande parte teórica; ou à da Mesopotâmia, onde havia um protelado confronto entre dois grandes blocos de poder, sem que nenhum deles conseguisse superar o outro.[110]

Em termos da teoria aqui proposta, segundo a qual as três formas elementares de dominação — controle da violência, controle do conhecimento e poder carismático — podem se cristalizar em formas institucionais próprias (soberania, administração e política heroica), quase todos esses "Estados iniciais" poderiam ser descritos como regimes de dominação de "segunda ordem". Todos os regimes de primeira ordem — os vigentes entre os olmecas, em Chavín ou entre os natchez — desenvolveram apenas um elemento dessa tríade. Contudo, nos arranjos em geral mais violentos dos regimes de segunda ordem, dois dos três princípios de dominação acabam se juntando de forma espetacular e inédita, mas em cada caso numa combinação diferente. Os primeiros reis do Egito mesclaram soberania e administração; os da Mesopotâmia, administração e política heroica; e os *ajaws*, do período clássico maia, política heroica e soberania.

Convém ressaltar que não se trata de que um desses princípios, em suas formas elementares, estivesse ausente em qualquer um desses casos; na verdade, o que parece ter ocorrido é que dois deles se cristalizaram em formas institucionais — fundindo-se de modo a se reforçarem mutuamente como fundamento do governo —, ao passo que a terceira forma de dominação era em grande parte excluída do âmbito das questões humanas e deslocada para o cosmos não humano (como na soberania divina na Mesopotâmia no período Dinástico Inicial, ou na burocracia cósmica dos maias clássicos). Com tudo isso em mente, retornemos brevemente ao Egito a fim de esclarecer alguns pontos remanescentes.

O CASO DO EGITO À LUZ DOS TRÊS PRINCÍPIOS ELEMENTARES DE DOMINAÇÃO E O PROBLEMA DAS "IDADES DAS TREVAS"

Os arquitetos do Império Antigo do Egito viram com clareza que estavam criando um mundo que se assemelhava a uma pérola cultivada, criada em perfeito isolamento. Sua visão está nitidamente registrada nos baixos-relevos entalhados em pedra nas paredes dos templos que serviam aos cultos funerários de reis como Djoser, Miquerinos, Seneferu e Sefrés. Ali o Egito, as "Duas Terras", sempre é representado como um Estado-teatro celestial, no qual o rei e os deuses contracenam em pé de igualdade, e também como um domínio terrestre, um mundo de propriedades rurais e reservas de caça, mapeado segundo uma cartografia da submissão, com cada parcela do reino personificada como uma dama de honra que deposita um dote aos pés da realeza. O princípio que rege essa visão do Egito é o da soberania absoluta do monarca, simbolizada em gigantescos monumentos funerários, em sua afirmação desafiadora de que nada estava além de seu poderio, nem mesmo a morte.

A realeza egípcia tinha, contudo, duas faces. O semblante interno era o do patriarca supremo, resguardando uma família imensamente ampliada — uma Grande Casa (esse é o significado literal do termo "faraó"). Já a face externa se mostra em representações do rei como um líder na guerra e nas caçadas exercendo o controle sobre as fronteiras do país; todos eram presas legítimas quando visados pela violência do rei.[111] Nada disso tem a ver, contudo, com a violência heroica. De certo modo, é o oposto dela. Numa ordem heroica, a honra do guerreiro baseia-se no fato de que *poderia* ser derrotado; sua reputação é tão importante que, em sua defesa, está disposto a arriscar a própria vida, dignidade e liberdade. Os reis egípcios, nesses períodos iniciais, jamais se apresentam como figuras heroicas nesse sentido. Era inconcebível que pudessem ser derrotados. Em consequência, as guerras não são representadas como disputas "políticas", que supõem um enfrentamento de adversários em tese iguais. Em vez disso, tanto o combate como a perseguição são reafirmações de posse, incessantes reiterações da mesma soberania exercida pelo rei sobre o povo, em última análise derivada de seu parentesco com os deuses.

Como já ressaltamos, qualquer forma de soberania ao mesmo tempo tão absoluta e pessoal quanto a de um faraó cria necessariamente sérios problemas em termos de delegar poderes. Aqui também todos os altos funcionários tinham, de certo modo, de ser apêndices da própria pessoa do rei. Grandes proprietários de terras, comandantes militares, sacerdotes, administradores e outros membros do alto escalão governamental também recebiam títulos como "Guardião dos Segredos Reais", "Amado Conhecido do Rei", "Diretor Musical do Faraó", "Supervisor das Manicures do Palácio", ou mesmo "Supervisor do Desjejum do Rei". Os jogos de poder não estavam ausentes, claro; sem dúvida, nunca houve uma corte real sem disputas por status, golpes, traições e intrigas políticas. Nesse caso, essas não eram disputas públicas, e nem havia um espaço reconhecido para a competição aberta. Tudo permanecia confinado aos limites da corte. Isso fica muito claro nas "biografias tumulares" dos funcionários do Império Antigo, nas quais suas realizações são descritas quase que apenas em termos dos seus relacionamentos com o rei, e dos serviços que lhe prestaram, em vez de características ou de conquistas pessoais.[112]

O que temos aqui, então, parece ser uma hipertrofia dos princípios de soberania e administração, e uma ausência quase total de política competitiva. Disputas públicas de qualquer tipo, políticas ou não, eram quase inexistentes. Não há nada nas fontes oficiais do Império Antigo do Egito (tampouco muita coisa em épocas posteriores da história egípcia antiga) que seja remotamente parecido com as competições de biga em Roma ou com os jogos de bola entre os olmecas e os zapotecas. No jubileu real, ou festival do *sed*, quando os reis egípcios percorriam um circuito para celebrar a unificação das Duas Terras do Alto e do Baixo Egito, o que se tinha era uma atuação solo, cujo resultado nunca estava em questão. Nas ocasiões em que aparece na literatura egípcia tardia, a política competitiva ocorre *entre* os deuses — por exemplo em obras como *A contenda entre Horus e Seth*. Os reis mortos talvez competissem entre si; porém, quando a soberania desce ao domínio dos mortais, as questões já foram decididas.

Em termos mais claros, quando falamos de uma ausência de política carismática, estamos nos referindo à ausência de um "sistema de celebridades" ou "hall da fama", com rivalidades institucionalizadas entre cavaleiros, chefes militares, políticos e assim por diante. Por certo não estamos falando de uma ausência de personalidades destacadas. Numa monarquia estrita, há uma única pessoa, ou talvez um punhado de indivíduos, que de fato importam. Na verdade, se quisermos entender o apelo da monarquia como forma de governo — e não há como negar que na maior parte da história documentada foi uma das formas mais populares —, talvez tenha algo a ver com sua capacidade de mobilizar, ao mesmo tempo, sentimentos associados tanto à dedicação aos cuidados como ao terror abjeto. O rei é o derradeiro indivíduo, com seus maneirismos e caprichos satisfeitos como os de uma criança mimada, e também a derradeira abstração, pois seu poder sobre a violência em massa e às vezes (como no Egito) sobre a produção em massa pode igualar a todos.

Também vale notar que a monarquia talvez seja o único sistema proeminente de governo no qual as crianças têm um papel crucial, pois tudo depende da capacidade de o monarca dar continuidade à linhagem dinástica. Os mortos podem ser venerados sob qualquer regime — mesmo os Estados Unidos, que se veem como exemplo de democracia, erguem templos para os Pais Fundadores e esculpe as feições de presidentes mortos em montanhas —, mas os infantes, impolutos objetos de amor e de desvelo, só são politicamente relevantes nos reinos e nos impérios.

Se muitas vezes o regime do Egito antigo é tido como o primeiro Estado de fato, e como o paradigma de todos os posteriores, isso se deve sobretudo à capacidade de sintetizar a soberania absoluta — à possibilidade de que dispõe o monarca de se colocar à parte da sociedade humana e se empenhar impunemente em atos de violência arbitrária — e também a uma estrutura administrativa que, ao menos em certos momentos, pode reduzir todos à condição de engrenagens de uma única e imensa máquina. A política competitiva e heroica estava ausente, relegada aos mundos dos deuses e dos mortos. Mas houve, claro, uma grande exceção, manifestada apenas nos períodos em que desmoronou a autoridade central, as supostas "idades das trevas", a começar do Primeiro Período Intermediário (*c.* 2181 a.C.-2055 a.C.).

Já no final do Império Antigo, os "nomarcas", ou governantes locais, haviam instaurado na prática suas próprias dinastias.[113] Quando o governo central cindiu-se nos centros rivais de Heracleópolis e Tebas, os líderes locais passaram a assumir a maioria das funções de governo. Chamados muitas vezes de "chefes guerreiros", na verdade os nomarcas em nada se pareciam com os pequenos reis do período pré-dinástico. Ao menos em seus monumentos, representam-se como algo similar a heróis populares ou mesmo santos. E também não se tratava de mera bazófia — alguns foram mesmo venerados como santos durante séculos. Não resta dúvida de que sempre existiram líderes carismáticos no Egito; no entanto, com o colapso do Estado patrimonial, essas figuras passaram a reivindicar abertamente a autoridade a partir de suas realizações e atributos pessoais (bravura, generosidade, habilidade como orador ou estrategista) e — o que é mais importante — a redefinir a própria autoridade social com base nas características do serviço público e da adoração às divindades locais, e no apoio popular que isso inspirou. Nota-se de forma clara essa mudança em inscrições autobiográficas, como as da tumba, entalhada na rocha, do nomarca Ankhtifi em El-Mo'alla, ao sul de Tebas. Assim ele narra o seu papel na guerra:

> Eu fui aquele que achou a solução que faltava, graças a meus planos vigorosos; aquele dotado de palavras de comando e espírito desanuviado no dia em que os nomos [territórios administrados] se aliaram (para travar a guerra). Sou o herói incomparável; aquele que falou livremente enquanto os outros emudeciam no dia em que grassou o medo e o Alto Egito não ousou protestar.

De forma ainda mais surpreendente, eis como celebra suas realizações sociais:

> Eu dei pão ao faminto e roupa ao carente; ungi os que não tinham óleos cosméticos; dei sandálias ao descalço; dei esposa ao solteiro. Tomei conta das vilas de Hefat [El-Mo'alla] e Hor-mer em todas [as crises, quando] o céu estava nublado

e a terra [estava seca? E as pessoas morriam] de fome nesse banco arenoso de Apófis. O sul veio com seu povo e o norte com suas crianças; trouxeram o melhor azeite para trocar por cevada que lhes foi entregue [...]. Todo o Alto Egito estava morrendo de fome e as pessoas comiam os próprios filhos, mas não permiti que ninguém morresse de fome neste nomo [...] jamais permiti que um necessitado saísse deste nomo e fosse para outro. Eu sou o herói sem par.[114]

É apenas a essa altura, no Primeiro Período Intermediário, que vemos surgir no Egito uma aristocracia hereditária, à medida que magnatas como Ankhtifi começaram a transmitir seus poderes aos filhos e parentes. A aristocracia e a política personalista não tinham um lugar assim demarcado no Antigo Império exatamente porque entravam em choque com o princípio de soberania. Em resumo, a transição do Antigo Império ao Primeiro Período Intermediário não implicou tanto uma mudança da "ordem" para o "caos" — como sustentavam antes os egiptólogos ortodoxos —, e sim uma passagem da "soberania" para a "política carismática" como formas distintas de definir o exercício do poder. Com isso surgiu uma nova ênfase: dos cuidados dispensados ao povo por um governante divino para os cuidados dispensados ao povo como via legítima para a autoridade. No Egito antigo, como tantas vezes na história, as realizações políticas significativas ocorrem precisamente naqueles períodos (das chamadas "idades das trevas") que são ignorados ou desdenhados porque ninguém estava erguendo grandiosos monumentos em pedra.

A VERDADEIRA ORIGEM DA BUROCRACIA, NO QUE PARECE SER UMA ESCALA INUSITADAMENTE PEQUENA

A esta altura deveria ser bem fácil entender por que o antigo Egito costuma ser tido como o exemplo paradigmático da formação do Estado. Não se trata apenas do fato de ser cronologicamente o primeiro dos chamados regimes de dominação de segunda ordem (excluindo-se o império Inca, muito posterior) e também o único caso em que se reuniram os dois princípios da soberania e da administração. Em outras palavras, o Egito é o único caso de uma etapa histórica remota o bastante que se encaixa perfeitamente no modelo daquilo que *deveria* ter acontecido. Todas essas suposições na verdade remontam a certo tipo de teoria social — ou melhor, a uma teoria da organização — descrita no início do capítulo 8. De acordo com essa linha de argumentação, grupos pequenos e íntimos teriam a capacidade de adotar meios igualitários e informais para a solução de problemas, mas tudo muda assim que as pessoas se juntam em grandes contingentes numa cidade ou num reino.

De acordo com esse tipo de teoria, pressupõe-se simplesmente que, assim que aumentem de tamanho, as sociedades precisam, como afirmou Robin Dunbar, de "chefes no comando e de uma força policial para assegurar que as regras sociais sejam respeitadas"; ou, como nas palavras Jared Diamond, "populações grandes são inviáveis sem líderes que tomem decisões, executivos que coloquem em prática as decisões e burocratas que administrem as decisões e as leis".[115] Em suma, uma sociedade de grande escala requer um soberano e uma administração. E fica mais ou menos implícito que para isso é necessário algum tipo de monopólio da força coercitiva (ou seja, da capacidade de ameaçar a todos com armas). Quase sempre, por outro lado, considera-se que os sistemas de escrita se aperfeiçoaram a serviço dos Estados burocráticos impessoais que resultaram de todo esse processo.

Ora, como vimos, nada disso se sustenta, e as previsões apoiadas em tais suposições quase sempre se revelam equivocadas. Vimos um exemplo bastante expressivo no capítulo 8. Antes, havia o pressuposto generalizado de que, se os Estados burocráticos tendem a surgir em regiões com sistemas complexos de irrigação, isso deve ter sido por causa da necessidade de administradores para coordenar a manutenção de canais e regular o suprimento de água. Na realidade, porém, constatou-se que os agricultores são perfeitamente capazes de coordenar, por conta própria, sistemas de irrigação bastante complexos, e há pouquíssimas evidências, na maioria dos casos, de que os primeiros burocratas estivessem envolvidos nesses assuntos. As populações urbanas parecem ter tido uma extraordinária capacidade para se autogovernarem de maneiras que, embora em geral não fossem plenamente "igualitárias", deviam ser bem mais participativas do que a maioria dos atuais governos municipais. Por outro lado, a maioria dos impérios antigos via poucos motivos para interferir, pois simplesmente não havia muito interesse em saber como os súditos mantinham limpas as ruas ou desimpedidas as valas de escoamento de água.

Também observamos que, quando os regimes antigos fundam seu domínio no acesso exclusivo a formas de conhecimento, muitas vezes não são aquelas formas que nós consideraríamos práticas (um exemplo são as revelações xamânicas e psicotrópicas que parecem ter inspirado os construtores de Chavín de Huántar). Na verdade, as primeiras formas de administração funcional — no sentido da manutenção de arquivos com listas, livros-razão, procedimentos contábeis, supervisões, auditorias e relatórios — parecem ter surgido justamente em contextos ritualísticos: nos templos mesopotâmicos, nos cultos aos mortos no Egito, na interpretação de oráculos na China e assim por diante.[116] Portanto, agora podemos afirmar com bom grau de certeza que a burocracia *não* surgiu simplesmente como uma solução prática para problemas de gerenciamento de informações sempre que as sociedades humanas ultrapassavam um limiar de escala e complexidade.

Por outro lado, isso levanta uma questão interessante: onde e quando surgiram essas tecnologias, e para que serviam? Aqui também há novas e surpreendentes evidências. As mais recentes pesquisas arqueológicas sugerem que os primeiros sistemas de controle administrativo na verdade surgiram em comunidades muito pequenas. A mais antiga e clara evidência disso aparece numa série de minúsculos assentamentos pré-históricos no Oriente Médio, que datam de mais de um milênio depois da fundação do sítio neolítico de Catalhöyük (por volta de 7400 a.C.), mas ainda assim mais de dois milênios antes do aparecimento de qualquer agrupamento que se assemelhasse vagamente a uma cidade.

O melhor exemplar desses sítios é Tell Sabi Abyad, estudado por uma equipe de arqueólogos holandeses no vale sírio de Balikh, na província de Raqqa. Por volta de 8 mil anos atrás (*c.* 6200 a.C.), no que era a Mesopotâmia pré-histórica, um povoado de um hectare foi destruído pelo fogo, cujo calor assou e preservou as paredes de barro e muitas peças de argila. Muita falta de sorte para os moradores, claro, mas também um brilhante golpe de sorte para os futuros pesquisadores, proporcionando-nos um vislumbre único da organização de uma comunidade do Neolítico tardio que reunia talvez cerca de 150 indivíduos.[117] O que as escavações revelaram é que não só havia armazéns no centro do povoado, que incluíam celeiros e depósitos, como também dispositivos administrativos de certa complexidade para saber tudo o que ali estava guardado — entre eles arquivos econômicos, precursores em pequena escala dos arquivos do templo em Uruk e em outras cidades da Mesopotâmia.

Não eram, porém, arquivos escritos: a escrita propriamente dita somente apareceria três milênios depois. Eram sinetes geométricos, feitos de argila, de um tipo que parecia comum em muitas aldeias neolíticas similares, muito provavelmente para identificar a alocação de recursos específicos.[118] Em Tell Sabi Abyad, pequenos timbres com padrões incisos também serviam para estampar e marcar com sinais identificadores as tampas de argila de vasilhas domésticas.[119] Mais notável, talvez, seja o fato de que essas tampas, uma vez removidas das vasilhas, eram guardadas e arquivadas numa edificação especial — uma espécie de escritório — perto do centro da aldeia para referência futura.[120] Desde que essas descobertas foram relatadas, na década de 1990, os arqueólogos vêm debatendo sobre o propósito e os interesses atendidos por essas "burocracias aldeãs".

Para tentar esclarecer isso, convém notar que o escritório-depósito no centro de Tell Sabi Abyad não está vinculado a nenhum tipo de moradia inusitadamente grande, nem a sepultamentos luxuosos ou outros sinais de status pessoal. Pelo contrário, o que chama a atenção nos resquícios dessa comunidade é sua uniformidade: as edificações ao redor, por exemplo, têm todas mais ou menos o mesmo tamanho, as mesmas características e os mesmos objetos sobreviventes, sugerindo que se tratava de pequenas unidades familiares que mantinham uma complexa divisão de trabalho, com frequência incluindo tarefas que teriam exigido a cooperação de múltiplas delas. Os rebanhos tinham de ser guardados, uma variedade de cereais semeados, colhidos e debulhados, assim como o linho para a tecelagem, praticada em paralelo com outras atividades domésticas, como confecção de potes, fabricação de contas, entalhe de pedras e trabalhos simples em metais. E, claro, era preciso criar as crianças, cuidar dos idosos, construir e manter as casas, organizar casamentos e funerais etc.

Uma programação meticulosa e a ajuda mútua eram requisitos cruciais para cumprir adequadamente a rodada anual de atividades produtivas; por outro lado, vestígios de obsidiana, metais e pigmentos exóticos indicam que os aldeões também interagiam de forma regular com forasteiros, sem dúvida por meio também de casamentos, além de viagens e comércio.[121] Como vimos no caso das vilas bascas tradicionais, essa diversidade de atividades podia envolver cálculos matemáticos bastante complicados. Ainda assim, isso por si só não explica a necessidade de recorrer a sistemas acurados de medida e arquivamento. Afinal, milhares de outras comunidades agrárias durante a história lidaram com combinações igualmente complexas de tarefas e responsabilidades sem criar novas técnicas de registro.

Seja qual for o motivo, o efeito da introdução dessas técnicas parece ter sido significativo nas aldeias pré-históricas da Mesopotâmia e dos planaltos circundantes. Vale lembrar que dois milênios separam Tell Sabi Abyad das primeiras cidades, e durante esse longo intervalo a vida aldeã no Oriente Médio passou por uma série de mudanças notáveis. Em certos aspectos, as pessoas que viviam em pequenas comunidades começaram a agir como se já estivessem em algum tipo de comunidades de massa, mesmo que ninguém nunca tivesse visto uma cidade. Isso parece contraintuitivo, mas é o que se nota no decorrer dos séculos em função das evidências encontradas em aldeias dispersas por uma enorme região, desde o Sudoeste do Irã, passando por grande parte do Iraque, até os planaltos turcos. De diversas formas, esse fenômeno foi mais uma versão das "áreas culturais" ou zonas de hospitalidade que discutimos nos primeiros capítulos, mas com um elemento distinto: as afinidades entre domicílios e famílias distantes parecem fundadas cada vez mais num princípio de uniformidade cultural. Em certo sentido, portanto, essa foi a primeira era da "aldeia global".[122]

Não há como deixar de perceber os sinais de tudo isso nos registros arqueológicos. E falamos aqui com conhecimento de causa, pois um de nós realizou pesquisas de campo em aldeias pré-históricas no Curdistão iraquiano, de épocas anteriores e posteriores à grande transformação. O que se vê, no quinto milênio a.C., é o gradativo desaparecimento, na vida aldeã, dos sinais mais externos de diferença ou individualidade, à medida que ferramentas administrativas e novas tecnologias de comunicação se difundiam através de uma enorme porção do Oriente Médio. As casas passaram a ser construídas com plantas tripartidas cada vez mais padronizadas, e a cerâmica, que antes expressava a destreza e a criatividade individuais, adquiriu uma aparência deliberadamente insípida, uniforme e, em alguns casos, quase padronizada. De modo geral, a produção artesanal tornou-se mais mecânica, e o trabalho feminino foi submetido a novas formas de controle e segregação espaciais.[123]

450

Na verdade, todo esse período, que durou cerca de mil anos (os arqueólogos o chamam de al-'Ubaid, numa referência ao sítio de Tell al-'Ubaid, no sul do Iraque), foi marcado por inovações — na metalurgia, na horticultura, na tecelagem, na alimentação e no comércio de longa distância. Todavia, de um ponto de vista social, tudo parece ter sido feito para impedir que essas inovações se tornassem marcadores de status ou de distinção individual — em outras palavras, para impedir o surgimento de diferenças óbvias de hierarquia, tanto no interior das aldeias como entre elas. Estamos diante da possibilidade intrigante do surgimento de uma ideologia abertamente igualitarista nos séculos anteriores ao surgimento das primeiras cidades do mundo, e de que as ferramentas administrativas tenham sido concebidas a princípio não como um meio de extrair e acumular riqueza, mas para evitar que isso ocorresse.[124] Para ter uma ideia de como poderiam ter funcionado na prática essas burocracias em pequena escala, revisitemos brevemente as *ayllu*, as associações de aldeias andinas que, como vimos, contavam com uma administração própria e autóctone.

Também as *ayllu* estavam fundamentadas num sólido princípio de igualdade; seus membros literalmente vestiam uniformes, com cada vale exibindo sua padronagem tradicional de tecido. Uma das principais funções da *ayllu* era redistribuir as terras de cultivo à medida que as famílias aumentavam ou diminuíam, de modo que nenhuma enriquecesse mais do que as outras — na verdade, ser uma família "rica" significava, na prática, ter uma prole solteira numerosa e, portanto, mais terras, pois não havia outra maneira de comparar a riqueza.[125] As *ayllu* também ajudavam as famílias a evitar a escassez sazonal de mão de obra, mantendo um registro dos jovens, de ambos os sexos, aptos para o trabalho, evitando não só que alguém tivesse problemas em momentos críticos, mas também assegurando que os idosos ou enfermos, as viúvas, os órfãos e os incapacitados recebessem cuidados.

Entre as famílias, as responsabilidades baseavam-se num princípio de reciprocidade: os registros eram mantidos e, no final do ano, os créditos e os débitos existentes eram saldados. Aí entrava a "burocracia aldeã". Para tanto, unidades de trabalho tinham de ser calculadas de modo a permitir uma resolução clara dos inevitáveis desentendimentos em tais situações — a respeito de quem fez o que para quem, e quem devia o que e para quem.[126] Aparentemente, cada *ayllu* tinha seus próprios cordões de *khipu*, aos quais constantemente se acrescentavam nós a fim de manter o registro dos débitos pendentes e resgatados. É possível que o *khipu* tenha sido inventado justamente com essa finalidade. Em outros termos, embora os instrumentos administrativos fossem diferentes, a razão para existirem era bastante similar ao que imaginamos para os sistemas de contabilidade nas aldeias pré-históricas da Mesopotâmia, e baseados num ideal explícito e similar de igualdade.[127]

Claro que havia o risco de esses procedimentos contábeis serem usados para outros fins: o sistema preciso de equivalência subjacente a eles tem o potencial de conferir a quase todos os arranjos sociais, mesmo aqueles fundados na violência arbitrária (por exemplo, a "conquista"), uma aparência de imparcialidade e equidade. Por essa razão é que a combinação de soberania e administração pode ser tão letal, transformando os efeitos equalizadores desta última em ferramentas de dominação social ou mesmo de tirania.

Sob os incas, cabe lembrar, todas as *ayllu* foram reduzidas à condição de "mulheres conquistadas", e os cordões de *khipu*, empregados para manter o registro do trabalho que se devia à administração central inca. Ao contrário dos registros locais, eram fixos e inegociáveis, com os nós jamais desatados ou reatados. Aqui é preciso desfazer alguns mitos sobre os incas, muitas vezes retratados como os mais moderados entre os imperialistas — até mesmo como uma espécie de Estado protossocialista benevolente. Na verdade, foi o sistema de *ayllu* preexistente que continuou a prover segurança social sob o domínio inca. Por outro lado, a estrutura administrativa mais abrangente mantida pela corte inca era em grande parte de natureza extrativa e espoliadora (mesmo que os funcionários locais da corte preferissem deturpar isso como uma extensão dos princípios das *ayllu*): para fins de monitoramento e registro centralizados, os domicílios familiares eram agrupados em unidades de dez, cinquenta, cem, quinhentos, mil, 5 mil membros e assim por diante, cada qual responsável por tarefas compulsórias além daquelas já devidas à comunidade, de uma forma que tinha como resultado inevitável desestabilizar as alianças e a organização geográfica e comunitária.[128] As obrigações de corveia eram atribuídas uniformemente de acordo com critérios rígidos e mensuráveis; se nada precisasse ser feito, bastava inventar novas tarefas; os transgressores contumazes eram sujeitos a punições severas.[129]

As consequências disso eram previsíveis, e podem ser vistas com clareza nos relatos de primeira mão feitos pelos cronistas espanhóis da época, que demonstraram um óbvio interesse nas estratégias incas de conquista e dominação e em seu modo de organização local. Os líderes comunitários se tornavam na prática agentes do Estado, ou se aproveitavam de legalismos para enriquecer, ou tentavam proteger seus tutelados e acabavam eles mesmo sendo punidos. Aqueles que se mostravam incapazes de cumprir as cotas de trabalho ou que se arriscavam sem sucesso a fugir ou se rebelar eram reduzidos à condição de servos, criados ou concubinas dos cortesãos e alto funcionários incas.[130] Essa nova classe de trabalho forçado hereditário estava em franco crescimento na época da conquista espanhola.

Nada disso significa que seja infundada a reputação dos incas como administradores competentes. Segundo consta, eles eram capazes de fazer um recenseamento preciso dos nascimentos e óbitos, ajustando os dados dos domicílios nas festas anuais e similares. Por que, então, impor um sistema tão desajeitado e monolítico sobre outro já existente (o *ayllu*) e obviamente mais matizado? É difícil escapar à impressão de que, em todas as situações similares, a aparente opressão, a insistência na observação das regras mesmo quando não fazem sentido, é na verdade só parte da história. Talvez seja o modo pelo qual se manifesta a soberania, em sua modalidade burocrática. Ao ignorar a história singular de cada família e cada indivíduo, ao reduzir tudo a números, o que se obtém é uma linguagem da igualdade — mas ao mesmo tempo se assegura que sempre existam os que fracassam no cumprimento de suas cotas, e que portanto sempre haja um suprimento de servos ou escravizados.

No Oriente Médio, algo semelhante parece ter ocorrido em períodos posteriores da história. Mais conhecidos, talvez, sejam os livros dos Profetas no Antigo Testamento, onde se preservam a lembrança dos protestos causados por cobranças de tributos que levavam à miséria os agricultores, obrigando-os a empenhar rebanhos e vinhedos, e por fim entregar os filhos à servidão por dívida. Ou então, os mercadores e administradores abastados que se aproveitavam de quebras de safras, inundações, desastres naturais ou mera falta de sorte dos vizinhos para lhes oferecer empréstimos a juros que levavam ao mesmo resultado. Há registros de queixas similares também na China e na Índia. A implantação inicial dos impérios burocráticos quase sempre vem acompanhada de algum tipo descontrolado de sistema de equivalência. Não caberia aqui delinear uma história do dinheiro e da dívida,[131] mas apenas assinalar que não é por mera coincidência que sociedades como as da época de Uruk na Mesopotâmia fossem ao mesmo tempo mercantis e burocráticas. Tanto o dinheiro como a administração baseiam-se em princípios similares de *equivalência* impessoal. Todos os cidadãos de uma cidade, ou todos os que veneram o deus local, ou ainda todos os súditos de seu rei eram, em última análise, considerados iguais — ao menos nesse sentido bem específico. As mesmas leis, os mesmos direitos e as mesmas responsabilidades aplicavam-se a todos, como indivíduos ou, em épocas posteriores e mais patriarcais, como famílias sob a égide de um páter-famílias.

O importante aqui é o fato de que essa igualdade podia ser vista como algo que tornava as pessoas (assim como as coisas) intercambiáveis, o que por sua vez permitia aos governantes, ou a seus prepostos, impor exigências que não levavam em conta a situação única de cada súdito. É por isso, claro, que o termo "burocracia" hoje desperta tantas associações desagradáveis em quase todas as partes. O próprio termo evoca uma estupidez mecânica. Mas não há por que acreditar que a princípio os sistemas eram, ou são hoje, necessariamente estúpidos. Se os cálculos de uma *ayllu* boliviana ou de um conselho basco — ou, pelo que se pode presumir, da administração de uma aldeia neolítica como Tell Sabi Abyad e de suas sucessoras mesopotâmicas — levavam a um resultado obviamente inviável ou insensato, o rumo sempre podia ser corrigido. Como bem sabe qualquer um que já passou um tempo numa comunidade rural, ou servindo no conselho de uma paróquia ou de um bairro de uma cidade grande, a correção de desigualdades requer muitas horas, ou mesmo dias, de discussões tediosas, mas quase sempre se chega a uma solução que ninguém vai achar totalmente injusta. É a adição do poder soberano — que permite ao responsável local pela aplicação da lei dizer "regras são regras, não tem discussão" — que torna possível aos mecanismos burocráticos se tornarem de fato monstruosos.

No decorrer deste livro tivemos oportunidade de nos referir às três liberdades fundamentais, que durante a maior parte da história eram simplesmente pressupostas: a liberdade de ir e vir, a liberdade de desobedecer, e a liberdade de criar ou transformar as relações sociais. Também assinalamos que a palavra inglesa *free* deriva de um termo germânico que significa "amigo" — uma vez que, ao contrário das pessoas livres, os escravizados não têm amigos, pois não podem se comprometer nem fazer promessas. A liberdade para fazer promessas é o elemento mais elementar e essencial de nossa terceira liberdade, tanto quanto a fuga física de uma situação difícil é o elemento mais básico da primeira. Na verdade, a mais antiga palavra que designa a "liberdade" em qualquer língua é o termo sumério *ama(r)-gi*, que significar "retorno à mãe" — pois os reis sumérios periodicamente publicavam decretos libertando os devedores, cancelando todas as dívidas não comerciais e, em alguns casos, permitindo que aqueles aprisionados por dívidas nas casas dos credores retornassem para suas casas e famílias.[132]

Talvez alguém pergunte, neste ponto, como então esse elemento básico de todas as liberdades humanas — a liberdade de fazer promessas e se comprometer e assim formar relacionamentos — pôde se transformar em seu oposto, em trabalho forçado, servidão ou escravidão permanente? Nossa resposta é que isso acontece justamente quando as promessas se tornam impessoais e transferíveis — em suma, burocratizadas. Uma das grandes ironias da história é que a concepção do Estado inca proposta por Madame de Graffigny, como o modelo de uma ordem benevolente e burocrática, deriva de uma leitura equivocada (ainda que bastante comum) das fontes, confundindo os benefícios sociais de unidades administrativas locais e autogestionadas (as *ayllu*) com a estrutura de comando imperial dos incas, que na realidade servia quase só para manter seus guerreiros, sacerdotes e administradores.[133] Os reis mesopotâmicos, e mais tarde os chineses, também tendiam a representar a si mesmos, assim como os nomarcas egípcios, como protetores dos fracos, alimentadores dos esfomeados, apoiadores das viúvas e dos órfãos.

Da mesma forma como o dinheiro se vincula à promessa, poderíamos dizer, a burocracia estatal vincula-se ao princípio da prestação de cuidados: em ambos os casos, vemos um dos elementos mais fundamentais da vida social corrompido por uma conjunção de matemática e violência.

ALGUMAS PREMISSAS BÁSICAS DA EVOLUÇÃO SOCIAL, COM BASE EM NOVOS CONHECIMENTOS

Os cientistas sociais e os filósofos políticos vêm discutindo a "origem do Estado" há bem mais de um século. Esses debates nunca se resolveram, e provavelmente jamais serão. Assim como a busca da "origem da desigualdade", a procura pela origem do Estado é pouco mais do que a perseguição de um fantasma. Conforme comentamos no início deste capítulo, nunca ocorreu aos conquistadores espanhóis indagar se estavam lidando com "Estados", uma vez que o conceito não existia de fato naquela época. Os termos que empregaram — reinos, impérios, repúblicas — servem tão bem quanto e, em muitos aspectos, são até melhores.

Os historiadores, claro, ainda falam de reinos, impérios e repúblicas. Se os cientistas sociais acabaram preferindo "Estado" e "formação estatal", é sobretudo porque soam mais científicos, a despeito da falta de definições consistentes. A razão para isso não é muito evidente. Em parte, talvez seja porque as noções de "Estado" e da ciência moderna surgiram na mesma época e estavam em certa medida imbricadas uma à outra. Seja qual for a causa, uma vez que a literatura existente está tão concentrada numa única narrativa que associa complexidade crescente, hierarquia e formação estatal, torna-se muito difícil usar o termo "Estado" para qualquer outra finalidade.

O fato de o nosso planeta estar, nos dias de hoje, quase todo ocupado por Estados obviamente faz com que seja mais fácil escrever como se esse resultado fosse inevitável. Contudo, nossa situação atual costuma levar as pessoas a se apoiarem em suposições "científicas" sobre como chegamos aqui que quase nada têm a ver com os dados disponíveis. As características mais marcantes dos arranjos atuais são simplesmente projetadas no passado e consideradas como existentes uma vez que a sociedade tenha alcançado certo grau de complexidade — a menos que se apresentem indícios conclusivos de sua ausência.

Por exemplo, com frequência simplesmente se supõe que os Estados surjam quando certas funções cruciais de governo — militares, administrativas e judiciárias — passam para as mãos de especialistas. Isso faz sentido quando se aceita a narrativa de que um excedente agrícola "libera" parte da população da onerosa responsabilidade de assegurar um suprimento adequado de alimento: um relato que sugere o início de um processo que desembocaria na atual divisão global de trabalho. Os primeiros Estados teriam usado esse excedente sobretudo para manter, em tempo integral, burocratas, sacerdotes, soldados e similares, mas — como sempre nos recordam — esse mesmo excedente também viabilizou a existência de escultores, poetas e astrônomos.

Trata-se de uma história convincente e bastante plausível quando aplicada a nossa situação atual (afinal, só uma pequena porcentagem de pessoas está hoje envolvida na produção e distribuição de alimentos). No entanto, quase nenhum dos regimes examinados neste capítulo eram de fato dependentes de especialistas em tempo integral. E, o que é ainda mais óbvio, nenhum deles parece ter mantido um exército permanente. A guerra era uma atividade restrita às épocas do ano não tomadas pelas tarefas agrícolas. Sacerdotes e juízes raramente trabalhavam em tempo integral; na verdade, a maioria das instituições governamentais no Egito do Império Antigo, na China da dinastia Shang, na Mesopotâmia do período Dinástico Inicial, ou mesmo na Atenas clássica contavam com uma força de trabalho rotativa, cujos membros tinham outras vidas como administradores de propriedades rurais, mercadores, construtores ou outras ocupações diferentes.[134]

E podemos ir além. Não está claro em que medida muitos desses "Estados incipientes" eram eles próprios fenômenos sazonais (lembre-se de que, até em épocas tão remotas como a Era Glacial, as reuniões sazonais podiam ser etapas para a *encenação* de algo que nos lembra um pouco a realeza; as cortes só se reuniam em determinados períodos do ano; e alguns clãs ou sociedades guerreiras desfrutavam de poderes policiais paraestatais apenas nos meses de inverno).[135] Assim como a guerra, o exercício do governo tendia a se concentrar em certos períodos do ano: havia meses repletos de obras públicas, desfiles, festas, levantamentos censitários, juramentos de lealdade, julgamentos e execuções públicas; e em outras épocas os súditos (e por vezes até o rei) se dispersavam para cuidar das tarefas mais urgentes de plantio, colheita e criação de animais. Isso não significa que esses reinos não existiam de verdade: eles continuavam tendo a capacidade de mobilizar — e também de matar e mutilar — milhares de pessoas. Significa apenas que sua realidade era intermitente: eles se articulavam e depois se desarticulavam.

Seria possível então que, tal como o cultivo lúdico — o termo que usamos para os métodos mais maleáveis de plantio e colheita que permitem às pessoas realizarem outras atividades sazonais — transformou-se em agricultura contínua e séria, esses reinos intermitentes também passaram aos poucos a adquirir substância? As evidências do Egito podem ser interpretadas nessa direção. Porém, também é possível que ambos os processos, quando de fato ocorreram, foram afinal impelidos por algo distinto, como por exemplo o surgimento das relações patriarcais e o declínio do poder das mulheres no âmbito do lar. Não resta dúvida de que essas são as questões que *deveríamos* fazer. A etnografia também nos ensina que os reis quase nunca se contentam com a ideia de estarem presentes apenas de forma esporádica na vida dos súditos. Mesmo os governantes de reinos que ninguém descreveria como Estados, como o *reth* dos shilluks ou os soberanos de principados menores em Java ou Madagascar, tentam se inserir nos ritmos da vida social cotidiana, insistindo que ninguém pode fazer um juramento, ou se casar, ou mesmo cumprimentar uns aos outros sem invocar seu nome. Dessa maneira, o rei se tornaria o meio necessário pelo qual os súditos se relacionam entre si, assim como mais tarde os chefes de Estado insistiriam em estampar suas feições nas moedas.

Em 1852, o ministro e missionário wesleyano Richard B. Lyth descreveu como, no reino de Cakaudrove, nas Ilhas Fiji, havia uma regra segundo a qual era preciso manter o silêncio completo durante o nascer do sol. Em seguida, o arauto do rei anunciava que ele estava pronto para morder sua raiz de cavacava, ao que todos os súditos respondiam: "Morda!". Então produziam um rugido estrondoso que encerrava o ritual diário. O governante era o Sol, que infundia a vida e a ordem em seu povo. Ele recriava o universo a cada dia. Na verdade, atualmente a maioria dos estudiosos acha que esse rei não era de fato um rei, mas apenas o chefe de uma "confederação de chefaturas" que governava talvez alguns milhares de pessoas. Essas reivindicações cósmicas costumam ser feitas em rituais da realeza em quase todo o mundo, e seu esplendor não tem quase nenhuma relação com o poder efetivo do governante (no sentido de sua capacidade de obrigar alguém a fazer algo que não queira). Se "o Estado" tem algum sentido, refere-se precisamente ao impulso totalitário por trás de todas essas reivindicações, o desejo efetivo de que o ritual dure para sempre.[136]

Monumentos como as pirâmides egípcias parecem ter servido ao mesmo propósito. Eram tentativas de fazer com que certo tipo de poder se eternizasse — em vez de se manifestar somente nos meses dedicados a sua construção. As inscrições ou os objetos concebidos para projetar uma imagem de poder cósmico — palácios, mausoléus, estelas rebuscadas com figuras divinas anunciando leis ou vangloriando-se de conquistas — são os que têm maior probabilidade de perdurar, constituindo dessa forma o núcleo dos principais sítios históricos e acervos de museus ao redor do mundo. Tamanho é seu poder que agora corremos o risco de ficarmos enfeitiçados. Não sabemos mais o quanto podemos levá-los a sério. Afinal, os súditos do rei de Cakaudrove, nas Ilhas Fiji, deviam ao menos estar dispostos a participar do ritual diário ao nascer do sol, pois o rei não tinha meios para obrigá-los a tanto. No entanto, os governantes como Sargão da Acádia ou o Primeiro Imperador da China dispunham de muitos desses meios e portanto podemos afirmar ainda menos sobre o que seus súditos de fato achavam de suas pretensões mais grandiosas.[137]

Entender a realidade do poder, tanto nas sociedades modernas como nas antigas, é reconhecer essa diferença entre o que as elites alegam que podem fazer e o que de fato são capazes. Como indicou tempos atrás o sociólogo Philip Abrams, a incapacidade de levar em conta essa distinção conduziu os cientistas sociais a incontáveis becos sem saída, pois o Estado não é "a realidade que existe por trás da máscara da prática política. Ele é a própria máscara que nos impede de ver a prática política tal como é". Para entender esta última, prosseguiu ele, precisamos levar em conta "os sentidos nos quais o Estado não existe, e não aqueles em que existe".[138] Agora podemos constatar que esses pontos se aplicam aos regimes políticos antigos tanto quanto aos modernos — e talvez ainda mais.

Desde muito tempo, a origem do "Estado" vem sendo buscada em lugares tão diversos como o Egito antigo, o Peru incaico e a China da dinastia Shang, mas o que hoje consideramos como Estado revelou-se não ser de forma alguma uma constante histórica, e tampouco o resultado de um longo processo evolutivo iniciado na Idade do Bronze, mas antes a confluência de três formas políticas — a soberania, a administração e a competição de carisma — que têm origens distintas. Os Estados modernos são apenas uma das formas pelas quais os três princípios de dominação acabam reunidos, mas desta vez com a noção de que o poder dos reis é mantido por uma entidade chamada "o povo" (ou "a nação"), que as burocracias existem para o benefício desse mesmo "povo", e no qual uma variação das antigas disputas e premiações aristocráticas veio a ser rebatizada como "democracia", na maioria das vezes sob a forma de eleições nacionais. Não havia nada de inevitável em tal confluência. Caso se considere necessário provar isso, basta observar o quanto esse arranjo particular está se desarticulando. Como dissemos, hoje existem burocracias globais (públicas e privadas, desde o FMI e a OMC até o J. P. Morgan Chase e as agências de classificação de risco de crédito) sem que exista algo similar a um princípio correspondente de soberania global ou a um campo global de política competitiva e com uma série de outros mecanismos, das criptomoedas às agências de segurança particulares, contribuindo para solapar a soberania dos Estados.

Se algo está claro hoje, é isso. Onde antes presumíamos que a "civilização" e o "Estado" eram entidades associadas que chegaram até nós como um pacote histórico (a ser aceito ou recusado, sem a oportunidade de voltar atrás), o que a história demonstra é que, na realidade, esses termos designam amálgamas complexos de elementos que têm origens completamente distintas e estão em via de se desintegrar. Dessa perspectiva, reconsiderar as premissas básicas da evolução social implica reconsiderar o próprio conceito de política.

CONCLUSÃO: SOBRE A CIVILIZAÇÃO, MUROS VAZIOS E HISTÓRIAS A SEREM ESCRITAS

Pensando bem, é estranho que o termo "civilização", que pouco discutimos até aqui, veio a ser empregado dessa maneira em primeiro lugar. Quando as pessoas falam em "primeiras civilizações", estão quase sempre se referindo às sociedades que descrevemos neste capítulo e suas sucessoras diretas: o Egito faraônico, o Peru incaico, o México asteca, a China da dinastia Han, a Roma imperial, a Grécia antiga ou outras dotadas de certa escala e monumentalidade. Todas eram sociedades muito estratificadas, cuja coesão dependia sobretudo de governos autoritários, violência e subordinação radical das mulheres. O sacrifício, como vimos, é a sombra que paira sobre esse conceito de civilização: o sacrifício de nossas três liberdades fundamentais, e da própria vida, em prol de algo sempre inacessível — seja um ideal de ordem mundial, o Mandato do Céu ou as bênçãos de deuses insaciáveis. Chega a ser surpreendente que em alguns círculos a própria ideia de "civilização" tenha caído em descrédito? Algo muito elementar se desencaminhou aqui.

Um dos problemas está no fato de partirmos do pressuposto de que "civilização" se refere originalmente apenas ao hábito de viver em cidades. E considerarmos que as cidades, por sua vez, implicam o Estado. Porém, como vimos, não foi isso o que se passou em termos históricos, ou mesmo etimológicos.[139] A palavra "civilização" vem do latim *civilis*, que designa as qualidades de sabedoria política e assistência mútua que permitem às sociedades se organizarem por meio de coalizões voluntárias. Em outras palavras, em sua origem o termo refere-se ao tipo de característica exibida pelas associações *ayllu* nos Andes ou pelas aldeias bascas, e não a cortesãos incas ou soberanos da dinastia Shang. Se a assistência mútua, a cooperação social, o ativismo cívico, a hospitalidade ou simplesmente a prestação de cuidados aos outros são o que de fato caracterizam as civilizações, então sua verdadeira história está apenas começando a ser escrita.

Como vimos no capítulo 5, Marcel Mauss deu os primeiros e furtivos passos nessa direção, mas acabou em grande parte ignorado; e, como ele antecipou, essa história poderia muito bem começar pelas "áreas de cultura" ou "esferas de interação" geograficamente amplas que os antropólogos hoje remetem a períodos muito anteriores aos reinos ou impérios, ou mesmo às cidades. As evidências físicas de formas comuns de vida doméstica, rituais e hospitalidade nos permitem vislumbrar essa história profunda da civilização. Em certos aspectos, trata-se de algo bem mais inspirador do que os monumentos. As descobertas mais relevantes da arqueologia moderna talvez sejam essas redes vibrantes e dilatadas de parentesco e comércio, precisamente ali onde aqueles que se apoiam em especulações esperavam encontrar apenas "tribos" atrasadas e isoladas.

Como vimos ao longo deste livro, em todas as partes do mundo as comunidades constituíram civilizações nessa acepção genuína de comunidades morais ampliadas. Sem reis, burocratas ou exércitos permanentes, promoveram o conhecimento da matemática e do calendário. Em determinadas regiões, introduziram a metalurgia e o cultivo de oliveiras, videiras e tamareiras, ou inventaram o pão fermentado e a cerveja de trigo; em outras, domesticaram o milho e aprenderam a extrair venenos, remédios e substâncias psicoativas da floresta. As civilizações, nesse sentido verdadeiro, desenvolveram as principais tecnologias aplicadas a tecidos e cestos, bem como a roda do ceramista, o trabalho com pedras e contas, a navegação a vela e a marítima, e assim por diante.

Basta refletir um pouco para ver que as mulheres, e seu trabalho, suas preocupações e suas inovações estão no âmago dessa compreensão mais acurada da civilização. Como vimos, investigar o lugar das mulheres em sociedades sem escrita muitas vezes requer seguir pistas deixadas literalmente na trama da cultura material, como nas cerâmicas pintadas que imitam tanto padrões têxteis como corpos femininos em suas formas e requintadas estruturas ornamentais. Para citar apenas dois exemplos, é difícil acreditar que o tipo de conhecimento matemático complexo registrado nos primeiros documentos cuneiformes da Mesopotâmia, ou na disposição dos templos de Chavín, no Peru, surgiu pronto da mente de um escriba ou escultor masculino, como Atena da cabeça de Zeus. Bem mais provável é que represente um conhecimento acumulado em épocas anteriores por meio de práticas concretas como o cálculo aplicado e geométrico usado na tecelagem e no trabalho com contas.[140] O que até agora foi considerado como "civilização" talvez seja, na verdade, nada mais do que uma apropriação baseada em gênero — com homens entalhando em pedra suas pretensões — de um sistema anterior de conhecimento no qual as mulheres ocupavam a posição central.

Iniciamos este capítulo assinalando a frequência com que a expansão de entidades políticas ambiciosas, e a concentração de poder em poucas mãos, foi acompanhada da marginalização das mulheres, quando não de sua subordinação violenta. Isso talvez seja válido não só para os regimes de segunda ordem, como o México asteca e o Egito do Império Antigo, mas também para os regimes de primeira ordem, como o de Chavín de Huántar. Mas e quanto àqueles casos nos quais, mesmo enquanto as sociedades aumentavam de escala e adotavam formas mais centralizadas de governo, as mulheres e suas preocupações continuaram no centro de tudo? Existem tais casos na história? Isso nos conduz ao nosso derradeiro exemplo: a Creta minoica.

Seja o que for que estivesse acontecendo durante a Idade do Bronze em Creta, a maior e mais meridional as ilhas do Egeu, claramente não se adequava ao esquema acadêmico da "formação do Estado". Todavia, os vestígios do que veio a ser chamado de sociedade minoica são expressivos demais, impressionantes demais e próximos demais do centro da Europa (e do que se tornaria o mundo clássico) para serem postos de lado ou ignorados. Na década de 1970, o renomado arqueólogo Colin Renfrew escolheu nada menos do que *The Emergence of Civilization* [O surgimento da civilização] como título de seu importante livro sobre a pré-história do Egeu, para a eterna confusão e contrariedade de arqueólogos que trabalhavam em outras regiões.[141] A despeito de seu destaque, e de mais de um século de intensas pesquisas de campo, a Creta minoica continua a ser uma belíssima pedra no sapato para a teoria arqueológica e, para sermos bem sinceros, uma fonte de perplexidade para qualquer leigo que examine o tema.

Grande parte do que sabemos vem da metrópole de Cnossos, bem como de outros centros importantes como Festo, Mália e Zacro, em geral descritos como "sociedades palacianas" existentes entre 1700 a.C. e 1450 a.C. (o período Neopalaciano ou do "Palácio Novo").[142] Não resta dúvida de que eram locais bem impressionantes para a época. Cnossos, cuja população foi estimada em cerca de 25 mil habitantes,[143] assemelhava-se em muitos aspectos a cidades em outras partes do leste do Mediterrâneo, tendo no centro grandes complexos palacianos com áreas fabris e armazéns, e um sistema de escrita em tabuletas de argila ("Linear A") que, infelizmente, ainda não foi decifrado. O problema é que, ao contrário de sociedades palacianas mais ou menos da mesma época — como as de Zimri-Lim, em Mari, no trecho sírio do Eufrates, ou da Anatólia hitita ao norte, ou ainda do Egito —, não foram encontradas evidências claras de monarquia na Creta minoica.[144]

E não foi por falta de material. Embora sejamos incapazes de ler suas tabuletas, Creta e a ilha vizinha de Tera (Santorini) — onde uma camada de cinza vulcânica preservou detalhes esplêndidos da vila minoica de Akrotiri — nos proporcionam um dos conjuntos mais extensos da arte pictórica da Idade do Bronze: não só afrescos, mas também marfins e incisões minuciosas em sinetes e joias.[145] As representações de figuras que são de longe as mais frequentes na arte minoica mostram mulheres adultas vestindo túnicas com padronagem arrojada que cobriam os ombros mas deixavam o busto à mostra.[146] As mulheres costumavam ser retratadas em escala maior que a dos homens, um sinal de superioridade política nas tradições visuais de todas as terras vizinhas. Exibem símbolos de comando, como a "Mãe dos Montes", empunhando um bastão que aparece em sinetes achados num dos principais santuários de Cnossos; e executam rituais de fertilidade diante de altares com chifres, sentam-se em tronos, reúnem-se em assembleias que não são presididas por homens e aparecem ladeadas por criaturas sobrenaturais e animais ameaçadores.[147] As figuras masculinas, por outro lado, são majoritariamente de atletas nus ou quase nus (nenhuma mulher aparece despida na arte minoica) ou mostram homens levando tributos e assumindo posturas subservientes diante de dignitárias. Nada disso tem paralelo nas sociedades extremamente patriarcais da Síria, do Líbano, da Anatólia e do Egito (todas regiões conhecidas dos cretenses na época, pois as visitavam como mercadores e diplomatas).

As interpretações acadêmicas da arte palaciana minoica, com sua coleção de mulheres poderosas, causam certa perplexidade. A maioria segue Arthur Evans, que realizou escavações em Cnossos no início do século xx, identificando tais figuras como deusas, ou sacerdotisas desprovidas de poder mundano — quase como se fossem desvinculadas do mundo real.[148] Elas tendem a aparecer nos capítulos que tratam de "religião e ritual" nos livros sobre arte e arqueologia do Egeu, mas não nas seções sobre "política", "economia" ou "estrutura social" — com a política, em especial, sendo reconstruída quase sem referência à arte. Outros preferem se esquivar por completo do tema, descrevendo a vida política minoica como nitidamente diversa, mas em última análise impenetrável (num exemplo claríssimo de sentimento motivado por questões de gênero). Será que isso aconteceria caso fossem imagens de homens em posições de autoridade? Provavelmente não, pois os mesmos estudiosos em geral não têm dificuldades para identificar cenas semelhantes com homens — como as pintadas nas paredes das sepulturas egípcias, por exemplo — ou mesmo as representações existentes de *Keftiu* (cretenses) pagando tributos a poderosos egípcios como reflexo de relações de poder efetivas.

Outras evidências desorientadoras têm a ver com o tipo dos artigos importados por mercadores. Os minoicos eram um povo mercantil, e ao que parece o comércio era feito sobretudo por homens. Porém, a partir do período Protopalaciano, os artigos que traziam do exterior tinham características nitidamente femininas. Pandeiros egípcios, potes de cosméticos, figuras de mães amamentando e amuletos de escaravelhos não pertencem à esfera mais masculina da cultura cortesã, e sim dos rituais de mulheres comuns egípcias e dos ritos ginocêntricos em torno da deusa Hator, também venerada fora do Egito, em templos próximos às minas de turquesa do Sinai e aos portos marítimos, onde a deusa com chifres se transformava na protetora dos viajantes. Um desses portos era Biblos, no litoral do atual Líbano, onde um conjunto de cosméticos e amuletos — quase idêntico ao encontrado nas mais antigas sepulturas cretenses — foi achado enterrado como oferenda num templo. É bem provável que esses objetos se propagassem junto com os cultos femininos, talvez similares aos cultos muito posteriores de Ísis, acompanhando o comércio "oficial" das elites masculinas. A concentração desses artigos nos prestigiosos *tholos* (túmulos) cretenses no período imediatamente anterior ao surgimento dos palácios (mais um daqueles negligenciados "protoperíodos") sugere, no mínimo, que as mulheres eram as responsáveis pela demanda nesses intercâmbios de longa distância.[149]

Mais uma vez, cabe lembrar que esse *não* era o caso em outras partes. Para ressaltar as diferenças, consideremos brevemente os palácios da Grécia continental de um período não muito posterior.

Os palácios cretenses não eram fortificados, e a arte minoica quase não faz referência à guerra, privilegiando as cenas de jogos e amenidades. O contraste é nítido com o que ocorria na Grécia continental. Cidadelas muradas surgiram em Micenas, Pilos e Tirinto por volta de 1400 a.C., e não demorou para que os seus senhores empreendessem a conquista de Creta, ocupando Cnossos e assumindo o controle do interior da ilha. Comparadas a Cnossos ou Festo, suas residências nada mais eram do que fortificações nas montanhas, encarapitadas em desfiladeiros importantes e rodeadas de aldeias modestas. A maior delas, Micenas, abrigava cerca de 6 mil pessoas. Não há nada de inusitado nisso, pois as sociedades palacianas não surgiram de cidades preexistentes, mas de aristocracias guerreiras que haviam construído os chamados Túmulos Verticais de Micenas, com suas impressionantes máscaras mortuárias e armas incisas com cenas de guerreiros e bandos de caçadores.[150]

Sobre esse fundamento institucional — o líder do grupo de guerreiros e seu séquito de caçadores — logo se acrescentou o refinamento cortesão inspirado sobretudo nos palácios cretenses, e um sistema de escrita (Linear B) adaptado à língua grega para fins administrativos. O exame das tabuletas com Linear B sugere que apenas um punhado de funcionários letrados encarregava-se da maior parte do trabalho burocrático, inspecionando pessoalmente safras e rebanhos, cobrando impostos, distribuindo matéria-prima aos artesãos e fornecendo provisões para as festas. Era tudo bastante restrito e em pequena escala,[151] e um *wanax* (o governante ou senhor) micênico exercia pouca soberania efetiva fora de sua cidadela, contentando-se com incursões sazonais para a cobrança de impostos junto a uma população que, fora isso, vivia fora dos limites da vigilância da realeza.[152]

Esses senhores supremos micênicos deliberavam num *megaron*, ou grande salão, do qual resta um exemplar relativamente bem preservado em Pilos. Os primeiros arqueólogos fantasiaram um pouco ao imaginar que se tratava do palácio do rei Nestor das narrativas homéricas, mas não há dúvida de que os reis de Homero teriam se sentido à vontade ali. O *megaron* tinha como centro uma imensa lareira aberta para o céu; o restante do espaço, incluindo o trono, provavelmente ficava na sombra. Nas paredes, afrescos mostram um touro a caminho do sacrifício e um bardo tocando a lira. O *wanax*, embora não esteja retratado, é claramente o foco dessas cenas processionais, que convergem para seu trono.[153]

Podemos comparar isso com a "Sala do Trono" de Cnossos, em Creta, assim identificada por Arthur Evans. Nesse caso, o suposto trono está diante de um espaço vazio, rodeado por bancos de pedra dispostos simetricamente em fileiras, a fim de acomodar de forma confortável por longos períodos os grupos reunidos, com cada participante à vista de todos os outros. Ali perto uma escada conduz a uma câmara para banhos. Existem muitas dessas "bacias lustrais" (como foram chamadas por Evans) nas casas e nos palácios minoicos. Durante décadas os arqueólogos se perguntaram para que serviam, até que se descobriu uma delas, em Akrotiri, sob a pintura de uma cerimônia de iniciação feminina, possivelmente associada à menstruação.[154] Na realidade, em termos arquitetônicos, e a despeito da insistência quase desesperada por parte de Evan para afirmar que "parece mais bem adaptada a um homem", a estrutura central da Sala do Trono talvez possa ser considerada não como o trono de um monarca masculino, mas como o lugar de presidência de conselho, provavelmente ocupado por uma sucessão de mulheres conselheiras.

Quase todas as evidências disponíveis na Creta minoica indicam um regime político feminino — algum tipo de teocracia, governada por um colegiado de sacerdotisas. Aqui seria o caso de indagar: por que os pesquisadores contemporâneos relutam tanto em aceitar essa conclusão? Não podemos atribuir tudo ao fato de os proponentes de um "matriarcado primitivo" terem feito alegações exageradas em 1902. Sem dúvida, os estudiosos tendem a dizer que as cidades governadas por colegiados de sacerdotisas são algo inusitado no registro etnográfico ou histórico. Porém, pela mesma lógica, poderíamos afirmar que não há registro de outro reino governado por homens no qual, em todas as representações visuais, as figuras de autoridade são mulheres. Algo diferente estava ocorrendo em Creta.

Decerto, o modo como os artistas minoicos representavam a vida revela uma sensibilidade bem diversa da vigente na Grécia continental próxima a

Creta. No ensaio "The Shapes of Minoan Desire" [As formas do desejo minoico], Jack Dempsey enfatiza a atenção erótica que parece se deslocar do corpo feminino para quase todos os outros aspectos da vida, nas figuras ágeis e quase desnudas de rapazes que fazem acrobacias sobre touros, ou rodopiam em atividades esportivas, ou ainda nos meninos nus que aparecem carregando peixes. É um mundo que nada tem a ver com as rígidas figuras de animais que povoam os muros em Pilos ou na corte de Zimri-Lim — para não mencionar as cenas brutais de combates em baixos-relevos assírios posteriores. Nos afrescos minoicos tudo se funde, com exceção, claro, das figuras bem delineadas de mulheres poderosas, que se mantêm à parte ou em pequenos grupos, conversando alegremente ou admirando algum espetáculo. Flores e caniços, aves, abelhas, golfinhos e até mesmo colinas e montes estão envolvidos numa perpétua dança, aproximando-se e afastando-se uns dos outros.

Os objetos minoicos também se fundem uns aos outros num extraordinário jogo de materiais — uma verdadeira "ciência do concreto" — que transforma a cerâmica em conchas incrustadas e mescla os mundos da pedra, do metal e da argila num domínio comum de formas, cada qual mimetizando as outras.

Tudo isso se desdobra de acordo com os ritmos ondulantes do mar, o eterno pano de fundo desse jardim da vida, e tudo isso com a extraordinária ausência da "política", no sentido do termo que nós usamos, ou do que Dempsey chama de o "ego empenhado em se perpetuar e sequioso de poder". O que essas cenas celebram, como o autor afirma de forma eloquente, é o oposto da política: é a "liberação ritualmente induzida da individualidade, e um êxtase ao mesmo tempo erótico e espiritual (*ek-stasis* significa 'ficar ao lado de si mesmo') — um cosmos que tanto nutre como ignora o indivíduo, vibrando com indistintas energias sexuais e epifanias espirituais". Não há heróis na arte minoica — apenas jogadores. A Creta dos palácios era o domínio do *Homo ludens*. Ou melhor, talvez, da *Femina ludens* — para não falar da *Femina potens*.[155]

Façamos um breve resumo do que aprendemos neste capítulo. O processo em geral referido como "formação do Estado" implica, na verdade, uma desconcertante variedade de coisas. Pode significar um jogo de honra ou de acaso terrivelmente desencaminhado, ou o crescimento irremediável de um ritual específico de alimentação dos mortos; e pode significar a matança em grande escala, a apropriação pelos homens do conhecimento feminino, ou o governo por um colegiado de sacerdotisas. Mas também aprendemos que, ao ser estudado e comparado mais detidamente, o leque de possibilidades está longe de ser ilimitado.

Na verdade, parece haver restrições tanto lógicas como históricas na variedade de modalidades pelas quais se rege a expansão do poder; e esses limites são o fundamento de nossos "três princípios" de soberania, administração e política competitiva. Também podemos vislumbrar, contudo, que mesmo com tais restrições havia ocorrências muito mais interessantes do que teríamos imaginado se nos prendêssemos a qualquer definição convencional de "Estado". O que de fato acontecia nos palácios minoicos? Em certo sentido, parecem ter sido palcos teatrais; em outro, sociedades de iniciação de mulheres e, ainda e ao mesmo tempo, núcleos administrativos. Mas havia ali algum regime de dominação?

Igualmente importante é relembrar como são desiguais as evidências com que estamos lidando. O que estaríamos dizendo sobre a Creta minoica, ou Teotihuacan, ou mesmo Çatalhöyük, se não fosse pelo fato de seus rebuscados murais terem sido preservados? Mais do que quase qualquer outra forma de atividade humana, a pintura mural é algo que as pessoas de quase todos os contextos culturais parecem inclinadas a fazer. Isso se comprova quase desde o início da própria humanidade. Dificilmente podemos duvidar que imagens similares tenham sido produzidas, em peles e tecidos, além dos muros, em qualquer dos chamados "Estados incipientes", dos quais hoje restam apenas blocos de pedra ou cercados de adobe.

Sem dúvida, a arqueologia, com sua panóplia de novas técnicas científicas, ainda vai revelar muitas outras dessas "civilizações perdidas", como já vem fazendo, desde os desertos da Arábia Saudita ou do Peru até as estepes antes consideradas desabitadas do Cazaquistão e das florestas tropicais da Amazônia. À medida que, ano após ano, se acumulam as evidências relativas a grandes assentamentos e estruturas impressionantes em lugares antes insuspeitos, seria mais sábio que resistíssemos à inclinação a projetar uma imagem do Estado-nação moderno sobre essas superfícies desnudas e considerar outras possibilidades sociais que poderiam refletir.

11. O círculo completo
Sobre os fundamentos históricos da crítica indígena

Percorremos um longo caminho desde o ponto de partida deste livro, com Kondiaronk, o estadista wendat, e a crítica da civilização europeia elaborada pelos povos indígenas na América do Norte durante o século XVII. Agora chegou o momento de fechar esse círculo. Recapitulando, no século XVIII a crítica indígena — e seus relevantes questionamentos sobre o dinheiro, a fé, o poder hereditário, os direitos das mulheres e as liberdades pessoais — tiveram enorme influência nas principais figuras do Iluminismo francês, mas também desencadearam uma reação entre os pensadores europeus que delinearam um quadro evolutivo da história humana que permanece intacto até hoje. Concebendo a história como um relato de progresso material, esse enquadramento redefiniu os críticos indígenas como filhos inocentes da natureza, cujas concepções da liberdade, meros efeitos de seu modo de vida inculto, não constituíam um desafio sério ao pensamento social contemporâneo (cada vez mais identificado apenas ao pensamento europeu).[1]

Na realidade, porém, não nos afastamos muito desse ponto de partida, pois a sabedoria convencional contestada ao longo deste livro — sobre as sociedades de caçadores-coletores, sobre as consequências do cultivo da terra, sobre o surgimento das cidades e dos Estados — tem sua origem exatamente ali: com Turgot, Smith e a reação à crítica indígena. A ideia de que as sociedades humanas evoluíram com o tempo não era algo específico do século XVIII ou da Europa, claro.[2] A novidade na versão da história mundial proposta pelos autores europeus desse século estava na insistência em classificar as sociedades segundo os meios de subsistência (de modo que a agricultura passou a ser vista como uma ruptura fundamental na história da humanidade); na suposição de que, à medida que cresciam, as sociedades inevitavelmente se tonavam mais complexas; e que a "complexidade" implica não só maior diferenciação de funções, mas também a reorganização das sociedades em estratos hierárquicos, governados de cima para baixo.

Essa reação europeia mostrou-se tão efetiva que, desde então, gerações de filósofos, historiadores, cientistas sociais e quase todos aqueles empenhados em contar a história humana numa escala mais ampla sentem-se seguros quanto ao modo como deve começar e a direção em que avança. Tudo começa com um conjunto imaginário de bandos de caçadores-coletores e termina com o conjunto atual de Estados-nação capitalistas (ou com uma projeção do que poderia vir depois deles). Qualquer coisa que ocorra nesse intervalo pode ser considerada de interesse — sobretudo na medida em que contribua para nos conduzir por esse caminho específico. Como vimos, uma consequência disso é que enormes trechos do passado desaparecem do âmbito do passado humano, ou permanecem de fato invisíveis (exceto para um número ínfimo de pesquisadores, que raramente explicam as implicações de suas descobertas uns para os outros, e muito menos para o público em geral).

Desde a década de 1980, os teóricos sociais costumam alegar que estamos vivendo uma era "pós-moderna", caracterizada pela desconfiança diante de metanarrativas. Com frequência, tal alegação serve para justificar uma espécie de hiperespecialização: o lançamento de uma rede intelectual mais ampla — mesmo que seja para trocar informações com colegas de outras disciplinas — passa a ser visto como a imposição de uma concepção única e imperialista da história. Precisamente por esse motivo, a "ideia de progresso" é em geral considerada um exemplo perfeito de como deixamos de pensar a história e a sociedade. No entanto, existe algo de estranho nessas alegações, uma vez que quase todos os que as sustentam ainda assim continuam a pensar em termos evolutivos. E poderíamos dizer mais: os pensadores que buscam articular as descobertas dos especialistas a fim de descrever o curso da história humana numa escala mais ampla não conseguiram superar de todo a noção bíblica do Jardim do Éden, da Queda e da subsequente inevitabilidade da dominação. Ofuscados pela narrativa conveniente sobre como evoluíram as sociedades humanas, mal conseguem ver metade do que têm diante dos olhos.

Assim, os mesmos proponentes da história mundial que se dizem adeptos da liberdade, da democracia e dos direitos das mulheres continuam a tratar como "idades das trevas" as épocas históricas de relativa liberdade, democracia e direitos das mulheres. Do mesmo modo, o conceito de "civilização" ainda é em grande parte reservado para sociedades cujas características definidoras incluem autocratas arrogantes, conquistas imperiais e o uso de mão de obra escravizada. Diante de casos inegáveis de sociedades de grande escala e sofisticação material em que não há indícios dessas coisas — centros antigos como Teotihuacan ou Cnossos, por exemplo —, a reação comum é dar de ombros e fazer questionamentos como "quem é capaz dizer o que de fato acontecia nesses lugares?", ou insistir que a sala do trono de Ozymandias deve estar oculta em algum lugar, e que basta encontrá-la.

OS ARGUMENTOS DE JAMES C. SCOTT SOBRE OS ÚLTIMOS 5 MIL ANOS, E A SUPOSTA INEVITABILIDADE DOS ATUAIS ARRANJOS GLOBAIS

Uma objeção possível é que talvez grande parte da história tenha sido mais complicada do que costumamos admitir, porém o que mais importa é o modo como as coisas acabaram acontecendo. Durante ao menos 2 mil anos, a maioria da população mundial viveu sob reis ou imperadores de um ou outro tipo. Mesmo em lugares onde não havia monarquia — em grande parte da África e da Oceania, por exemplo —, constatamos a enorme difusão do patriarcado (no mínimo) e, com frequência, de outros tipos de dominação violenta. Uma vez estabelecidas, não é fácil acabar com essas instituições. Então essa objeção poderia ser reformulada: no fundo, o que se está dizendo é que o inevitável demorou um pouco mais para ocorrer — o que não o torna menos inevitável.

De modo similar, no caso da agricultura, a objeção poderia ser: ainda que não tenha transformado tudo da noite para o dia, não foi responsável pelo fundamento dos posteriores sistemas de dominação? Não se tratava apenas de uma questão de tempo? A própria possibilidade de acumular grandes excedentes de cereais não implicava, na verdade, uma armadilha? Não era inevitável que, cedo ou tarde, algum príncipe-guerreiro, como Narmer no Egito, passasse a represar estoques em benefício de seus apoiadores? Uma vez feito isso, decerto o jogo estava definido. Logo viriam reinos e impérios rivais, alguns dos quais se expandiriam. E insistiriam para que seus súditos produzissem cada vez mais cereais, e os próprios súditos se multiplicariam, mesmo que a quantidade de povos livres remanescentes tendesse a se manter estável. De novo, não era só uma questão de tempo para que um desses reinos (ou, como se viu, um pequeno agrupamento deles) encontrasse uma fórmula bem-sucedida de conquista do mundo — a combinação adequada de armas, germes e aço — e impusesse seu sistema a todos os demais?

James Scott — um renomado cientista político que dedicou boa parte de sua carreira a entender o papel dos Estados (e também daqueles que conseguiram se manter à margem deles) na história humana — descreve de modo convincente o funcionamento da armadilha da agricultura. O Neolítico, propõe ele, começou com o cultivo de terras liberadas pelo recuo das cheias, o que implicava um trabalho fácil e incentivava a redistribuição; e, de fato, as maiores populações concentravam-se nos deltas de rios. No entanto, os primeiros Estados que surgiram no Oriente Médio (que, junto com a China, são as regiões enfocadas por Scott) se desenvolveram rio acima, em áreas dedicadas sobretudo ao cultivo de cereais — trigo, cevada, painço — e com acesso um tanto limitado a outros alimentos básicos. A importância dos cereais, segundo Scott, estava no fato de serem duráveis, transportáveis, facilmente divididos e medidos a granel, e portanto constituíam uma base ideal para a cobrança de impostos. Crescendo acima do solo — ao contrário de tubérculos ou leguminosas —, as plantações de cereais também eram fáceis de identificar e requisitar. O cultivo de cereais não levou ao surgimento de Estados extrativistas, mas sem dúvida era adequado a suas necessidades fiscais.[3]

Assim como o dinheiro, os cereais possibilitam uma forma de equivalência assustadora. Seja qual for o motivo que levava um cereal a se tornar a safra predominante em determinada região (no caso do Egito, por exemplo, mudanças nos rituais funerários), assim que isso ocorria sempre podia surgir um reino permanente. Contudo, Scott também assinala que, na maior parte da história, esse processo revelou-se uma armadilha também para esses recém-criados "Estados cerealistas", limitando-os às áreas favoráveis à agricultura intensiva e colocando quase sempre fora de seu alcance os planaltos e as zonas úmidas.[4] Além disso, mesmo dentro desses limites, os reinos baseados no cultivo de cereais eram precários, sempre propensos a colapsos em razão de superpopulação, devastação ambiental e doenças endêmicas resultantes do excesso de seres humanos, animais domesticados e parasitas num único local.

Em última análise, porém, o foco de Scott não está nos Estados, e sim nos "bárbaros" — um termo que aplica a todos os grupos que circundam as pequenas ilhas de regimes autoritários-burocráticos, com quem mantinham relações em grande parte simbióticas: uma sempre mutável mescla de incursões, trocas e ações evasivas de parte a parte. Como argumenta Scott a respeito dos povos montanheses do Sudeste Asiático, alguns desses "bárbaros" tornaram-se de fato anarquistas, organizando suas vidas em oposição explícita às sociedades das planícies próximas, ou a fim de impedir o surgimento de classes estratificadas em seu meio. Como vimos, tal rejeição consciente dos valores burocráticos — outro exemplo de cismogênese cultural — também podia dar origem a "sociedades heroicas", às escaramuças de pequenos senhores cuja preeminência dependia de dramáticas disputas em guerras, festejos, ostentações, duelos, trocas de presentes e sacrifícios. A própria monarquia provavelmente surgiu assim, à margem de sistemas urbanos burocráticos.

Prosseguindo com Scott: as monarquias bárbaras se mantiveram numa escala pequena ou se expandiram — como ocorreu de maneira espetacular sob figuras como Alarico, Átila, Gêngis ou Tamerlão —, mas apenas por breves períodos. Ao longo de grande parte da história, os Estados cerealistas e os bárbaros permaneceram vinculados como "gêmeos ocultos", presos um ao outro numa tensão insolúvel, pois nenhum deles conseguia escapar de seus nichos ecológicos. Quando preponderavam os Estados, estes absorviam um fluxo de cativos escravizados e mercenários; quando dominavam os bárbaros, os tributos contribuíam para apaziguar o chefe guerreiro mais ameaçador. Ou então um senhor supremo conseguia organizar uma coalizão efetiva e atacava as cidades, fosse para destruí-la ou, o que era mais comum, tentar submetê-las, e inevitavelmente ele e seu séquito viravam a nova classe governante. Como dizia um ditado mongol, "é possível conquistar um reino montado num cavalo, mas é preciso desmontar para governar".

Todavia, Scott não extrai disso nenhuma conclusão específica. Simplesmente assinala que o período entre cerca de 3000 a.C. e 1600 d.C. foi bastante desfavorável para o grosso dos agricultores do mundo, e uma Era de Ouro para os bárbaros, que aproveitaram todas as vantagens de sua proximidade dos Estados e impérios dinásticos (repletos de riquezas a serem saqueadas), enquanto eles mesmos levavam vidas comparativamente mais amenas. E, em geral, sempre era possível que ao menos parte dos oprimidos se juntasse a eles. Durante a maior parte da história, assim costumavam ocorrer as rebeliões: os insatisfeitos desertavam e engrossavam as fileiras dos bárbaros vizinhos. Recolocando a questão em nossos termos, ainda que esses reinos agrários conseguissem abolir a liberdade de ignorar ordens, nem sempre aboliam a liberdade de ir embora. Os impérios foram excepcionais e de curta duração, e até mesmo os mais poderosos — Romano, Han, Ming, Inca — não conseguiam impedir as movimentações em grande escala de povos que entravam e saíam de suas esferas de controle. Até cerca de meio milênio atrás, grande parte da população mundial continuava a viver fora do alcance da coleta de impostos ou era capaz de escapar dela com relativa facilidade.[5]

Hoje, no entanto, em nosso século XXI, obviamente não é mais o caso. Algo saiu muito errado — pelo menos do ponto de vista dos bárbaros. Não vivemos mais naquele mundo. Porém, o mero reconhecimento de que ele existiu por tanto tempo nos permite levantar outra questão importante. Será mesmo inevitável o tipo de governo que temos atualmente, com sua mescla particular de soberania territorial, administração intensiva e política competitiva? Era necessariamente essa a culminação da história humana?

Um dos problemas do evolucionismo é tomar modos de vida que se desenvolveram em relação simbiótica uns com os outros e os reorganizar em etapas distintas da história. No final do século XIX, tornou-se cada vez mais evidente que a sequência original, conforme delineada por Turgot e outros — caça, pastoreio, agricultura e, por fim, civilização industrial — na verdade não funcionava. Ao mesmo tempo, porém, com a publicação das teorias de Darwin, o evolucionismo entrincheirou-se como a única abordagem científica possível da história — ou, pelo menos, como a única que provavelmente seria reconhecida nas universidades. Por isso, insistiu-se na busca de categorias que pudessem ser usadas. Em *Ancient Society* [A sociedade arcaica], publicado em 1877, Lewis Henry Morgan propôs uma sequência de etapas — desde a "selvageria", passando pela "barbárie", até a "civilização" — que foi amplamente adotada na nova disciplina de antropologia. Já os marxistas privilegiaram as formas de dominação e a passagem do comunismo primitivo à escravidão, ao feudalismo e ao capitalismo, que seria seguido pelo socialismo (e, depois, pelo comunismo). Todas essas abordagens se revelaram disfuncionais e, no fim, tiveram de ser abandonadas.

Desde a década de 1950, um corpo de teoria neoevolucionista buscou definir uma nova versão da sequência, agora baseada na medida da eficiência com que os grupos humanos extraem energia do meio ambiente.[6] Como vimos, hoje quase ninguém endossa integralmente esse esquema. Na verdade, volumes inteiros foram escritos para contestar sua lógica, ou para mostrar onde não se aplica. Todos nós "superamos isso" e "seguimos adiante" — são essas as reações da maioria dos antropólogos e arqueólogos quando confrontados hoje com um esquema evolutivo. Contudo, se nossas disciplinas já "seguiram adiante", ao que parece fizeram isso sem propor nenhuma concepção alternativa. Daí resulta que quase todos que não são arqueólogos ou antropólogos tendem a recair no velho esquema sempre que pensam ou escrevem sobre a história mundial nessa amplitude. Por esse motivo, talvez seja útil resumirmos aqui a sequência básica do velho esquema:

Bandos: ainda se considera que a etapa mais simples seja constituída de caçadores-coletores, como os !kungs ou os hadzas, que supostamente vivem em pequenos grupos nômades de vinte a quarenta indivíduos, sem quaisquer papéis políticos formais e com uma divisão de trabalho incipiente. Essas sociedades são tidas como igualitárias na prática e por padrão.

Tribos: sociedades como a dos nueres, dayaks ou caiapós. Normalmente considera-se que os membros das tribos sejam "horticultores", ou seja, que cultivam a terra, mas não dispõem de sistemas de irrigação nem empregam equipamentos pesados como arados. São igualitários, ao menos entre aqueles da mesma faixa etária e do mesmo gênero; os líderes têm um poder apenas informal ou pelo menos não coercitivo. Tipicamente, as "tribos" se organizam segundo as complexas estruturas totêmicas ou de linhagem tão apreciadas pelos antropólogos. Em termos econômicos, as figuras principais são os "grandes homens" — como os normalmente encontrados na Melanésia —, responsáveis por criar coalizões voluntárias de contribuintes para o patrocínio de rituais e festejos. A especialização ritual ou artesanal é restrita e em geral não se dá em tempo integral; as tribos são numericamente maiores do que os bandos, mas os assentamentos tendem a ser do mesmo tamanho e relevância.

Chefaturas: enquanto os clãs da sociedade tribal são todos equivalentes, nas chefaturas o sistema de parentesco torna-se a base de um sistema de hierarquização, com aristocratas, plebeus e até cativos escravizados. Os shilluks, os natchez ou os calusas costumam ser considerados chefaturas; assim como, digamos, os reinos polinésios, ou os domínios dos senhores na Gália antiga. O aumento da produção resulta em excedentes significativos, e surgem classes de artesãos e especialistas em rituais em tempo integral, para não mencionar as próprias famílias dos chefes. Há pelo menos um nível hierárquico no assentamento (a morada do chefe, e as de todos os outros), e a principal função econômica do chefe é redistribuitiva, centralizando num fundo comum os recursos, por vezes compulsoriamente, e em seguida redistribuindo-os, em geral por ocasião de festas espetaculares.

Estados: tal como descritos, tendem a se caracterizar pelo cultivo intensivo de cereais, o monopólio jurídico do uso da força, a administração profissional e uma divisão de trabalho complexa.

Como muitos antropólogos ressaltaram no século XX, esse esquema não funciona muito bem. Na realidade, os "grandes homens" estão restritos quase apenas à Melanésia. Os "chefes indígenas", como Gerônimo ou Touro Sentado eram na verdade líderes tribais, cujo papel nada tinha a ver com o dos "grandes homens" de Papua Nova Guiné. A maioria daqueles rotulados como "chefes" no modelo neoevolucionista, como já notamos, assemelham-se de forma bem suspeita ao que costumamos chamar de "reis", podendo viver em castelos fortificados, usar mantos de arminho, manter bobos da corte, dispor de centenas de esposas e eunucos em haréns. Por outro lado, raramente fazem uma redistribuição maciça de recursos, pelo menos não de maneira sistemática.

A reação dos evolucionistas a essas críticas não levou ao abandono do esquema, mas a seu aperfeiçoamento. Talvez as chefaturas sejam mais predatórias, argumentaram eles, mas ainda assim não diferem fundamentalmente dos Estados. Além disso, podem ser subdivididos em chefaturas "simples" e "complexas": nas primeiras, o chefe não passava de um versão melhorada do grande homem, que continuava a trabalhar como todos os outros, apenas com uma estrutura administrativa mínima; nas "complexas", contava com o apoio de ao menos dois níveis de assistentes administrativos, possibilitando o surgimento de uma genuína estrutura de classes. Por fim, havia as chefaturas "cíclicas", nos quais meros suseranos estavam sempre, e por vezes metodicamente, tentando viabilizar minúsculos impérios por meio da conquista ou subordinação de rivais locais, de modo a se alçarem a um novo ciclo de complexidade (caracterizado por três níveis hierárquicos de administração), ou mesmo para fundarem um Estado. Ainda que uns poucos chefes mais ambiciosos tenham conseguido isso, a maioria fracassou. Esbarraram em seu limite ecológico ou social, perderam o apoio da população, e assim desarticulou-se toda a geringonça estabelecida às pressas, permitindo que outro aspirante a dinasta tentasse conquistar o mundo — ou pelo menos as regiões que considerava valiosas.

Nos círculos acadêmicos, uma curiosa disjunção surgiu em torno do emprego de tais esquemas. A maioria dos antropólogos culturais considera esse tipo de pensamento evolucionista uma espécie de relíquia singular do passado da disciplina, que ninguém hoje leva a sério, embora a maioria dos arqueólogos use termos como "tribo", "chefatura" ou "Estado" por falta de coisa melhor. No entanto, além deles, quase todo mundo considera esses esquemas como uma base óbvia e indispensável para qualquer discussão séria. No decorrer deste livro, passamos muito tempo demonstrando como tudo isso é enganoso. A razão por que esses modos de pensar continuam vigentes, por mais que sua incoerência seja patente, é precisamente por acharmos difícil imaginar uma história que não seja teleológica — ou seja, porque nos parece difícil ordenar a história de um modo que não implique a inevitabilidade dos arranjos atuais.

Conforme comentamos, um dos aspectos mais intrigantes de viver na história é a quase impossibilidade de prever o curso dos acontecimentos futuros; no entanto, uma vez ocorridos os eventos, é difícil imaginar até mesmo o que significaria afirmar que algo diferente "poderia" ter acontecido. Um evento propriamente histórico, portanto, tem duas características: não poderia ter sido previsto de antemão e só ocorre uma única vez. Não há como travar de novo a Batalha de Gaugamela, a fim de ver o que teria acontecido se Dário não tivesse sido derrotado. A especulação sobre o que poderia ter ocorrido — que Alexandre, por exemplo, tivesse sido alvejado por uma flecha perdida, e que nunca tivesse existido o Egito ptolemaico ou a Síria selêucida — é, na melhor das hipóteses, um passatempo ocioso. Ainda que pudesse levantar questionamentos importantes — quanta diferença pode de fato fazer um indivíduo na história? —, o fato é que são perguntas que não podem ser respondidas de forma taxativa.

O melhor que podemos fazer, quando confrontados com acontecimentos ou configurações histórias singulares, como o Império Persa ou o Helenístico, é empreendermos um esforço comparativo. Isso ao menos nos dá uma ideia do tipo de coisas que poderia ocorrer e, na melhor das hipóteses, um vislumbre do padrão segundo o qual uma coisa provavelmente decorre de outra. O problema é que desde a invasão ibérica da América, e os subsequentes impérios coloniais europeus, nem mesmo isso está ao nosso alcance, pois, em última análise, há apenas um único sistema político-econômico vigente em todo o planeta. Se quisermos, por exemplo, averiguar se o Estado-nação moderno, o capitalismo industrial e a difusão de hospitais psiquiátricos estão necessariamente interligados, em vez de constituírem fenômenos isolados que por acaso ocorreram ao mesmo tempo numa determinada região do mundo, não temos base para estabelecer essa questão.[7] Todos os três emergiram numa época em que o planeta era na prática um sistema global unificado — e não conhecemos outros planetas que nos permitam uma comparação.

Seria possível argumentar — e muitos o fazem — que sempre foi assim durante quase toda a história. A Eurásia e a África já formavam um único sistema interligado. Sem dúvida, pessoas, objetos e ideias circularam de um lado ao outro através do oceano Índico e das rotas da seda (ou de seus precursores nas idades do Bronze e do Ferro). Assim, dramáticas mudanças políticas e econômicas muitas vezes pareciam ocorrer de maneira mais ou menos coordenada ao longo de toda a massa terrestre eurasiana. Para dar um exemplo famoso: quase um século atrás, o filósofo alemão Karl Jaspers observou que todas as principais escolas de filosofia especulativa surgiram — aparentemente de forma autônoma — na Grécia, na Índia e na China mais ou menos na mesma época, entre os séculos VIII a.C. e III a.C. Além disso, surgiram exatamente nas cidades que haviam pouco tempo antes testemunhado a invenção e a ampla adoção de moeda cunhada. Jaspers denominou esse período de Era

Axial, um termo desde então ampliado por outros a fim de incluir o período no qual nasceram todas as atuais religiões mundiais, desde o profeta persa Zoroastro (*c.* 800 a.C.) até o advento do islã (*c.* 600 d.C.). Ora, o âmago da Era Axial de Jaspers — abrangendo as vidas de Pitágoras, de Buda e de Confúcio — não só corresponde à invenção da moeda cunhada e de novas formas de pensamento especulativo, mas também à difusão da escravização de cativos por toda a Eurásia, mesmo em lugares onde antes mal existira. Além do mais, essa instituição acabaria por entrar em declínio após o fim de uma sucessão de impérios da Era Axial (Máuria, Han, Parta, Romano), junto com seus sistemas predominantes de moeda.[8] Obviamente, seria um equívoco afirmar que a Eurásia pode ser considerada um único local e daí concluir que não faz sentido comparar os modos como seus processos decorreram em suas diversas regiões. Da mesma forma, seria um equívoco concluir que tais padrões são características universais do desenvolvimento humano quando poderiam muito bem ter ocorrido apenas na Eurásia.

Grande parte da África e da Oceania, ou mesmo da região noroeste da Europa, estava de tal modo vinculada aos grandes impérios desse período — com maior destaque para a convergência de rotas mercantis terrestres e marítimas em torno do oceano Índico e do mar Mediterrâneo no século v a.C., mas provavelmente desde muito antes — que é difícil saber se essas regiões podem ser tomadas como pontos independentes de comparação. A única exceção são as Américas. Sem dúvida, mesmo antes de 1492 deve ter havido contatos ocasionais entre os dois hemisférios (de outro modo, nem mesmo teria ocorrido o povoamento das Américas); mas, antes da invasão ibérica, podemos afirmar que as Américas não estavam em comunicação direta ou regular com a Eurásia. Em nenhum sentido elas faziam parte do mesmo "sistema mundial". Isso é importante, pois significa que na verdade temos um ponto de comparação independente (talvez até dois, se considerarmos a América do Norte e a do Sul como distintas), que nos permite questionar: a história precisa mesmo tomar uma determinada direção?

No caso das Américas, podemos propor perguntas como: era inevitável a ascensão da monarquia como a forma de governo predominante no mundo? O cultivo dos cereais é mesmo uma armadilha, e podemos de fato afirmar que, uma vez disseminado o cultivo do trigo ou do arroz ou do milho, é apenas uma questão de tempo para que um senhorio mais empreendedor assuma o controle dos estoques e instaure um regime marcado pela administração burocrática da violência? E é inevitável que seu exemplo seja imitado? A julgar pela história da América do Norte pré-colombiana, ao menos, a resposta para todas essas questões é um enfático "não".

Embora os arqueólogos da América do Norte usem os termos "bandos", "tribos", "chefaturas" e "Estados", o que de fato parece ter ocorrido ali desafia todas essas suposições. Já vimos como na metade ocidental do continente havia, no mínimo, um movimento de *recusa* da agricultura nos séculos anteriores à invasão europeia; e também como as sociedades das planícies muitas vezes parecem ter alternado, ao longo do ano, entre os bandos e algo que partilha ao menos algumas das características que associamos aos Estados — em outras palavras, entre o que deveria ter marcado os extremos da escala de evolução social. Porém, ainda mais surpreendente é o que ocorreu na região leste do continente.

Desde cerca de 1050 d.C. até 1350 d.C. existiu, na atual East St. Louis, uma cidade cujo nome original se perdeu, mas que ficou conhecida entre os historiadores como Cahokia.[9] Parece ter sido a capital do que James Scott chamaria de um clássico "Estado cerealista" nascente, emergindo de forma esplendorosa e aparentemente do nada, mais ou menos na mesma época em que a dinastia Song governava a China, e o califado Abássida dominava o Iraque. Em seu auge, a população de Cahokia chegou a algo em torno de 15 mil habitantes; em seguida, porém, houve um declínio abrupto. Seja o que for que a cidade representasse para quem vivesse sob a sua influência, o fato é que ao que tudo indica terminou sendo rejeitada, de forma absoluta e estrondosa, pela vasta maioria de seus moradores. Por séculos após seu fim, o local onde antes estava a cidade, e centenas de quilômetros de vales fluviais ao redor, ficaram completamente despovoados: uma "zona vazia" (um tanto como a Zona Proibida do romance *Planeta dos macacos*, de Pierre Boulle), um lugar de ruínas e amargas lembranças.[10]

Reinos sucessores de Cahokia surgiram mais ao sul, e desmoronaram da mesma forma. No momento em que os europeus chegaram ao litoral leste da América do Norte, a "civilização do Mississippi", como veio a ser conhecida, nada mais era do que uma lembrança remota, e os descendentes dos moradores e vizinhos de Cahokia parecem ter se reorganizado em repúblicas tribais do tamanho de cidades-Estado, em cuidadoso equilíbrio ecológico com

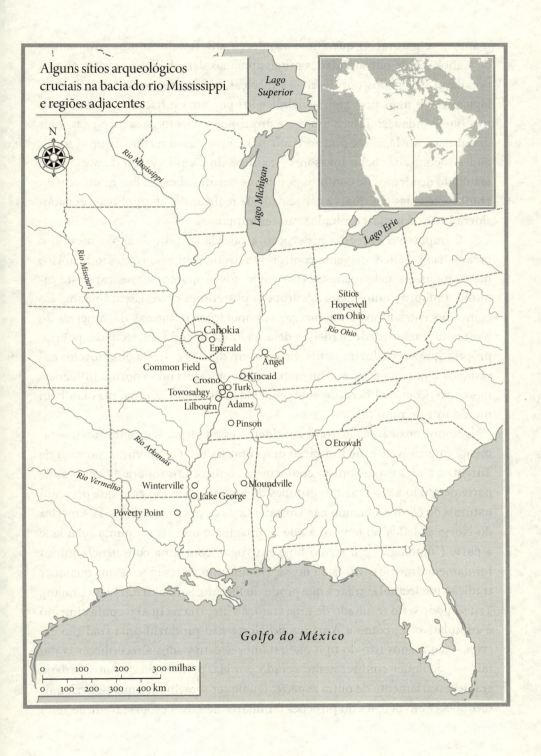

o ambiente natural. O que afinal aconteceu ali? Teriam sido os governantes de Cahokia e de outras cidades mississippianas derrubados por insurreições populares, solapados por deserções maciças, vitimados por catástrofes ecológicas ou, o mais provável, inviabilizados por uma intricada mescla dessas três possibilidades? Talvez um dia a arqueologia nos forneça respostas mais definitivas. Até lá, o que podemos afirmar com alguma certeza é que as sociedades encontradas pelos invasores espanhóis do século XVI em diante eram o resultado de séculos de conflitos políticos e debates abertos. Em muitos casos, eram sociedades nas quais a capacidade de realizar debates políticos era considerada um dos mais exaltados valores humanos.

É impossível entender a devoção à liberdade individual, ou mesmo o racionalismo cético, de gente como Kondiaronk sem esse contexto histórico mais amplo; ou, pelo menos, é isso o que nos propomos a mostrar neste capítulo. Embora muitos autores europeus posteriores preferissem imaginá-las como inocentes filhos da natureza, as populações indígenas da América do Norte eram na verdade herdeiras de uma longa história intelectual e política própria, que as conduzira numa direção bem diversa daquela dos filósofos eurasianos e que, pode-se argumentar, terminou exercendo enorme influência nas concepções de liberdade e de igualdade não só na Europa, mas também no restante do mundo.

Somos ensinados, claro, a considerar essas alegações como intrinsecamente improváveis e até um tanto despropositadas. Como vimos no caso de Turgot, a teoria evolucionista conforme a conhecemos foi criada em grande parte de modo a reforçar tais atitudes de repúdio, fazendo com que pareçam naturais ou óbvias. Quando não consideramos os povos indígenas da América do Norte isolados no tempo, o que se imagina é que vivam numa realidade à parte ("ontologia" é o termo hoje em voga), com uma consciência mítica fundamentalmente distinta da nossa. No mínimo, pressupõe-se que qualquer tradição intelectual similar à que produziu Plotino, Sankaracharya ou Chuang Tzu só pode ser o resultado de uma tradição literária na qual o conhecimento é cumulativo. E, como a América do Norte não produziu uma tradição escrita — ao menos não do tipo que estamos acostumados a reconhecer como tal[11] —, qualquer conhecimento gerado por ela, político ou de outra ordem, era necessariamente de outra espécie. Qualquer semelhança que poderíamos reconhecer em debates ou posições familiares de nossa própria tradição intelectual costuma ser desdenhada como uma projeção ingênua de categorias de extração ocidental. Com isso, não há possibilidade de um diálogo genuíno.

Talvez a maneira mais direta de nos contrapormos a esse tipo de argumentação seja citando um texto que descreve um conceito que os wendats (huronianos) denominavam *Ondinnonk*, um desejo secreto da alma manifestado por um sonho:

> Os huronianos acreditam que as nossas almas têm outros desejos, que são, por assim dizer, inatos e ocultos [...]. Eles acreditam que nossa alma faz com que esses desejos sejam conhecidos por meio de uma linguagem própria, a dos sonhos. Desse modo, quando tais desejos se realizam, a alma se satisfaz; mas, caso não lhe seja concedido o que deseja, é tomada pela ira, e não apenas deixa de conceder ao corpo o bem e a felicidade que gostaria de lhe dar, como muitas vezes se revolta contra ele, ocasionando várias enfermidades e até mesmo a morte.[12]

O autor então passa a explicar que, nos sonhos, esses desejos secretos são comunicados numa espécie de linguagem indireta e simbólica, de difícil compreensão, e que por isso os wendats dedicavam muito tempo a decifrar o sentido dos sonhos de cada um, ou a consultar especialistas.

Tudo isso poderia parecer uma projeção tosca da teoria freudiana. No entanto, o texto é de 1649. Foi escrito por um tal frei Ragueneau numa das *Relations des jésuites*, exatamente 250 anos antes da publicação da primeira edição da *Interpretação dos sonhos* (1899), de Freud, um evento, assim como a teoria da relatividade de Einstein, em geral considerado um dos momentos definidores do pensamento do século XX. Além disso, Ragueneau não é a nossa única fonte. Vários missionários empenhados em converter outros povos iroqueses na mesma época relataram teorias semelhantes — que consideravam absurdas e falsas (ainda que, provavelmente, concluíram, não fossem demoníacas), e que tentaram refutar, a fim de atrair seus interlocutores para a verdade da Santa Escritura.

Isso significa que a comunidade em que Kondiarok foi criado era composta de freudianos? Não exatamente. Havia diferenças significativas entre a psicanálise freudiana e a prática iroquesa, entre as quais a mais acentuada era a natureza coletiva da terapia. A "adivinhação dos sonhos" era feita em grupo, e a realização, literal ou simbólica, dos desejos do sonhador podia mobilizar toda a comunidade. Segundo Ragueneau, os meses de inverno num assentamento wendat eram em grande parte devotados à organização de festas e encenações coletivas, literalmente para concretizar os sonhos de algum homem ou mulher. O importante aqui é que seria insensato subestimar essas tradições intelectuais como inferiores — ou mesmo completamente estranhas — às nossas.

O inusitado, no caso dos wendats e dos haudenosaunees, é que as suas tradições estão muito bem documentadas: muitas outras sociedades foram completamente destruídas ou reduzidas a remanescentes traumatizados muito antes de terem sido feitos registros escritos. Podemos apenas imaginar quantas outras tradições intelectuais acabaram, desse modo, perdidas para sempre. O que faremos no restante deste capítulo é examinar, desse ponto de vista, a história das Florestas do Leste da América do Norte entre aproximadamente 200 d.C. e 1600 d.C. Nosso objetivo aqui é entender as raízes locais da crítica indígena da civilização europeia, e o vínculo dessas raízes com uma história iniciada em Cahokia, ou talvez bem antes disso.

A PARCELA DA AMÉRICA DO NORTE QUE TEVE UM SISTEMA DE CLÃS ÚNICO E UNIFORME, E O PAPEL DA "ESFERA DE INTERAÇÃO HOPEWELL"

Comecemos com um enigma. Conforme já mencionamos, o mesmo repertório básico de nomes de clãs estava distribuído mais ou menos por toda a ilha da Tartaruga (o nome indígena para o continente norte-americano). Havia incontáveis diferenças locais, mas também alianças consistentes, de modo que um viajante pertencente a um clã Urso, ou Lobo, ou Falcão, no atual estado da Geórgia, podia viajar até Ontário ou Arizona e encontrar gente que se sentiria obrigada a hospedá-lo em quase qualquer ponto do caminho. Isso é ainda mais extraordinário quando se leva em conta que, literalmente, centenas de línguas diferentes eram faladas na América do Norte, pertencentes a meia dúzia de famílias linguísticas que nada tinham em comum. Não parece nem um pouco provável que os sistemas de clãs tenham sido trazidos, já em sua forma definitiva, pelos primeiros seres humanos que vieram da Sibéria; sem dúvida, eles se desenvolveram em épocas mais recentes. Porém — e aí está o enigma —, considerando as distâncias envolvidas, não é fácil imaginar como isso poderia ter ocorrido.

Como ressaltou Elizabeth Tooker, decana dos estudos sobre os iroqueses, na década de 1970, esse enigma é ainda mais intrigante pelo fato de não estar claro se os clãs norte-americanos podem ser considerados estritamente como grupos de "parentesco". Eles se assemelham mais a sociedades ritualísticas, cada qual dedicada a manter uma relação espiritual com um animal totêmico distinto que, em geral, apenas figurativamente é o "ancestral" comum. Sem dúvida, os membros do clã são recrutados pela descendência (matrilinear ou patrilinear) do "ancestral", e veem uns aos outros como irmãos ou irmãs (com os quais não podem se casar). No entanto, ninguém mantinha um registro das genealogias, e não havia um culto do ancestral nem reivindicações de propriedade baseadas em hereditariedade: todos os membros do clã eram efetivamente iguais. E tampouco havia muito em termos de propriedade coletiva, além de certos conhecimentos rituais, danças ou cantos, feixes de objetos sagrados e um conjunto de nomes.

Normalmente, um clã tinha um estoque fixo de nomes que eram atribuídos às crianças. Alguns designavam chefes, mas, assim como a parafernália sagrada, só em raras ocasiões eram herdados diretamente; em vez disso, eram dados ao candidato mais provável quando morria o portador do título. Além disso, uma comunidade nunca se constituía de um único clã. Em geral, havia vários deles, agrupados em duas metades totêmicas, que agiam como rivais e se complementavam, competindo entre si em esportes e sepultando os mortos uma da outra. O efeito geral era a eliminação das histórias pessoais dos contextos públicos: uma vez que os nomes eram títulos, era como se o chefe de uma das metades sempre fosse chamado de John F. Kennedy, e o de outra, sempre Richard Nixon. Essa fusão de nomes e títulos é um fenômeno tipicamente norte-americano. Em todas as partes da ilha da Tartaruga há uma versão disso, mas não se encontra nada parecido no restante do mundo.

Por fim, notou Tooker, os clãs desempenhavam um papel crucial na diplomacia, não só oferecendo hospitalidade aos viajantes, mas também organizando o protocolo das missões diplomáticas, o pagamento de compensações para evitar guerras, ou a incorporação de prisioneiros, que podiam simplesmente receber um nome e, assim, passarem a fazer parte de um clã em sua nova comunidade — ou até substituindo alguém morto no mesmo conflito. O sistema parecia concebido para otimizar a capacidade de deslocamento individual ou coletivo das pessoas, ou ainda para reconfigurar os arranjos sociais.

Dentro desses parâmetros, há uma gama de possibilidades incalculável, quase caleidoscópica. Mas, antes de tudo, de onde veio esse conjunto de parâmetros? Tooker sugeriu que talvez fosse o resquício de um "império mercantil" havia muito esquecido, talvez originalmente fundado por mercadores do México central, mas a possibilidade não foi levada a sério por seus colegas acadêmicos — na verdade, seu ensaio quase nunca é citado. E não há nenhum indício de que esse tal império mercantil tenha existido.

Parece mais razoável supor que um sistema ritualístico e diplomático tem sua origem, bem, no ritual e na diplomacia. A primeira evidência inequívoca de que esse fenômeno *pode* ter ocorrido — isto é, que se criaram vínculos ativos entre quase todas as regiões da América do Norte — encontra-se naquilo a que os arqueólogos chamam de "Esfera de Interação Hopewell", uma rede cujo epicentro estava nos vales dos rios Scioto e Paint, no atual estado de Ohio. Entre cerca de 100 a.C. e 500 d.C., as comunidades que faziam parte dessa rede depositaram tesouros sob aterros funerários, às vezes acumulando-os em quantidades extraordinárias. Os tesouros eram constituídos de pontas de flechas de cristal de quartzo, mica e obsidiana dos Apalaches, cobre e prata dos Grandes Lagos, conchas e dentes de tubarão do golfo do México, molares de ursos-cinzentos das Montanhas Rochosas, ferro extraído de meteoritos, dentes de aligátor, mandíbulas de barracuda e muito mais.[13] A maioria desses materiais deve ter sido empregada na manufatura de adornos para rituais e trajes suntuosos — entre eles cachimbos e espelhos revestidos de metal — usados por xamãs, sacerdotes e um grande número de autoridades subsidiárias numa complexa estrutura organizacional, cuja natureza exata dificilmente pode ser reconstituída.

E, o que é ainda mais impressionante, muitos desses túmulos estavam localizados nas proximidades de terraplanagens gigantescas, alguns dos quais se estendiam literalmente por quilômetros. Os habitantes da região central de Ohio vinham criando essas estruturas desde o início do chamado "período Adena", por volta de 1000 a.C., e as terraplanagens também aparecem em etapas "arcaicas" anteriores da história da América do Norte. Como vimos no caso de Poverty Point, quem as empreendeu era capaz de cálculos astronômicos muito sofisticados e de usar sistemas acurados de mensuração. Também é concebível que esse povo pudesse mobilizar e empregar uma enorme força de trabalho — embora aqui convém sermos cautelosos. Evidências de épocas mais recentes sugerem que a tradição de construção de aterros pode ter sido, em alguns casos, um efeito secundário da criação de quadras para danças ou de espaços abertos e planos para festas, jogos e assembleias. Todos os anos, antes de rituais importantes, esses terrenos eram limpos e aplainados, com a terra e o entulho despejados no mesmo lugar. No decorrer de séculos, obviamente se acumulava uma enorme quantidade de material a ser moldado. Entre os muskogees, por exemplo, esses montes artificiais eram recobertos a cada ano com uma nova camada de terra vermelha, amarela, preta ou branca. O trabalho era organizado por encarregados que se alternavam na função, sem que houvesse necessidade de estruturas de comando de cima para baixo.[14]

Claramente não é o caso, porém, de estruturas realmente enormes como as de Poverty Point ou as terraplanagens da esfera Hopewell. Elas não se formaram pelo lento acréscimo de material, mas a partir de um projeto pré-estabelecido. Os sítios mais impressionantes quase sempre se encontram em vales fluviais, em geral às margens dos corpos d'água. Eles se erguem, literalmente, da lama úmida. Como sabe qualquer um que, quando criança, tenha brincado com areia ou lama (ou seja, quase todo mundo, incluindo os antigos ameríndios), é fácil fazer estruturas com esse material, mas quase impossível evitar que desmoronem ou se desfaçam. É aí que entra a façanha de engenharia mais notável. Um sítio típico da esfera Hopewell compõe-se de uma mescla complexa e precisamente alinhada de círculos, quadrados e octógonos — todos feitos de barro. Um dos maiores, a Terraplanagem de Newark, no condado de Licking, em Ohio, que talvez funcionasse como observatório lunar, estende-se por cerca de 5 mil metros quadrados e possui taludes com mais de 5 metros de altura. A única maneira de conferir estabilidade a estruturas desse tipo — tão estáveis que sobreviveram até hoje — era por meio do uso de engenhosas técnicas construtivas, alternando camadas de terra, de cascalho e de areia.[15] Para qualquer um que as contemplasse pela primeira vez, elevando-se acima do terreno pantanoso, o efeito seria similar ao de um cubo de gelo que se recusa a derreter sob o sol do meio-dia: uma espécie de milagre cosmogônico.

Já mencionamos como os pesquisadores, ao fazerem os cálculos, se surpreenderam com a descoberta de que, a partir da etapa arcaica, as terraplanagens geométricas existentes em imensas regiões das Américas parecem ter sido feitas segundo o mesmo sistema de medidas, baseado no arranjo de cordas em triângulos equiláteros. Portanto, por si mesmo não é extraordinário que, de todas as partes, gente e material afluíssem para os complexos de aterros hopewellianos. Entretanto, como notaram os arqueólogos, os sistemas geométricos característicos dos "povos do período Woodland" que criaram a esfera Hopewell também assinalam uma ruptura com costumes passados: a introdução de outro sistema métrico e de uma nova geometria formal.[16]

A região central de Ohio era apenas o epicentro. Os sítios com aterros baseados nesse novo sistema geométrico hopewelliano são encontrados ao longo das zonas superiores e inferiores do vale do Mississippi. Alguns são do tamanho de cidades pequenas. Muitas vezes tinham edificações para reuniões, oficinas artesanais e instalações funerárias para o processamento dos restos humanos, além de criptas para os mortos. Algumas talvez tivessem cuidadores residentes, mas quanto a isso não há certeza. Mas sabemos que, na maior parte do ano, esses sítios permaneciam quase ou completamente vazios. Somente em ocasiões rituais específicas eram usados como palcos de cerimônias complexas, ficando densamente povoados durante uma ou duas semanas por vez, com gente de toda a região e, ocasionalmente, também com visitantes de muito longe.

Esse é outro dos enigmas da esfera Hopewell. Ali estavam presentes todos os elementos necessários para o surgimento de um "Estado cerealista" clássico (tal como definido por Scott). As terras aluviais dos rios Scioto e Paint, onde foram estabelecidos os maiores centros, são tão férteis que mais tarde viriam a ser chamadas de "Egito" pelos colonos europeus. E pelo menos alguns dos habitantes locais estavam familiarizados com o plantio de milho. Porém, assim como parecem ter evitado esse cultivo — exceto, talvez, com propósitos restritos e rituais —, também evitaram as terras baixas dos vales, preferindo viver em moradias isoladas e dispersas, quase sempre em áreas mais elevadas. Essas moradias muitas vezes abrigavam uma única família, ou no máximo três ou quatro. Às vezes esses grupos diminutos se alternavam entre moradias de verão e de inverno, dedicando-se a uma mescla de caça, pesca, coleta e cultivo de plantas em pequenas hortas: girassóis e ervas comestíveis, bem como hortaliças.[17] Presumivelmente essas pessoas mantinham contato regular com vizinhos, e pareciam ter bom convívio, pois há poucos indícios de guerras ou de violência organizada.[18] No entanto, nunca se juntaram para criar algum tipo de vida comum em assentamentos ou vilarejos.[19]

Diante de uma arquitetura monumental na escala das terraplanagens da esfera Hopewell, em geral supõe-se a existência de excedentes agrícolas

488

significativos, de governo por chefes ou de um estrato de líderes religiosos. Contudo, nada disso estava ocorrendo ali, onde encontramos apenas o tipo de "cultivo lúdico" discutido no capítulo 6, além xamãs e construtores que conviviam quase todo o tempo com os mesmos cinco ou seis companheiros. No entanto, periodicamente saíam e se deslocavam pelo palco de uma sociedade tão ampla que abrangia grande parte do continente norte-americano. Tudo isso difere tanto do que conhecemos das sociedades posteriores do período Woodland que é difícil reconstruir exatamente o que esses padrões de assentamento significavam na prática. No mínimo, contudo, essa situação geral ilustra a enorme irrelevância da terminologia evolucionista convencional, baseada numa progressão de "bandos", "tribos" e "chefaturas".

E que tipo de sociedades eram essas?

Não resta dúvida quanto à sua aptidão em termos artísticos. A despeito da modéstia de suas moradias, os hopewellianos produziram um dos repertórios de imagens mais requintados da América pré-colombiana: desde cachimbos-efígies encimados por belíssimos animais entalhados (usados para fumar uma variedade de tabaco forte que, misturado a ervas, provocava estados mentais alterados) até jarros de argila cozida recobertos de padronagens complexas; e pequenas lâminas de cobre, que serviam de peitorais, recortadas em intricados formatos geométricos. Grande parte dessa imagética faz referências a rituais xamânicos, buscas relacionadas a visões e jornadas espirituais (como vimos, há uma ênfase particular em espelhos), mas também a celebrações periódicas dos mortos.

Como Chavín de Huaátar nos Andes, ou mesmo Poverty Point, a influência social decorria do controle de formas esotéricas de conhecimento. A principal diferença é que a Esfera de Interação Hopewell não tinha um centro específico, uma única capital, e ao contrário de Chavín há poucos indícios da existência de elites permanentes, sacerdotais ou outras. A análise dos sepultamentos revela ao menos uma dúzia de conjuntos de insígnias, prováveis referências a sacerdotes funerários, chefes de clã ou adivinhos. Igualmente notável é a existência de um sistema de clãs aperfeiçoado, pois os antigos habitantes da região central de Ohio tinham o costume — incomum em termos históricos, mas, do ponto de vista dos arqueólogos, muito conveniente — de incluir nas sepulturas partes de animais totêmicos, como maxilares, dentes, garras ou presas, muitas vezes transformados em pingentes ou joias. Todos os clãs mais conhecidos da América do Norte posterior — Cervo, Lobo, Alce, Gavião, Serpente etc. — estavam representados.[20] O mais surpreendente é que, a despeito da existência de um sistema de ocupações e de clãs, aparentemente não havia relação entre ambos. É possível que, às vezes, um clã "controlasse" certas funções, mas há poucos indícios da existência de uma elite hereditária e estratificada.[21]

Há quem afirme que grande parte dos rituais da esfera Hopewell consistia em festas e disputas de caráter heroico: competições, jogos esportivos e de azar, que — se têm algo a ver com os posteriores Banquetes dos Mortos no Nordeste americano — muitas vezes terminavam com o enterro de grandes tesouros sob camadas cuidadosamente preparadas de terra e cascalho, de modo que ninguém (exceto talvez os deuses ou os espíritos) pudesse encontrá-los de novo.[22] Tanto os jogos como os sepultamentos tenderiam, claro, a atenuar a acumulação de riqueza — ou melhor, a assegurar que as diferenças sociais continuassem sendo sobretudo teatrais. Na verdade, até mesmo as diferenças sistêmicas detectáveis parecem ser um efeito do sistema ritual, pois o núcleo da esfera Hopewell está dividido numa Aliança Tripartite, com três grandes agrupamentos de sítios.

Nos mais setentrionais, concentrados no próprio sítio de Hopewell, os entesouramentos funerários remetem a rituais xamânicos, com figuras masculinas heroicas movendo-se entre domínios cósmicos. Nas meridionais, exemplificadas pelo sítio de Turner, no sudoeste de Ohio, a ênfase recai em imagens de figuras mascaradas impessoais, santuários no topo de colinas e monstros ctônicos. E, o que é ainda mais notável, no agrupamento setentrional, todos os que foram sepultados com insígnias ocupacionais são homens; no agrupamento meridional, todos os que foram enterrados com as mesmas insígnias são mulheres. (No agrupamento central de sítios há uma mescla em ambos os casos.)[23] Além disso, havia claramente uma espécie de coordenação sistemática entre os agrupamentos, unidos por caminhos.[24]

Convém, nesta altura, compararmos e contrastarmos a Esfera de Interação Hopewell com um fenômeno discutido no capítulo anterior: as sociedades mesopotâmicas dos vilarejos do período al-'Ubaid, no quinto milênio a.C. Embora essa comparação pareça inapropriada, ambas podem ser vistas como áreas culturais na mais ampla escala, e as primeiras em seus respectivos hemisférios a abrangerem toda a envergadura de um grande sistema fluvial — respectivamente, o Mississippi e o Eufrates — desde as nascentes até os deltas, incluindo as planícies e os litorais circunjacentes.[25] O estabelecimento de uma interação cultural regular em tal âmbito, abrangendo paisagens e nichos ecológicos muito contrastantes, com frequência assinala um ponto decisivo na história. No caso dos vilarejos mesopotâmicos, isso deu origem a uma forma consciente de padronização, um igualitarismo social que lançou os fundamentos das primeiras cidades do mundo.[26] O que ocorreu no caso da esfera Hopewell, porém, foi muito diferente.

Na realidade, em muitos aspectos, as esferas Hopewell e al-'Ubaid são dois polos culturais opostos. A unidade da esfera de interação al-'Ubaid baseia-se na supressão das diferenças individuais entre pessoas e famílias; em contraste, a unidade da esfera Hopewell baseia-se na celebração das diferenças. Para dar um exemplo: enquanto as sociedades norte-americanas posteriores distinguiam clãs e nações inteiras por estilos característicos de cortes de cabelo (facilitando a identificação a distância de um guerreiro seneca, onondaga ou mohawk), é difícil achar duas figuras na arte da tradição Hopewell — e há uma boa quantidade delas — que tenham o mesmo corte de cabelo. Todos parecem ter a liberdade de se exibir, ou de desempenhar um papel dramático no teatro social, e essa expressividade individual refletiu-se nos retratos miniaturizados de pessoas exibindo o que parece ser uma variedade infinita de estilos lúdicos e idiossincráticos de cortes de cabelo, roupas e adornos.[27]

Tudo isso, porém, estava intricadamente coordenado através de áreas enormes. Mesmo em âmbito local, cada aterro fazia parte de uma paisagem ritual contínua. Os alinhamentos das terraplanagens muitas vezes remetiam a elementos específicos do calendário da esfera Hopewell (solstícios, fases lunares etc.), presumivelmente com as pessoas se deslocando de um monumento a outro para completar todo o ciclo de cerimônias. Há uma grande complexidade nisso: mal podemos imaginar o tipo de conhecimento detalhado de estrelas, rios e estações que era necessário para coordenar pessoas que viviam a distâncias de centenas de quilômetros, de modo que pudessem se reunir a tempo em centros ritualísticos por períodos que duravam apenas cinco ou seis dias de cada vez ao longo do ano. E menos ainda podemos imaginar o que seria preciso para transformar um tal sistema de uma ponta a outra do continente.

Em épocas posteriores, os Banquetes dos Mortos também eram ocasiões para a "ressureição" dos nomes, quando os títulos dos mortos eram transferidos para os vivos. Provavelmente mecanismos assim possibilitaram, na esfera Hopewell, a disseminação da estrutura básica de seu sistema de clãs por toda a América do Norte. É até mesmo possível que, por volta de 400 d.C., o fim dos sepultamentos espetaculares tenha ocorrido pelo fato de a esfera Hopewell ter concluído sua tarefa. A natureza idiossincrásica de sua arte, por exemplo, deu lugar a versões padronizadas que se propagaram através do continente; ao mesmo tempo, grandes peregrinações até centros esplendorosos e provisórios, erguidos como que por milagre da lama, já não eram mais necessárias para criar vínculos entre os grupos, que agora dispunham de um idioma compartilhado para a diplomacia pessoal, um conjunto de regras comuns para a interação com estranhos.[28]

A HISTÓRIA DE CAHOKIA, TALVEZ O PRIMEIRO "ESTADO" AMERICANO

Um dos inúmeros enigmas da esfera Hopewell é o fato de que seus arranjos sociais parecem antecipar instituições muito posteriores. Havia uma divisão entre os clãs "branco" e "vermelho": o primeiro associado ao verão, às casas circulares e à mediação de conflitos; o segundo, ao inverno, às casas quadradas e à guerra.[29] A maioria das sociedades indígenas posteriores fazia uma distinção entre os chefes em épocas de paz e os chefes em épocas de guerra: uma administração completamente distinta era adotada durante os conflitos militares, e desmontada assim que se restabelecia a paz. Parte desse simbolismo parece ter surgido na esfera Hopewell. Os arqueólogos conseguiram até identificar certas figuras como chefes guerreiros; mas, a despeito disso, quase não há evidências de tais guerras. Uma possibilidade é que os conflitos assumiam outra forma, mais teatral — como em épocas posteriores, quando nações rivais ou metades totêmicas "inimigas" expressavam a sua hostilidade por meio de agressivas partidas de lacrosse.[30]

Nos séculos subsequentes ao declínio dos centros da esfera Hopewell, mais ou menos de 400 d.C. a 800 d.C., surge uma série de desenvolvimentos familiares. Primeiro, alguns grupos passam a adotar o milho como safra principal e a cultivá-lo nos vales fluviais da bacia do Mississippi. Depois, conflitos armados tornam-se mais frequentes. Em pelo menos alguns lugares, isso fez com que as populações passassem a viver por períodos mais longos nas proximidades das terraplanagens locais. Sobretudo na bacia do Mississippi e em terrenos elevados adjacentes, tornou-se evidente um padrão de vilarejos ao redor de pirâmides e praças de terra, algumas fortificadas, outras rodeadas por extensos territórios desocupados. Alguns até se assemelhavam a pequenos reinos. Com o tempo, essa situação culminou numa verdadeira explosão urbana, com epicentro no sítio de Cahokia, que logo se tornaria a maior cidade das Américas ao norte do México.

Cahokia está situada numa imensa planície aluvial às margens do Mississippi, conhecida como Baixada Americana. Era um ambiente muito fértil e rico em recursos, ideal para o cultivo de milho, mas ainda assim inadequado para a construção de uma cidade, pois grande parte da região era pantanosa, envolta em neblina e repleta de lagoas rasas. Depois de visitar o local, Charles Dickens o descreveu como "um atoleiro ininterrupto de lama negra e água". Na cosmologia mississippiana, locais aquosos desse tipo estavam associados ao caótico mundo subterrâneo — diametralmente oposto à ordem celestial, acurada e previsível — e sem dúvida é significativo que algumas das primeiras edificações em grande escala de Cahokia tivessem como centro uma passagem elevada cerimonial conhecida como Passagem da Cascavel, concebida para permanecer sobre a água e dar acesso aos túmulos no topo dos aterros circundantes (uma Trilha das Almas, ou Caminho dos Mortos). Para começar, portanto, Cahokia era um local de peregrinação, assemelhando-se assim aos sítios da esfera Hopewell.[31]

Seus habitantes partilhavam com os hopewellianos a mesma predileção pelos jogos. Por volta de 600 d.C., um morador de Cahokia ou das redondezas parece ter tido a ideia do jogo de disco e lança conhecido como *chunkey*, que mais tarde se tornaria um dos mais populares esportes entre os indígenas norte-americanos. Complexo e exigindo muita coordenação, era um jogo no qual os participantes corriam e tentavam atirar lanças o mais perto possível de um disco de pedra em movimento, mas sem atingi-lo.[32] Era disputado em várias áreas de terraplanagens na Baixada Americana — e ajudava a manter juntos os grupos cada vez mais diversos que se estabeleciam na região. Em termos sociais, tinha aspectos em comum com os jogos de bola mesoamericanos, embora com regras completamente distintas. O *chunkey* podia ser tanto um substituto como uma continuação da guerra. Estava ligado a uma lenda (no caso, a história do Corno Rubro da Estrela Matutina, que, como os gêmeos--heróis maias, enfrentava os deuses do mundo inferior); e podia desencadear jogatinas frenéticas, nas quais alguns chegavam até a apostar a própria liberdade ou a de sua família.[33]

Em Cahokia e arredores, podemos acompanhar o surgimento de hierarquias sociais através da lente desse jogo, à medida que foi sendo monopolizado por uma elite exclusiva. Um sinal é o desaparecimento dos discos de pedra nos sepultamentos comuns, ao mesmo tempo que versões rebuscadas dos discos aparecem nas sepulturas mais ricas. O *chunkey* foi se tornando um esporte para ser visto, e Cahokia, a patrocinadora de uma nova elite regional mississippiana. Não sabemos bem como isso ocorreu — talvez como um ato de revelação religiosa —, mas, por volta de 1050 d.C., Cahokia registrou um crescimento explosivo, deixando de ser uma comunidade relativamente modesta para virar uma cidade com dezesseis quilômetros quadrados de área, abrangendo mais de uma centena de aterros erguidos em torno de praças espaçosas. Sua população original de poucos milhares foi acrescida de talvez 10 mil novos moradores, vindos da região e instalando-se não só em Cahokia, mas nas vilas satélites, totalizando cerca de 40 mil habitantes na Baixada Americana como um todo.[34]

A área principal da cidade foi projetada e construída de uma vez só, de acordo com uma planta principal. O ponto central era uma imensa pirâmide de terra batida, hoje conhecida como Aterro do Monge, junto de uma imensa praça. A oeste, numa praça menor, um círculo de troncos de cipreste assinalava o curso anual do Sol. Sobre algumas das pirâmides de terra de Cahokia foram erguidos palácios ou templos; noutras, ossuários ou cabanas de saunas cerimoniais. Houve um esforço deliberado para reassentar populações forasteiras — ou pelo menos seus representantes mais importantes e influentes — em casas de colmo recém-projetadas, dispostas ao redor de praças menores e pirâmides de terra; muitos desses bairros tinham artesanato especializado ou identidade étnica característicos.[35] Desde o topo do Aterro do Monge, a elite dominante da cidade podia controlar e vigiar essas zonas residenciais planejadas.[36] Ao mesmo tempo, vilarejos e assentamentos existentes na região ao redor de Cahokia foram desmembrados e a população rural se dispersou, distribuída em moradias de uma ou duas famílias.[37]

O mais surpreendente nesse padrão é o indício de um desmantelamento quase total das comunidades autônomas existentes fora da cidade. Para as comunidades que estavam em sua órbita, não restou muito além da existência doméstica — sob constante vigilância da elite — e o espetáculo assombroso da própria cidade.[38] O espetáculo podia ser aterrador. Além dos jogos e das festividades, as primeiras décadas da expansão de Cahokia também foram marcadas por execuções espetacularizadas e sepultamentos em massa. Assim como nos reinos incipientes de outras partes do mundo, essas matanças em larga escala estavam diretamente ligadas aos ritos funerários da nobreza; nesse caso, uma instalação mortuária voltada para o sepultamento conjunto de homens e mulheres de alta hierarquia,[39] cujos corpos amortalhados eram dispostos ao redor de uma superfície formada com milhares de contas feitas de conchas. Em volta disso erguia-se um aterro precisamente orientado segundo um azimute derivado do ponto mais ao sul de nascimento da lua. E em seu interior havia quatro sepulturas coletivas com os corpos empilhados de mulheres jovens (com a exceção de uma delas, com mais de cinquenta anos), sacrificadas especialmente para a ocasião.[40]

Graças ao exame meticuloso das evidências etnográficas e históricas, os estudiosos reconstruíram em grandes linhas a aparência provável de Cahokia, bem como dos reinos posteriores nela baseados. Embora algo tenha restado das organizações dos clãs anteriores, o antigo sistema de metades totêmicas transformou-se na oposição entre nobres e plebeus. Os mississippianos provavelmente eram matrilineares — ou seja, o *mico* (governante) não era sucedido pelos filhos, mas pelo sobrinho mais velho. Como os nobres podiam se casar apenas com plebeias, depois de várias gerações desses casamentos os descendentes dos reis acabavam perdendo por completo a condição de nobres. E sempre havia uma reserva de nobres plebeizados que supria guerreiros e administradores. As genealogias eram zelosamente preservadas, e uma classe sacerdotal dedicava-se à manutenção dos templos, que continham imagens de ancestrais da realeza. Por fim, existia um sistema de titulação para as façanhas heroicas nas guerras, o que possibilitava aos plebeus eventual acesso à nobreza, um status simbolizado por imagens de homens-pássaros, que também evocava o prestígio dos participantes nas competições de *chunkey*.[41]

O simbolismo do homem-pássaro era especialmente acentuado nos reinos menores — meia centena deles no total — que surgiram às margens de todo o Mississippi, e dos quais os maiores ficavam em lugares conhecidos como Etowah, Moundville e Spiro. Os governantes desses vilarejos muitas vezes eram sepultados com o que parecem ser insígnias e emblemas preciosos confeccionados em Cahokia. Imagens sagradas na própria Cahokia remetiam não tanto ao simbolismo do gavião e do falcão, presente em todas as outras regiões, e sim à figura da Mãe do Milho, que também se mostra como Mulher Idosa, uma deusa empunhando um tear — algo apropriado para um centro cada vez mais destacado de produção intensiva de cereais. Durante os séculos XI d.C. e XII d.C., os sítios mississippianos com diversos tipos de vínculos com Cahokia aparecem desde a Virgínia até Minnesota, muitas vezes em violentos conflitos com os vizinhos. Rotas mercantis que abrangiam todo o continente foram ativadas, e a matéria-prima para novos tesouros passou a se acumular na Baixada Americana, tal como antes ocorrera na esfera Hopewell.[42]

Muito pouco dessa expansão foi diretamente controlado a partir do centro. É improvável que estejamos lidando com um império: tratava-se antes de uma intrincada aliança ritual, assegurada em última análise pela força. E, de fato, não demorou muito para que a violência aumentasse cada vez mais. No prazo de um século após a explosão inicial de Cahokia — ou seja, por volta de 1150 d.C. —, uma gigantesca paliçada foi erguida, embora circundasse apenas algumas áreas da cidade. Isso marcou o início de um longo e irregular processo de conflito armado, destruição e despovoamento. No início, a população parece ter deixado a metrópole e se refugiado nas cercanias, porém depois abandonou por completo a região de baixadas.[43] O mesmo processo ocorreu em muitas dos vilarejos menores da cultura do Mississippi. A maioria parece ter surgido como empreitadas cooperativas antes de se tornarem centralizadas ao redor do culto de uma linhagem real e entrarem na órbita de Cahokia. Em seguida, no decorrer de um ou dois séculos, elas se esvaziaram (assim como ocorreu mais tarde na Grande Aldeia dos natchez, e talvez pelas mesmas razões, com as pessoas buscando vidas mais livres em outras partes) até que afinal foram saqueadas, incendiadas ou simplesmente abandonadas.

Seja o que for que tenha ocorrido em Cahokia, as lembranças que restaram não foram muito agradáveis. Junto com boa parte da mitologia do homem-pássaro, o local foi apagado das tradições orais posteriores. Depois de 1400 d.C., toda a fértil região da Baixada Americana (que no auge de Cahokia talvez tenha abrigado cerca de 40 mil pessoas), assim como o território entre a cidade e o rio Ohio, tornou-se o que na literatura ficou conhecida como a Zona Vazia: um ermo assombrado com imensas pirâmides de terra e blocos desmoronados de casas em terrenos pantanosos que só de vez em quando era atravessado por caçadores, mas desprovido de qualquer assentamento humano permanente.[44]

Os estudiosos ainda não chegaram a um consenso sobre a importância relativa de fatores ecológicos e sociais no colapso de Cahokia, assim como continuam a discutir sobre a conveniência ou não de considerá-la uma "chefatura complexa" ou um "Estado".[45] De acordo com nossos termos (expostos no capítulo anterior), é provável que Cahokia fosse um regime de segunda ordem, no qual se mesclaram — num coquetel potente e até explosivo — duas das três formas elementares de dominação: nesse caso, o monopólio da violência e a política carismática. Trata-se da mesma combinação que vemos na elite maia do período clássico, para quem os esportes competitivos e a guerra também estavam assim fundidos; e que estenderam sua soberania atraindo grandes populações por meio de espetáculos organizados, através da captura ou ainda por outras formas compulsórias que mal conseguimos imaginar.

Tanto em Cahokia como no período clássico dos maias as atividades administrativas parecem ter se concentrado na condução dos assuntos não mundanos, notavelmente nos calendários rituais e na orquestração precisa do espaço sagrado. Isso, contudo, tinha efeitos no mundo real, sobretudo nas áreas de planejamento urbano, mobilização da mão de obra, vigilância pública e monitoramento meticuloso do ciclo do milho.[46] Talvez estejamos aqui lidando com tentativas de criar um regime de dominação de "terceira ordem", ainda que diferente do Estado-nação moderno, no qual o controle sobre a violência e o conhecimento esotérico ficaram emaranhados numa competição entre elites rivais. Isso talvez explique também por que, em ambos os casos (no de Cahokia e no dos maias), o colapso dos projetos totalizantes (ou mesmo totalitários) ocorreu de forma tão repentina, abrangente e completa.

Seja qual for a combinação exata de fatores em jogo, por volta de 1350 d.C. ou 1400 d.C., o resultado foi o abandono em massa da cidade. Assim como a metrópole de Cahokia foi fundada pela habilidade de seus governantes para reunir populações diversificadas, muitas vezes vindas de longas distâncias, no final os descendentes dessas pessoas simplesmente foram embora. A Zona Vazia implica uma rejeição deliberada de tudo o que a cidade de Cahokia representava.[47] Como aconteceu isso?

Entre os descendentes dos súditos de Cahokia, muitas vezes a migração é formulada como se implicasse a reestruturação de toda uma ordem social, mesclando nossas liberdades fundamentais num único projeto de emancipação: afastar-se, desobedecer e construir novos mundos sociais. Como vamos ver, os osages — um povo de língua sioux que originalmente deve ter habitado a região de Fort Ancient, no trecho médio do vale do rio Ohio, antes de abandoná-la em favor das Grandes Planícies — usavam a expressão "mudar-se para um novo país" como sinônimo de mudança constitucional.[48] Vale lembrar que, nessa região da América do Norte, as populações eram relativamente esparsas. E, como trechos extensos de território estavam desabitados (às vezes pontilhados de ruínas e efígies, cujos construtores desde muito haviam sido esquecidos), não era difícil para os grupos se estabelecerem em outro local. Aquilo que hoje conhecemos como movimentos sociais muitas vezes assumia a forma literal de deslocamento físico.

Para termos uma ideia do tipo de conflito ideológico que provavelmente estava ocorrendo, vale considerar a história do vale do rio Etowah, numa região então povoada por ancestrais dos choctaws, nos atuais estados da Geórgia e do Tennessee. Na época do desenvolvimento inicial de Cahokia, entre 1000 d.C. e 1200 d.C., essa região encerrava um período de guerra generalizada. Nos assentamentos pós-conflito foram criados vilarejos, cada qual com seu templo-pirâmide e praça, e tendo no centro uma grande edificação pública, concebida como local de reunião de toda a comunidade adulta. Os objetos colocados em sepulturas nessa época não mostram sinais de hierarquização. Por volta de 1200 d.C., o vale do Etowah foi abandonado por alguma razão, mas, meio século depois, as pessoas voltaram a morar ali. Houve então um surto de construções, entre as quais um palácio e um ossuário no topo de gigantescos aterros — protegidos dos olhos dos plebeus por cercas — e um túmulo real, posicionado diretamente sobre as ruínas da casa de reuniões comunitárias. Nos sepultamentos havia magníficos trajes de homem-pássaro e insígnias reais, aparentemente confeccionados nas oficinas da própria Cahokia. Os vilarejos menores foram desfeitos, com alguns de seus antigos moradores transferidos para Etowah, e na zona rural foram substituídos pelo padrão normal de moradias familiares dispersas.[49]

Toda cercada por um fosso e uma paliçada substancial, a vila de Etowah era claramente nessa altura a capital de algum tipo de reino. Em 1375, porém, a vila foi saqueada, o que incluiu a profanação de seus locais sagrados, não sabemos se por inimigos externos ou rebeldes internos. Em seguida, após breve e fracassada tentativa de reocupação, Etowah foi de novo abandonada, bem como todos os povoados da região. Durante esse período, a classe sacerdotal parece ter desaparecido de grande parte do Sudoeste norte-americano, substituída por *micos* guerreiros. Ocasionalmente, alguns pequenos potentados se destacavam em determinada região, mas não dispunham da autoridade ritual nem dos recursos econômicos para criar o tipo de vida urbana que existira antes. Por volta de 1500, o vale do Etowah caiu sob o controle do reino dos coosas, mas nessa altura a maioria da população original aparentemente já se mudara, deixando para os conquistadores pouco mais do que um museu de terraplanagens.[50]

Parte dos que se mudaram acabou nas proximidades das novas capitais. Em 1540, um membro da expedição de Hernando de Soto descreveu o *mico* coosa e o núcleo de seu território (um local hoje conhecido, bizarramente, como Little Egypt) nos seguintes termos:

> O cacique saiu para recebê-lo numa liteira carregada nos ombros de seus principais ajudantes, sentado numa almofada e coberto por uma túnica de peles de marta com o formato e o tamanho de um xale de mulher. Na cabeça trazia uma coroa de penas, e ao seu redor muitos índios tocavam e cantavam. A terra era muito populosa e tinha muitas vilas grandes e campos lavrados que iam de uma vila a outra. Era uma terra encantadora e fértil, com bons campos cultivados à margem dos rios.[51]

Nos séculos XVI e XVII, pequenos reinos desse tipo parecem ter sido a forma política predominante em grande parte do Sudoeste norte-americano. Os governantes eram tratados com reverência e recebiam tributos, mas detinham um poder precário e instável. A liteira do *mico* coosa, tal como a de sua grande rival, a Dama de Cofitachequi, era carregada por seus nobres, porque só a vigilância constante assegurava que não se rebelariam. Logo após a partida de Soto, vários deles fizeram exatamente isso, provocando o colapso do reino dos coosas. Entretanto, fora dos vilarejos centrais, formas de vida comunitária muito mais igualitárias estavam tomando forma.

COMO O COLAPSO DA CULTURA DO MISSISSIPPI E A REJEIÇÃO DE SEU LEGADO DEU LUGAR A NOVAS FORMAS DE POLÍTICA INDÍGENA NA ÉPOCA DA INVASÃO EUROPEIA

No princípio do século XVIII, esses pequenos reinos, bem como a prática de construir aterros e pirâmides, haviam quase desaparecido do Sul e do Meio-Oeste norte-americanos. Nas extremidades das pradarias, por exemplo, as pessoas que viviam em moradias dispersas passaram a migrar sazonalmente, deixando os muito jovens e os muito velhos nos assentamentos das terraplanagens e dedicando-se a prolongadas temporadas de caça e pesca nas terras altas ao redor, antes de afinal abandonarem em definitivo a região. Em outras áreas, os povoados ficaram reduzidos a centros cerimoniais ou cortes vazias como a dos natchez, onde o *mico* continuava a receber magníficas mostras de respeito, mas não dispunha de quase nenhum poder efetivo. Então, quando esses governantes desapareciam, as pessoas retornavam aos vales, mas agora em comunidades organizadas segundo princípios bem diversos: vilarejos de centenas de moradores, ou no máximo de mil ou 2 mil habitantes, com estruturas de clãs igualitários e casas de reuniões comunitárias.

Atualmente os historiadores estão inclinados a ver esses desenvolvimentos como, em grande parte, uma reação ao impacto da guerra, escravidão, conquista e doenças introduzidas pelos colonos europeus. No entanto, mais parecem o resultado de processos que vinham ocorrendo havia séculos.[52]

Em 1715, no ano da Guerra de Yamasee, o desmantelamento dos pequenos reinos estava concluído em toda a área sob a influência da antiga cultura do Mississippi, exceto por casos isolados, como o dos natchez. Terraplanagens e moradias familiares isoladas haviam ambos ficado no passado, e o Sudeste norte-americano dividiu-se em repúblicas tribais, do tipo reconhecido nos primórdios da etnografia.[53] Diversos fatores tornaram isso possível, a começar pelo demográfico. Como já citamos, as sociedades norte-americanas caracterizavam-se, com raras exceções, por reduzidas taxas de natalidade e baixa densidade demográfica, o que por sua vez facilitava a mobilidade e permitia que os agricultores voltassem a adotar um modo de subsistência voltado para a caça, a pesca e a coleta — ou que mudassem com facilidade de lugar. Ao mesmo tempo, as mulheres — que num dos "Estados cerealistas" de Scott seriam normalmente vistas pelas autoridades (masculinas) como pouco mais do que máquinas de gestação de bebês e, quando não estivessem grávidas ou amamentando, como encarregadas de tarefas fabris do tipo fiar e tecer — desempenhavam papéis políticos mais relevantes.

Esses detalhes compõem o pano de fundo cultural de uma disputa política associada ao papel da liderança hereditária e do conhecimento esotérico privilegiado. Essas batalhas continuaram a ser travadas até épocas relativamente recentes. Basta considerar as nações indígenas conhecidas no período colonial como as "cinco tribos civilizadas" do Sudeste norte-americano: cherokees, chickasaws, choctaws, creeks e seminoles. Essas tribos exemplificam esse padrão, governadas por conselhos comunitários na qual todos tinham voz ativa, e que operavam por meio da busca de consenso. Porém, ao mesmo tempo, partilhavam resquícios mais antigos de sacerdotes, castas e príncipes. Em alguns casos, a liderança hereditária pode ter persistido até o século XIX, resistindo à preferência generalizada por formas de governo mais democráticas.[54]

Há quem considere as próprias instituições igualitárias uma consequência de movimentos sociais deliberados, com foco nas cerimônias estivais do Milho Verde.[55] Na arte, eram simbolizadas pelo quadrado com laços nos cantos. Em termos arquitetônicos, esse gabarito simbólico era perceptível não só na criação de edificações para encontros comunitários, mas também em praças de formato quadrado para reuniões públicas, algo sem precedentes nas antigas vilas e cidades mississippianas. Entre os cherokees, há indícios de sacerdotes que alegavam ter sido enviados pelo céu para transmitir conhecimentos especiais. Entretanto, também encontramos lendas, como as relativas aos Aní-Kutánî, sobre a existência no passado remoto de uma sociedade teocrática dominada por uma casta hereditária de sacerdotes que cometiam abusos de poder sistemáticos, sobretudo por meio de violações sexuais das mulheres, a tal ponto que o povo se revoltou e massacrou a todos.[56]

Muito semelhantes aos argumentos dos iroqueses apresentados aos missionários jesuítas, ou mesmo a suas teorias sobre os sonhos, as descrições da vida cotidiana nessas aglomerados urbanos pós-mississippianos muitas vezes parecem familiares até demais, e talvez perturbadoras, para qualquer um comprometido com a ideia de que o Iluminismo foi o resultado de um "processo civilizatório" originado exclusivamente na Europa. Entre os creeks, por exemplo, a função de *mico* restringia-se à de facilitador da assembleia e supervisor dos celeiros comunitários. Todos os dias, os homens adultos do povoado se reuniam e passavam grande parte do tempo discutindo temas políticos, num espírito de debate racional, em conversas pontuadas pelo fumo de tabaco e a ingestão de bebidas cafeinadas.[57] De início, tanto o tabaco como a "bebida preta" haviam sido drogas consumidas por xamãs ou outros mestres espirituais, em doses concentradíssimas, de modo a alcançarem estados alterados de consciência; agora, em vez disso, eram distribuídas em porções bem calibradas para todos os participantes da assembleia. O que foi relatado pelos jesuítas no Nordeste norte-americano parece também se aplicar aqui:

> Eles acreditam que não há nada tão adequado quanto o tabaco para acalmar as paixões; é por isso que nunca comparecem a um conselho sem um cachimbo cerimonial na boca. A fumaça, segundo eles, torna-os inteligentes, e permite que vejam com clareza até as questões mais intricadas.[58]

Ora, se tudo isso lembra de forma bastante suspeita um café europeu frequentado por iluministas não se trata de uma coincidência. O tabaco, por exemplo, foi adotado nessa mesma época pelos colonos e depois levado para a Europa, onde se popularizou, tendo sido promovido como uma droga cujo consumo em pequenas doses aguçava a mente. Não se trata aqui de uma translação cultural direta, claro. Nunca é assim. Porém, como vimos, as ideias dos indígenas norte-americanos — desde a defesa das liberdades individuais até o ceticismo diante da religião revelada — decerto teve algum impacto no Iluminismo europeu, mesmo que, como o uso do cachimbo, suas ideias acabassem sofrendo muitas transformações no processo.[59] Sem dúvida seria um exagero afirmar que o próprio Iluminismo teve seus primórdios na América do Norte do século XVII. No entanto, talvez seja concebível uma futura história não eurocêntrica em que essa sugestão não seja considerada escandalosa e absurda quase que por definição.

COMO OS OSAGES VIERAM A PERSONIFICAR O PRINCÍPIO DE UMA CONSTITUIÇÃO PRÓPRIA, MAIS TARDE CELEBRADA EM *O ESPÍRITO DAS LEIS*, DE MONTESQUIEU

Evidentemente, aqui as categorias evolucionistas servem apenas para confundir a questão. Discutir se os povos hopewellianos eram "bandos", "tribos" ou "chefaturas", ou considerar Cahokia como uma "chefatura complexa" ou um "Estado", na prática não nos diz nada de útil. Na medida em que podemos falar de "Estados" e "chefaturas", no caso dos indígenas da América do Norte o projeto de formação do Estado parece vir primeiro, surgido quase do nada, ao passo que as chefaturas observadas por De Soto e seus sucessores parecem ser pouco mais do que o entulho que restou do desmoronamento desse projeto.

Provavelmente existem questões mais interessantes e úteis para explorar no passado, e algumas foram indicadas pelas categorias desenvolvidas neste livro. Como vimos, uma característica relevante em grande parte das Américas é a relação entre conhecimento esotérico e burocrático. À primeira vista, não teriam muito a ver um com o outro. Não é difícil ver como a força bruta pode assumir uma forma institucional como a soberania, ou como a expressão do carisma num campo político competitivo. Já o percurso do conhecimento, como forma geral de dominação, até o poder administrativo talvez seja mais tortuoso. O tipo de conhecimento esotérico como o existente em Chavín, muitas vezes baseado na experiência alucinógena, teria de fato algo em comum com os métodos contábeis posteriores dos incas? Isso parece extremamente improvável — até, porém, nos lembrarmos que mesmo em épocas recentes os critérios de acesso às burocracias em geral se baseavam em formas de conhecimento que quase nada tinham a ver com as tarefas administrativas. Sua importância decorre apenas do fato de serem algo obscuro. Assim, na China do século x ou na Alemanha do século xviii, os candidatos ao funcionalismo público tinham de passar por exames sobre os clássicos da literatura, escritos em línguas arcaicas ou mesmo mortas, assim como hoje têm de ser aprovados em provas sobre a teoria da escolha racional ou a filosofia de Jacques Derrida. Na verdade, a arte da administração é aprendida apenas mais tarde e por meios mais tradicionais: ou seja, na prática, como aprendiz ou sob um mentor informal.

Do mesmo modo, aqueles que conceberam os grandes projetos de construção de Poverty Point ou da esfera Hopewell estavam claramente recorrendo a uma espécie de conhecimento esotérico — astronômico, mítico, numerológico — tangencial ao conhecimento prático de matemática, engenharia e construção, para não falar das técnicas para organizar e monitorar o trabalho humano (mesmo o trabalho voluntário) necessárias para levar a termo esses empreendimentos. No decorrer da longa história pré-colombiana, esse tipo específico de conhecimento sempre aparece no âmago dos sistemas de dominação que emergiram de forma periódica. A esfera Hopewell é um bom exemplo, pois os jogos heroicos que acompanhavam os projetos cerimoniais não constituíam de fato uma base para a dominação sistemática.[60] Por outro lado, Cahokia parece representar um esforço deliberado para fazer desse estilo de esoterismo administrativo um fundamento da soberania; a transformação gradual dos aterros geométricos, projetados de acordo com princípios cósmicos, em fortificações é apenas o indício mais óbvio. No final, não deu certo. O poder político restringiu-se de novo à teatralidade heroica, ainda que numa forma nitidamente mais violenta.

Mais surpreendente, contudo, é o fato de que o próprio princípio do conhecimento esotérico passou cada vez mais a ser contestado.

O que vimos na esfera Hopewell foi uma espécie de "reforma", no mesmo sentido em que, na Europa, a Reforma do século XVI promoveu uma reorientação fundamental do acesso ao sagrado — com impacto considerável em praticamente todos os aspectos da vida social, desde a organização do trabalho até a natureza da política. Na Europa, essas batalhas ocorreram em torno da escrita: a tradução da Bíblia de obscuras línguas antigas às línguas vernáculas e a liberação do texto sagrado das instâncias supremas da Fé e sua disseminação maciça por meio da tipografia. Na América pré-colombiana, por sua vez, a revolução equivalente visava a reforma (bem literal) dos princípios matemáticos subjacentes à criação das complexas terraplanagens geométricas que capturavam o sagrado sob forma espacial.

Em ambos os casos, as reformas determinaram aqueles que poderiam compartilhar de um poder sagrado encapsulado em relatos e mitos, codificado, de um lado, como estratos complexos de escritura (O Antigo e o Novo

Testamentos e outros livros sagrados) e, de outro, como uma rede de monumentos paisagísticos, igualmente complexos à sua maneira. Na verdade, há motivos para considerar as imagens de seres ctônicos e outros incorporados nas terraplanagens antigas como constituindo uma espécie de escrituras sagradas. Eram esquemas mnemônicos que permitiam a recordação e a reencenação de façanhas empreendidas pelos ancestrais fundadores na origem do tempo, amplificadas em formas monumentais que podiam ser vistas pelas potestades que habitavam o "alto". Enquanto o clero europeu queimava incenso para estabelecer uma ligação senciente com o invisível (num eco distante do sacrifício animal bíblico), os povos de Hopewell queimavam tabaco em seus cachimbos-efígies, enviando a fumaça para o céu.

Assim começa a ficar nítido o significado da interrupção definitiva da construção de tais monumentos, ou o redirecionamento de drogas como o tabaco para a discussão coletiva e racional. Claro que isso não implica necessariamente uma rejeição sistemática, à maneira iluminista, do conhecimento esotérico. Também podia significar a democratização desse conhecimento — ou, pelo menos, a transformação do que antes era uma elite teocrática numa espécie de oligarquia. Há um excelente exemplo disso na história dos osages.

Uma nação das Grandes Planícies, os osages são descendentes do povo mississippianizado de Fort Ancient, e muitos de seus ritos e mitos remontam diretamente a suas origens no Meio-Oeste norte-americano.[61] Os osages foram duplamente afortunados. Primeiro, porque aproveitaram a vantagem de uma posição estratégica no rio Missouri para firmar uma aliança com o governo francês e, com isso, preservar sua autonomia, chegando inclusive a estabelecer um império mercantil entre 1678 e 1803. Segundo, porque o etnógrafo que registrou suas antigas tradições nas primeiras décadas do século XX, Francis La Flesche, era um falante nativo de omaha (uma língua próxima da falada pelos osages) e revelou-se muito competente e receptivo ao realizar seu trabalho. Portanto, podemos fazer uma ideia muito melhor do que pensavam os líderes dos osages sobre suas próprias tradições do que no caso da maioria das outras sociedades das Grandes Planícies.

Comecemos com um mapa de um típico vilarejo osage de verão. Normalmente, as comunidades osages mudavam-se três vezes ao ano, a depender das estações, vivendo em assentamentos permanentes de cabanas multifamiliares que abrigavam no total cerca de 2 mil pessoas; em acampamentos de verão; e em acampamentos para a caça de bisões no meio do inverno. A disposição básica do assentamento era a de um círculo dividido em duas metades totêmicas exogâmicas, céu e terra, com 24 clãs no total, cada qual obrigatoriamente representado em qualquer povoado ou acampamento, e ao menos um de seus membros deviam estar presentes em todos os rituais importantes. Em sua origem, o sistema tinha como base uma divisão tripartida: sete clãs em cada um dos grupos, chamados de Povo do Céu, Povo da Terra e Povo da Água, com os dois últimos reunidos como a metade da terra em relação à do céu, completando 21; com o tempo, o esquema foi ampliado com a adição de clãs, de modo que 7 + 2 (céu, *Tsizhu*) ficassem em oposição a 7 + 7 + 1 (terra, *Honga*), somando 24 no total.

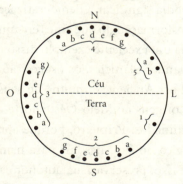

Disposição dos diversos clãs (1-5)
numa aldeia osage

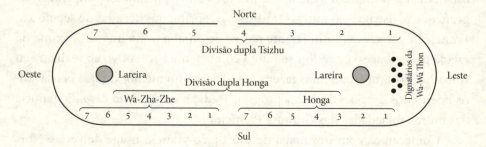

Como se dispõem os representantes dos mesmos clãs
no interior de uma tenda para os rituais importantes

A esta altura, talvez surja o questionamento: mas como essas pessoas acabaram se organizando em padrões assim tão intrincados? Quem decidiu que cada um dos 24 clãs seria representado em todos os vilarejos, e como faziam para que isso sempre acontecesse? No caso dos osages, podemos de fato tentar esclarecer essas dúvidas, pois sua história era relembrada essencialmente como uma sequência de crises políticas constitucionais, em meio às quais os anciãos que lideravam a comunidade pouco a pouco foram aperfeiçoando esse arranjo.

Segundo La Flesche, trata-se de uma história difícil de ser reconstituída pois está distribuída entre os clãs. Ou, em termos mais exatos, uma versão resumida da história, repleta de alusões enigmáticas, é de conhecimento geral, mas cada clã tem sua própria história e um conjunto de conhecimentos secretos, por meio dos quais o verdadeiro sentido de certos aspectos da narrativa é revelado ao longo de sete níveis de iniciação. Portanto, a verdadeira narrativa está dividida em 168 fragmentos — ou, na verdade, 336, pois cada revelação contém duas partes: uma história política e uma respectiva reflexão filosófica sobre o que essa história revela a respeito das forças responsáveis pelos aspectos dinâmicos do mundo visível e que estão na origem dos movimentos das estrelas, do crescimento das plantas e assim por diante.

Também foram mantidos registros, relatou La Flesche, de ocasiões específicas em que vários resultados desse estudo da natureza foram debatidos e discutidos. Os osages concluíram que essa força era, em última análise, incompreensível, e a chamaram de *Wakonda*, um termo traduzido alternadamente como "Deus" ou "Mistério".[62] Graças a uma exaustiva investigação, os anciãos concluíram que a vida e o movimento resultavam da interação de dois princípios, o céu e a terra — e por isso dividiram a própria sociedade também em duas metades, dispondo que os homens de uma metade somente podiam casar com as mulheres da outra. Cada vilarejo era um modelo do universo e, como tal, uma forma de "súplica" dirigida à força que o animava.[63]

A iniciação através dos níveis de entendimento requeria um investimento significativo de tempo e recursos, e a maioria dos osages somente alcançava o primeiro ou o segundo níveis. Aqueles que concluíam a iniciação eram chamados coletivamente de *Nohozhinga*, ou "Velhinhos" (embora alguns fossem mulheres),[64] e eram também as maiores autoridades políticas. Embora todos os osages precisassem dedicar uma hora após o nascer do sol à reflexão devocional, eram os Velhinhos que deliberavam sobre temas de filosofia natural e sua relevância para as questões políticas do momento. Eles também mantinham um registro das discussões mais importantes.[65] De acordo com La Flesche, de tempos em tempos surgiam questões particularmente desconcertantes, fosse sobre a natureza do universo visível, fosse sobre a aplicação desses entendimentos aos assuntos práticos. Quando isso ocorria, dois anciãos se retiravam para um local isolado na mata e ali faziam uma vigília que durava de quatro a sete dias, "interrogando os espíritos", e só então voltavam para relatar as suas conclusões.

Os membros da *Nohozhinga* reuniam-se todos os dias para discutir os assuntos da comunidade.[66] Embora assembleias maiores pudessem ser convocadas para ratificar decisões, na prática, eles eram os governantes. Nesse sentido, seria possível afirmar que os osages eram uma teocracia, embora talvez fosse mais exato dizer que não havia distinção entre autoridades, sacerdotes e filósofos. Todos tinham títulos relacionados a suas ocupações, mesmo os "soldados" destacados para ajudar os chefes a colocarem em prática suas decisões, ao passo que os "Protetores da Terra", encarregados de perseguir e matar forasteiros que caçavam furtivamente em suas terras, também eram figuras religiosas. No que se refere à história, ela começa em termos míticos, como uma "fábula alegórica", e logo depois vira um relato sobre reformas institucionais.

No princípio, as três grandes divisões — Povo do Céu, Povo da Terra e Povo da Água — desceram ao mundo e saíram em busca de seus habitantes indígenas. Quando os encontraram, eles estavam numa condição deplorável: viviam no meio de sujeira, ossos e carniça, alimentando-se de vísceras, de carne podre, e até mesmo uns dos outros. A despeito dessa situação mais-do-que-hobbesiana, os Povos Isolados da Terra (como vieram a ser conhecidos) também eram feiticeiros poderosos, capazes de usar os quatro ventos para destruir a vida em todos os lugares. Apenas o chefe da divisão da Água teve a coragem de entrar na aldeia deles, negociar com o líder e convencê-lo a abandonar aqueles costumes mortíferos e insalubres. No fim, persuadiu o Povo Isolado da Terra a juntar-se a eles numa federação — a "mudar para um novo território", longe da conspurcação dos corpos apodrecidos. Foi assim que surgiu a planta circular da aldeia, com os ex-feiticeiros situados em oposição à Água, na porta oriental, onde ficaram encarregados da Casa do Mistério, usada em todos os rituais de paz, e para onde todas as crianças eram levadas para receber um nome. Ao clã do Urso, da divisão da Terra, cabia a responsabilidade por outra Casa do Mistério, onde se realizavam os rituais referentes à guerra. O problema foi que o Povo Isolado da Terra, embora tivesse deixado de ser homicida, também não se mostrou um aliado muito efetivo. E não demorou para que tudo degringolasse em lutas e brigas incessantes, até que a divisão da Água exigiu mais uma "mudança para um novo território", o que desencadeou, entre outras coisas, um complexo processo de reforma constitucional, que tornou impossível as declarações de guerra sem a anuência de todos os clãs. Com o tempo, também isso acabou se revelando problemático, pois, se um inimigo externo se aproximasse da região, era preciso ao menos uma semana para organizar uma reação militar. Mais tarde, tornou-se necessário, de novo, "mudar para outro território", agora implicando a criação de um sistema descentralizado de autoridade militar, baseado nos clãs. Isso por sua vez desembocou em outra crise e outra rodada de reformas: nesse caso, com a separação dos assuntos civis e militares, após a instauração de um chefe pacificador para cada divisão, com suas casas situadas nas extremidades leste e oeste da aldeia, e de várias autoridades subordinadas, assim como uma estrutura paralela responsável por todas as cinco aldeias principais dos osages.

Não vamos entrar em mais detalhes. Mas dois elementos do relato são dignos de nota. O primeiro é que a narrativa parte da neutralização do poder arbitrário: o amansamento do líder do Povo Isolado da Terra — o principal feiticeiro, que abusa do seu conhecimento letal — com a concessão de uma posição central num novo sistema de alianças. Essa é a história comum dos descendentes dos grupos que haviam anteriormente sofrido a influência da civilização do Mississippi. No processo de cooptação do líder, o conhecimento ritual destrutivo antes controlado pelo Povo Isolado da Terra acabou sendo disseminado para todos, junto com regras complexas para sua aplicação. O segundo elemento é que até mesmo os osages, que atribuíam ao conhecimento sagrado um papel crucial em seus assuntos políticos, não consideravam, em nenhum sentido, que sua estrutura social era algo concedido pelos deuses, mas sim uma série de descobertas — e até inovações — jurídicas e intelectuais.

Este último ponto é crítico, pois — como delineado antes — nos acostumamos a imaginar que a noção de um povo criando de forma consciente seus dispositivos institucionais é quase sempre um produto do Iluminismo. Obviamente, era corrente na Antiguidade a ideia de que as nações podiam ser criadas por grandes legisladores — como Sólon em Atenas, Licurgo em Esparta ou Zoroastro na Pérsia —, e que seu caráter nacional era de alguma forma o resultado da estrutura institucional. Mas em geral somos ensinados a considerar o filósofo político francês Charles-Louis de Secondat, o barão de Montesquieu, como o primeiro a elaborar uma teoria específica e sistemática baseada no princípio da reforma institucional, no livro *O espírito das leis*, de 1748. Com isso, acredita-se, ele teria criado a política moderna. Os Pais Fundadores dos Estados Unidos, todos ávidos leitores de Montesquieu, buscaram deliberadamente colocar em prática suas teorias quando tentaram elaborar uma Constituição que preservasse o espírito da liberdade individual, e anunciaram o resultado como um "país de leis e não de homens".

Na verdade, esse tipo de pensamento já era comum na América do Norte bem antes da chegada dos colonos europeus. Talvez não tenha sido coincidência que, em 1725, o explorador francês Étienne Veniard de Bourgmont tenha levado uma delegação de osages e de Missouria a Paris, quando as obras de Lahontan estavam no auge da popularidade. Na época, era costume organizar uma série de eventos públicos em torno desses diplomatas "selvagens" e promover seu encontro com intelectuais europeus de destaque. Não sabemos com quem especificamente eles se encontraram, mas na mesma época Montesquieu estava em Paris e já se dedicava a esses temas. Como nota um historiador dos osages, é difícil imaginar que Montesquieu *não* estivesse presente num desses encontros. De qualquer modo, os capítulos de *O espírito das leis* que especulam sobre os modos de governo dos selvagens são muito parecidos com o que Montesquieu provavelmente teria ouvido deles, apesar da distinção artificial entre aqueles que cultivam ou não a terra.[67]

Essas conexões podem ser muito mais profundas do que imaginamos.

OS IROQUESES E AS FILOSOFIAS POLÍTICAS QUE PROVAVELMENTE ERAM CONHECIDAS POR KONDIARONK EM SUA JUVENTUDE

Aqui completamos o círculo. O caso da América do Norte não só desarticula os esquemas evolutivos convencionais, mas também demonstra com clareza que não é verdadeira a afirmação de que, uma vez que caímos na armadilha da "formação do Estado", não há como sair. Seja o que for que tenha ocorrido em Cahokia, a reação contrária foi tão forte que provocou repercussões perceptíveis ainda hoje.

O que estamos argumentando é que as doutrinas indígenas de liberdade individual, ajuda mútua e igualdade política, que tanto impressionaram nos pensadores iluministas franceses, não eram (como muitos deles presumiram) o modo pelo qual se estima que todos os seres humanos se comportam num Estado de Natureza. Tampouco eram (como hoje pressupõem muitos antropólogos) simplesmente uma inevitabilidade cultural nessa região específica do mundo. Isso não significa que não haja nenhuma verdade nessas proposições. Como dissemos antes, existem certas liberdades — de ir e vir, de desobedecer e de reorganizar os vínculos sociais — que tendem a ser dadas como certas por alguém que não tenha sido especificamente treinado para obedecer (o que deve ser o caso de qualquer leitor deste livro, por exemplo). Ainda assim, as sociedades encontradas pelos colonos europeus, e os ideais expressos por pensadores como Kondiaronk, somente fazem sentido por serem o produto de determinada história política — uma história na qual as questões de poder hereditário, religião revelada, liberdade pessoal e independência das mulheres ainda eram objeto de debate, e cuja direção geral, ao menos nos últimos três séculos, foi explicitamente antiautoritária.

A cidade de East St. Louis fica bem longe de Montreal, claro, e pelo que sabemos ninguém jamais sugeriu que os povos de língua iroquesa na região dos Grandes Lagos estiveram alguma vez sob o controle direto dos mississippianos. Portanto, seria um tanto despropositado afirmar que as concepções registradas por homens como Lahontan eram, em qualquer sentido literal, a ideologia que substituiu a civilização do Mississippi. Todavia, uma revisão meticulosa de tradições orais, relatos históricos e registros etnográficos mostra que os responsáveis pelo que chamamos de "crítica indígena" da civilização europeia não só tinham uma clara consciência de outras possibilidades políticas, como também, em sua maioria, viam suas próprias ordens sociais como criações deliberadas, concebidas como uma barreira contra tudo o que Cahokia poderia representar — ou, na verdade, contra todas aquelas características que mais tarde considerariam censuráveis nos franceses.

Comecemos com as tradições orais disponíveis e, lamentavelmente, um tanto limitadas. No final do século XVI e início do XVII, os iroqueses estavam divididos entre um número variável de coalizões e confederações políticas, das quais as mais proeminentes eram a dos wendats (huronianos), baseados no atual Quebec; as Cinco Nações Haudenosaunee (muitas vezes chamadas de "Liga Iroquesa"), distribuídas pelo norte do atual estado de Nova York; e uma confederação, baseada em Ontário, que os franceses denominavam como os "neutros". Os wendats referiam-se a eles como os attiwandaronks — literalmente, "aqueles cuja língua não é muito correta". Não sabemos como esses neutros se autodenominavam (certamente não era assim), mas segundo os relatos iniciais eram de longe os mais numerosos e poderosos, pelo menos até serem devastados pela fome e as doenças nas décadas de 1630 e 1640. Em seguida, os sobreviventes foram absorvidos pelos senecas, que lhes deram nomes e os incorporaram a seus clãs.

Destino semelhante teve a Confederação Wendat, cujo poderio foi desmantelado de forma definitiva em 1649, o ano de nascimento Kondiaronk, quando seus membros foram dispersos ou absorvidos durante as famosas "Guerras franco-iroquesas". Durante a vida de Kondiaronk, os wendats remanescentes tinham uma existência bastante precária: uma parte fora empurrada para o norte, na direção do Quebec, e outra vivia sob a proteção de um forte francês em Michilimackinac, perto do lago Michigan. O próprio Kondiaronk passou grande parte da vida tentando reconstituir a confederação e, ao menos segundo os relatos orais, organizando uma coalizão para unir as nações antagônicas contra os invasores. Nisso, ele fracassou. Por consequência, não conhecemos de fato as histórias, contadas por membros dessas outras confederações, sobre a origem de suas instituições políticas. Na época em que as tradições orais começaram a ser registradas, só restavam as dos haudenosaunees.

Mas temos, por outro lado, numerosas versões da fundação da Liga da Cinco Nações (Seneca, Oneida, Onondaga, Cayuga e Mohawk), uma epopeia conhecida como *Gayanahagowa*. O mais notável nessa narrativa, ao menos no contexto que nos interessa agora, é a medida em que representa as instituições políticas como criações humanas conscientes. Sem dúvida, o relato tem elementos mágicos. Em certo sentido, seus personagens principais — Deganawideh, o Pacificador; Jigonsaseh, a Mãe das Nações etc. — são reencarnações de personagens do mito de criação. Porém, o que causa a impressão mais forte no texto é sua representação de um problema social e de uma solução também social: um colapso nos relacionamentos que mergulha a região em um turbilhão de caos e represálias, que se intensifica a tal ponto que a ordem social desmorona e os poderosos se tornam literalmente canibais. O mais poderoso de todos é Adodarhoh (Tadodaho), representado como um feiticeiro disforme, monstruoso e capaz de fazer os outros cumprirem a suas ordens.

A narrativa gira em torno de um herói, Deganawideh, o Pacificador, originário do território que mais tarde seria dos attiwandaronks (ou "neutros") a noroeste, e decidido a acabar com essa situação caótica. Ele conquista para sua causa Jigonsaseh, uma mulher famosa por se manter longe de todas as brigas (ele a encontra abrigando e alimentando grupos de guerreiros de todas as facções no conflito); e, mais tarde, Hiawatha, um dos capangas canibais de Adodarhoh. Juntos, os três começam a convencer os membros de cada nação a concordarem com a criação de uma estrutura formal para a resolução de conflitos e manutenção da paz. Daí o sistema de títulos, conselhos aninhados, busca de consenso, rituais de condolência e o papel proeminente das anciãs na formulação das políticas. No relato, o último a ser convencido é o próprio Adodarhoh, que vai sendo pouco a pouco curado de suas deformidades e transformado num ser humano. No final, as leis da Liga são "infundidas com palavras" em cintos de *wampum*, que servem como sua Constituição; os registros são transferidos para a guarda de Adodarhoh; e, concluída sua tarefa, o Pacificador desaparece da terra.

Como os nomes dos haudenosaunees são transmitidos como títulos, até hoje existe um Adodarhoh, assim como uma Jigonsaseh e um Hiawatha. Os 49 *sachems*, encarregados de anunciar as decisões tomadas pelos conselhos de suas nações, continuam a se reunir regularmente. Os encontros sempre começam com um rito de "condolência", no qual são eliminados o pesar e o rancor causados pela lembrança de quem morreu nesse ínterim, de modo a desanuviar seus espíritos para que possam se empenhar no estabelecimento da paz (o quinquagésimo, o próprio Pacificador, é sempre representado por um lugar vazio). Esse sistema federalista é o ápice de um complexo aparato de conselhos subordinados, masculinos e femininos, cada qual com seu poder cuidadosamente delimitado — mas nenhum dotado de poderes efetivos de coerção.

Em essência, esse relato não se distingue tanto daquele que trata da fundação da ordem social dos osages: um feiticeiro aterrorizante é reconduzido ao convívio social e, com isso, transformado em pacificador. A principal diferença é que, neste caso, Adodarhoh é explicitamente um governante, investido do poder de mando:

> Ao sul da aldeia Onondaga vivia um homem malvado. Sua cabana ficava no brejo e tinha um leito de vime. Seu corpo era deformado por sete dobras, e seus cachos longos e emaranhados eram adornados com víboras malévolas. Além de tudo, esse monstro era um devorador de carne crua, até mesmo humana. Era também mestre da feitiçaria e destruía os homens com sortilégios, mas ele mesmo não podia ser destruído. Adodarhoh era o nome desse homem maligno.
>
> A despeito do caráter maligno de Adodarhoh, o povo de Onondaga, a Nação de Muitas Colinas, obedecia a suas ordens e, mesmo ao custo de muitas vidas, satisfazia seus caprichos insanos, de tanto que temiam a ele e a sua magia.[68]

É um lugar-comum antropológico que, para ter uma ideia dos valores mais importantes de uma sociedade, não há nada melhor do que ver qual é considerado o pior tipo de comportamento; e que a melhor maneira de fazer isso é descobrir o que se pensa sobre os feiticeiros. Portanto, para os haudenosaunees, tão grave quanto comer carne humana é o ato de dar ordens.[69]

Representar Adodarhoh como um rei talvez pareça inusitado, pois não há motivo aparente para acharmos que, antes da chegada dos europeus, tanto as Cinco Nações como os povos vizinhos tivessem qualquer experiência direta com ordens arbitrárias. Isso levanta precisamente aquela questão com frequência contraposta à argumentação[70] de que as instituições indígenas de chefia eram na verdade concebidas para impedir qualquer possibilidade de surgirem Estados: como poderiam tantas sociedades organizarem seus sistemas políticos de modo a evitar algo (ou seja, o "Estado") que nunca haviam experimentado? A resposta mais direta é que a maioria dos relatos foi colhida no século XIX, quando todos os indígenas americanos já tinham uma relação longa e amarga com o governo dos Estados Unidos: homens uniformizados empunhando documentos jurídicos, dando ordens arbitrárias e muitas outras coisas desse tipo. Então talvez esse elemento tenha sido acrescentado às narrativas mais tarde?

Tudo é possível, claro, mas isso nos parece muito improvável.[71]

Mesmo em épocas mais recentes, a acusação de feitiçaria era usada contra ocupantes de cargos a fim de assegurar que nenhum deles adquirisse vantagens significativas em relação a seus colegas, particularmente em termos de riqueza. Aqui caberia voltar à teoria dos iroqueses, mencionada neste capítulo, sobre os sonhos serem desejos reprimidos. Um aspecto interessante dessa teoria é que os demais eram tidos como responsáveis por realizar o sonho de um membro da comunidade: mesmo se alguém sonhasse com a apropriação de algo pertencente a um vizinho, isso só poderia ser recusado se houvesse riscos à saúde de ambos. Mais do que constrangedora, a recusa era socialmente impossível. E quem o fizesse arriscava-se a provocar comentários escandalizados e talvez até uma represália sangrenta: se alguém morresse, e isso fosse considerado uma consequência de outra pessoa ter se recusado a realizar um desejo espiritual, os parentes do morto podiam se vingar, por meios tanto naturais como sobrenaturais.[72]

Qualquer iroquês que recebesse uma ordem resistiria ao máximo, pois veria isso como uma ameaça a sua autonomia pessoal — a única exceção a essa regra era justamente no caso dos sonhos.[73] Um chefe huroniano-wendat se desfez de seu estimado gato europeu, que trouxera de canoa desde Quebec, entregando-o a uma mulher que sonhara que sua cura dependia da posse do animal (os iroqueses também temiam se tornar vítimas de feitiçaria praticada, de forma consciente ou não, por pessoas que os invejavam). Os sonhos eram tratados como se fossem ordens, vindas tanto da própria alma do sonhador como talvez, no caso de um sonho especialmente vívido ou portentoso, de algum espírito superior. Este poderia ser o Criador ou qualquer outro, talvez desconhecido por completo. Os sonhadores podiam virar profetas — ainda que, em geral, apenas por um tempo relativamente breve.[74] Nesse período, contudo, as suas ordens tinham de ser obedecidas. (Desnecessário dizer, poucos crimes eram mais graves do que o de falsificar um sonho.)

Em outras palavras, a imagem do feiticeiro estava no centro de um complexo de ideias que tinha tudo a ver com o desejo inconsciente, incluindo o desejo inconsciente de dominar, e com a necessidade de ao mesmo tempo realizá-lo e mantê-lo sob controle.

E como tudo isso surgiu, em termos históricos?

Não temos uma ideia mais precisa do momento e das circunstâncias em que se formou a Liga das Cinco Nações; as datas propostas variam de 1142 d.C. até por volta de 1650 d.C.[75] Sem dúvida, a formação dessas confederações era um processo contínuo; e, certamente, como quase toda epopeia histórica, o *Gayanashagowa* é um mosaico de elementos, dos quais alguns têm maior precisão histórica e outros nem tanto, remetendo a diferentes períodos do passado. O que sabemos graças aos registros arqueológicos é que a sociedade iroquesa, tal como existia no século XVII, começara a se formar na mesma época do apogeu de Cahokia.

Por volta do ano 1100 d.C., o milho era cultivado em Ontário, onde mais tarde seria o território dos attiwandaronks ("neutros"). Nos séculos seguintes, as "três irmãs" (milho, feijão e abóbora) tornaram-se ainda mais relevantes nas dietas locais — mesmo que os iroqueses tivessem o cuidado de conciliar as novas safras com as tradições mais antigas de caça, pesca e coleta. O período crucial parece ser aquele conhecido como Owasco Tardio, de 1230 d.C. a 1375 d.C., quando as pessoas começaram a se afastar de seus assentamentos anteriores (e também dos padrões anteriores de migração sazonal) seguindo pelas margens dos rios e estabelecendo-se em aldeias com paliçadas ocupadas o ano todo, e nas quais as casas coletivas, presumivelmente organizadas segundo clãs matrilineares, tornaram-se a forma predominante de moradia. Muitas dessas aldeias tinham dimensões consideráveis, chegando a abrigar até 2 mil moradores (ou seja, algo equivalente a um quarto da população da parte central de Cahokia).[76]

Não são meras fantasias as referências ao canibalismo no *Gayanashagowa*: os conflitos endêmicos e a tortura e o sacrifício cerimoniais de prisioneiros de guerra são esporadicamente documentados a partir de 1050 d.C. Alguns estudiosos contemporâneos dos haudenosaunees estão convencidos de que o mito refere-se a um conflito entre ideologias políticas no âmbito das sociedades iroqueses da época, tendo a ver em especial com o aumento da importância das mulheres e da agricultura em contraposição à defesa de uma ordem mais antiga, dominada pelos homens, e na qual o prestígio baseava-se apenas na guerra e na caça.[77] (Caso isso se confirme, não seria muito diferente do tipo de divergência ideológica que sugerimos ter ocorrido no Oriente Médio durante as etapas iniciais do Neolítico.)[78] Algum tipo de compromisso entre as duas posições parece ter sido alcançado por volta do século XI d.C., tendo como uma de suas consequências a consolidação demográfica num nível modesto. A população cresceu com bastante rapidez durante dois ou três séculos após a adoção generalizada do milho, da abóbora e do feijão, mas se estabilizou no século XV. Mais tarde, os jesuítas relatariam que as mulheres iroquesas tomavam o cuidado de espaçar os nascimentos, mantendo o número de indivíduos em níveis adequados à quantidade de peixe e caça na região, e não à sua potencial produtividade agrícola. Desse modo, a ênfase cultural na caça masculina na verdade reforçou a força e a autonomia das iroquesas, que preservaram seus conselhos e seus cargos, e cujo poder, ao menos nas questões locais, era claramente maior que o dos homens.[79]

No período que vai do século XII ao XIV, não há muitas evidências de que os wendats ou os haudenosaunees tivessem contato mais extenso ou muito comércio com os mississippianos, presentes no Nordeste do continente, sobretudo na região de Fort Ancient, ao longo do rio Ohio, e no vale vizinho do Monongahela. Isso não se aplica, porém, aos attiwandaronks. Em 1300 d.C., grande parte da área de Ontário estava na verdade sob a influência da cultura do Mississippi. Embora seja improvável, não é inconcebível que houvesse migrações originárias de Cahokia e seus arredores.[80] Mesmo que isso não tenha ocorrido, os attiwandaronks parecem ter monopolizado o comércio ao sul e ao longo da baía de Chesapeake e mais além, com os wendats e os haudenosaunees mantendo relações com os povos algonquianos ao norte e a leste. No século XVI, houve um acentuado aumento das influências mississippianas em Ontário, incluindo vários objetos de culto e insígnias cerimoniais, e mesmo grande quantidade de pedras do jogo de *chunkey*, com estilo similar ao das encontradas em Fort Ancient.

Os arqueólogos se referem a tudo isso como "mississippianização", acompanhada de fortes indícios de um surto renovado de comércio ao menos até Delaware, e culminando, entre outras coisas, nas enormes quantidades de conchas e contas originárias da costa do Atlântico médio e que, a partir de 1610, passaram a se acumular nas sepulturas dos attiwandaronks. A essa altura, a população attiwandaronk era várias vezes maior que a de qualquer confederação vizinha — Wendat ou Haudenosaunee, para não mencionar os eries, petuns, wenros ou outros rivais menores —, e sua capital, Ounotisaston, estava entre os maiores assentamentos do Nordeste da América do Norte. (Os estudiosos, como era de se prever, discutem sobre se é possível considerar os "neutros" como uma "chefatura simples", em vez de uma mera "tribo".)

Decerto os jesuítas que visitaram a região antes de a sociedade attiwandaronk ser destruída por doenças e pela fome foram unânimes em afirmar que a constituição deles era bem distinta daquelas dos povos vizinhos. Provavelmente jamais teremos condições de avaliar essa diferença. Por exemplo, os franceses referiam-se aos attiwandaronks como "a Nação Neutra" sobretudo porque não tomavam partido nos conflitos quase ininterruptos entre as diversas nações que compunham os wendats e os haudenosaunees, e porque permitiam que os grupos guerreiros de ambos os lados cruzassem livremente o seu território. Isso é um eco do comportamento atribuído pelos haudenosaunees posteriores, em sua epopeia nacional, a Jigonsaseh, a Mãe das Nações, a mulher mais graduada e da qual diziam ser de origem attiwandaronk. Porém, ao mesmo tempo, os attiwandaronks não eram de forma nenhuma neutros em suas relações com muitos de seus vizinhos a oeste e ao sul.

Na verdade, de acordo com o frei recoleto Joseph de la Roche Daillon, em 1627 os attiwandaronks eram governados pelo guerreiro Tsouharissen,

> o chefe de maior reputação e autoridade que jamais existiu em todas essas nações, pois não apenas é chefe de sua aldeia, mas de todos os de sua nação [...]. Não há exemplos em outras nações de chefe tão absoluto. Ele adquiriu tal honra e poder graças a sua coragem, e por ter guerreado inúmeras vezes contra as dezessete nações de quem eram inimigos.[81]

Quando estava travando essas guerras, o conselho federal (a autoridade suprema em todas as outras sociedades iroquesas) não podia tomar decisões importantes. Aparentemente, Tsouharissen ao menos assemelhava-se a um rei.

Qual era o vínculo entre Tsouharissen e Jigonsaseh, a figura que veio a exemplificar aqueles princípios de reconciliação que são, de tantas maneiras, o oposto da realeza e da autoexaltação? Não sabemos. A única fonte disponível para os detalhes biográficos de Tsouharissen é muito duvidosa, uma narrativa oral que supostamente reproduzia o testemunho da terceira esposa de Tsouharissen, transmitida durante três séculos até os dias de hoje.[82] Quase todos os historiadores a consideram irrelevante — mas isso não implica necessariamente uma desqualificação absoluta. Seja como for, de acordo com o relato, Tsouharissen foi uma criança prodígio, um aprendiz brilhante de conhecimentos esotéricos. E isso chegou aos ouvidos de um sacerdote cherokee, que o procurou e tornou-se seu tutor. Depois de encontrar um enorme cristal que, segundo ele, assinalava-o como a reencarnação do Sol, Tsouharissen lutou em muitas guerras e casou-se quatro vezes. Porém, quando decidiu passar o seu manto à filha de sua esposa tuscarora mais jovem, também uma criança prodígio, ocorreu um desastre. Esse plano enfureceu de tal modo a esposa mais velha (uma attiwandaronk), pertencente ao mais elevado clã da Tartaruga, que ela preparou uma emboscada e matou a jovem, o que levou a mãe da moça a se suicidar. Fora de si, Tsouharissen massacrou toda a linhagem da assassina, incluindo seus herdeiros, inviabilizando assim qualquer sucessão dinástica.

Conforme citamos, não há como saber em que medida essa história é confiável, mas ao menos podemos dizer que, em linhas gerais, reflete uma realidade. Na época, os attiwandaronks de fato mantinham contatos regulares com nações distantes como os cherokees. E seria comum, na América do Norte de então, o problema de conciliar o conhecimento esotérico e as instituições democráticas, ou mesmo as dificuldades enfrentadas por homens poderosos que tentavam fundar dinastias numa época em que sua descendência se organizava segundo clãs matrilineares desprovidos de hierarquia interna. Não resta dúvida de que Tsouharissen existiu de fato, e aparentemente tentou transformar suas vitórias na guerra em poder centralizado. Também sabemos que no final isso não deu em nada. Só não temos certeza de que tudo acabou exatamente dessa maneira.

Na época em que o barão de Lahontan servia no exército francês estacionado no Canadá, e Kondiaronk debatia questões de teoria política em seus jantares periódicos com o governador Frontenac, os attiwandaronks não existiam mais. Mesmo assim, os eventos relativos à vida de Tsouharissen provavelmente eram familiares a Kondiaronk, pois teriam sido vívidas lembranças infantis de muitos dos anciãos que conhecera em seus anos de formação. A Jigonsaseh, a Mãe das Nações, por exemplo, ainda estava bem viva, pois a última portadora desse título foi incorporada ao clã Lobo dos senecas em 1650. Continuava estabelecida em sua sede tradicional, uma fortaleza chamada

Kienuka, da qual se via o desfiladeiro do Niágara.[83] Essa mesma Jigonsaseh — ou, mais provavelmente, sua sucessora — ainda estava por lá em 1687, quando Luís XIV decidiu pôr um fim à constante ameaça ao assentamento francês por parte das Cinco Nações, enviando como governador um experiente comandante militar, o marquês de Denonville, com ordens para empregar toda a força necessária para expulsar as Nações da área hoje localizada no norte do estado de Nova York.

Sabemos o que ocorreu graças às memórias escritas pelo próprio Lahontan. Fingindo interesse num acordo de paz, Denonville convidou o conselho da Liga das Cinco Nações, como um órgão, para negociar as condições num local conhecido como Fort Frontenac (em homenagem ao primeiro governador). Para lá seguiram cerca de duzentos delegados, entre os quais todas as autoridades permanentes da confederação, bem como muitas participantes dos conselhos de mulheres. Aprisionando de forma sumária a todos, Denonville os enviou à França como escravizados nas galés. Em seguida, aproveitando a confusão reinante, ordenou que suas tropas invadissem o território das Cinco Nações. (Lahontan, por desaprovar vigorosamente tais medidas, viu-se em dificuldades ao tentar impedir que alguns dos seus subordinados torturassem os prisioneiros e acabou sendo afastado, mas no final poupado de outras sanções ao alegar que agira em estado de embriaguez. Anos depois, em outro contexto, diante de uma ordem para que fosse preso por insubordinação, teve de se refugiar em Amsterdam.)[84]

A Jigonsaseh, contudo, preferira não participar da reunião com Denonville. Assim, a prisão de todo o Grande Conselho fez com que ela se tornasse a autoridade mais graduada da Liga das Cinco Nações. Como, em tal situação de emergência, não havia tempo para escolher novos chefes, coube a ela e às mães de clãs remanescentes organizar um exército. Muitos dos recrutas, segundo relatos, eram mulheres senecas. E, na prática, a Jigonsaseh revelou-se uma comandante militar muito superior a Denonville. Depois de desbaratar as tropas invasoras perto de Victor, em Nova York, suas forças estavam prestes a tomar Montreal quando o governo francês pediu a paz, concordando em desmantelar Fort Niagara e devolver os cativos escravizados sobreviventes.[85] Quando, mais tarde, Lahontan comentou que, tal como Kondiaronk, "aqueles que haviam sido escravizados na França" eram extremamente críticos das instituições francesas, estava se referindo sobretudo àqueles que haviam sido feito prisioneiros nessa ocasião — ou, mais especificamente, a cerca de uma dúzia deles, dos duzentos originais, que sobreviveram e retornaram.

Num contexto tão letal, por que chamar a atenção para a devastação provocada por um chefe autonomeado como Tsouharissen? O que seu exemplo demonstra, a nosso ver, é que mesmo no âmbito da sociedade indígena a questão política nunca foi resolvida em definitivo. Sem dúvida, a tendência geral, na esteira de Cahokia, era um movimento amplo de rejeição a chefes supremos de qualquer tipo, em prol de estruturas constitucionais cuidadosamente pensadas para distribuir o poder de tal modo que tais chefes jamais retornassem. Mas a possibilidade desse retorno sempre pairava ao fundo. Havia outros paradigmas de governo, aos quais podiam recorrer os homens — ou as mulheres — mais ambiciosos em ocasiões favoráveis. Após derrotar Denonville, a Jigonsaseh parece ter desmobilizado seus guerreiros e retomado o processo de escolha de novos delegados para recompor o Grande Conselho. Se tivesse decidido agir de outro modo, contudo, teria precedentes nos quais se apoiar.

Era exatamente essa combinação de possibilidades ideológicas conflitantes — e, claro, do gosto dos iroqueses por exaustivos debates políticos — que estava por trás do que chamamos de crítica indígena da sociedade europeia. Fora desse contexto, por exemplo, seria impossível entender a origem de sua ênfase particular na liberdade individual. Tais ideias sobre liberdade tiveram enorme impacto no mundo. Em outras palavras, não apenas os indígenas norte--americanos conseguiram evitar quase por completo a armadilha evolucionária que, supomos, sempre acaba levando da difusão da agricultura ao surgimento de um Estado ou de império todo-poderoso, mas também desenvolveram uma sensibilidade política que influenciaria de forma significativa os pensadores iluministas e, através deles, todos nós até hoje.

Nesse sentido, pelo menos, os wendats saíram vitoriosos do debate. Hoje, seria impossível para um europeu, ou na verdade para qualquer pessoa — seja qual for seu pensamento — adotar uma posição como a dos jesuítas do século XVII e simplesmente se declarar contrário ao próprio princípio da liberdade humana.

12. Conclusão

O despertar de tudo

Este livro começou com um apelo para que fossem feitas perguntas melhores. Partimos da observação de que indagar sobre as origens da desigualdade significa necessariamente criar um mito, uma queda do Paraíso, uma transposição tecnológica dos capítulos iniciais do Gênesis bíblico — o que, na maioria das versões contemporâneas, assume a forma de uma narrativa mítica destituída de qualquer perspectiva redentora. Nesses relatos, o melhor que nós humanos podemos esperar são modestos ajustes em nossa condição inerentemente sórdida — e, na melhor das hipóteses, uma ação dramática que impeça qualquer desastre iminente e absoluto. Até agora, a única outra teoria disponível é a que supõe a inexistência de uma origem da desigualdade, pois os seres humanos são naturalmente truculentos e, uma vez que os nossos primórdios foram violentos e miseráveis, o "progresso" ou a "civilização" — impelida em grande parte por nossa natureza egoísta e competitiva — são por si mesmos redentores. Embora muito popular entre os atuais bilionários, essa concepção é pouco atraente para todos os demais, sobretudo os cientistas, com sua percepção aguçada de que os fatos apontam em outra direção.

Não surpreende, portanto, que a maioria das pessoas sinta uma afinidade espontânea pela versão trágica do relato, e não apenas por suas raízes bíblicas. A narrativa mais rósea e otimista — segundo a qual o progresso da civilização ocidental inevitavelmente traz felicidade, riqueza e segurança a todos — tem ao menos uma desvantagem óbvia. Ela não explica por que a civilização simplesmente não se disseminou por conta própria: ou seja, por que as potências europeias viram-se obrigadas a passar os últimos quinhentos e tantos anos apontando armas para a cabeça das pessoas a fim de obrigá-las a sua adoção. (Além disso, se estar numa condição "selvagem" era algo tão intrinsecamente miserável, por que tantos ocidentais, diante da possibilidade de escolher, mostraram-se tão ansiosos para abandoná-la assim que possível?) Durante o auge do imperialismo europeu no século XIX, todo mundo parecia bem mais consciente disso. Apesar de lembrarmos daquela época como marcada por uma fé ingênua na "marcha inevitável do progresso", o progresso liberal, à maneira de Turgot, nunca foi de fato a narrativa dominante da teoria social vitoriana, e ainda menos de seu pensamento político.

Na realidade, os estadistas e intelectuais europeus da época estavam igualmente obcecados com os perigos da decadência e da desintegração. Para muitos deles, racistas declarados, a maioria dos seres humanos era incapaz de progredir e, portanto, merecia apenas o aniquilamento físico. Mesmo quem não compartilhava de tais concepções tendia a achar que os esquemas iluministas para a melhoria da condição humana haviam se mostrado catastroficamente ingênuos. A teoria social, como a que conhecemos hoje, surgiu em grande parte nas fileiras desses pensadores reacionários que — contemplando as turbulentas consequências da Revolução Francesa — estavam menos preocupados com os desastres que acometiam os povos ultramarinos do que com a crescente miséria e inquietação pública nas sociedades europeias. Como resultado, as ciências sociais foram concebidas e ordenadas em torno de dois questionamentos principais: primeiro, em que momento fracassara o projeto do Iluminismo, a unidade do progresso científico e moral, e os esquemas visando ao aperfeiçoamento da sociedade humana? E, segundo, por que as tentativas bem-intencionadas de solucionar os problemas sociais acabavam com tanta frequência tornando as coisas ainda piores?

Por que, indagaram esses conservadores, revelou-se tão difícil para os revolucionários iluministas colocarem em prática suas ideias? Por que não podíamos conceber uma ordem social mais racional e instaurá-la no mundo por decreto? Por que a paixão pela liberdade, igualdade e fraternidade desembocou no Terror? Certamente devia haver razões subjacentes para isso.

No mínimo, essas preocupações ajudam a explicar a persistente relevância de um músico genebrino do século XVIII, de outro modo pouco destacado, chamado Jean-Jacques Rousseau. Os que estavam preocupados sobretudo com o primeiro questionamento viam Rousseau como o primeiro a colocá-lo de um modo caracteristicamente moderno. Já os mais preocupados com a segunda pergunta o representavam como um rematado vilão ignorante, um revolucionário simplório para quem a ordem constituída, por ser irracional, deveria ser rejeitada. Muitos consideravam Rousseau pessoalmente culpado pela guilhotina. Por outro lado, raros são aqueles que hoje se dão ao trabalho de ler os "tradicionalistas" do século XIX. No entanto, é o que deveriam fazer, pois foram eles, e não os *philosophes* do Iluminismo, os responsáveis de fato pela teoria social moderna. Há muito se reconhece que quase todos os grandes temas das ciências sociais — tradição, solidariedade, autoridade, status, alienação, o sagrado — foram levantados inicialmente por homens como o teocrático visconde de Bonald, o monarquista conde de Maistre ou o político liberal e filósofo Edmund Burke, como exemplos do tipo de realidades sociais persistentes que, em sua opinião, os pensadores iluministas, e Rousseau em particular, haviam se recusado a levar a sério e, conforme insistiam em afirmar, com resultados desastrosos.

Esses debates do século XIX entre radicais e reacionários nunca cessaram de fato, e continuam ressurgindo sob outras formas. Atualmente, por exemplo, quem se posiciona à direita tende a se ver como defensor dos valores iluministas, e aqueles à esquerda, como seus críticos mais ardorosos. Porém, nessa discussão todos concordam num ponto crucial: de fato existiu algo denominado "Iluminismo", que assinalou uma ruptura fundamental na história humana, e que a Guerra de Independência dos Estados Unidos e a Revolução Francesa foram de certo modo o resultado dessa ruptura. O Iluminismo teria, para eles, introduzido uma possibilidade simplesmente inexistente até então: a de projetos deliberados de transformação da sociedade em conformidade com um ideal racional. Ou seja, o potencial para uma política genuinamente revolucionária. Sem dúvida, insurreições e movimentos visionários tinham ocorrido antes do século XVIII. Ninguém negava isso. Mas os movimentos sociais anteriores ao Iluminismo podiam agora ser em grande parte relegados a exemplos de povos que insistiam num retorno a "costumes antigos" (muitas vezes recém-inventados) ou de povos que alegavam agir com base numa visão de Deus (ou seu equivalente local).

As sociedades pré-iluministas, prosseguia esse argumento, eram "tradicionais", baseadas na comunidade, no status, na autoridade e no sagrado. Em última análise, eram sociedades nas quais os seres humanos não agiam por conta própria, tanto em termos individuais como coletivos. Em vez disso, eram escravos dos costumes; ou, na melhor das hipóteses, agentes de forças sociais inexoráveis projetadas no cosmos sob a forma de deuses, ancestrais ou outros poderes sobrenaturais. Supostamente, apenas os povos modernos e pós-iluministas teriam a capacidade de intervir de forma consciente na história e mudar seu curso — quanto a isso, todos estavam de acordo, por mais virulentas que fossem as discussões sobre a conveniência de fazer isso.

Tudo isso talvez pareça um pouco caricatural, e apenas alguns autores estavam dispostos a colocar o problema de forma tão simples e direta. Entretanto, a maioria dos pensadores modernos claramente considerou bizarra a atribuição de projetos sociais conscientes ou desígnios históricos a povos de épocas mais antigas. Em geral, os povos "não modernos" eram tidos como simplórios demais (pois não tinham alcançado o nível de "complexidade social"); ou continuavam mergulhados numa espécie de mundo onírico místico; ou ainda, no máximo, como adaptados ao ambiente num nível apropriado de tecnologia. A antropologia, cabe confessar, não desempenhou aqui um papel digno de elogios.

Durante grande parte do século XX, os antropólogos tendiam a descrever as sociedades que estudaram em termos a-históricos, como se vivessem numa espécie de presente eterno. Parte disso explica-se pela situação colonial na qual se realizou boa parte da pesquisa etnográfica. O Império Britânico, por exemplo, instaurou um sistema de governo indireto em diversas regiões da África, da Índia e do Oriente Médio, no qual as instituições locais — cortes reais, santuários terrenos, associações de anciãos de clãs, casas dos homens e similares — foram preservadas e inclusive reforçadas juridicamente. Já as transformações políticas relevantes — como, por exemplo, a formação de um partido político ou a liderança de um movimento profético — foram por sua vez tornadas ilegais, e todos os que se empenhavam nesse sentido acabavam na prisão. Isso obviamente tornou mais fácil para os antropólogos descreverem os povos estudados em termos de um modo de vida atemporal e imutável.

Uma vez que os eventos históricos são por definição imprevisíveis, pareceu mais científico estudar os fenômenos que na verdade podiam ser previstos: as coisas que continuavam a ocorrer reiteradamente, mais ou menos da mesma maneira. Numa aldeia do Senegal ou da Birmânia, talvez isso implicasse a descrição de tarefas cotidianas, ciclos sazonais, ritos de passagem, padrões de sucessão dinástica ou o crescimento e a divisão de aldeias, com a ênfase recaindo nas estruturas que se mantinham ao longo do tempo. Os antropólogos escreviam assim porque se consideravam cientistas ("funcionalistas estruturais", no jargão da época). Com isso, tornaram bem mais fácil para os leitores imaginar que os povos estudados eram exatamente o oposto dos cientistas — ou seja, que estavam presos a um universo mitológico no qual nada mudava e muito pouco acontecia de fato. Quando Mircea Eliade, o grande historiador da religião, propôs que as sociedades "tradicionais" viviam num "tempo cíclico", intocadas pela história, estava apenas tirando uma conclusão óbvia. Na realidade, foi ainda mais longe.

Nas sociedades tradicionais, de acordo com Eliade, tudo o que importa já ocorreu. Todos os grandes gestos fundadores remontam às épocas míticas, *in illo tempore*,[1] na aurora de tudo, quando os animais podiam falar e virar humanos, o céu e a terra ainda não se haviam separado, e era possível criar algo genuinamente novo (o casamento, o cozimento dos alimentos ou a guerra, por exemplo). Para Eliade, as pessoas que viviam nesse mundo mental viam suas ações como meras repetições atenuadas dos gestos criadores dos deuses e dos ancestrais, ou como evocações da força primordial por meio de rituais. Segundo Eliade, portanto, os eventos históricos tendiam a se confundir com os arquétipos. De qualquer modo, se, naquilo que ele considerava uma sociedade tradicional, alguém fundasse ou destruísse uma cidade, ou criasse uma peça musical única, esse ato acabaria sendo atribuído a um personagem mítico. A concepção alternativa, a de que a história tem de fato um rumo (os Últimos Dias, o Juízo Final, a Redenção), foi chamada por Eliade de "tempo linear", no qual os eventos históricos adquirem sentido em função do futuro, e não apenas do passado.

E essa percepção "linear" do tempo, argumentava Eliade, era uma inovação relativamente recente no pensamento humano, com consequências sociais e psicológicas catastróficas. Na visão dele, quando adotamos a noção de que os eventos se desenrolam em sequências cumulativas, e não como a recapitulação de um padrão mais profundo, nós nos tornamos incapazes de suportar as vicissitudes da guerra, da injustiça e dos infortúnios, e com isso mergulhamos numa era de angústia sem precedentes e, por fim, de niilismo. As implicações políticas dessa posição eram, para dizer o mínimo, desconcertantes. O próprio Eliade se aproximara da Guarda de Ferro fascista quando estudante em seu país natal, a Romênia, e sua argumentação básica era que o "terror da história" (como às vezes dizia) fora introduzido pelo judaísmo e pelo Antigo Testamento, que haviam preparado o caminho para os outros desastres do pensamento iluminista. Sendo ambos judeus, os autores do presente livro não têm muito apreço pela sugestão de que somos de algum modo responsáveis por tudo o que deu errado na história. Mesmo assim, para nossos propósitos imediatos, o mais surpreendente é que alguém leve a sério esse tipo de argumentação.

Imagine se tentarmos aplicar a distinção, proposta por Eliade, entre sociedades "tradicionais" e "históricas" a todo o passado humano, em escala similar àquela adotada nos capítulos precedentes. Isso não implicaria que a maioria das grandes descobertas da história — por exemplo, a primeira vez que se urdiram tecidos, as primeiras navegações pelo oceano Pacífico ou a invenção da metalurgia — foi feita por gente que não acreditava na capacidade de invenção ou na história? Isso nos parece bastante improvável. A única alternativa seria afirmar que as sociedades humanas em sua maioria se tornaram "tradicionais" apenas em tempos recentes; talvez porque cada qual teria alcançado um estado de equilíbrio e se acomodado, e todas acabaram compartilhando um esquema ideológico que justificava essa nova condição. O que significaria que *de fato houve* algum tipo de *in illo tempore* anterior, ou tempo de criação, quando todos os humanos eram capazes de pensar e agir conforme os modos criativos hoje considerados característicos da modernidade — e aparentemente uma de suas principais realizações sendo a descoberta de um meio para abolir a maioria das perspectivas futuras de inovação.

Ambas as posições são totalmente absurdas, como fica claro.

Por que estamos examinando essas ideias? Por que nos parece tão estranho, e até contraintuitivo, imaginar que as pessoas do passado remoto eram capazes de fazer a própria história (mesmo em circunstâncias sobre as quais não tinham controle)? Sem dúvida, parte da resposta está no modo como definimos a ciência e, em especial, as ciências sociais.

As ciências sociais foram, em grande parte, um estudo das formas pelas quais os seres humanos não são livres — um modo para dizer que nossas ações e concepções são determinadas por forças fora de nosso controle. É bem provável que qualquer relato mostrando os seres humanos moldando coletivamente o próprio destino, ou mesmo expressando a própria liberdade, seja desdenhado como ilusório, como algo que ainda precisa de uma explicação científica "genuína"; ou, se isso for impossível (por que *mesmo* as pessoas dançam?), como algo que está fora do âmbito da teoria social. Esse é um dos motivos por que a maioria das "histórias mundiais" enfatiza tanto a tecnologia. Ao dividirem o passado humano de acordo com o material principal dos utensílios e das armas (Idade da Pedra, Idade do Bronze, Idade do Ferro), ou descrevendo-o como uma série de rupturas revolucionárias (Revolução Agrícola, Revolução Urbana, Revolução Industrial), essas narrativas históricas pressupõem que as próprias tecnologias determinam em grande parte a forma que as sociedades assumem nos séculos seguintes — ou, pelo menos, até outra ruptura abrupta e inesperada que muda tudo de novo.

Ora, não nos cabe negar que as tecnologias desempenham papel relevante na configuração da sociedade. Obviamente as tecnologias são importantes: cada nova invenção inaugura possibilidades sociais antes inexistentes. Entretanto, é muito fácil exagerar a importância das novas tecnologias na definição do rumo geral das mudanças sociais. Para dar um exemplo óbvio, o fato de os teotihuacanos ou os tlaxcaltecas usarem ferramentas de pedra para construir e manter suas cidades, ao passo que os habitantes de Mohenjo-Daro usavam ferramentas de metal, surpreendentemente não parece ter feito muita diferença na organização ou nas dimensões dessas cidades. E tampouco nossas evidências confirmam a noção de que as inovações importantes sempre ocorrem em surtos repentinos e revolucionários em cuja esteira tudo se transforma. (Esse, cabe lembrar, foi um dos pontos principais que surgiram nos dois capítulos que dedicamos à origem da agricultura.)

Ninguém está afirmando, claro, que os primórdios da agricultura foram parecidos com, digamos, a invenção do tear a vapor ou da lâmpada elétrica. Temos certeza de que não houve equivalentes neolíticos de Edmund Cartwright ou Thomas Edison, responsáveis pelos avanços conceituais que desencadearam o que veio a seguir. Ainda assim, muitas vezes os autores contemporâneos encontram dificuldade para resistir à ideia de que pode ter ocorrido algum tipo de ruptura dramática. Na verdade, como vimos, o que de fato ocorreu não foi nada parecido com isso. Em vez de um indivíduo genial perseguindo sua visão solitária, a inovação nas sociedades neolíticas estava baseada num conjunto de conhecimentos coletivos acumulados ao longo de séculos, sobretudo pelas mulheres, numa interminável série de descobertas aparentemente simples, mas de extraordinária relevância. Muitas dessas descobertas neolíticas tiveram o efeito cumulativo de reconfigurar a vida cotidiana de maneira tão profunda quanto o tear automático ou a lâmpada elétrica.

Toda vez que nos sentamos à mesa para tomar o café da manhã, estamos provavelmente nos beneficiando de uma dessas invenções pré-históricas. Quem pela primeira vez percebeu que era possível fazer a massa de pão crescer com o acréscimo dos fungos que chamamos de leveduras? Não fazemos a menor ideia, mas é quase certo que foi uma mulher, que muito provavelmente não seria considerada "branca" se hoje tentasse migrar para um país europeu; e não temos a menor dúvida de que sua descoberta continua a tornar mais rica a vida de bilhões de pessoas. E também sabemos que essas descobertas foram, vale reiterar, baseadas em séculos de experiências e conhecimentos acumulados — basta lembrar como os princípios fundamentais da agricultura eram conhecidos bem antes de serem aplicados de maneira sistemática —, e os resultados desses experimentos muitas vezes foram preservados e transmitidos por meio de rituais, jogos e brincadeiras (ou, melhor ainda, naquele ponto em que se confundem o ritual, o jogo e a brincadeira).

Os "Jardins de Adônis" são o símbolo apropriado aqui. O conhecimento das propriedades nutritivas e dos ciclos de crescimento daqueles que mais tarde se tornariam os cereais básicos, sustentando vastas populações — trigo, arroz, milho — era inicialmente preservado por meio desse tipo de cultivo lúdico e ritualístico. Tampouco esse padrão de descoberta restringia-se às safras básicas. A cerâmica foi inventada, bem antes do Neolítico, para a confecção de estatuetas, modelos em miniatura de animais e outras figuras, e somente mais tarde resultaria em vasilhas para guardar e cozinhar alimentos. Os primeiros indícios de mineração estão associados à obtenção de minerais usados como pigmentos, e só mais tarde à extração de metais para uso industrial. As sociedades mesoamericanas nunca empregaram meios de transporte com rodas, mas sabemos que tinham familiaridade com raios, rodas e eixos, pois os usavam em brinquedos para crianças. É notório que os gregos antigos formularam o princípio dos engenhos a vapor, mas só os usaram em portas de templos que pareciam se abrir sozinhas ou em ilusões teatrais similares. Igualmente conhecido é o emprego da pólvora por cientistas chineses, mas apenas em fogos de artifício.

Durante quase toda a história, portanto, o âmbito do lúdico e do ritualístico constituiu ao mesmo tempo um laboratório científico e, em qualquer sociedade, um repertório de conhecimentos e técnicas que poderiam ou não ser aplicados na solução de problemas práticos. Basta lembrar, por exemplo, dos "Velhinhos" dos osages e de como conciliavam a pesquisa e a especulação sobre os princípios naturais com a administração e reforma periódica da ordem constitucional; e de como afinal consideravam ambos como parte do mesmo projeto, a respeito do qual mantinham registros (orais) meticulosos. Será que a aldeia neolítica de Çatalhöyük ou os megassítios de Tripolye abrigavam colegiados semelhantes de "Velhinhas"? Embora não seja possível ter certeza, consideramos isso muito provável, dado o ritmo compartilhado de inovação social e técnica que observamos em cada caso e a atenção aos temas femininos na arte e no ritual desses locais. Se estamos procurando perguntas mais interessantes a fazer à história, talvez esta seja uma delas: existe uma correlação positiva entre o que se costuma chamar de "igualdade de gênero" (que poderia ser designada de forma melhor e mais simples como "liberdade das mulheres") e o grau de inovação em determinada sociedade?

Existem consequências quando se decide contar a história de maneira invertida, como uma série de revoluções tecnológicas abruptas, cada qual seguida de longos períodos nos quais ficamos prisioneiros de nossas próprias criações. Em última análise, é uma forma de representar nossa espécie como decididamente menos racional, menos criativa e menos livre do que se revelou na prática. E significa *não* descrever a história como uma série contínua de ideias e inovações, técnicas ou não, durante a qual as diferentes comunidades decidiriam coletivamente quais tecnologias eram mais adequadas a seus propósitos cotidianos e quais ficavam restritas ao domínio da experimentação e do jogo ritualístico. Evidentemente, o que se aplica à criatividade tecnológica vale também para a criatividade social. Um dos padrões mais surpreendentes que constatamos ao elaborar este livro — na verdade, um dos padrões que mais nos pareceram um avanço genuíno — é o modo como, vezes sem conta na história humana, esse âmbito do lúdico e do ritualístico também serviu como campo de experimentação social — e até, em alguns aspectos, como uma enciclopédia de possibilidades sociais.

Não somos os primeiros a sugerir isso. Em meados do século xx, o antropólogo britânico A. M. Hocart argumentou que a monarquia e as instituições de governo haviam originalmente derivado de rituais concebidos para canalizar as forças vitais do cosmos para a sociedade humana. Chegou inclusive a sugerir que "os primeiros reis devem ter sido reis mortos",[2] e que os indivíduos assim venerados somente em seus funerais haviam se tornado governantes sagrados. Hocart foi considerado um excêntrico por seus colegas antropólogos e nunca conseguiu uma posição estável numa universidade de prestígio. Muitos o acusaram de ser pouco científico e de se ocupar apenas com especulações ociosas. Ironicamente, como vimos, são os resultados da ciência arqueológica contemporânea que nos obrigam hoje a levar a sério essas especulações. Para assombro de muitos, mas confirmando em grande parte o que havia previsto Hocart, o Paleolítico Superior de fato revelou evidências de sepultamentos grandiosos, meticulosamente preparados para indivíduos que parecem ter atraído, sobretudo depois de mortos, tesouros e honrarias espetaculares.

O princípio não se aplica apenas à monarquia ou à aristocracia, mas também a outras instituições. Já argumentamos que a propriedade privada aparece pela primeira vez como um conceito em contextos sagrados, assim como as funções policiais e os poderes de comando, além de (em épocas posteriores) toda uma panóplia de procedimentos democráticos formais, como a eleição e o sorteio, que eram usados de modo a restringir esses poderes.

É aqui que as coisas ficam complicadas. Não fazemos justiça ao tema se afirmarmos que, na maior parte da história, o ano ritual serviu como uma espécie de compêndio de possibilidades sociais (como ocorreu na Idade Média europeia, por exemplo, quando préstitos hierárquicos alternavam-se com turbulentos carnavais). Isso porque os festivais já eram vistos como algo extraordinário e um tanto irreal, ou pelo menos como um desvio da ordem cotidiana. Entretanto, as evidências proporcionadas a partir do Paleolítico indicam que muitas pessoas — talvez até a maioria — não se limitavam a apenas imaginar ou encenar diferentes ordens sociais em diferentes épocas do ano, mas de fato viviam de acordo com elas por períodos extensos. O contraste com nossa situação atual não poderia ser mais acentuado. Hoje quase todos nós encontramos uma dificuldade cada vez maior para imaginar o que seria uma ordem econômica ou social alternativa. Já nossos ancestrais, por sua vez, pareciam alternar o tempo todo entre diferentes ordenamentos.

Se de fato algo muito errado aconteceu na história humana — e, diante do atual estado do mundo, não há como negar isso —, então talvez as coisas tenham começado a desandar precisamente quando as pessoas perderam a liberdade de imaginar e vivenciar outras formas de existência social, e em tamanha medida que hoje alguns consideram que esse tipo específico de liberdade jamais existiu, ou jamais foi vivenciado, durante a maior parte da história humana. Mesmo os raros antropólogos, como Pierre Clastres e mais tarde Christopher Boehm, convencidos de que os seres humanos sempre foram capazes de imaginar possibilidades sociais alternativas, concluem — de forma um tanto bizarra — que, durante cerca de 95% da história de nossa espécie, esses mesmos humanos rejeitaram horrorizados todos os mundos sociais possíveis, com uma única exceção: a sociedade em pequena escala de iguais. Nossos únicos sonhos foram pesadelos, terríveis visões da hierarquização, da dominação e do Estado. Na realidade, porém, como vimos, claramente não foi bem isso o que ocorreu.

O exemplo das sociedades das Florestas do Leste da América do Norte, discutido no capítulo anterior, indica um modo mais proveitoso de colocar a questão. Poderíamos perguntar, por exemplo, como foi possível aos ancestrais desses povos rejeitarem o legado de Cahokia, com seus arrogantes senhores e sacerdotes, e se reorganizarem em repúblicas livres. No entanto, quando seus interlocutores franceses tentaram fazer o mesmo na prática e se livrarem de suas próprias hierarquias tradicionais, o resultado acabou sendo desastroso. Sem dúvida, são vários os motivos para tanto. Para nós, contudo, o crucial a ser lembrado é que não estamos falando aqui de "liberdade" como um ideal abstrato ou um princípio formal (como em "Liberdade, Igualdade, Fraternidade!").[3] Em vez disso, ao longo deste livro, procuramos falar das formas básicas de liberdade social que podem efetivamente ser postas em prática: 1) a liberdade de ir embora ou se estabelecer em outro lugar; 2) a liberdade de ignorar ou desobedecer às ordens dadas por outros; e 3) a liberdade de moldar realidades sociais inteiramente novas, ou de alternar entre diversas realidades sociais.

O que fica mais claro agora é que as duas primeiras liberdades — a de partir para outros lugares e a de desobedecer à ordens — muitas vezes serviam como plataformas para a terceira, e mais criativa, liberdade. Tratemos de esclarecer algumas das maneiras pelas quais esse "escoramento" da terceira liberdade funcionava na prática. Considerando que as duas primeiras liberdades eram consideradas inquestionáveis, como ocorria em muitas sociedades da América do Norte quando tiveram o primeiro contato com os europeus, os únicos reis que podiam existir sempre eram basicamente os reis cerimoniais. Se ultrapassavam seus limites, os súditos sempre podiam ignorá-los ou mudarem-se para outros locais. E o mesmo valia para qualquer outra hierarquia funcional ou sistema de autoridade. Do mesmo modo, um contingente policial que atuasse apenas três meses por ano, e cujos membros se revezassem anualmente, seria em certo sentido uma força cerimonial — o que torna um pouco menos bizarro que seus membros fossem às vezes recrutados diretamente das fileiras dos palhaços rituais.[4]

Evidentemente, houve aqui uma mudança significativa, e bastante profunda, nas sociedades humanas. Aos poucos as três liberdades fundamentais foram retrocedendo, a tal ponto que hoje a maioria das pessoas mal consegue entender como seria viver numa ordem social baseada nelas.

Como isso ocorreu? Como acabamos aprisionados? E exatamente até que ponto estamos de fato presos?

"Não há como escapar à ordem imaginada", afirma Yuval Noah Harari em seu livro *Sapiens*. "Quando derrubamos os muros da prisão e corremos para a liberdade", prossegue, "estamos na verdade correndo no pátio amplo de um presídio maior."[5] Como vimos no primeiro capítulo, ele não é o único a chegar a essa conclusão. Quase todos aqueles que escrevem sobre história numa escala maior parecem convencidos de que, como espécie, estamos efetivamente aprisionados, e que não há como escapar das gaiolas institucionais que criamos para nós mesmos. Harari, mais uma vez ecoando Rousseau, parece ter captado a atmosfera hoje predominante.

Ainda retomaremos esse ponto, mas por ora cabe examinar melhor a primeira questão: como isso ocorreu? Em certa medida, precisamos nos ater ao campo das especulações. Fazer as perguntas certas pode aguçar nossa compreensão, mas por enquanto o material de que dispomos, sobretudo das etapas iniciais do processo, ainda é esparso e ambíguo demais para nos proporcionar respostas definitivas. Assim, o máximo que podemos oferecer são sugestões preliminares, ou pontos de partida, com base nos argumentos propostos neste livro — e assim talvez também seja possível começar a ver com mais clareza onde os outros, desde a época de Rousseau, vêm se equivocando.

Um fator crucial parece ser a divisão gradual das sociedades humanas naquilo que por vezes é chamado de "áreas culturais" — ou seja, o processo pelo qual grupos vizinhos passam a se definir uns em contraste com os outros, e normalmente exagerando suas diferenças. A identidade passa a ser vista como um valor em si mesmo, desencadeando processos cismogênicos. Como vimos no caso dos forrageadores da Califórnia e de seus aristocráticos vizinhos da Costa Noroeste, essas demonstrações de rejeição cultural também podem ser atos conscientes de contestação política, estabelecendo a fronteira (neste caso) entre sociedades nas quais os conflitos intergrupais, as festividades competitivas e a escravidão doméstica eram rejeitados — como naquelas regiões da Califórnia aborígene mais próximas da Costa Noroeste — e nas quais eram aceitos, e até celebrados, como traços fundamentais da vida social. De olho num horizonte mais largo, os arqueólogos veem uma proliferação dessas áreas culturais regionais, sobretudo no final da última Era Glacial, mas com frequência não sabem explicar por que surgiram ou o que distingue umas das outras.

Ainda assim, esse parece ter sido um desenvolvimento crucial. Basta lembrar, por exemplo, como os caçadores-coletores posteriores à Era Glacial, sobretudo em regiões costeiras ou florestadas, desfrutaram de algo similar a uma Era de Ouro. E, aparentemente, ocorreram os mais diversos experimentos em todas as partes, os quais se refletiram em sepultamentos opulentos e na arquitetura monumental, cujas funções sociais muitas vezes continuam enigmáticas: desde "anfiteatros" de conchas ao longo do golfo do México até os grandes depósitos de Sannai Maruyama no Japão do período Jōmon, ou as chamadas "igrejas dos gigantes" no mar de Bótnia. Nessas populações megalíticas é que muitas vezes constatamos não só a multiplicação de áreas culturais distintas, como também os primeiros indícios arqueológicos claros de comunidades divididas em ordens permanentes, às vezes marcadas pela violência interpessoal, ou mesmo a guerra. Em alguns casos, isso já poderia indicar uma estratificação dos grupos familiares em aristocratas, plebeus e até escravizados. Em outras, talvez houvesse formas muito distintas de hierarquização, algumas das quais parecem ter se tornado, de fato, consolidadas.

O papel da guerra nos autoriza a ampliar a discussão, pois muitas vezes a violência é a via pela qual as formas lúdicas assumem características mais permanentes. Por exemplo, os reinos dos natchez ou dos shilluks talvez tenham sido instituições em grande parte teatrais, com governantes incapazes de dar ordens que fossem obedecidas a um ou dois quilômetros da corte — mas, se alguém era morto de forma arbitrária como parte de uma encenação teatral, o fato é que essa pessoa continuava morta mesmo depois de concluída a representação. Embora isso seja absurdamente óbvio, trata-se de algo fundamental. Os reis cerimoniais deixam de ser cerimoniais quando começam a matar pessoas; o que talvez também ajude a explicar os excessos da violência sancionada pelos rituais e tantas vezes registrada nas transições de um estado a outro. O mesmo vale para a guerra. Como ressaltou Elaine Scarry, duas comunidades poderiam, como forma de resolver um conflito, se enfrentar numa competição; mas a diferença crucial entre a guerra (ou "competições de danos", nas palavras Scarry) e quase todos os outros tipos de disputa é que alguém morto ou desfigurado numa guerra assim permanece, mesmo depois de encerrado o confronto.[6]

Entretanto, convém sermos cautelosos. Ainda que os seres humanos sempre tenham sido capazes de atacar fisicamente uns aos outros (e é difícil citar exemplos de sociedades nas quais, em nenhuma circunstância, isso não ocorra), não há razão para supor que sempre tenha havido guerra. Em termos técnicos, a guerra refere-se não só à violência organizada, mas a um tipo de competição entre dois lados claramente demarcados. Como ressaltou com razão Raymond Kelly, a guerra baseia-se num princípio lógico, nada natural ou evidente, segundo o qual a violência significativa envolve dois grupos, e qualquer membro de uma delas trata todos os membros do outro como alvos equivalentes. Kelly chama esse princípio de "permutabilidade social"[7] — isto é, se um Hatfield mata um McCoy, e os McCoy querem se vingar, não precisam necessariamente matar o assassino, mas qualquer membro da família Hatfield. Do mesmo modo, se eclode uma guerra entre a França e a Alemanha, qualquer soldado francês pode matar qualquer soldado alemão, e vice-versa. A matança de populações inteiras é apenas uma extensão dessa mesma lógica. Não há nada particularmente primordial em tais arranjos; com certeza não há motivos para crer que sejam de algum modo intrínsecos à psique humana. Pelo contrário, quase sempre é preciso recorrer a uma mescla de ritual, drogas e técnicas psicológicas para convencer as pessoas, mesmo os rapazes adolescentes, a matar e a ferir uns aos outros de maneira sistemática mas indiscriminada.

Ao que tudo indica, durante a maior parte da história, ninguém viu muitos motivos para fazer isso; ou, caso tenho acontecido, isso foi raro. Estudos sistemáticos dos registros paleolíticos revelam poucos indícios de guerra nesse sentido específico.[8] Além do mais, como a guerra era uma espécie de jogo, não é de todo surpreendente que tenha se manifestado por vezes de maneiras mais teatrais e por outras em variações mais letais. A etnografia nos proporciona abundantes exemplos do que poderia ser descrito como guerra cerimonial: fosse com armas não letais ou, o que era mais comum, em batalhas que mobilizavam milhares de cada lado, mas nas quais o número de baixas após um dia de "confronto" não passava talvez de meia dúzia de combatentes. Mesmo na guerra no estilo homérico, a maioria dos participantes estava mais como público dos heróis individuais que se provocavam, se insultavam e, ocasionalmente, atiravam lanças, disparavam flechas uns contra os outros ou se enfrentavam em duelos. No outro extremo, como se viu, há uma quantidade crescente de evidências arqueológicas de massacres inequívocos, como os ocorridos entre moradores de aldeias neolíticas na Europa Central após o fim da última Era Glacial.

O que chama a atenção é a inconstância dessas evidências. Períodos de intensa violência entre grupos alternam-se com períodos de paz, às vezes com a duração de séculos, nos quais há pouco ou nenhum indício de qualquer tipo de conflito destrutivo. A guerra não se tornou um aspecto constante da vida humana após a adoção da agricultura; na realidade, por longos períodos, parece ter sido abolida. No entanto, tinha uma obstinada tendência a ressurgir, ainda que muitas gerações depois. A esta altura, um novo questionamento se impõe. Havia uma relação entre guerra externa e perda interna de liberdades, uma relação que abriu caminho para os sistemas de hierarquização e, mais tarde, para os sistema de dominação em grande escala, como os discutidos nos últimos capítulos deste livro — ou seja, os primeiros reinos e impérios dinásticos como o dos maias, o dos Shang e o dos incas? Em caso afirmativo, essa correlação era assim tão direta? Uma coisa que aprendemos é que se equivoca quem começa a responder a tais perguntas pressupondo que essas entidades políticas antigas foram simplesmente versões arcaicas dos Estados modernos.

O Estado, como hoje o conhecemos, resulta de uma combinação peculiar de elementos — soberania, burocracia e campo político competitivo — com origens muito distintas. Em nosso experimento mental de dois capítulos atrás, mostramos como esses elementos refletem-se diretamente nas formas básicas de poder social que atuam em qualquer escala de interação humana, desde o grupo familiar até o Império Romano ou o super-reino de Tawantinsuyu. Soberania, burocracia e política são versões ampliadas dos tipos elementares de dominação, baseados respectivamente no uso da violência, do conhecimento e do carisma. Os sistemas políticos antigos — sobretudo aqueles, como os dos olmecas ou de Chavín de Huántar, que não podem ser definidos como "chefaturas" ou "Estados" — com frequência são mais bem entendidos em termos do modo como desenvolveram em grau extraordinário um dos eixos de poder social (as competições e os espetáculos políticos carismáticos no caso dos olmecas, ou o controle do conhecimento esotérico no caso de Chavín). São o que designamos como "regimes de primeira ordem".

Onde dois eixos de poder se desenvolveram e constituíram formalmente um único sistema de dominação podemos começar a falar de "regimes de segunda ordem". Os fundadores do Império Antigo no Egito, por exemplo, acrescentaram a burocracia ao princípio da soberania e conseguiram estendê-lo por um enorme território. Os governantes, por sua vez, das cidades-Estado mesopotâmicas não reivindicavam diretamente a soberania, pois esta tinha o céu como sede apropriada. Ao travarem guerras por territórios ou sistemas de irrigação, eles o faziam apenas como agentes subordinados dos deuses. Por outro lado, conciliaram a competição carismática com uma ordem administrativa muito bem desenvolvida. Já o caso dos maias clássico era diferente, com as atividades administrativas restritas em grande parte ao monitoramento dos assuntos cósmicos, ao mesmo tempo que o seu poder terreno era baseado numa poderosa fusão de soberania e política interdinástica.

Se essas e outras entidades políticas comumente vistas como "Estados incipientes" (a China da dinastia Shang, por exemplo) de fato têm características em comum, parecem estar em áreas completamente diferentes — o que nos traz de volta à questão da guerra e da perda das liberdades no âmbito da sociedade. Todas essas entidades recorreram à violência espetacularizada no ápice do sistema (tanto a violência concebida como extensão direta da soberania real como aquela desencadeada em nome das divindades); e todas em certa medida moldaram seus centros de poder — a corte ou o palácio — a partir da organização das famílias patriarcais. Há aí mera coincidência? Quando se pensa nisso, a mesma combinação de elementos pode ser encontrada na maioria dos reinos ou impérios posteriores, como da dinastia Han, o asteca ou o romano. Em cada um desses casos, há uma estreita conexão entre a família patriarcal e o poderio militar. Mas por que exatamente isso acontece?

Trata-se de uma pergunta de difícil resposta, a não ser no plano mais superficial, em parte porque nossas próprias tradições intelectuais nos obrigam a empregar o que é, na verdade, uma linguagem imperial; e a própria linguagem já traz em si uma explicação, e mesmo uma justificação, de muito daquilo que estamos tentando esclarecer. Por esse motivo é que, no decorrer deste livro, tivemos às vezes de desenvolver a nossa própria lista mais neutra (ousaríamos dizer "científica"?) das liberdades humanas e das formas de dominação fundamentais, pois os debates existentes quase sempre partem de termos derivados do direito romano, o que é problemático por uma série de razões.

No direito romano, o conceito de liberdade natural está essencialmente fundado no poder do indivíduo (por implicação, o homem que chefia o grupo familiar) para dispor de sua propriedade como bem entender, e a propriedade não é exatamente um direito, pois os direitos são negociados com outras pessoas e envolvem obrigações mútuas, mas sim um poder — ou seja, trata-se da simples realidade de que o dono pode fazer o que bem quiser com suas coisas, exceto o que é vedado "pela força ou pela lei". Essa formulação tem peculiaridades que desde o princípio ocasionaram discussões jurídicas, pois implica que a liberdade é na prática um estado de exceção primordial em relação à ordem jurídica. Também implica que a propriedade não é um conjunto de entendimentos entre as pessoas no que se refere a quem pode usar ou cuidar das coisas, mas antes a relação, caracterizada por um poder absoluto, entre uma pessoa e um objeto. Isso significa dizer que alguém tem o direito natural de fazer o que quiser com uma granada de mão, por exemplo, exceto aquilo que é proibido? Quem elaboraria uma formulação tão estranha?

Uma resposta foi sugerida pelo sociólogo jamaicano Orlando Patterson, ao lembrar que a concepção de propriedade (e, portanto, de liberdade) no direito romano remonta à legislação sobre cativos escravizados.[9] O motivo pelo qual se pode imaginar a propriedade como uma relação de dominação entre uma pessoa e uma coisa é que, para os romanos antigos, o poder do senhor tornava o escravizado uma coisa (*res*, um "objeto"), não uma pessoa com direitos sociais ou obrigações jurídicas. A lei de propriedade, por sua vez, era em grande parte voltada para as complexas situações que podiam surgir como resultado disso. É importante lembrar, por um instante, quem eram na verdade esses juristas romanos que estabeleceram o fundamento de nossa atual ordenação jurídica — de nossas teorias de justiça, da linguagem de contratos e agravos, da distinção entre o público e o privado etc. Ao mesmo tempo que dedicavam sua vida pública a pronunciar sóbrios juízos como magistrados, esses romanos tinham vidas privadas em domicílios nos quais não só exerciam uma autoridade quase total sobre esposas, filhos e dependentes, como também tinham suas necessidades atendidas por dezenas, por vezes centenas de escravizados.

Eram os escravizados que lhes cortavam o cabelo, carregavam as toalhas, alimentavam os animais de estimação, consertavam as sandálias, tocavam instrumentos nas festas e jantares e ensinavam história e matemática a seus filhos. Ao mesmo tempo, juridicamente, eram classificados como estrangeiros cativos que, aprisionados em combates, haviam perdido todos os direitos. Assim, o jurista romano estava livre para violentar, torturar, mutilar ou matar qualquer um deles a qualquer momento e da maneira que quisesse, sem que a questão fosse considerada mais do que um assunto particular. (Somente no reinado de Tibério foram impostas restrições ao que um senhor podia fazer a seus escravizados, mas na prática isso significava apenas que cabia a um magistrado autorizar que um escravizado fosse dilacerado por animais selvagens; outros tipos de execução ainda ficavam dependentes dos caprichos dos donos.) De um lado, a liberdade era uma questão privada; de outro, a vida privada era marcada pelo poder absoluto do patriarca sobre pessoas capturadas e consideradas como sua propriedade particular.[10]

O fato de que, em sua maioria, os escravizados de Roma não eram prisioneiros de guerra no sentido literal não faz muita diferença aqui. O importante é que seu status legal era definido nesses termos. Surpreendente e revelador, para nosso propósito, é como, na jurisprudência romana, a lógica da guerra — segundo a qual os inimigos são intercambiáveis e, caso se rendam, podem ser mortos ou convertidos em indivíduos "socialmente mortos", vendidos como mercadorias —, e portanto o potencial para violência, estava inserida na esfera mais íntima das relações sociais, entre as quais aquelas associadas à prestação de cuidados e que tornavam possível a existência doméstica. Reconsiderando exemplos como o das "sociedades de captura" na Amazônia ou o processo pelo qual o poder dinástico se arraigou no antigo Egito, começamos a ver como foi importante esse nexo específico entre violência e prestação de cuidados. Roma levou essa conjunção a novos extremos, e esse legado ainda molda nossos conceitos básicos de estrutura social.

A própria palavra "família" compartilha uma raiz com o termo latino *famulus*, ou seja, o "escravizado doméstico", por intermédio de *familia*, que originalmente se referia a todos aqueles sob a autoridade doméstica do *pater familias*, do chefe da casa (sempre um homem). Por sua vez, *domus*, a palavra latina para "casa", nos deu não só "doméstico" e "domesticado", mas também *dominium*, o termo técnico que designava tanto a soberania do imperador como o poder de um cidadão sobre suas propriedades particulares. Por essa via chegamos às noções (literalmente "familiares") do que significa ser "dominante", ter "domínio" e "dominar". Avancemos um pouco nessa linha de pensamento.

Vimos de que modo, em várias regiões do mundo, evidências diretas de guerra e massacres — incluindo a captura de escravizados — podem ser constatadas bem antes do aparecimento dos reinos ou dos impérios. Porém, mais difícil de determinar, nesses períodos tão remotos da história, é o que acontecia com os cativos: eram mortos, incorporados ou ficavam numa posição intermediária? Como pudemos ver em diversos casos ameríndios, nem sempre dá para fazer distinções nítidas. Muitas vezes eram várias as possibilidades. Nesse contexto, convém nos voltarmos uma última vez para o caso dos wendats na época de Kondiaronk, uma vez que essa era uma sociedade que parecia empenhada em evitar ambiguidades nessas questões.

Em certos aspectos, os wendats, e em geral as sociedades iroquesas da época, eram extraordinariamente belicosos. Ao que tudo indica, as rivalidades descambavam em conflitos sangrentos em muitas regiões setentrionais das Florestas do Leste da América do Norte, mesmo antes de os europeus começarem a fornecer mosquetes às facções indígenas no que viriam a ser as "Guerras dos Castores". Os primeiros jesuítas muitas vezes ficavam horrorizados com o que viam, mas também notaram que os motivos ostensivos para os conflitos eram completamente distintos daqueles a que estavam acostumados. Todas as guerras dos wendat eram, na verdade, "guerras de luto", travadas para amenizar o pesar de parentes próximos de alguém que fora morto. Tipicamente, um grupo guerreiro investia contra inimigos tradicionais, retornando com alguns escalpos e um punhado de prisioneiros. As mulheres e as crianças capturadas acabavam adotadas. O destino dos homens ficava sobretudo nas mãos dos enlutados, em especial das mulheres, o que para os forasteiros parecia algo inteiramente arbitrário. Se os enlutados achassem apropriado, um cativo masculino podia receber um nome, que podia ser inclusive o da vítima original. Com isso, o inimigo aprisionado passava a ser aquela outra pessoa e, após alguns anos de experiência, era tratado como membro pleno da sociedade. Se por algum motivo isso não ocorresse, seu destino podia ser bem diferente. No caso de um guerreiro aprisionado, a única alternativa à adoção plena pela sociedade wendat era uma morte excruciante por tortura.

Os jesuítas ficaram chocados e fascinados por esses detalhes. O que observaram, às vezes em primeira mão, foi um uso da violência lento, público e extremamente teatral. Sem dúvida, reconheceram eles, a tortura de prisioneiros pelos wendats não era mais cruel do que a infligida aos inimigos do Estado na França. Ao que parece, não ficaram horrorizados com os açoitamento, a queimadura, a marcação a fogo, a mutilação — e até em alguns casos o cozimento e a ingestão — do inimigo, mas com o fato de que quase todos os habitantes de uma aldeia ou uma povoação wendat participavam das torturas, até mesmo as mulheres e as crianças. O sofrimento podia se prolongar por dias, com a vítima sendo reanimada apenas para ser objeto de mais provações, e era claramente um assunto comunitário.[11] A violência parece ainda mais extraordinária se lembrarmos que essas mesmas sociedades wendats se recusavam a espancar as crianças, a castigar ladrões ou assassinos, ou a tomar qualquer medida contra os próprios membros que sugerisse uma autoridade arbitrária. Em quase todas as outras áreas da vida social, os wendats eram conhecidos por resolverem seus problemas por meio de discussões calmas e ponderadas.

Ora, seria fácil afirmar que a agressividade reprimida precisa ser liberada de uma maneira ou de outra e, portanto, as orgias de tortura comunitária eram apenas a outra face de uma comunidade não violenta; e é isso o que argumentam alguns estudiosos contemporâneos. Porém, na verdade, não se trata de um argumento apropriado. As terras dos iroqueses eram exatamente uma das regiões da América do Norte na qual a violência se alastrava apenas em períodos históricos específicos, em seguida desaparecendo em grande parte. Por exemplo, o período chamado pelos arqueólogos de "Woodland Médio", entre 100 a.C. e 500 d.C. — correspondente aproximadamente ao auge da Esfera de Interação Hopewell —, parece ter sido de paz generalizada.[12] Mais tarde, contudo, reaparecem os sinais de violência endêmica. Claramente, em alguns momentos de sua história, os habitantes dessa região encontraram maneiras eficazes de assegurar que as represálias não implicassem uma escalada de retaliações ou mesmo uma guerra (o relato haudenosaunee sobre a Grande Lei da Paz ao que tudo indica tinha a ver com um desses momentos); mas em outras épocas o sistema deixava de funcionar e retornava a possibilidade de crueldade sádica.

Mas, então, qual era o significado desses teatros de violência? Uma forma de abordar a questão é compará-los ao que ocorria na Europa na mesma época. Como ressalta o historiador quebequense Denys Delâge, os wendats que visitaram a França ficaram igualmente horrorizados com as torturas em punições e execuções públicas, mas ainda mais impressionante para eles era que "os franceses açoitavam, enforcavam e executavam *seus próprios conterrâneos*", em vez dos inimigos. Essa observação é notável, uma vez que, na Europa do século XVII, como observa Delâge,

> [...] quase toda punição, incluindo a pena de morte, envolvia muito sofrimento físico, como o uso de coleiras de ferro, açoitamentos, amputação de mãos ou marcação com ferro quente [...]. Era um ritual que manifestava o poder de forma conspícua, e assim deixava transparecer a existência de um conflito interno. O soberano encarnava um poder superior que transcendia seus súditos, e que eram obrigados a reconhecer [...]. Enquanto os rituais antropofágicos dos ameríndios expressavam o desejo de incorporar a força e a coragem do estranho a fim de melhor combatê-lo, o ritual europeu revelava a existência de uma dissimetria, de um irremediável desequilíbrio de poder.[13]

As ações punitivas dos wendats contra os prisioneiros de guerra (aqueles que não eram adotados) exigiam que a comunidade se tornasse um corpo singular, unificado em sua capacidade de exercer a violência. Na França, por outro lado, "o povo" estava unificado como vítima em potencial da violência do rei. Entretanto, os contrastes são ainda mais profundos.

Como observou um viajante wendat a respeito da França, ali qualquer um — culpado ou inocente — *poderia* acabar virando um exemplo público. Entre os wendat, contudo, a violência permanecia firmemente excluída do âmbito familiar e doméstico. Um guerreiro cativo podia ser tratado com afeto e cuidado amorosos ou como objeto do pior tratamento imaginável. Não havia nada entre esses extremos. O sacrifício do prisioneiro não servia apenas para reforçar a solidariedade do grupo: também proclamava a sacralidade intrínseca dos âmbitos familiar e doméstico como espaços de governança feminina, onde não cabiam a violência, a política e o poder arbitrário. Em outras palavras, o grupo familiar wendat era definido em termos exatamente opostos aos da *familia* romana.

Nesse aspecto específico, a sociedade francesa do *Ancien Régime* apresenta um quadro bem semelhante ao da Roma imperial — ao menos quando ambas são contrastadas com o exemplo dos wendat. Nos dois casos, o grupo familiar e o reino partilhavam um modelo comum de subordinação. Cada qual era feito à imagem do outro, com a família patriarcal servindo de modelo para o poder absoluto dos reis, e vice-versa.[14] As crianças deviam submissão aos pais, as esposas aos maridos, e os súditos aos governantes, cuja autoridade vinha de Deus. Em todos os casos, esperava-se de quem ocupava a posição superior que infligisse castigos severos sempre que considerasse apropriado — ou seja, que empregasse a violência com impunidade. E, além disso, presumia-se que tudo isso estivesse associado a sentimentos de amor e afeto. Em última análise, a casa dos Bourbon — assim como o palácio de um faraó egípcio, de um imperador romano, de um *tlatoani* asteca ou do Sapa Inca — era uma estrutura não só de dominação, mas também de prestação de cuidados, onde um pequeno exército de cortesãos esfalfava-se dia e noite para atender a todas as necessidades físicas do soberano, e assim evitar que ele, na medida do humanamente possível, jamais deixasse de se considerar divino.

Em todos esses casos, os vínculos entre violência e prestação de cuidados se estendiam tanto para baixo como para cima. Não poderíamos fazer melhor do que citar as palavras tornadas famosas pelo rei Jaime I, da Inglaterra, em *The True Law of Free Monarchies* [A verdadeira lei das monarquias livres] (1598):

Assim como o pai, por obrigação paterna, deve cuidar da alimentação, educação e governança virtuosa de seus filhos, ainda mais está o Rei obrigado ao cuidado de todos os seus súditos [...]. Assim como a ira do pai e sua correção de qualquer ofensa cometida pelos filhos devem ser um castigo paterno temperado pela piedade, na medida em que resta a esperança de se emendarem, do mesmo modo deve [agir] o Rei diante de qualquer vassalo que transgrida na mesma medida [...]. Assim como a grande alegria do pai deve estar na busca do bem-estar dos filhos, rejubilando-se com sua felicidade, afligindo-se e condoendo-se de seus infortúnios, empenhando-se em sua segurança [...] do mesmo modo um bom Príncipe deve pensar em seu Povo.

As torturas públicas, na Europa do século XVII, eram inesquecíveis e medonhos espetáculos de dor e sofrimento que visavam transmitir uma mensagem: a de que um sistema no qual os maridos podiam brutalizar as mulheres, e os pais espancar as crianças, constituía, no fim das contas, uma forma de amor. As torturas wendats, na mesma época, eram inesquecíveis e medonhos espetáculos de dor e sofrimento que visavam deixar claro que nenhuma forma de castigo físico jamais deveria ser adotada no interior de uma comunidade ou de um domicílio. A violência e a prestação de cuidados, no caso dos wendats, deviam ser completamente separados. A partir dessa perspectiva, podemos reconhecer as características próprias da tortura dos prisioneiros entre os wendats.

Parece-nos que essa conexão — ou melhor, talvez, essa confusão — entre prestação de cuidados e dominação é crucial para a questão mais ampla relativa à perda da capacidade de nos recriarmos livremente ao recriarmos nossas relações com os outros. É fundamental, na verdade, para entendermos como ficamos aprisionados, e por que hoje mal somos capazes de conceber nosso passado ou nosso futuro como algo distinto de uma passagem de cárceres menores para outros maiores.

Durante a escrita deste livro, procuramos alcançar certo equilíbrio. Seria algo intuitivo para um arqueólogo ou um antropólogo, mergulhado em nosso tema, avaliar todas as concepções acadêmicas a respeito, por exemplo, de Stonehenge, da "expansão de Uruk" ou da organização social dos iroqueses e explicar nossa predileção por determinada interpretação em detrimento de outras, ou propor uma explicação diferente. É assim que a busca da verdade costuma se dar na academia. Porém, se tivéssemos tentado delinear ou refutar todas as interpretações existentes do material que cobrimos, este livro teria de ser duas ou três vezes mais longo, e provavelmente deixaria o leitor com a impressão de que os autores estão empenhados numa batalha incessante contra demônios que, na verdade, mal passam de cinco centímetros de altura. Em vez disso, portanto, tentamos mapear aquilo que consideramos ter ocorrido de fato e apontar as falhas na argumentação de outros estudiosos apenas na medida em que pareciam refletir equívocos mais generalizados.

Talvez o equívoco mais refratário que nos coube enfrentar seja aquele associado à escala. Ao que parece, tem-se como certo em muitos campos, acadêmicos ou outros, que as estruturas de dominação são o resultado inevitável do aumento demográfico por ordens de grandeza — ou seja, que existe necessariamente uma correspondência entre hierarquias sociais e espaciais. Incontáveis vezes somos confrontados com textos que partem do pressuposto de que, quanto maior e mais densamente povoado o agrupamento social, mais "complexo" é o sistema exigido para mantê-lo organizado. A complexidade, por sua vez, com frequência continua a ser vista como sinônimo de hierarquia, que por sua vez é usada como eufemismo para cadeias de comando (a "origem do Estado"), no sentido de que, assim que um grande número de pessoas decide viver num local ou empenhar-se num projeto comum, não há alternativa a não ser abrir mão da segunda liberdade — a de rejeitar ordens — e substituí-la por mecanismos legais que desembocam, por exemplo, no espancamento ou na prisão daqueles que não fazem o que lhes ordenam.

Como vimos, nenhuma dessas suposições são indispensáveis para elaborar teorias, e a história não costuma confirmá-las. A antropóloga Carole Crumley, especialista na Europa da Idade do Ferro, vem ressaltando isso há anos: os sistemas complexos não precisam se organizar de cima para baixo, seja no mundo natural ou no social. Nossa propensão a supor o contrário diz mais a nosso respeito do que sobre os povos ou fenômenos que estamos estudando.[15] Tampouco é ela a única a insistir nesse ponto. Porém, o mais comum é que tais observações caiam em ouvidos surdos.

Provavelmente chegou a hora de começarmos a prestar atenção, pois as "exceções" estão começando a superar as regras com enorme rapidez. Um exemplo são as cidades. Antes supunha-se que o surgimento da vida urbana assinalasse algum tipo de portal histórico, cuja passagem implicava para todos a abdicação de suas liberdades fundamentais e a submissão ao governo de administradores impessoais, sacerdotes severos, monarcas paternalistas ou políticos-guerreiros — tudo isso apenas para evitar o caos. Contemplar a história humana através dessa lente não é afinal tão diferente do que adotar hoje a postura do rei Jaime, uma vez que o efeito geral é a apresentação da violência e da desigualdade da sociedade atual como tendo, de algum modo, surgido naturalmente de estruturas de administração racional e de cuidado paternalista: estruturas concebidas para populações humanas que, espera-se que acreditemos, perderam de repente a capacidade de se organizar só porque superaram um certo limiar quantitativo.

Essas concepções não só não têm nenhum fundamento firme na psicologia humana como também são difíceis de conciliar com as evidências arqueológicas relativas ao surgimento das cidades em muitas partes do mundo — como experimentos cívicos em grande escala, muitas vezes desprovidos das características esperadas de hierarquia administrativa e governo autoritário. Não dispomos de terminologia adequada para essas cidades incipientes. Ao chamá-las de "igualitárias", como vimos, abrimos um leque muito amplo: pode implicar um parlamento urbano e projetos coordenados de habitação social, como em alguns núcleos urbanos pré-colombianos na América; ou agregados familiares autônomos que se organizam em bairros e assembleias cidadãs, como nos megassítios pré-históricos ao norte do mar Negro; ou, ainda, pode implicar a introdução de uma noção explícita de igualdade com base em princípios de uniformidade e similaridade, como na Mesopotâmia da época de Uruk.

Nenhuma dessas possibilidades é surpreendente se levarmos em conta o que precedeu tais cidades em cada região. Não se tratava, na verdade, de grupos rudimentares ou isolados, mas de redes abrangentes de sociedades, estendendo-se por diversos ecossistemas, com povos, plantas, animais, drogas, objetos de valor, canções e ideias que circulavam de maneira ininterrupta nas mais intricadas formas. Embora as unidades individuais fossem restritas em termos demográficos, sobretudo em certas épocas do ano, costumavam se organizar em coalizões ou confederações informais. No mínimo, eram apenas o resultado lógico de nossa primeira liberdade: a de abandonarmos o nosso lar, sabendo que seremos bem recebidos e bem tratados, e até valorizados, em algum local remoto. No máximo, eram exemplos de "anfictionia", na qual algum tipo de organização formal incumbia-se de cuidar e manter os locais sagrados. Marcel Mauss tinha razão ao argumentar que deveríamos reservar o termo "civilização" para essas grandes zonas de hospitalidade. Evidentemente, estamos acostumados a pensar em "civilização" como algo que surge em cidades — porém, munidos de novos conhecimentos, parece mais realista inverter a ordem das coisas e imaginar as primeiras cidades como uma dessas grandes confederações regionais, comprimidas em áreas restritas.

Claro que a monarquia, as aristocracias guerreiras ou outras formas de estratificação também poderiam prosperar em contextos urbanos, e muitas vezes o fizeram, com consequências dramáticas. Ainda assim, não foi de forma nenhuma a mera existência de grandes assentamentos humanos que ocasionou esses fenômenos, e muito menos os tornou inevitáveis. As origens dessas estruturas de dominação devem ser buscadas em outra parte. As aristocracias hereditárias tinham a mesma probabilidade de surgir entre grupos demograficamente restritos ou modestos, como as "sociedades heroicas" dos planaltos da Anatólia, que se formaram nas margens das primeiras cidades mesopotâmicas e com as quais mantinham amplas relações mercantis. Os indícios que temos do surgimento da monarquia como instituição permanente estão nessas sociedades, e não nas cidades. Em outras regiões do mundo, houve populações urbanas que se aventuraram pelo caminho que conduzia à monarquia, mas acabaram por dar meia-volta. Foi o caso de Teotihuacan, no vale do México, onde a população da cidade — depois de construir as pirâmides do Sol e da Lua — desistiu desses projetos de glorificação e, em vez disso, lançou-se num prodigioso programa de habitação pública, com a construção de aposentos multifamiliares para seus moradores.

Em outras regiões, as primeiras cidades seguiram a trajetória oposta, partindo de conselhos de vizinhança e assembleias populares e terminando sob o domínio de dinastas belicistas, que em seguida tiveram de manter uma coexistência incômoda com as instituições de governo mais antigas. Algo semelhante ocorreu na Mesopotâmia durante o Período Dinástico Inicial, após a época de Uruk: mais uma vez, a convergência de sistemas de violência e sistemas de cuidado parece crucial. Os templos sumérios sempre organizaram sua existência econômica em torno da prestação de cuidados e da alimentação dos deuses, personificados em estátuas rodeadas por toda uma indústria e uma burocracia do bem-estar. De forma ainda mais essencial, esses templos eram instituições de caridade. Viúvas, órfãos, prófugos, expulsos de seus grupos familiares ou de outras redes de apoio ali buscavam refúgio: em Uruk, por exemplo, era o que ocorria no Templo de Inanna, a deusa protetora da cidade, que dava para o grande pátio onde se reunia a assembleia da cidade.

Os primeiros reis-guerreiros carismáticos se associaram a esses espaços, literalmente instalando-se ao lado da morada da principal divindade da cidade. Desse modo, os monarcas sumérios foram capazes de se inserir nos espaços institucionais antes reservados à prestação de cuidados aos deuses e, portanto, afastados do âmbito dos relacionamentos humanos comuns. Isso faz todo o sentido porque os reis, segundo um provérbio malgaxe, "não têm parentes" — ou não deveriam ter, pois são governantes na mesma medida de todos os seus súditos. Também os escravizados não têm parentes, pois foram apartados de todos os vínculos anteriores. Em ambos os casos, os únicos relacionamentos sociais reconhecidos são aqueles baseados no poder e na dominação. Em termos estruturais, e contrapostos a quase todos os outros na sociedade, os reis e os escravizados na prática habitam o mesmo terreno. Diferem apenas nas extremidades do espectro de poder que ocupam uns e outros.

Também sabemos que indivíduos carentes, abrigados nessas instituições religiosas, recebiam refeições regulares e trabalhavam nas terras e oficinas do templo. As primeiras fábricas — ou pelo menos as primeiras que aparecem na história — eram instituições beneficentes desse tipo, nas quais os burocratas do templo forneciam lã para que as mulheres fiassem e tecessem, supervisionavam a distribuição dos produtos (quase sempre negociados com grupos das terras altas em troca da madeira, das pedras e dos metais que não se encontravam nos vales fluviais) e asseguravam a sobrevivência delas com rações rateadas de forma meticulosa. Tudo isso existia bem antes do surgimento dos reis. Como pessoas dedicadas aos deuses, essas mulheres deviam originalmente desfrutar de certa dignidade, ou mesmo de um status sagrado; porém, já na época dos primeiros documentos escritos, a situação parece ter ficado bem mais complicada.

A essa altura, entre os que trabalhavam nos templos sumérios também havia prisioneiros de guerra, igualmente desprovidos de apoio familiar. Com o tempo, e talvez em consequência disso, o status das mulheres e dos órfãos parece ter sido rebaixado, até que as instituições do templo passaram a se assemelhar um tanto aos asilos de indigentes da Inglaterra vitoriana. De que modo, cabe indagar aqui, o aviltamento das mulheres que labutavam nos templos afetou o status das mulheres em geral? No mínimo, deve ter tornado mais atemorizante a perspectiva de escapar de situações domésticas abusivas. A perda da primeira liberdade significou, cada vez mais, também a perda da segunda. E a perda da segunda liberdade implicava o cancelamento da terceira. Se uma mulher nessa situação tentasse criar um novo culto, um novo templo, uma nova concepção de relações sociais, seria logo vista como uma subversiva, uma revolucionária; e, se atraísse seguidores, corria o risco de ser confrontada por uma força militar.

Tudo isso traz à baila outra questão. Esse nexo recém-estabelecido entre a violência no âmbito externo e a prestação de cuidados no interno — entre as relações humanas mais impessoais e as mais íntimas — assinala o ponto em que tudo começa a degringolar? Trata-se de um exemplo de como as relações antes maleáveis e negociáveis acabaram fixadas em seu lugar? Um exemplo, em suma, de como ficamos aprisionados? Se há uma história a ser contada, uma questão que deveríamos colocar à história humana (em vez de a "origem da desigualdade social"), é exatamente esta: como ficamos presos a uma única forma de realidade social, e como as relações baseadas em última análise na violência e na dominação acabaram normalizadas no âmbito dessa realidade?

Talvez aquele que chegou mais perto de discutir essa questão no século XX tenha sido o antropólogo e poeta Franz Steiner, falecido em 1952, após uma vida fascinante mas trágica. Brilhante polígrafo nascido numa família judia na Boêmia, mais tarde Steiner viveu com uma família árabe em Jerusalém até ser expulso pelas autoridades britânicas, realizou pesquisa de campo nos Cárpatos e por duas vezes viu-se forçado pelos nazistas a fugir do continente europeu, terminando sua carreira — ironicamente — no sul da Inglaterra. Quase todos os seus parentes mais próximos foram mortos em Auschwitz. Segundo a lenda, após concluir uma monumental tese de doutorado, com cerca de oitocentas páginas, sobre a sociologia comparativa da escravidão, ele a perdeu quando uma mala repleta de rascunhos e notas foi roubada num trem. Steiner era amigo, e rival romântico, de Elias Canetti, outro judeu exilado em Oxford, e pretendente bem-sucedido à mão da romancista Iris Murdoch — no entanto, dois dias depois de ela ter aceitado sua proposta de casamento, ele morreu de um ataque cardíaco, com apenas 43 anos de idade.

Uma versão mais breve dessa tese de doutorado sobreviveu e tem como foco o que Steiner chama de "instituições pré-servis". De forma um tanto comovente — dada sua história de vida —, trata-se de um estudo sobre o que ocorre em diferentes situações culturais e históricas com pessoas desarraigadas: aqueles expulsos de seus clãs por causa de uma dívida ou transgressão; degredados, criminosos, fugitivos. A tese pode ser lida como uma história do modo pelo qual os refugiados (como o autor) são a princípio acolhidos e tratados quase como se fossem seres sagrados, e depois pouco a pouco degradados e explorados, de novo de forma bem semelhante às mulheres que trabalhavam nas fábricas dos templos sumérios. Em suma, a história contada por Steiner trata precisamente do colapso daquela que chamamos de primeira liberdade fundamental (a de se mudar e se estabelecer em outro lugar), e de como isso preparou o caminho para a perda da segunda liberdade (a de desobedecer a ordens). Também nos conduz de volta a um ponto já ressaltado sobre a progressiva divisão do universo social humano em unidades cada vez menores, começando pelo aparecimento de "áreas de cultura" (uma obsessão dos etnólogos da tradição centro-europeia, na qual Steiner se formara).

O que se passa, indaga Steiner, quando há uma erosão das expectativas que tornam possível a liberdade de ir e vir — ou seja, das regras de hospitalidade e de asilo, de civilidade e de abrigo? Por que tantas vezes isso parece catalisar situações nas quais algumas pessoas passam a exercer um poder arbitrário sobre outras? Steiner faz um meticuloso exame de casos que incluíam os huitotos na Amazônia, os safwas na África Oriental, e os lushais no Tibete e na Birmânia. Ao longo do caminho, ele propõe uma resposta possível à questão que tanto intrigara Robert Lowie e, mais tarde, Pierre Clastres: se as sociedades sem Estado conseguem se organizar a fim de que os chefes não exerçam poder despótico, então afinal por que surgiram as formas de mando de cima para baixo? Como se viu, tanto Lowie como Clastres chegaram à mesma conclusão: deve ter sido o resultado de uma revelação religiosa. Steiner propôs uma explicação alternativa. Talvez, sugeriu ele, tudo isso tenha começado com a caridade.

Nas sociedades amazônicas, não apenas os órfãos mas também as viúvas, os insanos, os incapacitados e os deformados — caso não contassem com ninguém para cuidar deles — tinham permissão para morar na casa do chefe, onde participavam das refeições comunitárias. A eles ocasionalmente se acrescentavam prisioneiros de guerra, sobretudo crianças capturadas em ata-

550

ques de surpresa. Entre os safwas ou lushais, os fugitivos, os devedores, os criminosos ou outros que necessitavam de proteção tinham o mesmo status daqueles rendidos no campo de batalha. Todos se tornavam membros do séquito do chefe, e os homens jovens muitas vezes desempenhavam um papel semelhante ao da polícia. Era variável a medida do poder que o chefe exercia de fato sobre os membros de sua casa — Steiner usa o termo *potestas*, do direito romano, que denota entre outras coisas o poder de mando arbitrário de um pai sobre seus dependentes e sua propriedade —, em função da facilidade com que podiam fugir e buscar refúgio em outras partes, ou ao menos para manter vínculos com parentes, clãs ou forasteiros dispostos a apoiá-los. E em que medida esses capangas faziam cumprir as vontades do chefe também era algo variável, ainda que o mero potencial fosse relevante.

Em todos esses casos, o processo de concessão de refúgio em geral acarretava mudanças nos arranjos domésticos básicos, sobretudo quando eram incorporadas mulheres cativas, reforçando ainda mais a *potestas* dos patriarcas. Nota-se um pouco dessa lógica em quase todas as cortes reais documentadas na história, que invariavelmente atraíam indivíduos tidos como anômalos ou desarraigados. Não parece ter havido nenhuma região, desde a China até os Andes, em que as sociedades cortesãs não abrigassem indivíduos obviamente peculiares; tampouco monarcas que não alegassem também ser protetores das viúvas e dos órfãos. Poderíamos, sem dificuldade, imaginar algo semelhante ocorrendo já em certas comunidades de caçadores-coletores na pré-história. Os indivíduos com anomalias físicas enterrados em sepulturas rebuscadas na última Era Glacial também devem ter sido alvo de muitos cuidados quando vivos. Sem dúvida existem sequências de desenvolvimento vinculando essas práticas às cortes reais posteriores — e tivemos vislumbres disso, como no Egito pré-dinástico —, mesmo que ainda sejamos incapazes de reconstruir a maioria desses elos.

Ainda que Steiner não tenha trazido a questão para o primeiro plano, suas observações são diretamente relevantes para os debates sobre a origem do patriarcado. Há tempos as antropólogas feministas argumentam em favor de uma conexão entre a violência no âmbito externo (preponderantemente masculina) e a transformação do status doméstico da mulher. Em termos arqueológicos e históricos, estamos apenas começando a reunir material suficiente para um entendimento inicial do funcionamento efetivo desse processo.

* * *

A pesquisa que culminou na escrita deste livro começou quase uma década atrás, basicamente como uma forma de brincadeira. No princípio, nós nos lançamos a isso, cabe reconhecer, num espírito de ligeiro desvio de nossas responsabilidades acadêmicas mais "sérias". Acima de tudo, estávamos curiosos para ver como as novas evidências arqueológicas que se acumularam nas últimas três décadas poderiam modificar nossas concepções dos primórdios da história humana, sobretudo os aspectos associados às discussões sobre a origem da desigualdade social. Não demorou, contudo, para se tornar óbvia a potencial relevância do que estávamos empreendendo, pois quase ninguém mais em nossas disciplinas parece dedicado a esse trabalho de síntese. Com frequência ficamos surpresos ao buscar em vão por livros que supúnhamos existir, mas que na verdade nem sequer haviam sido escritos — por exemplo, compêndios das cidades primitivas desprovidas de governos de cima para baixo, ou relatos do processo democrático de tomada de decisão na África ou na América, ou ainda comparações do que designamos como "sociedades heroicas". São enormes as lacunas na literatura.

No final, concluímos que essa relutância em sintetizar não se devia apenas a uma reticência por parte de pesquisadores muito especializados, embora seja um fator importante. Em certa medida, tratava-se apenas da inexistência de uma linguagem apropriada. Como, por exemplo, nos referimos a uma "cidade desprovida de estruturas de governo de cima para baixo"? No momento, ainda não há um termo de aceitação geral. Nos arriscaríamos a chamar isso de "democracia"? Ou "república"? Essas palavras (assim como "civilização") são de tal modo carregadas em termos históricos que, em sua maioria, os arqueólogos e antropólogos recuam instintivamente diante delas, ao passo que os historiadores tendem a restringir seu uso ao continente europeu. Seria então o caso de chamá-la de "cidade igualitária"? Provavelmente não, pois o uso desse termo implica o ônus de provar que a cidade era "de fato" igualitária — o que significa, na prática, demonstrar que nenhum elemento de desigualdade estrutural estava presente em qualquer aspecto da vida de seus habitantes, incluindo grupos familiares e arranjos religiosos. Dada a raridade, ou mesmo inexistência, de tais evidências, seria inevitável a conclusão de que afinal essas cidades não tinham nada de igualitárias.

Pela mesma lógica, seria possível concluir facilmente que não existem de fato "sociedades igualitárias", talvez com a exceção de minúsculos bandos de forrageadores. Na verdade, é bem isso o que argumentam muitos pesquisadores no campo da antropologia evolutiva. Em última análise, porém, o resultado desse tipo de pensamento é a classificação indiferenciada de todas as cidades "não igualitárias" ou mesmo de todas as "sociedades não igualitárias", o que é um pouco como dizer que não existe diferença significativa entre uma comunidade hippie e uma gangue de motociclistas, pois nenhuma delas é completamente não violenta. Tudo o que se consegue com isso, no final, é nos deixar sem palavras quando confrontados por aspectos importantes da história humana. Ficamos estranhamente mudos diante de qualquer tipo de evidência de que os seres humanos fizeram outra coisa além de "correrem para seus grilhões". Ao vislumbrar uma transformação completa nas evidências do passado, decidimos adotar uma abordagem inversa.

Isso implicou, na prática, a inversão de muitas polaridades. Significou abandonar a linguagem da "igualdade" e "desigualdade", a menos que houvesse comprovação explícita de que ideologias de igualdade social de fato existiam em cada caso. Significou indagar, por exemplo, o que acontece quando atribuímos importância aos 5 mil anos nos quais a domesticação dos cereais *não* levou ao surgimento de aristocracias desregradas, exércitos permanentes ou servidão por dívida, em vez dos outros 5 mil anos em que a agricultura levou ao aparecimento dessas coisas? O que acontece se tratarmos a rejeição da vida urbana ou da escravidão em certos momentos e locais como algo tão significativo quanto o surgimento desses mesmos fenômenos em outras épocas e locais? Ao longo desse processo, inúmeras vezes fomos surpreendidos. Nunca teríamos imaginado, por exemplo, que a escravidão muito provavelmente foi abolida várias vezes na história e em vários lugares; e que é bastante provável que o mesmo tenha ocorrido com a guerra. Obviamente, essas abolições quase nunca foram definitivas. Mesmo assim, os períodos em que existiram sociedades livres ou quase livres não são nada insignificantes. Na realidade, se excluirmos a Idade do Ferro na Eurásia (o que fizemos aqui), representam de longe a maior parte da experiência social humana.

Há entre os teóricos sociais uma propensão a escrever sobre o passado como se tudo o que ocorreu pudesse ter sido previsto de antemão. Isso é um tanto desonesto, uma vez que todos sabemos que quase sempre nos equivocamos ao tentar prever o futuro — algo que vale tanto para os teóricos sociais como para qualquer pessoa. A despeito disso, não é fácil resistir à tentação de escrever e pensar como se o estado atual do mundo, neste início do século XXI, fosse o resultado inevitável dos últimos 10 mil anos de história, quando na verdade não fazemos ideia de como será o mundo em 2075, quanto mais em 2150.

Quem sabe? Talvez, se nossa espécie sobreviver, e um dia pudermos olhar para trás nesse futuro ainda desconhecido, aspectos do passado remoto que hoje parecem anômalos — como, por exemplo, burocracias que funcionam em escala comunitária; cidades governadas por conselhos de vizinhança; sistemas de governo no quais as mulheres ocupam a maioria das posições formais; ou formas de manejo da terra baseadas na prestação de cuidados e não na propriedade e na exploração — vão aparecer como as rupturas de fato significativas, e as grandes pirâmides ou estátuas de pedra apenas como curiosidades históricas. Como seria se adotássemos agora essa abordagem e considerássemos, por exemplo, a Creta minoica ou a Esfera de Interação Hopewell não como desvios aleatórios numa estrada que leva inexoravelmente aos Estados e aos impérios, mas como possibilidades alternativas, caminhos que poderiam ter sido seguidos?

No fim das contas, tudo isso existiu de fato, mesmo que nossa maneira habitual de olhar para o passado pareça concebida para situar esses fenômenos nas margens e não no centro. Por isso, grande parte deste livro foi pensada para recalibrar essas escalas e nos lembrar que as pessoas efetivamente viveram dessas maneiras, às vezes por muitos séculos, e até durante milênios. Em certos aspectos, essa perspectiva talvez seja ainda mais trágica do que a nossa narrativa tradicional da civilização como a inevitável expulsão do Paraíso. Significa que *poderíamos* ter vivido de acordo com concepções radicalmente diferentes da sociedade humana. Significa que a escravidão em massa, o genocídio, os campos de concentração e até mesmo o patriarcado e os regimes de trabalho assalariado jamais teriam de ocorrer. Porém, de outro lado, também sugere que, mesmo hoje, as possibilidades de intervenção humana são muito maiores do que tendemos a considerar.

Iniciamos este livro com uma citação que menciona a noção grega de *kairós* como um daqueles momentos ocasionais na história de uma sociedade em que os seus quadros de referência sofrem uma mudança — uma metamorfose dos princípios e dos símbolos fundamentais, quando se confundem as linhas divisórias entre o mito e a história, a ciência e a magia — e em que, portanto, uma mudança genuína é possível. Os filósofos por vezes preferem falar do "Evento" — uma revolução política, uma descoberta científica, uma obra artística magistral —, ou seja, uma ruptura que revela aspectos da realidade antes inimagináveis, mas que, depois disso, não podem mais ser ignorados. Neste caso, *kairós* é essa espécie de temporalidade na qual há uma propensão para a ocorrência desses eventos.

Ao redor do mundo, as sociedades parecem estar se aproximando desse ponto crítico. Isso vale sobretudo para aquelas que, desde a Primeira Guerra Mundial, adquiriram o hábito de se intitularem "ocidentais". De um lado, rupturas fundamentais nas ciências físicas ou na expressão artística já não mais ocorrem com a regularidade esperada desde o final do século XIX e início do século XX. Porém, ao mesmo tempo, nossos recursos científicos para a compreensão do passado — e não só da nossa espécie mas de nosso planeta — avançaram com rapidez vertiginosa. Em 2020, os cientistas não estão entrando em contato (como poderiam esperar os leitores de ficção científica de meados do século XX) com civilizações alienígenas em sistemas estelares remotos; no entanto, estão encontrando formas de sociedades radicalmente diferentes bem debaixo de seus pés, algumas esquecidas e recém-redescobertas, outras mais familiares, porém agora entendidas de novas formas.

Aperfeiçoando os métodos científicos para o conhecimento de nosso passado, acabamos por expor a subestrutura mítica das "ciências sociais" — e dispersamos como camundongos aqueles axiomas que antes pareciam inexpugnáveis, os pontos estáveis em função dos quais se ordena o conhecimento sobre nós mesmos. Qual é o propósito de todos esses novos conhecimentos se não remodelarem as concepções que temos de nós mesmos e do que ainda podemos nos tornar? Se, em outras palavras, não redescobrirmos o sentido da nossa terceira liberdade fundamental: a liberdade de criarmos formas novas e diferentes de realidade social?

O mito em si não é o problema aqui. Não deve ser confundido com ciência pueril ou de baixa qualidade. Assim como todas as sociedades têm suas ciências, todas também têm seus mitos. O mito é o modo como as sociedades humanas conferem estrutura e sentido à experiência. Porém, as estruturas míticas mais amplas da história a que recorremos nos últimos séculos simplesmente deixaram de funcionar, não há mais como serem reconciliadas com as evidências disponíveis, e as estruturas e os sentidos que promovem são toscos, desgastados e politicamente desastrosos.

Sem dúvida, pelo menos por algum tempo, pouco vai mudar. Campos inteiros de conhecimento — para não mencionar cátedras e departamentos universitários, publicações científicas, prestigiosas bolsas de pesquisa, bibliotecas, bancos de dados, currículos escolares e assemelhados — foram concebidos e adaptados às velhas estruturas e às velhas questões. Max Planck comentou certa vez que as novas verdades científicas não substituem as antigas pelo fato de convencerem os cientistas de que estavam equivocados, e sim porque os proponentes da teoria mais antiga acabam morrendo, e as gerações seguintes passam a considerar familiares, e até óbvias, as novas teorias e as novas verdades. Nós somos otimistas. E nos agrada pensar que não vai demorar muito para isso acontecer.

Na verdade, já demos o primeiro passo. Hoje podemos ver com mais clareza o que acontece quando, por exemplo, um estudo, rigoroso em todos os outros aspectos, parte do pressuposto irrefletido de que existiu uma forma "original" de sociedade humana; que sua natureza era basicamente boa ou ruim; que houve uma época anterior à desigualdade e à consciência política; que algo ocorreu para mudar tudo isso; que a "civilização" e a "complexidade" sempre existem em detrimento das liberdades humanas; que, embora seja natural em pequenos grupos, a democracia participativa é impossível de ser ampliada até a escala de uma cidade ou de um Estado-nação.

Agora sabemos que estamos diante de mitos.

Notas

1. ADEUS À INFÂNCIA DA HUMANIDADE [pp. 15-41]

1. Para destacar um exemplo, *Foragers, Farmers, and Fossil Fuels: How Human Values Evolve*, de Ian Morris (2015), se propõe a enfrentar o ambicioso desafio de encontrar uma medida uniforme de desigualdade aplicável por todo o período da história humana, traduzindo os "valores" dos caçadores-coletores da Era Glacial e dos agricultores neolíticos em termos familiares aos economistas modernos e os usando para estabelecer índices de Gini (ou seja, taxas de desigualdade formalizadas). Trata-se de um experimento louvável, mas que rapidamente conduz a algumas conclusões muito estranhas. Por exemplo, num artigo de 2016 no *New York Times*, Morris estimou a renda de um caçador-coletor paleolítico em 1,10 dólar por dia, corrigida para valores correntes de 1990. De onde vem esse número? Presume-se que tenha relação com o custo em calorias da ingestão diária de alimentos. Mas, se estamos comparando isso com a renda das pessoas de hoje, não teríamos também que introduzir um fator que levasse em conta todas as outras coisas que os forrageadores paleolíticos tinham de graça, mas pelos quais nós temos que pagar: segurança gratuita, mediação de disputas gratuita, educação primária gratuita, serviços de cuidado para idosos gratuitos, medicina gratuita, para não mencionar custos de entretenimento, música, contação de histórias e serviços religiosos? Mesmo quando se trata de comida, devemos considerar a qualidade: afinal, estamos falando aqui de produtos gratuitos 100% orgânicos, lavados com a mais pura água de fontes naturais. Grande parte da renda da população contemporânea se destina a hipotecas e aluguéis. Mas considere os preços de acampamento para locais privilegiados do Paleolítico, na Dordonha ou às margens do Vézère, para não mencionar as aulas noturnas de altíssima qualidade em pintura naturalista de rochas e esculturas em marfim — e todos aqueles casacos de pele. Segu-

ramente tudo isso deve custar bem mais do que 1,10 dólar por dia. Como veremos no capítulo 4, não é à toa que às vezes os antropólogos se referem aos forrageadores como "a sociedade afluente original". Esse estilo de vida hoje não sairia barato. Admito que tudo isso é um pouco tolo, mas nosso argumento é mesmo este: se reduzirmos a história do mundo a índices de Gini, coisas tolas acabarão necessariamente aparecendo.

2. Fukuyama, 2011, pp. 43, 53-4.

3. Diamond, 2012, pp. 10-5.

4. Fukuyama, 2011, p. 48.

5. Diamond, 2012, p. 11.

6. No caso de Fukuyama e Diamond, pode-se pelo menos assinalar que não têm formação nas disciplinas que envolvem esses estudos (o primeiro é um cientista político, o outro tem ph.D. em fisiologia da vesícula biliar). Mas inclusive quando antropólogos, arqueólogos e historiadores se arriscam em narrativas delineando um "panorama geral", mostram a mesma estranha tendência de acabar com alguma variação menos importante de Rousseau. Por exemplo, o livro *The Creation of Inequality: How our Prehistoric Ancestors Set the Stage for Monarchy, Slavery, and Empire*, de Flannery e Marcus (2012), proporciona toda uma gama de percepções interessantes sobre como a desigualdade *poderia* emergir em sociedades humanas, mas a contextualização geral da história continua sendo explicitamente associada ao segundo *Discurso* de Rousseau, concluindo que a melhor esperança da humanidade de um futuro mais igualitário é "pôr caçadores e coletores a cargo de tudo". O estudo mais bem embasado economicamente de Walter Scheidel, *Violência e a história da desigualdade desde a Idade da Pedra até o século XXI* (2017), conclui — de forma igualmente desanimadora — que na verdade não há nada que possamos fazer em relação à desigualdade: a civilização sempre encarrega uma pequena elite que vai se apossando de uma parte cada vez maior do bolo, e a única coisa que já conseguiu derrubá-la com sucesso foi a catástrofe, na forma de guerra, peste, alistamento militar em massa, sofrimento e morte por atacado. Meias medidas nunca funcionam. Então, se você não quer voltar a morar numa caverna, nem morrer num holocausto nuclear (que presumivelmente também termina com os sobreviventes em cavernas), vai ter que aceitar a existência de Warren Buffett e Bill Gates.

7. Rousseau, 1984 [1754], p. 78.

8. Conforme articulado por Judith Shklar (1964), a renomada teórica política de Harvard.

9. Rousseau, op. cit., p. 122.

10. Na realidade, Rousseau, ao contrário de Hobbes, não era um fatalista. Para Hobbes, todas as coisas na história, grandes e pequenas, deveriam ser entendidas como o desdobramento de forças colocadas em movimento por Deus, que, em última instância, estão além da capacidade de controle dos humanos (ver Hunter, 1989). Até mesmo um alfaiate fazendo uma roupa entra, desde o primeiro ponto da costura, num fluxo de emaranhamentos históricos aos quais é incapaz de resistir e dos quais em grande medida não tem consciência; suas ações precisas são minúsculos elos na grande cadeia da causalidade que é o próprio tecido da história humana, e — nessa bastante extremada metafísica do emaranhamento — sugerir que ele poderia ter feito essas coisas de algum outro jeito é negar o curso total e irreversível da história do mundo. Para Rousseau, por outro lado, o que os humanos fazem sempre poderia

ser desfeito, ou pelo menos feito de maneira diferente. Poderíamos nos libertar das correntes que nos prendem; só não seria fácil (ver, novamente, Shklar, 1964, para uma discussão clássica desse aspecto do pensamento de Rousseau).

11. Pinker, 2012, pp. 39, 43.

12. Se um traço de impaciência pode ser detectado em nossa apresentação, a razão é a seguinte: muitos autores contemporâneos parecem ter prazer em se imaginar como equivalentes modernos dos grandes filósofos sociais do Iluminismo, homens como Hobbes e Rousseau, externalizando o mesmo grande diálogo, mas com um elenco mais acurado de personagens. Esse diálogo, por sua vez, é tirado de descobertas empíricas de cientistas sociais, inclusive arqueólogos e antropólogos como nós. Contudo, na verdade a qualidade de suas generalizações empíricas quase nunca é melhor, e em alguns aspectos é provavelmente pior. Em algum ponto, é preciso tirar os brinquedos das crianças.

13. Pinker, 2012; 2018.

14. Pinker, 2012, p. 42.

15. Tilley, 2015.

16. Formicola, 2007.

17. Margaret Mead fez isso uma vez quando sugeriu que o primeiro sinal de "civilização" na história humana não foi o uso de ferramentas, mas um esqueleto de 15 mil anos que mostrava sinais de ter sido curado de um fêmur quebrado. São necessárias seis semanas, observou ela, para se recuperar de uma contusão dessas; a maioria dos animais com fêmures quebrados simplesmente morre porque seus companheiros os abandonam; uma das coisas que torna os humanos tão incomuns é que cuidamos uns dos outros em tais situações.

18. Ver nota 21. Como outros ressaltam, os ianomâmis tendem a dormir juntos, com seis até dez pessoas na mesma cama. Isso requer um grau de convivência mútua de bom grado do qual poucos teóricos sociais contemporâneos seriam capazes. Se eles fossem realmente como "selvagens ferozes" das caricaturas apresentadas nos estudos de graduação, não haveria mais ianomâmis, pois há muito tempo teriam matado uns aos outros por causa dos roncos.

19. Na realidade, longe de serem exemplares intocados de nossa "condição ancestral", os ianomâmis nos anos 1960 a 1980, quando Chagnon conduziu trabalho de campo entre eles, tinham sido expostos a décadas de incursões europeias, intensificadas pela descoberta de ouro em suas terras. Ao longo desse período, suas populações foram dizimadas por epidemias de doenças infecciosas introduzidas por missionários, garimpeiros, antropólogos e agentes governamentais; ver Kopenawa e Albert, 2013, pp. 2-3.

20. Chagnon, 1988.

21. Alguns eram sobre as estatísticas apresentadas por Chagnon, e suas alegações de que homens que atingissem um estado de pureza ritual (*unokai*) obtinham mais esposas e filhos que outros. Uma questão-chave aqui, que Chagnon nunca esclareceu inteiramente, é que o status de *unokai* não era reservado para homens que haviam matado; também podia ser atingido, por exemplo, disparando uma flecha no cadáver de um inimigo já morto, ou até causando a morte por meios não físicos, como a feitiçaria. Outros ressaltavam que a maioria dos *unokai* estavam do lado mais velho do espectro etário, e alguns detinham o status de chefes da aldeia: esses dois aspectos teriam assegurado uma prole maior, sem relação direta com a guerra. Outros ainda apontavam uma lógica falha no argumento de Chagnon de que o homi-

cídio atuava tanto como empecilho para assassinatos posteriores (com o *unokai* adquirindo uma reputação de sujeito feroz), ao mesmo tempo em que mantinha em atividade um ciclo de mortes por vingança por parte dos amargurados familiares do morto: um tipo de "guerra de todos contra todos". As críticas a Chagnon podem ser encontradas em Albert, 1989; Ferguson, 1989; e ver Chagnon, 1990, para uma resposta.

22. Geertz, 2001. Acadêmicos são muito propensos a um fenômeno chamado "cismogênese", que exploraremos em vários pontos deste livro.

23. Os elaboradores da Constituição dos Estados Unidos, por exemplo, eram bem explicitamente antidemocráticos e deixavam claro em suas próprias declarações públicas que conceberam seu Governo Federal em grande parte para eliminar o risco de a "democracia" irromper em uma das antigas colônias (estavam preocupados em especial com a Pensilvânia). Nessa mesma época, um processo direto de tomada de decisões de maneira de fato democrática já vinha sendo praticado regularmente em várias partes da África ou da Amazônia, ou ainda, nesse sentido, nas assembleias de camponeses russas ou francesas, por milhares de anos; ver Graeber, 2007(b).

24. Por exemplo, não seria necessário perder tempo elaborando argumentos intricados para os motivos por que, digamos, formas democráticas de tomada de decisão existentes fora da Europa não são democracia "de verdade", discussões filosóficas sobre a natureza levadas a cabo com uma lógica rigorosa não são ciência "de verdade" etc.

25. Chagnon (1998, p. 990) optou por terminar seu famoso artigo *Science* com um relato anedótico a esse respeito: "um insight particularmente aguçado sobre o poder da lei para impedir matar por vingança me foi fornecido por um jovem ianomâmi em 1987. Ele aprendera espanhol com missionários e foi enviado para a capital do território para treinamento prático em enfermagem. Ali descobriu a polícia e as leis. Empolgado, me contou que havia visitado o maior *pata* [governante territorial] da cidade e o instou a tornar a lei e a polícia acessíveis a seu povo, de modo que eles não se envolvessem mais em suas guerras de vingança e tivessem que viver em constante medo".

26. Pinker, 2012, p. 54.

27. Conforme relatado por Valero a Ettore Biocca e publicado em 1965 sob autoria do último.

28. Ver as evidências compiladas por J. N. Heard, "The Assimilation of Captives on the American Frontier in the Eighteenth and Nineteenth Centuries" (1977).

29. Em *Letters to an American Farmer* (1782), J. Hector St. John de Crèvecoeur conta que, no fim de uma guerra, os pais visitavam aldeias indígenas para retomar seus filhos: "Para sua inexprimível tristeza, eles os encontravam tão completamente indianizados que muitos não mais os reconheciam, e aqueles cujas idades mais avançadas lhes permitiam se lembrar de seus pais e mães recusavam-se terminantemente a segui-los, e corriam para seus pais adotivos em busca de proteção contra as efusões de amor que seus infelizes pais reais lhes impingiam". (Citado em Heard, op. cit., pp. 55-6, que também comenta a conclusão de Crèvecoeur de que os indígenas devem possuir um "vínculo social singularmente cativante, e muito superior a qualquer coisa da qual possamos nos vangloriar.")

30. Franklin, 1961 [1975], pp. 481-3.

31. "Ai de mim! Ai de mim!", escreveu James Willard Schultz, um rapaz de dezoito anos de uma proeminente família de Nova York que se casou e se estabeleceu entre os Blackfoot,

permanecendo com eles até que foram levados para uma reserva. "Por que essa vida simples não pôde continuar? Por que os [...] enxames de colonizadores tiveram que invadir essa terra maravilhosa, e roubado de seus donos tudo que fazia com que a vida valesse a pena ser vivida? Eles não conheciam preocupação, nem fome, nem necessidade de nenhum tipo. Da minha janela aqui, ouço o rugido de uma grande cidade, e vejo as multidões apressadas [...] 'presas à roda' e não há escapatória exceto a morte. E isso é civilização! Eu, por mim, afirmo que não há nenhuma [...] felicidade nisso. Os índios nas planícies [...] só eles sabiam o que eram contentamento e felicidade perfeitos, e que, como nos é dito, são o principal objetivo e finalidade dos homens — serem livres de necessidades, de preocupações e de cuidados. A civilização jamais fornecerá isso, exceto para muito, muito poucos." (Schultz, 1935, p. 46; ver também Heard, 1977, p. 42.)

32. Ver Heard, 1977, p. 44, e suas referências.

33. Por exemplo, as sociedades wendats ("huronianas") do nordeste da América do Norte no século XVII — para as quais nos voltamos no próximo capítulo — de quem Trigger (1976, p. 62) comenta que: "Relações de amizade e reciprocidade material eram extensivas para além da confederação huroniana na forma de arranjos comerciais. No período histórico, o comércio foi uma fonte não só de bens de luxo, mas de carne e peles que eram vitais para uma população que tinha excedido os recursos de seu território de caça imediato. Por mais importantes que fossem esses bens, no entanto, o comércio com estrangeiros não era só uma atividade econômica. Estava embutido numa rede de relações sociais que eram, fundamentalmente, *extensões de relações amigáveis* que existiam dentro da confederação huroniana" (grifo nosso). Para um levantamento antropológico geral de "comércio arcaico", a fonte clássica continua sendo Servet, 1981; 1982. A maioria dos arqueólogos contemporâneos conhece bem essa literatura, mas tende a enredá-la em debates sobre a diferença entre "comércio" e "troca de presentes", assumindo que o objetivo de ambos é aprimorar o status de um indivíduo, seja por lucro ou por prestígio, ou ambos. A maioria há de reconhecer que existe algo inerentemente valioso, e até mesmo significativo em termos cosmológicos, no fenômeno de viajar, conhecer lugares remotos ou adquirir materiais exóticos; mas, em última análise, também muito disso parece ser reduzido a questões de status ou prestígio, como se não pudesse existir nenhuma outra motivação possível para pessoas interagirem através de longas distâncias; para uma discussão adicional sobre essas questões, ver Wengrow, 2010(b).

34. Sobre "economias de sonho" entre iroqueses, ver Graeber, 2001, pp. 145-9.

35. Segundo a interpretação de Charles Hudson (1976, pp. 89-91) do relato de Cabeza de Vaca.

36. DeBoer, 2001.

2. LIBERDADE PERVERSA [pp. 42-94]

1. Em seu *Europe Through Arab Eyes, 1578-1727* (2009), Nabil Matar considera a relativa falta de interesse pela Europa dos francos entre os escritores medievais muçulmanos e as possíveis razões para isso (esp. pp. 6-18).

2. Muitos exemplos dessa tendência são discutidos em David Allen Harvey, *The French Enlightenment and its Others*, de 2012.

3. Um exemplo notório foi o de Christian Wolff, o mais famoso filósofo alemão no período entre Leibniz e Kant — ele também era sinófilo e dava palestras sobre a superioridade do governo nos moldes chineses, e acabou denunciado por um colega invejosos às autoridades, que emitiram um mandado para sua prisão, obrigando-o a fugir para salvar sua vida.

4. Algumas declarações clássicas, em especial as referentes à América do Norte, são encontradas em: Chinard, 1913; Healy, 1958; Berkhofer, 1978(a), 1978(b); Dickason, 1984; McGregor, 1988; Cro, 1990; Pagden, 1993; Sayre, 1997; Franks, 2002.

5. Por exemplo, Grinde, 1977; Johansen, 1982, 1998; Grinde e Johansen, 1990; Sioui, 1992; Levy, 1996; Tooker, 1988; 1990; e cf. Graeber, 2007. A literatura especializada, porém, concentra-se no impacto de ideias dos indígenas sobre os colonizadores norte-americanos, e acabou atolada numa discussão sobre a "influência" específica da confederação política iroquesa sobre a Constituição dos Estados Unidos. O argumento original era na verdade muito mais amplo, indicando que colonizadores europeus nas Américas só vieram a pensar em si mesmos como "americanos" (em vez de ingleses ou franceses ou holandeses) quando começaram a adotar certos elementos dos padrões e das sensibilidades dos ameríndios, desde o tratamento indulgente das crianças até ideais de autogovernança republicana.

6. Alfani e Frigeni, 2016.

7. A melhor fonte em língua inglesa sobre esses debates é Pagden, 1982.

8. Um dos rivais de Rousseau na competição de ensaios, o Marquês d'Argenson, que também não foi premiado, apresentou precisamente este argumento: a monarquia permitia a mais verdadeira igualdade, afirmou ele, e a monarquia absoluta, a maior de todas, já que todos se igualam perante o poder absoluto do rei.

9. Lovejoy e Boas (1935) compilam e fornecem comentários sobre todos os textos relevantes.

10. Conforme nos sugere Barbara Alice Mann (numa comunicação pessoal), mulheres burguesas podem ter apreciado especialmente *Relations des jésuites* porque lhes permitia ler discussões sobre a liberdade sexual das mulheres numa forma que era inteiramente aceitável para a Igreja.

11. David Allen Harvey (2012, pp. 75-6), por exemplo, coloca os *Dialogues* de Lahontan (sobre os quais tratamos em breve) numa classe literária em que estão as obras de Diderot e Rousseau, escritores que tiveram pouca ou nenhuma experiência dos povos ameríndios, mas os invocavam como "Outros discursivamente construídos com os quais interrogar costumes e civilização europeia". Ver também Pagden, 1983; 1993.

12. Raramente parece ocorrer a alguém que (1) só existe uma quantidade limitada de argumentos lógicos que *podem de fato* ser feitos, e pessoas inteligentes em circunstâncias similares apresentarão abordagens retóricas semelhantes, e (2) é provável que autores europeus versados nos clássicos demonstrariam maior interesse por argumentos semelhantes aos que já conhecessem da retórica grega ou romana. Obviamente, esses relatos não fornecem um acesso direto às conversas originais, mas insistir que essa relação nunca existiu parece igualmente absurdo.

13. Tecnicamente, os huronianos eram uma confederação de povos de língua iroquesa que existia na época em que os franceses chegaram, porém posteriormente se espalharam sob os ataques dos haudenosaunees para o sul e então se restabeleceram como os wyandot ou

wendat, junto com refugiados da Confederação Petun e da Confederação Neutra. Seus descendentes contemporâneos preferem o nome wendat (pronuncia-se "wendot"), observando que "huroniano" era originalmente um insulto, que significa (a depender da fonte) ou "com pelo de porco" ou "fedido". Fontes da época usam "huronianos", e embora tenhamos seguido o uso de Barbara Mann mudando o termo para "wendat", quando citamos fontes de língua indígena como Kondiaronk, mantivemos a grafia das fontes europeias.

14. Citado em Ellingson, 2001, p. 51.

15. Os recoletos eram um ramo da Ordem Franciscana que fazia votos de pobreza, e estiveram entre os primeiros missionários despachados para a Nova França.

16. Sagard, 1939 [1632], p. 192.

17. Ibid., pp. 88-9.

18. Wallace, 1958; cf. também Graeber, 2001, cap. 5.

19. Reuben Gold Thwaites (Org.), *The Jesuit Relations and Allied Documents: Travels and Explorations of the Jesuit Missionaries in New France, 1610-1791* (Cleveland, OH: 1896--1901. 73 v.), v. 6, pp. 109-10/241 (daqui em diante, apenas *JR*). A expressão "capitão" é usada indiscriminadamente nas fontes francesas para qualquer homem em posição de autoridade, seja um simples chefe de bando ou aldeia, ou o detentor de um posto hierárquico oficial na Confederação Wendat ou Haudenosaunee.

20. *JR*, v. 28, p. 47.

21. *JR*, v. 28, pp. 48-9, cf. *JR*, v. 10, pp. 211-21.

22. *JR*, v. 28, pp. 49-50. Eis aqui outro padre jesuíta diferente voltando à imagem do burro: "Não há nada tão difícil quanto controlar as tribos da América. Todos esses bárbaros têm a lei dos asnos selvagens — nascem, vivem e morrem numa liberdade sem restrição, não sabem o que se entende por rédea ou freio. Para eles, dominar as próprias paixões é considerado uma grande piada, enquanto dar rédeas livres aos sentidos é uma filosofia sublime. A Lei do nosso Senhor está muito afastada desse comportamento dissoluto; ela nos dá fronteiras e prescreve limites, fora dos quais não podemos pisar sem ofender Deus e a razão" (*JR*, v. 12, pp. 191-2).

23. *JR*, v. 5, p. 175.

24. *JR*, v. 33, p. 49.

25. *JR*, v. 28, pp. 61-2.

26. *JR*, v. 15, p. 155; também em Franks, 2002, p. 4; cf. Blackburn, 2000, p. 68.

27. No entanto, não eram aceitos com unanimidade. A maioria dos jesuítas ainda era adepta à velha doutrina renascentista de que os "selvagens" haviam sido um dia um nível mais elevado de graça e civilização, mas tinham degenerado (Blackburn, 2000, p. 69).

28. Uma resenha abrangente da literatura de autoria de Ellingson (2001) revela que a visão de que observadores europeus costumavam romantizar aqueles que consideravam selvagens é totalmente infundada; até mesmo os relatos mais positivos tendiam a ser bastante matizados, reconhecendo tanto virtudes como vícios.

29. Segundo algumas fontes da época, e tradições orais wendats (Steckley, 1981).

30. As histórias oficiais alegam que ele se converteu bem no fim da vida, e é verdade que foi enterrado como cristão na Igreja de Notre Dame em Montreal, porém Mann argumenta convicentemente que a história da conversão no leito de morte e do enterro provavelmente foi uma mera trama política por parte dos missionários (Mann, 2001, p. 53).

31. Chinard,1931; Allen, 1966; Richter, 1972; Betts, 1984, pp. 129-36; Ouellet, 1990, 1995; White, 1991; Basile, 1997; Sayre, 1997; Muthu, 2003, pp. 25-9; Pinette, 2006; mas, para uma exceção significativa, ver Hall, 2003, pp. 160 ss.

32. Sioui, 1972, 1992, 1999; Steckley, 1981, 2014, pp. 56-62; Mann, 2001.

33. Mann, 2001, p. 55.

34. Ibid., pp. 57-61.

35. Lahontan, 1704, pp. 106-7. As referências citadas são da edição inglesa de 1735 dos *Dialogues*, mas a tradução neste caso é uma combinação dessa, da de Mann (2002, pp. 67-8) e da nossa própria. As traduções subsequentes são nossas, com base na edição de 1735.

36. "Supondo que ele seja tão poderoso e grandioso, qual é a probabilidade de que um ser tão insondável tivesse se feito homem, habitado na miséria e morrido na infâmia, apenas para perdoar o pecado de alguma criatura ignóbil que estava muito abaixo dele, da mesma maneira que uma mosca está abaixo do sol e das estrelas? De minha parte, parece que acreditar num deslocamento dessa natureza é duvidar do alcance inimaginável da sua onipotência, ao mesmo tempo fazendo premissas extravagantes sobre nós mesmos." (citado em Mann, p. 66).

37. Bateson, 1935; 1936.

38. Sahlins, 1999, pp. 402, 414.

39. Allan, 1966, p. 95.

40. Ouellet, 1995, p. 328. Após um hiato, outra enxurrada de peças semelhantes com heróis indígenas foi produzida nos anos 1760: *La Jeune Indienne* (1764) de Chamfort e *Le Huron* (1768) de Marmontel.

41. Ver Harvey (2012) para um bom sumário recente do impacto das perspectivas estrangeiras, reais ou imaginárias, sobre o pensamento social do Iluminismo francês.

42. A expressão é de Pagden (1983).

43. Etienne, 1876; cf. Kavanagh, 1994. Em 1752, mais ou menos na época em que apareceu a segunda edição de Graffigny, um ex-soldado, espião e diretor de teatro chamado Jean Henri Maubert de Gouvest lançou um romance chamado *Lettres Iroquois* [Cartas iroquesas], a correspondência de um viajante iroquês imaginário chamado Igli, que também teve grande sucesso.

44. "Sem ouro, é impossível adquirir uma parte deste mundo cuja natureza foi dada em comum a todos os homens. Sem o que eles chamam de propriedade, é impossível ter ouro, e por uma inconsistência que é um ultraje ao senso comum natural, e que exaspera a razão de qualquer um, essa altiva nação, seguindo um código de honra vazio que é uma invenção inteiramente própria, considera uma desgraça receber de qualquer pessoa que não o soberano qualquer coisa que seja necessária para sustentar sua vida e posição" (de Graffigny, 2009 [1747], p. 58).

45. Meek, 1976, pp. 70-1. Turgot estava escrevendo às vésperas da Revolução Industrial. Evolucionistas posteriores simplesmente substituíram "mercantil" por "industrial". Não existia nenhuma sociedade pastoril no Novo Mundo, mas por algum motivo os primeiros evolucionistas jamais pareceram considerar isso um problema.

46. É preciso observar que a questão é formulada em termos tradicionais: as artes e ciências são encaradas não como em progresso, e sim ainda em processo de estarem sendo restauradas à glória anterior (e presumivelmente antiga). Foi só no decorrer da década seguinte que as noções de progresso se tornaram aceitas em larga escala.

47. Esta é a terceira nota de rodapé do *Discurso sobre as ciências e as artes*, às vezes mencionado como "O primeiro discurso". O ensaio de Montaigne "Sobre canibais", escrito em 1580, parece ser o primeiro a considerar perspectivas indígenas americanas sobre sociedades europeias, como visitantes tupinambás questionando a arbitrariedade da autoridade real e por que os sem-teto não incendiavam as casas dos ricos. O fato de que tantas sociedades pareciam manter paz e ordem social sem instituições coercitivas — ou até mesmo, segundo parecia, instituições formais de governo de qualquer tipo — chamou a atenção de observadores europeus desde muito cedo. Leibniz, por exemplo, que, conforme já vimos, havia muito tempo vinha promovendo modelos chineses de burocracia como a corporificação do modo racional de governar, sentia que era isso o que havia de significativo no testemunho de Lahontan: a possibilidade de que um governo talvez não fosse absolutamente necessário (Ouellet, 1995, p. 323).

48. Rousseau, 1984 [1754], p. 109.

49. Rousseau descrevia a si mesmo como ávido leitor de relatos de viagem e cita Lebeau, que basicamente resume Lahontan, bem como *l'Arlequin sauvage* (Allan, 1966, pp. 97-8; Muthu, 2003, pp. 12-3, 25-8; Pagden, 1983, p. 33). É extremamente improvável que Rousseau não tenha lido Lahontan no original, mas, mesmo que não o tenha feito, isso significaria apenas que havia chegado aos mesmos argumentos em segunda mão.

50. Outros exemplos: "O cultivo da terra necessariamente provocou sua distribuição; e a propriedade, uma vez reconhecida, deu origem às primeiras regras de justiça; pois, para assegurar a cada homem sua posse, devia ser possível para cada um ter alguma coisa. Além disso, à medida que os homens começaram a olhar para a frente, para o futuro, e todos tinham algo a perder, todo mundo tinha motivo de apreender que se seguiriam represálias a qualquer prejuízo que um pudesse provocar ao outro". Compare essa passagem com o argumento de Kondiaronk, citado anteriormente, de que os wendats evitavam divisões de riqueza porque não tinham desejo de criar um sistema legal coercitivo. Montesquieu usou o mesmo argumento ao discutir os osages, observando que "a divisão de terras é o que principalmente aumenta o código civil. Entre nações onde não foi feita essa divisão há pouquíssimas leis civis" — uma observação que parece derivada em parte da conversa de Montesquieu com membros da delegação osage que visitou Paris em 1725 (Burns, 2004, p. 362).

51. Ver Graeber, 2011, pp. 203-7.

52. O próprio Rousseau tinha fugido de casa com pouca idade, escrevendo para o pai relojoeiro suíço que aspirava viver "sem a ajuda de outros".

53. Barruel, 1799, p. 104. A citação é de um tratado anti-Illuminati, alegando ser o "Código dos Illuminati", e todo esse discurso está tão envolto em rumores e acusações que não podemos sequer estar inteiramente seguros que nossas fontes não o tenham simplesmente inventado; mas, em certo sentido, não tem muita importância, uma vez que a questão principal é que a direita via as ideias de Rousseau como inspiradoras de atividade revolucionária de esquerda.

54. Não está inteiramente claro se a doutrina dos Illuminati foi de fato revolucionária, uma vez que o próprio Weisthaupt mais tarde a renegou — depois que a sociedade foi banida e ele próprio expulso da Baviera — e a caracterizou como puramente reformista; mas seus inimigos, claro, garantiram que seus protestos eram insinceros.

55. A diferença-chave é que Rousseau vê o progresso solapando uma natureza humana essencialmente benevolente, enquanto o pensamento conservador clássico tende a vê-lo como tendo minado costumes e formas de autoridade que outrora haviam sido capazes de conter aspectos menos benevolentes da natureza humana.

56. Sem dúvida, existe, *sim*, uma tendência, em toda essa literatura, diante de sociedades que não lhe são familiares, de tratá-las como inteiramente boas ou más. Colombo já fez isso nos anos 1490. Só estamos dizendo que isso não significa que nada do que tenha sido dito representava suas reais perspectivas sobre aqueles que encontraram.

57. Chinard, 1913, p. 186, na tradução de Ellingson, 2001, p. 383. Uma passagem semelhante: "Rebeldes contra todas as restrições, todas as leis, todas as hierarquias, o barão Lahontan e seu selvagem americano são anarquistas propriamente ditos. Os *Dialogues* não são nem um tratado político nem uma dissertação erudita, são o clamor das trombetas de um jornalista revolucionário; Lahontam abre caminho não só para Jean-Jacques Rousseau, mas para o padre Duchesne e os revolucionários socialistas modernos, e tudo isso só dez anos antes da morte de Luís xiv" (Chinard, 1913, p. 185; tradução nossa para o inglês).

58. Ellingson, 2003, p. 383.

59. A construção "uma raça diferente da nossa" obviamente pressupõe que os nativos americanos não leem livros, ou que aqueles entre eles que o fazem não devem ser levados em consideração.

60. Chinard, 1913, p. 214.

61. "Sua imaginação não pinta figuras; seu coração não lhe faz exigências. Suas poucas necessidades são tão prontamente supridas, e ele está tão longe de ter o conhecimento necessário para fazer com que queira mais, que não pode ter nem antevisão nem curiosidade [...]. Sua alma, a qual nada perturba, está totalmente envolta no sentimento de sua existência presente, sem nenhuma ideia de futuro, por mais próximo que esteja; ao passo que seus projetos, tão limitados como seus pontos de vista, dificilmente se estendem para o fim do dia. Assim é, mesmo no presente, a extensão da antevisão do nativo caribenho: ele venderá imprudentemente a você sua cama de algodão pela manhã, e virá à noite implorando para comprá-la de volta, não tendo previsto que iria querê-la de novo na próxima noite" (Rousseau, 1984 [1754], p. 90).

62. "Fraternidade" poderia parecer a estranha no ninho, pelo menos no que se refere às influências ameríndias — embora se possa argumentar que ecoa o auxílio e apoio mútuos que os observadores americanos com tanta frequência citavam. Montesquieu, em *O espírito das leis*, cita com grande pertinência o senso de compromisso fraterno entre os osages, e seu livro foi uma influência poderosa sobre teóricos políticos tanto da Revolução Francesa como da Guerra de Independência dos Estados Unidos; como veremos no capítulo 11, ao que tudo indica o próprio Montesquieu se encontrou com uma delegação osage em visita a Paris, e suas observações podem estar baseadas na comunicação direta com eles (Burns, 2004, pp. 38, 362).

63. Considerando que as mulheres controlavam a terra e sua produção e também a maioria dos outros recursos produtivos, mas os homens controlavam a maioria das instâncias políticas relevantes.

3. DESCONGELANDO A ERA GLACIAL [pp. 95-138]

1. A referência mais respeitada, com o século XIX já avançado, era que *James Usher, Arcebispo de Armagh*, publicado pela primeira vez em 1650, considerava ser importante notar que ninguém menos que Sir Isaac Newton propôs um cálculo alternativo, sugerindo que a data real era 3988 a.C.

2. Devemos a expressão ao relato de Thomas Trautmann (1992) dessa "revolução no tempo". Embora o campo da antropologia tenha surgido durante a "década de Darwin" (ou seja, entre a publicação de *A origem das espécies* em 1859 e *A origem do homem* em 1871), na verdade não foi o darwinismo, mas as escavações arqueológicas que estabeleceram a escala temporal da pré-história humana como a conhecemos. A geologia pavimentou o caminho, substituindo a visão inspirada na Bíblia da gênese terrestre como uma série de levantes titânicos rápidos por um relato mais mecanicista e gradual das origens de nosso planeta. Estudos mais detalhados do desenvolvimento terrestre da pré-história científica e de como evidências fósseis e ferramentas de pedra vieram a se encaixar pela primeira vez nessa cronologia expandida da vida na Terra podem ser encontrados em Schnapp, 1993, e Trigger, 2006.

3. As principais descobertas estão resumidas em Scerri et al., 2018. Para um relato mais acessível, ver também o artigo de destaque de Scerri na *New Scientist*, "Origin of our species: Why humans were once so much more diverse", publicado on-line (25 abr. 2018).

4. O Saara parece ter atuado como uma espécie de catraca para a evolução humana, periodicamente tornando-se verde e depois seco de novo, com o avanço/ recuo cíclico de chuvas de monções, abrindo e fechando os portões da interação entre as partes norte e sul do continente africano (ver Scerri, 2017).

5. Os geneticistas supõem, de forma bastante razoável, que houve uma boa dose de intercâmbio genético.

6. Green et al., 2010: Reich et al., 2010. Evidências fósseis nos informam que as primeiras expansões de humanos modernos para fora da África começaram já há 210 mil anos (Harvati et al., 2019), mas essas eram muitas vezes apenas tentativas, e de duração bastante curta, pelo menos até irradiações mais decisivas da nossa espécie começarem por volta de 60 000 a.C.

7. Caçadores-coletores históricos e recentes, como veremos, apresentam uma enorme gama de possibilidades, desde grupos assertivamente igualitários como os ju/'hoansi do Kalahari, os mbendjele ba yaka do Congo ou os agta nas Filipinas até grupos assertivamente hierárquicos como as populações na costa noroeste do Canadá, os calusa das ilhas do sul da Flórida ou os moradores das florestas guaicurus do Paraguai (estes últimos, longe de serem igualitários, são conhecidos por tradicionalmente terem mantido escravizados em cativeiro e vivido em sociedades hierarquizadas). Indicar qualquer subconjunto particular de forrageadores recentes como representativos de uma "sociedade humana antiga" se resume na prática a escolher a dedo as evidências mais convenientes.

8. Hrdy, 2009.

9. Will, Conard e Tryon, 2019, com referências adicionais.

10. Para importantes resenhas e críticas da ideia da "Revolução Humana", ver McBrearty e Brooks, 2000; Mellars et al., 2007.

11. O termo "estatueta de Vênus" ainda é amplamente usado, mas tem elos com o racismo científico no século xix e início do século xx, quando comparações diretas eram feitas entre imagens pré-históricas e a anatomia de indivíduos modernos considerados espécimes da humanidade em suas formas "primitivas". Um trágico exemplo é a história de vida de Sara Baartman, uma mulher cói exibida pela Europa como uma "aberração" devido às enormes nádegas, sob o nome artístico de "Vênus Hotentote". Ver Cook, 2015.

12. Renfrew, 2007.

13. O caso contra o excepcionalismo europeu foi apresentado por Sally McBrearty e Alison Brooks numa publicação-chave (2000); e desde então tem sido suplementado por descobertas na Ásia Meridional (James e Petraglia, 2005) e África (Deino et al., 2018).

14. Shipton et al., 2018.

15. Aubert et al., 2018.

16. É concebível que isso incluísse a elaboração de arte rupestre; Hoffman et al., 2018.

17. Esforços recentes para estimar a população humana global no início do Paleolítico Superior (conhecido como período Aurignaciano) sugerem um número médio de apenas 1500 pessoas para toda a Europa Central e Ocidental, o que é um valor notavelmente baixo; Schmidt e Zimmermann, 2019.

18. Para a relação entre densidade demográfica e transmissão cultural aprimorada na Europa do Paleolítico Superior, ver os argumentos (2009) de Powell, Shennan e Thomas.

19. Obviamente, apenas como último recurso, e em geral medidas extremas são empregadas para assegurar aquilo que é realmente necessário: na região rural de Madagascar, por exemplo, quando a polícia era na prática inexistente, a regra habitual era que o indivíduo só podia ser linchado ser os pais dessem permissão primeiro — o que no fim se revelava um método eficaz para simplesmente expulsar a pessoa da cidade (David Graeber, observação de campo).

20. Boehm, 1999, pp. 3-4.

21. De início, erroneamente se pensava se tratar de um menino e uma garota; sobre novas evidências genéticas a respeito, ver Sikora et al., 2017.

22. Mais uma vez, estudos genéticos modernos do enterro grupal em Dolní Věstonice confirmaram a identidade masculina de todos os três enterrados, o que estava anteriormente em dúvida; Mittnik, 2016.

23. Evidências encontradas nesses vários locais estão convenientemente resumidas e avaliadas em Pettitt, 2011, com referências adicionais; e ver também Wengrow e Graeber, 2015.

24. Ver, por exemplo, White, 1999; Vanhaeren e D'Errico, 2005. A hereditariedade é dificilmente a única explicação possível para a associação de riqueza com filhos: em muitas sociedades onde a riqueza circula sem impedimentos (por exemplo, onde por convenção social é impossível recusar um pedido de dar um colar ou um bracelete para um admirador), diversos ornamentos acabam adornando crianças para serem mantidos fora de circulação. Se ornamentos elaborados fossem enterrados em parte para tirá-los de circulação, de modo a não criar distinções que causem inveja, sepultá-los com crianças poderia ser a maneira ideal de conseguir isso.

25. Schmidt, 2006; e para um conveniente resumo ver também: <www.dainst.blog/the-tepe-telegrams/>.

26. Conforme aventado por Haklay e Gopher (2020), com base em correspondências e regularidades geométricas encontradas entre as plantas baixas de três grandes recintos; mas as dúvidas permanecem, pois o estudo não leva em conta as sequências de construção complexas e dinâmicas que estão por trás dos cercados, e compara fases de construção que não são exatamente coetâneas.

27. Acemoğlu e Robinson, 2009, p. 679; e ver também Dietrich et al., 2019; Flannery e Marcus, 2012, pp. 128-31.

28. Para o caráter monumental de estruturas mastodônticas, em seu ambiente na Era Glacial, ver Soffer, 1985; Iakovleva, 2015, pp. 325, 333. Conforme comentamos mais adiante, pesquisa recente de Mikhail Sablin, Natasha Reynolds e outros mostra que os termos "casas" ou "habitações de mamute" podem ser enganosos em alguns casos; na verdade, a função exata dessas impressionantes estruturas pode ter variado consideravelmente através de regiões e períodos (ver também Pryor et al., 2020). Para imensos recintos de madeira como evidência de grandes encontros sazonais, ver Zheltova, 2015.

29. Sablin, Reynolds, Iltsevich e Germonpré (manuscrito em preparação; tornado acessível para nós por cortesia de Natasha Reynolds).

30. Ibid.

31. Na verdade, até mesmo crianças pequenas costumam ser mais imaginativas que isso e, como todos sabemos, passam uma parte considerável do tempo construindo papéis alternativos e mundos simbólicos para habitá-los. Robert L. Kelly, em seu magistral levantamento do "espectro dos forrageadores", oferece uma enunciação clara do problema relativo a populações forrageadoras, propondo um estudo da "pré-história caçadora-coletora em termos diferentes de amplos contrastes topológicos tais como generalizado versus especializado, simples versus complexo, armazenador versus não armazenador, ou retorno imediato versus retardado" (2013, p. 274). Ainda assim, notamos que, na parte principal de seu estudo, o próprio Kelly mantém exatamente esse tipo de dicotomia entre caçadores-coletores "igualitários" e "não igualitários" como tipos distintos de sociedade com características internas supostamente fixas (tabuladas como um contraste binário entre formas "simples versus complexas"; Kelly, 2013, p. 242, tabela 9-1).

32. O historiador britânico Keith Thomas, por exemplo, compilou toda uma lista de rejeições casuais do cristianismo a partir de fontes inglesas medievais e renascentistas. "O bispo de Exeter queixou-se em 1600 que em sua diocese era 'uma questão muito comum discutir se existe um Deus ou não' [...]. Em Essex, contava-se que um fazendeiro em Bradwell-near-the--Sea 'mantinha sua opinião de que todas as coisas vêm da natureza, e afirma isto na condição de ateu' [...]. Em Wing, Rutlândia, em 1633, Richard Sharpe foi acusado de dizer 'não existe um Deus e não há alma para salvar'. De Durham, em 1635, veio o caso de Brian Walker que, quando perguntado se não temia a Deus, retrucou que 'Eu não acredito que haja nem Deus nem Diabo; e também não vou acreditar em nada que eu não possa ver': como uma alternativa para a Bíblia, recomendava 'o livro chamado Chaucer'" (1978, p. 202). A diferença, claro, é que enquanto expressar essas opiniões entre os winnebagos podia fazer de você objeto da diversão alheia, sob o governo da rainha Elizabeth ou do rei Jaime podia significar sérios apuros — como evidenciado pelo fato de que conhecemos a maioria dessas pessoas através da documentação de seus julgamentos.

33. Beidelman, 1971, pp. 391-2. O relato pressupõe que profetas são homens, mas também há casos documentados de profetisas. Douglas Johnson (1997) fornece a história definitiva de profetas nueres no começo do século xx.

34. Lévi-Strauss, 1967 [1944], p. 61.

35. Lee e Devore, 1968, p. 11. De nada adiantou, talvez, que Lévi-Strauss tenha oferecido um epílogo sóbrio para *Man the Hunter*, que deixou de ser lido.

36. Formicola (2007) analisa as evidências; e ver também Trinkaus, 2018; Trinkaus e Buzhilova, 2018.

37. Este é o padrão geral (Pettitt, 2011). Obviamente, não é um padrão universal — o anão Romito, por exemplo, não parece ter sido sepultado com bens tumulares.

38. Os arqueólogos observaram estreitas associações espaciais entre locais de agregação maiores no Paleolítico Superior (Magdaleniano) no Périgord francês e pontos de estrangulamento naturais ou "gargalos" ao longo da Dordonha e do Vézère tais como fiordes ou meandros: locais ideais para interceptar hordas de renas nas suas migrações sazonais (Write, 1985). No norte da Espanha, os famosos sítios nas cavernas de Altamira e Castillo foram há muito identificados como locais de encontro com base em sua localização topográfica e preponderância de recursos naturais como cervos, íbexes e mariscos entre os restos de animais ali encontrados (Straus, 1977). Na "estepe gigantesca" periglacial da Rússia Central, assentamentos espetacularmente grandes como Mezhirich e Mezin — com suas habitações de ossos de mamute, pontos fixos de armazenamento e abundantes evidências de arte e comércio — estavam alinhados em importantes sistemas fluviais (Dnepr e Desna), que também canalizavam os movimentos norte-sul de bisões das estepes, cavalos, renas e mamutes (Soffer, 1985). De forma similar, os montes Pavlov, na Morávia meridional, onde está localizada Dolní Věstonice, um dia fizeram parte de um estreito cinturão de floresta-estepe, ligando as zonas não glaciadas da Europa Oriental e Ocidental (ver contribuições de Jiří Svoboda, em Roebroecks et al., 2000). Habitações usadas o ano inteiro sem dúvida eram possíveis em alguns desses locais, mas ainda assim é provável que as densidades populacionais flutuassem de forma acentuada nas diferentes estações. Recentemente, arqueólogos começaram a usar técnicas analíticas mais refinadas — como o estudo microscópico de padrões de crescimento em dentes e chifres de animais, além medições indicativas de variação sazonal, tais como índices de isótopos estáveis em restos animais — para determinar os padrões de migração e dietas dos animais caçados (para um proveitoso levantamento, ver Prendergast et al., 2018).

39. Lang et al., 2013; Dietrich et al., 2019. Lajes de moagem, tigelas de pedra, socadores de mão, pilões e argamassa — tudo isto é encontrado em números impressionantes em Göbekli Tepe. Ver também O. Dietrich et al., 2012.

40. Parker Pearson (2012) fornece um levantamento e interpretação detalhados da arqueologia de Stonehenge, inclusive os resultados de trabalhos de campo recentes. O argumento em favor da aristocracia neolítica baseia-se em meticulosa análise de datação de restos humanos com diferentes fases na construção, o que se revela consistente com a ideia de que o primeiro círculo de pedras estava ligado a um cemitério de status elevado, onde os restos cremados de uma família nuclear foram colocados por volta do início do terceiro milênio a.C. Remoções e reconstruções subsequentes, inclusive a incorporação de imensas pedras de arenito, ao que tudo indica estavam vinculadas com rituais mortuários contínuos, uma vez

que a mesma linhagem familiar presumivelmente se expandiu de tamanho e status ao longo de período de séculos.

41. Para a rejeição do cultivo de cereais na Grã-Bretanha pré-histórica durante períodos de construção megalítica, ver Stevens e Fuller, 2012; para a sazonalidade de banquetes de carne no solstício de inverno em Durrington Walls, conforme detectado por restos de dentes, ver Wright et al., 2014.

42. Vinser et al., 2010; Madgwick et al,. 2019.

43. É claro que os humanos não estão sozinhos nisso. Primatas não humanos, como chimpanzés e bonobos, também variam o tamanho e a estrutura de seus grupos em base sazonal, de acordo com a mudança da distribuição de recursos comestíveis no que os primatologistas chamam de sistemas de "fissão-fusão" (Dunbar, 1988). Na verdade, é o mesmo que fazem todos os tipos de outros animais gregários. Porém aquilo a que Mauss estava se referindo e o que estamos considerando aqui é categoricamente diferente. Em especial para os humanos essas alternações também envolvem mudanças correspondentes na organização moral, legal e ritual. Não só alianças estratégicas, mas sistemas inteiros de papéis e instituições são passíveis de serem desmontados e reconstruídos de forma periódica, permitindo maneiras mais ou menos concentradas de viver em diferentes épocas do ano.

44. Mauss e Beuchat, 1979 [1904–5]. Vale a pena observar que política não era o aspecto das variações sazonais que eles próprios optaram por enfatizar, estando mais preocupados com o contraste entre arranjos seculares e cerimoniais e os efeitos que tinham sobre a autoconsciência do grupo. Por exemplo: "O inverno é uma estação em que a sociedade esquimó está altamente concentrada e num estado de contínua agitação e hiperatividade. Como os indivíduos são trazidos para um contato próximo uns com os outros, suas interações sociais tornam-se mais frequentes, mais contínuas e coerentes; ideias são trocadas; sentimentos são mutuamente revividos e reforçados. Por sua existência e constante atividade, o grupo torna-se mais cônscio de si e assume um lugar mais proeminente na consciência dos indivíduos" (p. 76).

45. Com certeza não é coincidência que boa parte da arte kwakiutl atua visualmente na relação de "nome", "pessoa" e "papel" — relações abertas ao escrutínio por suas práticas sazonais (Lévi-Strauss, 1982 [1976]).

46. Lowie, 1948, p. 18.

47. "Não se encontram nessas sociedades militares das Planícies os germes da lei e do Estado. Descobre-se que os germes germinaram e cresceram. São comparáveis, não antecedentes, ao nosso Estado moderno, e o que poderia parecer um problema importante para o estudo não é a investigação de como um cresceu a partir do outro, mas o que têm em comum, o que poderia lançar luz sobre a natureza da lei e do Estado" (Provinse, 1937, p. 365).

48. Grande parte do restante do ensaio de Lowie se concentra no papel dos chefes, argumentando que o poder de líderes políticos sobre as sociedades "anárquicas" das Américas era circunscrito a ponto de impossibilitar o surgimento de estruturas de coerção permanentes. Quanto aos Estados indígenas que ali se desenvolveram, conclui ele, só pode ter sido mediante o poder da profecia: a promessa de um mundo melhor, com figuras religiosas reivindicando autoridade diretamente dos deuses. Uma geração depois, Pierre Clastres deu quase exatamente o mesmo argumento em seu ensaio de 1974 *A sociedade contra o Estado*. Ele segue Lowie tão de perto que só pode ter sido inspirado diretamente. Mas, se Lowie hoje está quase

esquecido, Clastres é lembrado por argumentar que sociedades sem Estado não representam um estágio evolucionário ignorante de uma organização superior, mas se baseiam na autoconsciência e no princípio da rejeição da autoridade coercitiva. É interessante constatar que o único elemento não transportado de Lowie para Clastres é o das variações sazonais em modos de autoridade — apesar do fato de que o próprio Clastres se concentrou bastante nas sociedades amazônicas, que tinham estruturas muito diferentes em épocas diferentes do ano (ver Maybury-Lewis [Orgs.], 1979). Uma objeção comum e lógica ao argumento de Clastres, que continua mantendo uma enorme influência, é indagar como as sociedades amazônicas poderiam ter se organizado de forma consciente contra o surgimento de formas de autoridade que na verdade nunca experimentaram. Parece-nos que trazer a variação sazonal de volta para o debate contribui de maneira significativa para resolver esse dilema.

49. Reis ou senhores sazonais como "John Barleycorn" — uma variante do governante sagrado, destinado a terminar seu mandato e ser morto todo ano na época da colheita — são figuras presentes no folclore britânico até hoje, mas há pouco consenso em relação a quanto recuam no tempo além das primeiras menções escritas, no século XVI d.C. A ubiquidade desses "reis temporários" nos mitos e lendas europeus, africanos, indianos e greco-romanos foi tema do Livro III de *O ramo de ouro*, de James Frazer, que tem como título "O deus que morre".

50. Talvez uma das razões para que o artigo publicado (Lowie, 1948) tenha sido esquecido seja seu título notavelmente pouco inspirador: "Some aspects of political organisation among the American Aborigines".

51. Knight, 1991.

52. Isso é discutido em mais detalhes por David Graeber em "Notes on the politics of divine kingship: Or, elements for an archeology of sovereignity" (In: Graeber e Sahlins, 2017, cap. 7).

53. Sobre o "carnavalesco", o texto clássico é *Rabelais e seu mundo*, de Mikhail Bakhtin (1940).

54. Este não é o espaço para entrar em detalhes sobre a história desses debates, mas é interessante observar que eles emergem diretamente da pesquisa de Mauss sobre sazonalidade, que ele realizou em coordenação com seu tio, Émile Durkheim, considerado o fundador da sociologia francesa no mesmo sentido que Maus é da antropologia francesa. Em 1912, em *As formas elementares da vida religiosa*, Durkheim se baseou na pesquisa de Mauss sobre sociedades australianas indígenas para contrastar o que descreveram como existência econômica comum de bandos australianos — preocupados principalmente em conseguir comida — com a "efervescência" de suas aglomerações sazonais, chamadas *corroboree*. Era na empolgação do *corroboree*, argumenta ele, que o poder de criar a sociedade lhes aparecia, como se fosse uma força alienígena projetada em espíritos totêmicos e seus emblemas. Essa foi a primeira formulação da problemática básica que quase todos os teóricos foram forçados a enfrentar desde então: que os rituais são ao mesmo tempo momentos em que a estrutura social se manifesta e momentos de "antiestrutura" nos quais podem vir à tona novas formas sociais. A antropologia social britânica, que tomou sua inspiração teórica inicial basicamente de Durkheim, trabalhou com o problema de vários modos (de forma mais destacada nas obras de Edmund Leach, Victor Turner ou Mary Douglas). As propostas mais sofisticadas, e a nosso ver mais convincentes, para resolver o dilema atualmente são a ideia de Maurice Bloch (2008) dos rei-

nos "transcendental" versus "transacional", e o argumento de Seligman et al. (2008) de que o ritual cria um domínio da ordem no "subjuntivo" ou do "como se", conscientemente separado da realidade, que é sempre vista numa luz contrastante, como fragmentada e caótica. O ritual cria um mundo marcado como distinto e separado da vida ordinária, mas é também onde instituições de longo prazo essencialmente imaginárias (como clãs, impérios etc.) existem e são mantidas.

55. Conforme observa Peter Burke (2009, pp. 283-5), a ideia de que rituais de rebelião eram simplesmente "válvulas de escape" ou maneiras de permitir que o povo comum "liberas-se a energia acumulada" é documentada pela primeira vez apenas dois anos após a invenção da máquina a vapor — a metáfora favorita antes disso era deixar sair a pressão de um tonel de vinho. Ao mesmo tempo, porém, autoridades medievais estavam mais do que cientes do fato de que a maioria das revoltas camponesas ou insurreições urbanas começava precisa-mente durante tais momentos de ritual. Essa ambivalência sempre volta a aparecer. Rousseau já considerava que o festival popular encarnava o espírito da revolução. Essas ideias foram mais tarde desenvolvidas no ensaio seminal de Roger Caillois sobre "o festival", escrito para o Collège de Sociologie de George Bataille (trad. 2001 [1939]). O ensaio passou por duas versões preliminares, a primeira apresentando o festival como modelo de liberação social revolucio-nária, o segundo o apresentando com prenunciador do fascismo.

4. PESSOAS LIVRES [pp. 139-84]

1. Ou pelo menos bastante similares em forma e função: especialistas em análise de ferramentas de pedra pré-históricas, claro, passam boa parte do tempo diferenciando "indús-trias" específicas com base em análises refinadas, mas mesmo aqueles que se consideram mais "separadores" do que "aglutinadores" não negariam as amplas semelhanças das tradições do Paleolítico Superior — os períodos Aurignaciano, Gravettiano, Solutreano, Magdaleniano, Hamburguiano e assim por diante — através de distâncias geográficas impressionantes. Para algumas discussões recentes sobre essas questões, ver Reynolds e Riede, 2019.

2. Schmidt e Zimmerman, 2019.

3. Bird et al., 2019; ver também Hill et al., 2011.

4. Esse foi um dos motivos para o célebre desenvolvimento da linguagem de sinais entre os norte-americanos. É interessante que, em qualquer um dos casos, estamos lidando com sistemas de clãs totêmicos, o que nos leva a questionar se tais sistemas não são eles próprios formas típicas de organização de longa distância (cf. Tooker, 1971). No mínimo, o estereótipo bastante difundido de que os povos "primitivos" viam qualquer um fora de seu grupo local apenas como inimigo parece ser completamente infundado.

5. Jordan et al., 2016; ver também Clarke, 1978; Sherratt, 2004.

6. Veremos exemplos no próximo capítulo.

7. Pode-se concordar, por exemplo, com os argumentos de James C. Scott (2017), de que existe uma afinidade entre as economias baseadas em grãos e os interesses de elites predató-rias impondo sua autoridade por meio de taxação, desapropriação e tributos (sendo os grãos um recurso eminentemente visível, quantificável, apropriável e armazenável). Em nenhum

lugar, porém, Scott faz a ingênua alegação de que o plantio de cereais produzirá de forma inevitável um Estado: ele apenas mostra, por essas razões bastante pragmáticas, que uma maioria de Estados e impérios bem-sucedidos escolheram promover — e muitas vezes impor — a produção de um pequeno número de lavouras de grãos entre as populações de seus súditos, ao mesmo tempo em que desencorajavam a busca de formas de subsistência mais caóticas e fluidas, e portanto mais difíceis de administrar, tais como o pastoralismo nômade, o cultivo de hortaliças ou a caça e a coleta sazonais. Voltaremos a essas questões em capítulos posteriores.

8. Para alguns textos fundamentais, ver Woodburn, 1982, 1988, 2005.

9. Leacock, 1978; para uma argumentação mais extensa, Gardner 1991.

10. *JR*, v. 33, p. 49. Quando Lallemant afirma que os wendats nunca sequer souberam o que significa proibir alguma coisa, presumivelmente se refere à lei humana: eles estavam, sem dúvida, familiarizados com proibições rituais de um tipo ou de outro.

11. Com isso estamos dizendo que seu poder era em grande parte teatral — embora, claro, também desempenhasse um papel fundamental de aconselhamento.

12. A forma como estamos usando o termo aqui ecoa um pouco Amartya Sen (2001) e a "abordagem de capacidade" de Martha Nussbaum (2011) em relação ao bem-estar social, que também fala de "liberdades substantivas" como a capacidade de tomar parte em atividades econômicas ou políticas, viver até a velhice etc.; mas na verdade chegamos a essa expressão de forma independente.

13. Gough, 1971; ver também Sharon Hutchinson, 1996, para todas as implicações para a autonomia das mulheres, transferindo as questões para tempos pós-coloniais.

14. Evans-Pritchard, 1940, p. 182.

15. A esse respeito, é intrigante observar que todas as línguas humanas possuem uma forma imperativa; não existe sequer um povo, nem mesmo em sociedades radicalmente antiautoritárias como os hazdas, que desconheça por completo a ideia de um comando. Por outro lado, muitas sociedades claramente se organizam de maneira tal que ninguém tem a possibilidade de dar ordens a outro indivíduo de forma sistemática.

16. Neste contexto deve-se recordar que Turgot escrevia em meados do século XVIII, de modo que a maioria dos critérios que usamos nos dias de hoje para justificar a superioridade da "civilização ocidental" (um conceito que não existia na época) claramente não se aplicaria: os padrões europeus de higiene e saúde pública, por exemplo, eram lamentáveis, muito piores que os predominantes entre os povos "primitivos" da época; a Europa não tinha instituições democráticas às quais recorrer, seus sistemas legais eram bárbaros pelos padrões mundiais (por exemplo, os europeus ainda aprisionavam hereges e queimavam bruxas, algo que não acontecia em quase nenhum outro lugar); os padrões de vida e até mesmo os níveis salariais *de facto* eram mais baixos que na Índia, ou na China, ou sob o Império Otomano ou na Pérsia safávida até talvez a década de 1830.

17. O argumento de que camponeses europeus medievais em geral trabalhavam menos horas do que os funcionários de escritórios norte-americanos contemporâneos foi celebremente apresentado pela primeira vez pela socióloga Juliet Schor em *The Overworked American* (1991). A ideia gerou contestações, mas parece ter passado no teste do tempo.

18. Baseava-se, na verdade, em sua própria e breve contribuição para o simpósio *Man the Hunter* dois anos antes. O texto original foi reimpresso em várias edições dos ensaios reunidos de Sahlins sob o título geral de *Stone Age Economics* (a mais recente de 2017).

19. Os estudos-chave nos quais Sahlins se baseia estão reunidos em Lee e Devore, 1968. Os trabalhos etnográficos anteriores, por outro lado, quase nunca eram sustentados por dados estatísticos.

20. Braidwood, 1957, p. 22.

21. O conceito de uma Revolução Neolítica, agora mais frequentemente chamada de "Revolução Agrícola", foi introduzido nos anos 1930 pelo pré-historiador australiano V. Gordon Childe, que identificou as origens de trabalhar a terra como a primeira das três revoluções mais importantes na civilização humana, sendo a segunda a Revolução Urbana e a terceira a Revolução Industrial. Ver Childe, 1936.

22. Como vimos no capítulo 1, as pessoas na verdade ainda fazem esse tipo de afirmação de forma bastante rotineira, porém hoje se dá em flagrante desconsideração pelas evidências apresentadas por Sahlins, Lee, Devore Turnbull e muitos outros, quase como se nenhuma dessas pesquisas tivesse sido publicada.

23. A leitura de Agostinho na realidade deriva de obras posteriores do próprio Sahlins (1996, 2008). Na época, claro, tudo isso podia ser apenas especulação informada. Hoje novas descobertas sobre a evolução da relação entre pessoas e plantio estão nos obrigando a revisitar sua tese, como veremos nos capítulos 6 e 7.

24. Sahlins, 2017 [1968], pp. 36-7.

25. Codere, 1950, p. 19.

26. De maneira bastante curiosa, Poverty Point fica na verdade situado quase exatamente a meio caminho entre a Área de Administração da Vida Selvagem Bayou Macon e o Golfe Clube Urso Negro.

27. Informações extraídas do resumo apresentado em Kidder (2018). Para um relato mais extenso, ainda que um tanto idiossincrático, da arqueologia de Poverty Point, ver J. L. Gibson, 2000; e, para uma avaliação mais abrangente, Sassaman, 2005.

28. Conforme Lowie (1928) demonstrou, em sociedades americanas mais recentes costumava ser a posse desses bens "incorpóreos" (que ele compara com nossas patentes e copyrights) que destravava direitos de usufruto sobre a terra e recursos, em vez da posse direta do território.

29. Clark, 2004.

30. Gibson e Carr, 2004, p. 7, citando aqui a "sociedade afluente original" de Sahlins sobre a questão de "simples forrageadores comuns".

31. Sobre isso, ver também Sassaman, 2005, pp. 341-5; 2010, pp. 56 ss.; Sassaman e Heckenberger, 2004.

32. Uma edição especial da revista da Sociedade Americana de Arqueologia contém uma discussão útil de culturas de aterros de conchas do período "Arcaico" em várias partes da América do Norte; ver Sassaman (Org.), 2008. Para evidências de fortificações costeiras, comércio e utensílios bélicos pré-históricos na Colúmbia Britânica, ver Angelbeck e Grier, 2012; Ritchie et al., 2016.

33. Sannai Maruyama, o maior e mais impressionante sítio do Jōmon, foi ocupado entre 3900 a.C. e 2300 a.C., e se situa na prefeitura de Aomori, no norte do Japão. Habu e Fawcett (2008) oferecem um vívido relato da descoberta, recepção e interpretação contemporânea do sítio. Para discussões mais amplas da cultura material, dos padrões de assentamento e dos usos do meio ambiente do Jōmon, ver Takahashi e Hosoya, 2003; Habu, 2004; Kobayashi, 2004; Matsui e Kanehara, 2006; Crema, 2013. Vale a pena notar que o Jōmon vem se infiltrando na consciência moderna também de outras maneiras: a característica estética do "padrão de corda" de sua cerâmica altamente elaborada forneceu o modelo para um dos games mais populares da Nintendo, *The Legend of Zelda: Breath of the Wild*. O Jōmon parece bem à vontade na era digital.

34. Na Europa, o termo "Mesolítico" se refere à história de pescadores-caçadores-coletores após a Era Glacial, incluindo seus primeiros encontros com populações agrícolas, o que discutiremos no capítulo 7. Alguns consideram as "Igrejas dos Gigantes" finlandesas como tendo uma função defensiva (Sipila e Lahelma, 2006), enquanto outros destacam seus alinhamentos astronômicos e seu possível papel em significar a divisão do ano em quatro estações, como o muito posterior calendário nórdico medieval. Para datação e análise do Grande Ídolo, ver Zhilin et al., 2018. E para as tradições de sepultamento do Mesolítico em Carélia e litoral atlântico europeu, ver Jacobs, 1995; Schulting, 1996.

35. Sassaman (Org.), 2008.

36. Edição em inglês dos *Dialogues* de Lahontan (1735), p. 113.

37. Tully, 1994. A posição de Locke foi repudiada pelo presidente da Suprema Corte dos Estados Unidos em 1823, no caso *Johnson e Grahame's Lesee vs. McIntosh*. Mas em alguns países o princípio correlato de *terra nullius* ("terra não pertencente a ninguém") foi revogado apenas mais recentemente — na Austrália, por exemplo, em 1992, com a "Decisão Mabo", que ditou que ilhéus aborígenes e do Estreito de Torres na verdade tinham suas próprias formas de trato da terra antes da colonização britânica.

38. Este é o argumento de *Dark Emu*, de Bruce Pascoe (2014); aceitando-se ou não essa definição técnica de lavoura, a força das evidências que ela apresenta é avassaladora, mostrando que as populações indígenas trabalhavam rotineiramente, cultivando e melhorando seus territórios, e vinham fazendo isso por milênios.

39. Obviamente a existência de desigualdades e exploração no passado não enfraquece de maneira nenhuma as reivindicações de posse de terras por grupos indígenas, a menos que se queira argumentar que apenas grupos vivendo em algum Estado de Natureza imaginário são dignos de compensação legal.

40. Marquardt, 1987, p. 98.

41. Frank Cushing, do Bureau Americano de Etnologia, esteve entre os primeiros a embarcar num estudo sistemático dos restos da sociedade calusa, que decaiu até a obsolescência nos séculos XVII e XVIII. Cushing, mesmo com os métodos arqueológicos rudimentares de sua época, chegou a conclusões que foram comprovadas por pesquisas posteriores: "O desenvolvimento dos Habitantes das Ilhas nessa direção é atestado por cada ruína local — pequena ou grande — construída tanto tempo atrás, e no entanto suportando as tempestades que desde então geraram caos no continente; e silenciosamente é atestado com ainda mais eloquência por todo grande grupo de aterros de conchas nessas Ilhas, construídos para as casas e templos

do chefe; por cada longo canal construído com materiais de lenta e laboriosa acumulação das profundezas do mar. Portanto, a meu ver, é inquestionável que o lado executivo, e não o social, do governo foi desenvolvido entre esses antigos Habitantes das Ilhas a um grau quase desproporcional; a um grau que levou não só ao estabelecimento de sacerdotes e chefes totêmicos entre eles, como entre as nações Pueblo, como também a mais que isso — ao desenvolvimento de uma classe favorecida, e de chefes até mesmo na vida civil de poder e duração de mandato praticamente de reis" (Widmer, 1988; Santos-Granero, 2009).

42. Para um resumo das evidências sobre a subsistência dos calusas e suas implicações socioeconômicas, ver Widmer, 1988, pp. 261-76.

43. Flew, 1989.

44. Trouillot, 2003.

45. Considere a reação de Otto von Kotzebue, comandante de um navio russo chamado *Rurik*, ao avistar pela primeira vez o rio Sacramento, em novembro de 1824: "Os muitos rios que fluem através deste frutífero país serão de grande uso para futuros colonizadores. A terra baixa é exatamente adaptada para o cultivo do arroz; e a terra mais alta, pela extraordinária força do solo, produziria as melhores colheitas de trigo. A vinha poderia ser cultivada aqui com grande vantagem. Ao longo das margens do rio, uvas viníferas crescem selvagens, numa profusão tão grande quanto as das mais nocivas ervas daninhas: os cachos eram grandes; e as uvas, embora pequenas, muito doces, e com um sabor agradável. Muitas vezes as comíamos em quantidades consideráveis, e sem sofrermos nenhuma inconveniência por isso. Os índios também as comiam vorazmente". Citado em Lightfoot e Parrish, 2009, p. 59.

46. Nabokov, 1996, p. 1.

47. Na Flórida, encontramos ferramentas de pedra junto com ossos de mastodonte com pelo menos 14 mil anos de idade (Halligan et al., 2016). As evidências das primeiras entradas costeiras nas Américas seguindo a rota das algas é apresentada por Erlandson et al., 2007.

48. Numa discussão hoje clássica, Bailey e Milner (2002) apresentaram um forte argumento em favor do papel central dos caçadores-coletores na evolução das sociedades humanas, entre o Plioceno Piancenziano e o Holoceno Médio, observando como as mudanças nos níveis do mar distorceram terrivelmente nossa imagem convencional da demografia humana inicial, submergindo maior parte da evidência. O promontório de Tågerup, na Scania ocidental, na Suécia — e a região mais ampla da Escandinávia meridional —, oferecem excelentes exemplos de larga escala e longevidade em termos de assentamentos mesolíticos, e para cada uma dessas paisagens costeiras que sobrevive devemos seguramente imaginar mais centenas há muito ocultas sob as ondas (Larsson, 1990; Karsten e Knarrström, 2013).

49. Para uma análise mais detalhada do reinado divino natchez, ver Graeber, 2017, pp. 390-5. Só sabemos que o poder do Grande Sol era assim tão limitado porque, quando os franceses e ingleses estavam competindo por aliados, descobriram que cada aldeia natchez adotava sua própria política externa, muitas vezes contraditórias, não importando o que o Grande Sol lhes dizia para fazer. Se os espanhóis tivessem limitado suas negociações à corte, poderiam ter muito bem deixado escapar por completo esse lado da questão.

50. Woodburn, 2005, p. 26. Tampouco, devemos acrescentar, é difícil encontrar outros exemplos de sociedades livres (por exemplo, entre os indígenas na Califórnia ou na Terra

do Fogo), onde nenhum adulto jamais presumiria dar a outro uma ordem direta, mas onde a única exceção se dá durante rituais mascarados quando deuses, espíritos e ancestrais que impõem leis e punem infrações têm sua presença de alguma forma presumida; ver também Loeb, 1935; também o ensaio de Sahlins sobre a "sociedade política original" que abre Graeber e Sahlins, 2017.

51. Para uma descrição, ver Turnbull, 1985.

52. As mulheres precisam fingir que não sabem que na verdade são seus próprios irmãos e maridos, e assim por diante. Ninguém sabe ao certo se as mulheres sabem mesmo (ao que quase tudo indica parece que sim), e se os homens sabem que as mulheres sabem, e se as mulheres sabem que os homens sabem que elas sabem, e por aí vai...

53. É por isso que, como observa MacPherson — nossa principal fonte aqui — em seu *Political Theory of Possessive Individualism* (1962), direitos negativos fazem muito mais sentido para nós do que direitos positivos — ou seja, embora a Declaração de Direitos Humanos da onu garanta a todo mundo emprego e sustento como direitos humanos fundamentais, nenhum governo é acusado de violação de direitos humanos por deixar sua população desempregada ou remover subsídios de alimentos básicos, mesmo que isso cause uma epidemia de fome; mas por "invasões" ao que é considerado de âmbito estritamente pessoal sim.

54. Considere aqui a forma como as reivindicações de terras indígenas quase sempre envolvem alguma noção do sagrado: montanhas sagradas, recintos sagrados, mães-terra, sítios de sepultamento ancestrais e assim por diante. Isso é uma forma de se opor à ideologia dominante, segundo a qual aquilo que é sagrado em última instância é a liberdade de poder fazer reivindicações de propriedade absoluta e exclusiva.

55. Lowie, 1928.

56. Walens, 1981, pp. 56-8, traz uma análise elaborada dos pratos de festa dos kwakiutls, que são ao mesmo tempo corpóreos e incorpóreos, uma vez que podem morrer e reencarnar.

57. Lowie, 1928, p. 557; ver também Zedeño, 2008.

58. Fausto, 2008; ver também Costa, 2017.

59. Costa e Fausto, 2019, p. 204.

60. Durkheim, "The Principal Totemic Beliefs: The Totem as Name and Emblem" (1915 [1912], v. 2.); ver também Lévi-Strauss, 1966, pp. 237-44.

61. Strehlow, 1947, pp. 99-100.

62. Como em tantos exemplos daquilo que estamos chamando de "sociedades livres", a criação materna buscava inculcar um senso de autonomia e independência; já os cuidados paternos — uma vez que as provações das cerimônias de iniciação australianas eram destinadas a completar um processo de "crescer" — serviam para assegurar que, pelo menos nesses contextos, exatamente os instintos opostos viessem para o primeiro plano. Quanto a isso, vale observar que existe uma literatura considerável, a começar por Barry, Child e Bacon (1959), o que sugere, como diz Gardner, que "enquanto não forrageadores tendem a forçar os filhos na direção da obediência e responsabilidade, os forrageadores tendem a pressionar pela autoconfiança, independência e realização individual" (1971, p. 543).

578

5. MUITAS ESTAÇÕES ATRÁS [pp. 185-231]

1. As estatísticas relacionadas a populações indígenas são extremamente discutíveis, mas há um consenso de que a costa do Pacífico estava entre as regiões mais habitadas da América do Norte indígena; ver Denevan, 1992; Lightfoot e Parrish, 2009.

2. Alfred Kroeber, em seu magistral *Handbook of the Indians of California*, a certa altura assinala que: "A agricultura havia tocado apenas a periferia do estado, a parte baixa do rio Colorado, embora o uso de sementes e hábitos bastante sedentários de quase todas as outras tribos teriam possibilitado apropriar-se da arte com relativamente pouca alteração do modo de vida. Evidentemente plantar é uma inovação mais fundamental para pessoas acostumadas a depender da natureza do que parece para aqueles que uma vez já adquiriram a prática" (1925, p. 815), embora em outra parte ele reconheça que um determinado número de povos da Califórnia — "os yuroks, hupas e talvez os wintuns e maidus" — de fato plantavam e cultivavam tabaco (p. 826). Então plantar não poderia ter sido, afinal das contas, tamanha inovação conceitual. Conforme observou Bettinger mais recentemente, "que a agricultura não tenha jamais conseguido se espalhar para a Califórnia não se deveu ao isolamento. A Califórnia sempre esteve em comunicação mais ou menos direta com agricultores, cujos produtos de tempos em tempos aparecem em sítios arqueológicos" (2015, p. 28). Ele argumenta que os californianos simplesmente desenvolveram uma "adaptação superior" ao meio ambiente local, embora isso não explique a natureza sistemática da rejeição.

3. Hayden, 1990.

4. Nós ainda vemos essa mentalidade até hoje, claro: perceba o interminável fascínio dos jornalistas com a ideia de que, em algum lugar da Terra, deve haver algum grupo de humanos que se poderia dizer que viveu em isolamento total desde a Idade da Pedra. Na verdade, um grupo desse tipo não existe.

5. Reconhecidamente, essa não é a única maneira de organizar exibições; a maioria do museus americanos antes de Boas catalogava objetos por tipos: trabalho com contas, canoas, máscaras etc.

6. "Etnologia" é hoje uma subdivisão menos importante da antropologia, mas no começo do século xx era tida como a forma mais elevada de síntese, reunindo os achados de centenas de microestudos para comparar e analisar as ligações e divergências entre as sociedades humanas.

7. Isso certamente é compreensível. Expoentes do racismo científico levaram teorias como a "hipótese camítica" a novos extremos, em especial os seguidores da "escola do círculo de cultura" (*Kulturkrieslehre*) austro-germânica, mas também muitos escritos de estudiosos franceses, russos, britânicos e norte-americanos. Um interesse particular da escola etnológica do círculo de cultura foram as origens do monoteísmo, há muito consideradas uma contribuição exclusiva e seminal da cultura judaica para a Europa. A ideia de estudar uma variedade de "culturas nômades", "pastores" e "criadores de rebanhos" era pelo menos em parte mostrar que não havia nada de especial em relação às realizações religiosas dos antigos israelitas, e que crenças monoteístas sobre "Deuses Elevados" tinham boa probabilidade de brotar em quase qualquer sociedade tribal que passasse muito tempo se movimentando com animais através de paisagens ou estepes áridas. Debates publicados sobre esse assunto em meados do século xx

poderiam encher uma pequena biblioteca, a começar pelos doze volumes de *Der Ursprung der Gottesidee* [A origem da ideia de Deus], de Wilhelm Schmidt (1912).

8. Wissler, 1927, p. 885.

9. Daí E. B. Tylor, o fundador da antropologia britânica, ter escrito que "embora o jogo da cama de gato com barbantes seja agora conhecido em toda a Europa Ocidental , não encontro nenhum registro antigo dele em nossa parte do mundo. É conhecido no Sudeste Asiático, e a explicação mais plausível parece ser que seja esse seu centro de origem, de onde emigrou para oeste, para a Europa, e para leste e sul, através da Polinésia e entrando na Austrália" (1879, p. 26). Uma busca no JSTOR por *"string figures"* em publicações de antropologia entre 1880 e 1940 gera 212 resultados, e 42 ensaios com a expressão no próprio título.

10. Reunidos em Mauss, 1968-9, e agora também compilados e traduzidos para o inglês, com comentário e contexto histórico, em Schlanger, 2006.

11. Desde as décadas de 1930 e 1940, os antropólogos se voltavam primeiro para paradigmas estrutural-funcionalistas, e só então para outros que se concentravam mais nos significados culturais, porém em qualquer um dos casos concluíam que as origens históricas dos costumes não são uma questão das mais interessante, já que não nos dizem quase nada sobre qual é o significado dos costumes hoje.

12. Ver Dumont, 1992, p. 196.

13. Em certos sentidos, se aproximava mais do tipo de abordagem defendido na pesquisa atual sobre como a cultura se espalha, embora as causas definitivas agora tendam a ser buscadas em fatores universais da cognição humana (por exemplo, Sperber, 2005).

14. Mauss, em Schlanger, 2006, p. 44, 69, 137.

15. Para uma visão e história abrangente dos povos, da ecologia e da cultura material da Costa Noroeste, ver Ames e Maschner, 1999; para o equivalente na Califórnia indígena, ver Lightfoot e Parrish, 2009.

16. Por exemplo, Hayden, 2014.

17. Tais distinções grosseiras baseadas em preferências por alimentos e disponibilidade de recursos estavam nos alicerces de "áreas de cultura" quando foram primeiramente definidas por Clark Wissler e outros no começou do século XX. Em *The American Indian* (1922), Wissler inclusive definiu primeiro as "áreas de alimento" e então as subdividiu em "áreas de cultura". Para pontos de vista mais recentes e críticos dessas classificações ecológicas, ver Moss, 1993; Grier, 2017. Vale a pena notar que a presença ou ausência de escravidão nunca é fator nas "áreas de cultura" descritas no influente *The American Indian* (reconhecidamente, a escravidão como posse foi uma instituição incomum entre as sociedades indígenas da América do Norte, mas existiu).

18. Na realidade, ele tratou de um aglomerado de povos relacionados, basicamente os yuroks, karuks e hupas, que compartilhavam instituições culturais e sociais muito similares, mesmo que falassem línguas sem nenhuma relação entre si. Na literatura antropológica, os yuroks com frequência são usados para representar os californianos em geral (assim como os "kwakiutls" vieram a ser tratados como representativos de todos os povos da Costa Noroeste, o que é lamentável, uma vez que, como veremos, eram bastante incomuns em certos aspectos).

19. Goldschmidt, 1951, pp. 506-8. Na verdade, tudo isso era inusitado até mesmo para a Califórnia: como veremos, a maioria das sociedades californianas usava dinheiro na for-

ma de conchas, mas a riqueza de um homem ou de uma mulher era ritualmente destruída na morte.

20. Benedict, 1934, pp. 156-95. A comparação entre as sociedades da Costa Noroeste e as casas nobres da Europa medieval foi explorada por Claude Lévi-Strauss num texto que é mais famoso por sua definição de "sociedades domésticas", reimpresso como parte de sua coletânea de ensaios sob o título "Antropologia e mito" (Lévi-Strauss, 1987, p. 151; e ver também 1982 [1976]).

21. Hajda (2005), traz uma refinada discussão das diferentes formas de escravidão no baixo rio Colúmbia e mais para o norte na Costa Noroeste, e como se desenvolveram no período inicial de contato com os europeus (1792-1830). Mas ela não entra na questão do contraste mais amplo com sociedades indígenas ao sul do cabo Mendocino, que rejeitavam por completo a escravidão.

22. Sahlins, 2004, p. 69.

23. Goldschmidt, 1951, p. 513.

24. Drucker, 1951, p. 131.

25. Elias, 1969.

26. Ver Boas e Hunt, 1905; Codere, 1950. Etnógrafos no início do século xx certamente encaravam a introdução ocasional dessas práticas em sociedades do norte da Califórnia como altamente exótica e anômala, como na discussão de Leslie Spier (1930) sobre os klamaths, que adotaram a escravidão e aspectos limitados do *potlach* após começarem a andar a cavalo.

27. Powers, 1877, p. 408; Vayda, 1967; Goldschmidt e Driver, 1940.

28. Ver especialmente Blackburn, 1976, pp. 230-5.

29. Chase-Dunn e Mann, 1998, pp. 143-4. Napoleon Chagnon (1970, pp. 17-8) chegou ao ponto de argumentar que "era funcionalmente necessário para os yuroks 'desejar' dentálios [isto é, dinheiro], mas somente se fosse obtido de seus vizinhos. O prestígio social envolvido com a obtenção de riqueza dessa maneira efetivou uma adaptação mais estável à distribuição de recursos permitindo que o comércio fosse uma alternativa à desapropriação em tempos de insuficiência local".

30. Ver Donald, 1997.

31. Ames, 2008; cf. Coupland, Steward e Patton, 2010.

32. O argumento sobre a existência de alguma forma de estratificação social nesse período precoce foi convincentemente apresentado em numerosos trabalhos pioneiros do arqueólogo Kenneth Ames (por exemplo, Ames, 2001).

33. Arnold, 1995; Ames, 2008; Angelbeck e Grier, 2012.

34. Santos-Granero, 2009.

35. Patterson, 1982; e portanto, Goldman sobre os escravizados pelos kwakiutls: "estrangeiros cativos, eles não tinham ligações de parentesco com seus novos lares, e mais nenhum laço genuíno com suas tribos e aldeias originais. Como pessoas violentamente arrancadas de suas raízes, os escravos existiam num estado equivalente a estarem mortos. Estando às margens da morte eles eram, pelos padrões dos kwakiutls, as vítimas sacrificiais apropriadas para banquetes canibais" (1975, p. 54).

36. Patterson, 1982; Meillassoux, 1996.

37. Santos-Granero, 2009, pp. 42-4.

38. Ver Wolf, 1982, pp. 79-82.

39. Segundo Santos-Granero, que compilou meticulosamente as informações sobre o que os captores diziam fazer.

40. Fausto, 1999.

41. Santos-Granero, 2009, p. 156. Isso não parece ser mera analogia: os escravizados na maioria das sociedades amazônicas que os mantinham ao que tudo indica tinham o mesmo status formal que animais de estimação; estes, por sua vez, como já observamos, eram vistos como o paradigma para a propriedade como um todo em grande parte da Amazônia (ver também Costa, 2017). Por exemplo, apesar do tratamento gentil, os cães, os cavalos, os papagaios e os cativos escravizados de um homem ou de uma mulher costumavam ser todos sacrificados ritualmente por ocasião de sua morte (Santos-Granero, op. cit., pp. 192-4).

42. Ver também Graeber, 2006. Nesse sentido, é interessante que os guaicurus, embora capturassem agricultores, não impunham àqueles que tomavam como escravizados o trabalho de plantio ou do cuidado das lavouras, mas os integravam em seu próprio estilo de vida forrageiro.

43. Powers, 1877, p. 69.

44. Eles estiveram entre os primeiros no litoral do Pacífico a sucumbir a doenças introduzidas por comerciantes e colonizadores. Em combinação com os ataques genocidas, isso fez com que os chetcos e grupos próximos sofressem um colapso demográfico quase total no século XIX. Por consequência, não há relatos detalhados desses grupos para comparar com as duas principais "áreas de cultura" da Califórnia e da Costa Noroeste, que estão de ambos os lados de seus antigos territórios. Na verdade, esse complexo subsetor da costa, entre o rio Eel e o estuário do rio Colúmbia, apresentou problemas significativos de classificação para estudiosos que buscavam delinear as fronteiras dessas áreas de cultura, e a questão de sua afiliação permanece contenciosa até hoje. Ver Kroeber, 1939; Jorgensen, 1980; Donald, 2003.

45. A historicidade das narrativas orais das Primeiras Nações referentes a antigas migrações e guerras na Costa Noroeste tem sido tema de um estudo inovador que combina arqueologia com modelagem estatística de mudanças demográficas que podem ser cientificamente datadas em períodos de bem mais de um milênio no passado. Seus autores concluem que o "registro oral indígena tem sido agora sujeito a uma testagem rigorosíssima. Nosso resultado — o de que [neste caso] o registro oral tsimshian está correto (não refutado apropriadamente) no seu relato de acontecimentos de mais de mil anos atrás — é um marco fundamental na avaliação da validade das tradições orais indígenas" (Edinborough et al., 2017, p. 12440).

46. Não temos como saber se esses contos com caráter de advertência eram comuns, porque não se trata do tipo de histórias que os primeiros observadores optariam por registrar (essa narrativa em particular sobreviveu apenas porque Chase acreditava que os wogies poderiam ter feito naufragar navios japoneses!).

47. Spott e Kroeber, 1942, p. 232.

48. De forma intrigante, em algumas partes da Califórnia, a dependência de bolotas como alimento básico pode remontar a cerca de quatro milênios, muito antes da exploração intensiva dos peixes. Ver Tushingham e Bettinger, 2013.

49. Na Costa Noroeste, a captura intensiva do salmão e outras espécies anádromas remonta a até 2000 a.C., e continuou sendo a base da economia indígena até tempos recentes. Ver Ames e Maschner, 1999.

50. Suttles, 1968.

51. Turner e Loewen, 1998.

52. Tomemos, por exemplo, a descrição de Joaquin Miller (1873, pp. 373-4) em seu *Life amongst the Modocs, Unwritten History*. "Aqui passamos por bosques de magníficos carvalhos. Seus troncos têm mais de um metro e meio de diâmetro, e as copas estavam então cobertas de bolotas e cobertas de visco. Descendo para as margens do rio Pit, ouvimos as canções e gritos de meninas índias colhendo bolotas. Estavam trepadas nos carvalhos e quase cobertas de visco. Arrancavam as bolotas com gravetos, ou cortavam os pequenos galhos com machadinhas, e as mulheres mais velhas as juntavam no chão, e as jogavam por cima dos ombros em cestos carregados por uma faixa em torno da testa." (Ele então entra numa divagação sobre as meninas indígenas terem pés singularmente pequenos e atraentes, apesar de não calçarem sapatos apertados no estilo europeu, expondo assim uma "ilusão popular" entre mães presunçosas em comunidades fronteiriças da época: os pés podem ser livres, e ainda assim elegantes.)

53. Nas palavras de Bettinger, a bolota é "tão concentrada na fase final que seu armazenamento representa pouco tempo poupado [...] o que leva a menos potencial para desenvolver desigualdade, tanto para atrair invasores como para desenvolver meios organizacionais para defender ou retaliar" (2015, p. 233). Seu argumento parece ser que aquilo que os ancestrais remotos dos maidus, pomos, miwoks, wintus e outros grupos californianos sacrificavam em valor nutricional no curto prazo eles ganhavam com segurança alimentar no longo prazo.

54. Muito do que apresentamos nos parágrafos anteriores se baseia num argumento mais detalhado de Tushingham e Bettinger (2013), mas a base para essa abordagem — inclusive a sugestão de que a escravidão entre os forrageadores tem raízes na exploração sazonal de recursos aquáticos — pode ser encontrada em publicações que recuam até *Slavery as an Industrial System*, de Herman Nieboer (1900).

55. Para uma reconstituição geral das práticas de desapropriação tradicionais na Costa Noroeste, e discussões adicionais, ver Donald, 1997.

56. Drucker, 1951, p. 279.

57. Golla, 1987, p. 94.

58. Comparar Ames, 2001, 2008. Os escravizados podiam também tentar escapar, e com frequência o faziam com êxito — especialmente quando um número de cativos da mesma comunidade era mantido no mesmo lugar (ver, por exemplo, Swadesh, 1948, p. 80).

59. Parece ter havido algo como uma zona de transição nas regiões mais baixas do rio Colúmbia, onde a escravidão decaía para várias formas de trabalho forçado, enquanto mais além se estendia uma zona em grande parte livre de escravizados (Hajda, 2005; e para outras exceções limitadas ver Kroeber, 1925, pp. 308-20; Powers, 1877, pp. 254-75; e Spier, 1930).

60. MacLeod, 1928; Mitchell, 1985; Donald, 1997.

61. Kroeber, 1925, p. 49. MacLeod (1929, p. 102) não estava convencido quanto a esse ponto, observando a existência de mecanismos legais similares entre os tlingits e outros grupos da Costa Noroeste, o que não impedia a "sujeição de grupos estrangeiros, apropriação de tributos e escravização de cativos". No entanto, todas as fontes concordam que os únicos escravizados de fato no noroeste da Califórnia o eram por dívida, e que até mesmo esses eram pouco numerosos (cf. Bettinger, 2015, p. 171). Se não o mecanismo de Kroeber, então algum outro para a supressão da escravidão deve ter atuado.

62. Donald, 1997, pp. 124-6.

63. Goldschmidt, 1951, p. 514.

64. Brightman, 1999.

65. Boas, 1966, p. 172; cf. Goldman, 1975, p. 102.

66. Kan (Org.), 2001.

67. Lévi-Strauss, 1982 [1976].

68. Garth, 1976, p. 338.

69. Buckley, 2002, p. 117; cf. Kroeber, 1925, pp. 40, 107.

70. "O noroeste talvez seja também a única parte da Califórnia que conheceu a escravidão. Aqui essa instituição se assentava totalmente sobre uma base econômica. Os chumashs podem ter mantido indivíduos escravizados, mas falta informação precisa. As tribos do rio Colorado mantinham mulheres cativas por motivos de sentimento, mas não exploravam seu trabalho" (Kroeber, 1925, p. 834).

71. Loeb, 1926, p. 195; Du Bois, 1935, p. 66; Goldschmidt, 1951, pp. 340-1; Bettinger, 2015, p. 198. Bettinger observa que desigualdades de riqueza (arqueologicamente visíveis) declinaram de forma constante depois da introdução do dentálio na Califórnia central, e argumenta que o efeito geral da introdução do dinheiro parece ter sido limitar relações de dívida, e assim reduzir a dependência geral e a "desigualdade".

72. Pilling, 1989; Lesure, 1998.

73. Embora os cativos capturados na guerra fossem rapidamente libertados, parece que, ao contrário de outras partes da Califórnia, onde as divisões tribais assumiam coletivamente a responsabilidade por fazer isso, aqui cada caso dependia da família em questão. A servidão por dívida parece ter resultado da incapacidade de pagamento. Bettinger (2015, p. 171) sugere que a relação entre dívida e guerra explica em parte a fragmentação demográfica dos grupos do noroeste da Califórnia, e o rompimento de grupos coletivos que, para começar, nunca foram muito fortes (não havia clãs totêmicos, por exemplo), mas existiam, sim, mais para o sul. Uma fonte da época dos primeiros estudos acrescenta que assassinos incapazes de pagar compensação mas que não eram forçados à servidão caíam em desgraça em suas comunidades e retiravam-se para o isolamento, muitas vezes lá permanecendo mesmo depois de quitar suas dívidas. A situação geral assim se tornou um pouco parecida com um sistema de classes, uma vez que homens de riqueza herdada muitas vezes começavam guerras, dirigiam as cerimônias de paz que se seguiam e então administravam os arranjos de dívidas resultantes — processo no decorrer dos quais uma classe de casas mais pobres caía num status marginal, seus membros se espalhavam pela região e se dissolviam bandos patrilineares, enquanto outros se concentravam como dependentes em torno dos vitoriosos. No entanto, ao contrário da situação na Costa Noroeste, o grau em que os grandes senhores podiam obrigar seus "escravizados" a trabalhar era decididamente limitado (Spott e Kroeber, 1942, pp. 149-53).

74. Conforme argumentado em mais detalhes em Wengrow e Graeber (2018), com comentários subsequentes de especialistas em arqueologia e antropologia de forrageadores da Costa Oeste e seus descendentes, e a resposta dos autores.

6. JARDINS DE ADÔNIS [pp. 232-72]

1. *Fedro*, 276B.

2. Para a primeira opinião, ver Detienne, 1994, e para a segunda, Piccaluga 1977.

3. Da história infantil *Onde vivem os monstros* (1963).

4. Mellaart, 1967.

5. Nossa compreensão do sítio segue em grande parte o que foi desenvolvido por um de seus recentes escavadores, Ian Hodder, com a diferença que enfatizamos em grau maior a importância de variações sazonais na estrutura social. Ver Hodder, 2006; e para informação, imagens e base de dados adicionais, ver também <www.catalhoyuk.com>, com referências a múltiplos relatórios de campo, seções às quais também nos referimos mais adiante.

6. Meskell et al., 2008.

7. Ver, por exemplo, Gimbutas, 1982. Estudos mais recentes afirmam que as publicações de Gimbutas muitas vezes inflavam a frequência de formas femininas dentro do conjunto das estatuetas neolíticas, as quais, sob escrutínio mais meticuloso, contêm uma proporção mais equilibrada de formas femininas, masculinas, mistas ou simplesmente assexuadas (por exemplo, Bailey, 2017).

8. Charlene Spretnak (2011) discute as sucessivas ondas de críticas levantadas a Gimbutas e fornece referências adicionais.

9. A principal publicação sobre genômica de migração nas estepes é de Haak et al., 2015. Pouco depois que essas descobertas vieram a público, o eminente pré-historiador Colin Renfrew deu uma palestra na Universidade de Chicago intitulada "Marija Rediviva [Marija Renascida]: O DNA e as origens indo-europeias". Ele argumentou que a "hipótese de *kurgan*" de Gimbutas havia sido "magnificamente redimida" pelas descobertas feitas a partir de DNAS antigos, o que sugere ligações entre a disseminação de línguas indo-euopeias e a propagação para oeste do complexo cultural yamnaya a partir da estepe ao norte do mar Negro entre o final do quarto milênio a.C. e o início do terceiro milênio a.C. Vale a pena notar que esses achados contradizem a hipótese do próprio Renfrew (1987), de que as línguas indo-europeias se originaram na região de Anatólia e se espalharam, alguns milênios antes, com a dispersão das culturas agrícolas neolíticas. Outros arqueólogos, porém, sentem que os dados genômicos ainda são incompletos demais para permitir falar de migrações em larga escala, muito menos estabelecer vínculos entre herança biológica, cultura material e a disseminação de idiomas (para uma crítica detalhada, ver Furholt, 2018).

10. Ver aqui *Women at the Center*, de Sanday (2002). Sanday comenta que Gimbutas rejeita o termo "matriarcado" porque o vê como uma imagem espelhada do patriarcado, e portanto implicaria um governo autocrático ou a dominação política pelas mulheres, e portanto prefere "mátrico". Sanday observa que os próprios minangkabaus usam o termo inglês "matriarchate", empregando-o num sentido diferente (ibid, pp. 230-7).

11. Ver Hodder, 2003; 2004; 2006, placa 22. Para as estatuetas descobertas mais recentemente de mulheres (idosas?) em calcário, ver também a matéria breve mas informativa de Chris Kark no *Stanford News*, "Archeologists from Stanford find an 8,000-year-old 'goddess figurine' in central Turkey" (29 set. 2016), inclusive com comentários dos principais pesquisadores.

12. Para a ocorrência nessas regiões de estatuetas provavelmente mascaradas, e as conexões entre estatuetas e outras formas humanas mascaradas, ver, por exemplo, Belcher, 2014, *passim*; Bánffy, 2017.

13. Hodder, 2006, p. 210, com referências adicionais.

14. Hodder e Cessford, 2004.

15. Çatalhöyük na verdade compreende duas formações arqueológicas principais. Tudo sobre que temos falado até agora é sobre o "Monte Leste", mais antigo, enquanto o "Monte Oeste" se relaciona principalmente com períodos posteriores da pré-história, fora do escopo de nossas discussões aqui.

16. Matthews, 2005.

17. Ver Fairbairn et al., 2006.

18. Do tipo que discutimos no capítulo 3.

19. Bogaard et al., 2014, com referências adicionais.

20. Arbuckle, 2013; Arbuckle e Makarewicz, 2009.

21. Ver Scheffler, 2003.

22. Em termos de história ambiental, as regiões altas do Crescente Fértil caem dentro da zona bioclimática irano-turaniana. As reconstituições atuais sugerem que o estabelecimento de florestas caducifólias na região não se seguiu imediatamente após o início de condições mais quentes e úmidas no início do Holoceno, mas foi, em grau significativo, um produto de estratégias de gestão do ambiente executadas a princípio por populações forrageadoras, e mais tarde por cultivadores e pastores (Asouti e Kabukcu, 2014).

23. Com base na análise de resíduos carbonizados de madeira encontrados em sítios arqueológicos, Asouti et al. (2015) reconstituem um ambiente úmido para essa região no Holoceno Inicial, com muito mais cobertura de árvores do que se vê hoje, em especial ao longo e em adjacências do vale do Jordão. Na direção da costa do Mediterrâneo, essas regiões de baixadas atuaram como refúgios para espécies de florestas e planícies, que sobreviveram continuamente através do Último Período Glacial penetrando no Holoceno Inicial.

24. Pré-historiadores fizeram experimentos com todo tipo de formas de classificar o Crescente Fértil em "áreas de cultura" ou "esferas de interação" correspondentes às principais distinções da era Posterior e Epipaleolítica, e o do Neolítico Inicial (ou Pré-Cerâmica). As histórias dessas várias classificações é revista e avaliada por Asouti (2006). Aqui seguimos as distinções delineadas por Sherratt (2007), que se baseiam na correlação de amplos padrões ecológicos e culturais, em vez de categorias de dados arqueológicos isolados (e bastante arbitrários), como diferentes maneiras de manufaturar ferramentas e armas de pedra. A classificação de Sherratt também tem a vantagem de evitar tendências teleológicas encontradas em alguns outros estudos, que pressupõem que todas as evidências de complexidade cultural (como os grandes assentamentos e a arquitetura) devem estar de algum modo relacionados com a produção de alimentos; em outras palavras, permite tais desenvolvimentos dentro de sociedades forrageadoras que não investiram muito na domesticação de plantas e animais.

25. Para especializações de ofícios em comunidades do Neolítico Inicial, ver Wright et al., 2008; e, em geral, Asouti e Fuller, 2013.

26. Sherratt, 1999.

27. Willcox, 2005; 2007.

28. Para o Curdistão do Irã ocidental e do Iraque, ver Zeder e Hesse, 2000; e para a Anatólia oriental, ver Peters et al., 2017.

29. Asouti e Fuller, 2013, pp. 314-23, 326-8.

30. Harari, 2014, p. 80.

31. Hillman e Davies, 1990.

32. Maeda et al., 2016.

33. O crescimento inicial de aldeias permanentes — entre 11 000 a.C. e 9500 a.C. — pode ter tido muito a ver com um retorno temporário de condições de tempo glaciais (conhecidas como o episódio do "Dryas recente") após o fim da Era Glacial, obrigando forrageadores das terras baixas do Crescente Fértil a arriscarem-se em locais com muita água (Moore e Hillman, 1992).

34. Essa conclusão se baseia numa combinação de dados genéticos e botânicos de amostras recuperadas em escavações arqueológicas, como explicado mais adiante; para um resumo, ver Fuller, 2010; Fuller e Allaby, 2010.

35. Ver Willcox et al., 2008; Willcox, 2012.

36. Fuller, 2007; 2010; Asouti e Fuller, 2013, com referências adicionais.

37. Cf. Scott, 2017, p. 72.

38. Na verdade, eles não o desejavam sequer para seus cativos escravizados.

39. Conforme proposto por Fuller, 2010, p. 10; ver também Fuller et al., 2010.

40. A importância do cultivo de vazante para as origens da agricultura foi mostrada pela primeira vez num artigo seminal (1980) de Andrew Sherratt; republicado e atualizado em Sherratt, 1997.

41. Os sistemas de cultivo desse tipo vêm sendo buscados até tempos recentes nas regiões rurais da Índia e do Paquistão, e também no sudoeste norte-americano. Conforme observou um geógrafo sobre o cultivo dos pueblos no Novo México: "Os tipos de lugares adequados para o trabalho na terra nesse sistema [...] existem desde o tempo de assentamentos pré-históricos; mas o cultivo, pela perturbação da superfície, leva à lavagem e à canalização do solo, o que arruína temporária ou permanentemente um campo. Assim, no mesmo local os melhores lugares para plantar são limitados em área e mutáveis em posição. Os indígenas de hoje, como seus ancestrais pré-históricos, mal perturbam o solo, pois não aram a terra e simplesmente inserem as sementes num buraco com auxílio de uma haste de plantar [...]. Mesmo com o uso desses métodos, os campos precisam ser periodicamente abandonados para reocupação posterior. Uma das principais causas de tais mudanças de local reside nos hábitos de cursos d'água efêmeros no estágio de aluviação" (Bryan, 1929, p. 452).

42. Sobre isso, ver Sanday, 1981, em especial o cap. 2: "Scripts for Male Dominance".

43. Diamond, 1987.

44. Ver Murdock, 1937; Murdock e Provost, 1973.

45. Owen, 1994; 1996.

46. Barber, 1991; 1994.

47. Soffer et al., 2000.

48. Lévi-Strauss, 1966, p. 269.

49. Ver MacCormack e Strathern (Orgs.), 1980.

50. Aqui lembramos de *Calibã e a bruxa*, de Silvia Federici (1998), obra em que ela mostrou como, na Europa, essas abordagens "mágicas" da produção vieram a ser associadas não só com as mulheres, mas também com a feitiçaria. Federici argumenta que a eliminação de tais atitudes foi essencial para o estabelecimento da ciência moderna (dominada por homens), e também para o crescimento do trabalho assalariado capitalista. "É assim que temos de ler o ataque contra a bruxaria e contra o visão mágica do mundo que, apesar dos melhores esforços da Igreja, continuou a prevalecer num nível popular através da Idade Média [...]. Dessa perspectiva [...] todo elemento — ervas, plantas, metais e a maior parte do corpo humano — escondia virtudes e poderes que lhe eram peculiares [...]. Desde a quiromancia até os oráculos, do uso de encantamentos às simpatias curativas, a magia abriu um vasto número de possibilidades [...]. Erradicar essas práticas foi uma condição necessária para a racionalização capitalista do trabalho, já que a magia aparecia como uma forma ilícita de poder e um instrumento para *obter o que se queria sem esforço* [...]. 'A magia destrói a indústria', lamentou-se Francis Bacon, admitindo que nada lhe causava tanta repulsa quanto a premissa de obter resultados com alguns experimentos lúdicos, em vez do suor da própria testa" (Federici, 1998, p. 142).

51. Lévi-Strauss, 1966, p. 15.

52. Wengrow, 1998; 2003; e, para a evolução de dispositivos de contagem neolíticos, e sua relação com a invenção da escrita, ver também Schmandt-Besserat, 1992.

53. Vidale, 2013.

54. Schmidt, 2006; Köksal-Schmidt e Schmidt, 2010; Notroff et al., 2016. Uma figura de pedra conhecida dos arqueólogos como "portador do presente" também carrega uma cabeça humana para algum destino desconhecido. Imagens de muitas dessas esculturas e outros achados extraídos de Göbekli Tepe podem ser encontrados em: <www.dainst.blog/the-tepe-telegrams/>.

55. Schmidt, 1998; Stordeur, 2000, figuras 6.1, 2.

56. O. Dietrich et al., 2019.

57. O que não quer dizer que as evidências de conflitos violentos sejam totalmente ausentes. A maior amostra preservada de restos humanos de qualquer sítio do Holoceno Inicial no Oriente Médio provém do sítio de Körtik Tepe, que fica a nordeste de Göbekli Tepe, à margem do Alto Tigre, a dezoito quilômetros da moderna cidade de Batman, firmemente encravado no setor de montanha do Crescente Fértil. Restos mortais de mais que oitocentos indivíduos foram recuperados do sítio, dos quais os 446 até agora analisados revelam altos índices de traumas esqueléticos (de 269 crânios, cerca de 34,2% mostravam sinais de traumatismo craniano, inclusive dois crânios femininos com fraturas deprimidas de perfuração; contusões pós-cranianas foram encontradas em mais de 20% dos indivíduos estudados, inclusive três casos de fraturas de defesa cicatrizadas no antebraço). Dada a ausência de outros sinais de atividade de guerra, essa evidência foi explicada — talvez não muito convincentemente — em termos de violência interpessoal dentro da comunidade de caçadores-coletores-pescadores vivendo numa região de abundantes recursos silvestres. Um número significativo de restos humanos recuperados de Körtik Tepe foi sujeito a modificação pós-morte, com a presença de marcas de cortes em crânios humanos, embora nada disso possa ser definitivamente vinculado a escalpamento ou tomada de cabeças como troféus (como relatado por Erdal, 2015).

58. Os resquícios de fauna e flora de Çayönü Tepesi revelam uma economia flexível, que passou por numerosas mudanças ao longo de um período de cerca de 3 mil anos. Nas fases iniciais do sítio, que nos dizem respeito aqui, seus habitantes fizeram extensivo uso de leguminosas e nozes silvestres, bem como ervilhas, lentilhas e ervilhacas amargas, com quantidades menores de cereais silvestres. O cultivo de pelo menos alguns desses produtos é provável, mas não há evidências claras de domesticação de plantas até as fases mais tardias do sítio. Os restos mortais de animais sugerem que seus habitantes possuíam uma mistura de criação de rebanhos e estratégias de caça, que variou ao longo de muitos séculos, incluindo épocas de uma forte dependência de porcos e javalis selvagens, além de rebanhos de ovinos e gado, gazelas e veado-vermelho, e também caças menores como lebres (ver Pearson et al., 2013, com referências adicionais).

59. Para a Casa das Caveiras e a análise de restos humanos associados em Çayönü Tepesi, ver Özbek, 1988; 1992; Schirmer, 1990; Wood, 1992; e também a análise mais ampla de Kornienko (2015) para evidência de violência ritual na parte norte do Crescente Fértil. Análise isotópica de restos humanos indica que os indivíduos cujos restos vieram a ser armazenados na Casa das Caveiras tinham dietas bem diferentes daqueles enterrados entre outras partes do sítio, o que poderia indicar diferenças locais de status (Pearson et al., 2013), ou, talvez, a incorporação de estrangeiros nos rituais mortuários locais.

60. Allsen (2016) traz um relato impressionante das relações práticas e simbólicas entre a caça e a monarquia na história eurasiana, com semelhanças notáveis do Oriente Médio à Índia, à Ásia Central e à China, e da Antiguidade à época do Raj britânico.

61. Gresky et al., 2017.

62. Sem dúvida tais contrastes também podiam ser encontrados dentro das próprias sociedades; a principal diferença está em como esses vários estilos de atividades técnicas eram valorizados, e qual era selecionado como base para os sistemas artísticos e rituais. Sobre a ausência de hierarquia de gênero nas sociedades do Neolítico Inicial na parte sul do Levante, e para evidências da participação das mulheres em termos de igualdade em atividades rituais e econômicas, ver também Peterson, 2016.

63. Kuijt, 1996; Croucher, 2012; Slon et al., 2014.

64. Santana et al., 2012.

65. Confrontados com objetos que não sabem explicar, os arqueólogos muitas vezes se voltam para analogias etnográficas. Entre os casos aqui considerados está o dos iatmuls do rio Sepik, em Papua Nova Guiné, um povo que praticava decoração craniana até tempos bastante recentes. Para os iatmuls, a execução de retratos cranianos estava intimamente ligada à caça de cabeças. Em geral, começava tomando cabeças inimigas em guerras, e era realizada apenas por homens. A cabeça de um inimigo derrotado era honrada sendo decorada com argila, pigmentos, cabelo e conchas. Uma vez transformada, era então cuidada e "alimentada" junto com outros crânios numa casa de homens especial (Silverman, 2001, pp. 11 ss.). Esse caso é importante, porque mostra como a veneração de ancestrais e a violenta tomada de cabeças em conflito podem, em alguns casos, fazer parte do mesmo sistema ritual. Em 2008 o antropólogo social Alain Testart publicou um artigo na revista *Paléiorient* argumentando que coisas semelhantes devem ter ocorrido entre sociedades neolíticas no Oriente Médio, e os arqueólogos deixaram passar a conexão óbvia entre os retratos de caveiras e a caça de cabeças. Isso incitou

uma enchente de respostas de arqueólogos na mesma revista, muitas indignadas, ressaltando a falta de evidências de atividades bélicas entre essas comunidades, e até propondo que a modelagem de crânios fosse uma estratégia ritual para promover relações pacíficas e igualitárias entre aldeões neolíticos (como argumentado primeiramente por Kuijt, 1996). O que estamos propondo aqui é que ambas as partes do debate estavam, em certo sentido, corretas; mas que estavam argumentando com sinais invertidos; ou melhor, sobre lados diferentes da mesma moeda. Por um lado, devemos reconhecer as evidências cada vez mais numerosas de que a violência predatória (inclusive a exibição de crânios como troféus) era pelo menos ritual e simbolicamente importante entre forrageadores na parte norte (de montanha) do Crescente Fértil. Da mesma forma, poderíamos questionar se os retratos de caveiras (ou "crânios engessados") não representam uma inversão desses valores nas partes mais meridionais (de baixada) da região. Nem tudo precisa se encaixar no mesmo modelo só porque estava acontecendo ao mesmo tempo, e neste caso exatamente o contrário parece ser verdadeiro.

66. Clarke, 1973, p. 11.

7. A ECOLOGIA DA LIBERDADE [pp. 273-300]

1. Para desenvolvimentos espetaculares em recipientes de pedra e a produção de contas no vale superior do Tigre, ver Özkaya e Coşkun, 2009.

2. Elinor Ostrom (1990) apresenta uma gama de pesquisas de campo e exemplos históricos, além modelos econômicos formais para a administração coletiva de recursos naturais compartilhados; mas o ponto básico já era amplamente observado em estudos anteriores, alguns dos quais citados mais adiante.

3. Georgescu-Roegen, 1976, p. 215.

4. A repartição periódica de terras no nível local também foi discutida em *On the Manners and Customns of the Ancient Irish* (1873), de O'Curry, e no famoso tratado de Baden Powell sobre *The Indian Village Community* (1896). Ver, mais recentemente, Enajero, 2015.

5. Aldeias palestinas sob domínio otomano e britânico praticavam a redistribuição anual de pastos e terras de cultivo comunitários sob ocupação *masha'a*, pela qual proprietários de lotes adjacentes juntavam recursos para completar tarefas exigentes em termos de trabalho como arar, semear, limpar ervas daninhas e colher, respondendo às flutuações anuais das precipitações de chuva (Atran, 1986). Em Bali, o cultivo de arroz irrigado tradicionalmente operava por meio de um sistema de "comitês de água" eleitos. Representantes locais participam de reuniões no templo, onde o acesso à terra e à água é negociado anualmente em base consensual (Lansing, 1991). Outros exemplos de manejo sustentável de terras sob alguma forma de organização comunal podem ser encontrados nas histórias recentes do Sri Lanka (Pfaffenberger, 1998), e também do Japão, por exemplo (Brown, 2006).

6. Fuller, 2010, com referências adicionais.

7. Diamond, 1997, p. 178.

8. Bettinger e Baumhoff, 1982; Bettinger, 2015, pp. 21-8.

9. Para uma análise de como esses processos se deram em várias partes do mundo, ver Fuller e Lucas, 2017. Nada disso tem a intenção de negar o fato de que produtos agrícolas

frequentemente "andavam" por diversas partes do Velho Mundo, e muitas vezes em escala surpreendente, como no caso da transferência para o oeste dos painços chineses para o Indo, espelhada pela disseminação para leste do trigo de pão da Ásia ocidental e central para a China por volta de 2000 a.C. Mas os esforços (ver em especial Jones et al., 2011) para caracterizar essas transferências iniciais de produtos agrícolas como precursoras do "intercâmbio colombiano" do século XVI d.C. (ver mais adiante) estão equivocados, uma vez que ignoram uma série de contrastes relevantes, explicitados por Boivin, Fuller e Crowther (2012), que observam que as transferências iniciais de produtos agrícolas na Eurásia tiveram lugar dentro de uma "rede de longo termo, de crescimento lento, de conexões e trocas" ao longo de muitos milênios, muitas vezes inicialmente em quantidades pequenas e experimentais, e estimuladas não por centros de expansão urbana, mas por grupos intermediários de grande mobilidade e de pequena escala, como os pastoralistas montados da estepe eurasiana ou os nômades marítimos do oceano Índico. Foi precisamente essa lenta história milenar de intercâmbio cultural e fluxo genético entre espécies eurasianas que impediu as grandes rupturas ecológicas ocorridas quando essas mesmas espécies foram levadas para a América e a Oceania.

10. Crosby, 1972; 1986.

11. Ver Richerson, Boyd e Bettinger, 2001.

12. Estimativas recentes para a população das Américas antes da chegada dos europeus em 1492 giram em torno de 60 milhões. O número de 50 milhões de hectares perdidos de terras cultivadas é calculado com base num modelo de uso de terra per capita, num estudo-chave de Koch et al., 2019.

13. Para variações estáticas do nível dos mares na transição do Pleistoceno Tardio para o Holoceno, ver Day et al., 2012; Pennington et al., 2016; e para o papel de atividades antropogênicas na alteração das distribuições das espécies terrestres ao longo do mesmo período, ver Richerson et al., 2001; Boivin et al., 2016.

14. Ver Bailey e Milner, 2002; Bailey e Flemming, 2008; Marean, 2014.

15. Boivin et al., 2016, com referências adicionais.

16. *Mesolithic Europe: The Economic Basis*, de Clarke (1982), continua sendo o estudo fundamental desses processos; para uma visão geral (e global) mais atualizada, ver Mithen, 2003; e também Rowley-Conwy, 2001; Straus et al. (Orgs.), 1990.

17. Bookchin, 1982. Apesar de adotarmos o título do volume seminal de Bookchin sobre ecologia social, não podemos seguir suas ideias sobre a pré-história humana ou as origens da agricultura, que se baseiam em informações hoje desatualizadas há décadas. Mas encontramos, sim, muita coisa a aprender a partir de sua ideia principal: que os envolvimentos humanos com a biosfera estão fortemente condicionados pelos tipos de relação social e sistemas sociais que as pessoas formam entre si. A diferenciação mútua de ecologias forrageadoras na Costa Oeste norte-americana, discutida no capítulo 5, seria outro exemplo excelente do mesmo princípio.

18. Como o antropólogo Eric Wolf certa vez assinalou.

19. Bruce Smith (2001) discute todo o fenômeno sob a rubrica de "baixo nível de produção de alimento", que adota para descrever economias que ocupam "o vasto e diverso terreno intermediário entre caça-pesca-forrageamento e agricultura".

20. Wild et al., 2004; Schulting e Fibiger (Orgs.), 2012; Meyer et al., 2015; ver também Teschler-Nicola et al., 1996.

21. Para um relato amplo da disseminação do cultivo da terra para a Europa no Neolítico, compreendida através da ecologia comportamental e de teorias de evolução cultural, ver Shennan, 2018.

22. Coudart, 1998; Jeunesse, 1997; Kerig, 2003; Van der Velde, 1990.

23. Shennan et al., 2013; e ver também Shennan, 2009; Shennan e Edinborough, 2006.

24. Haak et al., 2005; 2010; Larson et al., 2007; Lipson et al., 2017.

25. Zvelebil, 2006; e para evidências de diferenças de status assinaladas pela riqueza tumular, ver O'Shea e Zvelebil (1984) sobre cemitérios da região de Karelia; Nilsson Stutz (2010) sobre a Escandinávia meridional; e Schulting (1996) sobre a costa bretã.

26. Kashina e Zhulnikov, 2011; Veil et al., 2012.

27. Schulting e Richards, 2001.

28. Golitko e Keeley (2007) visualizam encontros hostis entre cultivadores neolíticos e populações mesolíticas mais estabelecidas, observando que aldeias fortificadas tendem a se agrupar em torno dos pontos periféricos na colonização neolítica.

29. Wengrow, 2006, cap. 2-3; Kuper e Kroepelin, 2006.

30. Wengrow et al., 2014, com referências adicionais.

31. Ver Spriggs, 1997; Sheppard, 2011.

32. Denham et al., 2003; Golson et al. (Orgs.), 2017; ver também Yen, 1995.

33. Ver Spriggs, 1995; o hábito lapita de se afastar de populações estabelecidas e partir para espaços vazios pode ser parcialmente confirmado por descobertas de DNA antigo; ver Skoglund et al., 2016.

34. Kirch, 1990; Kononenko et al., 2016. Gell (1993) fornece um estudo sistemático, comparativo de tradições regionais de arte corporal e tatuagens em sociedades polinésias mais recentes, e suas permutações sociais e conceituais.

35. Holdaway e Wendrich (Orgs.), 2017.

36. Como observamos, o horizonte Lapita está associado com a dispersão das línguas austronésias. Correlações entre a disseminação da lavoura e da linguagem também parecem prováveis para culturas nilóticas (e a muito posterior expansão bantu do oeste para sul da África). Para um apanhado geral desses e de outros casos de dispersão língua-agricultura, ver Bellwood, 2005; Bellwood e Renfrew (Orgs.), 2002. Uma associação entre o indo-europeu e a disseminação do cultivo no Neolítico Inicial na Europa agora é considerada improvável (ver Haak et al., 2015, com referências adicionais).

37. Capriles et al., 2019.

38. Fausto, 1999; Costa, 2017.

39. Descola, 1994; 2005.

40. Roosevelt, 2013.

41. Hornborg, 2005; Hornborg e Hill (Orgs.), 2011.

42. Aqui a palavra-chave é "complexa" — as artes indígenas da Amazônia são incrivelmente ricas e diversificadas, com muitas variações regionais e étnicas. Mesmo assim, analistas têm encontrado princípios similares em atuação na cultura visual através de regiões supreendentemente grandes. Para uma perspectiva brasileira, ver Lagrou, 2009.

43. Erickson, 2008; Heckenberger e Neves, 2009; Heckenberger et al., 2008; Pärssinen et al., 2009.

44. Lombardo et al., 2020.

45. Piperno, 2011; Clement et al., 2015; ver também Fausto e Neves, 2018.

46. Arroyo-Kalin, 2010; Schmidt et al., 2014; Woods et al. (Orgs.), 2009.

47. Scott, 2009.

48. Smith, 2001.

49. As evidências vêm de sítios arqueológicos no vale do rio Balsas, no México; Ranere et al., 2009.

50. Smith, 2006.

51. Fuller, 2007, pp. 911-5.

52. Redding, 1998. Esses "flertes" provavelmente assumiram a forma de gestão seletiva de rebanhos com a criação restrita às fêmeas, permitindo aos machos continuar selvagens.

53. Na fase arqueológica denominada Neolítico C Pré-Cerâmica (ppnc — Pre-Pottery Neolithic C).

54. Colledge et al., 2004; 2005. É importante observar que um declínio na diversidade agrícola pode ter começado *dentro* do Crescente Fértil, aproximadamente na época em que o pacote de cultivo neolítico foi levado para norte e oeste rumo à Europa, via Turquia e os Bálcãs. Por volta de 7000 a.C. (o fim do período Neolítico Tardio pós-cerâmica), a diversidade média de cultivo em sítios do Crescente Fértil havia caído de dez ou onze espécies originais para meros cinco ou seis. É interessante que o ocorrido nessa região (durante o período ppnc) foi uma queda populacional associada ao abandono de grandes aldeias e o começo de um padrão mais disperso de assentamento humano.

55. Ver também Bogaard, 2005.

8. CIDADES IMAGINÁRIAS [pp. 301-53]

1. Por exemplo, Dunbar, 1996; 2010.

2. Dunbar, 1996, pp. 69-71. A base cognitiva do Número de Dunbar é inferida a partir de estudos comparativos de primatas não humanos, o que sugere uma correlação entre o tamanho do neocórtex e a extensão do grupo em várias espécies de macacos de pequeno e grande porte (Dunbar, 2002). A importância dessas descobertas para os estudos dos primatas não está sendo questionada aqui, e sim apenas se estes podem ser estendidos de alguma forma simples e direta para nossa própria espécie.

3. Bird et al., 2019; ver também Hill et al., 2011; Migliano, 2017.

4. Sikora et al., 2017.

5. Bloch, 2013.

6. Anderson, 1991.

7. Ver Bird et al., 2019; e comparar com Bloch, 2008.

8. Fischer, 1977, p. 454.

9. Ver especialmente Childe, 1950.

10. Esperamos tratar do rico material africano, fora do Egito antigo, de forma mais completa num trabalho futuro, junto com muitos outros casos valiosos que não puderam ser incluídos aqui, como as tradições das nações Pueblo do Sudoeste norte-americano, para

mencionar apenas um. Para discussões importantes sobre o material africano, que sustentam algumas de nossas observações sobre a natureza descentralizada e auto-organizada das primeiras cidades, ver, por exemplo, S. McIntosh (Org.), 2009; R. McIntosh, 2005.

11. A maioria dos arqueólogos não se furta a chamar qualquer assentamento densamente habitado com tamanho maior que cerca de 150 hectares, e com toda certeza acima de 200 hectares, de "cidade" (ver, por exemplo, Fletcher, 1995).

12. Fleming, 2009, *passim*.

13. Para evidências diretas da migração para Teotihuacan, com base em estudos isotópicos de restos humanos, ver White et al., 2008; para evidências similares em Harappa, ver Valentine et al., 2015. Para uma discussão geral de vizinhanças e seu papel na formação das primeiras cidades, Smith et al., 2015.

14. Plunket e Uruñuela, 2006.

15. Day et al., 2007; Pennington et al., 2016.

16. Ver Pournelle, 2003.

17. Sherratt, 1997; Styring et al., 2017.

18. Ver Pournelle, 2003; Scott, 2017.

19. Para a China, ver Underhill et al., 2008; para o Peru, ver Shady Solis, Haas e Creamer, 2001.

20. Inomata et al., 2020. O sítio-chave aqui está no estado de Tabasco, e atende pelo nome de Aguada Fénix. Datado entre 1000 a.C. e 800 a.C., é hoje reconhecido como "a construção monumental mais antiga já encontrada na área maia, e a maior em toda a história pré-hispânica da região". Aguada Fénix não é de forma nenhuma um ponto fora da curva. Características arquitetônicas massivas, implicando trabalho comunal na escala das pirâmides do Egito antigo, foram agora encontradas em numerosos sítios nas terras baixas dos maias, muitos séculos antes do início do reinado maia clássico. A maioria compreende não pirâmides, mas plataformas no nível do chão de proporções e extensão horizontal impressionantes, cuidadosamente dispostas em desenhos de formato aproximado de um E; sua função permanece pouco clara, uma vez que a maioria dos sítios foram revelados por sensoriamento remoto (usando tecnologia LiDAR) e ainda não foram escavados em maior escala.

21. Anthony, 2007.

22. Grande parte dessa pesquisa (publicada exclusivamente em russo) foi um trabalho de ponta pelos padrões da época, que incluiu fotografias aéreas, prospecção subterrânea, e escavação cuidadosa. Para resumos e descrições em inglês, ver Videiko, 1996; Menotti e Korvin-Piotrovskiy, 2012.

23. Shumilovskikh, Novenko e Giesecke, 2017. O que distingue esses solos, em termos físicos, é seu alto conteúdo de húmus e capacidade de armazenar umidade.

24. Anthony, 2007, pp. 160-74.

25. Para se ter uma sensação de escala relativa, considere que somente esse centro vazio de um megassítio poderia ter abrigado mais de duas grandes cidade neolíticas, como Çatalhöyük, em seu interior.

26. Datações científicas revelam que alguns dos maiores megassítios eram coetâneos; Müller et al., 2016, pp. 167-8.

27. Ohlrau et al., 2016; Shumilovskikh, Novenko e Giesecke, 2017.

28. Nebbia et al. (2018) apresentam evidências que sustentam esse modelo sazonal extremo, mas sem descartar outras possibilidades.

29. A população dos megassítios tinha uma tradição de incendiar deliberadamente suas casas, o que complica o assunto para analistas modernos, tentando determinar quanto de cada sítio esteve em uso ao mesmo tempo. Não se sabe o motivo desses incêndios (para processos rituais, ou higiene, ou ambos?). Seria algo rotineiro dentro dos assentamentos, de modo que parte do megassítio estava viva e crescendo, enquanto a outra virava uma espécie de "cemitério de casas"? Habitualmente, uma modelagem cuidadosa de datação de alta precisão por carbono radiativo permitiria aos arqueólogos resolver essas questões. Nesse caso, porém, uma frustrante anomalia na curva de calibração para o quarto milênio a.C. os está impedindo de fazer isso.

30. Kirleis e Dal Corso, 2016.

31. Chapman e Gaydarska, 2003; Manzura, 2005.

32. Devem-se também permitir respostas diferentes, variando de um megassítio para outro. Por exemplo, alguns deles, como Maidenetske e Nebelivka, mobilizavam sua população para cavar valas, assinalando o espaço de uma horta entre o circuito externo de casas e a extremidade do assentamento. Outros, como Taljanky, não o faziam. Vale a pena ressaltar que essas valas não podem ter funcionado como fortificações ou defesas de nenhum tipo — eram rasas, com espaçamentos frequentes para que as pessoas pudessem passar entre elas. É importante ressaltar isso, porque estudiosos mais antigos muitas vezes encaravam os megassítios como "cidades de refúgio" formadas para a defesa de uma população local, visão em grande parte abandonada pela ausência de qualquer evidência clara de atividade bélica ou outras formas de conflito (ver Chapman, 2010; Chapman, Gaydarska e Hale, 2016).

33. Bailey, 2010; Lazarovici, 2010.

34. Como mostram John Chapman e colegas, não há nada nessas casas de reunião para sugerir que abrigassem uma classe superior política ou religiosa: "Aqueles que esperam reflexos arquitetônicos e de artefatos e uma sociedade hierárquica com elite governando milhares de habitantes no megassítio de Trypillia ficarão desapontados" (Chapman, Gaydarska e Hale, 2016, p. 120). Além de sua escala, e às vezes uma passagem de entrada bem acentuada, essas edificações são semelhantes em suas mobílias às habitações ordinárias, exceto pela interessante ausência de instalações para preparação e armazenamento de comida. Elas não têm "nenhuma das características deposicionais de um centro administrativo ou ritual" (ibid.), e não parecem ter sido ocupadas permanentemente em nenhuma escala, o que apoia a ideia de que eram usadas para reuniões periódicas, talvez sazonais.

35. Chapman, Gaydarska e Hale, 2016.

36. O sistema basco de organização de assentamentos é descrito por Marcia Ascher no capítulo 5 de seu livro *Mathematics Elsewhere* (2004). Não podemos fazer justiça às sutilezas do relato de Ascher aqui sem mencionar a percepção matemática que ela traz, e encaminhar os leitores interessados a seu estudo e ao material etnográfico original no qual se baseia (Ott, 1981).

37. Ascher, 2004, p. 130.

38. Nas palavras de um de seus principais escavadores, o pré-historiador Johannes Müller (2016, p. 304) diz: "O caráter novo e único da organização espacial nos megassítios de Trypillia [ou "Trypolie"] Tardia exibe algumas percepções do comportamento humano e grupal

que ainda poderiam ser relevantes para nós nos dias de hoje. Tanto a habilidade de sociedades não letradas de se adensar em imensos grupos populacionais em condições rurais de produção, distribuição e consumo, como sua habilidade de evitar pirâmides sociais desnecessárias e, em vez disso, praticar uma estrutura mais pública de tomada de decisões, fazem-nos lembrar de nossas próprias possibilidades e habilidades".

39. *Heartland of Cities* [Coração das cidades] foi o título de um levantamento e análise arqueológicos seminais da planície alimentar da Mesopotâmia central feitos por Robert McCormick Adams (1981).

40. Os pântanos do sul do Iraque são o lar dos ma'dãns (às vezes chamados "árabes dos pântanos"), mais conhecidos dos europeus pelos escritos de Wilfred Thesiger. Os pântanos eram sistematicamente drenados pelo governo Ba'ath de Saddam Hussein num ato de retribuição política, levando a deslocamentos em massa das populações nativas e causando enorme dano a esse antigo hábitat. Desde 2003 tem havido esforços contínuos e parcialmente bem-sucedidos para reconstituir os pântanos e suas comunidades e modos de vida ancestrais.

41. Oates et al., 2007. A evidência-chave está na Síria, onde o conflito militar interrompeu os trabalhos arqueológicos em sítios como Tell Brak, no rio Khabur (um importante tributário do Eufrates). Os arqueólogos chamam essas pastagens na Mesopotâmia setentrional de zona de "cultivo a seco", porque a agricultura baseada em precipitações chuvosas era possível ali. O contraste é com a Mesopotâmia meridional, uma zona árida, onde a irrigação dos principais rios era obrigatória para o cultivo de cereais.

42. Esses aterros são grandes acúmulos materiais de vida e morte humanas conhecidos pela palavra árabe *tell*, constituídos mediante sucessivas fundações e colapsos de arquitetura de barro-tijolo ao longo de dezenas e muitas vezes centenas de gerações.

43. Para um levantamento de "o mundo sumério", ver Crawford (Org.), 2013.

44. Isso também se encaixava muito bem com os interesses coloniais britânicos na região moderna que chamaram de "Mesopotâmia", baseados numa política de apoiar (e ocasionalmente criar) monarquias locais para seus próprios interesses (ver Cannadine, 2001).

45. Ver Dalley, 2000.

46. Wengrow, 2010, pp. 131-6; Steinkeller, 2015. Os escribas às vezes usavam outra palavra (*bala*) — significando "termo" ou "ciclo" — para referir-se à corveia e também à sucessão de dinastias reais, mas trata-se de um desenvolvimento posterior. É interessante comparar o fenômeno com o *fanompoana* ou "serviço" malgaxe, um dever de trabalho teoricamente ilimitado devido à monarquia; nesse caso, a própria família do monarca era isenta, mas existem relatos semelhantes da igualdade absoluta com todo mundo se reunindo para cavar a terra em projetos reais e o alegre entusiasmo com que faziam isso (Graeber, 2007[a], pp. 265-7).

47. Steinkeller, 2015, pp. 149-50.

48. Evidências escritas de vários períodos da história da Mesopotâmia mostram que os governantes rotineiramente proclamavam anistias de dívidas nos jubileus e outras ocasiões festivas, proporcionando a seus súditos a possibilidade de recomeçar do zero. O perdão das dívidas acumuladas, fosse por proclamações reais ou nos "anos de perdão", faziam sentido em termos fiscais. Era um mecanismo usado para restaurar o equilíbrio da economia de cidades mesopotâmicas, e a liberação dos devedores e seus parentes da servidão permitia-lhes continuar levando vidas cívicas produtivas (ver Graeber, 2011; Hudson, 2018).

49. As mulheres eram cidadãs e proprietárias de terras. Alguns dos primeiros monumentos de pedra de todas as partes da Mesopotâmia registram transações entre proprietários homens e mulheres, que aparecem como partes de status legal equivalente. As mulheres também detinham posições elevadas em templos, e mulheres da realeza eram treinadas como escribas. Se seus maridos contraíssem dívidas, elas se tornavam as chefes da família na prática. As mulheres também formavam a espinha dorsal da prolífica indústria têxtil da Mesopotâmia, que financiava seus empreendimentos comerciais no exterior. Trabalhavam em templos ou outras grandes instituições, muitas vezes sob a supervisão de outras mulheres, que recebiam lotes de terra em proporções similares aos homens. Algumas eram operadoras financeiras independentes, emitindo crédito para outras mulheres; ver, em geral, Zagarell, 1986; Van de Mieroop, 1989; Wright, 2007; Asher-Grave, 2012. Alguns dos documentos mais antigos a esse respeito provêm de Girsu, na cidade-Estado de Lagaxe, por volta da metade do terceiro milênio a.C. — cerca de 1800 textos em escrita cuneiforme derivados em sua maioria de uma instituição de nome "a Casa da Mulher", posteriormente chamada de "a Casa da Deusa Baba"; sobre isso, ver Karahashi, 2016.

50. A escravidão doméstica — a manutenção de escravos em lares privados — estava tão profundamente enraizada na economia e sociedade da Grécia clássica que muitos consideram justificável definir as cidades gregas como "sociedades escravocratas". Não encontramos nenhum equivalente óbvio para isso na antiga Mesopotâmia. Templos e palácios retinham prisioneiros de guerra e devedores como trabalhadores escravizados ou semilivres, que executavam tarefas manuais como moagem de grãos ou transporte durante todo o ano em troca de rações de comida e não eram proprietários de terras. Mesmo assim, eles formavam apenas uma minoria da força de trabalho no setor público. A escravidão doméstica também existia, mas não desempenhava papel central comparável na economia da Mesopotâmia; ver Gelb, 1973; Powell (Org.), 1987; Steinkeller e Hudson (Orgs.), 2015, *passim*.

51. Jacobsen, 1943; ver também Postgate, 1992, pp. 80-1.

52. Barjamovic, 2004, p. 50, nota 7.

53. Fleming, 2004.

54. Conforme observou John Wills (1970) há muito tempo, algo na forma de condução das assembleias está provavelmente preservado nos discursos atribuídos a deuses e deusas na mitologia mesopotâmica. As divindades também se reuniam em assembleias, onde exibiam talentos de retórica, discurso persuasivo, argumentação lógica e ocasionais sofismas.

55. Barjamovic, 2004, p. 52.

56. Uma dessas "aldeias urbanas", como as denomina Nicholas Postgate (1992, pp. 81-2), está documentada numa tabuleta recuperada da cidade de Eshnunna, no vale do Diala, que lista amoritas "vivendo na cidade" de acordo com seus bairros, designados pelos nomes dos homens chefes de família e seus filhos.

57. Ver, por exemplo, Van de Mieroop, 1999, esp. p. 123.

58. Ibid., pp. 160-1.

59. Stone e Zimansky, 1995, p. 123.

60. Fleming, 2009, pp. 1-2.

61. Fleming (2009, pp. 197-9) observa que a "tradição [em Urkesh] de um poderoso equilíbrio coletivo para a liderança de reis pode ser a herança de uma longa história urbana", e que

o conselho de anciãos possivelmente não podia ser constituído a partir do círculo de conselheiros do próprio rei. Era na verdade uma "força política totalmente independente" com certa tradição, uma forma coletiva de liderança urbana, que "não pode ser encarada como um ator menor numa estrutura basicamente monárquica".

62. Para reconstituir os sistemas políticos urbanos iniciais na Mesopotâmia, Jacobsen se baseou especialmente na história de "Gilgamesh e Agga", uma breve composição épica sobre a guerra entre Uruk e Kish, que descreve um conselho da cidade dividido em duas câmaras.

63. Por isso as estimativas de população urbana para o quarto milênio a.C. se baseiam quase inteiramente em levantamentos topográficos e distribuições de achados de superfície (ver Nissen, 2002).

64. Nissen, Damerow e Englund, 1993.

65. Englund, 1998, pp. 32-41; Nissen, 2002. Um número significativo de estruturas monumentais no complexo de Eanna são versões espetacularmente aumentadas de um tipo de lar familiar comum (a chamada forma de "casa tripartite"), onipresente em aldeias do "período de al-Ubaide", no quinto milênio a.C. Especialistas debatem se algumas dessas construções poderiam ter sido palácios privados em vez de templos, mas na verdade não se assemelham muito a palácios *ou* templos de épocas posteriores. Em essência, são versões em escala ampliada de formas de casas tradicionais, onde provavelmente ocorriam reuniões de grande número de pessoas, realizadas na língua falada por uma grande família estendida sob o patrocínio de uma divindade-residente (Wengrow, 1998; Ur, 2014). Os primeiros exemplos convincentes de arquitetura palaciana em cidades no aluvião da Mesopotâmia meridional vieram apenas séculos mais tarde, no Período Dinástico Inicial (Moorey, 1964).

66. Ver Crüsemann et al. (Orgs.), 2019, para um magnífico levantamento do desenvolvimento arquitetônico de Uruk ao longo das épocas; embora observemos que sua interpretação subestima os aspectos de planejamento urbano que veríamos como claramente relacionados com participação cívica (em especial no que diz respeito às primeiras fases do santuário de Eanna, eles tendem a pressupor, mesmo na ausência de evidências escritas, que qualquer espécie de grande projeto arquitetônico devia necessariamente ter sido construído com intenção de estabelecer a exclusividade de uma elite governante).

67. Entre as tabuletas há cópias arcaicas da chamada "Lista de Títulos e Profissões", que foi amplamente reproduzida mais tarde e inclui (entre outras coisas) termos para vários tipos de juízes, governantes, sacerdotes, participantes da "assembleia", embaixadores, mensageiros, supervisores de rebanhos, bosques, campos e equipamento agrícola, e também de cerâmica e metalurgia. Nissen, Damerow e Englund (1993, pp. 110-1) analisam as imensas dificuldades de extrair qualquer tipo de história social a partir dessa documentação, pois isso depende de encontrar corroborações entre os termos e sua recorrência em textos administrativos funcionais do mesmo período, e mesmo assim é algo um tanto tendencioso.

68. Embora devêssemos também mencionar que, pelo menos nos tempos da Babilônia antiga (*c*. 2000-1500 a.C.), muitas instruções para escribas também ocorriam em lares privados.

69. Englund, 1988.

70. Bartash, 2015. Existe a possibilidade de que nessa época alguns já fossem escravizados ou cativos de guerra (Englund, 2009), e, como veremos, mais tarde isso se torna muito

mais comum; inclusive, é possível que aquilo que começou originalmente como uma organização beneficente tenha aos poucos se transformado, à medida que cativos foram sendo incorporados. Para a composição demográfica da força de trabalho em templos no período de Uruk, ver também Liverani, 1998.

71. Outro aspecto de controle de qualidade em templos urbanos era o uso de sinetes cilíndricos. Essas pedras minúsculas e cinzeladas, quase indestrutíveis, são nossa principal fonte de conhecimento para cerca de 3 mil anos de confecções de imagens no Oriente Médio, desde o tempo das primeiras cidades até o Império Persa (*c.* 3500-500 a.C.). Tinham muitas funções, e não eram simplesmente "objetos de arte". Na verdade, os sinetes cilíndricos estavam entre os dispositivos mais antigos para reprodução mecânica de imagens complexas, feitas rolando o sinete sobre uma tira ou bloco de argila para fazer aparecer figuras em relevo e sinais, o que os posiciona nos primórdios da comunicação impressa. Eram impressos em tabletes de argila inscritos, mas também serviam como lacres para recipientes de argila contendo comida e bebida. Dessa maneira, minúsculas imagens de pessoas, animais, monstros, deuses e assim por diante eram feitas para guardar e autorizar o conteúdo, o que os distinguia dos produtos habituais do templo e de posteriores oficinas dos palácios, garantindo sua autenticidade ao serem passados entre partes que se desconheciam (ver Wengrow, 2008).

72. Alguns assiriólogos chegaram a acreditar que essa esfera englobava quase tudo: que as primeiras cidades mesopotâmicas eram "cidades-templos" governadas com base em um "socialismo teocrático". Essa tese foi convincentemente refutada; ver Foster, 1981. Na verdade não temos conhecimento de como era a vida econômica fora da área administrada pelos templos; somente sabemos que os templos administravam uma certa porção da economia, mas não toda, e que não tinham nenhuma relação com algum conceito de soberania política.

73. No Vaso de Uruk, a figura da deusa, provavelmente Inanna, é maior que as figuras masculinas que marcham em sua direção. A única exceção é a figura que se aproxima dela diretamente, na frente da comitiva, o que está em grande parte perdido devido a uma quebra no vaso, mas é provável que seja a mesma figura masculina-padrão que aparece em sinetes cilíndricos e outros monumentos da época, com sua barba característica, cabelo preso num coque e longos trajes tecidos. É impossível dizer a que status essa figura masculina se refere, ou se era ocupado em base hereditária ou rotativa. A deusa veste um longo manto, que esconde quase por completo os contornos de seu corpo, enquanto as figuras masculinas menores parecem nuas, e possivelmente sexualizadas (Wengrow, 1998, p. 792; Bahrani, 2002).

74. Ver Yoffee, 1995; Van de Mieroop, 2013, pp. 283-4.

75. Ver Algaze, 1993. Não há nenhum indício dessas colônias na correspondência administrativa da cidade-mãe (e a escrita quase não era usada nas próprias colônias).

76. Em essência, as origens sagradas do que hoje chamamos de "fixação de marca"; ver Wengrow, 2008.

77. Ver Frangipane, 2012.

78. Helwig, 2012.

79. Frangipane, 2006; Hassett e Sağlamtimur, 2018.

80. Treherne, 1995, p. 129.

81. Entre as descobertas mais notáveis do cemitério da Idade do Bronze Inicial em Başur Höyük, na Anatólia oriental, está um conjunto de peças de jogo esculpidas.

82. Em grande parte, aliás, conforme previsto por Andrew Sherratt (1996); e ver também Wengrow, 2011. Onde sociedades urbanas e montanhosas convergiram, emergiu um terceiro elemento que não se assemelha nem a aristocracias tribais nem a cidades mais igualitárias. Os arqueólogos se referem a esse outro elemento como cultura Kura-Araxes ou Transcaucasiana, mas ela tem se mostrado difícil de definir em termos de tipos de assentamentos, pois existem enormes variações. Para os arqueólogos, o que identifica acima de tudo a cultura transcaucasiana é sua cerâmica altamente polida, que conseguiu uma distribuição notável, estendendo-se do sul do Cáucaso até o vale do Jordão. Ao longo de distâncias tão consideráveis, métodos para fazer cerâmica e outros produtos distintos de artesanato permaneceram notavelmente constantes, sugerindo para alguns a migração de artesãos, e talvez mesmo comunidades inteiras, para se estabelecerem em locais remotos. Esses grupos de diáspora parecem ter estado envolvidos no trabalho com metais e em sua circulação, em especial do cobre. E levaram consigo outras práticas características, como o uso de fogões de cozinha portáteis, às vezes decorados com rostos, que sustentavam panelas com tampas usadas para preparar pratos baseados em cozidos e caçarolas — uma prática um tanto excêntrica em regiões onde assar comida (carnes e pães) em fornos fixos era um costume antiquíssimo, remontando até tempos neolíticos (ver Wilkinson, 2014, com referências adicionais).

83. Trabalhos recentes atribuem o eventual declínio da civilização do vale do Indo a mudanças no regime de enchentes dos principais sistemas fluviais, provocadas por alterações no ciclo de monções. Isso é mais evidente no ressecamento do Ghagar-Hacra, outrora um dos principais cursos d'água do vale do Indo, e a uma mudança de assentamentos humanos para áreas com maior abundância de água, onde o Indo encontra os rios de Punjab, ou a partes de planície indo-gangética que ainda caíam dentro da captura do cinturão das monções; Giosan et al., 2012.

84. Para uma análise dos debates, ver Green (2020), que desenvolve um argumento de que a civilização do Indo foi um caso de cidades igualitárias, mas seguindo linhas de raciocínio diferentes das nossas.

85. Para visões gerais da civilização do vale do Indo, e descrição adicional dos sítios mais importantes, ver Kenoyer, 1998; Possehl, 2002; Ratnagar, 2016.

86. Para uma visão geral dos contatos comerciais e culturais de longo alcance do vale do Indo na Idade do Bronze, ver Ratnagar, 2004; Wright, 2010.

87. Para a escrita do Indo em geral, ver Possehl, 1996; para a placa de sinalização de Dholavira, ver Subramanian, 2010; e para a função dos sinetes no Indo, ver Frenez, 2018.

88. Ver Jansen, 1993.

89. Wright, 2010, pp. 107-10.

90. Ver Rissman, 1988.

91. Kenoyer, 1992; H.-M. L. Miller, 2000; Vidale, 2000.

92. "A Civilização do Indo é algo como um sistema sociocultural sem rosto. Os indivíduos, mesmo os mais proeminentes, não surgem prontamente nos registros arqueológicos, como ocorria na Mesopotâmia e no Egito Dinástico, por exemplo. Não há sinais claros de reinado na forma de escultura ou palácios. Não há evidência de uma burocracia estatal ou outros sintomas de um 'Estado'" (Possehl, 2002, p. 6).

93. A perspicaz discussão de Daniel Miller (1985) sobre esses pontos permanece relevante.

600

94. Como discutido por, entre outros, Lamberg-Karlovsky, 1999. Às vezes se levanta a objeção de que enxergar a civilização da Idade do Bronze do vale do Indo através da lente das castas significa pintar um quadro artificialmente "atemporal" das sociedades sul-asiáticas, e assim cair em tropos "orientalistas", porque a mais antiga menção escrita do sistema de castas e suas distinções sociais básicas, ou *varnas*, ocorre por volta de um milênio mais tarde, nos hinos do *Rig Veda*. Sob muitos aspectos, é uma objeção intrigante — e que em certa medida derrota a si mesma —, porque só faz sentido caso se assuma que um sistema social baseado em princípios de castas não pode evoluir, da mesma maneira que, digamos, sistemas de classes ou feudais passam por importantes transformações estruturais ao longo do tempo. Existem aqueles que, com certeza, assumiram explicitamente essa posição (em especial Dumont, 1972). Obviamente, porém, esta não é a posição que estamos assumindo aqui; tampouco vemos nesse contexto nenhuma continuidade entre casta, linguagem e identidade racial (outra equação falsa que tem atrapalhado esses tipos de discussões no passado).

95. Sobre esse ponto, ver a importante reavaliação de Vidale (2010) do sítio de Mohenjo--Daro e seus registros arqueológicos.

96. A escassez geral de armas nos sítios de Harapa continua sendo surpreendente; mas, conforme ressalta Corke (2005), em outras civilizações da Idade do Bronze (por exemplo, Egito, China, Mesopotâmia) os armamentos tendem a ser encontrados em sepulturas, e não em assentamentos; assim, raciocina ele, a visibilidade de armas e artefatos bélicos no vale do Indo pode ser fortemente reduzida por uma ausência generalizada de restos funerários. Ele também destaca, porém, que não existem evidências de que armas tivessem sido usadas como símbolos de autoridade (em contraste com a Mesopotâmia, por exemplo) ou que de algum modo formassem "uma parte significativa da identidade da elite" na civilização do Indo. O que sem dúvida está ausente é a *glorificação* das armas e do tipo de pessoas que as empregam.

97. Obviamente, em parte é justo o desejo de preservar o crédito de ter "inventado" a democracia para o que chamamos de "o Ocidente". Parte da explicação poderia também residir no fato de que a própria academia está organizada de modo extremamente hierárquico, e a maioria dos estudiosos, portanto, tem pouca ou nenhuma experiência em tomarem, eles mesmos, decisões democráticas, e como resultado acham difícil imaginar qualquer outro fazendo isso.

98. Gombrich, 1988, pp. 49-50, 110 ss.

99. Como ocorre em todos os casos como esse, praticamente tudo sobre o tópico da "democracia" indiana arcaica é contestado. As primeiras fontes literárias, os Vedas, pressupõem uma sociedade rural e a monarquia como única forma de governo possível — embora alguns estudiosos indianos detectem traços de instituições democráticas mais antigas (Sharma, 1968); no entanto, na época de Buda, no século v a.C., o vale do Ganges era lar de uma profusão de cidades-Estado, pequenas repúblicas e confederações, muitas das quais (as *gana-sangha*) ao que tudo indica foram governadas por assembleias compostas de todos os membros homens da casta dos guerreiros. Viajantes gregos como Megástenes se mostravam perfeitamente dispostos a descrevê-las como democracias, uma vez que as democracias gregas eram na prática a mesma coisa, mas os estudiosos contemporâneos questionam se eram mesmo democráticas. A discussão inteira parece estar baseada na premissa de que "democracia" era algum tipo de avanço histórico extraordinário, em vez de um hábito de autogovernança

à disposição em qualquer período histórico (ver, por exemplo, Sharan, 1983; Thapar, 1984; nossos agradecimentos a Matthew Milligan por nos guiar para fontes relevantes, embora ele não tenha responsabilidade pelo uso que fizemos desse material).

100. Sobre o princípio *seka*, ver H. Geertz e C. Geertz, 1978; Warren, 1993.

101. Lansing, 1991.

102. Conforme argumentado em Wengrow, 2015.

103. Possehl, 2002, passim; Vidale, 2010.

104. Cidades independentes só foram inteiramente abolidas na Europa nos séculos XVII e XVIII, como parte da criação do Estado-nação moderno. Impérios europeus e a criação do sistema interestatal moderno no século XX conseguiram apagar quaisquer traços delas em outras partes do mundo.

105. Bagley, 1999.

106. Steinke e Ching, 2014.

107. Curiosamente, algumas das menores estão na própria Henan, o coração das dinastias mais recentes. A cidade de Wangchenggang, associada com a dinastia Xia — a semilendária precursora da Shang — tem uma área totalmente murada de cerca de trinta hectares; ver Liu e Chen, 2012, p. 222.

108. Ibid., passim; Renfrew e Liu, 2018.

109. Alguns estudiosos a princípio sugeriram que o período Longshan tinha sido uma era de alto xamanismo, um apelo ao mito posterior de Pan Gu, que valorizava céu e terra separados de tal forma que apenas aqueles com poderes espirituais podiam transitar entre eles. Outros a relacionaram de início com lendas clássicas de *wan guo*, o período dos Dez Mil Estados, antes que o poder fosse associado às dinastias Xia, Shang e Zhou; ver Chang, 1999.

110. Jaang et al., 2018.

111. He, 2013, p. 269.

112. Ibid.

113. He, 2018.

9. OCULTO À VISTA DE TODOS [pp. 354-85]

1. A localização precisa de Aztlán é desconhecida. Várias linhas de evidências sugerem que populações falantes de náhuatl (a língua dos mexicas/ astecas) foram dispersadas entre estabelecimentos urbanos e rurais antes de sua migração rumo ao sul. É mais provável que estivessem presentes, junto com uma gama de outros grupos étnicos e linguísticos, na capital tolteca de Tula, que fica ao norte da bacia do México (Smith, 1984).

2. Assim chamados por fundar a união política de três cidades-Estado: Tenochtitlan, Texcoco e Tlacopan.

3. Os reis de mexicas alegavam descendência parcial dos governantes toletecas de uma cidade chamada Culhuacan, onde residiram temporariamente no decorrer de suas migrações; daí o etnômino culhua-mexica; ver Sahlins, 2017.

4. Stuart, 2000.

5. Ver Taube, 1986; 1992.

6. Estimativas publicadas variam desde 200 mil e caem até 75 mil pessoas (Millon, 1976, p. 212), mas a reconstituição mais meticulosa até a presente data (feita por Smith et al., 2019) se arredonda em torno de 100 mil e se relaciona com as fases Xolalpan-Metepec de ocupação da cidade, entre 350 d.C. e 600 d.C. Nessa época, grande parte da população — tanto ricos como pobres — vivia em belos conjuntos de aposentos de alvenaria, como discutiremos mais adiante.

7. Na verdade, é bem provável que em Teotihuacan fosse usado algum sistema de escrita, mas tudo o que podemos ver dele são signos isolados, ou pequenos grupos, repetidos em murais e cerâmicas onde há legendas relativas a figuras humanas. Talvez algum dia elas revelem as respostas para algumas das grandes perguntas sobre a sociedade que construiu Teotihuacan, mas por enquanto continuam sendo em sua maior parte inescrutáveis. Os estudiosos ainda nem conseguem afirmar com algum grau de confiança se os signos nomeiam indivíduos ou grupos, ou talvez locais de origem; para discussões recentes, e às vezes contraditórias, ver Taube, 2000; Headrick, 2007; Domenici, 2018. É bem possível, claro, que os residentes de Teotihuacan tenham produzido inscrições mais extensivas em meios de comunicação que não sobreviveram, como o junco e a casca vegetal (*amatl*) mais tarde usados pelos escribas astecas.

8. Outros imigrantes chegaram a Teotihuacan vindos de locais distantes como Veracuz e Oaxaca, formando seus próprios bairros residenciais e mantendo seus ofícios tradicionais. Provavelmente deveríamos imaginar pelo menos alguns dos muitos distritos da cidade como "cidades-Chiapas", "cidades-Yucatán" e assim por diante; ver Manzanilla, 2015.

9. Para a importância cosmológica e política de quadras de jogo de bola em cidades maias clássicas, ver Miller e Houston, 1987.

10. Ver Taube, 1986.

11. Vale a pena observar, de passagem, que argumentos bastante semelhantes foram apresentados pelo arqueólogo e historiador da arte Henri Frankfort (1948; 1951) com relação ao surgimento do Egito e da Mesopotâmia como tipos de civilização paralelos, mas em alguns aspectos opostos; ver também Wengrow, 2010.

12. Pasztory, 1988, p. 50; e ver também Pasztory, 1992; 1997.

13. Millon, 1976; 1988, p. 112; ver também Cowgill, 1997, pp. 155-6; e, para argumentos mais recentes, em linhas similares, ver Froese, Gershenson e Manzanilla, 2014.

14. Sharer, 2003; Ashmore, 2015.

15. Ver Stuart, 2000; Braswell (Org.), 2003; Martin, 2001; e, para a descoberta recente e sem precedentes de murais maias em Teotihuacan, ver Sugiyama et al., 2019.

16. Para o capitán Cook como Lono, ver Sahlins, 1985. Hernán Cortés tentou algo similar em 1519, depois de sua chegada ser vista por alguns como a segunda vinda de Quetzalcóatl, que um dia foi e voltaria a ser rei dos astecas, embora a maioria dos historiadores contemporâneos tenha concluído que ele e Montezuma estavam na verdade jogando um jogo em que nenhum dos dois levava sua atribuição particularmente a sério. Para outros exemplos, e o fenômenos genérico de "reis-forasteiros", ver também Sahlins, 2008; Graeber e Sahlins, 2017.

17. Com base em análises químicas de restos humanos de um homem adulto encontrado na Tumba Hunal, em Copán, o que sugere uma origem para seu ocupante — identificado como o fundador dinástico K'inich Yax K'uk Mo' — na região de Petén central (Buikstra et al., 2004).

18. Cf. Cowgill, 2013. Alguns conquistadores posteriores representaram um papel semelhante, como o notório Nuño Berltrán de Guzmán (*c.* 1490-1558), que começou sua carreira na corte espanhola como guarda-costas de Carlos v antes de ir fundar cidades no noroeste do México, onde governou como fundador-tirano.

19. Paralelos com o século v d.C. parecem surpreendentes, porém mais uma vez não existe consenso entre os estudiosos sobre como interpretar as evidências que vinculam essas duas Tollans, a de Chichén Itzá e a de Tula (ver Kowalski e Kristan-Graham, 2007).

20. Millon, 1964.

21. Plunket e Uruñuela, 2005; ver também Nichols, 2016.

22. Froese, Gershenson e Manzanilla, 2014.

23. Curballo et al. (2019, p.109) observam que a arquitetura doméstica dessa fase inicial da expansão de Teotihuacan é muito mal compreendida. Os resquícios conforme foram encontrados sugerem habitações irregulares e pouco imponentes, erigidas sobre estacas em vez fundações de pedra. Ver também Smith, 2017.

24. Ver Manazanilla, 2017.

25. Talvez a questão como um todo tenha um forte sabor de milenarismo quando colocada contra um pano de fundo de massas desalojadas e perda de antigos lares para desastres naturais; cf. Paulinyi, 1981, p. 334.

26. Pasztory, 1997, pp. 73-138; e, para relatos mais atualizados das várias fases de construção, com datação por radiocarbono associada a cada uma delas, ver Sugiyama e Castro, 2007; N. Sugiyama et al., 2013.

27. Sugiyama, 2005. E, para estudos detalhados de restos humanos e suas origens, ver também White, Price e Longstaffe, 2007; White et al., 2002.

28. Cowgill, 1997, p. 155.

29. Ver Cowgill, 2015, pp. 145-6. Froese et al. (2014, p. 3) comentam que as Pirâmides do Sol e da Lua podem ter sido consideradas "bens públicos em larga escala num continuum com as construções de habitações em larga escala para a maioria da população".

30. Sugiyama e Castro, 2007.

31. Carballo et al., 2019; cf. Smith et al., 2017.

32. Pasztory (1992, p. 287) observa: "Nenhum outro povo comum na história mesoamericana morou em habitações assim", embora, como veremos, o caso da moradia social em Teotihuacan não é tão isolado como se pensou um dia.

33. Ver Manzanilla, 1993; 1996.

34. Millon, 1976, p. 215.

35. Manzanilla, 1993.

36. Froese et al., 2014, pp. 4-5; cf. Headrick, 2007, p. 105, fig. 6.3; Arnauld, Manzanilla e Smith (Orgs.), 2012. Um número significativo desses complexos de três templos maiores se encontra em vários pontos ao longo da Calçada dos Mortos, enquanto outros estão distribuídos entre as zonas residenciais da cidade.

37. Há estonteantes contrastes de cores, arranjos fractais de formas orgânicas que se fundem umas nas outras, e intenso padrão geométrico, chegando quase a formar um caleidoscópio.

38. Mais notavelmente, nos murais dos compostos de aposentos do distrito de Tepantitla, que também mostram jogos de bola praticados em espaços cívicos abertos em vez de quadras (como discutimos mais no capítulo 10). Ver Uriarte, 2006; e também Froese et al., 2014, pp. 9-10.

39. Elementos isolados de escrita glífica podem complicar este quadro, designando grupos ou indivíduos específicos, embora ainda não se saiba exatamente com que critério; Domenici, 2018.

40. Manzanilla, 2015.

41. Domenici (2018, pp. 50-1), baseando-se no trabalho de Richard Blanton (1998; Blanton et al., 1996), propõe uma sequência plausível de acontecimentos que fizeram crescer as tensões entre responsabilidades cívicas e os interesses de bairros em grande parte autogovernados. Alguma forma de privatização é visualizada, minando o etos coletivo ou a "ideologia corporativa" de tempos mais antigos.

42. Conforme assinalado pelo historiador Zoltán Paulinyi (1981, pp. 315-6).

43. Mann, 2005, p. 124.

44. Para uma exceção importante, mas ainda bastante isolada, ver os trabalhos de Lane F. Fargher e colegas citados mais adiante.

45. Cortés, 1928 [1520], p. 51.

46. Sobre isso, ver Isaac, 1983.

47. Crosby, 1986; Diamond, 1997.

48. Nas cidades-Estado (ou *altepetl*) mexicanas do século XVI, essas zonas urbanas chamadas *calpolli* desfrutavam de considerável autonomia. As *calpolli* eram idealmente organizadas em conjuntos simétricos, com direitos e deveres recíprocos. A cidade como um todo funcionava com base no entendimento de que os *calpolli* cumpririam cada qual suas obrigações junto ao governo municipal, entregando sua parte de tributos, trabalhadores para serviço de corveia pessoal para preencher as posições mais altas do gabinete político, inclusive — nos casos de cidades régias — o gabinete do *tlatoani* (rei, ou literalmente "orador"). Lotes especiais de terra muitas vezes acompanhavam esses papéis oficiais para sustentar o administrador incumbente e precisavam ser devolvidos no fim do mandato. Isso abria posições de autoridade para aqueles que careciam de patrimônios hereditários. As *calpolli* também existiam fora das cidades — em assentamentos rurais e cidades pequenas — onde poderiam ter correspondido mais de perto a unidades familiares estendidas; dentro das grandes cidades, com frequência eram definidos administrativamente por suas responsabilidades compartilhadas para entregar dízimos, impostos e corveia, mas às vezes também de acordo linhas étnicas ou ocupacionais, ou em termos de deveres religiosos compartilhados, ou até mesmo mitos de origem. De forma bastante semelhante ao termo inglês *neighbourhood*, ou vizinhança, a *calpolli* parece ter se tornado um conceito nebuloso na moderna literatura acadêmica, assumindo uma enorme variedade de formas e unidades sociais; ver Lockhart, 1985; Fargher et al., 2010; Smith, 2012, pp. 135-6 e passim.

49. Para o contexto literário dos escritos de Cervantes de Salazar sobre a Nova Espanha, ver González González, 2014; e também Fargher, Blanton e Heredia Espinoza, 2010, p. 236, com referências adicionais.

50. Nuttall, 1921, p. 67.

51. Ibid., pp. 88-9.

52. Se alguma coisa em tudo isso parece um tanto improvável, pediríamos ao leitor que considerasse que o manuscrito de 1585 da notável *Historia de Tlaxcala*, de Diego Muñoz Camargo, que na verdade compreende três seções — uma textual, em espanhol, e duas pictográficas em espanhol e náhuatl —, efetivamente sumiu de vista por cerca de dois séculos e não foi registrado no abrangente levantamento de manuscritos mesoamericanos realizado em 1975. Acabou vindo à toda na coleção doada para a Universidade de Glasgow pelo dr. William Hunter no século XVIII, e uma edição fac-similar foi produzida apenas em 1981.

53. Por cortesia da Biblioteca Virtual Universal de Buenos Aires, o leitor pode encontrar uma edição digital do texto de Cervantes de Salazar, *Crónica de Nueva España*, em: <www.cervantesvirtual.com/obra-visor/cronica-de-la-nueva-espana--0/html/>.

54. Xicotencatl, o Jovem, ou Xicontencatl Axayacatl, foi inicialmente considerado traidor tanto pelas fontes da Espanha colonial como nos relatos tlaxcaltecas; segundo Ross Hassig (2001), sua reabilitação e reputação como combatente indígena contra os espanhóis só ocorreu depois que o México declarou independência.

55. Parafraseamos aqui do espanhol. Não estamos cientes de qualquer tradução autorizada dessas palavras para o inglês. Aliás, Xicotencatl, o Velho, estava mais do que certo sobre tudo isso: não demorou muito depois da conquista de Tenochtitlan para que Tlaxcala perdesse privilégios e isenções com a Coroa Espanhola, reduzindo sua população a uma mera fonte de tributos.

56. Hassig (2002, pp. 30-2) provê um resumo do relato-padrão, recorrendo principalmente a Bernal Diaz del Castillo; ele também considera os possíveis fatores por trás da execução pelos espanhóis de Xicotencatl, o Jovem, que morreu por enforcamento aos 37 anos.

57. A possibilidade de que Kondiaronk, a quem os jesuítas consideravam encontrar-se entre as pessoas mais inteligentes que já viveram, pudesse ter conhecido alguns dos melhores versos de Luciano em suas conversas com os franceses, ter ficado impressionado e exibido variações deles em debates posteriores é algo que parece absolutamente inconcebível para esses estudiosos.

58. Ver Lockhart, Berdan e Anderson, 1986; e, para as tradições náhuatl de discurso e retórica política, também Lockhart, 1985, p. 474.

59. MacLachlan (1991, p. XII e nota 12) é bastante típico a esse respeito quando comenta sobre o "notável ajuste" de membros do conselho tlaxcalteca aos costumes (supostamente) europeus, o que atribui quase inteiramente a interesse próprio nativo sob condições de domínio imperial.

60. Para uma discussão proveitosa das mudanças de opinião acadêmica sobre tais assuntos, Lockhart (1985) permanece uma fonte valiosa.

61. Como, por exemplo, as respostas acadêmicas ao chamado "Debate de Influência", do qual tratamos num capítulo posterior, deflagrado pela proposta de que as estruturas federais haudenosaunees (as Seis Nações dos iroqueses) poderiam ter sido um modelo para a constituição dos Estados Unidos.

62. Motolonía, 1914 [1541], p. 227. Mesmo que nem sempre possamos estabelecer vínculos diretos entre os textos sobreviventes de De Salazar, Motolinía e outros cronistas, parece seguro supor que nos anos 1540 teria havido bom número de pessoas bilíngues, falantes de

náhuatl e espanhol em grandes centros como Tlaxcala, trocando histórias a respeito de feitos e ditos de seus notáveis ancestrais recentes.

63. Gibson, 1952; e ver também Fargher, Blanton e Heredia Espinoza, 2010, pp. 238-9.

64. Sobre os chichimecas, ver também Sahlins, 2017, com referências adicionais.

65. Balsera, 2008.

66. Fargher et al., 2011.

10. POR QUE O ESTADO NÃO TEM ORIGEM [pp. 386-468]

1. Lévi-Strauss (1987) refere-se às sociedades da Costa Noroeste como sociedades das "casas", isto é, sociedades em que o parentesco era organizado em torno de casas nobres, as dos detentores de títulos e tesouros hereditários (além de cativos escravizados e do apoio de seus protegidos). Esse arranjo parece típico de sociedades heroicas de forma mais geral; o palácio de Arslantepe, que descrevemos no capítulo 8, é provavelmente apenas uma versão mais elaborada da mesma coisa. Existe uma linha direta daqui até aquilo que Weber chamou de formas "patrimoniais" e "prebendarias" de governança, em que reinos ou até mesmo impérios inteiros são imaginados como extensões de uma única casa real.

2. Isso também é fácil de observar em grupos de ativistas, ou em qualquer grupo que tenta manter igualdade entre membros de forma consciente. Na ausência de poderes formais, grupos informais que adquirem um poder desproporcional quase invariavelmente o fazem mediante acesso privilegiado a uma ou outra forma de informação. Se esforços conscientes são feitos para impedir que isso ocorra, assegurando que todo mundo tenha o mesmo acesso as informações importantes, então resta apenas o carisma individual.

3. Essa definição se manteve por um longo tempo na Europa. Foi por isso que a Inglaterra medieval pôde começar a ter eleições para escolher representantes parlamentares já no século XVIII; mas nunca ocorreu a ninguém que isso tivesse alguma coisa a ver com "democracia" (um termo que, na época, era tido em total descrédito). Foi só em tempos mais recentes, no fim do século XIX, quando homens como Tom Paine vieram com a ideia de "democracia representativa", que o direito de introduzir disputas espetaculosas entre a elite política passou a ser visto como a essência de liberdade política, em vez de sua antítese.

4. Definições que ignoram a soberania contam com pouco crédito. É possível argumentar, hipoteticamente, que a essência do "Estado" é um sistema de governança com pelo menos três escalões de hierarquia administrativa, ocupados por burocratas profissionais. Mas de acordo essa definição, teríamos que definir a União Europeia, a Unesco e o FMI como "Estados", o que seria uma tolice. Essas instituições não são Estados por nenhuma definição aceitável, precisamente porque carecem de soberania e não a reivindicam.

5. O que não é, obviamente, o mesmo que afirmar que não faziam reivindicações grandiosas a soberania territorial; apenas que a análise cuidadosa de fontes escritas e arqueológicas antigas mostra que essas reivindicações geralmente eram vazias; ver Richardson, 2012.

6. Sobre o "urbanismo na Idade do Bronze Inicial e sua periferia" na Eurásia ocidental, ver também Sherratt, 1997, pp. 457-70; e mais genericamente, as reflexões de Scott (2017, pp. 219-56) sobre "a era de ouro dos bárbaros".

7. Esse padrão se assemelha muito à famosa noção de Weber de "rotineirização do carisma", segundo a qual a visão de um "virtuoso religioso", cuja qualidade carismática se baseie explicitamente em apresentar uma ruptura total com as ideias e práticas tradicionais é pouco a pouco burocratizada nas gerações subsequentes. Weber argumentou que essa era a chave para a compreensão da dinâmica interna da transformação religiosa.

8. Nash, 1978, p. 356, citando Soustelle (1962), citando *Historia general de las cosas de Nueva España*, de Bernardino de Sahagún.

9. Dodds Pennock (2017, pp. 152-3) discute um episódio revelador em 1427, quando visitantes astecas de um banquete tepaneca foram obrigados a se vestir como mulheres por ordem de Maxtla (o governante tepaneca) no intuito de humilhar a eles e a seu governante, que tinha falhado em vingar o estupro de mulheres astecas por tepanecas no mercado de Coyoacan; a questão chegou a seu desfecho dois anos depois, quando exércitos astecas entraram em Atzcapotzalco e sacrificaram Maxtla aos deuses.

10. Conforme citado, por exemplo, nas memórias de Bernal Diaz (na tradução de Maudslay); ver entre outras a seção sobre *Complaints of Montezuma's tyranny*: "mas eles [os chefes locais] disseram que os coletores de impostos de Montezuma levavam suas esposas e filhas se fossem bonitas, e as violentavam, e faziam isso pelas terras onde se fala a língua totonaca". Ver também Townsend, 2006; Gómez-Cano, 2010, p. 156.

11. Dodds Pennock (2008) situa a prática pública de violência religiosa dentro das noções astecas mais amplas de gênero, vitalidade e sacrifício; ver também Clendinnen, 1991.

12. Ver Wolf, 1999, pp. 133-96; Smith, 2012.

13. Para visões gerais do Império Inca e seus restos arqueológicos, ver Morris e van Hagen, 2011; D'Altroy, 2015.

14. Murra, 1982.

15. *Ayllu*, como voltaremos a discutir mais adiante no capítulo, eram grupos detentores de terras, ligados por laços de descendência que atravessavam as famílias. Sua função original era administrar a redistribuição de trabalho dentro e às vezes entre aldeias, de modo que nenhuma família fosse deixada para se defender sozinha. O tipo de tarefa geralmente assumido por uma corporação *ayllu* era necessário para a rotina cotidiana, mas ia além da capacidade de uma família nuclear típica: coisas como limpar os campos, fazer colheitas, administrar canais e reservatórios, transportes e conserto de pontes e outras construções. Vale notar que a organização *ayllu* também atuava como sistema de apoio para famílias que se encontravam incapacitadas de obter exigências materiais básicas para rituais do ciclo de vida — *chicha* para funerais, casas para recém-casados e assim por diante. Ver Murra, 1956; Godoy, 1986; Salomon, 2004.

16. Gose, 1996; 2016.

17. Ver Kolata, 1992; 1997.

18. Silverblatt, 1987; e cf. Gose, 2000.

19. Citado em Urton, 2015; ver também Urton e Brezine, 2005.

20. Hyland, 2016.

21. Hyland, 2017.

22. Clendinnen, 1987.

23. Muitos escritos do início do período colonial, como os livros de *Chilam Balam*, quase sempre tratam os espanhóis não como o governo efetivo, mas intrusos irritantes, e facções

rivais da nobreza maia — envolvidos em contínuas lutas por influência que os supostos conquistadores parecem ter ignorado por completo — como ainda constituindo o governo de fato (Edmonson, 1982).

24. Exatamente quanto resta a ser descoberto é ressaltado por novas técnicas para mapeamento de vistas tropicais (LiDAR), que em tempos recentes levaram os especialistas a triplicar suas estimativas para a população maia clássica; ver Canuto et al., 2018.

25. Ver Martin e Grube, 2000; Martin, 2020.

26. Para uma tentativa de reconstituição de como evoluiu o estilo de governo maia a partir de formas mais antigas de poder xamânico, ver Freidel e Schele, 1988.

27. Na ausência de evidências definitivas, as teorias sobre o colapso tendiam a seguir as preocupações políticas de sua época. Durante a Guerra Fria, muitos estudiosos euro-americanos pareciam pressupor algum tipo de conflito de classes ou revolução camponesa; desde os anos 1990 tem havido mais uma tendência do se concentrar em crises ecológicas, de um tipo ou de outro, como fator principal.

28. Ringle, 2004; ver também Lincoln, 1994. Essas reconstituições continuam sendo ardorosamente debatidas (ver Braswell [Org.], 2012), mas, se corretas em termos gerais, mesmo que apenas em seus contornos básicos, corresponderiam àquilo que Graeber e Sahlins (2017) descrevem como uma mudança de formas de reinado "divinas" para "sagradas", ou mesmo "sacralização adversa".

29. Kowalski, 2003.

30. E, para paralelos com os quichés, ver Frauke Sachse (2006): "The Martial Dynasties: The Postclassic in the Maya Highlands", em Grube et al. (Orgs.), 2000, pp. 356-71.

31. Kubler, 1962.

32. Kroeber (1944, p. 761) começou sua grandiosa conclusão da seguinte maneira: "Não vejo nenhuma evidência de qualquer lei verdadeira nos fenômenos abordados; nada cíclico, regularmente repetitivo ou incontornável. Não há nada para mostrar nem que toda cultura deve desenvolver padrões dentro dos quais seja possível o florescimento da qualidade, ou que, tendo uma vez florescido, deve fenecer sem chance de reviver." Ele tampouco encontrou qualquer relação necessária entre realizações culturais e sistemas de governo.

33. Na Europa continental, existe toda uma categoria de estudos conhecida como "proto-história", que descreve o estudo de povos como os citas, trácios e celtas, que brevemente surgem sob a luz da história por meio dos escritos de colonizadores gregos ou romanos, apenas para desaparecer novamente quando o olhar dos literatos se volta para outros lugares.

34. Em seu papel ritualístico como "mão de deus" as esposas de Amon — como Amenirdis I e Shepenupet II — também eram obrigadas a auxiliar o deus-criador masculino em atos de masturbação cósmica; assim, em termos rituais, ela era tão subordinada a um mandante masculino quanto se possa imaginar, embora na prática conduzisse uma boa porção da economia do Egito Superior e desse ordens políticas na corte. A julgar pelos grandiosos locais de suas capelas funerárias em Karnak e Medinet Habu, essa combinação gerava uma *realpolitik* bastante efetiva.

35. Ver o capítulo de John Taylor, "The Third Intermediate Period", em Shaw (Org.), 2000, pp. 330-69, esp. pp. 360-2; e também Ayad, 2009.

36. Schneider, 2008, p. 184.

37. Em *The Oxford History of Ancient Egypt* (Shaw [Org.], 2000), por exemplo, o capítulo a respeito chama-se "Middle Kingdom Renaissance (*c.* 2055-1650 BC)".

38. Para um resumo útil, ver Pool, 2007.

39. Rosenwig, 2017. Mais uma vez, esse quadro está sujeito a mudança bastante dramática com a aplicação das técnicas de levantamento LiDAR nas províncias de Tabasco e Veracruz, já em andamento no momento em que este livro está sendo escrito.

40. Ver Rosenwig, 2010.

41. A atenção às diferenças individuais e estética pessoal também é evidente numa segunda categoria importante da escultura olmeca, documentada com mais abundância em San Lorenzo. Ela retrata figuras humanas com traços incomuns ou anômalos, inclusive imagens de corcundas, anões, leprosos e possivelmente também imagens baseadas nas observações das pessoas de embriões que sofreram abortos espontâneos; ver Tate, 2012.

42. Ver Drucker, 1981; Clark, 1997; Hill e Clark, 2001.

43. Ver Miller e Houston, 1987.

44. Hill e Clark, 2001. É um interesse relevante, neste contexto, que Teotihuacan — governada em princípios mais coletivos que cidades olmecas, maias ou astecas — não tivesse uma arena oficial desse tipo para a apresentação oficial de jogos de bola. Excluir uma quadra pública de jogo de bola do plano municipal deve ter sido uma escolha deliberada, uma vez que muitos habitantes de Teotihuacan estariam familiarizados com tais espetáculos e, como vimos no capítulo 9, quase todo o restante das coisas no centro da cidade estava disposto com planejamento e precisão impecáveis. Quando jogos de bola aparecem em Teotihuacan, é num contexto diferente. Tão diferente que começamos a desconfiar de alguma inversão consciente de ideias que eram canônicas dos reinos ao redor em Oaxaca e nas terras baixas maias (lembrando que as pessoas se mudavam regularmente entre essas regiões e estavam familiarizadas com as práticas de seus vizinhos).

As evidências provêm de murais domésticos em um local de moradia bem identificado em Teotihuacan, conhecido como Tepantitla. São retratados deuses, mas também as primeiras imagens de pessoas jogando bola com os pés, mãos e tacos — algo na linha do futebol, basquete e hóquei (ver Uriarte, 2006). Tudo isso violava as normas aristocráticas. As cenas têm uma localização de rua, com grande número de participantes, todos mostrados na mesma escala. Associado a essas cenas, há um recorrente simbolismo de lírios-d'água, um poderoso alucinógeno. Talvez o que estejamos vendo aqui seja algo peculiar a Teotihuacan; ou talvez estejamos vendo de relance jogos que eram disputados por pessoas comuns por toda a Mesoamérica, um lado da vida que é em grande parte invisível para nós em regimes mais estratificados.

45. Clendinnen, 1991, p. 144.

46. A esse respeito, a estimulante comparação de Wilk (2004) entre a dinâmica do horizonte olmeca e o impacto cultural/ político dos concursos de beleza modernos, como Miss Mundo e Miss Universo, parece um oposto perfeito. Geertz cunhou a expressão "Estado teatral" (1980) para descrever reinos balineses, onde, conforme argumentou, todo o aparato de tributo existia basicamente para o propósito de organizar rituais espetaculares, e não o contrário. Seu argumento tem algumas fraquezas notáveis — especialmente quando vistos da perspectiva das mulheres balinesas —, mas a analogia ainda pode ser útil, em especial quando se considera o papel original das famosas brigas de galo balinesas (familiares a qualquer es-

tudante de primeiro ano de antropologia); eram inicialmente promovidas e encenadas por cortes reais como forma de criar dívidas para as pessoas, o que com certa frequência fazia com que a esposa e os filhos de alguém fossem entregues ao palácio para uso como mão de obra escravizada ou como concubinas, ou para venda posterior (Graeber, 2011, pp. 157-8, 413 nota 88).

47. Como vimos no capítulo 8.

48. Ver Conklin e Quilter (Orgs.), 2008.

49. Ver Isbell, 2008.

50. Ver Quilter, 2002; Castillo Butters, 2005.

51. Cf. Urton, 1996.

52. Essas são precisamente o tipo de imagens de alta complexidade estudadas pelo antropólogo Carlo Severi (2015) em sua análise clássica do "princípio da quimera".

53. Burger, 2011; Torres, 2008. As esculturas em pedra em Chavín de Huántar parecem basicamente preocupadas em transformar em algo duradouro o que eram inerentemente experiências efêmeras de estados alterados de consciência. Motivos animais típicos da arte de Chavín — como felinos, serpentes e águias com crista — na verdade ocorrem mais de mil anos antes em tecidos de algodão e em trabalhos de contas, que já circulavam amplamente entre as terras altas e a costa. É interessante que tecidos mais bem preservados de períodos posteriores mostram que, mesmo no auge do poder de Chavín, sociedades costeiras abordavam suas divindades em formas explicitamente femininas (Burger, 1993). Em Chavín de Huántar, as mulheres parecem estar ausentes do repertório sobrevivente de esculturas de figuras.

54. Rick, 2017.

55. Ver Burger, 2008.

56. Ver Weismantel, 2013.

57. Para uma discussão mais detalhada dos reis divinos dos natchez, com referências completas, ver o capítulo de Graeber, "Notes on the Politics of Divine Kingship", em Graeber e Sahlins, 2017, pp. 390-8.

58. Citado em Graeber, ibid., p. 394.

59. Lorenz, 1997.

60. Ver Gerth e Wright Mills (Orgs.), pp. 233-4.

61. Brown, 1990, p. 3, citando John Swanton, *Indian Tribes of the Lower Mississippi Valley and Adjacent Coast of the Gulf of Mexico* (1911) (Bureau of American Ethnology, boletim 43).

62. Para um bom resumo de tais "feitos" da realeza, ver Heusch, 1982; o rei mais famoso por matar seus próprios súditos foi o Ganda Rei Mutesa, que estava tentando impressionar David Livingstone depois de ser presenteado por ele com um rifle, mas não se trata, de forma nenhuma, de um acontecimento único: ver Simonse, 1992; 2005.

63. Graeber e Sahlins, 2017, p. 129.

64. Crazzolara, 1951, p. 139.

65. Relatado em *Shilluk People: Their Language and Folklore*, de Dietrich Westermann (Filadélfia: Board of Foreign Missions of the United Presbyterian Church of North America, 1911), p. 175.

66. Graeber e Sahlins, 2017, pp. 96, 100-1, 130.

67. Consideraremos tais possibilidades mais adiante no próximo capítulo.

68. Na realidade, não estamos sendo totalmente sinceros aqui. Não se trata apenas um experimento mental: os restos da Aldeia Grande — hoje conhecidos pelos arqueólogos como Sítio da Pátria, no condado de Adams — foram de fato escavados, em especial por Stu Neitzel em algumas temporadas intermitentes de trabalho de campo, durante os anos 1960 e começo dos anos 1970. Nos séculos desde seu abandono, o que restou do sítio acabou coberto até três metros por lama coluvial depositada pelo córrego St. Catherine; essa lama primeiro precisou ser removida com maquinário pesado (escavadeiras), provocando um caos nos resquícios arqueológicos abaixo e obliterando evidências-chaves. O que Neitzel (1965, p. 1972) relatou está de acordo, em linhas gerais, com o que acabamos de descrever; sem dúvida, técnicas mais cuidadosas e modernas poderiam ter feito um trabalho muito melhor em termos de reconstituição arqueológica (cf. Brown, 1990).

69. Na verdade, escavações iniciais na vizinhança do Monte C, a localização provável do templo natchez, de fato revelaram mais de vinte sepultamentos com bens tumulares que incluíam objetos de fabricação francesa, além dos produzidos no local; porém sua escavação foi mal conduzida, sem documentação sistemática, e as covas provavelmente datam do período final de uso do templo, pouco antes de a edificação ser destruída, e quando o poder do Grande Sol já estava sem dúvida muito diminuído (ver Brown, 1990, p. 3; Neitzel, 1965, reportando achados feitos por Moreau B. C. Chambers em 1930).

70. Os egiptólogos se referem às Primeira e Segunda Dinastias como período "Dinástico Inicial" do Egito, e o "Império Antigo" — de forma um tanto confusa — começa apenas com a Terceira Dinastia.

71. Ver Dickson, 2006; Morris, 2007; Campbell (Org.), 2014; Graeber e Sahlins, 2017, pp. 443-4, com referências adicionais.

72. Para esta última possibilidade, e uma análise de interpretações anteriores, ver Moorey, 1977; mas para uma visão alternativa, que os descreve como autênticos sepultamentos da realeza, ver Marchesi, 2004.

73. Campbell, 2014.

74. Cf. Campbell, 2009.

75. Embora talvez não as únicas, já que os primeiros governantes do Egito podem ter ocasionalmente repartido os corpos de seus ancestrais, enterrando-os em mais de um local para distribuir seu culto mortuário da forma mais ampla possível; ver Wengrow, 1996, pp. 226-8.

76. Wengrow, 1996, pp. 245-58; Bestock, 2008; ver também Morris, 2007; 2014.

77. Macy Roth, 2002.

78. Maurice Bloch (2008) observou, num raciocínio similar, que os Estados antigos quase invariavelmente envolvem uma explosão de violência espetacular, e muitas vezes aparentemente aleatória, e que o resultado final é "desorganizar" a vida ritual dos lares comuns de uma forma que, de algum modo, nunca pode ser restabelecida como era, mesmo que esses Estados entrem em colapso. É a partir desse dilema, argumenta ele, que emerge o fenômeno da religião universalizadora.

79. Um efeito disso foi criar uma série de "terras de ninguém" em torno das fronteiras territoriais do Egito. Por exemplo, a separação política do Egito de terras e povos no Sudão que já haviam tido relação estreita parece ter envolvido o despovoamento de territórios da

recém-estabelecida fronteira sul egípcia, e o desmantelamento de um antigo aparato de poder de comando dentro da Núbia: o chamado Grupo A, na nomenclatura dos arqueólogos. Isso ocorreu com um violento ato de dominação, celebrado numa escultura na rocha em Gebel Sheikh Suleiman, na Segunda Cararata. Assim, na prática, temos o tipo de simetria entre extremos de matança ritual no centro do novo regime egípcio (por ocasião do falecimento de um governante) e a violência estrutural acontecendo, ou sendo celebrada, em suas fronteiras territoriais; Baines, 2003; Wengrow, 2006, passim.

80. Sobre isso, ver Lehner, 2015.

81. Wengrow et al., 2014.

82. Jones et al., 2014. Os sepultamentos neolíticos em geral se davam nas margens áridas do vale do Nilo (áreas suficientemente secas para permitir certa quantidade de preservação natural para o corpo), e às vezes mais longe, entrando em terras desertas adjacentes; parecem não ter tido nenhum tido de superestruturas duráveis, mas muitas vezes os corpos eram depositados em grandes cemitérios, e outras linhas de evidência mostram que as pessoas lembravam, visitavam e reutilizavam os mesmo locais por um período de gerações; ver Wengrow, 2006, pp. 41-71; Wengrow et al., 2014.

83. Na verdade, egiptólogos há muito notaram certos elementos dos reinos posteriores aparecendo nas artes "cedo demais" — por exemplo, a famosa Coroa Vermelha do Baixo Egito (Dexerete) é retratada numa peça de cerâmica datada de quase mil anos antes que as Coroas Vermelha e Branca fossem combinadas para se tornar um símbolo oficial da unidade egípcia; o motivo-padrão de um rei segurando uma clava para castigar seus inimigos surge numa pintura de tumba em Hieracômpolis, 550 anos antes da Paleta de Narmer, e assim por diante. Ver Baines, 1995, para mais exemplos e referências.

84. Os povos mais recentes do Nilo tendiam a ser estritamente patrilineares; isso, na verdade, não exclui por completo as mulheres de assumir posições de destaque, mas em geral elas o fazem desempenhando o papel de homens. Entre os nueres, por exemplo, um "touro" ou líder de aldeia sem herdeiro homem pode simplesmente declarar que sua filha é homem, e ela pode muito bem assumir sua posição, e até mesmo casar-se com uma mulher e ser reconhecida como pai dos filhos dela. Não deve ser coincidência que, também na história egípcia, as mulheres que frequentemente assumiram posições dominantes o fizeram declarando-se homens para todos os efeitos (com a notável exceção das esposas do deus Amon, que discutimos anteriormente neste capítulo).

85. Ver Wengrow, 2006, cap. 1, 4 e 5; Kemp, 2006; Teeter (Org.), 2011. Estimativas de população para estes "protorreinos" continuam altamente especulativas devido à inacessibilidade de antigos aposentos de moradia, e o soterramento de assentamentos pré-históricos sob sistemas modernos de campos e várzeas.

86. Ver Friedman, 2008; 2011.

87. Ver Wengrow, 2006, pp. 92-8.

88. Ibid., pp. 142-6.

89. A integração do consume de *chicha* em grande escala nos rituais de ciclo de vida não foi realmente uma inovação inca —remonta à expansão de Tiwanaku, a meio caminho entre Chavín (com seus comestíveis rituais muito diferentes) e os incas; ver Goldstein, 2003.

90. Ver Murra, 1956, pp. 20-37.

91. Wengrow, 2006, pp. 95, 160-3, 239-45, com referências adicionais.

92. Lehner, 2015.

93. Ver também Roth, 1991.

94. Associações simbólicas e provavelmente também práticas entre arquitetura monumental e as atividades de tripulações de embarcações também são sugeridas para os templos de pedra da Idade do Bronze tardia de Biblos (Jbeil) no Líbano, uma cidade portuária com comércio intenso e ligações culturais com o Egito (ver Wengrow, 2010(b), p. 156); e descrições etnográficas de como podem ser encontradas habilidades grupais que se transferem de manuseio de barcos para a manipulação de trabalho em pedra pesada, por exemplo, na etnografia clássica de John Layard de uma ilha melanésia, *Stone Men of Malekula* (Londres: Chatto & Windus, 1942).

95. A analogia da linha de produção é inspirada por Lewis Mumford sobre a "megamáquina", onde ele notavelmente argumentou que as primeiras máquinas complexas eram na verdade compostas de pessoas. A "racionalização" de trabalho típico do sistema fabril, como estudiosos como Eric Williams sugeriram há muito tempo, foi de fato o que pavimentou o caminho para os latifúndios com mão de obra escravizada nos séculos XVII e XVIII, porém outros estudos recentemente mostraram que os navios por volta dessa época, tanto mercantis como militares, parecem ter sido outra importante zona de experimentação, uma vez que estar a bordo de tais embarcações era uma das poucas circunstâncias em que grandes números de pessoas recebiam atribuições de tarefas sob o comando de um único supervisor.

96. Conforme ressaltado por teóricas feministas (por exemplo Noddings, 1984).

97. Vale a pena recordar aqui que nas tumbas de alguns funcionários egípcios de posição mais elevada, durante o Império Antigo, encontramos entre os títulos mais importantes não só cargos militares, burocráticos e religiosos, mas também deveres como "Amado Conhecido do Rei", "Supervisor das Manicures do Palácio" e assim por diante (Strudwick, 1985).

98. Comparar com Baines, 1997; 2003; Kolata, 1997.

99. Para as diferenças de reinado egípcio e mesopotâmico, ver Frankfort, 1945; Wengrow, 2010(a); para raras exceções a esse padrão, na qual reis mesopotâmicos parecem ter reivindicado status divino ou quase divino, ver as contribuições de Piotr Michalowski e Irene Winter em Brisch (Org.), 2008, ambos ressaltando a natureza excepcional e ambivalente de tais reivindicações.

100. Essa situação persistiu mesmo mais tarde na história da Mesopotâmia: quando Hamurabi erigiu uma estela com seu famoso código legal, no século XVIII a.C., poderia ter parecido a quintessência do ato de uma soberano, decretando como a violência podia e não podia ser usada dentro dos territórios do rei, criando uma nova ordem a partir do nada; mas na verdade a maioria desses grandes éditos parece nunca ter sido sistematicamente colocada em vigor. Súditos babilônicos continuaram a usar a mesma complexa colcha de retalhos de códigos e práticas legais tradicionais dos quais dispunham antes. Além disso, como o esquema decorativo da estela deixa claro, Hamurabi está agindo em nome da autoridade do deus-sol Shamash; ver Yoffee, 2005, pp. 104-12.

101. E aqui podemos traçar uma contraste adicional com a Mesopotâmia, onde a administração era uma característica estabelecida do governo terreno, mas o cosmos — longe de ser previsivelmente organizado — era habitado por deuses cujos atos (como aqueles do Yaveh

bíblico) muitas vezes surgia na forma de intervenções inesperadas, e muitas vezes rupturas caóticas nas questões humanas; Jacobsen 1976.

102. Outros exemplos de regimes em que soberania e política competitiva dominaram a esfera terrena, e hierarquias administrativas foram projetadas sobre o universo, poderiam incluir as sociedades sul-asiáticas, que exibem um fascínio semelhante com os ciclos cósmicos, e a Europa medieval, onde a Igreja e sua imagem de hierarquias angelicais parece ter preservado uma memória da velha ordem burocrático-legal da Roma antiga.

103. Martin e Grube, 2000, p. 20; Martin, 2020.

104. Ver Bagley, 1999.

105. Shaughnessy, 1989.

106. O apelo às práticas divinatórias é limitado no Egito antes do Império Novo, e tinha um papel ambivalente nos sistemas incas de governo. Conforme explica Gose (1996, p. 2), no caso dos inca as performances oraculares estavam na verdade em desacordo com a autoridade pessoal de reis vivos. Centravam-se, em vez disso, nos corpos mumificados de ancestrais reais ou seus equivalentes em estátuas, que proviam um dos muitos caminhos para expressar opiniões subalternas (e potencialmente subversivas), de uma maneira que não questionasse a premissa da soberania absoluta e autoridade suprema do governante. De forma similar, na época renascentista, fazer o mapa astral de um rei ou de uma rainha era muitas vezes considerado um ato de traição. Os reis maias usavam sangrias e jogos de pedras como práticas divinatórias, mas que não parecem ter tido uma importância central para as questões de Estado.

107. Yuan e Flad, 2005. Fora das esferas letradas, as práticas divinatórias com partes de animais também eram amplamente difundidas.

108. Ver Keightley, 1999.

109. Shaughnessy, 1999.

110. A China do período Shang poderia muito bem ser considerada o paradigma para aquilo que o antropólogo Stanley Tambiah (1973) descreveu como "políticas galácticas", também a forma mais comum na história posterior do Sudeste Asiático, onde a soberania se concentrava no centro e então ia se atenuando à medida que avançava para a periferia, sendo focalizada em alguns lugares, desaparecendo em outros, a ponto de em suas margens certos governantes ou nobres poderem de fato reivindicar serem parte de impérios — mesmo descendentes distantes dos fundadores de impérios — cujo governante atual nunca tinha ouvido falar deles. Podemos contrastar esse tipo de proliferação de soberania do centro para fora com outro tipo de padrão macropolítico, surgido primeiro no Oriente Médio e depois aos poucos avançando sobre a Eurásia, onde noções diametralmente opostas do que na prática constitui um "governo" podiam ser contrapostas a outras em tensão dinâmica, criando as grandes zonas fronteiriças que separavam regimes burocráticos (seja na China, na Índia ou em Roma) da política heroica de povos nômades, que ameaçavam o tempo todo sobrepujá-los; sobre isso ver Lattimore, 1962.

111. A ilustração mais clara desse tema da realeza do Império Antigo pode ser encontrada nos relevos sobreviventes do templo mortuário de Sefrés em Abusir; ver Baines, 1997.

112. Baines, 1999.

113. Ver Seidlmayer, 1990; Moreno García, 2014.

114. De acordo com a tradução de Seidlmayer, 1990, pp. 118-21. O mais surpreendente a esse respeito são as alegações do nomarca para manter seu povo não só saudável, mas também

supridos das necessidades básicas para uma vida social plena: os recursos para sustentar uma família, conduzir funerais apropriados e garantir que a pessoa não tivesse cortados seus laços sociais ou fosse condenada a viver como refugiada.

115. Dunbar, 1996, p. 102; Diamond, 2012, p. 11. Essa premissa consagrada tanto no tipo de teorias de "tensão escalar" que discutimos no começo da capítulo 8 como também num certo ramo da psicologia evolucionária (ver também Dunbar, 2010), que argumenta que a burocracia fornece a solução administrativa para problemas de armazenamento e gestão da informação, surgindo quando as sociedades sobem de escala ultrapassando um certo limiar de interação direta. A burocracia, de acordo com essas teorias, atua como uma espécie de "armazenamento simbólico externo" quando as capacidades inatas da mente humana de armazenar e relembrar informações (por exemplo, relativa ao fluxo de produtos ou trabalho) estão sobrecarregadas. Até onde temos ciência, não existe nenhuma evidência empírica para sustentar essa reconstituição hipotética, mas profundamente arraigada, das "origens da burocracia".

116. É interessante observar que os registros de arquivo do reino Merina de Madagascar são muito parecidos: o reino foi concebido em termos patrimoniais como uma casa real, e a natureza de cada grupo mais abaixo era definida de acordo com o serviço que executava para o rei, que com frequência era visto como uma criança, com a população fazendo a função de suas governantas. Os registros entram em detalhes intermináveis e precisos referentes a cada item que entrava e saía da casa real para manter o governante, mas fora isso mantêm-se em silêncio quase absoluto sobre assuntos econômicos (ver Graeber, "The People as Nursemaids of the King", em Graeber e Sahlins, 2017).

117. Akkermans (Org.), 1996.

118. Ver Schmandt-Besserat, 1992.

119. Estranhamente, pouquíssimos desses sinetes foram encontrados no próprio Tell Sabi Abyad, talvez porque fossem feitos de materiais que acabaram não sobrevivendo, como madeira; sinetes de lacres em miniatura feitos de pedra, e do tipo aos quais estamos nos referindo aqui, são bastante frequentes em outros sítios do norte da Mesopotâmia do mesmo período ("Neolítico Tardio" ou "Halaf").

120. Akkermans e Verhoeven, 1995; Wengrow, 1996.

121. A sugestão — às vezes expressa abertamente — de que tudo isso tenha sido resultado de parte da população estar ausente da aldeia durante a temporada de pastoreio, quando levavam seus rebanhos para pastar em encostas próximas (uma prática chamada transumância), parece simplista demais. E também não faz muito sentido — ainda havia idosos, cônjuges, irmãos e filhos deixados na aldeia para cuidar da propriedade e relatar problemas.

122. Ver Wengrow, 2010(a), cap. 4.

123. Wengrow, 1998, pp. 700-92; 2001.

124. Isso é obviamente um tanto irônico, pois os arqueólogos que trabalham dentro de contextos mais antigos de evolução social há muito assumiram que "sociedades de al-Ubaide devem ter se organizado em algum tipo de 'chefaturas complexas', porque estão cronologicamente localizadas entre os primeiros assentamentos agrícolas e as primeiras cidades (que, por sua vez, supõe-se que tenham aberto caminho para "o nascimento do Estado"). A circularidade lógica de tais argumentos agora será muito óbvia, já que não condizem com as evidências arqueológicas para os períodos em questão.

125. Murra, 1956, p. 156.

126. Ver, especialmente, Salomon, 2004. Pode-se observar de passagem que os sistemas de mercado em aldeias medievais na Inglaterra parecem ter funcionado em grande parte da mesma maneira, ainda que menos formalizada: a imensa maioria das transações era a crédito, e a cada seis meses ou um ano era realizada uma contabilidade coletiva num esforço para cancelar todos os débitos e créditos, reduzindo-os a zero.

127. Salomon, 2004, p. 269; Hyland, 2016. É possível que técnicas de contagem por sequências de nós em barbantes também tenham sido usadas na Mesopotâmia pré-histórica, em conjunto com símbolos de argila e sinetes de lacre, como demonstrado por evidências de bloquinhos de argila perfurados, de formatos regulares e às vezes trazendo signos ou símbolos (Wengrow, 1998, p. 787).

128. Ver Wernke, 2006, pp. 180-1, com referências adicionais.

129. Para o modo de organização e cronogramas de tributos em forma de trabalho, ver Urton, 2015; Hyland, 2016.

130. John Victor Murra, em sua magistral tese *The Economic Organization of the Inca State* (1956), cita fontes espanholas que relatam misantropos e desajustados locais sendo elevados a novas posições de autoridade, vizinhos voltando-se uns contra os outros, e devedores sendo expulsos de suas aldeias — embora nunca se possa ter certeza de quanto isto era resultado da própria conquista espanhola; ver também Rowe, 1982.

131. Sobre isso, ver *Debt: The First 5000 Years*, de um dos autores deste livro (Graeber, 2011); e também Hudson, 2018.

132. Von Dassow, 2011, p. 208.

133. Murra (1956, p. 228) conclui que a ilusão do Estado inca como socialista deriva de "atribuir ao Estado o que era na realidade uma função *ayllu*". "A segurança para os incapacitados era provida por um sistema antiquíssimo, pré-incaico, de acesso automático a bens e excessos comunitários bem como serviços de trabalho recíprocos". Ele continua: "Pode ter havido algum auxílio estatal no caso de uma forte geada ou seca; as referências a isso são tardias e pouquíssimas quando comparadas com as centenas que descrevem o uso de reservas para propósitos militares, da corte, da igreja e administrativos". Provavelmente isso é um pouco exagerado, já que os incas também herdaram estruturas administrativas e um aparato de bem-estar social de alguns dos reinos que conquistaram, de modo que a realidade devia variar de lugar para lugar (S. Rockefeller, comunicação pessoal).

134. Ver, por exemplo, Richardson (2012) sobre a Mesopotâmia, e Schrakamp (2010) sobre as dimensões sazonais de organização militar do período Dinástico Inicial; Tuerenhout (2002) sobre atividade de guerra sazonal entre os maias clássicos; e para outros exemplos e discussões, ver contribuições para Neumann et al. (Orgs.), 2014; Meller e Schefik, 2015.

135. James Scott (2017, p. 15) faz uma observação semelhante no começo de seu livro *Against the Grain*: "Em boa parte do mundo, o Estado, mesmo quando robusto, era uma instituição sazonal. Até bem pouco tempo, durante as monções anuais no Sudeste Asiático, a capacidade do Estado de projetar seu poder encolhia de volta virtualmente para os muros do palácio. Apesar da autoimagem do Estado e sua centralidade na maioria dos relatos históricos-padrão, é importante reconhecer que, por milhares de anos após seu primeiro aparecimento, ele não era constante, mas variável e muito inconstante na vida da grande parte da humanidade".

136. Balizado, talvez, pela ilusão comum a tantos que reivindicam um poder arbitrário: a de que o fato de ser capaz de matar seus súditos é, de algum modo, equivalente a ter lhes dado a vida.

137. Num brilhante e subestimado livro chamado *Domination and the Arts of Resistance* (1990), James Scott argumenta que, sempre que um grupo detém um poder avassalador sobre outro, como quando a comunidade é dividida em patronos e servos, senhores e escravizados, casta alta e intocáveis, ambos os lados tendem a acabar agindo como se estivessem conspirando para falsificar os registros históricos. Ou seja: sempre haverá uma "versão oficial" da realidade — digamos, que os proprietários dos latifúndios são figuras paternais benevolentes que apenas têm no coração o melhor interesse de seus escravizados — em que ninguém, nem senhores nem escravizados, realmente acredita, e que todos estarão propensos a tratar com obviamente ridículo quando estiverem "fora de cena" e conversando entre si, mas que o grupo dominante insiste que seus subordinados participem e representem junto, particularmente em uma situação que possa ser considerada um evento público. De certa forma, essa é a expressão mais pura de poder: a habilidade de forçar o dominado a fingir de fato que dois mais dois são cinco. Ou que o faraó é um deus. Como resultado, a versão da realidade que tende a ser preservada para a história é exatamente essa "transcrição oficial".

138. Abrams, 1977.

139. Ver também Wengrow, 2010(a).

140. Conforme ressaltado, por exemplo, por Mary Harris (1997); vale lembrar aqui também que os sistemas de conhecimento centralizado de Chavín, dos maias clássicos e de outros regimes pré-colombianos podem muito bem ter se assentado sobre um sistema continental de matemática, originalmente calculado com contas em barbantes e cordas, e baseado, em última análise, em tecnologias têxteis (Clark, 2004); e que a invenção da matemática cuneiforme nas cidades foi precedida em alguns milhares de anos por sofisticadas tecnologias de tecelagem em aldeias, cujos ecos são preservados nas formas e decoração de tradições cerâmicas pré-históricas por toda a Mesopotâmia (Wengrow, 2001).

141. Renfrew, 1972.

142. Um esquema cronológico, amplamente usado por arqueólogos para a ilha inteira, começa com "Pré-palaciano", passando por "Protopalaciano", "Neopalaciano" e assim por diante.

143. Whitelaw, 2004.

144. Ver Davis, 1995.

145. Preziosi e Hitchcock, 1999.

146. Talvez devamos mencionar aqui a notória identificação feita por Arthur Evans de um "rei-sacerdote" entre as figuras pintadas que descobriu em Cnossos na virada do século xx (ver S. Sherratt, 2000). Na verdade, os vários pedacinhos do mural decorado em relevo que Evans usou para montar sua imagem vieram de diferentes estratos arqueológicos, e provavelmente nunca pertenceram a uma figura única (ele mesmo achava isso no começo, mas depois mudou de ideia). Até mesmo o gênero de rei-sacerdote é agora questionado por historiadores da arte. A questão mais elementar, porém, é por que alguém haveria de querer adotar uma única figura, possivelmente masculina, com um impressionante chapéu de plumas, como evidência de um reinado, quando a esmagadora maioria da arte pictórica minoica está apontan-

do numa direção bem diferente. Voltaremos a isso em um momento. Mas em suma, o rei-sacerdote de Cnossos não é um melhor candidato a um trono do que uma figura de uma época anterior da Idade do Bronze, igualmente isolada e batizada com o mesmo nome, encontrada na cidade de Mohenjo-Daro, no vale do Indo, que apresentamos no capítulo 8.

147. Younger, 2016.

148. "É certo", escreveu Evans, "que, por mais que o elemento masculino tenha se afirmado no domínio do governo pelos grandes dias da Civilização Minoica, o selo da Religião ainda continuou a refletir o mais antigo estágio matriarcal de desenvolvimento social" (citado em Schoep, 2018, p. 21).

149. Para uma discussão detalhada das importações do antigo Egito para Creta, via Líbano, e sua provável associação com rituais femininos, ver Wengrow, 2010(b).

150. Voutsaki, 1997.

151. Palácios só exigiam tributos de determinados bens — como linho, lã e metais —, que eram convertidos numa gama ainda mais específica de itens nas oficinas do palácio, principalmente têxteis, carruagens, armas e óleos perfumados. Outras indústrias importantes, como a manufatura de cerâmica, não estão inteiramente ausentes dos registros administrativos. Ver Whitelaw, 2001.

152. Ver Bennett, 2001; S. Sherratt, 2001.

153. Kilian, 1988.

154. Rehak, 2002.

155. Groenewegen-Frankfort, 1951.

11. O CÍRCULO COMPLETO [pp. 469-521]

1. Literalmente incultos, pois, como Montesquieu afirma, talvez da forma mais sucinta: "Esses povos gozam de uma grande liberdade; pois, visto que não cultivam as terras, não estão ligados a elas: são errantes, vagabundos [...]" (*O espírito das leis*, livro. 18, cap. 14: "Do estado político dos povos que não cultivam as terras").

2. Lovejoy e Boas, 1965.

3. Scott, 2017, pp. 129-30.

4. Ibid., p. 135.

5. Ibid., p. 253.

6. Sahlins e Service, 1960.

7. O mais próximo que temos de uma comparação histórica é econômica: o Bloco Socialista, que existiu de aproximadamente 1917 a 1991, e em seu auge abrangeu uma boa parte do território e da população do mundo, é frequentemente tratado como um experimento (fracassado) nesse sentido. Mas alguns argumentariam que ele nunca foi de fato independente do sistema mundial capitalista mais amplo, e sim uma subdivisão do capitalismo de Estado.

8. Estamos recorrendo aqui a exemplos discutidos em maior extensão em *Debt: The First 5000 Years* (Graeber, 2011, cap. 9), que descreve essas mudanças coordenadas largamente em termos da alteração entre moeda física (ouro e prata) e as várias formas de dinheiro abstrato (intangível) a crédito.

9. Para uma visão geral de Cahokia, ver Pauketat, 2009.

10. Williams, 1990.

11. Severi (2015) discute evidências para o uso de sistemas de escrita pictográficos entre povos indígenas da América do Norte, e por que sua caracterização como sociedades "orais" é sob muitos aspectos enganosa.

12. *JR* (1645-6), v. 30, p. 47; ver também Delâge, 1993, p. 74.

13. Carr et al., 2008.

14. Knight, 2001; 2006.

15. Sherwood e Kidder, 2011.

16. "A unidade arcaica de medida parece ter sobrevivido e entrado no período Adena [...] mas os povos do período Woodland empregavam um sistema diferente de medição e formas geométricas [...] derivado, pelo menos em parte, da Mesoamérica Formativa [...]. O sistema usava uma corda de medição mais curta (1,544 m) para a Unidade Padrão e suas permutações, mas fora isso preservava muito das contas e aritmética tradicionais [...]. E também a base de triângulos foi substituída pelo uso de grades quadradas, e círculos e quadrados, em vários incrementos da Unidade Padrão Macro, como é tão evidente nas terraplanagens da esfera Hopewell." (Clark, 2004, p. 205, com referências adicionais).

17. Yerkes, 2005, p. 245.

18. Especialistas vieram a referir-se a isso como Pax Hopewelliana; para uma análise geral, além de exceções ocasionais na forma de crânios como troféus, ver Seeman, 1988.

19. Ver Carr e Case (Orgs.), 2005; Case e Carr (Orgs.), 2008, passim.

20. Estudiosos contemporâneos listam pelo menos nove clãs entre a "Aliança Tripartite" de grupos na região central da esfera Hopewell: Urso, Canina, Felina, Rapina, Guaxinim, Alce, Castor, Ave Não Rapinante, Raposa. Estes correspondem aproximadamente aos maiores clãs documentados entre os povos algonquinos centrais que ainda habitam a região (Carr, 2005; Thomas et al., 2005, pp. 339-40).

21. Como seria de se imaginar, isso tem sido tema de alguma controvérsia, mas acompanhamos aqui os argumentos muito bem documentados expostos em Carr e Case (Orgs.), 2005, com referências adicionais detalhadas.

22. DeBoer, 1997, p. 232: "Eu vejo os sítios de terraplanagens da esfera Hopewell como centros cerimoniais, locais onde várias atividades, inclusive rituais mortuários e outras atividades como banquetes, corridas a pé e outros 'jogos', bem como danças e jogos de salão eram conduzidos periodicamente na ausência de grandes populações permanentes residentes nos próprios centros". Sobre sepultamentos: Seeman, 1979.

23. Ver Coon (2009) sobre a distinção entre norte e sul; ele também comenta que no sul os sepultamentos são em sua maioria coletivos e indiferenciados, e tesouros são enterrados separadamente de corpos, não identificados com indivíduos específicos. A arte mostra figuras fantasiadas, vestidas de monstros, e não indivíduos usando penteados como no sítio de Hopewell. Tudo isso sugere uma ideologia mais conscientemente igualitária, ou pelo menos anti-heroica no sul. Sobre o emparelhamento de locais de culto xamânico e sítios, ver DeBoer, 1997; sobre gênero e ocupações, ver Field, Goldberg e Lee, 2005; Rodrigues, 2005. Carr (Carr e Case [Orgs.], 2005, p. 112) especula que a divisão entre norte e sul poderia refletir uma distinção entre os ancestrais de sociedades tardias e patrilineares dos algonquinos dos Grandes

Lagos e as sociedades matrilineares do Sudeste norte-americano (crees, cherokees, choctaws etc.); mas o padrão refletido nas sepulturas parece bem mais radical: à parte alguns sacerdotes mortuários homens, todos os detentores de cargos importantes no sul parecem ser mulheres. A análise de Rodrigues (2005) de restos de esqueletos sugere diferenças ainda mais surpreendentes no sul, onde "mulheres também participavam em atividades de manutenção e subsistência mais comumente feitas por indígenas homens, inclusive quebra de pedras e possível envolvimento na caça. Por outro lado, os homens participavam do processamento de alimentos vegetais, estereotipicamente associado com mulheres" (Case e Carr [Orgs.], 2008, p. 248). É bastante surpreendente que esses achados não tenham sido discutidos mais amplamente.

24. Sobre os caminhos: Lepper, 1997.

25. Como discutimos no capítulo 4, o centro monumental de caçadores-coletores em Poverty Point, no baixo Mississippi, atraía objetos e materiais de uma região igualmente ampla quase 2 mil anos antes, e pode bem ter disseminado várias formas de bens intangíveis e conhecimento de retorno distante e amplo; mas Poverty Point tinha uma caráter diferente da esfera Hopewell, estritamente focado num único centro gravitacional, e menos claramente demarcado pela difusão de instituições sociais como rituais de sepultamento ou padrões de assentamento.

26. Entre 3500 a.C. e 3200 a.C., uma difusão cultural de escopo semelhante, mas de caráter muito diferente, também precedeu o surgimento do primeiro grande reino territorial no Egito; muitas vezes isso é citado na literatura como uma "unificação cultural" que precedeu a unificação política, embora na realidade muito dessa unificação entre o vale e o delta do Nilo parece ter sido confinada à esfera de rituais funerários e suas formas associadas de exibição pessoal (Wengrow, 2006, pp. 38, 89).

27. Seeman, 2004, pp. 58-61.

28. Para um argumento mais detalhado nessa linha, ver Braun, 1986.

29. DeBoer, 1997.

30. Hudson, 1976, passim. Residentes da cidade de Nova York podem se interessar em saber que a Broadway era originalmente um caminho indígena, e que a rua Astor Place, onde começa, era o campo compartilhado de lacrosse para as três nações que ocupavam Manhattan.

31. Sobre Passagem da Cascavel e os aterros, e as origens de Cahokia, ver Baires, 2014; 2015; sobre os primórdios de Cahokia como local de peregrinação, Skousen, 2016.

32. O *chunkey* parece ter sido modelado segundo um jogo infantil popular chamado Hoop and Pole. Sobre as origens do *chunkey* e seu papel posterior, ver DeBoer, 1993; Pauketat, 2009, cap. 4.

33. Um observador posterior dos choctaws registrou: "Seu jogo favorito de chunké [...] eles jogam da manhã até a noite, com uma aplicação incansável, e apostam alto; aqui se pode ver um selvagem vir e trazer todas suas peles, apostá-las e perdê-las; depois seu cachimbo, seus colares de contas, bugigangas e ornamentos; por fim, seu cobertores e outras vestes, e até mesmo todas as suas armas, e depois de tudo não é incomum vê-lo ir para casa, pedir uma arma emprestada e se matar" (Romans, citado em Swanton, 1931, pp. 156-7). Na época do contato europeu, esses esportes extremos parecem ter atuado como um mecanismo nivelador, pois poucos ficavam no topo por muito tempo e mesmo aqueles que se vendiam não parecem ter permanecido assim por muito tempo.

34. Pauketat, 2009, p. 20. A literatura sobre Cahokia é vasta. Além das visões gerais que já citamos, ver também Alt, 2018; Byers, 2006; Emerson, 1997(a); Fowler, 1997; Milner, 1998; Pauketat, 1994; 2004; e ensaios em Emerson e Lewis, 1991; Pauketat e Emerson, 1997; para o contexto ambiental, Benson et al., 2009; Woods, 2004.

35. Emerson et al., 2018.

36. Smith, 1992, p. 17.

37. Emerson 1997(a); 1997(b), p. 187; cf. Alt, 2018. Pauketat et al. (2015, p. 446) referem--se a isso como processo de "ruralização".

38. Betzenhauser and Pauketat 2019. Como Emerson observa (1997[b]), entre 1050 d.C. e 1200 d.C., a vigilância também foi estendida para as zonas rurais mais distantes com o estabelecimento do que ele denomina de "nódulos cívicos", que parecem ter realizado uma mistura de funções rituais e administrativas; ver também Pauketat et al., 2015, pp. 446-7.

39. Originalmente identificado como o sepultamento central de dois homens, ladeados por partidários; mas ver agora Emerson et al. (2016) para a verdadeira complexidade desse depósito, que se encontra dentro do túmulo conhecido pelos arqueólogos como Aterro 72, um pouco ao sul da Grande Praça.

40. Fowler et al. (1999) descreveram as sepulturas coletivas como totalmente femininas, mas na verdade a figura é, de novo, mais complexa; ver agora Ambrose et al., 2003; Thompson et al., 2015.

41. Knight, 1986; 1989; Knight et al., 2011; Pauketar, 2009, cap. 4; para outras possíveis leituras do simbolismo do homem-pássaro, ver Emerson et al., 2016.

42. Emerson, 2007; 2012.

43. As razões exatas por trás do colapso de Cahokia são ardentemente debatidas; para uma boa variedade de pontos de vista, ver Emerson e Headman, 2014; Kelly, 2008, com referências adicionais.

44. Ver Cobb e Butler, 2002.

45. Para uma variedade de opiniões sobre este último assunto, comparar Holt, 2009; Pauketat, 2007; e ver também Milner, 1998.

46. Para o qual, em Cahokia, ver Smith, 1992; Pauketat, 2013.

47. Cf. Pauketat et al., 2015, p. 452.

48. La Flesche, 1921, pp. 62-3; Rollings, 1992, p. 28; Edwards, 2010, p. 17.

49. Ver King, 2003.

50. King, 2003; 2004; 2007; Cobb e King, 2005.

51. In: Clayton et al. (Orgs.), 1993, pp. 92-3.

52. Conforme argumentado em Ethridge, 2010.

53. Ibid., pp. 33-7, 74-7. As formas indígenas de governo republicano que emergiram no Sudeste norte-americano durante o século xviii também presumiam uma certa relação com a natureza, mas não de harmonia em nenhum sentido. Em última análise, era uma relação de guerra. As plantas eram aliadas dos humanos, e os animais, inimigos; matar uma presa sem seguir as devidas fórmulas rituais era uma violação das leis da guerra, que podia fazer com que os animais enviassem doenças para as comunidades humanas como forma de vingança. Ainda assim, ao mesmo tempo o ato da caça costumava ser entendido, especialmente pelos homens, como representativo de um certo ideal de liberdade individual.

54. Ibid., pp. 82-3.

55. O argumento foi apresentado por Waskelov e Dumas, mas nunca publicado; é citado e discutido em Ethridge (2010, pp. 83-4) e Stern (2017, p. 33), embora em nossa opinião represente um retrocesso para a questão como um todo, por encarar a "criação de novas comunidades coalescentes [...] [e] o surgimento de uma estrutura social mais igualitária, baseada em consenso" como relacionados aos desastres causados pela invasão europeia, e só então o aparecimento de uma nova cosmologia cujo símbolo era o quadrado com laços, representando o solo do conselho como o universo, como uma espécie de adaptação a essa "nova realidade". Mas como poderiam ideais conscientes de igualitarismo ter emergido e sido adotados, exceto por meio de algum tipo de expressão cosmológica?

56. Fogelson, 1984. Havia, como observa Fogelson e nós logo veremos, sacerdotes cherokees no século XVII, embora tenham sido gradualmente substituídos por curandeiros individuais. É difícil não ver a lenda como refletindo em algum grau eventos históricos reais: Etowah, por exemplo, estava no que depois se tornou território cherokee.

57. O próprio café foi primeiro cultivado ou na Etiópia ou no Iêmen; o equivalente norte-americano se chamava "a Bebida Preta" e remonta pelo menos aos tempos da esfera Hopewell, quando era usado em doses intensas para propósitos rituais (Hudson, 1979; Crown et al., 2012). Sobre as reuniões diárias dos creeks: Hahn, 2004; Fairbanks, 1979.

58. Brebeuf, em *JR*, v. 10, p. 219.

59. Certamente, a adoção do novo regime de uso de drogas leves na Europa — que foi, em muitos aspectos, também a base para o surgimento economia mundial da época (fundamentada primeiro no comércio de especiarias, depois no comércio de drogas, armas e cativos escravizados), aconteceu de forma bem diversa, uma vez que se concentrava nas novas modalidades de trabalho. Enquanto na Idade Média quase todo mundo consumia intoxicantes leves, como vinho ou cerveja, de forma diária, o novo regime estabelecia uma divisão entre drogas leves destinadas a facilitar o trabalho — café e chá, especialmente usados como veículos para açúcar, junto com tabaco — e bebidas mais fortes para os fins de semana (ver várias contribuições a respeito em Goodman, Lovejoy e Sherratt [Orgs.], 1995).

60. Em nossos termos, não é sequer claro que o período Adena-Hopewell tenha sido um "regime de dominação de primeira ordem"; sob a maioria dos aspectos, como indicamos, parece mais próximo do tipo de grandes zonas de hospitalidade, áreas culturais, esferas de interação, ou civilizações que encontramos tantas vezes antes em outras partes do mundo.

61. Ver Kehoe (2007) para uma comparação abrangente de dados etno-históricos sobre os osages com a arqueologia cahokiana (ver também Hall, 1997). No entanto, sua relação exata com Cahokia não é arqueologicamente clara, e Robert Cook (2017) fornece a análise detalhada mais recente de suas origens em Fort Ancient, uma região mississippianizada da região central de Ohio cuja população parece ter interagido com o núcleo cahokiano (ver esp. pp. 141-2, 162-3).

62. La Flesche, 1930, p. 530; Rollings, 1992, pp. 29-30; Bailey e La Flesche, 1995, pp. 60-2.

63. La Flesche, 1921, p. 51.

64. Rollings, 1992, p. 38; Edwards, 2010.

65. La Flesche (1921, pp. 48-9) escreve: "No decorrer deste estudo da tribo Osage, cobrindo um certo número de anos, ficou-se sabendo de alguns membros mais velhos da *Nohozhinga*

dos dias de hoje que, à parte dos ritos formulados repassados pelos homens dos dias antigos que mergulharam nos mistérios da natureza e da vida, também vieram histórias em forma tradicional, contando sobre a maneira como esses homens dotados de visão conduziam suas deliberações. A história que parecia mais impressionar os *Nohozhinga* de hoje é aquela que conta como aqueles homens, aqueles estudiosos da natureza, gradualmente foram se tornando uma associação organizada que veio a ser conhecida pelo nome *Nohozhinga*, Velhinhos. Com o tempo essa associação encontrou sua sede na casa de um homem que conquistou, graças a sua bondade e hospitalidade, a afeição de seu povo [...]. Desde essa época, os homens proeminentes consideram uma honra recebê-los em sua casa".

66. La Flesche, 1939, p. 34.

67. Ver nota 1 deste capítulo; e também Burns, 2004, pp. 37-8, 362. O próprio Burns tem ascendência osage e foi criado como um osage. Consideramos dignas de nota a frequência com que autores indígenas se mostram abertos para a possibilidade de que tais diálogos tivessem mão dupla e a rapidez com que historiadores europeus — ou americanos de ascendência europeia — consideram absurdas quaisquer sugestões desse tipo e na prática acabam impedindo que sejam levadas adiante.

68. Parker, 1916, p. 17. É interessante notar que algumas fontes mais antigas, como Josiah Clark, referem-se à figura tardia de Adodarhoh como "o rei", embora alternadamente como "principal encarregado de assuntos civis da confederação" (in Henige, 1999, pp. 134-5).

69. Vale a pena observar aqui que Arthur Parker descreve os feiticeiros iroqueses de sua época basicamente como aqueles que têm o poder de se transformar em feras monstruosas, e ao mesmo tempo curvam outros a sua vontade por meio de comandos telepáticos (Parker, 1912, pp. 27-8, nota 2; cf. Smith, 1888; Dennis, 1993, pp. 90-4; Shimony, 1961, pp. 261-88; 1970; Tooker, 1964, pp. 117-20). Mann também enfatiza a natureza política da designação: "o mais próximo que o pensamento iroquês chega dos europeus é que a bruxaria é de repugnância geral para qualquer um que usa [feitiços] de forma dissimulada, enganar outra pessoa levando-a a um comportamento que não é nem voluntário nem autodirigido" (Mann, 2000, p. 318; cf. Graeber, 1996, para um caso semelhante em Madagascar, também tratando da magia de amor).

70. Estamos pensando aqui, particularmente, nos argumentos dados por Robert Lowie e Pierre Clastres, discutidos em vários pontos de nossos capítulos anteriores.

71. Por exemplo, os haudenosaunees também alegavam descender de uma população de servos fugidos, subjugados por um inimigo numericamente superior a quem chamavam de adirondaks ("comedores de cascas de árvores") (Holm, 2002, p. 160). Subjugação e insurreição não eram, em nenhum sentido, conceitos estranhos aqui.

72. Trigger, 1990, pp. 136-7.

73. Ibid., p. 137.

74. Fremin em Wallace (1956, p. 235): "Os iroqueses têm, propriamente falando, apenas uma única Divindade — o sonho. Ao sonho eles rendem sua submissão, e seguem todas as suas ordens com absoluta exatidão. Os tsonnontouens [senecas] são mais ligados a essa superstição do que quaisquer outros; sua Religião sob esse aspecto torna-se até mesmo uma questão de escrúpulo; seja o que for que pensem que fizeram em seus sonhos, acreditam que são inapelavelmente obrigados a executar com a maior rapidez possível. Outras nações se con-

tentam em observar aqueles entre seus sonhos que são os mais importantes; mas esse povo, que tem a reputação de viver mais religiosamente que seus vizinhos, se consideraria culpado de um grande crime se falhasse na observância de um único sonho. As pessoas só pensam nisso, não falam de outra coisa, e todas as suas cabanas estão repletas de seus sonhos [...]. Sabe-se de alguns que foram até o Quebec, viajando 150 léguas, para buscar um cão, que sonharam em comprar ali [...]". Wallace argumenta que essa é uma consequência psicológica direta do estoicismo e da importância da liberdade e autonomia pessoais em sociedades iroquesas. Ver também Blau, 1963; Graeber 2001, pp. 136-9.

75. As datas mais antigas se referem a um eclipse mencionado no texto de fundação (Mann e Fields, 1997; cf. Henige, 1999; Snow, 1991; Atkins, 2002; Starna, 2008).

76. Para o estado geral do entendimento arqueológico, ver Tuck, 1978; Bamann et al., 1992; Engelbrecht, 2003; Birch, 2015. Sobre o início do cultivo do milho em Ontário: Johansen e Mann, 2000, pp. 119-20.

77. Mann e Fields, 1987, pp. 122-3; Johansen e Mann, 2000, pp. 278-9.

78. Ver capítulo 6.

79. Morgan, 1851; Beauchamp, 1907; Fenton, 1949; 1998; Tooker, 1978; sobre o papel das mulheres especificamente: Brown, 1970; Tooker, 1984; Mann, 1997; 1998; 2000.

80. Jamieson, 1992, p. 74.

81. Citado em Noble, 1985, p. 133, cf. 1978, p. 161. Existe alguma discussão sobre levar ou não tão a sério as alegações de missionários sobre Tsouharissen: Trigger (1985, p. 223) por exemplo, insiste que ele era simplesmente um chefe guerreiro de uma fama incomum, mas a preponderância da opinião antropológica parece pesar em favor de ver a Nação Neutra como uma "simples chefatura".

82. Noble, 1985, pp. 134-42.

83. Parker, 1919, pp. 16, 30-2.

84. Lahontan, 1990 [1703], pp. 122-4.

85. A história é contada em algum detalhe em Mann, 2000, pp. 146-52.

12. CONCLUSÃO [pp. 522-56]

1. Às vezes ele usava também a expressão *illud tempus*; ver, entre muitos outros trabalhos, Eliade, 1959.

2. Hocart, 1954, p. 77; ver também Hocart, 1969 [1927]; 1970 [1936].

3. Pensando bem, muito do que consideramos liberdades quintessenciais — como "liberdade de expressão" ou "a busca da felicidade" — na realidade não são de forma nenhuma liberdades *sociais*. Você pode ser livre para dizer o que bem quiser, mas, se ninguém escuta ou dá atenção, dificilmente isso fará alguma diferença. Da mesma forma, você pode ter a felicidade que bem entender, mas, se vier à custa do sofrimento de outra pessoa, dificilmente significará muita coisa. Talvez as coisas mais citadas como liberdades quintessenciais se baseiem na própria ilusão criada por Rousseau em seu segundo *Discurso*: a ilusão de uma vida humana que seja solitária.

4. Sobre isso, ver Graeber e Sahlins, 2017, passim.

5. Harari, 2014, p. 133.

6. Scarry, 1985.

7. Kelly, 2000.

8. Ver Haas e Piscitelli, 2013.

9. Patterson, 1982.

10. Para discussões adicionais, ver Graeber, 2011, pp. 198-201 e as fontes ali citadas.

11. Talvez fosse de se imaginar esses tormentos públicos fossem bárbaros e desordenados em sua conduta; mas na verdade a preparação de um prisioneiro para o sacrifício era uma das poucas ocasiões em que o detentor de um cargo podia emitir comandos de comportamento calmo e ordeiro, bem como proibir relações sexuais. Para tudo o que foi descrito, ver Trigger, 1976, pp. 68-75.

12. Por um período de talvez cinco séculos ou mais, restos humanos por toda o leste da América do Norte exibem evidência notavelmente pequena de ferimentos traumáticos, escalpelamento ou outras formas e violência interpessoal (Milner et al., 2013). Evidências de violência interpessoal e atividade bélica existem em períodos anteriores e posteriores, sendo os exemplos recentes mais famosos uma vala comum escavada em Crow Creek e um cemitério de uma aldeia oneota com diversos indícios de traumatismos, ambas datando de cerca de setecentos anos atrás. Essas evidências talvez expliquem algumas décadas ou mais de história social — um século no máximo —, e são bastante localizadas. Não há absolutamente nenhuma razão para acreditar que a região inteira de algum modo tenha existido num estado hobbesiano por milênios, como assumem implicitamente os teóricos contemporâneos da violência.

13. Delâge, 1993, pp. 65-6.

14. Ver Merrick, 1991.

15. Num artigo (1995) sem dúvida influente, mas que ainda nem de longe tem a influência que merece, Crumley ressalta a necessidade de alternativas para modelos hierárquicos de complexidade social na interpretação arqueológica. Como ela observa, os registros arqueológicos estão repletos de evidências para o desenvolvimento de sistemas sociais e ecológicos que eram complexos e altamente estruturados, apenas não segundo princípios hierárquicos. O termo "heterarquia" — que ela introduziu para esses tipos de sistemas — é tomado de empréstimo da ciência cognitiva. Muitas das sociedades em que nos concentramos neste livro — de caçadores de mamutes do Paleolítico Superior até as sempre mutáveis coalizões e confederações dos iroqueses no século xvi — poderiam ser descritas nesses termos (caso tivéssemos optado por adotar a linguagem da teoria de sistemas), já que o poder era disperso ou distribuído de formas flexíveis através de diferentes elementos da sociedade, ou em diferentes escalas de integração, ou ainda na verdade através de diferentes épocas do ano dentro de uma mesma sociedade.

Referências bibliográficas

ABRAMS, Philip. "Notes on the difficulty of studying the State". *Journal of Historical Sociology*, v. 1, n. 1, pp. 58-89, 1977.

ACEMOĞLU, Daron; ROBINSON, James. "Foundations of societal inequality". *Science*, v. 326, pp. 678-9, 2009.

ADAMS, Robert McCormick. *Heartland of Cities: Surveys of Ancient Settlement and Land Use on the Central Floodplain of the Euphrates*. Chicago; Londres: University of Chicago Press, 1981.

AKKERMANS, Peter M. M. G. (Org.). *Tell Sabi Abyad: Late Neolithic Settlement. Report on the Excavations of the University of Amsterdam (1988) and the National Museum of Antiquities Leiden (1991–1993) in Syria*. Istambul: Nederlands Historisch-Archaeologisch Instituut te Istanbul, 1996.

AKKERMANS, Peter M. M. G.; VERHOEVEN, Mark. "An image of complexity: The burnt village at Late Neolithic Sabi Abyad, Syria". *American Journal of Archaeology*, v. 99, n. 1, pp. 5-32, 1995.

ALBERT, Bruce. "Yanomami 'violence': Inclusive fitness or ethnographer's representation?". *Current Anthropology*, v. 30, n. 5, pp. 637-40, 1989.

ALFANI, Guido; FRIGENI, Roberta. "Inequality (un)perceived: The emergence of a discourse on economic inequality from the Middle Ages to the age of Revolution". *Journal of European Economic History*, v. 45, n. 1, pp. 21-66, 2016.

ALGAZE, Guillermo. *The Uruk World System: The Dynamics of Expansion of Early Mesopotamian Civilization*. Chicago: University of Chicago Press, 1993.

ALLAN, Peter. *Baron Lahontan*. Vancouver: University of British Columbia, 1966.

ALLSEN, Thomas T. *The Royal Hunt in Eurasian History*. Filadélfia: University of Pennsylvania Press, 2016.

ALT, Susan M. *Cahokia's Complexities*. Tuscaloosa: University of Alabama Press, 2018.

AMBROSE, Stanley H.; BUIKSTRA, Jane; KRUEGER, Harold W. "Status and gender differences in diet at Mound 72, Cahokia, revealed by isotopic analysis of bone". *Journal of Anthropological Archaeology*, v. 22, n. 3, pp. 217-26, 2003.

AMES, Kenneth M. "Chiefly power and household production on the Northwest Coast". In: PRICE, T. Douglas; FEINMAN, Gary M. (Orgs.). *Foundations of Social Inequality*. Nova York: Plenum, 1995. pp. 155-87.

_____. "Slaves, chiefs and labour on the northern Northwest Coast". *World Archaeology*, v. 33, n. 1, pp. 1-17, 2001.

_____. "Slavery, household production and demography on the southern Northwest Coast: Cables, tacking and ropewalks". In: CAMERON, Catherine M. (Org.). *Invisible Citizens: Captives and their Consequences*. Salt Lake City: University of Utah Press, 2008. pp. 138-58.

AMES, Kenneth M.; MASCHNER, Herbert D. G. *Peoples of the Northwest Coast*. Londres: Thames & Hudson, 1999.

ANDERSON, Benedict. *Imagined Communities: Reflections on the Origin and Spread of Nationalism*. Londres: Verso, 1991.

ANGELBECK, Bill; GRIER, Colin. "Anarchism and the archaeology of anarchic societies: Resistance to centralization in the Coast Salish Region of the Pacific Northwest Coast". *Current Anthropology*, v. 53, n. 5, pp. 547-87, 2012.

ANTHONY, David. W. *The Horse, the Wheel, and Language: How Bronze-Age Riders from the Steppes Shaped the Modern World*. Princeton, NJ; Oxford: Princeton University Press, 2007.

_____. (Org.). *The Lost World of Old Europe: The Danube Valley 5000-3500 BC*. Princeton, NJ; Oxford: Princeton University Press, 2010.

ARBUCKLE, Benjamin S. "The late adoption of cattle and pig husbandry in Neolithic Central Turkey". *Journal of Archaeological Science*, v. 40, pp. 1805-15, 2013.

ARBUCKLE, Benjamin S.; MAKAREWICZ, Cheryl. "The early management of cattle (Bos taurus) in Neolithic Central Anatolia". *Antiquity*, v. 83, n. 321, pp. 669-86, 2009.

ARNAULD, Charlotte M.; MANZANILLA, Linda; SMITH, Michael E. (Orgs.). *The Neighborhood as a Social and Spatial Unit in Mesoamerican Cities*. Tucson: University of Arizona Press, 2012.

ARNOLD, Jeanne E. "Transportation, innovation and social complexity among maritime hunter-gatherer societies". *American Anthropologist*, v. 97, n. 4, pp. 733-47, 1995.

ARROYO-KALIN, Manuel. "The Amazonian Formative: crop domestication and anthropogenic soils". *Diversity*, v. 2, pp. 473-504, 2010.

ASCHER, Marcia. *Mathematics Elsewhere: An Exploration of Ideas Across Cultures*. Princeton, NJ: Princeton University Press, 2004.

ASHER-GREVE, Julia M. "Women and agency: A survey from Late Uruk to the end of Ur III". In: CRAWFORD, Harriet. (Org.). *The Sumerian World*. Abingdon; Nova York: Routledge, 2013. pp. 359-77.

ASHMORE, Wendy. "Contingent acts of remembrance: Royal ancestors of Classic Maya Copan and Quirigua". *Ancient Mesoamerica*, v. 26, pp. 213-31, 2015.

ASOUTI, Eleni. "Beyond the Pre-Pottery Neolithic-B interaction sphere". *Journal of World Prehistory*, v. 20, pp. 87-126, 2006.

ASOUTI, Eleni; FULLER, Dorian Q. "A contextual approach to the emergence of agriculture in Southwest Asia: Reconstructing early Neolithic plant-food production". *Current Anthropology*, v. 54, n. 3, pp. 299-345, 2013.

ASOUTI, Eleni; KABUKCU, Ceren. "Holocene semi-arid oak woodlands in the Irano-Anatolian region of Southwest Asia: Natural or anthropogenic?". *Quaternary Science Reviews*, v. 90, pp. 158-82, 2014.

ASOUTI, Eleni et al. "Early Holocene woodland vegetation and human impacts in the arid zone of the southern Levant". *The Holocene*, v. 25, n. 10, pp. 1565-80, 2015.

ATKINS, Sandra Erin. *The Formation of the League of the Haudenosaunee (Iroquois): Interpreting the Archaeological Record through the Oral Narrative Gayanashagow*. Peterbourgh: Trent University, 2002. Dissertação de Mestrado.

ATRAN, Scott. "Hamula organisation and Masha'a tenure in Palestine". *Man* (N.S.), v. 21, n. 2, pp. 271-95, 1986.

AUBERT, M. et al. "Pleistocene cave art from Sulawesi, Indonesia". *Nature*, v. 514, pp. 223-7, 2014.

_____. "Palaeolithic cave art in Borneo". *Nature*, v. 564, pp. 254-7, 2018.

_____. "Earliest hunting scene in prehistoric art". *Nature*, v. 576, pp. 442-5, 2019.

AYAD, Mariam F. *God's Wife, God's Servant: The God's Wife of Amun (c. 740-525 BC)*. Londres; Nova York: Routledge, 2009.

BADEN-POWELL, Baden Henry. *The Indian Village Community*. Londres; Nova York; Mumbai: Longmans, Green & Co, 1896.

BAGLEY, Robert. "Shang archaeology". In: LOEWE, Michael; SHAUGHNESSY, Edward. L. (Orgs.). *The Cambridge History of Ancient China*. Cambridge: Cambridge University Press, 1999, pp. 124--231.

BAHRANI, Zeinab. "Performativity and the image: Narrative, representation and the Uruk vase". In: EHRENBERG, Erica (Org.). *Leaving no Stones Unturned: Essays on the Ancient Near East and Egypt in Honor of Donald P. Hansen*. Winona Lake, Indiana: Eisenbrauns, 2002. pp. 15-22.

BAILEY, Douglass W. "The figurines of Old Europe." In: ANTHONY, David W. (Org.). *The Lost World of Old Europe: The Danube Valley 5000-3500 BC*. Princeton, NJ; Oxford: Princeton University Press, 2010. pp. 112-27.

_____. "Southeast European Neolithic figurines: Beyond context, interpretation, and meaning". In: INSOLL, Timothy (Org.). *The Oxford Handbook of Prehistoric Figurines*. Oxford: Oxford University Press, 2017. pp. 823-50.

BAILEY, Garrick; LA FLESCHE, Francis. *The Osages and the Invisible World. From the Works of Francis La Flesche*. Norman; Londres: University of Oklahoma Press, 1995.

BAILEY, Geoff N.; MILNER, Nicky J. "Coastal hunter-gatherers and social evolution: Marginal or central?". *Before Farming: The Archaeology of Old World Hunter-Gatherers*, v. 3-4, n. 1, pp. 1-15, 2002.

BAILEY, Geoff N.; FLEMMING, Nicholas C. "Archaeology of the continental shelf: Marine resources, submerged landscapes and underwater archaeology". *Quaternary Science Reviews*, v. 27, pp. 2153-65, 2008.

BAINES, John. "Origins of Egyptian kingship". In: O'CONNOR, David B.; SILVERMAN, David P. (Orgs.). *Ancient Egyptian Kingship*. Leiden; Nova York; Colônia: Brill, 1995. pp. 95-156.

_____. "Kingship before literature: the world of the king in the Old Kingdom". In: GUNDLACH, Rolf; RAEDLER, Christine (Orgs.). *Selbstverständnis und Realität: Akten des Symposiums zur ägyptischen Königsideologie Mainz 15–17.6.1995*. Wiesbaden: Harrassowitz, 1997. pp. 125-86.

BAINES, John. "Forerunners of narrative biographies". In: LEAHY, Anthony; TAIT, John (Orgs.). *Studies on Ancient Egypt in Honour of H.S. Smith*. Londres: Egypt Exploration Society, 1999. pp. 23-37.

_____. "Early definitions of the Egyptian world and its surroundings". In: POTTS, Timothy F.; ROAF, Michael; STEIN, Diana (Orgs.). *Culture through Objects: Ancient Near Eastern Studies in Honour of P. R. S. Moorey*. Oxford: Griffith Institute, 2003. pp. 27-57.

BAIRES, Sarah E. "Cahokia's Rattlesnake Causeway". *Midcontinental Journal of Archaeology*, v. 39, n. 2, pp. 145-62, 2014.

_____. "The role of water in the emergence of the pre-Columbian Native American City". *Wiley Interdisciplinary Reviews*, v. 2, n. 5, pp. 489-503, 2015.

BAKHTIN, Mikhail M. *Rabelais and His World*. Trad. para o inglês de H. Iswolsky. Bloomington: Indiana University Press, 1993 [1940].

BALSERA, Viviana Díaz. "Celebrating the rise of a new sun: The Tlaxcalans conquer Jerusalem in 1539". *Estudios de cultura Náhuatl*, v. 39, pp. 311-30, 2008.

BAMANN, Susan et al. "Iroquoian archaeology". *Annual Review of Anthropology*, v. 21, pp. 435-60, 1992.

BÁNFFY, Eszter. "Neolithic Eastern and Central Europe". In: INSOLL, Timothy (Org.). *The Oxford Handbook of Prehistoric Figurines*. Oxford: Oxford University Press, 2017. pp. 705-28.

BARBER, Elizabeth. J. W. *Prehistoric Textiles*. Princeton, NJ: Princeton University Press, 1991.

_____. *Women's Work: The First 20,000 Years*. Nova York: W. W. Norton, 1995.

BARJAMOVIC, Gojko. "Civic institutions and self-government in Southern Mesopotamia in the mid-first millennium BC". In: DERCKSEN, J. G. (Org.). *Assyria and Beyond: Studies Presented to M. T. Larsen*. Leiden; Istanbul: Nederlands Instituut voor het Nabije Oosten, 2003. pp. 47-98.

BARRUEL, Abade. *Memoirs Illustrating the History of Jacobinism*. Nova York: Isaac Collins, 1799. v. 3: The Anti-Social Conspiracy.

BARRY, Herbert; CHILD, Irvin. L.; BACON, Margaret. K. "Relation of child training to subsistence economy". *American Anthropologist*, v. 61, pp. 51-63, 1959.

BARTASH, Vitali. "Children in institutional households of Late Uruk period Mesopotamia". *Zeitschrift für Assyriologie*, v. 105, n. 2, pp. 131-8, 2015.

BASILE, Paola. *Lahontan et l'évolution moderne du mythe du "bon savage"*. Montreal: McGill University, 1997. Dissertação de Mestrado.

BATESON, Gregory. "Culture Contact and Schismogenesis". *Man*, v. 35, pp. 178-83, 1935.

_____. *Naven. A Survey of the Problems Suggested by a Composite Picture of the Culture of a New Guinea Tribe Drawn from Three Points of View*. Cambridge: Cambridge University Press, 1936.

BEAN, Lowell J.; BLACKBURN, Thomas C. *Native Californians: A Theoretical Retrospective*. Socorro, NM: Ballena, 1976.

BEAUCHAMP, William M. *Civil, Religious, and Mourning Councils and Ceremonies of Adoption of the New York Indians*. Albany, NY: New York State Education Department, 1907. (New York State Museum Bulletin, 113.)

BEIDELMAN, Thomas. O. "Nuer priests and prophets: Charisma, authority and power among the Nuer". In: BEIDELMAN, Thomas O. (Org.). *The Translation of Culture: Essays to E.E. Evans--Pritchard*. Londres: Tavistock, 1971. pp. 375-415.

BELCHER, Ellen. *Embodiment of the Halaf: Sixth Millennium Figurines in Northern Mesopotamia*. Nova York: Columbia University, 2014. Tese de Doutorado.

BELL, Ellen E.; CANUTO, Marcello; SHARER, Robert J. (Orgs.). *Understanding Early Classic Copan*. Filadélfia: University of Pennsylvania Museum, 2004. pp. 191-212.

BELLWOOD, Peter. *First Farmers: The Origins of Agricultural Societies*. Malden, MA; Oxford: Blackwell, 2005.

BELLWOOD, Peter; RENFREW, Colin (Orgs.). *Explaining the Farming/Language Dispersal Hypothesis*. Cambridge: McDonald Institute for Archaeological Research, 2002.

BENEDICT, Ruth. *Patterns of Culture*. Londres: Routledge, 1934.

BENNETT, John. "Agency and bureaucracy: Thoughts on the nature and extent of administration in Bronze Age Pylos". In: VOUTSAKI, Sofia; KILLEN, John (Orgs.). *Economy and Politics in the Mycenaean Palatial States*. Cambridge: Cambridge Philological Society, 2001. pp. 25-37.

BENSON, Larry; PAUKETAT, Timothy R.; COOK, Edwin. "Cahokia's boom and bust in the context of climate change". *American Antiquity*, v. 74, pp. 467-83, 2009.

BERKHOFER, Robert F. "White conceptions of Indians". In: STURTEVANT, William C.; TRIGGER, Bruce G. (Orgs.). *Handbook of North American Indians*. Washington: Smithsonian Institution Press, 1978(a), pp. 522-47. v. 15: Northeast.

_____. *The White Man's Indian: Images of the American Indian from Columbus to the Present*. Nova York: Knopf, 1978(b).

BERRIN, Kathleen (Org.). *Feathered Serpents and Flowering Trees: Reconstructing the Murals of Teotihuacan*. San Francisco: Fine Arts Museums of San Francisco, 1988.

BERRIN, Kathleen; PASZTORY, Esther (Orgs.). *Teotihuacan: Art from the City of the Gods*. Londres: Thames & Hudson, 1993.

BESTOCK, Laurel D. "The Early Dynastic funerary enclosures of Abydos". *Archéo-Nil*, v. 18, pp. 43-59, 2008.

BETTINGER, Robert L. *Orderly Anarchy: Sociopolitical Evolution in Aboriginal California*. Berkeley: University of California Press, 2015.

BETTINGER, Robert L.; BAUMHOFF, Martin A. "The Numic spread: Great Basin cultures in competition". *American Antiquity*, v. 47, pp. 485-503, 1982.

BETTS, Christopher J. "Early Deism in France: from the so-called 'Deistes' of Lyon (1564) to Voltaire's 'Lettres Philosophiques' (1734)". *International Archives of the History of Ideas*. Leiden: Martinus Nijhoff Publishers, 1984.

BETZENHAUSER, Alleen; PAUKETAT, Timothy R. "Elements of Cahokian neighborhoods". *Archaeological Papers of the American Anthropological Association*, v. 30, pp. 133-47, 2019.

BIOCCA, Ettore; VALERO, Helena. *Yanoáma: dal racconto di una donna rapita dagli Indi*. Bari: Leonardo da Vinci, 1965.

BIRCH, Jennifer. "Current research on the historical development of Northern Iroquoian societies". *Journal of Archaeological Research*, v. 23, pp. 263-323, 2015.

BIRD, Douglas W. et al. "Variability in the organization and size of hunter-gatherer groups: Foragers do not live in small-scale societies". *Journal of Human Evolution*, v. 131, pp. 96-108, 2019.

BLACKBURN, Carole. *Harvest of Souls: The Jesuit Missions and Colonialism in North America, 1632-1650*. Montreal; Kingston: McGill-Queen's University Press, 2000.

BLACKBURN, Thomas C. "Ceremonial integration and social interaction in Aboriginal California". In: BEAN, Lowell J.; BLACKBURN, Thomas C. *Native Californians: A Theoretical Retrospective*. Socorro, NM: Ballena, 1976. pp. 225-44.

BLANTON, Richard E. "Beyond centralization: Steps toward a theory of egalitarian behaviour in archaic states". In: FEINMAN, Gary M.; MARCUS, Joyce (Orgs.). *Archaic States*. Santa Fe: School of American Research, 1998. pp. 135-72.

BLANTON, Richard E.; FEINMAN, Gary; KOWALEWSKI, Stephen A. et al. "A dual-processual theory for the evolution of Mesoamerican civilization". *Current Anthropology*, v. 37, n. 1, pp. 1-14, 1996.

BLANTON, Richard; FARGHER, Lane. *Collective Action in the Formation of Pre-Modern States*. Nova York: Springer, 2008.

BLAU, Harold. "Dream guessing: a comparative analysis". *Ethnohistory*, v. 10, pp. 233-49, 1963.

BLOCH, Maurice. "The past and the present in the present". *Man* (N.S.), v. 12, n. 2, pp. 278-92, 1977.

_____. "Why religion is nothing special but is central". *Philosophical Transactions of the Royal Society B*, v. 363, pp. 2055-61, 2008.

_____. *In and Out of Each Other's Bodies: Theory of Mind, Evolution, Truth, and the Nature of the Social*. Boulder, CO: Paradigm, 2013.

BOAS, Franz. *Kwakiutl Ethnography*. Chicago: University of Chicago Press, 1966.

BOAS, Franz; HUNT, George. *Kwakiutl Texts*. Leiden: Brill, 1905. (Publications of the Jesup North Pacific Expedition, 3.)

BOEHM, Christopher. *Hierarchy in the Forest: The Evolution of Egalitarian Behaviour*. Cambridge, MA: Harvard University Press, 1999.

BOGAARD, Amy. "'Garden agriculture' and the nature of early farming in Europe and the Near East". *World Archaeology*, v. 37, n. 2, pp. 177-96, 2005.

BOGAARD, Amy et al. "Locating land use at Neolithic Çatalhöyük, Turkey: the implications of 87SR/86SR signatures in plants and sheep tooth sequences". *Archaeometry*, v. 56, n. 5, pp. 860-77, 2014.

BOIVIN, Nicole; FULLER, Dorian Q.; CROWTHER, Alison. "Old World globalization and the Columbian exchange: comparison and contrast". *World Archaeology*, v. 44, n. 3, pp. 452-69, 2012.

BOIVIN, Nicole et al. "Ecological consequences of human niche construction: Examining long-term anthropogenic shaping of global species distributions". *Proceedings of the National Academy of Sciences*, v. 113, pp. 6388-96, 2016.

BOOKCHIN, Murray. *The Ecology of Freedom: The Emergence and Dissolution of Hierarchy*. Palo Alto: Cheshire, 1982.

_____. *Urbanization Without Cities: The Rise and Decline of Citizenship*. Montreal: Black Rose, 1992.

BOWLES, Samuel; CHOI, Jung-Kyoo. "Coevolution of farming and private property during the early Holocene". *Proceedings of the National Academy of Sciences*, v. 110, n. 22, pp. 8830-35, 2013.

BRAIDWOOD, Robert. *Prehistoric Men*. Chicago: Natural History Museum Press, 1957.

BRASWELL, Geoffrey E. (Org.). *The Maya and Teotihuacan: Reinterpreting Early Classic Interaction*. Austin: University of Texas Press, 2003.

BRASWELL, Geoffrey E. *The Ancient Maya of Mexico: Reinterpreting the Past of the Northern Maya Lowlands*. Sheffield: Equinox, 2012.

BRAUN, David P. "Midwestern Hopewellian exchange and supralocation interaction". In: RENFREW, Colin; CHERRY, John. F. (Orgs.). *Peer Polity Interaction and Socio-Political Change*. Cambridge; Nova York: Cambridge University Press, 1986. pp. 117-26.

BRIGHTMAN, Robert. "Traditions of subversion and the subversion of tradition: Cultural criticism in Maidu clown performances". *American Anthropologist*, v. 101, n .2, pp. 272-87, 1999.

BRISCH, Nicole (Org.). *Religion and Power: Divine Kingship in the Ancient World and Beyond*. Chicago: Chicago University Press, 2008.

BROODBANK, Cyprian. *The Making of the Middle Sea: A History of the Mediterranean from the Beginning to the Emergence of the Classical World*. Londres: Thames & Hudson, 2014.

BROWN, James A. "Archaeology confronts history at the Natchez temple". *Southwestern Archaeology*, v. 9, n. 1, pp. 1-10, 1990.

BROWN, Judith K. "Economic organization and the position of women among the Iroquois". *Ethnohistory*, v. 17, n. 3-4, pp. 151-67, 1970.

BROWN, Philip C. "Arable land as commons: Land reallocation in early modern Japan". *Social Science History*, v. 30, n. 3, pp. 431-61, 2006.

BRYAN, Kirk. "Flood-water farming". *Geographical Review*, v. 19, n. 3, pp. 444-56, 1929.

BUCKLEY, Thomas. *Standing Ground: Yurok Indian Spirituality, 1850-1990*. Berkeley: University of California Press, 2002.

BUIKSTRA, Jane E. et al. "Tombs from the Copan Acropolis: A life history approach". In: BELL, Ellen E.; CANUTO, Marcello; SHARER, Robert J. (Orgs.). *Understanding Early Classic Copan*. Filadélfia: University of Pennsylvania Museum, 2004. pp. 185-205.

BURGER, Richard. L. "The Chavin Horizon: Chimera or socioeconomic metamorphosis". In: RICE, Don S. (Org.). *Latin American Horizons*. Washington: Dumbarton Oaks, 2003. pp. 41-82.

_____. "Chavín de Huántar and its sphere of influence". In: SILVERMAN, Helaine; ISBELL, William (Orgs.). *Handbook of South American Archaeology*. Nova York: Springer, 2008. pp. 681--703.

_____. "What kind of hallucenogenic snuff was used at Chavín de Huántar? An iconographic identification". *Journal of Andean Archaeology*, v. 31, n. 2, pp. 123-40, 2011.

BURKE, Peter. *Popular Culture in Early Modern Europe*. Farnham, Surrey: Ashgate, 2009.

BURNS, Louis F. *A History of the Osage People*. Tuscaloosa: University of Alabama Press, 2004.

BYERS, A. Martin. *Cahokia: A World Renewal Cult Heterarchy*. Gainsville: University Press of Florida, 2006.

CAILLOIS, Roger. *Man and the Sacred*. Trad. para o inglês de M. Barash. Glencoe: University of Illinois Press, 2001 [1939].

CAMPBELL, Roderick. "Towards a networks and boundaries approach to early complex polities: The Late Shang Case". *Current Anthropology*, v. 50, n. 6, pp. 821-48, 2009.

_____. "Transformations of violence: on humanity and inhumanity in early China". In: _____. (Org.). *Violence and Civilization: Studies of Social Violence in History and Prehistory*. Oxford: Oxbow, 2014. pp. 94-118.

_____. (Org.) *Violence and Civilization: Studies of Social Violence in History and Prehistory*. Oxford: Oxbow, 2014.

CANETTI, Elias. *Crowds and Power*. Londres: Gollancz, 1962. [Ed. bras.: *Massa e poder*. Trad. de Sergio Tellaroli. São Paulo: Companhia das Letras, 2019.]

CANNADINE, David. *Ornamentalism: How the British Saw their Empire*. Londres: Penguin, 2001.

CANUTO, Marcello et al. "Ancient lowland Maya complexity as revealed by airborne laser scanning of northern Guatemala". *Science*, v. 361, n. 6409, p. eaau0137, 2018.

CAPRILES, José. "Persistent Early to Middle Holocene tropical foraging in southwestern Amazonia". *Science Advances*, v. 5, n. 4, p. eaav5449, 2019.

CARBALLO, David M. et al. "New research at Teotihuacan's Tlajinga district, 2012-2015". *Ancient Mesoamerica*, v. 30, pp. 95-113, 2019.

CARBONELL, Eudald; MOSQUERA, Marina. "The emergence of a symbolic behaviour: The sepulchral pit of Sima de los Huesos, Sierra de Atapuerca, Burgos, Spain". *Comptes Rendus Palevol*, v. 5, n. 1-2, pp. 155-60, 2006.

CARR, Christopher. "The tripartite ceremonial alliance among Scioto Hopewellian communities and the question of social ranking". In: CASE, D. Troy; CARR, Christopher (Orgs.). *The Scioto Hopewell and their Neighbors: Bioarchaeological Documentation and Cultural Understanding*. Berlim: Springer, 2008. pp. 258-338.

CARR, Christopher; CASE, D. Troy (Orgs.). *Gathering Hopewell: Society, Ritual, and Ritual Interaction*. Nova York: Kluwer Academic, 2005.

CARR, Christopher et al. "The functions and meanings of Ohio Hopewell ceremonial artifacts in ethnohistorical perspective". In: CASE, D. Troy; CARR, Christopher (Orgs.). *The Scioto Hopewell and their Neighbors: Bioarchaeological Documentation and Cultural Understanding*. Berlim: Springer, 2008, pp. 501-21.

CASE, D. Troy; CARR, Christopher (Orgs.). *The Scioto Hopewell and their Neighbors: Bioarchaeological Documentation and Cultural Understanding*. Berlim: Springer, 2008.

CASTILLO BUTTERS, Luis Jaime. "Las Señoras de San José de Moro: Rituales funerarios de mujeres de élite en la costa norte del Perú". In: *Divina y humana. La mujer en los antiguos Perú y México*. Lima: Ministerio de Educación, 2005. pp. 18-29.

CERVANTES DE SALAZAR, Francisco. *Crónica de la Nueva España*. Madri: The Hispanic Society of America, 1914.

CHADWICK, H. M. *The Heroic Age*. Cambridge: Cambridge University Press, 1926.

CHAGNON, Napoleon. *Yanomamö: The Fierce People*. Nova York; Londres: Holt, Rinehart & Winston, 1968.

_____. "Ecological and adaptive aspects of California shell money". *UCLA Archaeological Survey Annual Report*, v. 12, pp. 1-25, 1970.

_____. "Life histories, blood revenge, and warfare in a tribal population". *Science*, v. 239, n. 4843, pp. 985-92, 1988.

_____. "Reply to Albert". *Current Anthropology*, v. 31, n. 1, pp. 49-53, 1990.

CHANG, Kwang-chih. "China on the eve of the historical period". In: LOEWE, Michael; SHAUGHNESSY, Edward. L. (Orgs.). *The Cambridge History of Ancient China*. Cambridge: Cambridge University Press, 1999. pp. 37-73.

CHAPMAN, John. "Houses, households, villages, and proto-cities in Southeastern Europe". In: ANTHONY, David W. (Org.). *The Lost World of Old Europe: The Danube Valley 5000-3500 BC*. Princeton, NJ; Oxford: Princeton University Press, 2010. pp. 74-89.

CHAPMAN, John; GAYDARSKA, Bisserka. "The provision of salt to Tripolye mega-Sites". In: KORVIN-PIOTROVSKY, Aleksey; KRUTS, Vladimir; RIZHOV, Sergei M. (Orgs.). *Tripolye Settlements--Giants*. Kiev: Institute of Archaeology, 2003. pp. 203-11.

CHAPMAN, John; GAYDARSKA, Bisserka; HALE, Duncan. "Nebelivka: assembly houses, ditches, and social structure". In: MÜLLER, Johannes; RASSMANN, Knut; VIDEIKO, Mykhailo (Orgs.). *Trypillia Mega-Sites and European Prehistory, 4100-3400 BCE*. Londres; Nova York: Routledge, 2016. pp. 117-32.

CHARLES, Douglas; BUIKSTRA, Jane E. (Orgs.). *Recreating Hopewell*. Gainesville: University Press of Florida, 2006.

CHARLEVOIX, Francois-Xavier de. *Journal d'un voyage fait par ordre du roi dans l'Amerique septentrionale*. Ed. Crítica de Pierre Berthiaume. Montreal: Les Presses de l'Université de Montreal, 1944 [1744]. 2 v. (Bibliotheque du Nouveau Monde.)

CHASE, Alexander W. "Indian mounds and relics on the coast of Oregon". *American Journal of Science and Arts*, v. 7, n. 31, pp. 26-32, 1873.

CHASE-DUNN, Christopher K.; MANN, Kelly Marie. *The Wintu and Their Neighbors: A Very Small World System*. Tucson: University of Arizona Press, 1998.

CHIAPPELLI, Fredi (Org.). *First Images of America: The Impact of the New World on the Old*. Berkeley: University of California Press, 1976.

CHILDE, V. Gordon. *Man Makes Himself*. Londres: Watts, 1936. [Ed. bras.: *A evolução cultural do homem*. Trad. de Waltensir Dutra. Rio de Janeiro: Zahar, 1966.]

_____. "The urban revolution". *Town Planning Review*, v. 21, pp. 3-17, 1950.

CHINARD, Gilbert. *L'Exotisme Américain dans la littérature française au XVIe siècle*. Paris: Hachette, 1911.

_____. *L'Amérique et le rêve exotique dans la littérature française au XVIIe et au XVIIIe siècle*. Paris: Hachette, 1913.

_____. (Org.) "Introduction". *Dialogues curieux entre l'auteur et un sauvage de bons sens qui a voyagé, et Mémoires de l'Amerique septentrionale by Lahontan, Louis Armand de Lom d'Arce*. Baltimore: Johns Hopkins University Press, 1931.

CHRISTIE, Agatha. *Murder in Mesopotamia*. Londres: Collins, 1936. [Ed. bras.: *Morte na Mesopotâmia*. Trad. de Henrique Guerra. Porto Alegre: L&PM, 2012.]

CLARK, John E. "The arts of government in Early Mesoamerica". *Annual Review of Anthropology*, v. 26, pp. 211-34, 1997.

_____. "Surrounding the sacred: Geometry and design of early mound groups as meaning and function". In: GIBSON, Jon L.; CARR, Philip J. (Orgs.). *Signs of Power: The Rise of Complexity in the Southeast*. Tuscaloosa: University of Alabama Press, 2004. pp. 162-213.

CLARKE, David. L. "Archaeology: The loss of innocence". *Antiquity*, v. 43, pp. 6-18, 1973.

_____. *Mesolithic Europe: The Economic Basis*. Londres: Duckworth, 1978.

CLASTRES, Pierre. *Society Against the State: Essays in Political Anthropology*. Nova York: Zone Books, 1987 [1974]. [Ed. bras.: *A sociedade contra o Estado*. Trad. de Theo Santiago. São Paulo: Ubu, 2017.]

CLAYTON, Lawrence A.; KNIGHT, Vernon J.; MOORE, Edward C. *The De Soto Chronicles: The Expedition of Hernando de Soto to North America in 1539-1543*. Tuscaloosa: University of Alabama Press, 1993.

CLEMENT, Charles R. et al. "The domestication of Amazonia before European conquest". *Proceedings of the Royal Society B*, v. 282, art. 20150813, 2015.

CLENDINNEN, Inga. *Ambivalent Conquests: Maya and Spaniard in Yucatan, 1517-1570.* Cambridge: Cambridge University Press, 1987.

_____. *Aztecs: An Interpretation.* Cambridge: Cambridge University Press, 1991.

COBB, Charles R.; BUTLER, Brian M. "The Vacant Quarter revisited: Late Mississippian abandonment of the Lower Ohio Valley". *American Antiquity*, v. 67, n. 4, pp. 625-41, 2002.

COBB, Charles R.; KING, Adam. "Re-Inventing Mississippian tradition at Etowah, Georgia". *Journal of Archaeological Method and Theory*, v. 12, n. 3, pp. 167-93, 2005.

CODERE, Helen. *Fighting with Property: A Study of Kwakiutl Potlatching and Warfare, 1792-1930.* Nova York: J. J. Augustin, 1950.

COLAS, Pierre. R. "Writing in space: Glottographic and semasiographic notation at Teotihuacan". *Ancient Mesoamerica*, v. 22, n. 1, pp. 13-25, 2011.

COLLEDGE, Sue; CONOLLY, James; SHENNAN, Stephen. "Archaeobotanical evidence for the spread of farming in the eastern Mediterranean". *Current Anthropology*, v. 45, n. 4, pp. 35-58, 2004.

_____. "The evolution of Neolithic farming from SW Asian Origins to NW European limits". *European Journal of Archaeology*, v. 8, n. 2, pp. 137-56, 2005.

COLLEDGE, Sue; CONOLLY, James (Orgs.). *The Origins and Spread of Domestic Plants in Southwest Asia and Europe.* Walnut Creek, CA: Left Coast Press, 2007.

CONKLIN, William J.; QUILTER, Jeffrey (Orgs.). *Chavín: Art, Architecture, and Culture.* Los Angeles: Cotsen Institute of Archaeology, 2008.

COOK, Jill. "Was bedeutet ein Name? Ein Rückblick auf die Ursprünge, Geschichte und Unangemessenheit des Begriffs Venusfigur". *Zeitschrift für niedersächsische Archäologie*, v. 66, pp. 43-72, 2015.

COOK, Robert A. *Continuity and Change in the Native American Village: Multicultural Origins and Descendants of the Fort Ancient Culture.* Cambridge: Cambridge University Press, 2017.

COON, Matthew S. "Variation in Ohio Hopewell political economies". *American Antiquity*, v. 74, n. 1, pp. 49-76, 2009.

CORK, Edward. "Peaceful Harappans? Reviewing the evidence for the absence of warfare in the Indus Civilization of north-west India and Pakistan (c. 2500-1900 BC)". *Antiquity*, v. 79, n. 304, pp. 411-23, 2005.

CORTÉS, Hernando. *Five Letters, 1519-1526.* Londres: Routledge, 1928.

COSTA, Luiz. *The Owners of Kinship: Asymmetrical Relations in Indigenous Amazonia.* Chicago: HAU, 2017.

COSTA, Luiz; FAUSTO, Carlos. "The enemy, the unwilling guest, and the jaguar host: An Amazonian story". *L'Homme*, v. 231-2, pp. 195-226, 2019.

COUDART, Anick. *Architecture et Société Neolithique.* Paris: Éditions de la Maison des Sciences de l'Homme, 1998.

COUPLAND, Gary; STEWART, Kathlyn; PATTON, Katherine. "Do you ever get tired of salmon? Evidence for extreme salmon specialization at Prince Rupert Harbour, British Columbia". *Journal of Anthropological Archaeology*, v. 29, pp. 189-207, 2010.

COWGILL, George L. "State and society at Teotihuacan, Mexico". *Annual Review of Anthropology*, v. 26, pp. 129-61, 1997.

COWGILL, George L. "Teotihuacan and early classic interaction: A perspective from outside the Maya region". In: BRASWELL, Geoffrey E. (Org.). *The Maya and Teotihuacan: Reinterpreting Early Classic Interaction*. Austin: University of Texas Press, 2003. pp. 315-35.

_____. "An update on Teotihuacan". *Antiquity*, v. 82, pp. 962-75, 2008.

_____. *Ancient Teotihuacan. Early Urbanism in Central Mexico*. Cambridge: Cambridge University Press, 2015.

CRAWFORD, Harriet (Org.). *The Sumerian World*. Abingdon; Nova York: Routledge, 2013.

CRAZZOLARA, Joseph Pasquale. *The Lwoo, Part II: Lwoo Traditions*. Verona: Missioni Africane, 1951.

CREMA, Enrico R. "Cycles of change in Jomon settlement: a case study from eastern Tokyo Bay". *Antiquity*, v. 87, n. 338, pp. 1169-81, 2013.

CRO, Stelio. *The Noble Savage: Allegory of Freedom*. Waterloo, Ontário: Wilfred Laurier University Press, 1990.

CROSBY, Alfred. W. *The Columbian Exchange: Biological and Cultural Consequences of 1492*. Westport, CT: Greenwood, 1972.

_____. *Ecological Imperialism: The Biological Expansion of Europe, 900-1900 BC*. Cambridge: Cambridge University Press, 1986.

CROUCHER, Karina. *Death and Dying in the Neolithic Near East*. Oxford: Oxford University Press, 2012.

_____. "Keeping the dead close: grief and bereavement in the treatment of skulls from the Neolithic Middle East". *Mortality*, v. 23, n. 2, pp. 103-20, 2017.

CROWN, Patricia L. et al. "Ritual Black Drink consumption at Cahokia". *Proceedings of the National Academy of Sciences of the United States*, v. 109, n. 35, pp. 13944-9, 2017.

CRUMLEY, Carole. "Heterarchy and the analysis of complex societies". *Archaeological Papers of the American Anthropological Association*, v. 6, n. 1, pp. 1-5, 1995.

CRÜSEMANN, Nicola et al. (Orgs.). *Uruk: City of the Ancient World*. Los Angeles: The J. Paul Getty Museum, 2019.

CUNLIFFE, Barry (Org.). *Prehistoric Europe: An Illustrated History*. Oxford: Oxford University Press, 1998.

CUSHING, Frank Hamilton. "Exploration of the ancient key dwellers' remains on the Gulf Coast of Florida". *Proceedings of the American Philosophical Society*, v. 35, pp. 329-448, 1896.

CUSHNER, Nicholas P. *Why Have You Come Here? The Jesuits and the First Evangelization of Native America*. Oxford: Oxford University Press, 2006.

DALLEY, Stephanie. *Myths from Mesopotamia: Creation, The Flood, Gilgamesh, and Others*. Oxford: Oxford University Press, 2000.

D'ALTROY, Terence N. *The Incas*. 2. ed. Chichester: Wiley-Blackwell, 2015.

DAVIS, E. N. "Art and politics in the Aegean: The missing ruler". In: REHAK, Paul (Org.). *The Role of the Ruler in the Prehistoric Aegean*. Liège: University of Liège, 1995. pp. 11-20. (Aegaeum, 11.)

DAY, John W. et al. "Emergence of complex societies after sea level stabilized". *EOS*, v. 88, n. 15, pp. 169-76, 2007.

DE WAAL, Frans. *Chimpanzee Politics: Power and Sex Among Apes*. Baltimore: Johns Hopkins University Press, 2000.

DEBOER, Warren R. "Like a rolling stone: The Chunkey game and political organization in Eastern North America". *Southeastern Archaeology*, v. 12, pp. 83-92, 1993.

_____. "Ceremonial centers from the Cayapas to Chillicothe". *Cambridge Archaeological Journal*, v. 7, pp. 225-53, 1997.

_____. "Of dice and women: Gambling and exchange in Native North America". *Journal of Archaeological Method and Theory*, v. 8, n. 3, pp. 215-68, 2001.

DEINO, Alan L. et al. "Chronology of the Acheulean to Middle Stone transition in eastern Africa". *Science*, v. 360, n. 6384, pp. 95-8, 2018.

DELÂGE, Denys. *Bitter Feast: Amerindians and Europeans in Northeastern North America, 1600--64*. Trad. para o inglês de Jane Brierley. Vancouver: UBC, 1993.

DENEVAN, William M. *The Native Population of the Americas in 1492*. Wisconsin: University of Wisconsin Press, 1992.

DENHAM, Timothy et al. "Origins of agriculture at Kuk Swamp in the highlands of New Guinea". *Science*, v. 301, n. 5630, pp. 189-93, 2003.

DENNIS, Matthew. *Cultivating a Landscape of Peace: Iroquois-European Encounters in Seventeenth-Century America*. Ithaca, NY: Cornell University Press, 1993.

DESCOLA, Philippe. "Pourquoi les Indiens d'Amazonie n'ont-ils pas domestiqué le pécari? Généalogie des objets et anthropologie de la objectivation". In: LATOUR, Bruno; LEMONNIER, Pierre (Orgs.). *De la préhistoire aux missiles balistiques: L'intelligence sociale des techniques*. Paris: La Découverte, 1994, pp. 329-44.

_____. *Par-delà nature et culture*. Paris: Éditions Gallimard, 2005.

DETIENNE, Marcel. *The Gardens of Adonis: Spices in Greek Mythology*. Princeton, NJ: Princeton University Press, 1994.

DIAMOND, Jared. "The worst mistake in the history of the human race". *Discover Magazine*, maio 1987.

_____. *Guns, Germs and Steel: The Fates of Human Societies*. Nova York; Londres: W. W. Norton, 1997. [Ed. bras.: *Armas, germes e aço: Os destinos das sociedades humanas*. 2. ed. Trad. de Sílvia de Souza Costa, Cynthia Cortes e Paulo Soares. Rio de Janeiro: Record, 2001.]

_____. *The World Until Yesterday: What Can We Learn from Traditional Societies?*. Londres: Allen Lane, 2012. [Ed. Bras.: *O mundo até ontem: O que podemos aprender com as sociedades tradicionais?* Trad. de Maria Lúcia de Oliveira. Rio de Janeiro: Record, 2014.]

DICKASON, Olive Patricia. *The Myth of the Savage and the Beginnings of French Colonialism in the Americas*. Alberta: University of Alberta Press, 1984.

DICKSON, D. Bruce. "Public transcripts expressed in theatres of cruelty: the Royal Graves at Ur in Mesopotamia". *Cambridge Archaeological Journal*, v. 16, n. 2, pp. 123-44, 2006.

DIETRICH, Laura et al. "Cereal processing at Early Neolithic Göbekli Tepe, southeastern Turkey". *PLoS ONE*, v. 14, n. 5, p. e0215214, 2019.

DIETRICH, Oliver; DIETRICH, Laura; NOTROFF, Jens. "Anthropomorphic imagery at Göbekli Tepe". In: BECKER, Jörg; BEUGER, Claudia; MÜLLER-NEUHOF, Bernd (Orgs.). *Human Iconography and Symbolic Meaning in Near Eastern Prehistory*. Viena: Austrian Academy of Sciences, 2019. pp. 151-66.

DIETRICH, Oliver; HEUN, Manfed; NOTROFF, Jens et al. "The role of cult and feasting in the emergence of Neolithic communities. New evidence from Göbekli Tepe, south-eastern Turkey". *Antiquity*, v. 86, n. 333, pp. 674-95, 2012.

DODDS PENNOCK, Caroline. *Bonds of Blood: Gender, Lifecyle, and Sacrifice in Aztec Culture*. Nova York: Palgrave Macmillan, 2008.

_____. "Gender and Aztec life cycles". In: NICHOLS, Deborah L.; RODRÍGUEZ-ALGERÍA, Enrique (Orgs.). *The Oxford Handbook of the Aztecs*. Oxford: Oxford University Press, 2017. pp. 387-98.

DOMENICI, Davide. "Beyond dichotomies: Teotihuacan and the Mesoamerican urban tradition". In: DOMENICI, Davide; MARCHETTI, Nicolò. *Urbanized Landscapes in Early Syro-Mesopotamia and Prehispanic Mesoamerica*. Wiesbaden: Harrassowitz, 2018. pp. 35-70.

DONALD, Leland. *Aboriginal Slavery on the Northwest Coast of North America*. Berkeley: University of California Press, 1997.

_____. "The Northwest Coast as a study area: Natural, prehistoric, and ethnographic issues". In: COUPLAND, Gary; MATSON, R. G.; MACKIE, Quentin (Orgs.), *Emerging from the Mist: Studies in Northwest Coast Culture History*. Vancouver: UBC Press, 2003. pp. 289-327.

DOUGLAS, Mary. *Purity and Danger: An Analysis of Concepts of Pollution and Taboo*. Londres: Routledge, 1966. [Ed. bras.: *Pureza e perigo*. Trad. de Mônica Siqueira Leite de Barros e Zilda Zakia Pinto. São Paulo: Perspectiva, 1976.]

DRIVER, Harold. E. "Culture element distributions VIII: The reliability of culture element data". *Anthropological Records*, v. 1, pp. 205-20, 1938.

_____. "The contribution of A. L. Kroeber to culture area theory and practice". *Indiana University Publications in Anthropology and Linguistics*, v. 18, 1962.

DRUCKER, Philip. "The Northern and Central Nootkan tribes". *Bureau of American Ethnology Bulletin*, v. 144, pp. 1-480, 1951.

_____. "On the nature of Olmec polity". In: BENSON, Elizabeth P. (Org.). *The Olmec and Their Neighbors: Essays in Memory of Matthew W. Stirling*. Washington: Dumbarton Oaks, 1981. pp. 29-47.

DU BOIS, Cora. "Wintu Ethnography". *University of California Publications in American Archaeology and Ethnology*, v. 36, n. 1, pp. 1-142. Berkeley: University of California Press, 1935.

DUCHET, Michèle. *Anthropologie et histoire au siècle des Lumières*. Paris: A. Michel, 1995.

DUMONT, Louis. *Homo Hierarchicus: The Caste System and its Implications*. Londres: Weidenfeld & Nicolson, 1972.

_____. *Essays on Individualism: Modern Ideology in Anthropological Perspective*. Chicago: University of Chicago Press, 1992.

DUNBAR, Robin I. M. *Primate Social Systems*. Londres; Sydney: Croom Helm, 1988.

_____. "Neocortex size as a constraint on group size in primates". *Journal of Human Evolution*, v. 20, pp. 469-93, 1992.

_____. *Grooming, Gossip, and the Evolution of Language*. Londres: Faber & Faber, 1996.

_____. *How Many Friends Does One Person Need? Dunbar's Number and Other Evolutionary Quirks*. Cambridge, MA: Harvard University Press, 2010.

DUNBAR, Robin I. M.; GAMBLE, Clive; GOWLETT, John A. K. (Orgs.). *Lucy to Language: The Benchmark Papers*. Oxford: Oxford University Press, 2014.

DURKHEIM, Émile. *The Elementary Forms of Religious Life*. Londres: Allen & Unwin, 1915 [1912]. [Ed. bras.: *As formas elementares da vida religiosa*. Trad. de Joaquim Pereira Neto. São Paulo: Paulus, 2001.]

EASTMAN, Charles A. *Indian Boyhood*. Boston: Little, Brown & Company, 1937.

EDINBOROUGH, Kevan et al. "Radiocarbon test for demographic events in written and oral history". *PNAS*, v. 114, n. 47, pp. 12436-41, 2017.

EDMONSON, Munro S. *The Ancient Future of the Itza: The Book of Chilam Balam of Tizimin*. Austin: University of Texas Press, 1982.

EDWARDS, Tai S.*Osage Gender: Continuity, Change, and Colonization, 1720s-1870s*. Lawrence: University of Kansas, 2010. Tese de Doutorado.

ELIADE, Mircea. *The Sacred and the Profane: The Nature of Religion*. Nova York: Harcourt, Brace, 1959. [Ed. bras.: *O sagrado e o profano: A essência das religiões*. 3. ed. Trad. de Rogério Fernandes. São Paulo: WMF Martins Fontes, 2010.]

ELIAS, Norbert. *The Court Society*. Oxford: Basil Blackwell, 1969. [Ed. bras.: *A sociedade de corte*. Trad. de Pedro Süssekind. Rio de Janeiro: Zahar, 2001.]

ELLINGSON, Ter. *The Myth of the Noble Savage*. Berkeley: University of California Press, 2001.

EMERSON, Thomas. *Cahokia and the Archaeology of Power*. Tuscaloosa: University of Alabama Press, 1997(a).

_____. "Reflections from the countryside on Cahokian hegemony". In: PAUKETAT, Timothy R.; EMERSON, Thomas E. (Orgs.) *Cahokia: Domination and Ideology in the Mississippian World*. Lincoln: University of Nebraska Press, 1997(b). pp. 167–89.

_____. "Cahokia and the evidence for Late Pre-Columbian war in the North American midcontinent". In: CHACON, Richard J.; MENDOZA, Rubén G. (Orgs.). *North American Indigenous Warfare and Ritual Violence*. Tucson: University of Arizona Press, 2007. pp. 129-48.

_____. "Cahokia interaction and ethnogenesis in the northern Midcontinent". In: PAUKETAT, Timothy R. (Org.). *The Oxford Handbook of North American Archaeology*. Oxford: Oxford University Press, 2012. pp. 398-409.

EMERSON, Thomas E.; LEWIS, R. Barry (Orgs.). *Cahokia and the Hinterlands: Middle Mississippian Cultures of The Midwest*. Urbana: University of Illinois Press, 1991.

EMERSON, Thomas. E.; HEDMAN, Kristin. M. "The dangers of diversity: The consolidation and dissolution of Cahokia, Native America's first urban polity". In: FAULSEIT, Ronald K. (Org.). *Beyond Collapse: Archaeological Perspectives on Resilience, Revitalization, and Transformation in Complex Societies*. Carbondale: Center for Archaeological Investigations, Southern Illinois University Press, 2014. pp. 147-75. (Occasional Paper, 42.)

EMERSON, Thomas et al. "Paradigms lost: reconfiguring Cahokia's Mound 72 Beaded Burial". *American Antiquity*, v. 81, n. 3, pp. 405-25, 2016.

EMERSON, Thomas E.; KOLDEHO, Brad H.; BRENNAN, Tamira K. (Orgs.). *Revealing Greater Cahokia, North America's First Native City: Rediscovery and Large-Scale Excavations of the East St. Louis Precinct*. Urbana: Illinois State Archaeological Survey, University of Illinois, 2018. (Studies in Archaeology, 12.)

ENAJERO, Samuel. *Collective Institutions in Industrialized Nations*. Nova York: Page, 2015.

ENGELBRECHT, William. *Iroquoia: The Development of a Native World*. Syracuse, NY: Syracuse University Press, 2003.

ENGLUND, Robert K. "Administrative timekeeping in ancient Mesopotamia". *Journal of the Economic and Social History of the Orient*, v. 31, n. 2, pp. 121-85, 1988.

ENGLUND, Robert K. "Texts from the Late Uruk period". In: BAUER, Josef; ENGLUND, Robert K.; KREBERNIK, Manfred (Orgs.). *Mesopotamien. Späturuk-Zeit und Frühdynastische Zeit*. Göttingen: Vandenhoeck & Ruprecht, 1998.

_____. "The smell of the cage". *Cuneiform Digital Library*, v. 4, 2009.

ERDAL, Yilmaz. "Bone or flesh: Defleshing and post-depositional treatments at Körtik Tepe (Southeastern Anatolia, PPNA Period)". *European Journal of Archaeology*, v. 18, n. 1, pp. 4-32, 2015.

ERICKSON, Clark L. "Amazonia: the historical ecology of a domesticated landscape" In: SILVERMAN, Helaine; ISBELL, William (Orgs.). *Handbook of South American Archaeology*. Nova York: Springer, 2008. pp. 157-83.

ERLANDSON, Jon et al. "The Kelp Highway hypothesis: Marine ecology, the coastal migration theory, and the peopling of the Americas". *The Journal of Island and Coastal Archaeology*, v. 2, n. 2, pp. 161-74, 2007.

ETHRIDGE, Robbie. *From Chicaza to Chickasaw: The European Invasion and the Transformation of the Mississippian World, 1540-1715*. Chapel Hill: University of North Carolina Press, 2010.

ÉTIENNE, Louis. "Un Roman socialiste d'autrefois". *Revue des deux mondes*, 15 jul. 1871.

EVANS-PRITCHARD, E. E. *The Nuer: A Description of the Modes of Livelihood and Political Institutions of a Nilotic People*. Oxford: Oxford University Press, 1940.

EYRE, Christopher J. "The village economy in Pharaonic Egypt". In: BOWMAN, Alan K.; ROGAN, Eugene (Orgs.). *Proceedings of the British Academy, 96: Agriculture in Egypt from Pharaonic to Modern Times*. Oxford: Oxford University Press, 1999. pp. 33-60.

FAIRBAIRN, Andrew et al. "Seasonality (Çatalhöyük East)". In: HODDER, Ian (Org.). *Çatalhöyük Perspectives: Themes from the 1995-9 Seasons*. Cambridge: McDonald Institute Monographs, British Institute of Archaeology at Ankara, 2006. pp. 93-108.

FAIRBANKS, Charles. "The function of Black Drink among the Creeks". In: Hudson, Charles (Org.). *Black Drink: A Native American Tea*. Athens: University of Georgia Press, 1979. pp. 120-49.

FARGHER, Lane; BLANTON, Richard E.; HEREDIA ESPINOZA, Verenice Y. "Egalitarian ideology and political power in prehispanic Central Mexico: The case of Tlaxcalan". *Latin American Antiquity*, v. 21, n. 3, pp. 227-51, 2010.

FARGHER, Lane; HEREDIA ESPINOZA, Verenice Y.; BLANTON, Richard E. "Alternative pathways to power in late Postclassic Highland Mesoamerica". *Journal of Anthropological Archaeology*, v. 30, pp. 306-26, 2011.

FARGHER, Lane et al. "Tlaxcallan: The archaeology of an ancient republic in the New World". *Antiquity*, v. 85, pp. 172-86, 2011.

FAUSTO, Carlos. "Of enemies and pets: Warfare and shamanism in Amazonia". *American Ethnologist*, v. 26, n. 4, pp. 933-56, 1999.

_____. "Too many owners: Mastery and ownership in Amazonia". *Mana*, v. 14, n. 2, pp. 329-66, 2008.

FAUSTO, Carlos; NEVES, Eduardo G. "Was there ever a Neolithic in the Neo-tropics? Plant familiarization and biodiversity in the Amazon". *Antiquity*, v. 92, n. 366, pp. 1604-18, 2009.

FEDERICI, Silvia. *Caliban and the Witch*. Nova York: Autonomedia, 1998. [Ed. bras.: *Calibã e a bruxa*. Trad. Coletivo Sycorax. São Paulo: Elefante, 2019.]

FENTON, William N. "Seth Newhouse's traditional history and constitution of the Iroquois Confederacy". *Proceedings of the American Philosophical Society*, v. 93, n. 2, pp. 141-58, 1949.

FENTON, William N. *The Great Law and the Longhouse: A Political History of the Iroquois Confederacy*. Norman: University of Oklahoma Press, 1998.

FERGUSON, R. Brian. "Do Yanomamo killers have more kids?". *American Ethnologist*, v. 16, n. 3, pp. 564-5, 1989.

FERGUSON, R. Brain; WHITEHEAD, Neil L. *War in the Tribal Zone: Expanding States and Indigenous Warfare*. Santa Fé: School for Advanced Research, 1992.

FIELD, Stephanie; GOLDBERG, Anne; LEE, Tina. "Gender, status, and ethnicity in the Scioto, Miami, and Northeastern Ohio Hopewellian regions, as evidenced by mortuary practices". In: CARR, Christopher; CASE, D. Troy (Orgs.). *Gathering Hopewell: Society, Ritual, and Ritual Interaction*. Nova York: Kluwer Academic, 2005. pp. 386-404.

FISCHER, Claude S. "Comment on Mayhew and Levinger's 'Size and the density of interaction in human aggregates'". *American Journal of Sociology*, v. 83, n. 2, pp. 452-5, 1977.

FITZHUGH, William W. *Cultures in Contact: the Impact of European Contacts on Native American Cultural Institutions A.D. 1000-1800*. Washington: Smithsonian Institution Press, 1985.

FLANNERY, Kent; MARCUS, Joyce. *The Creation of Inequality: How our Prehistoric Ancestors Set the Stage for Monarchy, Slavery, and Empire*. Cambridge, MA: Harvard University Press, 2012.

FLEMING, Daniel. E. *Democracy's Ancient Ancestors: Mari and Early Collective Governance*. Cambridge: Cambridge University Press, 2009.

FLETCHER, Alice C.; LA FLESCHE, Francis. "The Omaha tribe". *Twenty-seventh Annual Report of the Bureau of American Ethnology*, 1905-6. Washington: Bureau of American Ethnology, 1911. pp. 17-654.

FLETCHER, Roland. *The Limits of Settlement Growth: A Theoretical Outline*. Cambridge: Cambridge University Press, 1995.

FLEW, Antony. *An Introduction to Western Philosophy: Ideas and Argument from Plato to Popper*. Londres: Thames & Hudson, 1989.

FOGELSON, Raymond D. "Who were the Aní-Kutáni? An excursion into Cherokee historical thought". *Ethnohistory*, v. 31, n. 4, pp. 255-63, 1984.

FORMICOLA, Vincenzo. "From the Sungir children to the Romito dwarf: Aspects of the Upper Palaeolithic funerary landscape". *Current Anthropology*, v. 48, pp. 446-53, 2007.

FOSTER, Benjamin. "A new look at the Sumerian temple state". *Journal of the Economic and Social History of the Orient*, v. 24, n. 3, pp. 225-41, 1981.

FOWLER, Melvin. L. *The Cahokia Atlas: A Historical Atlas of Cahokia Archaeology*. Urbana: University of Illinois Press, 1997.

FOWLER, Melvin L. et al. *The Mound 72 Area: Dedicated and Sacred Space in Early Cahokia*. Springfield: Illinois State Museum, 1999. (Reports of Investigation, 54.)

FRANGIPANE, Marcella. "The Arslantepe 'Royal Tomb': New funerary customs and political changes in the Upper Euphrates valley at the beginning of the third millennium BC". In: BARTOLONI, Gilda; BENEDETTINI, M. G. (Orgs.). *Buried Among the Living*. Roma: Università degli studi di Roma 'La Sapienza', 2006. pp. 169-4.

_____. "Fourth millennium Arslantepe: The development of a centralized society without urbanization". *Origini*, v. 34, pp. 19-40, 2012.

FRANKFORT, Henri. *Kingship and the Gods: A Study of Ancient Near Eastern Religion as the Integration of Society and Nature*. Chicago: Chicago University Press, 1948.

FRANKFORT, Henri. The *Birth of Civilization in the Near East*. Bloomington: Indiana University Press, 1951.

FRANKLIN, Benjamin. Carta para Peter Collinson, 9 maio 1753. In: LABAREE, Leonard W. (Org.). *The Papers of Benjamin Franklin*. New Haven, CT: Yale University Press, 1961 [1753]. v. 4. pp. 481-3.

FRANKS, C. E. S. "In search of the savage Sauvage: an exploration into North America's political cultures". *The American Review of Canadian Studies*, v. 32, n. 4, pp. 547-80, 2002.

FRAZER, James G. *The Golden Bough: A Study in Magic and Religion*. 3. ed. Londres: Macmillan, 1911 [1890]. v. 3: *The Dying God*.

FREIDEL, David A.; SCHELE, Linda. "'Kingship in the Late Preclassic Maya Lowlands: the instruments and places of ritual power". *American Anthropologist*, v. 90, n. 3, pp. 547-67, 1988.

FRENEZ, Dennys. "Private person or public persona? Use and significance of standard Indus seals as markers of formal socio-economic identities". In: FRENEZ, Dennys et al. (Orgs.). *Walking with the Unicorn: Social Organization and Material Culture in Ancient South Asia*. Oxford: Archaeopress, 2018. pp. 166-93.

FRIEDMAN, Renée F. "Excavating Egypt's early kings: Recent discoveries in the elite cemetery at Hierakonpol". In: MIDANT-REYNES, Béatrix; TRISTANT, Yann (Orgs.). *Egypt at its Origins 2. Proceedings of the International conference Origin of the State. Predynastic and Early Dynastic Egypt, Toulouse, 5th-8th September 2005*. Leuven: Peeters, 2008. pp. 1157-94. (Orientalia Lovaniensia Analecta, 172.)

_____. "Hierakonpolis". In: TEETER, Emily (Org.). *Before the Pyramids: The Origins of Egyptian Civilization*. Chicago: Oriental Institute, 2011. pp. 33-44.

FROESE, Tom; GERSHENSON, Carlos; MANZANILLA, Linda R. "Can government be self-organized? A mathematical model of the collective social organization of ancient Teotihuacan, Central Mexico". *PLoS ONE*, v. 9, n. 10, p. e109966, 2014.

FUKUYAMA, Francis. *The Origins of Political Order: From Prehuman Times to the French Revolution*. Londres: Profile, 2011. [Ed. bras.: *As origens da ordem política: Dos tempos pré-humanos até a Revolução Francesa*. Trad. de Nivaldo Montingelli Jr. Rio de Janeiro: Rocco, 2013.]

FULLER, Dorian Q. "Contrasting patterns in crop domestication and domestication rates: Recent archaeobotanical insights from the Old World". *Annals of Botany*, v. 100, pp. 903-9, 2007.

_____. "An emerging paradigm shift in the origins of agriculture". *General Anthropology*, v. 17, n. 2, pp. 8-12, 2010.

FULLER, Dorian Q.; ALLABY, Robin G. "Seed dispersal and crop domestication: Shattering, germination and seasonality in evolution under cultivation". In: OSTERGAARD, Lars (Org.). *Fruit Development and Seed Dispersal*. Oxford: Wiley-Blackwell, 2010, pp. 238-95. (Annual Plant Reviews, 38.)

FULLER, Dorian Q. et al. "Domestication as innovation: The entanglement of techniques, technology and chance in the domestication of cereal crops". *World Archaeology*, v. 42, n. 1, pp. 13-28, 2010.

FULLER, Dorian Q.; LUCAS, Leilani. "Adapting crops, landscapes, and food choices: Patterns in the dispersal of domesticated plants across Eurasia". In: BOIVIN, Nicole et al. (Orgs.). *Complexity: Species Movements in the Holocene*. Cambridge: Cambridge University Press, 2017. pp. 304-31.

FURHOLT, Martin. "Massive migrations? The impact of recent aDNA studies on our view of third millennium Europe". *European Journal of Archaeology*, v. 21, n. 2, pp. 159-91, 2018.

GAGE, Matilda Joslyn. *Woman, Church, and State. A Historical Account of the Status of Woman through the Christian Ages: with Reminiscences of Matriarchate*. Chicago: C. H. Kerr, 1893.

GARDNER, Peter M. "Foragers' pursuit of individual autonomy". *Current Anthropology*, v. 32, pp. 543-72, 1991.

GARTH, Thomas R. Jr. "Emphasis on industriousness among the Atsugewi". In: BEAN, Lowell J.; BLACKBURN, Thomas C. *Native Californians: A Theoretical Retrospective*. Socorro, NM: Ballena, 1976. pp. 337–54.

GELB, Ignace J. "Prisoners of war in early Mesopotamia". *Journal of Near Eastern Studies*, v. 32, n. 1-2, pp. 70-98, 1973.

GELL, Alfred. *Wrapping in Images: Tattooing in Polynesia*. Oxford: Clarendon Press, 1993.

GEERTZ, Clifford. "Life among the anthros". *New York Review of Books*, v. 48, n. 2, pp. 18-22, 2001.

GEERTZ, Hildred; GEERTZ, Clifford. *Kinship in Bali*. Chicago: Chicago University Press, 1978.

GEORGESCU-ROEGEN, Nicholas. *Energy and Economic Myths: Institutional and Analytical Economic Essays*. Nova York: Pergamon, 1976.

GERTH, Hans H.; MILLS, C. Wright (Orgs.). *From Max Weber: Essays in Sociology*. Nova York: Oxford University Press, 1946.

GIBSON, Charles. *Tlaxcala in the Sixteenth Century*. New Haven, CT: Yale University Press, 1952.

GIBSON, Jon L. *Ancient Mounds of Poverty Point: Place of Rings*. Gainesville: University Press of Florida, 2000.

GIBSON, Jon. L.; CARR, Philip J. "Big mounds, big rings, big power". In: GIBSON, Jon. L.; CARR, Philip J. (Orgs.). *Signs of Power: The Rise of Complexity in the Southeast*. Tuscaloosa: University of Alabama Press, 2004. pp. 1-9.

GIMBUTAS, Marija. *The Goddesses and Gods of Old Europe*. Londres: Thames & Hudson, 1982.

GIOSAN, Liviu et al. "Fluvial landscapes of the Harappan civilization". *PNAS*, v. 9, n. 26, pp. 88-94.

GODOY, Ricardo A. "The fiscal role of the Andean Ayllu". *Man* (N.S.), v. 21, n. 4, pp. 723-41, 1986.

GOLDMAN, Irving. *The Mouth of Heaven: An Introduction to Kwakiutl Religious Thought*. Nova York: John Wiley & Sons, 1975.

GOLDSCHMIDT, Walter. "Ethics and the structure of society: An ethnological contribution to the sociology of knowledge". *American Anthropologist*, v. 53, n. 4, pp. 506-24, 1951.

GOLDSCHMIDT, Walter; DRIVER, Harold. "The Hupa White Deerskin Dance". *University of California Publications in American Archaeology and Ethnology*, v. 35, pp. 103-42, 1940.

GOLDSTEIN, Paul S. "From stew-eaters to maize-drinkers: The Chicha economy and Tiwanaku". In: BRAY, Tamara L. (Org.). *The Archaeology and Politics of Food and Feasting in Early States and Empires*. Nova York: Plenum, 2003. pp. 143-71.

GOLITKO, Mark; KEELEY, Lawrence H. "Beating ploughshares back into swords: warfare in the Linearbandkeramik". *Antiquity*, v. 81, pp. 332-42, 2007.

GOLLA, Susan. *"He has a name": History and Social Structure among the Indians of Western Vancouver Island*. Nova York: Columbia University, 1987. Tese de Doutorado.

GOLSON, Jack et al. (Orgs.). *Ten Thousand Years of Cultivation at Kuk Swamp in the Highlands of Papua New Guinea*. Acton, ACT: Australian National University Press, 2017.

GOMBRICH, Richard F. *Theravāda Buddhism: A Social History from Ancient Benares to Modern Colombo*. Londres; Nova York: Routledge, 1988.

GÓMEZ-CANO, Grisel. *The Return to Caotlicue: Goddesses and Warladies in Mexican Folklore*. Bloomington, Indiana: Xlibris, 2010.

GONZÁLEZ, Enrique. "A humanist in the New World: Franciso Cervantes de Salazar (*c.*1514-75)". In: DIETZ, Luc et al. (Orgs.). *Neo-Latin and the Humanities: Essays in Honour of Charles E. Fantazzi*. Toronto: Center for Reformation and Renaissance Studies, 2014. pp. 235-57.

GOODMAN, Jordan; LOVEJOY, Paul E.; SHERRATT, Andrew G. (Orgs.). *Consuming Habits: Drugs in Anthropology and History*. Londres; Nova York: Routledge, 1995.

GOSE, Peter. "Oracles, divine kingship, and political representation in the Inka State". *Ethnohistory*, v. 43, n. 1, pp. 1-32, 1996.

_____. "The state as a chosen woman: Brideservice and the feeding of tributaries in the Inka Empire". *American Anthropologist*, v. 102, n. 1, pp. 84-97, 2000.

_____. "Mountains, kurakas and mummies: Transformations in indigenous Andean sovereignty". *Población & Sociedad*, v. 23, n. 2, pp. 9-34, 2016.

GOUGH, Kathleen. "Nuer Kinship: A re-examination". In: BEIDELMAN, Thomas O. (Org.). *The Translation of Culture*. Londres: Tavistock, 1971. pp. 79-122.

GRAEBER, David. "Love magic and political morality in Central Madagascar, 1875-1990". *Gender & History*, v. 8, n. 3, pp. 416-39, 1996.

_____. *Toward an Anthropological Theory of Value: The False Coin of Our Own Dreams*. Nova York: Palgrave, 2001.

_____. "Turning modes of production inside out: Or, why capitalism is a transformation of slavery". *Critique of Anthropology*, v. 26, n. 1, pp. 61-85, 2006.

_____. *Possibilities: Essays on Hierarchy, Rebellion, and Desire*. Oakland, CA: AK Press, 2007(a).

_____. "There never was a West: Or, democracy emerges from the spaces in between". In: _____. *Possibilities: Essays on Hierarchy, Rebellion, and Desire*. Oakland, CA: AK Press, 2007(b). pp. 329-74.

_____. *Debt: The First 5,000 Years*. Nova York: Melville House, 2011.

GRAEBER, David; SAHLINS, Marshall. *On Kings*. Chicago: HAU, 2017.

GRAFFIGNY, Françoise de. *Lettres d'une Péruvienne*. Paris: A. Peine, 1747.

GREEN, Adam S. "Killing the priest-king: Addressing egalitarianism in the Indus civilization". *Journal of Archaeological Research*, 2020. Disponível em: <https://doi.org/10.1007/s10814-020-09147-9>. Acesso em: 3 maio 2022.

GREEN, Richard. E.; KRAUSE, Johannes et al. "A draft sequence of the Neanderthal genome". *Science*, v. 328, pp. 710-22, 2010.

GRESKY, Julia; HAELM, Juliane; CLARE, Lee. "Modified human crania from Göbekli Tepe provide evidence for a new form of Neolithic skull cult". *Science Advances*, v. 3, p. e1700564, 2017.

GRIER, Colin. "Expanding notions of hunter-gatherer diversity: Identifying core organizational principles and practices in Coast Salish Societies of the Northwest Coast of North America". In: WARREN, Graeme; FINLAYSON, Bill (Orgs.). *The Diversity of Hunter-Gatherer Pasts*. Oxford: Oxbow Press, pp. 16-33, 2017.

GRINDE, Donald A. *The Iroquois and the Founding of the American Nation*. San Francisco: Indian Historian Press, 1977.

GROENEWEGEN-FRANKFORT, Henriette. *Arrest and Movement: An Essay on Space and Time in the Representational Art of the Ancient Near East*. Londres: Faber & Faber, 1951.

GRON, Kurt J. et al. "A meeting in the forest: Hunters and farmers at the Coneybury 'Anomaly', Wiltshire". *Proceedings of the Prehistoric Society*, v. 84, pp. 111-44, 2018.

GRUBE, Nikolai, EGGEBRECHT, Eva; SEIDEL, Matthias (Orgs.). *Maya: Divine Kings of the Rain Forest*. Colônia: Könemann, 2001.

HAAK, Wolfgang et al. "Ancient DNA from the first European farmers in 7,500-year-old Neolithic sites". *Science*, v. 310, pp. 1016-18, 2005.

_____. "Ancient DNA from European early Neolithic farmers reveals their Near Eastern affinities". *PLoS Biology*, v. 8, pp. 1-16, 2010.

_____. "Massive migration from the steppe was a source for Indo-European languages in Europe". *Nature*, v. 522, pp. 207-11, 2015.

HAAS, Jonathan; PISCITELLI, Matthew. "The prehistory of warfare: Misled by ethnography". In: FRY, Douglas P. (Org.). *War, Peace, and Human Nature: The Convergence of Evolutionary and Cultural Views*. Nova York: Oxford University Press, 2013. pp. 168-90.

HABU, Junko. *Ancient Jomon of Japan*. Cambridge: Cambridge University Press, 2004.

HABU, Junko; FAWCETT, Clare. "Science or narratives? Multiple interpretations of the Sannai Maruyama site, Japan". In: HABU, Junko; FAWCETT, Clare; MATSUNAGA, John M. (Orgs.). *Evaluating Multiple Narratives: Beyond Nationalist, Colonialist, Imperialist Archaeologies*. Nova York: Springer, 2008. pp. 91-117.

HADDON, Alfred C.; RIVERS, W. H. R. "A method of recording string figures and tricks". *Man*, v. 109, pp. 146-53, 1902.

HAHN, Steven C. *The Invention of the Creek Nation, 1670-1763*. Lincoln: University of Nebraska Press, 2004.

HAJDA, Yvonne P. "Slavery in the Greater Lower Columbia region". *Ethnohistory*, v. 64, n. 1, pp. 1-17, 2005.

HAKLAY, Gil; GOPHER, Avi. "Geometry and architectural planning at Göbekli Tepe, Turkey". *Cambridge Archaeological Journal*, v. 30, n. 2, pp. 343-57, 2020.

HALL, Anthony J. *The American Empire and the Fourth World*. Montreal; Kingston: McGill-Queen's University Press, 2003.

HALL, Robert L. *An Archaeology of the Soul: North American Indian Belief and Ritual*. Chicago: University of Illinois Press, 1997.

HALLIGAN, Jessi J.; WATERS, Michael R. et al. "Pre-Clovis occupation 14,550 years ago at the Page-Ladson site, Florida, and the peopling of the Americas". *Scientific Advances*, v. 2, n. 5, pp. e1600375, 2016.

HAMILTON, Marcus et al. "The complex structure of hunter-gatherer social networks". *Proceedings of the Royal Society B*, v. 274, pp. 2195-202, 2007.

HARARI, Yuval N. *Sapiens: A Brief History of Humankind*. Londres: Harvill Secker, 2014. [Ed. bras.: *Sapiens: Uma breve história da humanidade*. Trad. de Jorio Dauster. São Paulo: Companhia das Letras, 2020.]

HARRIS, David R. (Org.). *The Origins and Spread of Agriculture and Pastoralism in Eurasia*. Londres: UCL Press, 1996.

HARRIS, Mary. *Common Threads: Women, Mathematics, and Work*. Stoke on Trent: Trentham, 1997.

HARVATI, Katerina et al. "Apidima cave fossils provide earliest evidence of Homo sapiens in Eurasia". *Nature*, v. 571, pp. 500-4, 2019.

HARVEY, David. *Rebel Cities: From the Right to the City to the Urban Revolution.* Londres; Nova York: Verso, 2012.

HARVEY, David Allen. *The French Enlightenment and its Others: The Mandarin, the Savage, and the Invention of the Human Sciences.* Londres: Palgrave, 2012.

HASSETT, Brenna R.; SAĞLAMTIMUR, Haluk. "Radical 'royals'? New evidence from Başur Höyük for radical burial practices in the transition to early states in Mesopotamia". *Antiquity*, v. 92, pp. 640-54, 2018.

HASSIG, Ross. "Xicotencatl: rethinking an indigenous Mexican hero". *Estudios de cultura náhuatl*, v. 32, pp. 29-49, 2001.

HAVARD, Gilles. *The Great Peace of Montreal of 1701: French-Native Diplomacy in the Seventeenth Century.* Trad. para o inglês de Phyllis Aronoff e Howard Scott. Montreal: McGill-Queen's University Press, 2001.

HAYDEN, Brian. "Nimrods, piscators, pluckes, and planters: The emergence of food production". *Journal of Anthropological Archaeology*, v. 9, pp. 31-69, 1990.

_____. *The Power of Feasts.* Cambridge: Cambridge University Press, 2014.

HE, Nu. "The Longshan period site of Taosi in Southern Shanxi Province". In: UNDERHILL, Anne P. (Org.). *A Companion to Chinese Archaeology.* Chichester: Wiley, 2013. pp. 255-78.

_____. "Taosi: An archaeological example of urbanization as a political center in prehistoric China". *Archaeological Research in Asia*, v. 14, pp. 20-32, 2018.

HEADRICK, Annabeth. *The Teotihuacan Trinity: The Sociopolitical Structure of an Ancient Meso-american City.* Austin: University of Texas Press, 2007.

HEALY, George R. "The French Jesuits and the idea of the noble savage". *William and Mary Quarterly*, v. 15, pp. 143-67, 1958.

HEARD, Joseph Norman. *The Assimilation of Captives on the American Frontier in the Eighteenth and Nineteenth Centuries.* Baton Rouge: Louisiana State University, LSU Digital Commons, 1977. Tese de Doutorado.

HECKENBERGER, Michael J. et al. "Pre-Columbian urbanism, anthropogenic landscapes, and the future of the Amazon". *Science*, v. 321, pp. 1214-17, 2008.

HECKENBERGER, Michael J.; NEVES, Eduardo G. "Amazonian archaeology". *Annual Review of Anthropolology*, v. 38, pp. 251-66, 2009.

HELWIG, Barbara. "An age of heroes? Some thoughts on Early Bronze Age funerary customs in northern Mesopotamia". In: NIEHR, Herbert et al. (Orgs.). *(Re-)constructing Funerary Rituals in the Ancient Near East.* Wiesbaden: Harrassowitz, 2012. pp. 47-58.

HENIGE, David. "Can a myth be astronomically dated?". *American Indian Culture and Research Journal*, v. 23, n. 4, pp. 127-57, 1999.

DE HEUSCH, Luc. *The Drunken King, or the Origin of the State.* Trad. para o inglês de Roy Willis. Bloomington: Indiana University Press, 1982.

HILL, Kim et al. "Co-residence patterns in hunter-gatherer societies show unique human social structure". *Science*, v. 331, pp. 1286-9, 2011.

HILL, Warren; CLARK, John E. "Sports, gambling, and government: America's first social compact?". *American Anthropologist*, v. 103, n. 2, pp. 331-45, 2001.

HILLMAN, Gordon C.; DAVIES, Stuart. "Measured domestication rates in wild wheats and barley under primitive cultivation, and their archaeological implications". *Journal of World Prehistory*, v. 4, n. 2, pp. 157-222, 1990.

HOBBES, Thomas. *Leviathan: Or the Matter, Forme and Power of a Commonwealth, Ecclesiasticall and Civil*. Londres: Andrew Crooke, 1651. [Ed. bras.: *Leviatã ou Matéria, forma e poder de um Estado eclesiástico e civil*. Trad. de Rosina D'Angina. São Paulo: Martin Claret, 2014.]

HOCART, Arthur M. *Social Origins*. Londres: Watts, 1954.

_____. *Kingship*. Londres: Oxford University Press, 1969 [1927].

_____. *Kings and Councillors: An Essay in the Comparative Anatomy of Human Society*. Chicago: University of Chicago Press, 1970 [1936].

HODDER, Ian. "The lady and the seed: Some thoughts on the role of agriculture in the Neolithic Revolution". In: ÖZDOĞAN, Mehmet; HAUPTMANN, Harald; BAŞGELEN, Nezih (Orgs.). *From Villages to Cities: Early Villages in the Near East – Studies Presented to Ufuk Esin*. Istambul: Arkeoloji ve Sanat Yayinlari, 2003. pp. 155-61.

_____. "Women and men at Çatalhöyük". *Scientific American*, v. 290, n. 1, pp. 76-83, 2004.

_____. Çatalhöyük. The Leopard's Tale. Revealing the Mysteries of Turkey's Ancient "Town". Londres: Thames & Hudson, 2006.

HODDER, Ian; CESSFORD, Craig. "Daily practice and social memory at Çatalhöyük". *American Antiquity*, v. 69, n. 1, pp. 17-40, 2004.

HODGEN, Margaret Trabue. *Early Anthropology in the Sixteenth and Seventeenth Centuries*. Filadélfia: University of Pennsylvania Press, 1964.

HOFFMANN, Dirk et al. "U-Th dating of carbonate crusts reveals Neanderthal origin of Iberian cave art". *Science*, v. 359, n. 6378, pp. 912-15, 2018.

HOLDAWAY, Simon J.; WENDRICH, Willeke (Orgs.). *The Desert Fayum Reinvestigated: The Early to Mid-Holocene Landscape Archaeology of the Fayum North Shore, Egypt*. Los Angeles: UCLA Cotsen Institute of Archaeology, 2017.

HOLM, Tom. "American Indian warfare: The cycles of conflict and the militarization of Native North America". In: DELORIA, Philip J.; SALISBURY, Neal (Orgs.). *A Companion to American Indian History*. Oxford: Blackwell, 2017. pp. 154-72.

HOLT, Julie Zimmerman. "Rethinking the Ramey state: Was Cahokia the center of a theater state?". *American Antiquity*, v. 74, n. 2, pp. 231-54, 2009.

HORNBORG, Alf. "Ethnogenesis, regional interaction, and ecology in prehistoric Amazonia: Toward a systems perspective". *Current Anthropology*, v. 46, n. 4, pp. 589-620, 2005.

HORNBORG, Alf; HILL, Jonathan D. (Orgs.). *Ethnicity in Amazonia: Reconstructing Past Identities from Archaeology, Linguistics, and Ethnohistory*. Boulder: University Press of Colorado, 2011.

HRDY, Sarah Blaffer. *Mothers and Others: The Evolutionary Origins of Mutual Understanding*. Cambridge, MA: Harvard University Press, 2009.

HUDSON, Charles. *The Southeastern Indians*. Knoxville: University of Tennessee Press, 1976.

_____. (Org.) *Black Drink: A Native American Tea*. Athens: University of Georgia Press, 1979.

HUDSON, Michael. *And Forgive Them Their Debts: Lending, Foreclosure, and Redemption from Bronze Age Finance to the Jubilee Year*. Dresden: ISLET, 2018.

HUDSON, Michael; LEVINE, Baruch A. (Orgs.). *Privatization in the Ancient Near East and the Classical World*. Cambridge, MA: Peabody Museum of Archaeology and Ethnology, 1996.

HUMPHREY, Louise; STRINGER, Chris. *Our Human Story*. Londres: Natural History Museum, 2018.

HUNTER, Graeme. "The fate of Thomas Hobbes". *Studia Leibnitiana*, v. 21, n. 1, pp. 5-20, 1989.

HUTCHINSON, Sharon. *Nuer Dilemmas: Coping with Money, War, and the State*. Berkeley: University of California Press, 1996.

HYLAND, Sabine. "How khipus indicated labour contributions in an Andean village: An explanation of colour banding, seriation and ethnocategories". *Journal of Material Culture*, v. 21, n. 4, pp. 490-509, 2016.

_____. "Writing with twisted cords: The inscriptive capacity of Andean khipus". *Current Anthropology*, v. 58, n. 3, pp. 412-19, 2017.

IAKOVLEVA, Lioudmila. "The architecture of mammoth bone circular dwellings of the Upper Palaeolithic settlements in Central and Eastern Europe and their socio-symbolic meanings". *Quaternary International*, v. 359-60, pp. 324-34, 2015.

INGOLD, Tim; RICHES, David; WOODBURN, James (Orgs.). *Hunters and Gatherers 1: History, Evolution and Social Change*. Oxford: Berg, 1998.

INOMATA, Takeshi et al. "Monumental architecture at Aguada Fénix and the rise of Maya civilization". *Nature*, v. 582, pp. 530-3, 2020.

INSOLL, Timothy (Org.). *The Oxford Handbook of Prehistoric Figurines*. Oxford: Oxford University Press, 2017.

ISAAC, Barry L. "The Aztec 'Flowery War': A geopolitical explanation". *Journal of Anthropological Research*, v. 39, n. 4, pp. 415-32, 1983.

ISAKHAN, Benjamin. "What is so 'primitive' about 'primitive democracy'? Comparing the ancient Middle East and classical Athens". In: ISAKHAN, Benjamin; STOCKWELL, Stephen (Orgs.). *The Secret History of Democracy*. Londres: Palgrave Macmillan, 2011. pp. 19-34.

ISBELL, William H. "Wari and Tiwanaku: international identities in the Central Andean Middle Horizon". In: SILVERMAN, Helaine; ISBELL, William (Orgs.). *Handbook of South American Archaeology*. Nova York: Springer, 2008. pp. 731-59.

JACOBS, Jane. *The Economy of Cities*. Nova York: Knopf Doubleday, 1969.

JACOBS, Ken. "'Returning to Oleni' ostrov: social, economic, and skeletal dimensions of a Boreal Forest Mesolithic cemetery". *Journal of Anthropological Archaeology*, v. 14, n. 4, pp. 359-403, 1995.

JACOBSEN, Thorkild. "Primitive democracy in ancient Mesopotamia". *Journal of Near Eastern Studies*, v. 2, n. 3, pp. 159-72, 1943.

_____. *The Treasures of Darkness: A History of Mesopotamian Religion*. New Haven, CT: Yale University Press, 1976.

JAMES, Hannah V. A.; PETRAGLIA, Michael D. "Modern human origins and the evolution of behaviour in the Later Pleistocene record of South Asia". *Current Anthropology*, v. 46, pp. 3-27, 2005.

JAMIESON, Susan M. "Regional interaction and Ontario Iroquois evolution". *Canadian Journal of Archaeology/ Journal Canadien d'Archéologie*, v. 16, pp. 70-88, 1992.

JANSEN, Michael. "Mohenjo-Daro, type site of the earliest urbanization process in South Asia; ten years of research at Mohenjo-Daro Pakistan and an attempt at a synopsis". In: PARPOLA, Asko; KOSKIKALLIO, Petteri (Orgs.). *South Asian Archaeology*. Helsinki: Suomalainen Tiedeakatemia, 1993. pp. 263-80.

JAUBERT, Jacques et al. "Early Neanderthal constructions deep in Bruniquel Cave in southwestern France". *Nature*, v. 534, pp. 111-5, 2016.

JEUNESSE, Christian. *Pratiques funéraires au néolithique ancien: Sépultures et nécropoles danubiennes 5500–4900 av. J.-C.* Paris: Errance, 1997.

JOHANSEN, Bruce E. *Forgotten Founders: Benjamin Franklin, the Iroquois, and the Rationale for the American Revolution.* Ipswich, MA: Gambit, Inc., 1982.

_____. *Debating Democracy: Native American Legacy of Freedom.* Santa Fé: Clear Light Publishers, 1998.

JOHANSEN, Bruce Elliot; MANN, Barbara Alice (Orgs.). *Encyclopedia of the Haudenosaunee (Iroquois Confederacy).* Westport, CT: Greenwood Press, 2000.

JOHNSON, Douglas. *Nuer Prophets: A History of Prophecy from the Upper Nile in the Nineteenth and Twentieth Centuries.* Oxford: Clarendon Press, 1997.

JOHNSON, Gregory A. "Organizational structure and scalar stress". In: RENFREW, Colin; ROWLANDS, Michael; SEGRAVES-WHALLON, Barbara A. (Orgs.). *Theory and Explanation in Archaeology.* Nova York: Academic Press, 1982, pp. 389-421.

JONES, Jana et al. "Evidence for prehistoric origins of Egyptian mummification in Late Neolithic burials". *PLoS ONE*, v. 9, n. 8, p. e103608, 2014.

JONES, Martin et al. "Food globalization in prehistory". *World Archaeology*, v. 43, n. 4, pp. 665-75, 2011.

JORDAN, Peter et al. "Modelling the diffusion of pottery technologies across Afro-Eurasia: emerging insights and future research". *Antiquity*, v. 90, n. 351, pp. 590-603, 2016.

JORGENSEN, Joseph G. *Western Indians: Comparative Environments, Languages and Cultures of 172 Western American Indian Tribes.* San Francisco: W. H. Freeman & Co., 1980.

JUNG, Carl G. *The Undiscovered Self.* Boston: Little, Brown and Co., 1958. [Ed. bras.: *O si-mesmo oculto.* Trad. de Araceli Elman, Edgar Orth e Márcia de Sá Cavalcante. Petrópolis: Vozes, 2020.]

KAN, Sergei (Org.). *Strangers to Relatives: The Adoption and Naming of Anthropologists in North America.* Lincoln: University of Nebraska Press, 2001.

KANJOU, Youssef et al. "Early human decapitation, 11,700–10,700 cal BP, within the Pre-Pottery Neolithic village of Tell Qaramel, North Syria". *International Journal of Osteoarchaeology*, v. 25, n. 5, pp. 743-52, 2013.

KARAHASHI, Fumi. "Women and land in the Presargonic Lagaš Corpus". In: LYON, Brigitte; MICHEL, Cécile (Orgs.) *The Role of Women in Work and Society in the Ancient Near East.* Boston; Berlim: De Gruyter, 2016. pp. 57-70.

KARSTEN, Per; KNARRSTRÖM, Bo. "Tågerup: Fifteen hundred years of Mesolithic occupation in western Scania, Sweden: a preliminary view". *European Journal of Archaeology*, v. 4, n. 2, pp. 165-74, 2001.

KASHINA, E.; ZHULNIKOV, A. "Rods with elk heads: Symbols in ritual context". *Estonian Journal of Archaeology*, v. 15, pp. 18-31, 2011.

KAVANAGH, Thomas M. "Reading the moment and the moment of Reading in Graffigny's Lettres d'une Péruvienne". *Modern Language Quarterly*, v. 55, n. 2, pp. 125-47, 1994.

KEHOE, Alice Beck. "Osage texts and Cahokia data". In: REILLY III, F. Kent; GARBER, James F. (Orgs.). *Ancient Objects and Sacred Realms: Interpretations of Mississippian Iconography.* Austin: University of Texas Press, 2007. pp. 246-62.

KEIGHTLEY, David N. "The Shang: China's first historical dynasty". In: LOEWE, Michael; SHAUGHNESSY, Edward L. (Orgs.). *The Cambridge History of Ancient China.* Cambridge: Cambridge University Press, 1999. pp. 232-91.

KELLY, John E. "Contemplating Cahokia's collapse". In: RAILEY, Jim A.; REYCRAFT, Richard Martin (Orgs.). *Global Perspectives on the Collapse of Complex Systems*. Albuquerque: Maxwell Museum of Anthropology, 2008. (Anthropological Papers, 8.)

KELLY, Raymond C. *Warless Societies and the Origins of War*. Ann Arbor: University of Michigan Press, 2000.

KELLY, Robert L. *The Lifeways of Hunter-Gatherers: The Foraging Spectrum*. Cambridge: Cambridge University Press, 2013.

KEMP, Barry. *Ancient Egypt: Anatomy of a Civilization*. 2. ed. Londres: Routledge, 2006.

KENOYER, J. M. "Harappan craft specialization and the question of urban segregation and stratification". *The Eastern Anthropologist*, v. 45, n. 1-2, pp. 39-54, 1992.

_____. *Ancient Cities of the Indus Valley*. Karachi: Oxford University Press, 1998.

KERIG, T. "Von Gräbern und Stämmen: Zur Interpretation bandkeramischer Erdwerke". In: VEIT, Ulrich; KIENLIN, Tobias L.; KÜMMEL, Christoph et al. (Orgs.). *Spuren und Botschaften: Interpretationen materieller Kultur*. Münster: Waxmann, 2003. pp. 225-44.

KIDDER, Tristram R. "Poverty Point". In: PAUKETAT, Timothy R. (Org.). *The Oxford Handbook of North American Archaeology*. Oxford: Oxford University Press, 2018. pp. 464-9.

KILIAN, Klaus. "The emergence of wanax ideology in the Mycenaean palaces". *Oxford Journal of Archaeology*, v. 7, n. 3, pp. 291-302, 1988.

KING, Adam. *Etowah: The Political History of a Chiefdom Capital*. Tuscaloosa: University of Alabama Press, 2003.

_____. "Power and the sacred: Mound C and the Etowah chiefdom". In: TOWNSEND, Richard F.; SHARP, Robert V. (Orgs.). *Hero, Hawk, and Open Hand: American Indian Art of the Ancient Midwest and South*. New Haven, CT: The Art Institute of Chicago, 2004. pp. 151-65.

_____. "Mound C and the Southeastern ceremonial complex in the history of the Etowah site". In: KING, Adam (Org.). *Southeastern Ceremonial Complex Chronology, Content, Context*. Tuscaloosa, University of Alabama Press, 2007. pp. 107-33.

KIRCH, Patrick V. "Specialization and exchange in the Lapita Complex of Oceania (1600–500 B.C.)". *Asian Perspectives*, v. 29, n. 2, pp. 117-33, 1990.

KIRLEIS, Wiebke; DAL CORSO, Marta. "Trypillian subsistence economy: animal and plant exploitation". In: MÜLLER, Johannes; RASSMANN, Knut; VIDEIKO, Mykhailo (Orgs.). *Trypillia Mega-Sites and European Prehistory, 4100-3400 BCE*. Londres: Routledge, 2016. pp. 195--206.

KNIGHT, Chris. *Blood Relations. Menstruation and the Origins of Culture*. New Haven, CT: Yale University Press, 1991.

KNIGHT, Vernon J. Jr. "The institutional organization of Mississippian religion". *American Antiquity*, v. 51, pp. 675-87, 1986.

_____. "Some speculations on Mississippian monsters". In: GALLOWAY, Patricia (Org.). *The Southeastern Ceremonial Complex: Artifacts and Analysis*. Lincoln: University of Nebraska Press, 1989. pp. 205-10.

_____. "Feasting and the emergence of platform mound ceremonialism in Eastern North America". In: DIETLER, Michael; HAYDEN, Brian (Orgs.). *Feasts: Archaeological and Ethnographic Perspectives on Food, Politics and Power*. Washington: Smithsonian Institution Press, 2001. pp. 311-33.

KNIGHT, Vernon J. Jr. "Symbolism of Mississippian mounds". In: WASELKOV, Gregory A.; WOOD, Peter H.; HATLEY, Tom (Orgs.). *Powhatan's Mantle: Indians in the Colonial Southeast*. Ed. revista e ampliada. Lincoln: Nebraska University Press, 2006. pp. 421-34.

KOBAYASHI, Tatsuo. *Jomon Reflections: Forager Life and Culture in the Prehistoric Japanese Archipelago*. Oxford: Oxbow, 2004.

KOCH, Alexander et al. "Earth system impacts of the European arrival and Great Dying in the Americas after 1492". *Quaternary Science Reviews*, v. 207, n. 1, pp. 13-36, 2019.

KÖKSAL-SCHMIDT, Çiğdem; SCHMIDT, Klaus. "The Göbekli Tepe 'Totem Pole'. A first discussion of an autumn 2010 discovery (PPN, Southeastern Turkey)". *Neo-Lithics*, v. 1, n. 10, pp. 74-6, 2010.

KOLATA, Alan. "In the realm of the Four Quarters". In: JOSEPHY, Alvin M. (Org.). *America in 1492*. Nova York: Knopf, 1992. pp. 215-47.

_____. "Of kings and capitals: principles of authority and the nature of cities in the Native Andean state". In: NICHOLS, Deborah L.; CHARLTON, Thomas H. (Orgs.). *The Archaeology of City States: Cross-Cultural Approaches*. Washington: Smithsonian Institution Press, 1997. pp. 245-54.

KONONENKO, Nina et al. "Detecting early tattooing in the Pacific region through experimental usewear and residue analyses of obsidian tools". *Journal of Archaeological Science*, v. 8, pp. 147--63, 2016.

KOPENAWA, Davi; ALBERT, Bruce. *The Falling Sky: Words of a Yanomami Shaman*. Londres; Cambridge, MA: The Belknap Press of Harvard University Press, 2013. [Ed. bras.: *A queda do céu: Palavras de um xamã yanomami*. Trad. de Beatriz Perrone-Moisés. São Paulo: Companhia das Letras, 2015.]

KORNIENKO, Tatiana V. "On the problem of human sacrifice in Northern Mesopotamia in the Pre-Pottery Neolithic". *Archaeology, Ethnology and Anthropology of Eurasia*, v. 43, n. 3, pp. 42-9, 2015.

KOWALSKI, Jeff Karl. "Evidence for the functions and meanings of some northern Maya palaces". In: CHRISTIE, Jessica Joyce (Org.). *Maya Palaces and Elite Residences*. Austin: University of Texas Press, 2003. pp. 204-52.

KOWALSKI, Jeff Karl; KRISTAN-GRAHAM, Cynthia. "Chichén Itzá, Tula, and Tollan: Changing perspectives on a recurring problem in Mesoamerican Archaeology and Art History". In: _____. (Orgs.). *Twin Tollans: Chichén Itzá, Tula and the Epiclassic to Early Postclassic Mesoamerican World*. Washington DC: Dumbarton Oaks, 2007.

KRISTIANSEN, Kristian. "The strength of the past and its great might: an essay on the use of the past". *Journal of European Archaeology*, v. 1, n. 1, pp. 3-32, 1993.

KROEBER, Alfred L. *Handbook of the Indians of California. Bureau of American Ethnology Bulletin*. Washington: Smithsonian Institution, 1925. v. 78.

_____. *Cultural and Natural Areas of Native North America*. Berkeley: University of California Press, 1939.

_____. *Configurations of Cultural Growth*. Berkeley: University of California Press, 1944.

KUBLER, George. *The Shape of Time. Remarks on the History of Things*. New Haven, CT: Yale University Press, 1962.

KUIJT, Ian. "Negotiating equality through ritual: A consideration of Late Natufian and Prepottery Neolithic A period mortuary practices". *Journal of Anthropological Archaeology*, v. 15, pp. 313-36, 1996.

KUPER, Rudolph; KROEPELIN, Stefan. "Climate-controlled Holocene occupation in the Sahara: Motor of Africa's evolution". *Science*, v. 313, pp. 803-7, 2006.

LA FLESCHE, Francis. "The Osage tribe: Rite of the chiefs: Sayings of the ancient men". *Thirty-sixth Annual Report of the Bureau of American Ethnology* (1914-15). Washington: 1921, pp. 35-604.

_____. "The Osage tribe: rite of the Wa-xo'-be". *Forty-fifth Annual Report of the Bureau of American Ethnology* (1927-28). Washington: 1930. pp. 529-833.

_____. *War Ceremony and Peace Ceremony of the Osage Indians*. Washington: Governo dos Estados Unidos da América, 1939. (Bureau of American Ethnology Bulletin 101.)

LAGROU, Els. *Arte Indígena no Brasil: Agência, Alteridade e Relação*. Belo Horizonte: C/Arte, 2009.

LAHONTAN, Louis Armand de Lom d'Arce. *Mémoires de l'Amérique septentrionale, ou la suite des voyages de MR. le Baron de Lahontan*. Org. de Réal Ouellet e Alain Beaulieu. Montreal: Presses de l'Université de Montrèal, 1990 [1702(a)].

_____. *Nouveaux Voyages de Mr. Le Baron de Lahontan, dans l'Amérique Septentrionale*. Ed. de Réal Ouellet e Alain Beaulieu. Montreal: Presses de l'Université de Montrèal, 1990 [1702(b)].

_____. *Supplément aux Voyages du Baron de Lahontan, ou l'on trouve des dialogues curieux entre l'auteur et un sauvage de bon sens qui a voyagé*. Org. de Réal Ouellet e Alain Beaulieu. Montreal: Presses de l'Université de Montrèal, 1990 [1703].

_____. *New Voyages to North America Giving a Full Account of the Customs, Commerce, Religion, and Strange Opinions of the Savages of That Country, With Political Remarks upon the Courts of Portugal and Denmark, and the Present State of the Commerce of Those Countries*. Londres: J. Walthoe, 1735.

LANG, Caroline et al. "Gazelle behaviour and human presence at early Neolithic Göbekli Tepe, south-east Anatolia". *World Archaeology*, v. 45, pp. 410-29, 2013.

LANGLEY, Michelle C.; CLARKSON, Christopher; ULM, Sean. "Behavioural complexity in Eurasian Neanderthal populations: A chronological examination of the archaeological evidence". *Cambridge Archaeological Journal*, v. 18, n. 3, pp. 289-307, 2008.

LANSING, J. Stephen. *Priests and Programmers: Technologies of Power in the Engineered Landscapes of Bali*. Princeton, NJ: Princeton University Press, 1991.

LARSON, Greger et al. "Ancient DNA, pig domestication, and the spread of the Neolithic into Europe". *Proceedings of the National Academy of Sciences*, v. 104, pp. 15276-81, 2007.

LARSSON, Lars. "The Mesolithic of southern Scandinavia". *Journal of World Prehistory*, v. 4, n. 3, pp. 257-309, 1990.

LATTAS, Andrew. "The utopian promise of government". *The Journal of the Royal Anthropological Institute*, v. 12, n. 1, pp. 129-50, 2006.

LATTIMORE, Owen. *Studies in Frontier History: Collected Papers 1929-58*. Londres: Oxford University Press, 1962.

LAZAROVICI, Cornelia-Magda. "Cucuteni ceramics: Technology, typology, evolution, and aesthetics". In: ANTHONY, David W. (Org.). *The Lost World of Old Europe: The Danube Valley 5000-3500 BC*. Princeton, NJ; Oxford: Princeton University Press, 2010. pp. 128-61.

LE GUIN, Ursula K. *The Ones Who Walk Away from Omelas*. Mankato, MN: Creative Education, 1993 [1973].

LEACH, Edmund. *Culture and Communication*. Cambridge: Cambridge University Press, 1976.

LEACOCK, Eleanor. "Women's status in egalitarian society: Implications for social evolution". *Current Anthropology*, v. 19, pp. 247-76, 1978.

LEE, Richard B.; DEVORE, Irven (Orgs.). *Man the Hunter*. Chicago: Aldine, 1968.

LEHNER, Mark. "Labor and the pyramids. The Heit el-Ghurab 'workers town' at Giza". In: STEINKELLER, Piotr; HUDSON, Michael (Orgs.). *Labor in the Ancient World*. Dresden: ISLET, 2015. pp. 397-522.

LEPPER, Bradley T. "Tracking Ohio's Great Hopewell Road". *Archaeology*, v. 48, n. 6, pp. 52-6, 1995.

LESURE, Richard. "The constitution of inequality in Yurok society". *Journal of California and Great Basin Anthropology*, v. 20, n. 2, pp. 171-94.

LÉVI-STRAUSS, Claude. "Do dual organizations exist?" In: _____. *Structural Anthropology*. Harmondsworth: Penguin, 1963, pp. 132-63. [Ed. bras.: *Antropologia estrutural*. Trad. de Beatriz Perrone-Moisés. São Paulo: Ubu, 2018.]

_____. *The Savage Mind*. Chicago: University of Chicago Press, 1966. [Ed. bras.: *O pensamento selvagem*. Trad. de Tânia Pellegrini. Campinas: Papirus, 2007.]

_____. "The social and psychological aspects of chieftainship in a primitive tribe: The Nambikwara of northwestern Mato Grosso". In: COHEN, Ronald; MIDDLETON, John (Orgs.). *Comparative Political Systems*. Austin: University of Texas Press, 1967 [1944]. pp. 45-62.

_____. *The Way of the Masks*. Seattle: University of Washington Press, 1982 [1976].

_____. *Anthropology and Myth: Lectures 1951-1982*. Oxford: Blackwell, 1987.

LEVY, Philip A. "Exemplars of taking liberties: the Iroquois influence thesis and the problem of evidence". *William and Mary Quarterly*, v. 53, n. 3, pp. 587-604, 1996.

LI, Jaang; SUN, Zhouyong; SHAO, Jing et al. "When peripheries were centres: A preliminary study of the Shimao-centred polity in the loess highland, China". *Antiquity*, v. 92, n. 364, pp. 1008--22, 2018.

LIGHTFOOT, Kent G.; PARRISH, Otis. *Californian Indians and their Environment*. Berkeley: University of California Press, 2009.

LINCOLN, Charles K. "Structural and philological evidence for divine kingship at Chichén Itzá, Yucatan, México". In: PREM, Hanns J. (Org.). *Hidden Among the Hills*. Möckmühl: Verlag von Flemming, 1994, pp. 164-96. (Acta Mesoamericana, 7).

LIPSON, M. et al. "Parallel palaeogenomic transects reveal complex genetic history of early European farmers". *Nature*, v. 551, pp. 368-72, 2017.

LIU, Li; CHEN, Xingcan. *The Archaeology of China: From the Late Paleolithic to the Early Bronze Age*. Cambridge: Cambridge University Press, 2012.

LIVERANI, Mario. *Uruk. The First City*. Ed. e trad. para o inglês de Z. Bahrani e M. Van De Mieroop. Sheffield: Equinox, 1998.

LOCKHART, James. "Some Nahua concepts in postconquest guise". *History of European Ideas*, v. 6, n. 4, pp. 465-82, 1985.

LOCKHART, James; BERDAN, Frances; ANDERSON, Arthur J. O. *The Tlaxcalan Actas: A Compendium of the Records of the Cabildo of Tlaxcala (1545-1627)*. Salt Lake City: University of Utah Press, 1986.

LOEB, Edwin M. *Pomo Folkways*. Berkeley: University of California Press, 1926.

_____. "The religious organizations of North-Central California and Tierra del Fuego". *American Anthropologist*, v. 33, n. 4, pp. 517-56, 1931.

LOEWE, Michael; SHAUGHNESSY, Edward L. (Orgs.). *The Cambridge History of Ancient China*. Cambridge: Cambridge University Press, 1999.

LOMBARDO, Umberto et al. "Early Holocene crop cultivation and landscape modification in Amazonia". *Nature*, v. 581, n. 2020, pp. 190-93, 2020.

LORENZ, Karl G. "A re-examination of Natchez sociopolitical complexity: A view from the grand village and beyond". *Southeastern Archaeology*, v. 16, n. 2, pp. 97-112, 1997.

LOVEJOY, Arthur O.; BOAS, George. *Primitivism and Related Ideas in Antiquity*. Baltimore: Johns Hopkins University Press, 1935.

LOWIE, Robert H. "Incorporeal property in primitive society". *Yale Law Journal*, v. 37, n. 5, pp. 551-63, 1928.

_____. "Some aspects of political organisation among the American Aborigines". *Journal of the Royal Anthropological Institute of Great Britain and Ireland*, v. 78, pp. 11-24, 1948.

MCBREARTY, Sally; BROOKS, Alison S. "The revolution that wasn't: A new interpretation of the origin of modern human behavior". *Journal of Human Evolution*, v. 39, pp. 453-563, 2000.

MACCORMACK, Carol P.; STRATHERN, Marilyn (Orgs.). *Nature, Culture, and Gender*. Cambridge: Cambridge University Press, 1980.

MCGREGOR, Gaile. *The Noble Savage in the New World Garden: Notes Toward a Syntactics of Place*. Toronto: University of Toronto Press, 1988.

MCINTOSH, Roderick. *Ancient Middle Niger: Urbanism and the Self-Organizing Past*. Cambridge: Cambridge University Press, 2005.

MCINTOSH, Susan Keech. *Beyond Chiefdoms: Pathways to Complexity in Africa*. Cambridge: Cambridge University Press, 2009.

MACLACHLAN, Colin M. *Spain's Empire in the New World: The Role of Ideas in Institutional and Social Change*. Berkeley: University of California Press, 1991.

MACLEOD, William C. "Economic aspects of indigenous American slavery". *American Anthropologist*, v. 30, n. 4, pp. 632-50, 1928.

_____. "The origin of servile labor groups". *American Anthropologist*, v. 31, n. 1, pp. 89-113, 1929.

MACPHERSON, C. B. *The Political Theory of Possessive Individualism*. Oxford: Oxford University Press, 1962.

MADGWICK, Richard et al. "Multi-isotope analysis reveals that feasts in the Stonehenge environs and across Wessex drew people and animals from throughout Britain". *Science Advances*, v. 5, n. 3, p. eaau6078, 2019.

MAEDA, Osamu et al. "Narrowing the harvest: increasing sickle investment and the rise of domesticated cereal agriculture in the Fertile Crescent". *Quaternary Science Reviews*, v. 145, pp. 226-37, 2016.

MAINE, Henry Sumner. *Lectures on the Early History of Institutions*. Londres: John Murray, 1893 [1875].

MALINOWSKI, Bronisław. *Argonauts of the Western Pacific: An Account of Native Enterprise and Adventure in the Archipelagoes of Melanesian New Guinea*. Londres: Routledge, 1922.

MANN, Barbara Alice. "The lynx in time: Haudenosaunee women's traditions and history". *American Indian Quarterly*, v. 21, n. 3, pp. 423-50, 1997.

_____. "Haudenosaunee (Iroquois) women, legal and political status". In: JOHANSEN, Bruce Elliott (Org.). *The Encyclopedia of Native American Legal Tradition*. Westport, CT: Greenwood Press, 1998. pp. 112-31.

MANN, Barbara Alice. *Iroquoian Women: The Gantowisas*. Nova York: Peter Lang, 2000.

_____. "Are you delusional? Kandiaronk on Christianity". In: _____. (Org.). *Native American Speakers of the Eastern Woodlands: Selected Speeches and Critical Analysis*. Westport, CT: Greenwood Press, 2001. pp. 35-82.

MANN, Barbara A.; FIELDS, Jerry L. "A sign in the sky: dating the League of the Haudenosaunee". *American Indian Culture and Research Journal*, v. 21, n. 2, pp. 105-63, 1997.

MANN, Charles C. *1491: The Americas before Columbus*. Londres: Granta, 2005.

MANN, Michael. *The Sources of Social Power*. Cambridge: Cambridge University Press, 1986. v. 1: A History of Power from the Beginning to AD 1760.

MANNING, Joseph G. *Land and Power in Ptolemaic Egypt: The Structure of Land Tenure*. Cambridge: Cambridge University Press, 2003.

MANZANILLA, Linda R. "Daily life in Teotihuacan apartment compounds". In: BERRIN, Kathleen; PASZTORY, Esther (Orgs.). *Teotihuacan: Art from the City of the Gods*. Londres: Thames & Hudson, 1993. pp. 90-9.

_____. "Corporate groups and domestic activities at Teotihuacan". *Latin American Antiquity*, v. 7, n. 3, pp. 228-46, 1996.

_____. "Cooperation and tensions in multi-ethnic corporate societies using Teotihuacan, Central Mexico, as a case study". *PNAS*, v. 112, n. 30, pp. 9210-15, 2015.

_____. "Discussion: The subsistence of the Teotihuacan metropolis". *Archaeological and Anthropological Sciences*, v. 9, pp. 133-40, 2017.

MANZURA, Igor. "Steps to the steppe: Or, how the North Pontic region was colonized". *Oxford Journal of Archaeology*, v. 24, n. 4, pp. 313-38, 2005.

MARCHESI, Gianni. "Who was buried in the royal tombs of Ur? The epigraphic and textual data". *Orientalia*, v. 73, n. 2, pp. 153-97, 2004.

MAREAN, Curtis W. "The origins and significance of coastal resource use in Africa and Western Eurasia". *Journal of Human Evolution*, v. 77, pp. 17-40, 2014.

MARQUARDT, William H. "Calusa Social Formation in Protohistoric South Florida". In: PATTERSON, Thomas C.; GAILEY, Christine W. (Orgs.). *Power Relations and State Formation*. Washington, DC: American Anthropological Association, 1987. pp. 98-116.

MARTIN, Simon. "The power in the west: The Maya and Teotihuacan". In: GRUBE, Nikolai, EGGEBRECHT, Eva; SEIDEL, Matthias (Orgs.). *Maya: Divine Kings of the Rainforest*. Colônia: Könemann, 2001. pp. 98-113.

_____. *Ancient Maya Politics: A Political Anthropology of the Classic Period 150–900 CE*. Cambridge: Cambridge University Press, 2020.

MARTIN, Simon; GRUBE, Nikolai. *Chronicle of the Maya Kings and Queens: Deciphering the Dynasties of the Ancient Maya*. Londres: Thames & Hudson, 2000.

MATAR, Nabil. *Europe Through Arab Eyes, 1578-1727*. Nova York: Columbia University Press, 2009.

MATSUI, Akira; KANEHARA, Masaaki. "The question of prehistoric plant husbandry during the Jomon period in Japan". *World Archaeology*, v. 38, n. 2, pp. 259-73, 2006.

MATTHEWS, Wendy. "Micromorphological and microstratigraphic traces of uses and concepts of space". In: HODDER, Ian (Org.). *Inhabiting Çatalhöyük: Reports from the 1995-1999 Seasons*. Cambridge: McDonald Institute for Archaeological Research, British Institute of Archaeology at Ankara, 2005. pp. 355-98.

MAUSS, Marcel. *Oeuvres*. Paris: Éditions de Minuit, 1968-69. v. 1-3.

_____. *The Gift*. Ed. ampliada, organizada, anotada e traduzida por Jane I. Guyer. Chicago: HAU, 2016 [1925].

MAUSS, Marcel; BEUCHAT, Henri. *Seasonal Variations of the Eskimo: A Study in Social Morphology*. Londres: Routledge, 1979 [1904–5]. [Ed. bras.: "Ensaio sobre as variações sazonais das sociedades esquimós". In: _____. *Sociologia e Antropologia*. Trad. de Paulo Neves. São Paulo: Cosac Naify, 2003. pp. 425-505.]

MAYBURY-LEWIS, David (Org.). *Dialectical Societies: The Gê and Bororo of Central Brazil*. Cambridge, MA: Harvard University Press, 1979.

MEEK, Ronald. *Social Sciences and the Ignoble Savage*. Cambridge: Cambridge University Press, 1976.

MEILLASSOUX, Claude. *The Anthropology of Slavery: The Womb of Iron and Gold*. Trad. para o inglês de Alide Dasnois. Chicago: University of Chicago Press, 1996.

MELLAART, James. *Çatal Hüyük: A Neolithic Town in Anatolia*. Londres: Thames & Hudson, 1967.

MELLARS, Paul et al. (Orgs.). *Rethinking the Human Revolution: New Behavioural and Biological Perspectives on the Origin and Dispersal of Modern Humans*. Cambridge: McDonald Institute, 2007.

MELLER, Harald; SCHEFIK, Michael. *Krieg: Eine Archäologische Spurensuche*. Halle (Saale): Landesmuseum für Vorgeschichte, 2015.

MENOTTI, Francesco; KORVIN-PIOTROVSKIY, Aleksey G. (Orgs.). *The Tripolye Culture. Giant-Settlements in Ukraine. Formation, Development and Decline*. Oxford: Oxbow, 2012.

MERRICK, Jeffrey. "Patriarchalism and constitutionalism in eighteenth-century parliamentary discourse". *Studies in Eighteenth-Century Culture*, v. 20, pp. 317-30, 1991.

MESKELL, Lynn; NAKAMURA, Carolyn; KING, Rachel et al. "Figured lifeworlds and depositional practices at Çatalhöyük". *Cambridge Archaeological Journal*, v. 18, n. 2, pp. 139-61, 2008.

MEYER, Christian et al. "The massacre mass grave of Schöneck-Kilianstädten reveals new insights into collective violence in Early Neolithic Central Europe". *Proceedings of the National Academy of Sciences*, v. 112, n. 36, pp. 11217-22, 2015.

MIEROOP, Marc Van De. "Women in the economy of Sumer". In: LESKO, Barbara S. (Org.), *Women's Earliest Records: Western Asia and Egypt*. Atlanta, GA: Scholars Press, 1989. pp. 53-66.

_____. *The Ancient Mesopotamian City*. Oxford: Oxford University Press, 1997.

_____. "The government of an ancient Mesopotamian city: what we know and why we know so little". In: WATANABE, Kazuko (Org.). *Priests and Officials in the Ancient Near East*. Heidelberg: Universitätsverlag C. Winter, 1999. pp. 139-61.

_____. "Democracy and the rule of law, the assembly, and the first law code". In: CRAWFORD, Harriet (Org.). *The Sumerian World*. Abingdon; Nova York: Routledge, 2013. pp. 277-89.

MIGLIANO, Andrea et al. "Characterization of hunter-gatherer networks and implications for cumulative culture". *Nature Human Behaviour*, v. 1, n. 2, pp. 43, 2017.

MILLER, Daniel. "Ideology and the Harappan civilization". *Journal of Anthropological Archaeology*, v. 4, pp. 34-71, 1985.

MILLER, Heather M. L. "Reassessing the urban structure of Harappa: Evidence from craft production distribution". *South Asian Archaeology 1997*, pp. 207-47, 2000.

MILLER, Joaquin. *Life Amongst the Modocs: Unwritten History*. Londres: Richard Bentley & Son, 1873.

MILLER, Mary Ellen; HOUSTON Stephen D. "The classic Maya ballgame and its architectural setting". *RES*, v. 14, pp. 47-65, 1987.

MILLON, René. "The Teotihuacan mapping project". *American Antiquity*, v. 29, n. 3, pp. 345-52, 1964.

_____. "Teotihuacan: Completion of map of giant ancient city in the Valley of Mexico". *Science*, n. 170, pp. 1077-82, 1970.

_____. "Social relations at ancient Teotihuacan". In: WOLF, Eric (Org.). *The Valley of Mexico: Studies in Pre-Hispanic Ecology and Society*. Albuquerque: University of New Mexico Press, 1976. pp. 205-48.

_____. "Where do they all come from? The provenance of the Wagner murals at Teotihuacan". In: BERRIN, Kathleen (Org.). *Feathered Serpents and Flowering Trees: Reconstructing the Murals of Teotihuacan*. San Francisco: Fine Arts Museums of San Francisco, 1988. pp. 16-43.

_____. "The place where time began: An archaeologist's interpretation of what happened in Teotihuacan history". In: BERRIN, Kathleen; PASZTORY, Esther (Orgs.). *Teotihuacan: Art from the City of the Gods*. Londres: Thames & Hudson, 1993. pp. 16-43.

MILNER, George R. *The Cahokia Chiefdom: The Archaeology of a Mississippian Society*. Washington: Smithsonian Institution Press, 1998.

MILNER, George R.; CHAPLIN, George; ZAVODNY, Emily. "Conflict and societal change in Late Prehistoric Eastern North America". *Evolutionary Anthropology*, v. 22, n. 3, pp. 96-102, 2013.

MITCHELL, Donald. "A demographic profile of Northwest Coast slavery". In: THOMPSON, Marc; GARCIA, Maria Tereza; KENSE, F. J. (Orgs.). *Status, Structure and Stratification: Current Archaeological Reconstructions*. Calgary, Alberta: Archaeological Association of the University of Calgary, pp. 227-36, 1985.

MITHEN, Steven. J. *After the Ice: A Global Human History 20,000-5,000 BC*. Londres: Weidenfeld & Nicolson, 2003.

MITTNIK, Alissa et al. "A molecular approach to the sexing of the triple burial at the Upper Paleolithic site of Dolní Věstonice". *PLoS ONE*, v. 11, n. 10, p. e0163019, 2016.

MOORE, Andrew M. T.; HILLMAN, Gordon C. "The Pleistocene to Holocene transition and human economy in Southwest Asia: The impact of the Younger Dryas". *American Antiquity*, v. 57, n. 3, pp. 482-94, 1992.

MOOREY, P. R. S. "The 'Plano-Convex Building' at Kish and Early Mesopotamian Palaces". *Iraq*, v. 26, n. 2, pp. 83-98, 1964.

_____. "What do we know about the people buried in the royal cemetery?". *Expedition*, v. 20, n. 1, pp. 24-40, 1977.

MORENO GARCÍA, Juan Carlos. "Recent developments in the social and economic history of Ancient Egypt". *Journal of Ancient Near Eastern History*, v. 1, n. 2, pp. 231-61, 2014.

MORGAN, Lewis Henry. *League of the Ho-de-no-sau-nee, or Iroquois*. Nova York: Dodd, Mead & Co., 1851.

_____. *Ancient Society, or Researches in the Lines of Human Progress, from Savagery through Barbarism to Civilization*. Nova York: Henry Holt & Co., 1877.

MORPHY, Howard. *Ancestral Connections: Art and an Aboriginal System of Knowledge*. Chicago: University of Chicago Press, 1991.

MORRIS, Craig; VON HAGEN, Adriana. *The Incas: Lords of the Four Quarters*. Londres: Thames & Hudson, 2011.

MORRIS, Ellen. "Sacrifice for the state: First Dynasty royal funerals and the rites at Macramallah's triangle". In: LANERI, Nicola (Org.). *Performing Death: Social Analysis of Funerary Traditions in the Ancient Near East and Mediterranean*. Chicago: Oriental Institute of Chicago, 2007. pp. 15-38.

_____. "(Un)dying loyalty: meditations on retainer sacrifice in ancient Egypt and elsewhere". In: CAMPBELL, Roderick (Org.). *Violence and Civilization: Studies of Social Violence in History and Prehistory*. Oxford: Oxbow, 2014. pp. 61-93.

MORRIS, Ian. *Foragers, Farmers, and Fossil Fuels: How Human Values Evolve*. Princeton, NJ: Princeton University Press, 2015.

MOSS, Madonna. "Shellfish, gender, and status on the Northwest Coast: Reconciling archaeological, ethnographic, and ethnohistorical records of the Tlingit". *American Anthropologist*, v. 95, n. 3, pp. 631-52, 1993.

MOTOLINÍA, Fr. Toribio de Benavente. *Historia de los Indios de la Neuva España*. Barcelona: Herederos de Juan Gili, 1914 [1541].

MUHLBERGER, Steven; PAIN, Phil. "Democracy's place in world history". *Journal of World History*, v. 4, n. 1, pp. 23-45, 1996.

MÜLLER, Johannes. "Human structure, social space: What we can learn from Trypyllia". In: MÜLLER, Johannes; RASSMANN, Knut; VIDEIKO, Mykhailo (Orgs.). *Trypillia Mega-Sites and European Prehistory, 4100-3400 BCE*. Londres: Routledge, 2016. pp. 301-4.

MÜLLER, Johannes et al. "Chronology and demography: how many people lived in a mega-site". In: MÜLLER, Johannes; RASSMANN, Knut; VIDEIKO, Mykhailo (Orgs.). *Trypillia Mega-Sites and European Prehistory, 4100-3400 BCE*. Londres: Routledge, 2016. pp. 133-70.

MÜLLER, Johannes; RASSMANN, Knut; VIDEIKO, Mykhailo (Orgs.). *Trypillia Mega-Sites and European Prehistory, 4100-3400 BCE*. Londres: Routledge, 2016.

MURDOCK, George P. "Comparative data on the division of labour by sex". *Social Forces*, v. 15, pp. 551-3, 1937.

MURDOCK, George P.; PROVOST, Caterina. "Factors in the division of labour by sex: A cross-cultural analysis". *Ethnology*, v. 12, pp. 203-26, 1973.

MURRA, John Victor. *The Economic Organization of the Inca State*. Chicago: Department of Anthropology, 1956. Tese de Doutorado.

_____. "The Mit'a obligations of ethnic groups to the Inka state". In: COLLIER, George; ROSALDO, Renato; WIRTH, John (Orgs.). *The Inca and Aztec States, 1400-1800*. Nova York: Academic Press, 1982. pp. 237-62.

MUTHU, Sankar. *Enlightenment Against Empire*. Princeton, NJ: Princeton University Press, 2003.

NABOKOV, Peter. "Native views of history". In: TRIGGER, Bruce G.; WASHBURN, Wilcomb E. (Orgs.). *The Cambridge History of the Native Peoples of the Americas*. Cambridge: Cambridge University Press, 1996. pp. 1-60.

NASH, June. "The Aztecs and the ideology of male dominance". *Signs*, v. 4, n. 2, pp. 349-62, 1978.

NEBBIA, Marco et al. "The making of Chalcolithic assembly places: Trypillia megasites as materialized consensus among equal strangers?". *World Archaeology*, v. 50, pp. 41-61, 2018.

NEITZEL, Robert S. *Archaeology of the Fatherland Site: The Grand Village of the Natchez*. Nova York: American Museum of Natural History, 1965.

NEITZEL, Robert S. *The Grand Village of the Natchez Revisited: Excavations at the Fatherland Site, Adams County, Mississippi.* Nova York: American Museum of Natural History, 1972.

NEUMANN, Hans et al. *Krieg und Frieden im Alten Vorderasien.* Münster: Ugarit, 2014.

NICHOLS, Deborah L. "Teotihuacan". *Journal of Archaeological Research*, v. 24, pp. 1-74, 2016.

NIEBOER, Herman J. *Slavery as an Industrial System: Ethnological Researches.* Haia: Martinus Nijhoff, 1900.

NILSSON STUTZ, L. "A Baltic way of death? A tentative exploration of identity in Mesolithic cemetery practices". In: LARSSON, Åsa M.; PAPMEHL-DUFAY, Ludvig (Orgs.). *Uniting Sea II; Stone Age Societies in the Baltic Sea Region.* Borgholm: Uppsala University, 2010.

NISBET, Robert A. *The Sociological Tradition.* Londres: Heineman, 1966.

NISSEN, Hans. "Uruk: Key site of the period and key site of the problem". In: POSTGATE, J. N. (Org.). *Artefacts of Complexity: Tracking the Uruk in the Near East.* Londres: British School of Archaeology no Iraque, 2002. pp. 1-16.

NISSEN, Hans; DAMEROW, Peter; ENGLUND, Robert. *Archaic Bookkeeping: Early Writing and Techniques of Economic Administration in the Ancient Near East.* Chicago: University of Chicago Press, 1993.

NOBLE, William C. "The Neutral Indians". In: ENGLEBRECHT, William; GRAYSON, Donald (Orgs.). *Essays in Northeastern Anthropology in Memory of Marian E. White.* Rindge, NH: Department of Anthropology, Franklin Pierce College, 1978. pp. 152-64.

_____. "Tsouharissen's chiefdom: An early historic 17th Century Neutral Iroquoian ranked society". *Canadian Journal of Archaeology/ Journal Canadien d'Archéologie*, v. 9, n. 2, pp. 131--46, 1985.

NODDINGS, Nel. *Caring: A Feminine Approach to Ethics and Moral Education.* Berkeley: University of California Press, 1984.

NOTROFF, Jens; DIETRICH, Oliver; SCHMIDT, Klaus. "Gathering of the dead? The early Neolithic sanctuaries at Göbekli Tepe, southeastern Turkey". In: RENFREW, Colin; BOYD, Michael J.; MORLEY, Iain (Orgs.). *Death Rituals, Social Order, and the Archaeology of Immortality in the Ancient World.* Cambridge: Cambridge University Press, 2016. pp. 65-81.

NUSSBAUM, Martha. *Creating Capabilities: The Human Development Approach.* Cambridge, MA: Harvard University Press, 2011.

NUTTALL, Zelia. "Francisco Cervantes de Salazar. Biographical notes". *Journal de la Société des Américanistes*, v. 13, n. 1, pp. 59-90, 1921.

O'CURRY, Eugene. *On the Manners and Customs of the Ancient Irish.* Londres: Williams & Norgate, 1873.

O'MEARA, Walter. *Daughters of the Country.* Nova York: Harcourt, Brace, 1968.

O'SHEA, John; ZVELEBIL, Marek. "Oleneostrovski Mogilnik: Reconstructing the social and economic organization of prehistoric foragers in Northern Russia". *Journal of Anthropological Archaeology*, v. 3, pp. 1-40, 1984.

OATES, Joan et al. "Early Mesopotamian urbanism: A new view from the north". *Antiquity*, v. 81, n. 313, pp. 585-600, 2007.

OHLRAU, René et al. "Living on the edge? Carrying capacities of Trypillian settlements in the Buh-Dnipro Interfluve". In: MÜLLER, Johannes; RASSMANN, Knut; VIDEIKO, Mykhailo (Orgs.). *Trypillia Mega-Sites and European Prehistory, 4100-3400 BCE.* Londres: Routledge, 2016. pp. 207-20.

OPPENHEIM, A. Leo. *Ancient Mesopotamia: Portrait of a Dead Civilization*. Chicago; Londres: University of Chicago Press, 1977.

OSTROM, Elinor. *Governing the Commons: The Evolution of Institutions for Collective Action*. Cambridge: Cambridge University Press, 1990.

OTT, Sandra. *The Circle of Mountains: A Basque Shepherding Community*. Oxford: Clarendon Press, 1981.

OUELLET, Réal. "Jésuites et philosophes lecteurs de Lahontan". *Saggi e ricerche di letteratura francese*, v. 29, pp. 119-64, 1990.

_____. "A la découverte de Lahontan". *Dix-Huitième Siècle*, v. 27, pp. 323-33, 1995.

OWEN, Linda R. "Gender, crafts, and the reconstruction of tool use". *Helinium*, v. 34, pp. 186-200, 1994.

_____. "Der Gebrauch von Pflanzen in Jungpalaölithikum Mitteleuropas". *Ethnographisch--Archäologische Zeitschrift*, v. 37, pp. 119-46, 1996.

ÖZBEK, Metin. "Culte des cranes humains a Çayönü". *Anatolica*, v. 15, pp. 127-37, 1988.

_____. "The human remains at Çayönü". *American Journal of Archaeology*, v. 96, n. 2, p. 374.

ÖZKAYA, Vecihi; COŞKUN, Aytaç. "Körtik Tepe, a new Pre-Pottery Neolithic A site in south-eastern Anatolia". *Antiquity*, v. 83, n. 320.

PAGDEN, Anthony. *The Fall of Natural Man: The American Indian and the Origins of Comparative Ethnology*. Cambridge: Cambridge University Press, 1982.

_____. "The savage critic: some European images of the primitive". *The Yearbook of English Studies*, v. 13 (Colonial and Imperial Themes special number), pp. 32-45, 1983.

_____. *European Encounters with the New World: From Renaissance to Romanticism*. New Haven, CT: Yale University Press, 1993.

PARKER, Arthur C. *The Code of Handsome Lake, the Seneca Prophet*. New York State Museum Bulletin 163, Education Department Bulletin530. Albany: University of the State of New York, 1912.

_____. *The Constitution of the Five Nations, or the Iroquois Book of the Great Law*. Albany: University of the State of New York, 1916. (New York State Museum Bulletin, 184).

_____. *The Life of General Ely S. Parker, Last Grand Sachem of the Iroquois and General Grant's Military Secretary*. Buffalo, NY: Buffalo Historical Society, 1919. (Buffalo Historical Society Publications, 23).

PARKER PEARSON, Mike (e Stonehenge Riverside Project). *Stonehenge: Exploring the Greatest Stone Age Mystery*. Londres: Simon & Schuster, 2012.

PÄRSSINEN, Martti et al. "Pre-Columbian geometric earthworks in the upper Purús: A complex society in western Amazonia". *Antiquity*, v. 83, pp. 1084-95, 2009.

PASCOE, Bruce. *Dark Emu: Aboriginal Australia and the Birth of Agriculture*. Londres: Scribe, 2014.

PASZTORY, Esther. "A reinterpretation of Teotihuacan and its mural painting tradition". In: BERRIN, Kathleen (Org.). *Feathered Serpents and Flowering Trees: Reconstructing the Murals of Teotihuacan*. San Francisco: Fine Arts Museums of San Francisco, 1988. pp. 45-77.

_____. "Abstraction and the rise of a utopian state at Teotihuacan". In: BERLO, Janeth C. (Org.). *Art, Ideology, and the City of Teotihuacan*. Washington: Dumbarton Oaks Research Library and Collection, 1992. pp. 281-320.

PASZTORY, Esther. *Teotihuacan: An Experiment in Living*. Norman: University of Oklahoma Press, 1997.

PATTERSON, Orlando. *Slavery and Social Death: A Comparative Study*. Cambridge, MA: Harvard University Press, 1982.

PAUKETAT, Timothy R. *The Ascent of Chiefs: Cahokia and Mississippian Politics in Native North America*. Tuscaloosa: University of Alabama Press, 1994.

_____. *Ancient Cahokia and the Mississippians*. Cambridge: Cambridge University Press, 2004.

_____. *Chiefdoms and Other Archaeological Delusions*. Lanham, MD: AltaMira, 2007.

_____. *Cahokia: Ancient America's Great City of The Mississippi*. Penguin Library of American Indian History. Nova York: Viking, 2009.

_____. *An Archaeology of the Cosmos: Rethinking Agency and Religion in Ancient Times*. Londres: Routledge, 2013.

PAUKETAT, Timothy R.; EMERSON, Thomas E. (Orgs.). *Cahokia: Domination and Ideology in the Mississippian World*. Lincoln: University of Nebraska Press, 1997.

PAUKETAT, Timothy R.; ALT, Susan M.; KRUCHTEN, Jeffery D. "City of earth and wood: New Cahokia and its material-historical implications". In: YOFFEE, Norman (Org.). *The Cambridge World History*. Cambridge: Cambridge University Press, 2015. pp. 437-54.

PAULINYI, Zoltán. "Capitals in pre-Aztec Central Mexico". *Acta Orientalia Academiae Scientiarum Hungaricae*, v. 35, n. 2-3, pp. 315-50, 1981.

PEARSON, Jessica et al. "Food and social complexity at Çayönü Tepesi, southeastern Anatolia: Stable isotope evidence of differentiation in diet according to burial practice and sex in the early Neolithic". *Journal of Anthropological Archaeology*, v. 32, n. 2, pp. 180-9, 2013.

PENNINGTON, B. et al. "Emergence of civilization, changes in fluvio-deltaic style and nutrient redistribution forced by Holocene seal-level rise". *Geoarchaeology*, v. 31, pp. 194-210, 2016.

PETERS, Joris et al. "The emergence of livestock husbandry in Early Neolithic Anatolia". In: AL-BARELLA, Umberto et al. (Orgs.). *The Oxford Handbook of Zooarchaeology*. Oxford: Oxford University Press, 2017. pp. 247-65.

PETERSON, Jane. "Woman's share in Neolithic society: A view from the Southern Levant". *Near Eastern Archaeology*, v. 79, n. 3, pp. 132-9, 2016.

PETTITT, Paul. *The Palaeolithic Origins of Human Burial*. Londres: Routledge, 2011.

PFAFFENBERGER, Bryan. "Fetishised objects and humanised nature: Towards an anthropology of technology". *Man* (N.S.), v. 23, n. 2, pp. 236-52, 1988.

PICCALUGA, Giulia. "Adonis, i cacciatori falliti e l'avvento dell'agricoltura". In: GENTILI, Bruno; PAIONI, Giuseppe (Orgs.). *Il mito greco*. Roma: Edizioni dell'Ateneo, Bizzarri, 1977, pp. 33-48.

PILLING, Arnold R. "Yurok Aristocracy and 'Great Houses'". *American Indian Quarterly*, v. 13, n. 4, pp. 421-36, 1989.

PINETTE, Susan. "The importance of the literary: Lahontan's dialogues and primitivist thought". *Prose Studies*, v. 28, n. 1, pp. 41-53, 2006.

PINKER, Steven. *The Better Angels of Our Nature: A History of Violence and Humanity*. Londres: Penguin, 2012. [Ed. bras.: *Os anjos bons da nossa natureza: Por que a violência diminuiu*. Trad. de Bernardo Joffily e Laura Teixeira Motta. São Paulo: Companhia das Letras, 2017.]

_____. *Enlightenment Now: The Case for Science, Reason, Humanism and Progress*. Londres: Allen Lane, 2018. [Ed. bras.: *O novo iluminismo: Em defesa da razão, da ciência e do humanismo*. Trad. de Laura Teixeira Motta e Pedro Maia Soares. São Paulo: Companhia das Letras, 2018.]

PIPERNO, Dolores R. "The origins of plant cultivation and domestication in the new world tropics: Patterns, process, and new developments". *Current Anthropology*, v. 52, n. 4, pp. 453-70, 2011.

PLUNKET, Patricia; URUÑUELA, Gabriela. "Recent research in Puebla prehistory". *Journal of Archaeological Research*, v. 13, n. 2, pp. 89-127, 2005.

_____. "Social and cultural consequences of a late Holocene eruption of Popocatépetl in central Mexico". *Quarternary International*, v. 151, n. 1, pp. 19-28, 2006.

POMEAU, René. *Voyages et lumières dans la littérature française du XVIIIe siècle. SVEC*, v. 52, pp. 1269-89, 1967.

POOL, Christopher A. *Olmec Archaeology and Early Mesoamerica*. Cambridge: Cambridge University Press, 2007.

POSSEHL, G. L. *Indus Age: The Writing System*. Filadélfia: University of Pennsylvania Press, 1996.

_____. *The Indus Civilization: A Contemporary Perspective*. Walnut Creek, CA: AltaMira, 2002.

POSTGATE, Nicholas. *Early Mesopotamia: Society and Economy at the Dawn of History*. Londres: Routledge, 1992.

POURNELLE, Jennifer. *Marshland of Cities: Deltaic Landscapes and the Evolution of Mesopotamian Civilization*. San Diego: University of California, 2003. Tese de Doutorado.

POWELL, Adam; STEPHEN, Shennan; THOMAS, Mark G. "Late Pleistocene demography and the appearance of modern human behavior". *Science*, v. 324, pp. 1298-301, 2009.

POWELL, Marvin A (Org.). *Labor in the Ancient Near East*. New Haven, CT: American Oriental Society, 1987.

POWERS, Stephen. *Tribes of California*. Washington: Government Printing Office, 1877.

PRENDERGAST, Amy L.; PRYOR, Alexander J. E.; READE, Hazel et al. "Seasonal records of palaeoenvironmental change and resource use from archaeological assemblages". *Journal of Archaeological Science: Reports*, v. 21, 2018.

PREZIOSI, Donald; HITCHCOCK, Louise A. *Aegean Art and Architecture*. Oxford: Oxford University Press, 1999.

PROVINSE, John. "Plains Indian culture". In: EGGAN, Fred (Org.). *Social Anthropology of North American Tribes*. Chicago: University of Chicago Press, 1937.

PRYOR, Alexander J. E. et al. "The chronology and function of a new circular mammoth-bone structure at Kostenki 11". *Antiquity*, v. 94, n. 374, pp. 323-41, 2020.

QUILTER, Jeffrey. "Moche politics, religion, and warfare". *Journal of World Prehistory*, v. 16, n. 2, pp. 145-95, 2002.

RANERE, Anthony J. et al. "The cultural and chronological context of early Holocene maize and squash domestication in the Central Balsas River Valley, Mexico". *Proceedings of the National Academy of Sciences*, v. 106, n. 13, p. 5014, 2009.

RATNAGAR, Shereen. *Trading Encounters: From the Euphrates to the Indus in the Bronze Age*. Nova Delhi: Oxford University Press, 2004.

_____. *Harappan Archaeology: Early State Perspectives*. Delhi: Primus Books, 2016.

REDDING, Richard W. "Ancestoral pigs: A New (Guinea) model for pig domestication in the Middle East". *MASCA Research Papers in Science and Archaeology*, v. 15, pp. 65-76, 1998.

REHAK, Paul. "Imag(in)ing a women's world in Bronze Age Greece". In: RABINOWITZ, Nancy Sorkin; AUANGER, Lisa (Orgs.). *Among Women from the Homosocial to the Homoerotic in the Ancient World*. Austin: University of Texas Press, 2002. pp. 34-59.

REICH, David; GREEN, Richard E. et al. "Genetic history of an archaic hominin group from Denisova Cave in Siberia". *Nature*, v. 468, pp. 1053-60, 2010.

RENFREW, Colin. *The Emergence of Civilization: The Cyclades and the Aegean in the Third Millennium BC*. Londres: Methuen, 1972.

_____. *Archaeology and Language: The Puzzle of Indo-European Origins*. Cambridge: Cambridge University Press, 1987.

_____. *Prehistory: The Making of the Human Mind*. Londres: Weidenfeld & Nicolson, 2007.

RENFREW, Colin; LIU, Bin. "The emergence of complex society in China: The case of Liangzhu". *Antiquity*, v. 92, n. 364, pp. 975-90, 2018.

RENGER, Johannes M. "Institutional, communal, and individual ownership or possession of arable land in ancient Mesopotamia from the end of the fourth to the end of the first millennium BC". *Chicago-Kent Law Review*, v. 71, n. 1, pp. 269-319, 1995.

REYNOLDS, Natasha; RIEDE, Felix. "House of cards: Cultural taxonomy and the study of the European Upper Palaeolithic". *Antiquity*, v. 371, pp. 1350-58, 2019.

RICHARDSON, Seth. "Early Mesopotamia: the presumptive state". *Past and Present*, v. 215, pp. 3-49, 2012.

RICHERSON, Peter J.; BOYD, Robert. "Institutional evolution in the Holocene: The rise of complex societies". *Proceedings of the British Academy*, v. 110, pp. 197-234, 2001.

RICHERSON, Peter J.; BOYD, Robert; BETTINGER, Robert L. "Was agriculture impossible during the Pleistocene but mandatory during the Holocene? A climate change hypothesis". *American Antiquity*, v. 66, n. 3, pp. 387-411, 2001.

RICHTER, Daniel K. "Lahontan dans l'Encyclopédie et ses suites". In: PROUST, Jacques (Org.). *Recherches nouvelles sur quelques écrivains des lumères*. Genebra: Librarie Droz, 1972. pp. 163-200.

_____. *The Ordeal of the Longhouse: The Peoples of the Iroquois League in the Era of European Colonization*. Chapel Hill: University of North Carolina Press, 1992.

RICK, John W. "The nature of ritual space at Chavín de Huántar". In: ROSENFELD, Silvana; BAUTISTA, Stefanie L. (Orgs.). *Rituals of the Past: Prehispanic and Colonial Case Studies in Andean Archaeology*. Boulder: University Press of Colorado, 2017. pp. 21-50.

RINGLE, William A. "On the political organization of Chichen Itza". *Ancient Mesoamerica*, v. 15, pp. 167-218, 2004.

RISSMAN, Paul. "Public displays and private values: A guide to buried wealth in Harappan archaeology". *World Archaeology*, v. 20, pp. 209-28, 1988.

RITCHIE, Morgan, Dana Lepofsky et al. "Beyond culture history: Coast Salish settlement patterning and demography in the Fraser Valley, BC". *Journal of Anthropological Archaeology*, v. 43, pp. 140-54, 2016.

RODRIGUES, Teresa. "Gender and social differentiation within the Turner Population, Ohio, as evidenced by activity-induced musculoskeletal stress markers". In: CARR, Christopher; CASE, D. Troy (Orgs.). *Gathering Hopewell: Society, Ritual, and Ritual Interaction*. Nova York: Kluwer Academic, 2005. pp. 405-27.

ROEBROEKS, Wil et al. *Hunters of the Golden Age: The Mid-Upper Palaeolithic of Eurasia 30,000--20,000 BP*. Leiden: University of Leiden Press, 2000.

ROLLINGS, Willard H. *The Osage: An Ethnohistorical Study of Hegemony on the Prairie-Plains*. Columbia: University of Missouri Press, 1992.

ROOSEVELT, Anna. "The Amazon and the Anthropocene: 13,000 years of human influence in a tropical rainforest". *Anthropocene*, v. 4, pp. 69-87, 2013.

ROSENWIG, Robert M. *The Beginnings of Mesoamerican Civilization: Inter-Regional Interaction and the Olmec*. Cambridge: Cambridge University Press, 2010.

_____. "Olmec globalization: a Mesoamerican archipelago of complexity". In: HODOS, Tamar (Org.). *The Routledge Handbook of Archaeology and Globalization*. Londres: Routledge, 2017. pp. 177-93.

ROTH, Anne Macy. *Egyptian Phyles in the Old Kingdom: The Evolution of a System of Social Organization*. Chicago: Oriental Institute, 1991.

_____. "The meaning of menial labour: 'Servant statues' in Old Kingdom serdabs". *Journal of the American Research Center in Egypt*, v. 39, pp. 103-21, 2002.

ROUSSEAU, Jean-Jacques. *A Discourse on Inequality*. Londres: Penguin, 1984 [1754].[Ed. bras.: *A origem da desigualdade entre os homens*. Trad. de Eduardo Brandão. São Paulo: Penguin--Companhia, 2017.]

ROWE, John. "Inca policies and institutions relating to cultural unification of the Empire". In: COLLIER, George A.; ROSALDO, Renato I.; WIRTH, John D. (Orgs.). *The Inca and Aztec States, 1400-1800*. Nova York: Academic, 1982, pp. 93-117, 1982.

ROWLEY-CONWY, Peter. "Time, change, and the archaeology of hunter-gatherers: How original is the 'Original Affluent Society'?" In: ROWLEY-CONWY, Peter ; LAYTON, Robert; PANTER-BRICK, Catherine (Orgs.). *Hunter-Gatherers: An Interdisciplinary Perspective*. Cambridge: Cambridge University Press, 2001. pp. 39-72.

SABLIN, Mikhail; REYNOLDS, Natasha et al. "The Epigravettian site of Yudinovo, Russia: Mammoth bone structures as ritualized middens". Manuscrito em preparação.

SAGARD, Gabriel. *Le Grand Voyage du Pays des Hurons*. Paris: Denys Moreau, 1632.

SAHLINS, Marshall. "Notes on the Original Affluent Society". In: LEE, Richard B.; DEVORE, Irven (Orgs.). *Man the Hunter*. Chicago: Aldine, 1968. pp. 85-9.

_____. *Islands of History*. Chicago: Chicago University Press, 1985.

_____. "The sadness of sweetness: The native anthropology of Western cosmology". *Current Anthropology*, v. 37, n. 3, pp. 395-428, 1996.

_____. "Two or three things I know about culture". *Journal of the Royal Anthropological Institute*, v. 5, n. 3, pp. 399-421, 1999.

_____. *Apologies to Thucydides*. Chicago: University of Chicago Press, 2004.

_____. "The stranger-king, or, elementary forms of political life". *Indonesia and the Malay World*, v. 36, n. 105, pp. 177-99, 2008.

_____. *Stone Age Economics*. Abingdon; Nova York: Routledge, 2017 [1972].

_____. "The stranger-kingship of the Mexica". In: GRAEBER, David; SAHLINS, Marshall. *On Kings*. Chicago: HAU, 2017. pp. 223-48.

SAHLINS, Marshall D.; SERVICE, Elman R. *Evolution and Culture*. Ann Arbor: University of Michigan Press, 1960.

SALLER, Richard P. "*Familia, domus*, and the Roman conception of the family". *Phoenix*, v. 38, n. 4, pp. 336-55, 1984.

SALOMON, Frank. *The Cord Keepers. Khipus and Cultural Life in a Peruvian Village*. Durham, NC: Duke University Press, 2004.

SANDAY, Peggy R. *Female Power and Male Dominance: On the Origins of Sexual Inequality*. Cambridge: Cambridge University Press, 1981.

_____. *Women at the Center: Life in a Modern Matriarchy*. Ithaca, NY: Cornell University Press, 2002.

SANTANA, Jonathan et al. "Crania with mutilated facial skeletons: A new ritual treatment in an early Pre-Pottery Neolithic B cranial cache at Tell Qarassa North (South Syria)". *American Journal of Physical Anthropology*, v. 149, pp. 205-16, 2012.

SANTOS-GRANERO, Fernando. *Vital Enemies: Slavery, Predation, and the Amerindian Political Economy of Life*. Austin: University of Texas Press, 2009.

SASSAMAN, Kenneth E. "Poverty Point as structure, event, process". *Journal of Archaeological Method and Theory*, v. 12, n. 4, pp. 335-64, 2005.

_____. (Org.). "The New Archaic". *The Society for American Archaeology: Archaeological Record*, v. 8, n. 5, ed. esp.

_____. *The Eastern Archaic, Historicized*. Lanham, MD: AltaMira, 2010.

SASSAMAN, Kenneth E.; HECKENBERGER, Michael J. "Roots of the theocratic Formative in the Archaic Southeast". In: CROTHERS, George (Org.). *Hunter-Gatherers in Theory and Archaeology*. Carbondale: Center for Archaeological Investigations, Southern Illinois University Press, 2004. pp. 423-44.

SAYRE, Gordon M. *Les Sauvages Américains: Representations of Native Americans in French and English Colonial Literature*. Chapel Hill: University of North Carolina Press, 1997.

SCARRY, Elaine. *The Body in Pain: The Making and Unmaking of the World*. Oxford: Oxford University Press, 1985.

SCERRI, Eleanor M. L. "The North African Middle Stone Age and its place in recent human evolution". *Evolutionary Anthropology*, v. 26, n. 3, pp. 119-35, 2017.

SCERRI, Eleanor M. L.; THOMAS, Mark G. et al. "Did our species evolve in subdivided populations across Africa, and why does it matter?". *Trends in Ecology & Evolution*, v. 33, n. 8, pp. 582-94, 2018.

SCHEFFLER, Thomas. "'Fertile Crescent', 'Orient', 'Middle East': The changing mental maps of Southwest Asia". *European Review of History*, v. 10, n. 2, pp. 253-72, 2003.

SCHEIDEL, Walter. *The Great Leveller: Violence and the History of Inequality from the Stone Age to the Twenty-First Century*. Princeton, NJ: Princeton University Press, 2017. [Ed. bras.: *Violência e a história da desigualdade desde a Idade da Pedra até o século XXI*. Trad. de Vera Ribeiro. Rio de Janeiro: Zahar, 2020.]

SCHIRMER, Wulf. "Some aspects of building at the 'aceramic-neolithic' settlement of Çayönü Tepesi". *World Archaeology*, v. 21, n. 3, pp. 363-87, 1990.

SCHLANGER, Nathan. *Marcel Mauss: Techniques, Technology, and Civilisation*. Nova York; Oxford: Durkheim Press; Berghahn Books, 2006.

SCHMANDT-BESSERAT, Denise. *Before Writing*. Austin: University of Texas Press, 1992.

SCHMIDT, Isabell; ZIMMERMANN, Andreas. "Population dynamics and socio-spatial organization of the Aurignacian: scalable quantitative demographic data for Western and Central Europe". *PLoS ONE*, v. 14, n. 2, p. e0211562, 2019.

SCHMIDT, Klaus. "Frühneolithische Silexdolche". In: ARSEBÜK, Güven et al. (Orgs.). *Light on Top of the Black Hill. Studies Presented to Halet Çambel*. Istanbul: Yeni, 1998, pp. 681-92, 1998.

SCHMIDT, Klaus. *Sie bauten die ersten Tempel. Das rätselhafte Heiligtum der Steinzeitjäger*. Munique: C. H. Beck, 2006.

SCHMIDT, Morgan J. et al. "Dark earths and the human built landscape in Amazonia: A widespread pattern of anthrosol formation". *Journal of Archaeological Science*, v. 42, pp. 152-65, 2014.

SCHNAPP, Alain. *The Discovery of the Past: The Origins of Archaeology*. Londres: British Museum Press, 1996.

SCHNEIDER, Thomas. "Periodizing Egyptian history: Manetho, convention, and beyond". In: ADAM, Klaus-Peter (Org.). *Historiographie in der Antike*. Berlim; Nova York: De Gruyter, 2008. pp. 183-97.

SCHOEP, Ilse. "Building the labyrinth: Arthur Evans and the construction of Minoan civilisation". *American Journal of Archaeology*, v. 122, n. 1, pp. 5-32, 2008.

SCHOR, Juliet B. *The Overworked American: The Unexpected Decline of Leisure*. Nova York: Basic, 1991.

SCHRAKAMP, I. *Krieger und Waffen im frühen Mesopotamien. Organisation und Bewaffnung des Militärs in frühdynastischer und sargonischer Zeit*. Marburg: Philipps-Universität, 2010.

SCHULTING, Rick J. "Antlers, bone pins and flint blades: The Mesolithic cemeteries of Téviec and Hoëdic, Brittany". *Antiquity*, v. 70, n. 268, pp. 335-50, 2006.

SCHULTING, Rick J.; RICHARDS, Michael P. "Dating women and becoming farmers: new palaeodietary and AMS dating evidence from the Breton Mesolithic cemeteries of Téviec and Hoëdic". *Journal of Anthropological Archaeology*, v. 20, pp. 314-44, 2001.

SCHULTING, Rick J.; FIBIGER, Linda (Orgs.). *Sticks, Stones, and Broken Bones: Neolithic Violence in a European Perspective*. Oxford: Oxford University Press, 2012.

SCHULTZ, James W. *My Life as an Indian*. Boston: Houghton Mifflin Company, 1935.

SCOTT, James C. *Domination and the Arts of Resistance*. New Haven, CT: Yale University Press, 1990.

_____. *The Art of Not Being Governed: An Anarchist History of Upland Southeast Asia*. New Haven, CT: Yale University Press, 2009.

_____. *Against the Grain: A Deep History of the Earliest States*. New Haven, CT: Yale University Press, 2017.

SEEMAN, Mark F. "Feasting with the dead: Ohio Hopewell charnel house ritual as a context for redistribution". In: BROSE, David S.; GREBER, N'omi B. (Orgs.). *Hopewell Archaeology: The Chillicothe Conference*. Kent, OH: Kent State University Press, 1979. pp. 39-46.

_____. "Ohio Hopewell trophy-skull artifacts as evidence for competition in Middle Woodland societies circa 50 B.C.-A.D. 350". *American Antiquity*, v. 53, n. 3, pp. 565-77, 1988.

_____. "Hopewell art in Hopewell places". In: TOWNSEND, Richard F.; SHARP, Robert V. (Orgs.). *Hero, Hawk, and Open Hand: American Indian Art of the Ancient Midwest and South*. New Haven, CT: Yale University Press, 2004. pp. 57-71.

SEIDLMAYER, Stephan J. "The First Intermediate Period (*c.* 2160-2055 BC)". In: SHAW, Ian (Org.). *The Oxford History of Ancient Egypt*. Oxford: Oxford University Press, 2000, pp. 118-47.

SELIGMAN, Adam B.; WELLER, Robert P.; PUETT, Michael J. et al. *Ritual and its Consequences: An Essay on the Limits of Sincerity*. Oxford: Oxford University Press, 2008.

SEN, Amartya. *Development as Freedom*. Oxford: Oxford University Press, 2001. [Ed. bras.: *Desenvolvimento como liberdade*. Trad. de Laura Teixeira Motta. São Paulo: Companhia de Bolso, 2018.]

SERVET, Jean-Michel. "Primitive order and archaic trade. Part I". *Economy and Society*, v. 10, n. 4, pp. 423-50, 1981.

_____. "Primitive order and archaic trade. Part II". *Economy and Society*, v. 11, n. 1, pp. 22-59, 1982.

SEVERI, Carlo. *The Chimera Principle: An Anthropology of Memory and Imagination*. Trad. para o inglês de Janet Lloyd. Pref. de David Graeber. Chicago: HAU, 2015.

SHADY SOLIS, Ruth; HAAS, Jonathan; CREAMER, Winifred. "Dating Caral, a Preceramic site in the Supe Valley on the central coast of Peru". *Science*, v. 292, n. 5517, pp. 723-6, 2001.

SHARAN, M. K. "Origin of republics in India with special reference to the Yaudheya tribe". In: MUKHERJEE, B. N. et al. (orgs.), *Sri Dinesacandrika: Studies in Indology*. Delhi: Sundeep Prakashan, 1983. pp. 241-52.

SHARER, Robert J. "Founding events and Teotihuacan connections at Copán, Honduras". In: BRASWELL, Geoffrey E. (Org.). *The Maya and Teotihuacan: Reinterpreting Early Classic Interaction*. Austin: University of Texas Press, 2003. pp. 143-65.

SHARMA, J. P. *Republics in Ancient India, 1500 B.C. to 500 B.C.* Leiden: Brill, 1968.

SHAUGHNESSY, Edward. L. "Historical geography and the extent of the earliest Chinese kingdom". *Asia Minor*, v. 2, n. 2, pp. 1-22, 1989.

_____. "Western Zhou history". In: LOEWE, Michael; SHAUGHNESSY, Edward. L. (Orgs.). *The Cambridge History of Ancient China*. Cambridge: Cambridge University Press, 1999. pp. 288-351.

SHAW, Ian (Org.). *The Oxford History of Ancient Egypt*. Oxford: Oxford University Press, 2000.

SHENNAN, Stephen. "Evolutionary demography and the population history of the European Early Neolithic". *Human Biology*, v. 81, pp. 339-55, 2009.

_____. *The First Farmers of Europe: An Evolutionary Perspective*. Cambridge: Cambridge University Press, 2018.

SHENNAN, Stephen; EDINBOROUGH, Kevan. "Prehistoric population history: From the Late Glacial to the Late Neolithic in Central and Northern Europe". *Journal of Archaeological Science*, v. 34, pp. 1339-45, 2006.

SHENNAN, Stephen et al. "Regional population collapse followed initial agriculture booms in mid-Holocene Europe". *Nature*, v. 4, pp. 1-8, 2013.

SHEPPARD, Peter J. "Lapita colonization across the Near/ Remote Oceania boundary". *Current Anthropology*, v. 52, n. 6, pp. 799-840, 2011.

SHERRATT, Andrew. "Water, soil and seasonality in early cereal cultivation". *World Archaeology*, v. 11, pp. 313-30, 1980.

_____. "Reviving the grand narrative: archaeology and long-term change". *Journal of European Archaeology*, v. 3, n. 1, pp. 1-32, 1995.

_____. *Economy and Society in Prehistoric Europe. Changing Perspectives*. Edimburgo: Edinburgh University Press, 1997.

_____. "Cash crops before cash: organic consumables and trade". In: GOSDEN, Chris; HATHER, John G. (Orgs.). *The Prehistory of Food: Appetites for Change*. Londres: Routledge, 1999. pp. 13-34.

SHERRATT, Andrew. "Fractal farmers: Patterns of Neolithic origins and dispersal". In: SCARRE, Christopher et al. (Orgs.). *Explaining Social Change: Studies in Honour of Colin Renfrew*. Cambridge: McDonald Institute, 2004. pp. 53-63.

_____. "Diverse origins: Regional contributions to the genesis of farming". In: COLLEDGE, Sue; CONOLLY, James (Orgs.). *The Origins and Spread of Domestic Plants in Southwest Asia and Europe*. Walnut Creek, CA: Left Coast Press, 2007. pp. 1-20.

SHERRATT, Susan. *Arthur Evans, Knossos, and the Priest-King*. Oxford: Ashmolean Museum, 2000.

_____. "Potemkin palaces and route-based economies". In: VOUTSAKI, Sofia; KILLEN, John (Orgs.). *Economy and Politics in the Mycenaean Palatial States*. Cambridge: Cambridge Philological Society, 2001. pp. 214-38.

SHERWOOD, Sarah C.; KIDDER, Tristam R. "The DaVincis of dirt: Geoarchaeological perspectives on Native American mound building in the Mississippi River basin". *Journal of Anthropological Archaeology*, v. 30, pp. 69-87, 2011.

SHIMONY, Annemarie. *Conservatism Among the Six Nations Iroquois Reservation*. New Haven, CT: Yale University Press, 1961. (Yale University Publications in Anthropology, 65.)

_____. "Iroquois witchcraft at Six Nations". In: WALKER JR., Deward E. (Org.). *Systems of Witchcraft and Sorcery*. Moscow, ID: Anthropological Monographs of the University of Idaho, 1970. pp. 239-65.

SHIPTON, Ceri et al. "78,000-year-old record of Middle and Later Stone Age innovation in an East African tropical forest". *Nature Communications*, v. 9, art. 1832, 2018.

SHKLAR, Judith. "Rousseau's images of authority". *The American Political Science Review*, v. 58, n. 4, pp. 919-32, 1964.

SHUMILOVSKIKH, Lyudmila S.; NOVENKO, Elena; GIESECKE, Thomas. "Long-term dynamics of the East European forest-steppe ecotone". *Journal of Vegetation Science*, v. 29, n. 3, pp. 416-26, 2017.

SIKORA, Martin et al. "Ancient genomes show social and reproductive behavior of early Upper Paleolithic foragers". *Science*, v. 358, n. 6363, pp. 659-62, 2017.

SILVER, Morris. "Reinstating classical Athens: the production of public order in an ancient community". *Journal on European History of Law*, v. 1, pp. 3-17, 2015.

SILVERBLATT, Irene. *Moon, Sun and Witches: Gender Ideologies and Class in Inca and Colonial Peru*. Princeton, NJ: Princeton University Press, 1987.

SILVERMAN, Eric K. *Masculinity, Motherhood, and Mockery: Psychoanalyzing Culture and the Iatmul Naven Rite in New Guinea*. Ann Arbor: University of Michigan Press, 2001.

SIMONSE, Simon. *Kings of Disaster: Dualism, Centralism, and the Scapegoat-king in Southeastern Sudan*. Leiden: Brill, 1992.

_____. "Tragedy, ritual and power in Nilotic regicide: The regicidal dramas of the Eastern Nilotes of Sudan in contemporary perspective". In: QUIGLEY, Declan (Org.), *The Character of Kingship*. Oxford: Berg, 2005. pp. 67-100.

SIOUI, Georges. "A la réfiexion des Blancs d'Amerique du Nord et autres étrangers". *Recherches amerindiennes au Quebec*, v. 2, n. 4-5, pp. 65-8, 1972.

_____. *For an Amerindian Autohistory: An Essay on the Foundations of a Social Ethic*. Montreal: McGill-Queen's University Press, 1992.

_____. *Huron-Wendat: The Heritage of the Circle*. Vancouver: British Columbia University Press, 1999.

SIPILÄ, Joonäs; LAHELMA, Antti. "War as a paradigmatic phenomenon: endemic violence and the Finnish Subneolithic". In: POLLARD, Tony; BANKS, Iain (Orgs.). *Studies in the Archaeology of Conflict*. Leiden: Brill, 2006. pp. 189-209.

SKOGLUND, Pontus et al. "Genomic insights into the peopling of the Southwest Pacific". *Nature*, v. 538, n. 7626, pp. 510-13, 2016.

SKOUSEN, B. Jacob. *Pilgrimage and the Construction of Cahokia: A View from the Emerald Site*. Urbana-Champaign: University of Illinois, 2016. Tese de Doutorado.

SLON, Viviane et al. "The plastered skulls from the Pre-Pottery Neolithic B Site of Yiftahel (Israel): A computed tomography-cased analysis". *PLoS ONE*, v. 9, n. 2, p. e89242, 2014.

SMITH, Bruce D. "Mississippian elites and solar alignments: A reflection of managerial necessity, or levers of social inequality?". In: BARKER, Alex W.; PAUKETAT, Timothy R. (Orgs.). *Lords of the Southeast: Social Inequality and the Native Elites of Southeastern North America*. Washington: Archaeological Papers of the American Anthropological Association, 1992. pp 11-30.

_____. "Low-level food production". *Journal of Archaeological Research*, v. 9, n. 1, pp. 1-43, 2001.

SMITH, De Cost. "Witchcraft and demonism of the modern Iroquois". *The Journal of American Folklore*, v. 1, n. 3, pp. 184-94, 1888.

SMITH, Michael E. "The Aztlan migrations of the Nahuatl chronicles: Myth or history?". *Ethnohistory*, v. 31, n. 3, pp. 153-86, 1984.

_____. *The Aztecs*. 3. ed. Oxford: Wiley-Blackwell, 2012.

_____. "Neighborhood formation in semi-urban settlements". *Journal of Urbanism*, v. 8, n. 2, pp. 173-98, 2015.

_____. "Energized crowding and the generative role of settlement aggregation and urbanization". In: GYUCHA, Attila (Org.). *Coming Together: Comparative Approaches to Population Aggregation and Early Urbanization*. Nova York: Suny Press, 2019. pp. 37-58.

SMITH, Michael. E. et al. "The Teotihuacan anomaly: The historical trajectory of urban design in ancient Central Mexico". *Open Archaeology*, v. 3, pp. 175-93, 2017.

_____. "Apartment compounds, households, and population in the ancient city of Teotihuacan, Mexico". *Ancient Mesoamerica*, v. 30, n. 3, pp. 399-418, 2019.

SNOW, Dean. "Dating the emergence of the League of the Iroquois: A reconsideration of the documentary evidence". In: MCCLURE ZELLER, Nancy-Anne (Org.). *A Beautiful and Fruitful Place: Selected Rensselaerswijck Seminar Papers*. Albany, NY: New Netherland Publishing, 1991. pp. 139-43.

SOFFER, Olga. *The Upper Palaeolithic of the Central Russian Plain*. Londres: Academic Press, 1985.

SOFFER, Olga; ADOVASIO, James M.; HYLAND, David C. "Textiles, basketry, gender and status in the Upper Paleolithic". *Current Anthropology*, v. 41, n. 4, pp. 511-37, 2000.

SOUSTELLE, Jacques. *The Daily Life of the Aztecs on the Eve of the Spanish Conquest*. Nova York: Macmillan, 1962.

SPERBER, Dan. *Explaining Culture: A Naturalistic Approach*. Oxford: Blackwell, 2005.

SPIER, Leslie. *Klamath Ethnography*. Berkeley: University of California Press, 1930.

SPOTT, Robert; KROEBER, Alfred L. "Yurok narratives". *University of California Publications in American Archaeology and Ethnology*, v. 35, n. 9, pp. 143-256, 1942.

SPRETNAK, Charlene. "Anatomy of a backlash: concerning the work of Marija Gimbutas". *Journal of Archaeomythology*, v. 7, pp. 25-51, 2011.

SPRIGGS, Matthew. "The Lapita culture and Austronesian prehistory in Oceania". In: BELLWOOD, Peter et al. (Orgs.). *The Austronesians: Historical and Comparative Perspectives*. Canberra: ANU Press, 1995. pp. 112-33.

_____. *The Island Melanesians*. Oxford: Blackwell, 1997.

STARNA, William A. "Retrospecting the origins of the League of the Iroquois". *Proceedings of the American Philosophical Society*, v. 152, n. 3, pp. 279-321, 2008.

STECKLEY, John. "Kandiaronk: a man called Rat". In: _____. *Untold Tales: Four Seventeenth-Century Hurons*. Toronto: Associated Heritage Publishing, 1981. pp. 41-52.

_____. *The Eighteenth-Century Wyandot: A Clan-Based Study*. Waterloo, Ontario: Wilfrid Laurier University Press, 2014.

STEINKE, Kyle; CHING, Dora C. Y. (Orgs.). *Art and Archaeology of the Erligang Civilization*. Princeton, NJ: Princeton University Press, 2014.

STEINKELLER, Piotr. "The employment of labour on national building projects in the Ur III period". In: STEINKELLER, Piotr; HUDSON, Michael (Orgs.). *Labor in the Ancient World*. Dresden: ISLET, 2015. pp. 137-236.

STEINKELLER, Piotr; HUDSON, Michael (Orgs.). *Labor in the Ancient World*. Dresden: ISLET, 2015.

STERN, Jessica Yirush. *The Lives in Objects: Native Americans, British Colonists, and Cultures of Labor and Exchange in the Southeast*. Chapel Hill: University of North Carolina Press, 2017.

STEVENS, Chris; FULLER, Dorian Q. "Did Neolithic farming fail? The case for a Bronze Age agricultural revolution in the British Isles". *Antiquity*, v. 86, n. 333, pp. 707-22, 2012.

STONE, Elizabeth C.; ZIMANSKY, Paul. "The tapestry of power in a Mesopotamian city". *Scientific American*, v. 272, n. 4, pp. 118-23, 1995.

STORDEUR, Danielle. "Jerf el Ahmar et l'émergence du Néolithique au Proche-Orient". In: GUILAINE, Jean (Org.). *Premiers paysans du monde: Naissances des agricultures, Séminaire du Collège de France*. Paris: Errance, 2000. pp. 33-60.

STRAUS, Lawrence G. "The Upper Palaeolithic cave site of Altamira (Santander, Spain)". *Quaternaria*, v. 19, pp. 135-48, 1977.

STRAUS, Lawrence. G. et al. (Orgs.). *Humans at the End of the Ice Age: The Archaeology of the Pleistocene-Holocene Transition*. Nova York; Londres: Plenum, 1990.

STREHLOW, T. G. H. *Aranda Traditions*. Carlton: Melbourne University Press, 1947.

STRUDWICK, Nigel. *The Administration of Egypt in the Old Kingdom: The Highest Titles and their Holders*. Londres: KPI, 1985.

STUART, David. "The arrival of strangers: Teotihuacan and Tollan in Classic Maya history". In: CARRASCO, David; JONES, Lindsay; SESSIONS, Scott (Orgs.). *Mesoamerica's Classic Heritage: From Teotihuacan to Aztecs*. Boulder: University Press of Colorado, 2000. pp. 465-513.

STYRING, A. et al. "Isotope evidence for agricultural extensification reveals how the world's first cities were fed". *Nature Plants*, v. 3, p. 17076, 2017.

SUBRAMANIAN, T. S. "The rise and fall of a Harappan city". *Frontline*, v. 27, n. 12, 2010.

SUGIYAMA, Nawa et al. "Artistas mayas en Teotihuacan?". *Arqueología Mexicana*, v. 24, n. 142, p. 8, 2019.

SUGIYAMA, Nawa; SUGIYAMA, Saburo; SARABIA, Alejandro G.. "Inside the Sun Pyramid at Teotihuacan, Mexico: 2008-2011 excavations and preliminary results". *Latin American Antiquity*, v. 24, n. 4, pp. 403-32, 2013.

SUGIYAMA, Saburo. *Human Sacrifice, Militarism, and Rulership: Materialization of State Ideology at the Feathered Serpent Pyramid, Teotihuacan.* Cambridge: Cambridge University Press, 2005.

SUGIYAMA, Saburo; CABRERA CASTRO, Rubén. "The Moon Pyramid project and the Teotihuacan state polity". *Ancient Mesoamerica*, v. 18, pp. 109-25, 2007.

SUTTLES, Wayne. "Coping with abundance". In: LEE, Richard B.; DEVORE, Irven (Orgs.). *Man the Hunter.* Chicago: Aldine, 1968. pp. 56-68.

SWADESH, Morris. "Motivations in Nootka Warfare". *Southwestern Journal of Anthropology*, v. 4, n. 1, pp. 76-93, 1948.

SWANTON, John Reed. "Source material for the social and ceremonial life of the Choctaw Indians". *Bureau of American Ethnology Bulletin*, v. 103, pp. 1-282, 1931.

TAKAHASHI, Ryuzaburo; HOSOYA, Leo Aoi. "Nut exploitation in Jomon society". In: MASON, Sarah L. R.; HATHER, Jon G. (Orgs.). *Hunter-Gatherer Archaeobotany: Perspectives from the Northern Temperate Zone.* Londres: Institute of Archaeology, 2003. pp. 146-55.

TAMBIAH, Stanley J. "The galactic polity in Southeast Asia". In: _____. *Culture, Thought, and Social Action.* Cambridge, MA: Harvard University Press, 1973. pp. 3-31.

TATE, Carolyn E. *Reconsidering Olmec Visual Culture: The Unborn, Women, and Creation.* Austin: University of Texas Press, 2012.

TAUBE, Karl. A. "The Teotihuacan cave of origin: the iconography and architecture of emergence mythology in Mesoamerica and the American Southwest". *RES: Anthropology and Aesthetics*, v. 12, pp. 51-82, 1986.

_____. "The temple of Quetzalcoatl and the cult of sacred war at Teotihuacan". *Anthropology and Aesthetics*, v. 21, pp. 53-87, 1992.

_____. "The writing system of ancient Teotihucan". *Ancient America*. Bardarsville, NC: Center for Ancient American Studies, 2000. v. 1.

TEETER, Emily (Org.). *Before the Pyramids: The Origins of Egyptian Civilization.* Chicago: Oriental Institute, 2011.

TESCHLER-NICOLA, M. et al. "Anthropologische Spurensicherung: Die traumatischen und postmortalen Veränderungen an den linearbandkeramischen Skelettresten von Asparn/ Schletz". In: WINDL, Helmut (Org.). *Rätsel um Gewalt und Tod vor 7.000 Jahren. Eine Spurensicherung.* Asparn: Katalog des Niederösterreichischen Landesmuseum, 1996. pp. 47-64.

TESTART, Alain. "The significance of food storage among hunter-gatherers". *Current Anthropology*, v. 23, n. 5, pp. 523-37, 1982.

_____. "Des crânes et des vautours ou la guerre oubliée". *Paléorient*, v. 34, n. 1, pp. 33-58, 2008.

THAPAR, Romila. *From Lineage to State: Social Formations in the Mid-First Millennium BC in the Ganga Valley.* Oxford: Oxford University Press, 1984.

THOMAS, Chad R.; CARR, Christopher; KELLER, Cynthia. "Animal-totemic clans of Ohio Hopewellian peoples". In: CARR, Christopher; CASE, D. Troy (Orgs.). *Gathering Hopewell: Society, Ritual, and Ritual Interaction.* Nova York: Kluwer Academic, 2005. pp. 339-85.

THOMAS, Keith. *Religion and the Decline of Magic. Studies in Popular Beliefs in Sixteenth and Seventeenth-Century England.* Harmondsworth: Penguin, 1978.

THOMPSON, Andrew et al. "New dental and isotope evidence of biological distance and place of origin for mass burial groups at Cahokia's Mound 72". *American Journal of Physical Anthropology*, v. 158, pp. 341-57, 2015.

THWAITES, Reuben Gold (Org.). *The Jesuit Relations and Allied Documents: Travels and Explorations of the Jesuit Missionaries in New France, 1610-1791*. Cleveland, OH: Burrows Brothers, 1896-1901. 73 v.

TILLEY, Lorna. "Accommodating difference in the prehistoric past: Revisiting the case of Romito 2 from a bioarchaeology of care perspective". *International Journal of Paleopathology*, v. 8, pp. 64-74, 2015.

TISSERAND, Roger. *Les Concurrents de J.-J. Rousseau à l'Académie de Dijon pour le prix de 1754*. Paris: Boivin, 1936.

TOOKER, Elisabeth. *An Ethnography of the Huron Indians, 1615-1649*. Washington: Bureau of Ethnology, 1964. (Bulletin number, 190.)

_____. "Clans and moieties in North America". *Current Anthropology*, v. 12, n. 3, pp. 357-76, 1971.

_____. "The League of the Iroquois: its history, politics, and ritual". In: TRIGGER, Bruce G. (Org.). *Handbook of North American Indians*. Washington: Smithsonian Press, 1978. v. 15: Northeast. pp. 418-41.

_____. "Women in Iroquois society". In: FOSTER, Michael K.; CAMPISI, Jack; MITHUN, Marianne (Orgs.). *Extending the Rafters: Interdisciplinary Approaches to Iroquoian Studies*. Albany: State University of New York Press, 1984. pp. 109-23.

_____. "The United States Constitution and the Iroquois League". *Ethnohistory*, v. 35, pp. 305--36, 1988.

_____. "Rejoinder to Johansen". *Ethnohistory*, v. 37, pp. 291-7, 1990.

TORRES, Constantino Manuel. "Chavín's psychoactive pharmacopoeia: The iconographic evidence". In: CONKLIN, William J.; QUILTER, Jeffrey (Orgs.). *Chavín: Art, Architecture, and Culture*. Los Angeles: Cotsen Institute of Archaeology, 2008. pp. 237-57.

TOWNSEND, Camilla. "What in the world have you done to me, my lover? Sex, servitude, and politics among the pre-Conquest Nahuas as seen in the Cantares Mexicanos". *The Americas*, v. 62, n. 3, pp. 349-89, 2006.

TRAUTMANN, Thomas R. "The revolution in ethnological time". *Man*, v. 27, n. 2, pp. 379-97, 1992.

TREHERNE, Paul. "The warrior's beauty: The masculine body and self-identity in Bronze Age Europe". *Journal of European Archaeology*, v. 3, n. 1, pp. 105-44, 1995.

TRIGGER, Bruce G. *The Children of Aataentsic: A History of the Huron People to 1660*. Montreal: McGill-Queen's University Press, 1976.

_____. *Natives and Newcomers: Canada's 'Heroic Age' Reconsidered*. Montreal: McGill-Queen's University Press, 1985.

_____. "Maintaining economic equality in opposition to complexity: An Iroquoian case study". In: UPHAM, Steadman (Org.). *The Evolution of Political Systems: Sociopolitics in Small-Scale Sedentary Societies*. Cambridge: Cambridge University Press, 1990. pp. 119-45.

_____. *A History of Archaeological Thought*. 2. ed. Cambridge: Cambridge University Press, 2006.

TRINKAUS, Erik. "An abundance of developmental anomalies and abnormalities in Pleistocene people". *PNAS*, v. 115, n. 47, pp. 11941-6, 2018.

TRINKAUS, Erik; BUZHILOVA, Alexandra P. "Diversity and differential disposal of the dead at Sunghir". *Antiquity*, v. 92, n. 361, pp. 7-21, 2018.

TROUILLOT, Michel-Rolph. "Anthropology and the savage slot: The poetics and politics of otherness". In: _____. *Global Transformations: Anthropology and the Modern World*. Nova York: Palgrave Macmillan, 2003, pp. 7-28.

TUCK, James A. "Northern Iroquoian prehistory". In: TRIGGER, Bruce G. (Org.). *Handbook of North American Indians*. Washington: Smithsonian Press, 1978. v. 15: Northeast. pp. 322-33.

TUERENHOUT, Dirk Van. "Maya warfare: sources and interpretations". *Civilisations*, v. 50, pp. 129-52, 2002.

TULLY, James. "Aboriginal property and Western theory: Recovering a middle ground". *Social Philosophy and Policy*, v. 11, n. 2, pp. 153-80, 1994.

TURNBULL, Colin M. "The ritualization of potential conflict between the sexes in Mbuti". In: LEACOCK, Eleanor B.; LEE, Richard B. (Orgs.). *Politics and History in Band Societies*. Cambridge: Cambridge University Press, 1982. pp. 133-55.

TURNER, Nancy J.; LOEWEN, Dawn C. "The original 'free trade': Exchange of botanical products and associated plant knowledge in Northwestern North America". *Anthropologica*, v. 40, n. 1, pp. 49-70, 1998.

TURNER, Victor. *The Ritual Process: Structure and Anti-Structure*. Chicago: Aldine, 1969.

TUSHINGHAM, Shannon; BETTINGER, Robert L. "Why foragers choose acorns before salmon: Storage, mobility, and risk in Aboriginal California". *Journal of Anthropological Archaeology*, v. 32, n. 4, pp. 527-37, 2013.

TYLOR, Edward. B. "Remarks on the geographical distribution of games". *Journal of the Anthropological Institute*, v. 9, n. 1, p. 26.

UNDERHILL, Anne P. et al. "Changes in regional settlement patterns and the development of complex societies in southeastern Shandong, China". *Journal of Anthropological Archaeology*, v. 27, n. 1, pp. 1-29, 2008.

UR, Jason. "Households and the emergence of cities in Ancient Mesopotamia". *Cambridge Archaeological Journal*, v. 24, pp. 249-68, 2014.

URIARTE, María Teresa. "The Teotihuacan ballgame and the beginning of time". *Ancient Mesoamerica*, v. 17, n. 1, pp. 17-38, 2016.

URTON, Gary. "The body of meaning in Chavín art". *Res*, v. 29-30, primavera/outono (*The Pre-Columbian*), pp. 237-55.

_____. "Inka administration in Tawantinsuyu by means of the knotted-cords". In: YOFFEE, Norman (Org.). *The Cambridge World History, Part II: Early Cities and Information Technologies*. Cambridge: Cambridge University Press, 2015. pp. 181-206.

_____. *Inka History in Knots: Reading Khipus as Primary Sources*. Austin: University of Texas Press, 2017.

_____. "The invention of taxation in the Inka Empire". *Latin American Antiquity*, v. 30, n. 1, pp. 1-16.

URTON, Gary; BREZINE, Carrie J. "Khipu accounting in ancient Peru". *Science*, v. 309, n. 5737, pp. 1065-7, 2005.

USSHER, James. *The Annals of the Old and New Testament with the Synchronisms of Heathen Story to the Destruction of Hierusalem by the Romanes*. Londres: J. Crook & G. Bedell, 1650.

VALENTINE, B. et al. "Evidence for patterns of selective urban migration in the Greater Indus Valley (2600-1900 BC): A lead and strontium isotope mortuary analysis". *PLoS ONE*, v. 10, n. 4, p. e0123103, 2015.

VAN DER VELDE, Pieter. "Banderamik social inequality: A case study". *Germania*, v. 68, pp. 19-38, 1990.

VANHAEREN, Marian; D'ERRICO, Francesco. "Grave goods from the Saint-Germain-de-la-Rivière burial: Evidence for social inequality in the Upper Palaeolithic". *Journal of Anthropological Archaeology*, v. 24, pp. 117-34, 2005.

VAYDA, Andrew P. "Pomo trade feasts". In: DALTON, George (Org.). *Tribal and Peasant Economies*. Garden City, NY: Natural History Press, 1967. pp. 495-500.

VEIL, Stephan K. et al. "A 14,000-year-old amber elk and the origins of northern European art". *Antiquity*, v. 86. pp. 660-3.

VENNUM JR., Thomas. *Wild Rice and the Ojibway People*. St Paul: Minnesota History Society Press, 1988.

VIDALE, Massimo. *The Archaeology of Indus Crafts: Indus Crafts-people and Why We Study Them*. Rome: IsIAO, 2000.

_____. "Aspects of palace life at Mohenjo-Daro". *South Asian Studies*, v. 26, n. 1, pp. 59-76, 2010.

_____. "T-Shaped pillars and Mesolithic 'chiefdoms' in the prehistory of Southern Eurasia: A preliminary note". In: FRENEZ, Dennys; TOSI, Maurizio (Orgs.). *South Asian Archaeology 2007 Proceedings of the 19th International Conference of the European Association of South Asian Archaeology*. Oxford: BAR, 2013. pp. 51-8.

VIDEIKO, Mikhail. "Die Grossiedlungen der Tripol'e-Kultur in der Ukraine". *Eurasia Antiqua*, v. 1, pp. 45-80, 1996.

VINER, Sarah et al. "Cattle mobility in prehistoric Britain: Strontium isotope analysis of cattle teeth from Durrington Walls (Wiltshire, Britain)". *Journal of Archaeological Science*, v. 37, pp. 2812-20, 2010.

VON DASSOW, Eva. "Freedom in ancient Near Eastern societies". In: RADNER, Karen; ROBSON, Eleanor (Orgs.). *The Oxford Handbook of Cuneiform Culture*. Oxford: Oxford University Press, 2011. pp. 205-28.

VOUTSAKI, Sofia. "The creation of value and prestige in the Aegean Late Bronze Age". *Journal of European Archaeology*, v. 5, n. 2, pp. 34-52, 1997.

VOUTSAKI, Sofia; KILLEN, John (Orgs.). *Economy and Politics in the Mycenaean Palatial States*. Cambridge: Cambridge Philological Society, 2001.

WALENS, Stanley. *Feasting with Cannibals: An Essay on Kwakiutl Cosmology*. Princeton, NJ: Princeton University Press, 1981.

WALLACE, Anthony F. C. "Revitalization movements". *American Anthropologist*, v. 58, n. 2, pp. 264-81, 1956.

_____. "Dreams and the wishes of the soul: A type of psychoanalytic theory among the seventeenth century Iroquois". *American Anthropologist* (N.S.), v. 60, n. 2, pp. 234-48, 1958.

WARREN, Carol. *Adat and Dinas: Balinese Communities in the Indonesian State*. Kuala Lumpur: Oxford University Press, 1993.

WEBER, Max. *The Protestant Ethic and the Spirit of Capitalism*. Trad. para o inglês de Talcott Parsons. Londres: Unwin, 1930 [1905]. [Ed. bras.: *A ética protestante e o "espírito" do capitalismo*. Trad. de José Marcos Mariani de Macedo. São Paulo: Companhia das Letras, 2004.]

WEISMANTEL, Mary. "Inhuman eyes: Looking at Chavín de Huantar". In: WATTS, Christopher (Org.). *Relational Archaeologies: Humans, Animals, Things*. Londres: Routledge, 2013. pp. 21-41.

WENGROW, David. "The changing face of clay: Continuity and change in the transition from village to urban life in the Near East". *Antiquity*, v. 72, pp. 783-95, 1998.

_____. "The evolution of simplicity: Aesthetic labour and social change in the Neolithic Near East". *World Archaeology*, v. 33, n. 2, pp. 168-88, 2001.

_____. "Interpreting animal art in the prehistoric Near East". In: POTTS, Timothy; ROAF, Michael; STEIN, Diana (Orgs.). *Culture through Objects. Ancient Near Eastern Studies in Honour of P. R. S. Moorey*. Oxford: Griffith Institute, 2003. pp.139-60.

_____. *The Archaeology of Early Egypt: Social Transformations in North-East Africa, 10,000 to 2650 BC*. Cambridge: Cambridge University Press, 2006.

_____. "Prehistories of commodity branding". *Current Anthropology*, v. 49, n. 1, pp. 7-34, 2008.

_____. *What Makes Civilization? The Ancient Near East and the Future of the West*. Oxford: Oxford University Press, 2010(a).

_____. "The voyages of Europa: ritual and trade in the Eastern Mediterranean, *c.* 2300-1850 BC". In: PARKINSON, William A.; GALATY, Michael L. (Orgs.). *Archaic State Interaction: The Eastern Mediterranean in the Bronze Age*. Santa Fé: School for Advanced Research Press, 2010(b). pp. 141-60.

_____. "Archival and sacrificial economies in Bronze Age Eurasia: an interactionist approach to the hoarding of metals". In: WILKINSON, Toby; BENNET, John; SHERRATT, Susan (Orgs.). *Interweaving Worlds*. Oxford: Oxbow, 2011. pp. 135-44.

_____. "Cities before the State in early Eurasia". Halle: Max Planck Institute for Social Anthropology, 2015. (Jack Goody Lecture.)

WENGROW, David et al. "Cultural convergence in the Neolithic of the Nile Valley: a prehistoric perspective on Egypt's place in Africa". *Antiquity*, v. 88, pp. 95-111, 2014.

WENGROW, David; GRAEBER, David. "Farewell to the childhood of man: Ritual, seasonality, and the origins of inequality". *Journal of the Royal Anthropological Institute*, v. 21, n. 3, pp. 597-619, 2015. (2014 Henry Myers Lecture.)

_____. "Many seasons ago: Slavery and its rejection among foragers on the Pacific Coast of North America". *American Anthropologist*, v. 120, n. 2, pp. 237-49, 2018.

WERNKE, Stephen. "The politics of community and Inka statecraft in the Colca Valley, Peru". *Latin American Antiquity*, v. 17, n. 2, pp. 177-208, 2006.

WHITE, Christine; PRICE, T. Douglas; LONGSTAFFE, Fred J. "Residential histories of the human sacrifices at the Moon Pyramid, Teotihuacan: Evidence from oxygen and strontium isotopes". *Ancient Mesoamerica*, v. 18, n. 1, pp. 159-72, 2007.

WHITE, Christine D. et al. "Geographic identities of the sacrificial victims from the Feathered Serpent Pyramid, Teotihuacan: Implications for the nature of state power". *Latin American Antiquity*, v. 13, n. 2, pp. 217-36, 2002.

_____. "The Teotihuacan dream: An isotopic study of economic organization and immigration". *Ontario Archaeology*, v. 85-8, pp. 279-97, 2008.

WHITE, Randall. *Upper Palaeolithic Land Use in the Périgord: A Topographical Approach to Subsistence and Settlement*. Oxford: British Archaeological Reports, 1985.

_____. "Intégrer la complexité sociale et operationnelle: la construction matérielle de l'identité sociale à Sungir". In: JULIEN, M. et al. (Orgs.). *Préhistoire d'os: recueil d'études sur l'industrie osseuse préhistorique offert à Henriette Camps-Faber*. Aix-en-Provence: L'Université de Provence, 1999. pp. 319-31.

WHITE, Richard. *The Middle Ground: Indians, Empires, and Republics in the Great Lakes Region, 1650-1815*. Cambridge: Cambridge University Press, 1991.

WHITELAW, Todd. "Reading between the tablets: assessing Mycenaean palatial involvement in ceramic production and consumption". In: VOUTSAKI, Sofia; KILLEN, John (Orgs.). *Economy and Politics in the Mycenaean Palatial States*. Cambridge: Cambridge Philological Society, 2001. pp. 51-79.

_____. "Estimating the population of Neopalatial Knossos". In: CADOGAN, Gerald; HATZAKI, Eleni; VASILAKIS, Antonis (Orgs.). *Knossos: Palace, City, State*. Londres: The British School at Athens, 2004. pp. 147-58.

WIDMER, Randolph J. *The Evolution of the Calusa, A Nonagricultural Chiefdom on the Southwest Florida Coast*. Tuscaloosa; Londres: University of Alabama Press, 1988.

WILD, Eva M. et al. "Neolithic massacres: Local skirmishes or general warfare in Europe?". *Radiocarbon*, v. 46, pp. 377-85, 2004.

WILK, Richard. "Miss Universe, the Olmec and the Valley of Oaxaca". *Journal of Social Archaeology*, v. 4, n. 1, pp. 81-98, 2004.

WILKINSON, Toby. "The Early Transcaucasian phenomenon in structural-systemic perspective: Cuisine, craft and economy". *Paléorient*, v. 40, n. 2, pp. 203-29, 2014.

WILKINSON, Tony J. "The Tell: Social archaeology and territorial space". In: BOLGER, Diane; MAGUIRE, Louise (Orgs.). *The Development of Pre-state Communities in the Ancient Near East: Studies in Honour of Edgar Peltenburg*. Oxford: Oxbow, 2010. pp. 55-62.

WILL, Manuel; CONARD, Nicholas J.; TRYON, Christian A. "Timing and trajectory of cultural evolution on the African continent 200,000-30,000 years ago". In: SAHLE, Yonatan et al. (Orgs.). *Modern Human Origins and Dispersal*. Tübingen: Kerns, 2019. pp. 25-72.

WILLCOX, George. "The distribution, natural habitats and availability of wild cereals in relation to their domestication in the Near East: Multiple events, multiple centres". *Vegetation History and Archaeobotany*, v. 14, pp. 534-41, 2005.

_____. "The adoption of farming and the beginnings of the Neolithic in the Euphrates valley: Cereal exploitation between the 12th and 8th millennia cal. BC". In: COLLEDGE, Sue; CONOLLY, James (Orgs.). *The Origins and Spread of Domestic Plants in Southwest Asia and Europe*. Walnut Creek, CA: Left Coast Press, 2007. pp. 21-36.

_____. "Searching for the origins of arable weeds in the Near East". *Vegetation History and Archaeobotany*, v. 21, n. 2, pp. 163-7, 2012.

WILLCOX, G.; FORNITE, Sandra; HERVEUX, Linda. "Early Holocene cultivation before domestication in northern Syria". *Vegetation History and Archaeobotany*, v. 17, pp. 313-25, 2008.

WILLIAMS, Stephen. "The Vacant Quarter and other late events in the Lower Valley". In: DYE, D. H. (Org.). *Towns and Temples Along the Mississippi*. Tuscaloosa: University of Alabama Press, 1990. pp. 170-80.

WILLS, John H. "Speaking arenas of ancient Mesopotamia". *Quarterly Journal of Speech*, v. 56, n. 4, pp. 398-405, 1970.

WISSLER, Clark. H. *The American Indian*. Nova York: Douglas C. McMurtrie, 1922.

_____. "The culture-area concept in social anthropology". *American Journal of Sociology*, v. 32, n. 6, pp. 881-91, 1927.

WOLF, Eric. R. *Europe and the People Without History*. Berkeley: University of California Press, 1982.

WOLF, Eric. R. *Envisioning Power: Ideologies of Dominance and Crisis.* Berkeley: University of California Press, 1999.

WOOD, Andrée. R. "The detection, removal, storage, and species identification of prehistoric blood residues from Çayönü". *American Journal of Archaeology*, v. 96, n. 2, p. 374, 1992.

WOODBURN, James. "Egalitarian societies". *Man* (N.S.), v. 17, pp. 431-51, 1982.

_____. "African hunter-gatherer social organization: Is it best understood as a product of encapsulation?" In: INGOLD, Tim; RICHES, David; WOODBURN, James (Orgs.). *Hunters and Gatherers.* Oxford: Berg, 1988. pp. 43-64. v. 1: History Evolution and Social Change.

_____. "Egalitarian societies revisited". In: WIDLOK, Thomas; TADESSE, Wolde Gossa (Orgs.). *Property and Equality.* Nova York: Berghahn, 2005. pp. 18-31. v. 1: Ritualisation, Sharing, Egalitarianism.

WOODS, William I. "Population nucleation, intensive agriculture, and environmental degradation: The Cahokia example". *Agriculture and Human Values*, v. 21, pp. 255-61, 2004.

WOODS, William I. et al. (Orgs.). *Amazonian Dark Earths: Wim Sombroak's Vision.* Dordrecht; Londres: Springer, 2009.

WRIGHT, Emily et al. "Age and season of pig slaughter at Late Neolithic Durrington Walls (Wiltshire, UK) as detected through a new system for recording tooth wear". *Journal of Archaeological Science*, v. 52, pp. 497-514, 2014.

WRIGHT, Katherine I. "Women and the emergence of urban society in Mesopotamia". In: HAMILTON, Sue; WHITEHOUSE, Ruth D. (Orgs.). *Archaeology and Women: Ancient and Modern Issues.* Walnut Creek, CA: Left Coast Press, 2007. pp. 199-245.

WRIGHT, Katherine I. et al. "Stone bead technologies and early craft specialization: Insights from two Neolithic Sites in eastern Jordan". *Levant*, v. 40, n. 2, pp. 131-65, 2008.

WRIGHT, Rita P. *The Ancient Indus: Urbanism, Economy, and Society.* Nova York: Cambridge University Press, 2010.

YEN, Douglas. E. "The development of Sahul agriculture with Australia as bystander". *Antiquity*, v. 69, n. 265, pp. 831-47, 1995.

YERKES, Richard W. "Bone chemistry, body parts, and growth marks: Evaluating Ohio Hopewell and Cahokia Mississippian seasonality, subsistence, ritual, and feasting". *American Antiquity*, v. 70, n. 2, pp. 241-65, 2005.

YOFFEE, Norman. "The political economy of early Mesopotamian states". *Annual Review of Anthropology*, v. 24, pp. 281-311, 1995.

_____. *Myths of the Archaic State: Evolution of the Earliest Cities, States, and Civilizations.* Cambridge: Cambridge University Press, 2005.

YOUNGER, John. "Minoan women". In: BUDIN, Stephanie Lynn; TURFA, Jean McIntosh (Orgs.). *Women in Antiquity: Real Women Across the Ancient World.* Londres; Nova York: Routledge, 2016. pp. 573-94.

YUAN, Jing; FLAD, Rowan. "New zooarchaeological evidence for changes in Shang Dynasty animal sacrifice". *Journal of Anthropological Archaeology*, v. 24, n. 3, pp. 252-70, 2005.

ZAGARELL, Allen. "Trade, women, class, and society in Ancient Western Asia". *Current Anthropology*, v. 27, n. 5, pp. 415-30, 1986.

ZEDEÑO, María Nieves. "Bundled worlds: the roles and interactions of complex objects from the North American Plains". *Journal of Archaeological Method and Theory*, v. 15, pp. 362-78, 2008.

ZEDER, Melinda A.; HESSE, Brian. "The initial domestication of goats (*Capra hircus*) in the Zagros Mountains 10,000 years ago". *Science*, v. 287, pp. 2254-7, 2000.

ZHELTOVA, Maria N. "Kostenki 4: Gravettian of the east — Not Eastern Gravettian". *Quaternary International*, v. 359-60, pp. 362–71, 2015.

ZHILIN, Mikhail et al. "Early art in the Urals: New research on the wooden sculpture from Shigir". *Antiquity*, v. 92, n. 362, pp. 334-50, 2018.

ZVELEBIL, Marek. "Mobility, contact, and exchange in the Baltic Sea basin, 6000-2000 BC". *Journal of Anthropological Archaeology*, v. 25, pp. 178-92, 2006.

Índice remissivo

"Abades da Desrazão" (festividade medieval), 135-6

Abidos (Egito), 429, 431, 433

aborígines australianos, 142, 576

Abraão (patriarca hebreu), 324

Abrams, Philip, 459, 618

Abu Hureyra (sítio arqueológico sírio), 259

Acádia, 459

"ação humana", capacidade de, 229

Acosta, José de, 49

Adão e Eva, 47, 260

Adena, período (América do Norte), 486, 620, 623

administração urbana, 62, 274, 311, 313, 315, 317, 322, 328, 388, 395, 418, 425, 435, 438, 441, 443, 446-8, 451-2, 454, 459, 468, 474, 476-7, 480, 492, 503, 530, 546, 590, 614; *ver também* burocracia; cidades; urbanização

Adodarhoh (Tadodaho, governante mitológico iroquês), 513-4, 624

Adônis (divindade fenícia), 233

Adonis (flores ranunculáceas), 257

"Adônis", Jardins de, 232-4, 529

Afeganistão, 341

África, 44, 100, 102, 140, 170, 193, 281, 392, 525, 567; Central, 133; cultura do corpo humano, 432-4; domesticação de cultivos, 284, 288-9; Neolítico africano, 432-4; Norte da, 32; Oriental, 97, 119, 141, 395, 550; primeiras populações humanas, 98-9, 284; Subsaariana, 169, 309; *ver também* Egito; nilóticos, povos; nuer, povo; shilluk, povo

África do Sul, 98, 101, 278

agências de classificação de risco de crédito, 459

Agostinho, Santo, 159, 575

agricultura: advento da, 25-6, 82, 123, 146, 168, 178, 185, 232-3, 262-3, 276; armadilha da, 472; "arqueobotânica" e, 257; cultivo de vazante, 258-9, 264, 285, 587; "cultivo lúdico", 272, 284, 291, 296, 319, 489; cultivo neolítico, 7, 255, 268, 288, 298, 312, 592-3; cultivo "pré-domesticação", 257; cultivos, 210, 279-80, 284, 292, 296; e inovações pré-históricas, 143, 289, 528; e urbanização, 271, 312-3; lavouras, 124, 256, 258,

312, 347, 414, 574, 582; na floresta tropical, 295; neolítica, 247, 254, 257, 262; no Egito antigo, 288-9; parcialmente abandonada na Inglaterra (*c.* 3300 a.C.), 124; primeiros cultivos na Mesopotâmia, 276, 596; produção de "alimentos de baixa intensidade", 296; rejeição da, 124, 187, 278-9, 284, 296; "Revolução Agrícola", 16, 174, 186, 235, 253, 255, 257, 271-2, 295, 311, 575; sedentária, 28, 238

Aguada Fénix (sítio arqueológico mexicano), 594

ajaw (título de governantes maias), 404, 438

Akrotiri (Santorini, Grécia), 463, 466

al-'Ubaid, período (Oriente Médio), 451, 490-1

Alarico (rei visigótico), 339, 473

Alemanha, 228, 275, 285, 408, 503, 535; egiptólogos alemães, 408; nazista, 237, 549

algonquinos, indígenas, 49, 54, 58, 91, 213, 620

"alimentos de baixa intensidade", produção de, 296

Altamira, pinturas rupestres de (Espanha), 15, 22, 102, 570

altepetl (cidades-Estado mexicanas), 605

alucinógenos, 371, 417, 610

Amarelo, rio (China), 296, 312-4, 350-1

Amazônia, 98, 132, 143, 179-81, 268, 277, 283, 288, 292-7, 393, 403, 468, 540, 550, 560, 582, 592; povos amazônicos, 30, 49, 119, 129-32, 182, 211, 293-5, 550, 572, 582

ambiental, determinismo, 227

Américas: América Central, 177, 190, 302; América do Norte, 7, 34, 39, 46, 49, 52, 64, 73-4, 82, 92, 113, 161, 164-8, 182, 186-7, 190-2, 196, 199, 201, 204, 207, 213, 219, 229, 243, 250, 276, 278, 281, 287, 296, 306, 308, 403, 410, 469, 479-80, 482, 484, 486, 490, 492, 498, 502, 510, 517, 519, 532-3, 540, 542, 561-2, 575, 579-80, 620, 626; América do Sul, 34, 103, 276, 284, 292, 400, 414, 427; América Latina, 170, 346; aniquilação da população indígena, 282; Bering, ponte terrestre de (Eurásia-Américas), 165, 176;

conquista espanhola das, 44; Mesoamérica, 164, 186, 276-7, 283, 296, 309, 311, 356, 358-60, 373, 378, 407, 412, 610, 620

ameríndios *ver* indígenas

Ames, Kenneth, 580-3

Amon (deus egípcio), 408

amorita, dinastia (Mesopotâmia), 330, 597

Anatólia (Ásia Menor), 236, 252, 320, 328, 463, 547, 585, 587, 599

ancestrais: cuidados com os, 434; cultos dos, 194, 305

Ancien Régime, 43, 543

Andes, 276-7, 283, 295, 399, 404, 407, 414-5, 437, 441, 460, 489, 551; *ver também* incas; Peru

angico, folhas de (*Anadenanthera sp.*, erva alucinógena), 417

Aní-Kutánî (sacerdócio indígena), 501

animais domesticados, 245, 279-81, 473

Ankhtifi (monarca egípcio), 445-6

anômalos, indivíduos, 120, 122, 393, 551, 610

Antigo Testamento, 324-5, 453, 527

Antropoceno, 282-3

antropologia, 18, 31, 38, 75, 93, 119, 127, 192-3, 239, 294, 435, 475, 525, 553, 567, 572, 579-80, 584, 611

anuak, povo, 431

Anyang (China), 350, 428, 439

aquecimento global, 161, 283

árabes, 314

Arábia, 341, 468

aranda, povo, 182-3

arawakan, povo, 212

Arcaico, período (América do Norte), 165, 168

"áreas de cultura" (ou "círculos de cultura"), 143, 187, 189, 191-2, 194-6, 206, 226, 238, 461, 550, 580, 582, 586

"arianas", invasões, 237

aristocracia, 54, 122, 124, 178, 229, 337, 369, 372, 388, 390, 394, 412, 446, 531, 570; como "governo dos melhores", 394; guerreira, 338, 367, 399; *ver também* "sociedades heroicas"

Aristóteles, 44, 104, 307

"armadilha hobbesiana", 31
"arqueobotânica", 257
arquitetura monumental, 106, 109, 122, 168, 263, 460, 488, 534, 614; amazônica, 295; em Chavín de Huántar (Andes), 415-7; estruturas mastodônticas (Paleolítico Superior), 103, 569; Göbekli Tepe (Turquia), 106, 108, 123; Hopewell, terraplanagens da Esfera de Interação (América do Norte), 484, 486, 489-90, 542, 554; Jätinkirkko ("Igrejas dos Gigantes", Finlândia), 167, 178, 534, 576; na cultura maia, 359, 547, 594, 604; pirâmides do Egito, 431, 435-6, 458, 594; pirâmides do México, 547, 594, 604; Poverty Point, terraplanagens de (Louisiana, EUA), 161; Stonehenge (Inglaterra), 123-5, 130, 144, 156, 167, 183, 426, 544, 570; tripulações de barcos egípcios e, 436
Arslantepe (Turquia), 336-8, 607
arte e imagens: amazônica, 294; arte em cavernas, 15, 22, 101-2, 570; em Chavín de Huántar, 414, 611; em Göbekli Tepe, 107, 266-7, 570; em Teotihuacan (México), 357; estatuetas femininas, 141, 235, 239, 243, 261, 317, 320, 568; minoica, 463, 465, 467; na cultura do Mississippi, 501; na cultura maia, 357-8, 404; olmeca, 410-1, 610; terraplanagens da esfera Hopewell, 487-8
aruaque, povo, 294
Ascher, Marcia, 595
Ásia, 143, 170, 248, 268, 288-9, 341, 350, 410, 568, 589, 591; Central, 341, 410, 589; Sudeste Asiático, 102-3, 410, 473, 580, 615, 617; Sul da, 340, 342, 344, 346, 428
Asparn (sítio neolítico europeu), 286
assiniboine, povo, 128
Assíria, 233, 324, 328
assiriologia, 327
Assurbanipal (imperador assírio), 328
astecas, 49, 276, 355, 360, 375, 379, 383, 385, 397-400, 402, 404, 412-3, 602-3, 608, 610; Império Asteca, 372, 374, 376, 400; Tríplice Aliança Asteca, 354, 375

atabascano, povo, 189, 195
Atahualpa (governante inca), 401, 403
ateísmo, 45, 569
Atenas, 201-2, 207, 221, 233, 316, 329, 332-3, 375, 384, 387, 394, 457, 510; democracia ateniense, 93, 231-2
Atrahasis (mito do dilúvio mesopotâmico), 325
atsugewi, povo, 224
attiwandaronk, povo, 512-3, 516-9
Austrália, 98, 169-70, 182, 278, 290, 305-6, 308, 576, 580; aborígenes australianos, 142, 576
Áustria, 285
austronésias, línguas, 290, 592
autonomia individual/pessoal, 78, 151, 179, 202, 515; *ver também* liberdade
auxílio mútuo, 63, 69, 84, 151
Ax Fight, The (filme), 30
ayllu (associações de aldeias andinas), 400, 451-5, 460, 608, 617
Aztlán, 354, 602

Baartman, Sarah, 568
Babilônia, 307, 324, 328, 330, 387, 598; Código de Hamurabi (rei da Babilônia), 614
Bacon, Francis, 588
Bali, 275, 347, 590; "Estados teatrais", 610-1; *seka*, sistema, 347
Banquetes dos Mortos (América do Norte), 490, 492
barbante, figuras de, 193-4, 580
"bárbaros", 396, 473, 607
bascos, assentamentos, 321-3
Basta (sítio neolítico jordaniano), 250
Başur Höyük (Turquia), 599
batek, povo, 148
Bateson, Gregory, 73
Baum, L. Frank, 237
Beidelman, Thomas, 115-6, 570
bem-estar social, 118, 359, 384, 574, 617
Benavente, Toribio de, frei, 376, 381; *Historia de los Indios de la Nueva España* (1541), 382
Bering, ponte terrestre de (Eurásia-Américas), 165, 176

Berltrán de Guzmán, Nuño, 604
Bettinger, Robert L., 579, 582-4, 590-1
Beuchat, Henri, 125, 571
Biard, padre Pierre, 54-5, 169
Bíblia, 323-4, 327, 331, 504, 567, 569; Antigo Testamento, 324-5, 453, 527
Biblos (Líbano), 464, 614
biodiversidade, 285
Bismarck, Otto, 408
Bloch, Maurice, 572, 612
Boas, Franz, 126, 192
Bodin, Jean, 386
Boehm, Christopher, 103-5, 111, 148, 532, 568
bolotas, coleta de, 143, 167, 187, 197-8, 216-7, 219, 582-3
Bonald, visconde de, 524
Bookchin, Murray, 284, 591
bosquímanos, 22, 119, 129, 148, 157, 159, 178, 202
Bourgmont, Étienne Veniard de, 510
Braidwood, Robert, 158, 575
Brasil, 30, 117, 133, 228, 292; *ver também* Amazônia
Brixham, caverna (Devon, Inglaterra), 96
Buda, 346, 479, 601
budismo: mosteiros budistas, 346, 601
Burke, Edmund, 524
Burke, Peter, 573
burocracia, 90, 311, 334, 337, 370, 386, 393-4, 419, 433, 437-8, 442, 446, 448, 451, 454-5, 537, 548, 565, 600, 616; e conhecimento esotérico, 503; estatal, 455, 600; *ver também* administração urbana

Cabeza de Vaca, Álvar Núñez, 39
caçadores-coletores, 7, 16, 18-9, 29, 40, 56, 103, 105-6, 108, 110, 114, 118-20, 126, 128-9, 141, 146, 148-9, 156-7, 159, 161-2, 165-6, 169, 171, 173-5, 178, 185-6, 198, 210, 212, 236, 267, 271, 279, 287, 301, 304-6, 383-4, 469-70, 475, 534, 551, 557, 569, 576-7, 588, 621; *ver também* forrageadores
café, 281, 502, 529, 623

Cahokia (Mississippi), 357, 427, 480-2, 484, 493-8, 503-4, 511, 516-7, 521, 532, 620-3
caiapó, povo, 475
Caillois, Roger, 573
Cakaudrove, reino de (Ilhas Fiji), 458
Calábria (Itália), 29, 121
Calakmul (México), 356, 404
Califórnia, 187, 191, 197, 199, 202, 205-6, 213, 577, 580, 584; povos indígenas da, 186-7, 196, 200, 205
calpolli (zonas urbanas mexicanas), 376, 382, 605
calusa, povo, 171-2, 174-5, 177, 185-6, 210, 476, 577
campesinato (no Egito antigo), 434
"campos abertos", sistema de (uso comunitário da terra), 274
Canadá, 62, 65-7, 126, 141, 159-60, 169, 189, 230, 419, 519, 567; sociedades indígenas da Costa do Pacífico, 186, 205, 213, 216, 243, 249, 258, 579
Canetti, Elias, 301, 307, 549
canibalismo, 48, 286, 513, 516, 565, 581
"capacidade de ação humana", 229
capitalismo, 21, 37, 199-200, 475, 478, 619
caraíbas, indígenas, 49
Caral (Peru), 313
Carélia (Escandinávia), 167, 576
caridade, 55, 548, 550
carisma, 382, 392, 394, 410, 412, 418, 424, 459, 503, 537, 607-8
carismática, política, 418-9, 444, 446, 497
Carlos V, Sacro Imperador Romano, 373-4, 377, 397, 604
Carnaval e festas carnavalescas, 50, 134-6, 326, 531
carneiros e cabras, 245-8, 276
castas, sistema de, 141, 171, 210, 343-4, 347, 501, 601
Çatalhöyük (Turquia), 234-5, 242-8, 258, 270, 468, 530, 586, 594
caveiras e retratos de caveiras (Crescente Fértil neolítico), 270-1, 589-90

Çayönü Tepesi (Turquia), 267, 589

Cayuga, nação, 512

cerâmica, 163, 193, 290-1, 294, 319-20, 343, 350, 410, 415, 435, 450, 461, 467, 529, 576, 593, 598, 600, 603, 613, 618-9; "Cerâmica Linear", tradição da, 285, 287-8, 290-2, 297

cereais, 107, 123-4, 127, 143, 146-7, 158, 167, 175, 233, 235, 245-8, 250, 252, 254-9, 264, 276, 278, 280-1, 286, 288-9, 291, 297-9, 309, 313, 316, 430-1, 449, 472-3, 476, 479, 496, 529, 553, 571, 574, 589, 596; "Estados cerealistas", 472-3, 500; *ver também* trigo

Cervantes de Salazar, Francisco: *Crónica de la Nueva España* (1558-63), 377-9, 605-6

cevada, 186, 245, 250, 254, 276-7, 297, 316, 319, 446, 472

Chadwick, Hector Munro, 338

Chagnon, Napoleon, 30-1, 129, 559-60, 581; *Yanomamö: The Fierce People* (1968), 30

Chapman, John, 7, 595

Charlevoix, padre Pierre de, 67, 421

Chase, A. W., 214, 581-2

Chateaubriand, François-René de, 75

Chavín de Huántar (Andes), 414-9, 426, 441, 448, 462, 489, 503, 537, 611, 613, 618

chefaturas, 25, 119, 128, 155, 418, 458, 476-7, 480, 489, 503, 537, 616

cherokee, povo, 501, 519, 621, 623

chetco, povo, 214-5, 222, 582

cheyenne, povo, 127-9

Chiapas (México), 403-4, 603

Chichén Itzá (cidade maia), 361, 405, 604

chichimeca, povo, 383, 607

chickasaw, povo, 501

Childe, V. Gordon, 23, 40, 192, 235, 575, 593

chimpanzés, 24, 109-11, 571

China, 45, 112, 135, 199, 276, 311, 395, 428, 430, 440, 448, 453, 457, 478, 503, 537, 562, 574, 615; adoção de costumes estrangeiros, 196; cidades antigas, 313, 351-2, 428, 439-40; guerras na China antiga, 351, 440; história política da, 350; invenção chinesa da pólvora, 530; Longshan, período, 350;

modelos chineses de governança, 45; ossos com inscrições oraculares em Anyang, 350

Chinard, Gilbert, 87-8, 562, 564, 566

choctaw, povo, 498, 501, 621

Cholula (México), 373-4, 376, 382

chunkey (esporte indígena americano), 493-5, 517, 621

Cícero, 52

cidades: chinesas antigas, 313, 351-2, 428, 439-40; gregas, 394, 597; igualitárias, 339, 345, 600; imaginárias, 301-2, 306, 310; independentes, 350; "megassítios", 314-23, 348-9, 370, 530, 546, 594-5; mesoamericanas, 384; mesopotâmicas, 327, 330, 370, 547, 599; sul-asiáticas, 340, 342, 344, 346, 428, 615; surgimento das, 16, 276, 350, 469, 546

ciência social, 36

Cieza de Léon, Pedro: *Crónica del Perú* (1553), 402

Cinco Nações Haudenosaunee ("Liga Iroquesa"), 61, 63, 66, 512, 514, 516, 520

"cismogênese", 65, 73, 201-2, 249, 269, 358, 396, 473, 560

civilização, 16-7, 19, 27-8, 32-5, 41-2, 47, 49-51, 72, 76-7, 79-80, 82-3, 92, 114, 119, 128, 154, 158, 161-2, 168-9, 185, 194, 211, 222-3, 238, 271, 295, 302, 324, 337, 339-41, 343-5, 348, 350, 397, 410, 460-2, 469, 471, 474-5, 480, 484, 509, 511, 522-3, 547, 552, 554, 556, 558-9, 561-3, 574-5, 600-1, 603; "civilização ocidental", 32-4, 574

civitas (cidade em latim), 17

Clark, John E., 164, 193, 575, 580, 610, 618, 620, 624

Clarke, David, 271, 573, 590-1

clãs, sistemas de (dos indígenas americanos), 484, 489, 492

Clastres, Pierre, 90, 130-3, 155, 532, 550, 571-2, 624

"Clóvis", povo, 175

Cnossos (Creta), 463-6, 471, 618, 619

Código de Hamurabi (código legal babilônico), 614

cogumelos alucinógenos, 371

cói, povo, 568

Colombo, Cristóvão, 47, 186, 281, 566

colonialismo europeu, 169, 175, 281-2, 500, 512, 559, 582

comércio, 38, 44, 109, 163, 166, 175, 197, 199, 208, 250, 259, 268, 273, 287, 294, 339, 371, 439, 449, 451, 461, 464, 517, 561, 570, 575, 581, 614, 623

"complexas", metrópoles, 388

"comportamental", ecologia, 119, 216, 218, 592

comunismo, 64-5, 83, 151, 475; "primitivo", 64, 148

Confúcio, 42, 479

conhecimento: esotérico, 392, 416-7, 497, 501, 503-5, 519, 537; hierarquias de, 392

consciência política, 111-4, 118, 120, 128, 131, 134, 136, 228, 556

consenso, tomada de decisão por, 379

conservadorismo, 19, 84-6, 135, 166, 406

Constituição dos Estados Unidos (1787), 560, 562, 606

contagem, técnicas de, 321, 588, 617-8

Cook, James, 281, 291, 361, 568, 603, 623

coosa, povo, 499

Copán (México), 359, 361, 603

Coreia, 427

corpo humano, 101, 122, 432, 588; cuidados no antigo Egito, 432

"Corredor Levantino" (Oriente Médio), 250, 252, 259, 270, 273

Cortés, Hernán, 48, 361, 372-7, 379-80, 382-4, 397-8, 403, 603, 605

Cortés, Martín, 377

corveia, 170, 325-6, 334, 400, 426, 431, 452, 596, 605

Costa Noroeste (América do Norte), 126, 159-60, 187, 193-5, 197-8, 201-7, 211, 213-27, 230-1, 244, 265, 287, 337-8, 388, 534, 580-4, 607

creek, povo, 501-2, 623

Crescente Fértil (Oriente Médio), 7, 186, 205, 248-9, 252, 254, 256, 259, 263, 265, 269-73, 275, 277-80, 296-7, 432, 586-9, 593

Creta, 407, 462-3, 465-8, 554, 619

Crèvecoeur, J. Hector St. John de, 560

criação, mitos de, 513, 609

crianças, 34, 56, 74, 106, 134, 179, 183, 206, 213, 267, 270, 285, 293, 334, 397, 432, 436, 444, 446, 449, 485, 508, 530, 541, 543-4, 550, 562, 568-9

cristianismo, 48, 50, 66-8, 79, 200, 569

"crítica indígena" da cultura europeia, 19, 42, 47, 65, 76-80, 83-4, 86, 113, 469-70, 484, 511, 521

Crosby, Alfred W., 280-1, 375, 591, 605

crow, povo, 127-8, 130

Crumley, Carole, 545, 626

Cucuteni-Tripolye, cultura, 317, 320

Cuicuilco (cidade mesoamericana), 363

cuidados, prestação de, 213, 215, 455, 461, 540, 543-4, 547-9, 554

culhua-mexica, povo, 355

culinária, 143, 178, 187, 206, 281, 313, 434

cultivos ver agricultura

"cultura", áreas de (ou "círculos de cultura"), 143, 187, 189, 191-2, 194-6, 206, 226, 238, 461, 550, 580, 582, 586

cuneiforme, escrita, 327, 331, 333-4, 462, 597, 618

curandeiros, 39, 623

Cusco (Peru), 400-1, 439

Cushing, Frank, 576

Custul, sítio de (Baixa Núbia), 433

D'Argens, marquês, 75

Daillon, Joseph de la Roche, frei, 518

Darwin, Charles, 474, 567

dayak, povo, 475

debate racional, 31, 60-1, 63, 502

DeBoer, Warren, 39, 561, 620-1

decisões, tomada de, 321, 560, 596; por consenso, 379

Deganawideh, o Pacificado (herói mitológico iroquês), 512-3

Delâge, Denys, 542, 620, 626

deltas fluviais, 283, 300, 312, 472, 491

Deméter (deusa grega da fertilidade), 233, 235-6, 247

democracia, 32; ateniense, 93, 231, 332; e eleições, 136, 382, 394, 459, 531, 607; e sorteios, 136, 274, 332, 383, 394, 531; formas indígenas de, 359; influência dos indígenas americanos sobre a Constituição dos Estados Unidos, 562, 606; moderna, 394; "primitiva", 327, 331; representativa, 607

Dempsey, Jack, 467

denisovanos, 99

Denonville, marquês de, 520-1

desigualdade, 21, 47-8; "a partir de baixo", 231; "desigualdade global", 21; índices de, 21-2; origens da, 15, 23, 42, 45, 81, 89, 92, 94, 130, 133, 145, 522; Rousseau sobre, 16, 43; social, 20, 23, 41-5, 47, 89, 92, 101, 103, 121, 130, 133, 145, 350, 386, 549, 552

determinismo ambiental, 227

Deusa Mãe, 235

Dholavira (Índia), 341, 600

Diamond, Jared, 24-5, 260, 278, 280, 375, 447, 558, 587, 590, 605, 616

Díaz del Castillo, Bernal: *Historia verdadeira da conquista da Nova Espanha* (1568), 376

Dickens, Charles, 154, 493

Diderot, Denis, 75, 562

dilúvios, mitos de, 49, 325

"dinheiro índio", 199

dinka, povo, 431

dinossauros, 96

direita, pensamento de, 32, 85-7, 89, 524, 565

direito natural, teoria do, 43, 48, 169-70, 538

direito romano, 84, 171, 182, 538, 551

direitos de propriedade, 71, 169-70, 390; *ver também* propriedade privada

direitos humanos, 33, 63, 578

dívida, servidão por, 170, 226, 553

Dodds Pennock, Caroline, 608

doenças epidêmicas causadas pelo colonialismo europeu, 175, 281-2, 500, 512, 559, 582

Dolní Věstonice (sítio arqueológico tcheco), 105, 121, 123, 568, 570

Domenici, Davide, 603, 605

dominação: formas de, 131, 144, 397, 406, 475, 538; regimes de "primeira ordem", 419, 424, 426, 441, 462, 537, 623; regimes de "segunda ordem", 441, 446, 537; social, 394, 452; três formas elementares de, 389, 395, 410, 441, 497

Dordonha (França), 105-6, 557, 570

Douglas, Mary, 572

Drevetière, Delisle de la, 75

Dunbar, Robin, 304, 323, 447, 571, 593, 616

Durkheim, Émile, 179-80, 182, 572, 578

Eanna, complexo de ("Casa do Céu", Uruk), 317, 331-2, 598

ecologia, 221, 259, 262-3, 273, 280, 284, 296, 308, 580, 590-1

"ecologia da liberdade", 284, 296

Eemiano (período interglacial), 282

egiptólogos, 408-9, 435, 446, 612-3

Egito, 389, 401, 411, 436, 444, 446, 459, 593-4; Alto, 433, 445-6; Antigo Império, 407, 409, 435, 440, 445-6, 537, 614; campesinato no, 434; faraós do, 147, 289, 401, 408, 419, 427, 442-3, 543, 618; mumificação no, 432; "nomarcas" egípcios (governantes locais), 445, 455; períodos históricos do Egito antigo, 408; pirâmides de Gizé, 431, 435-6, 458, 594; pré-dinástico, 407, 551; Primeiro Período Intermediário, 409, 445-6; surgimento da agricultura no, 288-9; tripulações de barcos egípcios, 436

eleições, 136, 382, 394, 459, 531, 607

Eliade, Mircea, 526-7, 625

Ellingson, Ter, 86-8, 563, 566

enchentes, 258, 590, 600

Engels, Friedrich, 64

enterros *ver* sepultamentos

Epipaleolítica, era, 586

Epopeia de Gilgamesh (poema sumério), 324, 331-2, 335

epopeias (poesias épicas), 338, 344-5, 394, 466

Era Axial, 478-9

Era da Razão, 53; *ver também* Iluminismo

Era Glacial, 95, 103, 105, 107-10, 120-2, 130, 140, 160, 167-8, 187, 230, 249, 254, 261, 279, 282-3, 287, 312, 337, 457, 534, 536, 551, 557, 567, 569, 576, 587; "Pequena Era Glacial", 282

Erasmo de Roterdã, 32, 52

Erman, Adolf, 408

Escandinávia, 167, 287, 577, 592

escravidão, 41, 97, 173, 206-9, 212-6, 219-22, 226, 229-30, 278, 315, 327, 389, 455, 475, 500, 534, 549, 553-4, 580-1, 583-4, 597; abolida várias vezes na história, 553; doméstica, 208, 221, 534, 597; "sociedades escravistas", 221, 597

escrita: cuneiforme, 327, 331, 333-4, 462, 597, 618; invenção da, 449; "Linear A", 463; "Linear B", 465

"Esfera de Interação Hopewell" (América do Norte), 484

Eshnunna (Mesopotâmia), 597

Espanha, 15, 48, 229, 374, 376-8, 399, 570, 605-6; conquistadores espanhóis, 413, 456

Esparta (Grécia), 93, 201-2, 375, 510

esportes indígenas, 493, 497, 621

"esposa do deus Amon" (título de princesas tebanas), 408

esquerda, pensamento de, 31-2, 84, 86, 89, 229, 524, 565

esquimós, 125, 213, 571

Estado de Natureza, 17, 26-7, 30, 48-9, 63, 81-2, 92, 254, 262, 294, 383, 511, 576

Estado, o: burocracia estatal, 455, 600; cidades-Estado, 311, 316, 327, 359, 367, 404, 438, 480, 537, 601-2, 605; essência do "Estado" é um sistema de governança, 607; Estado moderno, 117, 393-5, 436, 571; "Estados cerealistas", 472-3, 500; "Estados incipientes", 386, 437, 439, 457, 468, 537; Estados nacionais europeus, 408; "Estados teatrais", 414, 610; formação do, 427, 437, 446, 462, 467, 503, 510; origens do, 28, 85, 397; uso do termo "Estado", 386, 456

Estados Unidos, 8, 127, 150, 185, 207, 209, 228, 278-9, 397, 510, 514, 576; Constituição dos (1787), 560, 562, 606; Guerra de Independência (1775-83), 57, 84, 86, 112, 524, 566; Pais Fundadores, 444, 510

estatuetas femininas, 141, 235, 239, 243, 261, 317, 320

estratificação social, 105, 185, 272, 314, 352, 535, 547, 581

Estreito de Torres, expedição (Oceania, 1898), 193

etnolinguísticos, grupos, 7, 188-91, 308

Etowah (Mississippi), 481, 496, 498-9, 623

Eufrates, rio, 248-50, 252, 263, 265-6, 269-71, 312, 323, 330, 336, 463, 491, 596

Eurásia, 99, 101-2, 105-6, 140, 162, 165, 279-81, 287, 299, 301, 309, 311-2, 323, 338, 348, 396, 399, 416, 478-9, 553, 591, 607, 615

Europa, 32, 46, 49, 53, 56, 63, 68, 77-8, 93, 102, 113, 123, 168, 199, 243, 274-5, 284, 286-8, 290-2, 297-8, 346, 376, 482, 502, 504, 536, 542, 544-5, 568, 588, 592-3, 602, 607, 623; Central, 192, 241, 284-6, 288, 290, 297-8, 536, 568; colonialismo europeu, 169, 175, 281-2, 500, 512, 559, 582; Ocidental, 123, 199, 580; Oriental, 123, 238, 314, 570; sistemas de redistribuição de terra na, 274; União Europeia, 607

"Eva mitocondrial", 97

Evans, Arthur, 464, 466, 618

Evans-Pritchard, E. E., 151-2, 574

evolucionismo, 85, 90, 474; teoria neoevolucionista, 128, 132, 155, 475-6

excentricidade (em sociedades indígenas), 110, 115-6, 177

fábricas, 334-6, 439, 548, 550; sistema fabril, 614; *ver também* Revolução Industrial

"família", origem da palavra, 540

família patriarcal, 433, 543

fascismo, 527, 573

Federici, Silvia, 588

feitiçaria, 514-5, 559, 588, 624

feminismo, 238, 240, 262, 551, 614

Fenícia/fenícios, 233, 328

Ferguson, Adam, 26, 78, 560

festivais medievais, 531

Fiji, Ilhas, 290, 458

filisteus, 328

filosofia especulativa, 478

Finlândia: *Jätinkirkko* ("Igrejas dos Gigantes"), 167, 178, 534, 576

Fischer, Claude, 307, 593

Fleming, Daniel E., 594, 597

Flew, Antony, 173, 577

floresta amazônica, 30, 415

floresta tropical, agricultura na, 295

Florestas do Leste (América do Norte), 46, 49, 164, 192, 201, 296, 484, 532, 540; *ver também* Esfera de Interação Hopewell; Mississippi, rio e civilização do; wendats (huronianos)

Florestas do Nordeste (América do Norte), 64

Flórida (EUA), 39, 166, 171, 175, 185, 210, 567, 577

FMI (Fundo Monetário Internacional), 395, 459, 607

forrageadores, 22, 30, 103-4, 118-20, 122, 124, 132-3, 140-1, 143, 146, 149, 156-60, 163-4, 167-9, 171-5, 178, 185-6, 196-8, 202, 204-5, 210, 212, 217, 222, 249-50, 255, 258, 265, 271-2, 275, 278, 283-4, 287-90, 298-9, 306, 393, 411, 534, 553, 557-8, 567, 569, 575, 578, 583-4, 587, 590; Era de Ouro para, 283; forrageamento, 26, 120, 171, 174, 202, 216-7, 219, 279, 591; parentesco entre, 141, 306; "protestantes", 196, 202, 221, 249; sociedades forrageadoras, 119-20, 133, 141, 148, 171, 197-8, 202-3, 249, 269, 271, 306, 586; "teoria do forrageamento ótimo", 216-7, 21; *ver também* caçadores-coletores

Fort Ancient (América do Norte), 498, 505, 517, 623

Fort Frontenac (América do Norte), 520

Fórum Econômico Mundial (Davos), 21

França, 43-4, 53-6, 59-60, 62, 66-9, 71, 75-6, 80, 106, 119, 134, 321, 397, 520, 535, 541-3; Revolução Francesa (1789), 24, 53, 57, 84-6, 88, 91, 112, 523-4, 566

Frank, Robert, 224

Frankfort, Henri, 603, 614, 619

Franklin, Benjamin, 34, 560

Frazer, James: *O ramo de ouro*, 423, 572

Frederico, o Grande (rei da Prússia), 422

Freud, Sigmund, 36, 237, 483

Frontenac, conde de, 65, 67-8, 519-20

Fukuyama, Francis, 24-5, 558

Gage, Matilda Joslyn, 237-8

Gayanashagowa (epopeia iroquesa), 512, 516

Geertz, Clifford, 31, 560, 602, 610

gêneros, igualdade de, 92, 530

Gênesis, Livro do, 96, 260, 522

Gengis Khan, 339

Gilgamesh (rei mítico da Suméria), 333, 335; ver também *Epopeia de Gilgamesh* (poema sumério)

Gimbutas, Marija, 238-42, 272, 320, 585

ginarquia (ou "ginecocracia"), 241

glotocronologia, 188

Göbekli Tepe (sítio neolítico turco), 106-8, 123, 165, 183, 249, 265-8, 270, 300, 570, 588

Goldman, Irving, 581, 584

Goldschmidt, Walter, 196, 198-200, 202, 223, 580-1, 584

Gough, Kathleen, 151-2, 574

Gouvest, Jean Henri Maubert de, 564

Graffigny, Madame de, 75-7, 80, 400, 455, 564

"Grande Ídolo" (monumento pré-histórico europeu), 167

"Grande Sol" (monarca dos natchez), 177, 420

Grandes Planícies (América do Norte), 39, 127-8, 133, 498, 505

Grécia, 32, 112, 233, 311, 327-8, 346, 375, 460, 465-6, 478, 597; cidades gregas, 394, 597; escravidão na, 208, 221, 597; *polis* (cidade em grego), 17

Grimaldi, caverna (Itália), 121

Groenlândia, 88

Gross, Otto, 237-8

Grotius, Hugo, 27, 49

guaicuru, povo, 210, 212, 215, 567, 582

Guatemala, 359, 403, 411

"Guerra das Castas" (México), 404

Guerra de Independência dos Estados Unidos (1775-83), 57, 84, 86, 112, 524, 566

guerras: amazônicas, 560; em aldeias neolíticas, 536; em sociedades tribais, 31, 535-6, 589; indígenas, 175, 219, 315, 492, 495, 518-9, 560, 584, 622; maias, 413, 617; na China antiga, 351, 440; na Costa Noroeste (América do Norte), 582; na Mesoamérica, 356, 413, 617; na Mesopotâmia, 597-8; no Egito antigo, 443; Primeira Guerra Mundial, 237, 408, 555; "sociedades de captura", 209-11, 540; "sociedades heroicas", 338-9, 473, 547

"Guerras dos Castores" (América do Norte), 540

"Guerras Floridas" (Mesoamérica, c. 1455-1519), 375

"Guerras franco-iroquesas" (séc. XVII), 512

Haddon, Alfred, 193

hadza, povo, 30, 141, 148-9, 151, 157, 159-60, 171, 186, 305, 393, 475

haida, povo, 204, 231, 388

Hajda, Yvonne P., 581, 583

Hamurabi (rei da Babilônia), 330, 387, 614

Harappa (Punjab, Índia), 161, 163, 310, 594

Harari, Yuval Noah: Sapiens, 110-1, 253-4, 533, 587, 626

Harris, Mary, 618

Harvey, David Allen, 561-2, 564

Hator (deusa egípcia), 464

haudenosaunee, povo, 484, 512-4, 516-8, 562, 606, 624

hebraico, 96, 324

Heracleópolis (Egito), 445

Heródoto, 314, 338

Herxheim (sítio neolítico alemão), 285

Hesíodo, 260

Hiawatha (personagem mitológico iroquês), 513

Hieracômpolis (Egito), 433, 613

hierarquia, 18, 25, 47, 99, 123, 130, 133-5, 145, 151, 183, 241, 347, 392, 402, 494, 532, 545, 566, 615; hierarquias de conhecimento, 392; social, 108, 272, 347; sociedades hierarquizadas, 25, 110, 159, 567

hinduísmo, 347

"Hinos de Gudea" (Mesopotâmia), 326

hititas, 328, 463

Hobbes, Thomas, 17, 19, 27-30, 32, 37, 49, 137, 294, 558-9

Hocart, A. M., 531, 625

Hodder, Ian, 585-6

Holoceno, 161, 176, 282-4, 287, 292, 296-7, 299-300, 312, 316, 577, 586, 588, 591

Homero, 338; Ilíada, 338, 394, 466

Homo naledi, 98

Homo sapiens, 15, 100-1, 138, 253

hopi, povo, 242

horas de trabalho, aumento em, 154, 158

horticultores, 119, 128-9, 156, 210, 475

hupa, povo, 189, 221, 579-80

huronianos ver wendats

Hussein, Saddam, 596

ianomâmi, povo, 30-2, 34, 36, 129, 138, 294, 559-60

iatmul, povo, 589

Ibn Fadlan (viajante árabe), 314, 338

Ibn Khaldun (pensador árabe), 383

Idade da Pedra, 22, 30, 82, 162, 528, 558, 579

Idade do Bronze, 110, 236, 311, 323, 338, 340, 344-5, 356, 375, 459, 462-3, 528, 599-601, 607, 614, 619

Idade do Cobre, 314

Idade do Ferro, 528, 545, 553

Idade Média, 44, 47, 50, 134, 136, 347, 531, 623

"idades das trevas", 442, 445-6, 471

"Igrejas dos Gigantes" (Finlândia), 167, 178, 534, 576

igualitarismo, 91, 145, 148, 151, 272, 275, 346, 348, 359, 491, 623; popular, 50; "sociedades igualitárias", 91, 145, 150, 553

Ihering, Rudolf von, 386-7, 390-1, 393, 395
Ilíada (Homero), 338, 394, 466
Illuminati, Ordem Secreta dos, 85, 88, 565
Iluminismo, 19, 28, 31-2, 41, 44-6, 53, 57, 61, 63, 75, 89, 112, 136, 196, 469, 501-2, 509, 523-4, 559, 564; filósofos do, 19, 79, 376; pensamento iluminista, 79, 527; raízes na conversação em cafés e salões, 53
impostos, 76, 147, 296, 325, 327, 399, 465, 472, 474, 605, 608; *ver também* corveia
Inanna (deusa mesopotâmica), 236, 331, 335, 599
incas: Império Inca, 76, 313, 386, 402, 446, 608; *Sapa Inca* ("o Inca Principal", título de governantes), 76, 399, 401-2, 419, 543
Índia, 44, 112, 148, 199, 275, 277, 340, 453, 478, 525, 574, 587, 589, 615
indígenas, 30, 34, 41, 46-7, 51, 53, 56, 62, 93, 136, 209, 384, 487, 540, 542, 562; amazônicos, 30, 182, 293-5, 550, 572, 582; americanos (nativos norte-americanos), 51, 57, 65, 68-9, 73, 82, 88, 114, 161, 191, 381, 514, 561; aniquilação da população indígena, 282; apropriação colonial das terras indígenas, 169; consciência política de, 118, 128, 131; da Califórnia, 186-7, 196, 200, 205; "dinheiro índio", 199; esportes de, 493, 497, 621; excentricidade e, 110, 115-6, 177; línguas indígenas, 60, 511, 562; "nobre selvagem", arquétipo do, 46, 52, 54, 73, 86-7, 90, 110, 113, 383; populações indígenas, 79, 170, 186, 281, 375, 482, 576, 579; profetas e xamãs, 115-6, 120, 140, 393, 486, 489, 502, 515, 570; "selvagem obtuso", mito do, 89-90, 110; sociedades indígenas da Costa do Pacífico, 186, 205, 213, 216, 243, 249, 258, 579; sonhos e, 39, 483-4, 501, 515, 624-5
individualismo, 64, 134; "individualismo possessivo", 180
"indivíduos extremos", 116, 120
Indo, rio: civilização do, 600; vale do, 301, 312, 314, 316, 340, 344-5; 347-9; 600-1, 619
indo-europeu (idioma antigo), 188, 592; línguas indo-europeias, 188, 192, 237, 239, 241, 585
informação, controle da, 392-3
Inglaterra, 27, 32, 123-4, 139, 241, 281, 324, 387, 390, 543, 549, 569, 607, 617; Império Britânico, 87, 525
iniciação, rituais de, 141, 392, 578
innu, povo, 56-7, 141, 150, 177
"intercâmbio colombiano" (séc. XVI d.C.), 591
inuítes, 88, 126, 130, 133-4, 140, 195-6
Irã, 248, 252, 324, 336, 341, 450, 587
Iraque, 161, 248, 323, 450-1, 480, 587, 596
iroquesa, língua, 66, 511, 562
iroqueses, 54, 63-4, 68, 213, 242, 483, 485, 501, 510, 512, 515-8, 521, 540, 542, 544, 561, 564, 606, 624-6; Cinco Nações Haudenosaunee ("Liga Iroquesa"), 61, 63, 66, 512, 514, 516, 520; feiticeiros, 624
Ísis (deusa egípcia), 464
islã, 309, 479
israelitas, 328, 579
Itália, 106, 228
Iudinovo (Rússia), 109

J. P. Morgan Chase, 459
Jacobsen, Thorkild, 327, 331-2, 597-8, 615
Jardim do Éden, 25
Jaime I, rei da Inglaterra, 543
James, C. L. R., 329
Japão, 97, 161, 166-8, 195, 277, 280, 427, 534, 576, 590; Sannai Maruyama (sítio arqueológico), 167, 178, 183, 534, 576
Jardim do Éden, 22, 47, 97, 100, 104, 149, 159, 192, 254, 471
"Jardins de Adônis", 232-4, 529
Jaspers, Karl, 478-9
Jätinkirkko ("Igrejas dos Gigantes", Finlândia), 167, 178, 534, 576
Jerf el-Ahmar (sítio neolítico sírio), 252, 259, 266
Jericó (Palestina), 250, 259, 270
jesuítas, 56-65, 70, 78, 88, 115, 150, 419, 501-2, 517-8, 521, 540-1, 563, 606; *Relations des*

jésuites de la Nouvelle-France (documento do séc. XVII), 52, 56, 58, 60, 82, 483, 562

Jigonsaseh (Mãe das Nações, personagem mitológica iroquesa), 512-3, 518-21

jogos de bola mesoamericanos, 356, 400, 411-3, 443, 493, 605, 610

Johnson, Douglas, 570

Jōmon, período (Japão), 166, 168, 178, 534, 576

Jones, William, 188

Jordão, vale do, 249-50, 252, 263, 265-6, 269, 271, 273, 586, 600

judaísmo, 527

Jung, Carl Gustav, 15, 237

K'inich Yax K'uk Mo' (governante maia), 603

kairós (o "momento certo", em grego), 15, 554-5

Kalahari, bosquímanos do (África), 22, 86, 119, 129, 148, 157, 159, 174, 178, 202, 305, 567

Kant, Immanuel, 562

Karahan Tepe (sítio neolítico turco), 249

Kardashian, Kim, 391-2

karuk, povo, 221, 580

Kelly, Raymond, 535

Kelly, Robert L., 569

khipu (ou *quipu*, cordões incas), 402-3, 451-2

Kilianstädten (sítio neolítico alemão), 285-6

klamath, povo, 581

Kondiaronk (chefe huroniano-wendat), 19, 65-76, 79, 83, 87, 94, 113, 149, 169, 242, 380, 469, 482, 511-2, 519-20, 540, 563, 565, 606

Körtik Tepe (sítio arqueológico turco), 588

Kostenki (Rússia), 109

Kotzebue, Otto von, 577

Kroeber, Alfred, 7, 221-2, 406, 579, 582-4, 609

!kung, povo, 30, 157, 159-60, 171, 177, 186, 305, 475

Kura-Araxes, cultura (ou Transcaucasiana), 600

kurgans (montes artificiais em antigas sepulturas russas), 314, 316

kwakiutl, povo, 126, 133-4, 140, 160, 181, 201, 203-4, 227, 578, 580-1

La Flesche, Francis, 8, 505, 507, 622-4

Lagash (Mesopotâmia), 326

Lahontan (Louis-Armand de Lom d'Acre, barão de la Hontan): *Diálogos*, 65-70, 72, 75, 79, 82, 87-8, 380, 510-1, 519-20, 562, 564-6, 576, 625

lakota, povo, 127-9

Lallemant, Jérôme, padre, 58, 60-2, 150, 574

Lapita, horizonte (sítio arqueológico grego), 290-2, 592

Le Guin, Ursula, 315-6

Le Jeune, padre Paul, 57

Le Petit, padre Maturin, 419-20

Leach, Edmund, 572

Leacock, Eleanor, 150, 574

Leakey, Louis e Mary, 157

Leibniz, Gottfried Wilhelm, 45, 66, 562, 565

Lévi-Strauss, Claude, 36, 116-20, 122, 125, 131, 137, 155, 160, 261, 263, 570-1, 578, 581, 584, 587-8, 607

Liangchengzhen (China), 313

Líbano, 248, 270, 463-4, 614, 619

liberdade: como um ideal abstrato ou um princípio formal, 532; das mulheres, 530; de ação, 78; de assumir compromissos, 209, 455; de criar ou transformar as relações sociais, 454; de desobedecer, 152, 389, 454; de ir e vir, 152, 389, 424, 454, 550; determinismo e, 229; e autonomia individual, 78, 151, 202; e comunismo, 63-4; igualdade e, 32-3, 53, 91, 524, 532; individual, 53, 56-7, 63, 65, 69, 76, 83, 150, 152, 394, 432, 482, 510, 521, 622; "Liberdade, Igualdade, Fraternidade" (lema da Revolução Francesa), 53, 91, 524, 532; liberdades fundamentais, 424, 454, 460, 498, 533, 546; liberdades quintessenciais, 625; natureza da, 46, 191; oposição dos jesuítas ao princípio da, 78, 521; origem da palavra, 455; política, 607; princípio da, 78, 521; sexual, 35, 562; sociedades livres, 150, 179-80, 553, 577-8; sumérios e, 455; termo *free* [livre] em inglês e, 209, 454; três liberdades fundamentais, 454, 460, 533

Ligúria (Itália): sepulturas em caverna da, 106, 140

"Linear A" (escrita), 463

"Linear B" (escrita), 465

linguagem de sinais, 573

lírios-d'água (alucinógeno), 610

Livingstone, David, 611

livre-arbítrio, 229

Locke, John, 27, 49, 56, 170, 576

Longshan, período (China), 350

Lothal (Índia), 341

Lowie, Robert, 127-8, 132-3, 181, 550, 571-2, 575, 578, 624

Luciano (satirista grego), 67

lugares sagrados, 178

Luís XIV, rei da França, 68, 420, 422, 520, 566

Luís XV, rei da França, 43

Lyth, Richard B., 458

ma'dāns ("árabes dos pântanos", Iraque), 596

macacos, 111, 254, 293, 480, 593

maçonaria, 85

MacPherson, C. B., 180

Mahabharata (epopeia indiana), 345

maias: arquitetura monumental na cultura maia, 547, 594, 604; cidades-Estado maias, 359; guerras maias, 413, 617; habitação pública em cidades maias, 369, 547; período maia "pós-clássico", 405-7; período maia clássico, 404, 438, 594; *Popol Vuh* (epopeia maia), 412; quadras para jogos de bola, 356, 412; rebelião (1546), 404; registros escritos, 356-7, 381

Maidenetske ("megassítio" ucraniano), 315-6, 595

maidu, povo, 226-7, 579, 583

Maine, Henry Sumner, 275

Maistre, conde de, 524

Malásia, 148

Malinowski, Bronislaw, 38

Man the Hunter (simpósio na Universidade de Chicago, 1966), 119, 570

mandan-hidatsa, povo, 127

Mâneto: *Aegyptiaca* [História do Egito], 408

Mann, Barbara Alice, 67, 562

Mann, Charles C., 372

Mao Tse-tung, 391

maoris da Nova Zelândia, 338

máquinas a vapor, invenção de, 154, 229, 528, 530, 573

Marco Aurélio (imperador romano), 32

Mari (atual Tell Hariri, Síria), 330, 463

Marshalls (antropólogos), 119

martu, povo, 141, 305

Marx, Karl, 36, 42, 148, 210, 228

marxismo, 31, 210, 387, 475

Mashkan-shapir (Mesopotâmia), 329-30

Massim, Ilhas (Papua Nova Guiné), 38

matemática cuneiforme, 618

matriarcado, 236-9, 241-2, 466, 585

Mauss, Marcel, 125-6, 132, 134, 194-6, 205, 461, 547, 571-2, 580

Maxixcatzin (líder tlaxcalteca), 379

Maxtla (governante tepaneca), 608

mbutis (pigmeus), 119, 129, 148, 157, 160, 186

Mead, Margaret, 559

Mediterrâneo, mar, 37, 238, 248, 269, 289, 298, 463, 479, 586

Melanésia, 291, 475-6

Mênfis (Egito), 407, 439

Mesolítico, 143-4, 287, 576; sociedades mesolíticas, 230

Mesopotâmia, 165, 276, 300-2, 310-1, 315-7, 323-5, 327-9, 331, 335, 337, 341, 348-9, 356, 388, 395-6, 407, 426-7, 438-9, 441-2, 448-50, 452, 454, 457, 462, 546-7, 596-8, 600-1, 603, 614, 616-8; cidades mesopotâmicas, 327, 330, 370, 547, 599; mitologia mesopotâmica, 597

mexica, povo, 354

México, 37, 39, 162, 164-5, 190, 229, 296, 310, 353-7, 359-61, 363, 365, 372-5, 377-8, 399, 404, 411, 460, 462, 481, 486, 493, 534, 547, 587, 593, 602, 604, 606; *altepetl* (cidades--Estado mexicanas), 605; pirâmides no, 547, 594, 604; Revolução Mexicana (1910-

-7), 404; Teotihuacan, 8, 310-1, 354-72, 384, 468, 471, 547; Tlaxcala, 372-85, 606-7; *ver também* maias

Mezhirich (Ucrânia), 109, 570

Mezin (Ucrânia), 570

mi'kmaq, povo, 54-6, 89, 91, 169

Micenas (Grécia), 311, 465

migrações, 122, 128, 192, 241, 283, 517, 570, 582, 585, 602

Mill, John Stuart, 154

Millar, John, 26, 78

Miller, Joaquin, 583, 600, 603, 610

Millon, René, 8, 369, 603-4

minangkabau, povo, 242, 585

mineração, 409, 529

mir (sistema russo de redistribuição de terra), 274

missionários, 46, 51-3, 56-8, 60, 63, 69, 73, 88, 361, 411, 483, 501, 559-60, 563, 625

Mississippi, rio e civilização do, 8, 161-5, 312, 480-1, 488, 491-3, 496, 500, 509, 511, 517, 611, 621

Mitchell, W. J. T., 96, 583

miwok, povo, 583

Moche, cultura, 427

Moctezuma, imperador asteca, 374, 397, 400

moeda cunhada, invenção da, 478-9

Mohawk, nação, 512

Mohenjo-Daro (Índia), 315, 317, 339-45, 349, 355, 362, 528, 601, 619

Moldávia, "megassítios" na, 315, 317

monarquia, 43, 136, 177, 268, 314, 325-6, 330, 333, 335, 339, 362, 369, 400, 444, 463, 471, 473, 479, 531, 547, 562, 589, 596, 601

monoteísmo, 579

Montaigne, Michel de, 565; "Sobre canibais" (1580), 565

Monte Albán (cidade mesoamericana), 357

Montesquieu, Charles-Louis de Secondat, barão de, 75, 510, 565-6, 619

monumentalidade *ver* arquitetura monumental

Morgan, Lewis Henry, 26, 474

Morris, Ian, 280, 557

mosteiros budistas, 346, 601

Motolinía (Toríbio de Benavente), 376, 381; *Historia de los Indios de la Nueva España* (1541), 382

Mound Key (Flórida, EUA), 171

Moundville (Mississippi), 481, 496

Moya de Contreras, Pedro, 377

muçulmanos, 242, 561

mudanças climáticas, 161, 283

mulheres, 38-9, 54-60, 63-4, 74, 91-2, 133-4, 140-1, 150-2, 179, 206, 212, 233, 235-6, 239, 241-2, 245, 260-1, 263-4, 266, 269-70, 272-3, 286, 288, 303, 320, 326-7, 332, 361, 386, 398, 402, 404-5, 408, 425, 432, 452, 457, 460-9, 471, 490, 495, 500-1, 507, 511, 516-7, 520-1, 529-30, 541, 544, 548-51, 554, 562, 566, 574, 578, 583-5, 588-9, 597, 608, 610-1, 613, 621, 625; "conquistadas", 398, 402, 452; Deusa Mãe, 235; deusas, 236, 238, 263, 333, 335, 464, 597; em Tebas, 408; estatuetas femininas, 141, 235, 239, 243, 261, 317, 320; feminismo, 238, 240, 262, 551, 614; ginarquia (ou "ginecocracia"), 241; igualdade de gêneros, 92, 530; liberdade das, 530; liberdade sexual, 35, 562; Mãe do Milho (Mulher Idosa, figura indígena), 496; matriarcado, 236-9, 241-2, 466, 585; na Mesopotâmia, 327; na sociedade nuer, 151-2; trabalho feminino, 211, 450

Müller, Johannes, 594-5

Mumford, Lewis, 614

mumificação: no Egito, 432; no Peru, 437

Muñoz Camargo, Diego: *Historia de Tlaxcala* (1585), 376, 606

Museu Americano de História Natural (Nova York), 192-3, 195

muskogee, povo, 487

Mutesa (rei Ganda), 611

Nabucodonosor (imperador babilônico), 324

Nacada (Egito), 433

Narmer (rei do Egito), 432, 472, 613

natchez, povo, 75, 177, 395, 419-24, 427, 431, 441, 476, 496, 500, 535, 577, 611-2

natufiano, povo, 271

natureza humana, 37, 65, 70, 86, 129, 566

navajo, povo, 176

nazistas, 237, 549

neandertais, 99, 101-2

Nebelivka ("megassítio" ucraniano), 7, 315-6, 318, 595

Neitzel, Stu, 612

neoevolucionista, teoria, 128, 132, 155, 475-6

Neolítico, período: cultivo neolítico, 7, 255, 268, 288, 298, 312, 592-3; na África, 432-4; na Grã-Bretanha, 124; Neolítico Inicial, 241, 254, 259, 264-5, 270, 586, 589, 592; Neolítico Posterior, 586; Neolítico Tardio, 350, 593, 616; "Revolução Neolítica", 40, 281, 575; sociedades neolíticas, 236, 249, 255, 265, 529, 589

Nevalı Çori (assentamento pré-histórico turco), 266

Newark, Terraplanagem de (Ohio, EUA), 487

Newton, Isaac, 567

nhambiquara, povo, 116-20, 122, 125-6, 128, 130-2, 292

Nietzsche, Friedrich, 137

Nilo, rio: delta do, 289, 292, 431, 434, 621; vale do, 289, 291-2, 297, 431, 433-4, 613

nilóticos, povos, 395, 424, 431-2

Nínive (Assíria), 324, 328

Nipur (Suméria), 328-9

"nobre selvagem", arquétipo do, 46, 52, 54, 73, 86-7, 90, 110, 113, 383

Noé (personagem bíblica), 325

Nohozhinga ("Velhinhos" do povo osage), 507-8, 530, 623-4

"nomarcas" egípcios (governantes locais), 445, 455

nootka, povo, 204

"nostrático" (hipotético ancestral único das línguas eurasianas), 188

Nova França (colônias francesas na América do Norte), 52-4, 63, 563

Nova Guiné, 143, 276-7

Nova Zelândia, 169, 195, 338

nuer, povo, 115, 120, 140, 151-2, 393, 424-5, 431, 475, 570, 613

numeração sexagesimal, sistema sumério de, 334

Nussbaum, Marthe, 574

Nuttall, Zeria Maria Magdalena, 378, 605

obsidiana, artefatos de, 25, 202, 206, 208, 245, 250, 291, 360, 367, 370, 449, 486

Oceania, 170, 175, 180, 193, 279, 281, 284, 288-9, 291, 297, 471, 479, 591

olmeca, povo, 358, 410-1, 413, 415, 418-9, 426, 441, 443, 537, 610

OMC (Organização Mundial do Comércio), 395, 459

Ondegardo y Zárate, Juan Polo de, 400

Ondinnonk (conceito wendat), 483

Oneida, nação, 512

Onondaga, nação, 512, 514

oráculos, 417, 440, 448, 588

Oriente Médio, 7, 32, 107, 147, 186, 239, 243, 248, 254-7, 269, 272-3, 275-6, 281, 298, 320, 431-2, 448, 450, 453, 472, 516, 525, 588-9, 599, 615; ver também Crescente Fértil; Mesopotâmia

osage, povo, 498, 503, 505, 507-9, 510, 514, 530, 565-6, 623

Ostrom, Elinor, 590

otomí, povo, 380

Ötzi (Homem de Gelo do Tirol), 28-9

Pacífico Médio, período, 208

Paine, Tom, 607

Pais Fundadores (Estados Unidos), 444, 510

Palenque (cidade mesoamericana), 356-7

Paleolítico, período, 22, 29, 101-3, 117, 120-2, 125, 140-1, 143-4, 178, 184, 188, 254, 301, 393, 531, 557, 568, 570, 573, 626; Paleolítico Superior, 101-3, 120-2, 141, 143, 178, 184, 188, 393, 531, 568, 570, 573, 626

Palestina, 248, 270, 275; aldeias palestinas, 590

pandaram, povo, 148

Panga ya Saidi (sítio arqueológico no Quênia), 102

pão fermentado, 313, 334, 461

Papua Nova Guiné, 38, 74, 290, 392, 476, 589

"paradoxo sapiente", 100-1, 111

parentesco (em sociedade forrageadoras), 141, 306

Paris: revolta estudantil-operária de maio de (1968), 155

Parker, Arthur, 624

Pascoe, Bruce, 576

pastoreio, 125, 167, 247, 265, 268-9, 278, 424, 474, 579, 616

Pasztory, Esther, 358, 603-4

patriarcado, 16, 76, 236-7, 241, 471, 551, 554, 585

"patrimonialista", sistema, 430

Patterson, Orlando, 209, 538, 581, 626

"Pequena Era Glacial", 282

Péricles, 332

Pérsia, 147, 510, 574; Império Persa, 478, 599

Peru, 135, 164, 276-7, 294, 313, 395, 399, 407, 414, 417, 434-5, 437, 440, 459-60, 462, 468, 594; *ver também* Chavín de Huántar (Andes); incas

pigmeus, 22, 30, 119, 129, 148, 179

Pilos (Grécia), 465, 467

Pinker, Steven, 27-9, 31-4, 559-60

pirâmides: no Egito, 431, 435-6, 458, 594; no México, 547, 594, 604

Pitágoras, 479

Pizarro, Francisco, 48, 401, 403

Planck, Max, 556

Platão, 32, 42, 81, 232-3, 258, 260

Plistoceno, período, 103, 108, 178, 228, 287, 305, 591

Pnyx, assembleias na (Atenas), 332

poder *ver* dominação

poesias épicas (epopeias), 338, 344-5, 394, 466

Polinésia, 290-1, 580

polis ("cidade" em grego), 17

política: consciência, 111-4, 118, 120, 128, 131, 134, 136, 228, 556; "políticas galácticas", 615; "visionária", 114

política carismática, 418-9, 444, 446, 497

pólvora, invenção chinesa da, 530

pomo, povo, 226-7, 583

Ponce de León, Juan, 171

Popol Vuh (epopeia maia), 412

população humana no Paleolítico Superior, 568

"pós-moderna", era, 470

Postgate, Nicholas, 597

potlach (cerimônia de indígenas norte-americanos), 581

Poverty Point (Louisiana, EUA), 161-5, 168, 178, 183, 185, 481, 486-7, 489, 504, 575, 621

pré-agrícolas, sociedades, 155, 187

pré-história, 16, 20, 23, 28, 96, 98-100, 102, 106, 155-6, 165, 183, 237-8, 263, 278, 286, 314-5, 320, 348, 431, 433, 462, 551, 567, 569, 586, 591

primavera, celebração da, 50, 135-6

Primeira Guerra Mundial, 237, 408, 555

"primeira ordem", regimes de dominação de, 419, 424, 426, 441, 462, 537, 623

profetas: bíblicos, 383, 453; indígenas, 115-6, 120, 140, 393, 486, 489, 502, 515, 570

progresso, mito do, 42, 84

propriedade privada, 18, 24, 26, 64, 69, 75, 80, 82-3, 85, 111, 147, 178-82, 184, 200, 205, 207, 213, 221, 259, 271-2, 275, 389, 531

protestantismo, 225, 228

"proto-história", 314, 609

Prússia, 422

Punjab (Índia), 161, 342, 600

Quênia, 102

racismo, 90, 110, 238, 568, 579

Radin, Paul, 114-5, 127

Ragueneau, padre, 483-4

Ramayana (epopeia indiana), 338, 345

rebanhos, 151-2, 156, 167, 235, 246-7, 252, 258, 269, 274, 279, 281, 289, 291, 293, 298, 312,

319, 322, 335, 431-2, 439, 449, 453, 465, 579, 589, 593, 598, 616

recoletos (ramo da Ordem Franciscana), 55, 518, 563

"reis divinos", 421

"reis-forasteiros", 359, 361, 603

Relations des jésuites de la Nouvelle-France (documento do séc. XVII), 52, 56, 58, 60, 82, 483, 562

Relevo de Ur-Nanshe (monumento mesopotâmico), 325

Renascimento, 191, 422

Renfrew, Colin, 462, 568, 585, 592, 602, 618

repúblicas urbanas mesoamericanas, 359

retratos de caveiras (Crescente Fértil neolítico), 270-1, 589-90

revolta estudantil-operária de maio (Paris, 1968), 155

"Revolução Agrícola", 16, 174, 186, 235, 253, 255, 257, 271-2, 295, 311, 575

Revolução Francesa (1789), 24, 53, 57, 84-6, 88, 91, 112, 523-4, 566

Revolução Industrial, 282, 436, 528, 564, 575

Revolução Mexicana (1910-17), 404

"Revolução Neolítica", 40, 281, 575

Revolução Russa (1917), 85, 409

Rig Veda (hinos hindus), 344, 601

risco de crédito, agências de classificação de, 459

rituais: assassinato ritual, 427; de iniciação, 141, 182, 392, 578; de rebelião, 573; mortuários, 570, 589, 620; práticas rituais populares, 139; ritos funerários, 314, 495; violência ritual, 589

Rivers, W. H. R., 193

Roma: *civitas* (cidade em latim), 17; Império Romano, 207, 479, 537

Romito, caverna de (Calábria), 29, 121, 570

Rousseau, Jean-Jacques, 16-7, 19-20, 22, 24, 26-7, 30, 32, 37, 40-3, 53, 79-90, 105, 110, 120, 137-8, 146-9, 156, 238, 259, 294, 297, 383, 387, 389, 524, 533-4, 558-9, 562, 565-6, 573, 625; *Discurso sobre a origem e os*

fundamentos da desigualdade entre os homens (1754), 16, 43

rundale (termo anglo-saxão para o sistema de redistribuição de terra), 274-5

Rússia, 105, 176, 287, 314, 427, 570; Revolução Russa (1917), 85, 409

sacrifícios humanos, 208, 363

Sacro Império Romano, 373

Sagard, Gabriel, frei, 55-6, 61, 563

sagas nórdicas (poemas épicos), 338

Sahagún, Bernardino de, 366, 378, 608

Sahlins, Marshall, 74, 155-60, 169, 201, 564, 572, 575, 578, 581, 602-3, 607, 609, 611-2, 616, 619, 625

san, povo *ver* Kalahari, bosquímanos do (África)

Sanday, Peggy R., 585, 587

sangha (mosteiros budistas), 346, 601

Sannai Maruyama (Japão), 167, 178, 183, 534, 576

Santos-Granero, Fernando, 209-10, 577, 581-2

Sapa Inca ("o Inca Principal", título de governantes), 76, 399, 401-2, 419, 543

Sargão, o Grande (rei acádio), 459

Sartre, Jean-Paul, 156

sati (suicídio das viúvas no Sul da Ásia), 428

Scarry, Elaine, 535, 626

Scheidel, Walter, 558

Schletz (sítio neolítico alemão), 285

Schor, Juliet, 574

Schultz, James Willard, 560-1

Scott, James C., 471-2, 480, 617-8

"segunda ordem", regimes de dominação de, 441, 446, 537

"selvagem obtuso", mito do, 89-90, 110

Sen, Amartya, 574

semang, povo, 145

seminole, povo, 501

semíticas, línguas, 188, 192, 237, 324

Senaqueribe (imperador assírio), 324, 328

Seneca, nação, 512

sepultamentos, 103, 106, 122, 140, 167, 243,

314, 337-8, 345, 351-2, 429-32, 449, 489-90, 492, 494-5, 498, 531, 534, 612-3, 620; e violência ritual, 589
servidão por dívida, 170, 226, 553
Shakespeare, William, 42-3, 96
Shang, dinastia (China), 350-1, 386, 427-9, 439-41, 457, 459, 461, 536-7, 602, 615
Sharpe, Richard, 569
Sherratt, Andrew, 7, 573, 586-7, 594, 600, 607, 618-9, 623
Shigirskoe, lago (Rússia), 167, 300
shilluk, povo, 395, 424-6, 431-3, 458, 476, 535
Shimao (China), 351-2
Shortugai, sítio de (Afeganistão), 341
sinais, linguagem de, 573
sinetes cilíndricos, 599
Síria, 33, 248-9, 257, 265, 271, 331, 463, 478, 596
"sistema patrimonialista", 430
sistemas complexos, 447, 545
Smith, Adam, 37, 42, 78, 146, 153
soberania: princípio de, 338, 419, 431, 437, 446
soberania global, 395, 459
socialismo, 35, 76, 88, 400, 475, 599
sociedade: "complexidade social", 397, 525; evolução social, 19, 76-7, 109, 120, 161, 168, 271, 387, 455, 460, 480, 616
Sociedade Etnológica Britânica, 87
"sociedades de captura", 209-11, 540
"sociedades heroicas", 338-9, 473, 547
"sociedades igualitárias", 91, 145, 150, 553
sociobiologia, 30
sonhos (nas culturas indígenas), 39, 483-4, 501, 515, 624-5
sorteios, democracia e, 136, 274, 332, 383, 394, 531
Soto, Hernando de, 499, 503
Spiro (Mississippi), 496
Spretnak, Charlene, 585
St. Johns, vale do rio (Flórida, EUA), 165-6
Steiner, Franz, 549-1
Stonehenge (Inglaterra), 123-5, 130, 144, 156, 167, 183, 426, 544, 570
Strehlow, T. G. H., 183, 578

Sudão do Sul, 424
Suméria, 324, 334-5, 455, 547-8, 550
Sunghir (Rússia), 105-6, 121
superávit, 146
Susa (Irã), 324

tabaco, 187, 292, 489, 502, 505, 579, 623
tabu (termo polinésio), 180
Talheim (sítio neolítico alemão), 285
Taljanky ("megassítio" ucraniano), 315, 317, 595
Tambiah, Stanley, 615
Tanzânia, 148, 157, 305
Taosi, sítio de (China), 352-3
Tauro, montes (Turquia), 336
Tebas (Egito), 408, 439, 445
tecnologia, 77, 96, 192, 227, 260, 311, 372, 525, 528, 594; inovações e avanços tecnológicos, 142-3
Tell al-'Ubaid (sítio arqueológico iraquiano), 451
Tell Aswad (sítio arqueológico sírio), 259
Tell Brak (sítio arqueológico sírio), 596
Tell Qarassa (sítio arqueológico sírio), 270
Tell Sabi Abyad (sítio arqueológico sírio), 448-50, 454
Templo dos Guerreiros (Chichén Itzá, México), 361
tempo, unidades de, 334
Temps modernes, Les (revista), 156
Tenochtitlan (México), 311, 354-5, 374-5, 384-5, 398, 403, 413, 602, 606
teoria social, 36, 228, 302, 447, 523-4, 528
Teotihuacan (México), 8, 310-1, 354-72, 384, 468, 471, 547
terra: apropriação colonial das terras indígenas, 169; distribuição comunitária de, 274-5; manejo da, 170, 186, 256, 283, 293, 554; "propriedade fundiária", 390, 392
Terraplanagem de Newark (Ohio, EUA), 487
terraplanagens geométricas, 161-2, 295, 486-8, 491, 493, 499-500, 504-5, 620
Testart, Alan, 589
Tetimpa (México), 363, 366

Thesiger, Wilfred, 596
Thomas, Keith, 569
Tibete, 277, 427, 550
Tigre, rio, 248, 267, 312, 314, 323, 588, 590
Tikal (cidade maia), 356-7, 359-62, 365, 371, 404
Tirinto (Grécia), 311, 465
Tiwanaku (sítio arqueológico boliviano), 414, 613
Tlaxcala (México), 372-85, 606-7
tlingit, povo, 231, 388, 583
Tolkien, J. R. R., 338
tolowa, povo, 221
tolteca, povo, 361-2, 372, 383, 602
Tomás de Aquino, São, 47
Tooker, Elizabeth, 485-6, 562, 573, 624-5
totens: mastros totêmicos, 167, 197, 266; sistemas totêmicos, 182
"tradicionais", sociedades, 526-7
Transcaucasiana, cultura (Kura-Araxes), 600
Trautmann, Thomas, 567
tributação ver impostos
trigo, 186, 205, 245, 250, 252-6, 260, 264, 269, 276-7, 281, 288, 297-8, 316, 319, 434, 461, 472, 479, 529, 577, 591
Tríplice Aliança Asteca, 354, 375
tripulações de barcos egípcios, 436
Trouillot, Michel-Rolph, 173, 577
tsimshian, povo, 204
Tsouharissen (chefe attwandaronk), 518-9, 521, 625
Tula (cidade mesoamericana), 357, 361, 372, 602, 604
Tully, James, 170, 576
tupi, povo, 131
Turgot, A. R. J., 76-7, 79-80, 83-4, 92, 114, 118-9, 153, 470, 474, 482, 523, 564, 574
Turnbull, Colin, 119, 575, 578
Turner, sítio de (Ohio, EUA), 490
Turner, Victor, 572
Turquia, 106, 234, 248-9, 265, 273, 300, 336-7, 593
Tylor, E. B., 580

Ucrânia, 108
Ucrânia, "megassítios" na, 301, 315-7, 321, 348, 356
Unesco, 165, 607
União Europeia, 607
Ur (Suméria), 324, 328, 427-8, 598; necrópole real de, 324
urbanização, 271, 314; e agricultura, 271, 312-3; repúblicas urbanas mesoamericanas, 359; vida urbana, 165, 303, 323, 330-1, 333, 335-7, 351, 358, 369, 437, 499, 546, 553; ver também cidades
Urkesh (Tell Mozan, Síria), 330, 597
Uruk (Mesopotâmia), 161, 163, 315, 317, 324, 328, 330-3, 335-7, 339, 348-9, 355-6, 388, 407, 414, 449, 453, 544, 546-8, 598-9; Vaso de, 335, 599
Usher, James (arcebispo de Armagh), 567

Valero, Helena, 34, 36, 129, 138, 560
valores, sistemas de, 140, 146
variações sazonais, 116, 120, 123, 125, 127, 136, 247, 570-2, 585
Varna, cemitério de (Bulgária), 314
Vaso de Uruk (artefato mesopotâmico), 335, 599
"Velhinhos" (Nohozhinga) do povo osage, 507-8, 530, 623-4
Veracruz (México), 358, 398, 411, 603, 610
violência, 27-8, 30-1, 81, 92, 119, 179, 210-1, 213, 229, 267, 269, 272, 274, 337, 352-3, 369, 390-4, 398, 402, 410, 418-9, 423-4, 430-1, 436, 439, 441-4, 452, 455, 460, 480, 488, 496-7, 534-8, 540-9, 551, 588-90, 608, 612-4, 626
"visionária", política, 114
Voltaire, 31-2, 56, 75

Walker, Brian, 569
wampum (artefatos de contas), 59, 199, 513
Wari, cultura, 427
Weber, Max: A ética protestante e o "espírito" do capitalismo, 199-200, 228, 238, 387, 393, 422, 430, 607-8

Weishaupt, Adam, 85, 565

wendats (huronianos), 54, 62, 483, 512, 562-3; Confederação Wendat, 66, 68, 512, 563; *Ondinnonk* (conceito wendat), 483

Wilde, Oscar, 35

Williams, Eric, 614, 620

Wills, John, 597

winnebago, povo, 114, 120, 569

wintu, povo, 226, 579, 583

Wissler, Clark, 7, 193, 580

"wogies", história dos (conto moral indígena), 214-5, 221-2, 582

Wolff, Christian, 562

Woodburn, James, 148-9, 158, 178-9, 574, 577

Woolley, Leonard, 324

xamãs, 393, 486, 489, 502

Xicotencatl, Antonio, 382

Xicotencatl, o Jovem, 380, 606

Xicotencatl, o Velho, 379, 382, 606

Yamasee, Guerra de (1715), 500

Yangtsé, rio (China), 296

Yaowangcheng (China), 313

Yaxchilán (cidade maia), 412

Yucatán, península de (México), 310, 356, 359, 361-2, 399, 403-4, 603

yurok, povo, 189, 198, 200-4, 206, 215, 221-2, 224-7, 579-81

Zagros, cordilheira de (Mesopotâmia), 248-9, 265, 269, 336

zapatista, movimento, 404

Zimri-Lim, 330, 463, 467

Zoroastro, 479, 510

zuñi, povo, 242

1ª EDIÇÃO [2022] 5 reimpressões

ESTA OBRA FOI COMPOSTA POR ACOMTE EM MINION E IMPRESSA
EM OFSETE PELA LIS GRÁFICA SOBRE PAPEL PÓLEN DA
SUZANO S.A. PARA A EDITORA SCHWARCZ EM ABRIL DE 2024

A marca FSC® é a garantia de que a madeira utilizada na fabricação do papel deste livro provém de florestas que foram gerenciadas de maneira ambientalmente correta, socialmente justa e economicamente viável, além de outras fontes de origem controlada.